THOMAS VON AQUIN
SUMME GEGEN DIE HEIDEN

Vierter Band

TEXTE ZUR FORSCHUNG

Band 19

THOMAE AQUINATIS
SUMMAE CONTRA
GENTILES LIBRI QUATTUOR

Tomus quartus
librum continens quartum

Edidit, transtulit,
adnotationibus instruxit
MARKUS H. WÖRNER

WISSENSCHAFTLICHE BUCHGESELLSCHAFT
DARMSTADT

THOMAS VON AQUIN
SUMME GEGEN
DIE HEIDEN

Vierter Band
Buch IV

Herausgegeben, übersetzt und
mit einem Nachwort versehen von
MARKUS H. WÖRNER

WISSENSCHAFTLICHE BUCHGESELLSCHAFT
DARMSTADT

Die Deutsche Bibliothek – CIP-Einheitsaufnahme

Thomas ‹de Aquino›:
Summe gegen die Heiden / Thomas von Aquin. –
Darmstadt: Wiss. Buchges.
    Einheitssacht.: Summa contra gentiles
    Parallelsacht.: Summae contra gentiles libri
    quattuor
    ISBN 3-534-00378-0

Bd. 4.
    Buch IV / hrsg., übers. und mit einem Nachw.
    versehen von Markus H. Wörner. – 1996
    (Texte zur Forschung; Bd. 19)
    NE: Wörner, Markus H. [Hrsg.]; GT

Bestellnummer 00378-0 IV

© 1996 by Wissenschaftliche Buchgesellschaft, Darmstadt
Gedruckt auf säurefreiem und alterungsbeständigem Werkdruckpapier
Satz: Fotosatz Janß, Pfungstadt
Druck und Einband: VDD–Darmstadt
Printed in Germany
Schrift: Linotype Garamond, 9/11

ISSN 0174-0474
ISBN 3-534-00378-0

INHALT

Liber quartus · Viertes Buch

Inhalt IX

Inhalt

VORWORT

Für den vierten und letzten Band der Ausgabe der *Summa contra Gentiles* gilt grundsätzlich das schon im Vorwort zum ersten Band Gesagte.

In steter Abgrenzung gegen ‚häretische‘ Positionen entfaltet Thomas, was dem Menschen von Gott durch Offenbarung als zu glauben vorgelegt ist, weil es die menschliche Vernunft übersteigt.

Auf dieser Grundlage erörtert er zunächst das, was sich von Gott selbst sagen läßt. Es ist die Selbstexplikation Gottes als Trinität. Dem folgt die Darlegung dessen, was von Gott zum Heile des Menschen bewirkt wurde, die Fleischwerdung des Wortes Gottes und ihre Folgen. Dem heilsökonomischen Grundduktus des Werkes gemäß behandelt Thomas schließlich das, was der Glaube als letztlich zu erhoffen vorstellt, nämlich die seelisch-leibliche Auferstehung und Verherrlichung des Menschen im Gesamt der verherrlichten Schöpfung der Endzeit. Mit diesem endgültigen Rückgang der Dinge zu Gott schließt sich der Gedankengang des Thomas. Von diesem Ende her eröffnet sich allererst der theologische Sinn der gesamten Schrift.

Mit dem vorliegenden Band ist die dreißig Jahre währende Editionsarbeit der lateinisch-deutschen Ausgabe der *Summa contra Gentiles* abgeschlossen. Insbesondere was die Herausgabe des letzten Bandes betrifft, möchte ich vor allem Paulus Engelhardt danken, der mir die Gelegenheit zur Edition dieses so denkwürdigen Teiles der Schrift gab. Nicht weniger habe ich Bruno Frisch von der Wissenschaftlichen Buchgesellschaft für die Geduld zu danken, die er mir während der Zeit meiner Arbeit am Text entgegenbrachte.

Ohne die aktive Mithilfe einiger meiner Freunde wäre ich allerdings schwerlich zum Ende gelangt. So half Erika Casey beim Umschreiben des Manuskripts von englischer in deutsche Schreibweise. Colin Garvey unterstützte mich bei der Korrektur des lateinischen Textes, als er zumeist unleserlich aus dem Scanner kam. Beim Quellennachweis lieferte mir Klaus Werner Schulz unschätzbare Hilfe. Ihm danke ich vor allem, da er mir über Jahre hinaus zur Seite gestanden ist, nicht zuletzt auf der Grundlage der Bibliothek des Seminars für Katholische Theologie der Freien Universität Berlin. Die Studenten dieses Seminars bleiben mir unvergessen.

Die Arbeit hätte nicht vollendet werden können ohne den Lebenszusammenhang meiner Familie. Ricca, Thomas und Christopher danke ich mehr, als ich sagen kann.

Mehr noch als Argumente machen Menschen und ihr Geschick über das von Thomas Bedachte nachdenklich und fordern letztlich Schweigen als Antwort. Deswegen widme ich diese Arbeit John und Mary, den Eltern von Edward Dawson (* 1987 – † 1991).

An Spidéal/Éireann, Cáisc 1995

ABKÜRZUNGSVERZEICHNIS

Anal. post.	Analytica posteriora
Anal. pr.	Analytica priora
Categ.	Categoriae
CChrL	Corpus Christianorum. Series Latina.
De an.	De anima
De civ. Dei	De civitate Dei
De div. nom.	De divinis nominibus
De eccl. hier.	De ecclesiastica hierarchia
De fide orth.	De fide orthodoxa
De gen. ad litt.	De genesi ad litteram
De gen. animal.	De generatione animalium
De gen. et corr.	De generatione et corruptione
De haeres.	Liber de haeresibus
De princ.	De principiis
De trin.	De trinitate
DS	H. Denzinger – K. Rahner: Enchiridion Symbolorum (31. ed.)
Ethic.	Ethica Nicomachea
In Hexaem.	Homilia in Hexaemeron
Mansi	Sacrorum Conciliorum … collectio
Met.	Metaphysica
PG	Patrologia. Series Graeca
Phys.	Physica
PL	Patrologia. Series Latina
Polit.	Politica
Top.	Topica

VERZEICHNIS DER BENUTZTEN AUSGABEN

Aristoteles   Ed. I. Bekker. Berolini 1831.

Avicenna   Opera philosophica. Venetiis 1508. Reimpr. Louvain 1961.

Kirchenväter   PG = Patrologia. Series Graeca. Ed. J. P. Migne
PL = Patrologia. Series Latina. Ed. J. P. Migne.
CChrL = Corpus Christianorum, series Latina.

Konzilien   Sacrorum Conciliorum nova et amplissima collectio, ed. I. D. Mansi.
Florentiae 1759 sqq.
H. Denzinger/K. Rahner (Hgg.), Enchridion Symbolorum (31. ed.), Freiburg i. Br. 1957.

Thomas von Aquin   Ed. Leonina. Romae 1882 sqq.

SUMMA CONTRA GENTILES
LIBER QUARTUS

SUMME GEGEN DIE HEIDEN
VIERTES BUCH

Liber Quartus

Capitulum I

Prooemium[1]

„Ecce, haec ex parte dicta sunt viarum eius, et cum vix parvam stillam sermonum eius audiverimus, quis poterit tonitruum magnitudinis eius intueri" (Iob XXVI).

Intellectus humanus, a rebus sensibilibus connaturaliter sibi scientiam capiens, ad intuendam divinam substantiam in seipsa, quae super omnia sensibilia, immo super omnia alia entia improportionabiliter elevatur, pertingere per seipsum non valet.

Sed quia perfectum hominis bonum est ut quoquo modo Deum cognoscat, ne tam nobilis creatura omnino in vanum esse videretur, velut finem proprium attingere non valens, datur homini quaedam via per quam in Dei cognitionem ascendere possit: ut scilicet, quia omnes rerum perfectiones quodam ordine a summo rerum vertice Deo descendunt, ipse, ab inferioribus incipiens et gradatim ascendens, in Dei cognitionem proficiat; nam et in corporalibus motibus eadem est via qua descenditur et ascenditur, ratione principii et finis distincta.

Praedicti autem descensus perfectionum a Deo duplex est ratio.

Una quidem ex parte primae rerum originis: nam divina sapientia, ut perfectio esset in rebus, res produxit in ordine, ut creaturarurn universitas ex summis rerum et infimis compleretur.

Alia vero ratio ex ipsis rebus procedit. Nam cum causae sint nobiliores effectibus, prima quidem causata deficiunt a prima causa, quae Deus est, quae tamen suis effectibus praeminent; et sic deinceps quousque ad ultima rerum perveniatur.

Et quia in summo rerum vertice Deo perfectissima unitas invenitur; et unumquodque, quanto est magis unum, tanto est magis virtuosum et dignius: consequens est ut quantum a primo principio receditur, tanto maior

---

[1] Autographum deest pro libro quarto, sed existit pro I 13 usque ad III 120 (MS. Vat. lat. 9850, fol. 2ra – 89vb).

Viertes Buch

1. KAPITEL

VORWORT

„Siehe, dies sagte man bruchstückhaft von seinen Wegen: Wer wird den
Donner seiner Größe verstehen können, wenn wir nicht einmal ein winziges Tröpfchen seiner Rede vernahmen?" (Ijob 26, 14)

Der menschliche Intellekt, welcher von sinnlich wahrnehmbaren Dingen auf eine ihm konnaturale Weise Wissen erlangt, vermag nicht von sich
aus zur Einsicht in die göttliche Substanz zu gelangen, wie sie in sich
selbst ist. Unvergleichlich nämlich erhebt sie sich über alles Sinnenfällige
und in der Tat über alles andere Seiende.

Da das vollkommene Gut des Menschen jedoch darin besteht, Gott auf
irgendeine Weise zu erkennen, damit es nicht den Anschein habe, als sei
ein derart erhabenes Geschöpf völlig grund- und ziellos, gleichsam als
vermöge es das ihm eigentümliche Ziel nicht zu erreichen, so ist dem
Menschen ein bestimmter Weg gewiesen, auf dem er zur Erkenntnis Gottes aufsteigen kann. Da nun alle Vollkommenheiten der Dinge von Gott
als ihrem höchsten Gipfel in einer gewissen Ordnung herabsteigen, so
kann der Mensch zur Erkenntnis Gottes vordringen, indem er, bei Nie-
derem beginnend, stufenweise emporsteigt. So ist auch bei den Bewegungen der Körperdinge der Weg hinauf und herab derselbe. Beide Wege
unterscheiden sich lediglich hinsichtlich ihres Anfangs und Endes.

Dieser Abstieg von Vollkommenheiten weist einen Doppelaspekt auf.

Der eine wird im Hinblick auf den ersten Ursprung der Dinge ersichtlich: Damit sich unter den Dingen Vollkommenheit finde, brachte die
göttliche Weisheit die Dinge in einer Ordnung hervor, damit das Universum der Geschöpfe von höchsten wie von niedrigsten Wesen erfüllt
würde.

Der andere Aspekt ergibt sich aus den Dingen selbst: Da die Ursachen
höheren Ranges sind als ihre Wirkungen, so ist das zuerst Verursachte
zwar von der ersten Ursache abkünftig, welche Gott ist, doch übergreift
es seine eigenen Wirkungen. Dies gilt fortlaufend, bis man zu Letztver-
ursachtem gelangt.

Weil sich nun in Gott, dem höchsten Gipfel der Dinge, vollkommenste
Einheit findet, und jegliches Seiende um so wirkungsvoller und würdiger
ist, desto mehr es eines ist, so folgt, daß sich um so größere Verschieden-

diversitas et variatio inveniatur in rebus. Oportet igitur processum emanationis a Deo uniri quidem in ipso principio, multiplicari autem secundum res infimas, ad quas terminatur. Et ita, secundum diversitatem rerum
apparet viarum diversitas, quasi ab uno principio inchoatarum et termi-
natarum ad diversa.

Per has igitur vias intellectus noster in Dei cognitionem ascendere potest, sed, propter debilitatem intellectus nostri, nec ipsas vias perfecte cognoscere possumus. Nam cum sensus unde nostra cognitio incipit, circa
exteriora accidentia versetur, quae sunt secundum se sensibilia, ut color et
odor et huiusmodi; intellectus vix per huiusmodi exteriora potest ad perfectam notitiam inferioris naturae pervenire, etiam illarum rerum quarum
accidentia sensu perfecte comprehendit. Multo igitur minus pertingere
poterit ad comprehendendum naturas illarum rerum quarum pauca accidentia capimus sensu; et adhuc minus illorum quorum accidentia sensu
capi non possunt, etsi per quosdam deficientes effectus pericipantur. Sed
etsi ipsae naturae rerum essent nobis cognitae, ordo tamen earum, secundum quod a divina providentia et ad invicem disponuntur et diriguntur
in finem, tenuiter nobis notus esse potest: cum ad cognoscendam rationem
divinae providentiae non pertingamus. Si igitur ipsae viae imperfecte cognoscuntur a nobis, quomodo per eas ad perfecte cognoscendum ipsarum
viarum principium poterimus pervenire? Quod quia sine proportione excedit vias praedictas, etiam si vias ipsas cognosceremus perfecte, nondum
tamen perfecta principii cognitio nobis adesset.

Quia igitur debilis erat Dei cognitio ad quam homo per vias praedictas
intellectuali quodam quasi intuitu pertingere poterat, ex superabundanti
bonitate, ut firmior esset hominis de Deo cognitio, quaedam de seipso
hominibus revelavit quae intellectum humanum excedunt.

In qua quidem revelatione, secundum congruentiam hominis, quidam
ordo servatur, ut paulatim de imperfecto veniat ad perfectum: sicut in
ceteris rebus mobilibus accidit.

Primo igitur sic homini revelantur ut tamen non intelligantur, sed solum
quasi audita credantur:

heit und Abwandlung in den Dingen findet, desto größer ihr Abstand vom ersten Anfangsgrund ist. Deswegen muß der Hervorgang der Emanation zwar von Gott als seinem Anfangsgrund geeint sein, er muß sich aber im Hinblick auf die niederen Dinge ausdifferenzieren, in welchen er seinen Abschluß findet. Somit wird angesichts der Verschiedenheit der Dinge die Verschiedenheit der Wege offenbar, welche gleichsam von einem Anfang begannen und in Unterschiedlichem endeten.

Auf diesen Wegen also vermag unser Verstand zur Erkenntnis Gottes emporzusteigen. Doch können wir aufgrund der Schwäche unseres Verstandes noch nicht einmal die Wege selbst vollkommen erkennen. Da sich das Sinnesvermögen, worauf sich unsere Erkenntnis gründet, auf äußere Akzidentien richtet, die von sich her betrachtet sinnlich wahrnehmbar sind (wie etwa Farbe oder Geruch oder dergleichen), so ist der Verstand kaum in der Lage, durch derlei Äußeres zu einer inneren Kenntnis zu gelangen. Dies gilt sogar für jene Dinge, deren Akzidentien er vermittels der Sinne vollkommen erfaßt. Deswegen wird er weit weniger in der Lage sein, die Natur jener Dinge zu begreifen, von denen wir nur wenige Akzidentien sinnlich wahrnehmen können. Noch weniger wird er die Natur jener Dinge zu begreifen vermögen, deren Akzidentien sich nicht erfassen lassen, auch wenn er aufgrund bestimmter abkünftiger Wirkungen an ihnen teilhat. Doch selbst wenn uns die Wesenheiten der Dinge selbst bekannt wären, so dürfte uns dennoch ihre Ordnung, wonach sie von der göttlichen Weisheit sowohl untereinander disponiert als auch auf ein Ziel hin ausgerichtet sind, nur unzureichend bekannt sein, so daß wir nicht zur Erkenntnis des Grundes der göttlichen Vorsehung gelangen. Werden also die Wege selbst von uns nur unvollkommen erkannt, wie werden wir dann auf ihnen zur vollkommenen Erkenntnis ihres sie unvergleichlich übersteigenden Anfangs gelangen können? Doch selbst wenn uns die Wege selbst vollkommen erschlossen wären, so hätten wir damit noch nicht eine vollkommene Erkenntnis ihres Anfangs.

Da die Erkenntnis Gottes, wozu der Mensch auf diesen Wegen durch verstandesmäßige Einsicht gelangen konnte, nun einmal unzulänglich war, so offenbarte Gott aufgrund seiner überströmenden Güte den Menschen etwas von sich selbst, was den menschlichen Verstand übersteigt, damit die Kenntnis des Menschen von Gott gefestigter sei.

In dieser Offenbarung ist eine bestimmte, dem Menschen angemessene Ordnung gewahrt, damit er allmählich vom Unvollkommenen zum Vollkommenen gelangt, wie es auch bei den übrigen, in Bewegung befindlichen Dingen der Fall ist.

Dies wird dem Menschen zunächst so offenbart, daß es nicht verstanden, sondern ausschließlich wie etwas Gehörtes geglaubt wird, weil der

quia intellectus hominis secundum hunc statum, quo sensibilibus est connexus, ad ea intuenda quae omnes proportiones sensus excedunt, omnino elevari non potest. Sed cum a sensibilium connexione fuerit liberatus, tunc elevabitur ad ea quae revelantur intuenda[2].

Est igitur triplex cognitio hominis de divinis.

Quarum prima est secundum quod homo naturali lumine rationis, per creaturas in Dei cognitionem ascendit.

Secunda est prout divina veritas, intellectum humanum excedens, per modum revelationis in nos descendit, non tamen quasi demonstrata ad videndum, sed quasi sermone prolata ad credendum.

Tertia est secundum quod mens humana elevabitur ad ea quae sunt revelata perfecte intuenda.

Hanc igitur triplicem cognitionem Iob in verbis propositis insinuat. Quod enim dicit: „Ecce, haec ex parte dicta sunt viarum eius", ad illam cognitionem pertinet qua per vias creaturarum in Dei cognitionem noster intellectus ascendit. Et quia has vias imperfecte cognoscimus, recte adiunxit, „ex parte. Ex parte enim cognoscimus": sicut Apostolus dicit, I Cor XIII.

Quod vero subdit, „et cum vix parvam stillam sermonum eius audiverimus", ad secundam cognitionem pertinet, prout divina nobis credenda per modum locutionis revelantur: „fides" enim, ut dicitur Rom. X, „est ex auditu, auditus autem per verbum Dei"; de quo etiam dicitur Ioan. XVII: „Sanctifica eos in veritate: sermo tuus veritas est". Sic igitur, quia revelata veritas de divinis non videnda, sed credenda proponitur, recte dicit „audiverimus".

Quia vero haec imperfecta cognitio effluit ab illa perfecta cognitione qua divina veritas in seipsa videtur, dum a Deo nobis mediantibus angelis revelatur, „qui vident faciem Patris", recte nominat „stillam"; unde et Ioel III dicitur: „In die illa stillabunt montes dulcedinem".

Sed quia non omnia mysteria quae in Prima Veritate visa angeli et alii beati cognoscunt, sed quaedam pauca nobis revelantur, signanter addit

---

[2] Cf. Dionysium, *De div. nom.* I (PG 3/585B – 587B).

Verstand des Menschen – aufgrund seiner Verbindung mit sinnlich Wahrnehmbarem – sich überhaupt nicht zur Einsicht in das erheben kann, was
jeglichen Vergleich mit sinnlich Faßbarem übersteigt. Ist er jedoch von
der Verbundenheit mit sinnlich Wahrnehmbarem befreit, dann wird er zur
Einsicht in das Offenbarte emporgehoben.

Demnach gibt es eine dreifache Erkenntnis des Menschen vom Göttlichen:

Eine *erste* Erkenntnisart besteht darin, daß der Mensch angesichts der
Geschöpfe aufgrund des natürlichen Lichtes der Vernunft zur Erkenntnis
Gottes aufsteigt.

Eine *zweite* besteht darin, daß die göttliche Wahrheit, die den menschlichen Verstand übersteigt, auf die Weise von Offenbarung zu uns herab-
steigt. Dennoch wird sie ihm hierbei nicht gleichsam zum Anschauen
unmittelbar vor Augen geführt, sondern durch Rede vermittelt, damit wir
glauben.

Die *dritte* besteht darin, daß der menschliche Geist zur vollkommenen
Einsicht in das Offenbarte emporgehoben wird.

Ijob deutet diese dreifache Art der Erkenntnis in der anfangs zitierten
Passage an. Was er sagt, nämlich: „Siehe, dies sagte man stückwerkhaft
von seinen Wegen", das bezieht sich auf jene Erkenntnis, durch die unser
Verstand auf dem Wege über die Geschöpfe zur Erkenntnis Gottes auf-
steigt. Da wir diese Wege jedoch unvollkommen erkennen, so fügte er mit
Recht den Ausdruck „stückwerkhaft" hinzu. „Denn Stückwerk ist unser
Erkennen", sagt der Apostel in 1 Kor 13,9.

Die folgenden Worte: „Wenn wir nicht einmal ein winziges Tröpfchen
seiner Rede vernahmen" beziehen sich auf die zweite Erkenntnisart, wodurch uns Göttliches durch Vermittlung von Rede zum Glauben offenbart ist; denn Glaube, wie gesagt, kommt vom Hören, Hören aber vom
Worte Christi. Hiervon heißt es in Joh 17,17 ebenfalls: „Heilige sie in der
Wahrheit. Dein Wort ist Wahrheit". Da mithin die offenbarte Wahrheit
von Göttlichem nicht zum Schauen, sondern zum Glauben vorgelegt ist,
so sagt er zu Recht „wir vernahmen".

Weil diese unvollkommene Erkenntnis jedoch aus jener vollkommenen entströmt, worin die göttliche Wahrheit an sich selbst ansichtig ist,
wenn sie von Gott durch Vermittlung der Engel offenbart wird, die das
Angesicht Gottes schauen, so nennt er sie zutreffend „ein Tröpfchen".
Daher heißt es in Joel 3,18: „An jenem Tag werden die Berge von Süße
tropfen".

Da uns aber nicht alle Geheimnisse geoffenbart sind, welche die Engel
und die anderen Heiligen durch die Schau der Ersten Wahrheit erkennen,
sondern uns nur wenige offenbart werden, so fügte er trefflicherweise den

„parvam". Dicitur enim Eccli. XLIII: „Quis magnificabit eum sicut est ab initio? Multa abscondita sunt maiora his: pauca enim vidimus operum eius". Et Dominus discipulis dicit Ioan. XVI: „Multa habeo vobis dicere, sed non potestis portare modo".

Haec etiam pauca quae nobis revelantur, sub quibusdam similitudinibus et obscuritatibus verborum nobis proponuntur: ut ad ea quomodocumque capienda soli studiosi perveniant, alii vero quasi occulta venerentur et increduli lacerare non possint; unde dicit Apostolus, I ad Cor. XIII: „Videmus nunc per speculum in aenigmate". Signanter igitur addidit „vix", ut difficultas ostenderetur.

Quod vero subdit: „Quis poterit tonitruum magnitudinis eius intueri?" ad tertiam cognitionem pertinet, qua Prima Veritas cognoscetur, non sicut credita, sed sicut visa: „videbimus enim eum sicuti est", ut dicitur I Ioan. III. Unde dicit, „intueri".

Nec aliquid modicum de divinis mysteriis percipietur, sed ipsa maiestas divina videbitur et omnis bonoram perfectio: unde Dominus ad Moysen dixit, Exodi XXXIII: „Ego ostendam omne bonum tibi". Recte ergo dicit, „magnitudinis".

Non autem proponetur veritas homini aliquibus velaminibus occultata, sed omnino manifesta: unde Dominus discipulis suis dicit Ioan. XVI: „Venit hora cum iam non in proverbiis loquar vobis, sed palam de Patre annuntiabo vobis". Signanter ergo dicit „tonitruum", ad manifestationem insinuandam.

Competunt autem verba praemissa nostro proposito. Nam in praecedentibus de divinis sermo est habitus secundum quod ad cognitionem divinorum naturalis ratio per creaturas pervenire potest: imperfecte tamen, et secundum proprii possibilitatem ingenii, ut sic possimus dicere cum Iob: „Ecce, haec ex parte dicta sunt viarum eius". Restat autem sermo habendus de his quae nobis revelata sunt divinitus ut credenda, excedentia intellectum humanum.

Circa quae qualiter procedendum sit, praemissa verba nos docent. Cum enim veritatem „vix audiverimus" in sermonibus Sacrae Scripturae, quasi „stillam parvam" ad nos descendentem, nec possit aliquis in huius vitae statu „tonitruum magnitudinis intueri"; erit hic modus servandus, ut ea

Ausdruck „winzig" hinzu. So steht in Sir 43,35 f.: „Wer wird den verherrlichen, der ist von Anbeginn? Viel ist verborgen, was größer ist als dies; nur weniges nämlich haben wir von seinem Werken gesehen". Wiederum spricht der Herr Joh 16,12 zu seinen Jüngern: „Ich habe Euch noch viel zu sagen, aber Ihr könnt es noch nicht ertragen".

Dies wenige jedoch, was uns offenbart ist, ist uns gleichnishaft und in dunkler Rede vorgelegt. Zu dessen 'Verständnis' gelangen lediglich diejenigen, welche hiernach forschend suchen; die anderen hingegen verehren gleichsam Verborgenes und können auf diese Weise nicht von Ungläubigen verunglimpft werden. So sagt der Apostel in 1 Kor 13,12: „Wir sehen jetzt durch einen Spiegel rätselhaft". Treffend fügte deswegen Ijob den Ausdruck „nicht einmal" hinzu, damit die Schwierigkeit offensichtlich wird.

Wenn er fortfährt: „Wer wird den Donner seiner Größe verstehen?", so bezieht sich diese Bemerkung auf die dritte Erkenntnisart, wodurch die erste Wahrheit nicht als geglaubte, sondern als geschaute erkannt wird. „Wir werden ihn nämlich sehen wie er ist", heißt es in 1 Joh 3,2. Deswegen sagt Ijob „verstehen".

Doch wird nicht nur ein bestimmter Bruchteil der göttlichen Geheimnisse erfaßt; vielmehr wird die göttliche Erhabenheit selbst und alle Gütervollkommenheit geschaut. So spricht der Herr zu Moses in Exod 33,19: „Ich werde Dir alles Gute zeigen". Mit Recht verwendet Ijob daher den Ausdruck „Größe".

Doch wird dem Menschen die Wahrheit nicht hinter Schleiern verborgen, sondern vollständig offen dargelegt. Deswegen sagt der Herr Joh 16,25 zu seinen Jüngern: „Es kommt die Stunde, da ich nicht mehr in Bildern zu Euch sprechen, sondern Euch unverhüllt vom Vater künden werde". Trefflich sagt Ijob deswegen „Donner", um die Offenbarkeit anzudeuten.

Die zitierte Passage kommt unserem Vorhaben entgegen, denn bislang war die Rede von Göttlichem, sofern die natürliche Vernunft durch die Geschöpfe zur Erkenntnis des Göttlichen gelangen kann. Dennoch geschieht dies auf unvollkommene Weise und dem unserer geistigen Anlage eigentümlichen Fassungsvermögen entsprechend, so daß wir mit Ijob sagen können: „Siehe, dies sagte man stückwerkhaft von seinen Wegen". Jedoch verbleibt die Aufgabe, über jene Dinge zu reden, welche uns von Gott als zu glauben offenbart sind. Sie übersteigen den menschlichen Verstand.

Das vorangestellte Motto belehrt uns darüber, worüber und auf welche Weise wir vorzugehen haben. Da wir nämlich „kaum" die Wahrheit, sondern eher „einen winzigen Tropfen", der auf uns herniederfällt, in den Reden der Heiligen Schrift „vernommen haben", und niemand in diesem

quae in sermonibus sacrae Scripturae sunt tradita, quasi principia sumantur; et sic ea quae in sermonibus praedictis occulte nobis traduntur, studeamus utcumque mente capere, a laceratione infidelium defendendo; ut tamen praesumptio perfecte cognoscendi non adsit; probanda enim sunt huiusmodi auctoritate Sacrae Scripturae, non autem ratione naturali. Sed tamen ostendendum est quod rationi naturali non sunt opposita, ut ab impugnatione infidelium defendantur. Qui etiam modus in principio huius operis praedeterminatus est.

Quia vero naturalis ratio per creaturas in Dei cognitionem ascendit, fidei vero cognitio a Deo in nos e converso divina revelatione descendit; est autem eadem via ascensus et descensus: oportet eadem via procedere in his quae supra rationem creduntur, qua in superioribus processum est circa ea quae ratione investigantur de Deo:

Ut primo scilicet ea tractentur quae de ipso Deo supra rationem credenda proponuntur, sicut est confessio Trinitatis.

Secundo autem, de his quae supra rationem a Deo sunt facta, sicut opus incarnationis, et quae consequuntur ad ipsam.

Tertio vero, ea quae supra rationem in ultimo hominum fine expectantur, sicut resurrectio et glorificatio corporum, perpetua beatitudo animarum, et quae his connectuntur.

Capitulum II

Quod sit generatio, paternitas et filiatio in divinis

Principium autem considerationis a secreto divinae generationis sumentes, quid de ea secundum Sacrae Scripturae documenta teneri debeat, praemittamus. Dehinc vero ea quae contra veritatem fidei infidelitas adinvenit

Lebensstande den „Donner der Größe" Gottes „erfassen" kann, so müssen wir eine Vorgehensweise bewahren, welche die Dinge, die uns in den Reden der Heiligen Schrift überliefert sind, gleichsam als systematische Ausgangspunkte nimmt. So werden wir jenes zu verstehen suchen, was uns in diesen Reden verborgen überliefert ist, damit wir es geistig erfassen und es von Verlästerungen Ungläubiger fernhalten. Dennoch sollten wir nicht vorgeben, es vollkommen zu erkennen. Derlei hat man aufgrund der Autorität der Heiligen Schrift zu beweisen, nicht jedoch aufgrund des menschlichen Verstandes. Trotzdem gilt es zu zeigen, daß es der natürlichen Vernunft nicht widerspricht, um es gegen den Angriff der Ungläubigen zu verteidigen. Eine solche Vorgehensweise ist bereits zu Beginn dieses Werkes konzipiert worden.

Die natürliche Vernunft steigt im Durchgang durch die Geschöpfe zur Erkenntnis Gottes auf; umgekehrt steigt das Glaubenswissen in Gestalt göttlicher Offenbarung zu uns herab. In beiden Fällen, beim Aufstieg wie beim Abstieg, handelt es sich um denselben Weg. Deswegen muß man auf demselben Wege hinsichtlich jener Dinge vorgehen, welche Gegenstand des Glaubens sind, sofern sie die Vernunft überschreiten, auf dem wir beim Vorhergehenden hinsichtlich dessen vorgegangen sind, was sich mittels der Vernunft von Gott ermitteln läßt.

Erstens wird das behandelt, was von Gott selbst als zu glauben und die Vernunft übersteigend vorgelegt ist. Dies ist etwa beim Trinitätsbekenntnis der Fall (IV 2–26).

Zweitens wird darüber zu handeln sein, was die Vernunft übersteigt und von Gott getan wurde; so etwa das Werk der Inkarnation und deren Folgen (IV 27–78).

Schließlich wird *drittens* über das gesprochen, was die Vernunft übersteigt und zur Endzeit der Menschen erwartet wird; so etwa die Auferstehung und die körperliche Verherrlichung, die ewige Glückseligkeit der Seelen und das, was damit zusammenhängt (IV 79–97).

2. KAPITEL

IM GÖTTLICHEN GIBT ES ZEUGUNG, VATERSCHAFT UND SOHNSCHAFT

Nun wollen wir die Erörterung mit dem Geheimnis der göttlichen Zeugung beginnen, indem wir zunächst voranstellen, woran es in dieser Hinsicht den Lehren der Heiligen Schrift entsprechend festzuhalten gilt. Danach werden wir die Argumente anführen, die der Unglaube gegen die

argumenta ponamus: quorum solutione subiecta, huius considerationis propositum consequemur.

Tradit igitur nobis Sacra Scriptura in divinis „paternitatis" et „filiationis" nomina, Iesum Christum „Filium Dei" contestans. Quod in scriptura Novi Testamenti frequentissime invenitur. Dicitur enim Matth. XI: „Nemo novit Filium nisi Pater, neque Patrem quis novit, nisi Filius".

Ab hoc Marcus suum Evangelium coepit, dicens [I]: „Initium Evangelii Iesu Christi, Filii Dei".

Ioannes etiam Evangelista hoc frequenter ostendit: dicitur enim Ioan. III: „Pater diligit Filium, et omnia dedit in manu eius"; et Ioan. V: „Sicut Pater suscitat mortuos et vivificat, sic et Filius quos vult vivificat".

Paulus etiam Apostolus haec verba frequenter interserit: dicit enim Rom. I, se „segregatum in Evangelium Dei, (quod ante promiserat per prophetas suos in Scripturis Sanctis) de Filio suo"; et ad Hebr. I: „Multifariam multisque modis olim Deus loquens patribus in Prophetis, novissime diebus istis locutus est nobis in Filio".

Hoc etiam traditur, licet rarius, in scriptura Veteris Testamenti. Dicitur enim Proverb. XXX: „Ouod nomen est eius? Et quod nomen filii eius, si nosti?" In Psalmo [II] etiam legitur: „Dominus dixit ad me, Filius meus es tu". Et iterum [Psal. LXXXVIII]: „Ipse invocabit me, Pater meus es tu".

Et quamvis haec duo ultima verba aliqui vellent ad sensum alium retorquere, ut quod dicitur: „Dominus dixit ad me, Filius meus es tu", ad ipsum David referatur; quod vero dicitur: „Ipse invocavit me: Pater meus es tu", Salomoni attribuatur: tamen ea quae coniunguntur utrique hoc non omnino ita esse ostendunt.

Neque enim Davidi potest competere quod additur: „Ego hodie genui te"; et quod subditur: „Dabo tibi gentes hereditatem tuam, et possessionem tuam terminos terrae", cum eius regnum usque ad terminos terrae non fuerit dilatatum, ut historia Libri Regum declarat.

Neque etiam Salomoni potest omnino competere quod dicitur: „Ipse invocavit me, Pater meus es tu": cum subdatur: „Ponam in saeculum saeculi semen eius, et thronum eius sicut dies caeli".

Unde datur intelligi quod, quia quaedam praemissis verbis annexa Davidi vel Salomoni possint congruere, quaedam vero nequaquam, quod de

Glaubenswahrheit erfindet. Nach ihrer Widerlegung werden wir den Zweck dieser Untersuchung weiter verfolgen.

Die Heilige Schrift überliefert uns die Ausdrücke ‚Vaterschaft‘ und ‚Sohnschaft‘ im Bereiche des Göttlichen, indem sie Jesus Christus als „Sohn Gottes" bezeugt. Dies findet man sehr häufig in den Schriften des Neuen Testamentes. So heißt es bei Mt 21,27: „Niemand kennt den Sohn außer der Vater, noch kennt jemand den Vater außer der Sohn".

Weiterhin beginnt Markus sein Evangelium mit den Worten: „Anfang des Evangeliums Jesu Christi, des Sohnes Gottes".

Ebenso verwendet der Evangelist Johannes häufig diesen Ausdruck. So heißt es Joh 3,35: „Der Vater liebt den Sohn und alles hat er in seine Hand gelegt"; ferner Joh 5,21: „So wie der Vater die Toten erweckt und belebt, so belebt der Sohn wen er will".

Auch fügt der Apostel Paulus diese Worte häufig ein. So sagt er in Rö 1,1–3: „Ausgesondert für die Frohbotschaft Gottes, die er im voraus durch seine Propheten in heiligen Schriften angekündigt hat, von seinem Sohn"; desgleichen Hebr 1,1–2: „Vielmals und auf mancherlei Weise hatte Gott von altersher zu den Vätern gesprochen durch die Propheten. In der Endzeit dieser Tage hat er zu uns gesprochen durch den Sohn".

Dieser Ausdruck wird ebenfalls, wenngleich seltener, in den Schriften des Alten Testaments überliefert. So heißt es Spr 30,4: „Wie ist sein Name? Und wie der seines Sohnes – wenn Du es weißt". Desgleichen ist in Ps 2,7 zu lesen: „Der Herr sprach zu mir ‚Mein Sohn bist Du‘"; desgleichen Ps 89,27: „Er wird zu mir rufen ‚Mein Vater bist Du‘".

Auch wenn es solche gibt, die den Sinn der beiden letzten Worte verdrehen wollen, indem mit „Er sprach zu mir ‚Mein Sohn bist Du‘" auf David selbst Bezug genommen wird, während sich die Worte „Er wird zu mir rufen ‚Mein Vater bist Du‘" auf Salomon beziehen sollen, so machen doch die Aussagen über beide deutlich, daß dies überhaupt nicht der Fall ist.

Weder sind die angefügten Worte: „Heute habe ich Dich gezeugt" auf David anwendbar, noch die folgenden: „Ich werde Dir die Völkerstämme zur Erbschaft übergeben und die Enden der Erde als Deinen Besitz". Sein Reich erstreckte sich nicht bis an die Enden der Erde, wie das Buch der Könige bestätigt.

Ebenfalls können sich die Worte: „Er wird zu mir rufen ‚Mein Vater bist Du‘" nicht auf Salomon beziehen, denn der folgende Text lautet: „Ich werde seinen Samen dauern lassen in Ewigkeit und seinen Thron wie die Tage des Himmels".

Somit wird uns folgendes zu verstehen gegeben: Da einiges, was den vorangegangenen Worten hinzugefügt wurde, David oder Salomon zuge-

David et Salomone haec verba dicantur, secundum morem Scripturae, in alterius figuram, in quo universa compleantur.

Quia vero nomina „patris" et „filii" generationem aliquam consequuntur, ipsum etiam „divinae generationis" nomen Scriptura non tacuit. Nam in Psalmo, ut dictum est, legitur: „Ego hodie genui te".

Et Proverb. VIII, dicitur: „Nondum erant abyssi et ego iam concepta eram: ante colles ego parturiebar"; vel secundum aliam litteram: „Ante colles generavit me Dominus".

Dicitur etiam Isaiae LXVI: „Numquid ego, qui alios parere facio, ipse non pariam? dicit Dominus. Si ego, qui generationem ceteris tribuo, sterilis ero? ait Dominus Deus tuus". Et licet dici possit hoc esse referendum ad multiplicationem filiorum Israel de captivitate revertentium in terram suam, quia praemittitur, „Parturivit et peperit Sion filios suos", tamen hoc proposito non obsistit. Ad quodcumque enim ratio aptetur, ipsa tamen ratio, quae ex Dei ore inducitur, firma et stabilis manet: ut, si ipse aliis generationem tribuat, sterilis non sit. Nec esset conveniens ut qui alios vere generare facit, ipse non vere, sed per similitudinem, generet: cum oporteat nobilius esse aliquid in causa quam in causatis, ut ostensum est.

Dicitur etiam Ioan. I: „Vidimus gloriam eius quasi Unigeniti a Patre", et iterum, Ioan. I: „Unigenitus Filius, qui est in sinu Patris, ipse enarravit".

Et Paulus dicit, Hebr. I: „Et cum iterum introducit Primogenitum in orbem terrae, dicit: Et adorent eum omnes angeli Dei".

Capitulum III

Quod Filius Dei sit Deus

Considerandum tamen quod praedictis nominibus divina Scriptura utitur etiam ad creationem rerum ostendendam: dicitur enim Iob XXXVIII: „Quis est pluviae pater? Vel quis genuit stillas roris? De cuius utero egressa est glacies? Et gelu de caelo quis genuit?"

schrieben werden kann, einiges aber keineswegs, so wird es David und Salomon auf die Weise der Schrift zugeschrieben, nämlich als Stellvertreter für einen anderen, in dem alles erfüllt wird.

Weil jedoch die Ausdrücke ‚Vater‘ und ‚Sohn‘ in gewissem Sinne Zeugung voraussetzen, deswegen hat die Schrift auch nicht den Ausdruck der ‚göttlichen Zeugung‘ unerwähnt gelassen. So lesen wir auch im Psalm: „Heute habe ich Dich gezeugt“.

Ebenfalls heißt es Spr 8, 23–25: „Ich ward hervorgebracht, als die Urfluten noch nicht waren, … vor den Hügeln ward ich hervorgebracht“; ebenso steht andernorts geschrieben: „Vor den Hügeln hat mich der Vater gezeugt“.

Ebenso heißt es Jes 66, 9: „Sollte ich nicht gebären, der ich gebären lassen kann? So spricht der Herr. Sollte ich, der andere gebären läßt, unfruchtbar sein? So spricht der Herr, Dein Gott“. Auch wenn man behaupten kann, dies beziehe sich auf die Vermehrung der Söhne Israels nach ihrer Rückkehr in ihr eigenes Land, weil vorweggeschickt wird: „Kaum ist Sion in Wehen, hat es seine Söhne schon geboren“ (Ibid., 8), so widerspricht dies nicht unserer Behauptung. Es bleibt doch das Wort, welches von Gottes Mund kommt, fest und beständig, daß er selbst nicht unfruchtbar ist, wenn er anderen Zeugung verleiht, in welchem Sinne man auch immer den Text versteht. Auch wäre es ungereimt, wenn jener, welcher wahrlich andere zeugen macht, seinerseits nicht wahrhaftig, sondern nur figurativ zeugte, denn dieses Vermögen muß vorzüglicher in der Ursache als im Verursachten sein, wie gezeigt wurde (I 23).

Auch heißt es Joh 1, 14: „Wir haben seine Herrlichkeit geschaut, eine Herrlichkeit als des Eingeborenen vom Vater“; desgleichen Joh 1, 18: „Der eingeborene Sohn, der an der Brust des Vaters ruht, er hat Kunde gebracht“.

So sagt auch Paulus in Hebr 1, 6: „Wenn er aber wiederum den Erstgeborenen in die Welt einführt, spricht er ‚Und es sollen ihn anbeten alle Engel Gottes‘“.

3. KAPITEL

DER SOHN GOTTES IST GOTT

Gleichwohl gilt es zu beachten, daß die göttliche Schrift diese Ausdrükke ebenfalls verwendet, um die Schöpfung der Dinge zu erklären. Sie sagt nämlich Ijob 38, 28f.: „Gibt es denn für den Regen einen Vater? Und wer erzeugt des Taues Tropfen? Aus wessen Schoß entspringt das Eis? Wer hat den Reif des Himmels denn geboren?“.

Ne igitur nihil aliud ex ‚paternitatis‘, ‚filiationis‘ et ‚generationis‘ voca-
bulis intelligeretur quam creationis efficacia, addidit Scripturae auctoritas
ut eum quem „filium“ et „genitum“ nominabat, etiam Deum esse non
taceret, ut sic praedicta generatio aliquid amplius quam creatio intelligeretur.

Dicitur enim Ioan. I: „In principio erat Verbum, et Verbum erat apud
Deum, et Deus erat Verbum“. Et quod ‚Verbi‘ nomine Filius intelligatur,
ex consequentibus ostenditur: nam subdit: „Verbum caro factum est, et
habitavit in nobis, et vidimus gloriam eius, gloriam quasi Unigeniti a Patre“.

Et Paulus dicit, Tit. III: „Apparuit benignitas et humanitas Salvatoris
nostri Dei“.

Hoc etiam Veteris Testamenti scriptura non tacuit, Christum Deum
nominans. Dicitur enim in Psalmo [XLIV]: „Sedes tua, Deus, in saeculum
saeculi, virga directionis virga regni tui: dilexisti iustitiam, et odisti iniquitatem“. Et quod ad Christum dicatur, patet per id quod subditur: „Propterea unxit te Deus, Deus tuus, oleo laetitiae prae consortibus tuis“.

Et Isaiae IX dicitur: „Parvulus natus est nobis, et filius datus est nobis,
et factus est principatus super humerum eius; et vocabitur nomen eius
Admirabilis, Consiliarius, Deus, Fortis, Pater futuri saeculi, Princeps
pacis“.

Sic igitur ex Sacra Scriptura docemur Filium Dei, a Deo genitum, Deum
esse. Filium autem Dei Iesum Christum Petrus confessus est, ei dicens,
Matth. XVI: „Tu es Christus, Filius Dei vivi“. Ipse igitur et unigenitus est
et Deus est.

Capitulum IV

Quid opinatus sit photinus de Filio Dei,
et eius improbatio

Huius autem doctrinae veritatem quidam perversi homines suo sensu
metiri praesumentes, de praemissis vanas et varias opiniones conceperunt.

Quorum quidam consideraverunt hanc esse Scripturae consuetudinem,
eos qui divina gratia iustificantur, ‚filios Dei‘ dici: secundum illud, Ioan.

Damit ,Vaterschaft', ,Sohnschaft' und ,Zeugung' nicht ausschließlich im Sinne der Wirkensweise von Schöpfung verstanden werden, vergißt die Autorität der Schrift nicht erklärend hinzuzufügen, daß jener, welchen sie als „Sohn" und „gezeugt" bezeichnete, auch Gott ist. Demnach ist unter der erwähnten Zeugung mehr zu verstehen als Schöpfung.

So heißt es Joh 1,1: „Im Anfang war das Wort, und das Wort war bei Gott, und Gott war das Wort". Aus dem Folgenden wird deutlich, daß mit „Wort" der Sohn gemeint ist. So fügt Johannes in Joh 1,14 hinzu: „Und das Wort ist Fleisch geworden und hat unter uns gewohnt, und wir haben seine Herrlichkeit geschaut, eine Herrlichkeit als des Eingeborenen vom Vater".

Auch sagt Paulus in Tit 3,4: „Die Güte und Menschenfreundlichkeit Gottes, unseres Retters, erschien".

Dies verschwieg auch die Schrift des Alten Testamentes nicht. Sie nennt Christus „Gott". Dort nämlich heißt es Ps 45,7,8: „Dein Thron, o Gott, steht immer und ewig; das Zepter Deiner Herrschaft: ein Zepter des Rechtes. Du liebst die Gerechtigkeit, Du hassest das Unrecht". Aus dem Folgenden wird deutlich, daß dies im Hinblick auf Christus geäußert ist: „Darum hat Gott, Dein Gott, Dich gesalbt mit dem Öl der Freude wie keinen Deiner Gefährten" (Ps 45,8).

Ebenfalls heißt es Jes 9,5: „Denn ein Kind ist uns geboren, ein Sohn ist uns geschenkt; die Herrschaft ruht auf seinen Schultern. Man nennt seinen Namen: Wunderrat, starker Gott, Ewigvater, Friedensfürst".

Somit also werden wir von der Heiligen Schrift belehrt, daß der Sohn Gottes, welcher von Gott gezeugt ist, Gott ist. Petrus hat Jesus Christus als „Sohn Gottes" bekannt, wenn er in Mt 16,16 zu ihm spricht: „Du bist Christus, der Sohn des lebendigen Gottes". Er selbst ist also sowohl der Eingeborene als auch Gott.

4. Kapitel

Die Meinung des Photinus vom Sohne Gottes und ihre Widerlegung

Einige Toren haben sich herausgenommen, die Wahrheit dieser Lehre nach ihrer eigenen Vorstellung zu bemessen, indem sie sich hierüber verschiedene nichtige Ansichten bildeten.

Einige von ihnen bemerkten, es sei Gewohnheit der Schrift, jene als „Söhne Gottes" zu bezeichnen, welche durch die göttliche Gnade gerechtfertigt werden. So etwa heißt es Joh 1,12: „Er gab ihnen die Macht,

I: „Dedit eis potestatem filios Dei fieri, his qui credunt in nomine eius". Et Rom. VIII dicitur: „Ipse enim Spiritus testimonium reddit spiritui nostro quod sumus filii Dei". Et I Ioan. III: „Videte qualem caritatem dedit nobis Pater, ut filii Dei nominemur et simus".

Quos etiam „a Deo genitos esse" Scriptura non tacet. Dicitur enim Iac. I: „Voluntarie genuit nos verbo veritatis". Et I Ioan. III, dicitur: „Omnis qui natus est ex Deo, peccatum non facit, quoniam semen ipsius in eo manet".

Et, quod est mirabilius, eiusdem nomen ,divinitatis' adscribitur. Dominus enim dixit ad Moysen, Exod. VII: „Ego constitui te Deum Pharaonis". Et in Psalmo [LXXXI]: „Ego dixi, Dii estis, et filii Excelsi omnes"; et, sicut Dominus dicit, Ioan. X: „Illos dixit deos ad quos sermo Dei factus est".

Per hunc ergo modum, opinantes Iesum Christum purum hominem esse, et ex Maria Virgine initium sumpsisse, et per beatae vitae meritum divinitatis honorem prae ceteris fuisse adeptum, existimaverunt eum, similiter aliis hominibus, per adoptionis spiritum Dei filium; et per gratiam ab eo genitum; et per quandam assimilationem ad Deum in Scripturis dici Deum, non per naturam, sed per consortium quoddam divinae bonitatis, sicut et de sanctis dicitur II Petr. I: „ut efficiamini divinae consortes naturae, fugientes eius quae in mundo est concupiscentiae corruptionem".

Hanc autem positionem Sacrae Scripturae auctoritate confirmare nitebantur. Dicit enim Dominus, Matth. XXVIII: „Data est mihi omnis potestas in caelo et in terra". Quod si ante tempora Deus esset, potestatem ex tempore non accepisset.

Item, Rom. I, dicitur de Filio quod „factus est ei", scilicet Deo, „ex semine David secundum carnem"; et quod „praedestinatus est Filius Dei in virtute". Quod autem praedestinatur et factum est, videtur non esse aeternum.

Item. Apostolus dicit, ad Philipp. II: „Factus est obediens usque ad mortem, mortem autem crucis: propter quod Deus exaltavit illum, et dedit illi nomen quod est super omne nomen". Ex quo videtur ostendi quod propter obedientiae et passionis meritum, divino sit honore donatus, et super omnia exaltatus.

Petrus etiam dicit, Act. II: „Certissime ergo sciat omnis domus Israel quia Dominum eum et Christum Deus fecit hunc Iesum, quem vos cru-

Söhne Gottes zu werden, denen, die an seinen Namen glauben", und
Rö 8,16: „Der Geist selbst gibt unserem Geiste Zeugnis, daß wir Söhne
Gottes sind"; wiederum heißt es 1 Joh 3,1: „Seht, welche Liebe uns der
Vater entgegenbrachte, daß wir uns Söhne Gottes nennen können und es
auch sind".

Auch verschweigt die Schrift nicht, wer von Gott gezeugt ist. Jak 1,18
sagt nämlich: „Aus freiem Willen hat er uns geboren durch das Wort der
Wahrheit". Ebenso heißt es 1 Jo 3,9: „Jeder, der aus Gott gezeugt ist, tut
keine Sünde, weil sein Same in ihm bleibt".

Noch erstaunlicher ist es, daß ihnen der Name „Gott" zugeschrieben
wird. Gott nämlich sprach zu Moses: „Siehe, ich mache Dich dem Pharao
gegenüber zum Gott" (Exod 7,1). Ferner Ps 82,6: „Wohl sprach ich ‚Götter seid Ihr geheißen, und Söhne des Höchsten Ihr alle'". Wiederum
spricht der Herr in Joh 10 ,35: „Es nannte die, an welche das Wort Gottes
ergangen ist, Götter".

Dergestalt nahmen sie an, Jesus Christus sei lediglich ein Mensch und
habe von der Jungfrau Maria seinen Anfang genommen. Durch die Verdienste eines heiligmäßigen Lebens habe er vor allen anderen die Würde
der Gottheit erlangt. Sie waren der Meinung, er sei Gottes Sohn durch
den Geist der Annahme, ähnlich wie bei anderen Menschen; er sei durch
die Gnade von ihm gezeugt. Die Schriften nennen ihn ‚Gott' aufgrund
einer gewissen Gottähnlichkeit, nicht aufgrund seiner Natur, sondern aufgrund einer gewissen Teilhabe an der göttlichen Güte. So heißt es auch 2
Petr 1,4 von den Heiligen: „Auf daß Ihr an der göttlichen Natur Anteil
erlanget, nachdem ihr dem Verderben entronnen seid, das in der Welt ist,
in der Begierde".

Um diesen Standpunkt zu bekräftigen, stützten sie sich auf die Autorität der Heiligen Schrift. So spricht der Herr in Mt 28,18: „Mir ist alle
Macht gegeben im Himmel und auf Erden". Wäre er vor der Zeit Gott
gewesen, so hätte er die Macht nicht in der Zeit angenommen.

Gleicherweise. Es heißt Rö 1,3 f. vom Sohn, daß „er zu ihm (d. h. zu
Gott) dem Fleische nach gemacht wurde aus dem Samen Davids" und daß
„der Sohn Gottes vorherbestimmt ist in Macht". Was aber vorherbestimmt und hervorgebracht ist, das scheint nicht ewig zu sein.

Ferner. Der Apostel sagt in Philipp 2,8 f.: „Er wurde gehorsam bis zum
Tode, bis zum Tod am Kreuz. Darum hat Gott ihn erhöht und ihm den
Namen gegeben, der über alle Namen ist". Hieraus scheint man erweisen
zu können, daß er wegen des Verdienstes des Gehorsams und Leidens mit
göttlicher Würde beschenkt und über alles erhoben wurde.

Auch sagt Petrus in Apg 2,36: „Mit Gewißheit also erkenne das ganze
Haus Israel: Gott hat ihn zum Herrn und Messias gemacht, eben diesen

cifixistis". Videtur igitur ex tempore Deus esse factus, non ante tempora natus.

Adducunt etiam in fulcimentum suae opinionis ea quae in Scripturis de Christo ad defectum pertinere videntur: sicut quod femineo portatur utero, et profectum aetatis accepit, esuriem passus est, et lassitudine fatigatus, et morti subiectus; quod sapientia profecit, iudicii se nescire diem confessus est, et mortis terrore concussus est; et alia huiusmodi, quae Deo per naturam existenti convenire non possent. Unde concludunt quod per meritum honorem divinum adeptus est per gratiam, non quod esset naturae divinae.

Hanc autem positionem primo adinvenerunt quidam antiqui haeretici, Cerinthus [August., *De haeres.* c. 8] et Ebion [ibid., c. 10]; quam postea Paulus Samosatenus instauravit [ibid., c. 44], et postea a Photino est confirmata [ibid., c. 45], ut qui haec dogmatizant, Photiniani nuncupentur.

PL 42/27
PL 42/34
PL 42/34

Diligenter autem verba Sacrae Scripturae considerantibus apparet non hunc sensum in ea contineri quem praedicti homines sua opinione conceperunt. Nam cum Salomon dicat, Proverb. VIII: „Nondum erant abyssi et ego iam concepta eram", satis ostendit hanc generationem ante omnia corporalia extitisse. Unde relinquitur quod Filius a Deo genitus initium essendi a Maria non sumpsit.

Et licet haec, et alia similia testimonia depravare conati fuerint perversa expositione, dicentes haec secundum praedestinationem debere intelligi, quia scilicet ante mundi conditionem dispositum fuit ut ex Maria Virgine Dei Filius nasceretur, non quod Dei Filius fuerit ante mundum; convincantur quod non solum in praedestinatione, sed etiam realiter fuerit ante Mariam. Nam post praemissa verba Salomonis subiungitur, Proverb. VIII: „Quando appendebat fundamenta terrae, cum eo eram cuncta componens": si autem in sola praedestinatione fuisset, nihil agere potuisset.

Hoc etiam ex verbis Ioannis Evangelistae habetur: nam cum praemisisset: „In principio erat Verbum", quo nomine Filius Dei intelligitur, ut ostensum est; ne quis hoc secundum praedestinationem accipere possit, subdit [Ioann. I]: „Omnia per ipsum facta sunt; et sine ipso factum est nihil", quod verum esse non posset nisi realiter ante mundum exstitisset.

Item, Filius Dei dicit, Ioan. III: „Nemo ascendit in caelum nisi qui descendit de caelo, filius hominis, qui est in caelo"; et iterum, Ioan. VI:

Jesus, den Ihr gekreuzigt habt". Anscheinend also wurde er Gott in der Zeit, nicht aber, so hat es den Anschein, ist er vor aller Zeit geboren.

Außerdem führen sie zur Stützung ihrer Ansicht jene Stellen der Schriften an, welche scheinbar nahelegen, es gebe einen Defekt in Christus, so etwa den, daß er von einer weiblichen Gebärmutter ausgetragen wurde, daß er alterte, daß es ihn hungerte, daß er ermüdete und dem Tode unterworfen war, daß er stets Fortschritte machte oder bekannte, den Tag des Gerichtes nicht zu kennen, von Todesfurcht erschüttert wurde und dergleichen mehr. Dies muß mit jemandem, welcher Gott ist, wesensmäßig unverträglich sein. Deswegen schließen sie, er habe gnadenhaft aufgrund von Verdienst göttliche Würde erlangt, nicht aber weil er göttlicher Natur sei.

Einige frühe Häretiker, Cerinth und Ebion, erfanden diese These zuerst. Später erneuerte sie Paulus von Samosate. Photinus übernahm sie danach. Deswegen werden die Vertreter dieser Lehre „Photinianer" genannt.

Jenen aber, welche die Worte der Heiligen Schrift sorgfältig prüfen, ist es offenkundig, daß dieser Sinn, den diese Menschen eigensinnig erfanden, nicht in ihr enthalten ist. So zeigt Salomon mit aller Deutlichkeit, daß diese Zeugung vor aller körperlichen Zeugung stattfand, wenn er (Spr 8,24) sagt: „Ich ward hervorgebracht, als die Urfluten noch nicht waren". Also folgt, daß der von Gott gezeugte Sohn nicht den Anfang seiner Existenz von Maria nahm.

Dies gilt, obwohl sie es unternahmen, diese und ähnlich lautende Zeugnisse durch eine verkehrte Deutung zu entstellen, indem sie behaupteten, sie müßten im Hinblick auf die Prädestination verstanden werden. Es sei nämlich vor der Erschaffung der Welt bestimmt gewesen, daß der Sohn Gottes aus der Jungfrau Maria geboren werden sollte, nicht aber, daß er sein Sohn vor der Erschaffung der Welt gewesen sei. Aus dem Folgenden wird jedoch ersichtlich, daß er nicht nur im Modus der Prädestination, sondern auch in Wirklichkeit vor Maria war. So wird den oben erwähnten Worten Salomons (Spr 8,29 f.) hinzugefügt: „Als er die Festen der Erde umriß, da war ich mit ihm, alles zusammenfügend". Hätte er lediglich als prädestiniert existiert, so hätte er nicht zu handeln vermocht.

Dasselbe wird auch aus den Worten des Evangelisten Johannes ersichtlich. Als er nämlich vorwegschickte: „Im Anfang war das Wort" – worunter der Sohn Gottes zu verstehen ist, wie gezeigt wurde (IV 3) –, fügte er (Joh 1,3) hinzu: „Alles ist durch es geworden, und ohne es ist nichts geworden", damit man das Gesagte nicht im Sinne von Prädestination verstehe. Was gesagt wurde, wäre in der Tat unmöglich, hätte er nicht vor der Erschaffung der Welt existiert.

Überdies. Der Sohn Gottes sagt Joh 3,13: „Und doch ist niemand in

„Descendi de caelo, non ut faciam voluntatem meam, sed voluntatem eius qui misit me". Apparet ergo eum fuisse antequam de caelo descenderet.

Praeterea. Secundum praedictam positionem, homo per vitae meritum profecit in Deum. Apostolus autem e converso ostendit quod, cum Deus esset, factus est homo. Dicit enim, ad Philipp. II: „Cum in forma Dei esset, non rapinam arbitratus est esse se aequalem Deo: sed semetipsum exinanivit, formam servi accipiens, in similitudinem hominum factus, et habitu inventus ut homo". Repugnat igitur praedicta positio Apostolicae sententiae.

Adhuc. Inter ceteros qui Dei gratiam habuerunt, Moyses eam habuit copiose, de quo dicitur Exod. XXIII, quod „loquebatur" ei „Dominus facie ad faciem, sicut loqui solet homo ad amicum suum". Si igitur Iesus Christus non diceretur Dei Filius nisi propter gratiam adoptionis, sicut alii sancti, eadem ratione Moyses filius Dei diceretur et Christus, licet etiam abundantiori gratia Christus fuerit dotatus: nam et inter alios sanctos, unus alio maiori gratia repletur, et tamen omnes eadem ratione filii Dei dicuntur. Moyses autem non eadem ratione dicitur filius qua Christus. Distinguit enim Apostolus Christum a Moyse sicut filium a servo: dicitur enim ad Hebr. III: „Moyses quidem fidelis erat in tota domo eius tanquam famulus, in testimonium eorum quae dicenda erant: Christus autem tanquam filius in domo sua". Manifestum est ergo quod Christus non dicitur Dei Filius per adoptionis gratiam, sicut alii sancti.

Similis etiam ratio ex pluribus aliis Scripturae locis colligi potest, quae quodam singulari modo Christum prae aliis Dei Filium nominat, quandoque quidem, absque aliis, singulariter eum „Filium" nominat: sicut vox Patris intonuit in baptismo [Matth. III].: „Hic est Filius meus dilectus, in quo mihi complacui".

Quandoque eum „Unigenitum" nominat: sicut Ioan. I: „Vidimus eum quasi Unigenitum a Patre"; et iterum, Ioan. I: „Unigenitus Filius, qui est in sinu Patris, ipse enarravit". Si autem communi modo, sicut et alii, filius diceretur, unigenitus dici non posset.

den Himmel hinaufgestiegen außer dem, der vom Himmel herabgestiegen ist, der Menschensohn, der im Himmel ist".

Und wiederum heißt es Joh 6,38: „Denn ich bin vom Himmel herabgekommen, nicht um meinen Willen zu tun, sondern den Willen dessen, der mich gesandt hat". Also gab es ihn offensichtlich, bevor er vom Himmel herabstieg.

Darüber hinaus. Es müßte entsprechend der zuvor genannten These gelten, daß ein Mensch durch den Verdienst des Lebens zu Gott gelangte. Umgekehrt jedoch zeigt der Apostel: da er Gott war, ist er Mensch geworden. Er bemerkt nämlich in Phil 2.6 f.: „Er, der in Gottesgestalt war, erachtete das Gottgleichsein nicht als Beutestück; sondern er entäußerte sich selbst, nahm Knechtsgestalt an und ward den Menschen gleich. In seiner äußeren Erscheinung als ein Mensch erfunden ...". Die erwähnte These widerspricht mithin dem Apostolischen Spruch.

Außerdem. Moses besaß die Gnade Gottes unter den übrigen, die sie empfingen, im reichen Maße. Von ihm heißt es Exod 33.11: „Es sprach der Herr zu Mose von Angesicht zu Angesicht, so wie ein Mensch zu seinem Freund zu reden pflegt". Würde also Jesus Christus, wie im Falle der anderen Heiligen, lediglich wegen der Gnade der Annahme ‚Sohn Gottes‘ genannt, so könnte Moses aus demselben Grund ‚Sohn Gottes‘ genannt werden wie Christus, auch wenn Christus mit reicherer Gnade ausgestattet war. Selbst unter den übrigen Heiligen ist der eine von größerer Gnade erfüllt als der andere; dennoch werden alle aus demselben Grunde ‚Söhne Gottes‘ genannt. Moses wird aber nicht aus demselben Grunde wie Christus ‚Sohn‘ genannt. So unterscheidet der Apostel Christus von Moses wie den Sohn vom Diener. Er bemerkt in Hebr 3,5 f.: „Und Mose war zwar treu in seinem ganzen Hause als Diener zum Zeugnis der künftigen Offenbarungen. Christus aber steht als Sohn über seinem Hause". Es ist also völlig klar, daß Christus nicht aufgrund der Gnade der Annahme ‚Sohn Gottes‘ genannt wird, sondern die anderen Heiligen.

Ein ähnliches Argument läßt sich aus mehreren weiteren Stellen der Schrift gewinnen, die Christus auf eine – im Unterschied zu anderen – einzigartige Weise ‚Sohn Gottes‘ nennt.

Dies geschieht beispielsweise dann, wenn sie ihn im Unterschied zu den anderen „Sohn" nennt, so etwa, als Mt 3,17 die Stimme des Vaters bei der Taufe erscholl: „Dieser ist mein geliebter Sohn, and dem ich Wohlgefallen habe";

oder wenn sie ihn Joh 1,14 den „Eingeborenen" nennt: „Wir haben seine Herrlichkeit geschaut, eine Herrlichkeit als des Eingeborenen vom Vater"; und erneut Joh 1,18: „Der eingeborene Sohn, der an der Brust des Vaters ruht, er hat Kunde gebracht". Wird er jedoch zusammen mit den anderen ‚Sohn‘ genannt, so kann er nicht als ‚Eingeborener‘ bezeichnet werden.

Quandoque etiam et „Primogenitus" nominatur, ut quaedam derivatio filiationis ab eo in alios ostendatur: secundum illud Rom. VIII: „Quos praescivit et praedestinavit fieri conformes" imagini „Filii" eius, „ut sit ipse primogenitus in multis fratribus"; et Gal. IV dicitur: „Misit Deus Filium suum ut adoptionem filiorum reciperemus". Alia ergo ratione ipse est Filius, per cuius filiationis similitudinem alii filii dicuntur.

Amplius. Quaedam opera in Scripturis sacris ita Deo proprie attribuuntur quod alteri convenire non possunt, sicut sanctificatio animarum et remissio peccatorum: dicitur enim Levit. XX: „Ego Dominus qui sanctifico vos"; et Isaiae XLIII: „Ego sum ipse qui deleo iniquitates" vestras „propter me". Utrumque autem horum Christo Scriptura attribuit. Dicitur enim ad Hebr. II: „Qui sanctificat et qui sanctificantur, ex uno omnes"; et ad Hebr. [XIII]: „Iesus, ut sanctificaret per suum sanguinem populum, extra portam passus est"; ipse etiam Dominus de se protestatus est „quod haberet potestatem remittendi peccata", et miraculo confirmavit, ut habetur Matth. IX. Hoc etiam angelus de ipso praenuntiavit [Matth. I], „Ipse", inquiens, „salvum faciet populum suum a peccatis eorum". Non igitur Christus, et sanctificans et peccata remittens, sic dicitur Deus sicut dicuntur dii hi qui sanctificantur, et quorum peccata remittuntur: sed sicut virtutem et naturam divinitatis habens.

Illa vero Scripturae testimonia quibus ostendere nitebantur quod Christus non esset Deus per naturam, efficacia non sunt ad eorum propositum ostendendum. Confitemur enim in Christo Dei Filio, post incarnationis mysterium, duas naturas, humanam scilicet et divinam. Unde de eo dicuntur et quae Dei sunt propria, ratione divinae naturae; et quae ad defectum pertinere videntur, ratione humanae naturae, ut infra plenius explanabitur.

Nunc autem, ad praesentem considerationem de divina generatione, hoc sufficiat monstratum esse secundum Scripturas quod Christus Dei Filius et Deus dicitur non solum sicut purus homo per gratiam adoptionis, sed propter divinitatis naturam.

Manchmal wird er auch als „Erstgeborener" bezeichnet. Damit wird auf eine bestimmte Sohnschaft hingewiesen, die die anderen als eine von ihm abgeleitete besitzen, entsprechend Rö 8, 29: „Denn die er vorher erkannte, hat er auch vorherbestimmt, dem Bild seines Sohnes gleichgestaltet zu werden, damit er der Erstgeborene unter vielen Brüdern sei". Ebenfalls heißt es Gal 4, 4 f.: „Gott entsandte seinen Sohn … damit wir an Kindes statt angenommen würden". Er ist also Sohn aus einem von den anderen verschiedenen Grunde. Sie heißen ‚Söhne' aufgrund einer Ähnlichkeit mit seiner Sohnschaft.

Überdies. Bestimmte Werke werden in den Heiligen Schriften ausschließlich Gott so zugeschrieben, wie sie jemand anderem nicht zuschreibbar sind, etwa die Heiligung der Seelen und der Nachlaß der Sünden. So heißt es Levit 20, 8: „Ich, Jahwe, bin es, der Euch heiligt"; und Jes 43, 25: „Ich selbst, ich bin es, der alles tilgt, und will deiner Sünden nicht mehr gedenken". Beides aber schreibt die Schrift Christus zu, wenn es Hebr 2, 11 heißt: „Denn der, welcher heiligt, und die, welche geheiligt werden, sie kommen alle von einem einzigen her"; und Hebr 13, 12: „Darum hat auch Jesus, um durch sein eigenes Blut das Volk zu heiligen, außerhalb des Tores gelitten". Ebenfalls hat der Herr selbst von sich erklärt, er habe die Macht der Sündenvergebung. Er hat es mit einem Wunder bekräftigt, wie bei Mt 9, 6 geschrieben steht. Solches hat auch der Engel von ihm vorherverkündet: „Er wird", so sprach er Mt 1, 21, „sein Volk von seinen Sünden erlösen". Christus, der heiligt und Sünden vergibt, wird also nicht im selben Sinne „Gott" genannt, wie diejenigen als „Götter" bezeichnet werden, welche geheiligt und welchen die Sünden nachgelassen werden, sondern in dem Sinne, daß er die Vorzüglichkeit und die Natur der Gottheit besitzt.

Jene Passagen der Schrift jedoch, auf die sie sich stützen, um zu zeigen, daß Christus nicht aufgrund seiner Natur Gott ist, sind für den Erweis ihrer These nicht durchschlagend. So bekennen wir in Christus, dem Sohne Gottes, nach dem Geheimnis der Inkarnation zwei Naturen, eine menschliche und eine göttliche. Deswegen sagt man von ihm sowohl das aus, was Gott eigentümlich zukommt, als auch das, was aufgrund seiner menschlichen Natur einen Defekt auszumachen scheint, wie unten ausführlicher erklärt werden wird (IV 9; 27).

Im Augenblick jedoch, d. h. im Hinblick auf die Erörterung der göttlichen Zeugung, soll hinreichen, daß den Schriften entsprechend erwiesen ist, daß Christus „Sohn Gottes" und „Gott" genannt wird. Er ist nicht Sohn Gottes als reiner Mensch aufgrund der Gnade der Annahme, sondern aufgrund seiner göttlichen Natur.

Capitulum V

Opinio Sabellii de Filio Dei, et eius improbatio

Quia vero omnium de Deo recte sentientium haec est fixa mentis conceptio, quod non possit esse nisi unus Deus, quidam, ex Scripturis concipientes quod Christus sit vere et naturaliter Deus ac Dei Filius, unum Deum esse confessi sunt Christum Dei Filium et Deum Patrem: nec tamen quod Deus Filius dicatur secundum suam naturam aut ab aeterno, sed ex tunc filiationis nomen accepit ex quo de Maria Virgine natus est per incarnationis mysterium. Et sic omnia quae Christus secundum carnem sustinuit, Deo Patri attribuebant: puta esse filium Virginis, conceptum et natum esse ex ipsa, passum, mortuum et resurrexisse, et alia omnia quae Scripturae de Christo secundum carnem loquuntur.

Hanc autem positionem confirmare nitebantur Scripturae auctoritatibus.

Dicitur enim Exod. XX: „Audi, Israel, Dominus Deus tuus Deus unus est“. Et Deut. XXXII: „Videte quod ego sum solus, et non est alius praeter me“.

Et Ioan. V: „Pater in me manens ipse facit opera“; et XIV: „Qui videt me, videt et Patrem“; et, „Ego in Patre, et Pater in me est“.

Ex quibus omnibus concipiebant Deum Patrem ipsum Filium dici ex Virgine incarnatum.

Haec autem fuit opinio Sabellianorum, qui et Patripassiani sunt dicti, eo quod Patrem passum esse confitentur, asserentes ipsum Patrem esse Christum [August., *De haeres.* c. 41].

PL 42/32–33

Haec autem positio, etsi a praedicta differat quantum ad Christi divinitatem, nam haec Christum verum et naturalem Deum esse confitetur, quod prima negabat; tamen quantum ad generationem et filiationem, utraque est conformis opinio: nam sicut prima positio asserit filiationem et generationem qua Christus ‚Filius‘ dicitur, non fuisse ante Mariam, ita et haec opinio confitetur. Neutra igitur positio generationem et filiationem ad divinam naturam refert, sed solum ad naturam humanam.

Habet etiam et hoc proprium ista positio, quod, cum dicitur ‚Filius Dei‘, non designatur aliqua subsistens persona, sed quaedam proprietas superveniens praeexistenti personae: nam ipse Pater, secundum quod carnem sumpsit ex Virgine „Filii‘ nomen accepit; non quasi Filius sit aliqua subsistens persona a persona Patris distincta.

Huius autem positionis falsitas manifeste ostenditur auctoritate Scripturae. Nam Christus non solum ‚Virginis filius‘ dicitur in Scripturis, sed

5. Kapitel

Die Meinung des Sabellius vom Sohne Gottes und ihre Widerlegung

Bei allen, welche eine rechte Ansicht von Gott besitzen, ist dies ein feststehendes Verständnis, daß naturgemäß nur einer Gott sein kann. Einige, welche den Schriften entnehmen, daß Christus wahrhaft und naturgemäß Gott und Sohn Gottes ist, haben bekannt, Christus, der Sohn Gottes, und Gott Vater seien ein Gott. Dies will jedoch nicht besagen, daß Gott aufgrund seiner Natur oder von Ewigkeit her „Sohn" genannt wird; vielmehr nahm er den Namen ‚Sohn' von dem Moment an, als er durch das Geheimnis der Inkarnation von der Jungfrau Maria geboren wurde. Deswegen schrieb man alles, was Christus dem Fleische nach erlitt, Gott dem Vater zu, so zum Beispiel, daß er von ihr empfangen und geboren wurde, daß er litt, starb und auferstand; desgleichen alles, wovon die Schriften von Christus berichten, sofern er dem Fleische nach lebte.

Zur Bekräftigung dieser These stützten sie sich auf Schriftautoritäten. So steht Exod 20,2 f. geschrieben: „Höre, Israel, Jahwe, Dein Gott, ist der einzige Jahwe"; ferner Deut 32,39: „Seht jetzt, daß ich es bin, nur ich, und kein Gott sonst bei mir"; desgleichen Joh 5,17: „Der Vater wirkt selbst, indem er in mir weilt" und (Joh 14,10): „Wer mich gesehen hat, hat den Vater gesehen … Der Vater, der in mir bleibt, tut seine Werke." Gleichfalls (Joh 14,11): „[Glaubet mir, daß] ich im Vater bin und der Vater in mir ist".

Hieraus gelangten sie zu der Ansicht, daß Gott der Vater selbst „Sohn" zu nennen ist, Fleisch geworden aus der Jungfrau.

Dies war die Meinung der Sabellianer, die deswegen auch „Patripassianer" heißen, weil sie bekennen, der Vater habe gelitten, indem sie erklären, der Vater selbst sei Christus.

Obwohl sich diese These von der vorangegangenen (IV 4) im Hinblick auf die Gottheit Christi unterscheidet – denn mit ihr wird bekannt, daß Christus wahrhaftig und naturhaft Gott ist, während dies die erste These verneinte –, so stimmen sie doch hinsichtlich der Zeugung und der Sohnschaft miteinander überein. Genau wie die erste These behauptet, es habe Sohnschaft und Zeugung (wonach Christus „Sohn" genannt wird) nicht vor Maria gegeben, so behauptet auch diese Meinung dasselbe. Deswegen bezieht keine der Thesen die Zeugung und Sohnschaft auf die göttliche, sondern ausschließlich auf die menschliche Natur.

Außerdem macht es eine Besonderheit jener These aus, daß ihr gemäß mit ‚Sohn Gottes' keine subsistente Person, sondern eine gewisse, einer

etiam ‚Filius Dei‘: ut ex superioribus patet. Hoc autem esse non potest, ut idem sit filius sui ipsius: cum enim filius generetur a patre, generans autem det esse genito, sequeretur quod idem esset dans et accipiens esse; quod omnino esse non potest. Non est igitur Deus Pater ipse Filius, sed alius est Filius et alius Pater. Item. Dominus dicit, Ioan. VI: „Descendi de caelo, non ut faciam voluntatem meam, sed voluntatem eius qui misit me"; et Ioan. XVII: „Clarifica me, Pater, apud temetipsum". Ex quibus omnibus, et similibus, ostenditur Filius esse alius a Patre.

Potest autem dici secundum hanc positionem, quod Christus dicitur ‚Filius Dei Patris‘ solum secundum humanam naturam, quia scilicet ipse Deus Pater humanam naturam quam assumpsit, creavit et sanctificavit. Sic igitur ipse secundum divinitatem sui ipsius secundum humanitatem dicitur ‚Pater‘. Et ita etiam nihil prohibet eundem secundum humanitatem distinctum esse a seipso secundum divinitatem.

Sed secundum hoc sequetur quod Christus dicatur ‚Filius Dei‘ sicut et alii homines, vel ratione creationis, vel ratione sanctificationis. Ostensum est autem quod alia ratione Christus dicitur ‚Dei Filius‘ quam alii sancti. Non igitur modo praedicto potest intelligi quod ipse Pater sit Christus et filius sui ipsius.

Praeterea. Ubi est unum suppositum subsistens, pluralis praedicatio non recipitur. Christus autem de se et de Patre pluraliter loquitur, dicens [Ioan. X]: „Ego et Pater unum sumus". Non est ergo Filius ipse Pater.

Adhuc. Si Filius a Patre non distinguitur nisi per incarnationis mysterium, ante incarnationem omnino nulla distinctio erat. Invenitur autem ex Scriptura, etiam ante incarnationem Filius a Patre fuisse distinctus. Dicitur enim Ioan. I: „In principio erat Verbum, et Verbum erat apud Deum, et

präexistenten Person zuzüglich zukommende Eigenschaft bezeichnet wird. Entsprechend hat der Vater den Namen ‚Sohn' angenommen, insofern er aus einer Jungfrau Fleischesgestalt annahm, was aber nicht besagen soll, der Sohn sei eine von der Person des Vaters verschiedene subsistente Person.

Die Falschheit dieser These ist aufgrund der Autorität der Schrift offenkundig. So wird Christus in den Schriften nicht nur „Sohn der Jungfrau", sondern auch „Sohn Gottes" genannt, wie aus dem Vorhergehenden (IV 2) ersichtlich ist. Doch ist es unmöglich, daß jemand sein eigener Sohn ist. Da nämlich der Sohn vom Vater gezeugt wird, der Zeugende aber dem Gezeugten Sein gibt, so würde folgen, daß das, was Sein gibt und dasjenige, welches es empfängt, dasselbe ist; dies ist völlig ungereimt. Also ist Gott Vater nicht der Sohn selbst; vielmehr ist der eine Vater, der andere Sohn.

Wiederum. Der Herr spricht in Joh 6, 38: „Denn ich bin vom Himmel herabgekommen, nicht um meinen Willen zu tun, sondern den Willen dessen, der mich gesandt hat" und Joh 17, 5: „Jetzt verherrliche Du mich, Vater, bei Dir selbst". Hieraus und aus ähnlichen Passagen wird deutlich, daß Sohn und Vater verschieden sind.

Im Sinne dieser These mag man jedoch einwenden, Christus werde allein gemäß seiner menschlichen Natur ‚Sohn Gottes, des Vaters', genannt, weil ja Gott Vater selbst die menschliche Natur, welche er annahm, geschaffen und geheiligt hat. Mithin wird er ‚Vater' genannt aufgrund der Tatsache, daß er göttlicher Vater seiner selbst als Mensch ist. Somit hindert auch nichts daran, daß derselbe im Hinblick auf seine Menschheit verschieden ist von ihm selbst im Hinblick auf seine Gottheit.

Hieraus würde jedoch folgen, daß Christus wie alle übrigen Menschen sowohl aufgrund der Schöpfung als auch aufgrund der Heiligung ‚Sohn Gottes' genannt wird. Es wurde aber gezeigt (IV 4), daß Christus aus einem von den anderen Heiligen verschiedenen Grunde ‚Sohn Gottes' heißt. Man darf also nicht auf die erwähnte Weise verstehen, daß der Vater Christus ist und zugleich sein eigener Sohn.

Zudem. Plurale Prädikation ist nicht zulässig in Fällen, bei denen es ein subsistierendes Zugrundeliegendes gibt. Christus aber spricht von sich und dem Vater im Plural, wenn er Joh 10, 30 sagt: „Ich und der Vater sind eins". Also ist der Sohn nicht der Vater.

Wiederum. Wenn der Vater lediglich durch das Mysterium der Inkarnation vom Vater verschieden ist, so gab es vor der Inkarnation überhaupt keinen Unterschied. Doch entnimmt man der Schrift, der Sohn sei vom Vater verschieden gewesen, auch vor der Inkarnation. So heißt es Joh 1, 1: „Im Anfang war das Wort, und das Wort war bei Gott, und Gott was das

Deus erat Verbum". Verbum igitur, quod apud Deum erat, aliquam distinctionem ab ipso habebat: habet enim hoc consuetudo loquendi, ut „alius apud alium esse" dicatur.

Similiter etiam, Proverb. VIII, genitus a Deo dicit: „Cum eo eram componens omnia", in quo rursus associatio et quaedam distinctio designatur.

Dicitur etiam Osee I: „Domui Iuda miserebor, et salvabo eos in Domino Deo suo": ubi Deus Pater de salvandis in Deo Filio populis loquitur, quasi de persona a se distincta, quae Dei nomine digna habeatur.

Dicitur etiam Gen. I: „Faciamus hominem ad imaginem et similitudinem nostram": in quo expresse pluralitas et distinctio facientium hominem designatur. Homo autem per Scripturas a solo Deo conditus esse docetur.

Et sic Dei Patris et Dei Filii pluralitas et distinctio fuit etiam ante Christi incarnationem. Non igitur ipse Pater Filius dicitur propter incarnationis mysterium.

Amplius. Vera filiatio ad ipsum suppositum pertinet eius qui dicitur filius: non enim manus vel pes hominis filiationis nomen proprie accipit, sed ipse homo, cuius ista sunt partes. ‚Paternitatis' autem et ‚filiationis' nomina distinctionem requirunt in illis de quibus dicuntur, sicut et ‚generans' et ‚genitum'. Oportet igitur, si aliquis vere dicitur filius, quod supposito a patre distinguatur. Christus autem vere est Dei Filius: dicitur enim I Ioan. [V]: „Ut simus in vero Filio eius" Iesu Christo. Oportet igitur quod Christus sit supposito distinctus a Patre. Non igitur ipse Pater est Filius.

Adhuc. Post incarnationis mysterium Pater de Filio protestatur, Matth. III: „Hic est Filius meus dilectus". Haec autem demonstratio ad suppositum refertur. Christus igitur secundum suppositum est alius a Patre.

Ea vero quibus Sabellius suam positionem nititur confirmare, id quod intendit non ostendunt, ut infra plenius ostendetur. Non enim, per hoc quod „Deus est unus" vel quod „Pater est in Filio et Filius in Patre",

Wort". Mithin wies das Wort, welches bei Gott war, zu ihm einen gewissen Unterschied auf. Er ist mit der Redeweise gegeben, die besagt, daß ‚der eine beim anderen' ist.

Ähnlich spricht der Erstgeborene von Gott in Spr 8, 30: „Da war ich der Liebling an seiner Seite … indem ich die ganze Zeit vor ihm spielte". Wiederum ist hiermit Gemeinschaft und ein gewisser Unterschied ausgedrückt.

Auch heißt es Hos 1, 7: „Dem Hause Juda aber bin ich hold und will sie retten durch Jahwe, ihren Gott". Hier spricht Gott Vater vom Volk, das durch den Sohn Gottes erlöst werden soll. Er spricht gleichsam von einer Person, welche von ihm verschieden ist, die aber für würdig gehalten wird, den Namen Gottes zu tragen.

Ebenfalls heißt es Gen 1, 26: „Laßt uns den Menschen machen nach unserem Bilde, uns ähnlich". Hiermit werden ausdrücklich Pluralität und Verschiedenheit der Schöpfer des Menschen angedeutet. Der Mensch aber, so lehren die Schriften, wird von Gott allein geschaffen.

Somit gab es Pluralität und Verschiedenheit Gottes, die des Vaters und des Sohnes Gottes, bereits vor der Inkarnation Christi. Also wird der Vater selbst nicht aufgrund des Inkarnationsmysteriums ‚Sohn' genannt.

Überdies. Wahre Sohnschaft bezieht sich auf das Zugrundeliegende desjenigen, welches ‚Sohn' genannt wird; so wird nicht die Hand oder der Fuß des Menschen im eigentlichen Sinne mit dem Ausdruck ‚Sohn' bezeichnet, sondern der Mensch selbst, dessen Teile sie sind. Die Ausdrücke ‚Vaterschaft' und ‚Sohnschaft' jedoch erfordern einen Unterschied zwischen dem, wovon sie ausgesagt werden. Er kommt dem Unterschied zwischen Zeugendem und Gezeugtem gleich. Wenn daher jemand mit Recht ‚Sohn' genannt wird, so muß er dem Zugrundeliegenden nach vom Vater unterschieden werden. Christus aber ist wahrhaft der Sohn Gottes. Es heißt nämlich in 1 Joh 5, 20: „Und wir sind in dem Wahrhaftigen, in seinem Sohne Jesus Christus.". Christus muß also dem Zugrundeliegenden nach vom Vater verschieden sein; also ist der Vater selbst nicht der Sohn.

Außerdem. Nach dem Geheimnis der Inkarnation legt der Vater – in Mt 3, 17 – vom Sohn das folgende Zeugnis ab: „Dieser ist mein (geliebter) Sohn". Diese Kennzeichnung bezieht sich jedoch auf das Zugrundeliegende. Mithin ist Christus dem Zugrundeliegenden nach ein anderer als der Vater.

Dasjenige, worauf sich Sabellius zur Belegung seiner These stützt, beweist nicht seine Aussageabsicht, wie im folgenden vollständiger gezeigt werden wird (IV 9). Die Tatsache, daß Gott einer ist oder daß der Vater im Sohne und der Sohn im Vater ist, beweist nämlich nicht, daß Sohn und

habetur quod Filius et Pater sit unum supposito: potest enim et duorum supposito distinctorum aliqua unitas esse.

Capitulum VI

De opinione Arii circa Filium Dei

Cum autem doctrinae sacrae non congruat quod Filius Dei a Maria initium sumpserit, ut Photinus dicebat, neque ut is qui ab aeterno Deus fuit et Pater est, per carnis assumptionem Filius esse coeperit, ut Sabellius dixerat: fuerunt alii hanc de divina generatione quam Scriptura tradit opinionem sumentes, quod Filius Dei ante incarnationis mysterium extiterit et etiam ante mundi conditionem; et quia iste Filius a Deo Patre est alius, aestimaverunt eum non esse eiusdem naturae cum Deo Patre; non enim intelligere poterant, nec credere volebant, quod aliqui duo, secundum personam distincti, habeant unam essentiam et naturam. Et quia sola natura Dei Patris, secundum fidei doctrinam, aeterna creditur, crediderunt naturam Filii non ab aeterno extitisse, licet fuerit Filius ante alias creaturas. Et quia omne quod non est aeternum, ex nihilo factum est et a Deo creatum, Filium Dei ex nihilo factum esse et creaturam praedicabant.

Sed quia auctoritate Scripturae cogebantur ut etiam Filium Deum nominarent, sicut in superioribus est expressum, dicebant eum unum cum Deo Patre, non quidem per naturam, sed per quandam consensus unionem, et per divinae similitudinis participationem super ceteras creaturas. Unde, cum supremae creaturae, quas angelos dicimus, in Scripturis et ,dii‘ et ,filii Dei‘ nominentur, secundum illud Iob XXXVIII: „Ubi eras cum me laudarent astra matutina, et iubilarent omnes filii Dei?“; et in Psalmo [LXXXI]: „Deus stetit in synagoga deorum“, hunc Dei Filium et Deum prae aliis dici oportebat, utpote nobiliorem inter ceteras creaturas, in tantum quod per eum Deus Pater omnem aliam condiderit creaturam.

Hanc autem positionem confirmare nitebantur sacrae Scripturae documentis.

Vater dem Zugrundeliegenden nach eines sind, denn zwischen zwei Dingen, welche dem Zugrundeliegenden nach verschieden sind, kann dennoch eine gewisse Einheit bestehen.

6. Kapitel

Zur Meinung des Arius vom Sohne Gottes

Die Behauptung des Photinus (IV 4), der Sohn Gottes habe von Maria
seinen Anfang genommen, ist nicht mit der heiligen Lehre verträglich.
Ebenso unverträglich ist die Erklärung des Sabellius (IV 5), daß jener
durch Fleischesannahme Sohn zu sein begann, welcher von Ewigkeit her
Gott und Vater war. Es gab aber auch andere, welche von der durch die
Heilige Schrift überlieferten göttlichen Zeugung der Meinung waren, der
Sohn Gottes habe vor dem Mysterium der Inkarnation und sogar vor der
Schöpfung der Welt existiert. Da jener Sohn von Gott Vater verschieden
ist, so nahmen sie an, er sei nicht derselben Natur wie Gott der Vater; sie
konnten nämlich nicht verstehen, noch waren sie bereit zu glauben, daß
zwei, welche der Person nach verschieden sind, dennoch eine Wesenheit
und Natur besitzen sollen. Da nach der Lehre des Glaubens einzig die
Natur Gottes, des Vaters, als ewig geglaubt wird, so dachten sie, daß die
Natur des Sohnes nicht von Ewigkeit her existiert habe; er sei vielmehr
Sohn vor aller Schöpfung geworden. Da nun alles, was nicht ewig ist, von
Gott aus Nichts geschaffen ist, so predigten sie, daß der Sohn Gottes aus
Nichts geschaffen und ein Geschöpf sei.

Da sie nun durch die Autorität der Schrift genötigt wurden, auch den
Sohn „Gott" zu nennen, wie im vorhergehenden klargelegt wurde, so
sagten sie, er sei zwar nicht der Natur nach eins mit Gott, aber aufgrund
einer gewissen Sinneseinheit und aufgrund der Teilhabe an einer Gottähnlichkeit, welche die übrigen Geschöpfe übersteige. So werden die höchsten Geschöpfe, welche wir Engel nennen, in den Schriften sowohl als
‚Götter' als auch als ‚Söhne Gottes' bezeichnet, wenn in Ijob 38,4 geschrieben steht: „Wo warst Du denn … als allzumal die Morgensterne
jauchzten und alle Göttersöhne jubelten?" und Ps 82,1: „Gott steht auf
in der Gottesversammlung; inmitten der Götter hält er Gericht". Deswegen muß man ihn auch vor den anderen ‚Sohn Gottes' und ‚Gott' nennen,
weil er ja unter den übrigen Geschöpfen der würdigere ist, insofern Gott
Vater alle weitere Kreatur durch ihn geschaffen hat.

Zur Bekräftigung dieser These stützten sie sich auf die Lehren der Heiligen Schrift.

Dicit enim Filius, Ioan. XVII, ad Patrem loquens: „Haec est vita aeterna, ut cognoscant te solum Deum verum". Solus ergo Pater Deus verus est. Cum ergo Filius non sit Pater, Filius Deus verus esse non potest.

Item. Apostolus dicit, I ad Tim. [VI]: „serves mandatum sine macula irreprehensibile usque in adventum Domini nostri Iesu Christi, quem suis temporibus ostendet beatus et solus potens Rex regum et Dominus dominantium, qui solus habet immortalitatem et lucem habitat inaccessibilem". In quibus verbis ostenditur distinctio Dei Patris ostendentis ad Christum ostensum. Solus ergo Deus Pater ostendens est potens, Rex regum et Dominus dominantium, et solus habet immortalitatem et lucem habitat inaccessibilem. Solus ergo Pater Deus verus est. Non ergo Filius.

Praeterea. Dominus dicit, Ioan. XIV: „Pater maior me est"; et Apostolus dicit Filium Patri esse subiectum, I ad Cor. XV: „Cum omnia subiecta illi fuerint, tunc ipse Filius subiectus erit" illi, scilicet Patri, „qui sibi subiecit omnia". Si autem esset una natura Patris et Filii, esset etiam una magnitudo et maiestas: non enim Filius esset minor Patre, nec Patri subiectus. Relinquitur ergo ex Scripturis quod Filius non sit eiusdem naturae cum Patre ut credebant.

Adhuc. Natura Patris non patitur indigentiam. In Filio autem indigentia invenitur: ostenditur enim ex Scripturis quod a Patre recipit; recipere autem indigentis est. Dicitur enim, Matth. II: „Omnia tradita sunt mihi a Patre meo", et Ioan. III: „Pater diligit Filium, et omnia dedit in manu eius". Videtur igitur Filius non esse eiusdem naturae cum Patre.

Amplius. Doceri et adiuvari indigentis est. Filius autem a Patre docetur et iuvatur. Dicitur enim Ioan. V: „Non potest Filius a se facere quicquam, nisi quod viderit Patrem facientem"; et infra: „Pater diligit Filium, et omnia demonstrat ei quae ipse facit"; et Ioan. XV, Filius dicit discipulis: „Omnia quaecumque audivi a Patre meo, nota feci vobis". Non igitur videtur esse eiusdem naturae Filius cum Patre.

Praeterea. Praeceptum recipere, obedire, orare, et mitti, inferioris esse videtur. Haec autem de Filio leguntur. Dicit enim Filius, Ioan. XIV: „Sicut mandatum dedit mihi Pater, sic facio"; et Philipp. II: „Factus est obediens" Patri „usque ad mortem"; et Ioan. XIV: „Ego rogabo Patrem, et alium Paracletum dabit vobis"; et Galat. IV dicit Apostolus: „Cum venit pleni-

So sagt der Sohn, wenn er Joh 17,3 zum Vater spricht: „Das aber ist das ewige Leben, daß sie Dich, den allein wahren Gott, erkennen". Allein der Vater ist also der wahre Gott. Da mithin der Sohn nicht der Vater ist, so kann der Sohn nicht der wahre Gott sein.

Weiterhin. Der Apostel sagt in 1 Tim 6,14 ff.: „Bewahre den Auftrag makellos und untadelig bis zur Erscheinung unseres Herrn Jesus Christus, die zur rechten Zeit herbeiführen wird er, der selige und alleinige Herrscher, der König der Könige und der Herr der Herren, der allein unsterblich ist, der in unzugänglichem Lichte wohnt". In diesen Worten findet sich der Unterschied zwischen Gott Vater, welcher offenbart, und Christus, der offenbart wird. Demnach ist allein der offenbarende Vater mächtig, König der Könige und Herr der Herren; er allein besitzt Unsterblichkeit und wohnt in unzugänglichem Licht. Also ist einzig der Vater wahrer Gott, nicht der Sohn.

Zudem. Der Herr sagt Joh 14,28: „Der Vater ist größer als ich"; der Apostel sagt 1 Kor 15,28, der Sohn sei dem Vater untertan: „Ist aber einmal alles ihm unterworfen, dann wird auch der Sohn selber sich dem unterwerfen", d. h. dem Vater, „der ihm alles unterworfen hat". Gäbe es aber eine Natur des Vaters und des Sohnes, so gäbe es auch eine Größe und eine Majestät; dann wäre der Sohn weder geringer als der Vater noch ihm unterworfen. Aufgrund der Schriften verbleibt also, daß der Sohn nicht derselben Natur wie der Vater ist. Dies glaubten sie.

Zudem. Die Natur des Vaters leidet keinen Mangel, im Sohn jedoch findet sich Mangel. So ergibt sich aus den Schriften, daß er vom Vater empfängt. Empfangen jedoch ist Zeichen von Mangel. So heißt es Mt 11,27: „Alles ist mir von meinem Vater übergeben"; desgleichen Joh 3,35: „Der Vater liebt den Sohn und hat alles in seine Hand gegeben". Also scheint der Sohn nicht derselben Natur wie der Vater zu sein.

Ferner. Es bedeutet einen Mangel, belehrt oder unterstützt zu werden. Der Sohn aber wird vom Vater belehrt und unterstützt. So heißt es Joh 5,19,20: „Der Sohn kann von sich aus nichts tun, außer was er den Vater tun sieht" und gleichfalls: „Denn der Vater liebt den Sohn und zeigt ihm alles, was er selbst tut". Der Sohn spricht zu den Jüngern in Jo. 15,15: „Ich habe Euch alles kundgetan, was ich von meinem Vater gehört habe". Demnach scheint der Sohn nicht derselben Natur wie der Vater zu sein.

Außerdem. Es ist offenbar Zeichen eines Untergeordneten, einen Befehl zu empfangen, zu gehorchen, zu bitten und gesandt zu werden. Dies aber ist vom Sohne zu lesen. So spricht der Sohn Phil 2,8: „Ich handle so, wie mir der Vater aufgetragen hat" (Joh 14,31) und: „Er wurde (dem Vater) gehorsam bis zum Tode"; desgleichen Joh 14,16: „Ich werde den Vater bitten, und er wird Euch einen anderen Helfer geben". Der Apostel

tudo temporis, misit Deus Filium suum". Est ergo Filius minor Patre et ei subiectus.

Item. Filius clarificatur a Patre: sicut ipse dicit, Ioan. XII: „Pater, clarifica nomen tuum"; et sequitur: „Venit vox de caelo: Et clarificavi, et iterum clarificabo". Apostolus etiam dicit, ad Rom. VIII, quod Deus „suscitavit Iesum Christum a mortuis"; et Petrus dicit, Act. II, quod est „dextera Dei exaltatus". Ex quibus videtur quod sit Patre inferior.

Praeterea. In natura Patris nullus defectus esse potest. In Filio autem invenitur defectus potestatis: dicit enim Matth. XX: „Sedere ad dexteram meam vel sinistram non est meum dare vobis, sed quibus paratum est a Patre meo".

Defectus etiam scientiae: dicit enim ipse, Marc. XIII: „De die autem illa et hora nemo scit, neque angeli in caelo, neque Filius, nisi Pater".

Invenitur etiam in eo defectus quietae affectionis: cum in eo Scriptura asserat tristitiam fuisse et iram et alias huiusmodi passiones.

Non igitur videtur Filius esse eiusdem naturae cum Patre.

Adhuc. Expresse in Scripturis invenitur quod Filius Dei sit creatura. Dicit enim Eccli. XXIV: „Dixit mihi Creator omnium, et qui creavit me, requievit in tabernaculo meo". Et iterum: „Ab initio et ante saecula creata sum". Est igitur Filius creatura.

Praeterea. Filius creaturis connumeratur. Dicitur enim Eccli. XXIV, ex persona Sapientiae: „Ego ex ore Altissimi" prodii „primogenita ante omnem creaturam"; et Apostolus, ad Coloss. I, dicit de Filio quod est „primogenitus creaturae". Videtur ergo quod Filius ordinem cum creaturis habeat, quasi primum inter eas obtinens gradum.

Amplius. Filius dicit, Ioan. XVII, pro discipulis ad Patrem orans: „Ego claritatem quam dedisti mihi, dedi eis, ut sint unum, sicut et nos unum sumus". Sic igitur Pater et Filius unum sunt sicut discipulos unum esse volebat. Non autem volebat discipulos esse per essentiam unum. Non ergo Pater et Filius sunt per essentiam unum. Et sic sequitur quod sit creatura, et Patri subiectus.

PL 42/39 Est autem haec positio Arii [August., *De haeres.* c. 49]. et Eunomii
PL 42/40 [ibid., c. 54]. Et videtur a Platonicorum dictis exorta, qui ponebant summum Deum, patrem et creatorem omnium rerum, a quo primitus efflu-

spricht in Gal 4, 4: „Als aber die Fülle der Zeit kam, entsandte Gott seinen Sohn". Mithin ist der Sohn geringer als der Vater und ihm unterworfen. Überdies. Der Sohn wird vom Vater verherrlicht, wie er selbst Joh 12, 28 sagt: „Vater, verherrliche Deinen Namen". Der Text fährt fort: „Da kam eine Stimme vom Himmel ,Ich habe verherrlicht, und ich werde wieder verherrlichen'". Auch bemerkt der Apostel in Rö 8, 11, daß Gott „Jesus von den Toten auferweckt hat", und Petrus sagt in Apg 2, 33, daß er „durch die Rechte Gottes nun erhöht" ist. Hieraus geht anscheinend hervor, daß er geringer als der Vater ist.

Zudem. In der Natur des Vaters kann es keinen Fehl geben. Dem Sohn aber mangelt es an Macht. Er bemerkt nämlich in Mt 20, 23: „Aber das Sitzen zu meiner Rechten und zu meiner Linken, das habe nicht ich zu vergeben, sondern es wird denen (zuteil werden), denen es von meinem Vater bereitet ist".

Ebenfalls mangelt es ihm an Wissen. So sagt er selbst in Mk 13, 32: „Jenen Tag aber oder die Stunde kennt niemand, auch nicht die Engel im Himmel, auch nicht der Sohn, sondern nur der Vater".

Ebenso ermangelt er einer ruhigen Gemütsverfassung, denn die Schrift schreibt ihm Traurigkeit, Zorn und andere derartige Affekte zu.

Demnach scheint der Sohn nicht derselben Natur wie der Vater zu sein.

Ferner. Es steht ausdrücklich in den Schriften, daß der Sohn Gottes ein Geschöpf ist, wenn es Sir 24, 8 heißt: „Da erging Befehl an mich vom Schöpfer des Alls, und der mich erschuf, gab meinem Zelt die bleibende Stätte"; und danach (ibid., 9): „Von der Urzeit her, im Anfang ward ich erschaffen". Also ist der Sohn ein Geschöpf.

Außerdem. Der Sohn wird den Geschöpfen zugezählt, denn von der Person der Weisheit heißt es Sir 24, 3: „Ich ging hervor aus dem Munde des Allerhöchsten als Erstgeborene vor aller Kreatur". Desgleichen sagt der Apostel in Kol 1, 15 vom Sohn, er sei „der Erstgeborene vor aller Schöpfung". Also scheint der Sohn derselben Ordnung wie die Geschöpfe anzugehören, worunter er gleichsam den ersten Rang einnimmt.

Desgleichen. Der Sohn sagt in Joh 17, 22, als er für die Jünger zum Vater betet: „Und ich habe die Herrlichkeit, die Du mir gegeben hast, ihnen gegeben, damit sie eins seien, wie wir eins sind". Wie also der Vater und der Sohn eins sind, so wollte er, daß auch die Jünger eins seien. Allerdings wollte er nicht, daß die Jünger wesensmäßig eins seien. Also sind Vater und Sohn nicht eins aufgrund der Wesenheit. Hieraus folgt, daß er ein Geschöpf und dem Vater unterworfen ist.

Dies ist die These des Arius und des Eunomius. Sie ist anscheinend aus den Lehren der Platoniker hervorgegangen, die annahmen, der höchste Gott sei Vater und Schöpfer aller Dinge. Sie behaupteten, daß von ihm

xisse dicebant quandam ‚mentem‘, in qua essent omnium rerum formae, superiorem omnibus aliis rebus, quam ‚paternum intellectum‘ nominabant; et post hanc, animam mundi; et deinde alias creaturas. Quod ergo in Scripturis sacris de Dei Filio dicitur, hoc de mente praedicta intelligebant, et praecipue quia Sacra Scriptura Dei Filium ‚Dei sapientiam‘ nominat et ‚Verbum Dei‘.

Cui etiam opinioni consonat positio Avicennae[3] qui supra animam primi caeli ponit intelligentiam primam, moventem primum caelum, supra quam ulterius Deum in summo ponebat.

Sic igitur Ariani de Dei Filio suspicati sunt quod esset quaedam creatura supereminens omnibus aliis creaturis, qua mediante Deus omnia creasset: praecipue cum etiam quidam philosophi posuerint quodam ordine res a primo principio processisse, ita quod per primum creatum omnia alia sint creata.

CAPITULUM VII

IMPROBATIO OPINIONIS ARII

Hanc autem positionem Divinae Scripturae repugnare manifeste potest percipere, si quis Sacrarum Scripturarum dicta diligenter consideret.

Cum enim Scriptura divina et Christum Dei filium, et angelos Dei filios nominet, alia tamen et alia ratione: unde Apostolus, Hebr. I, dicit: „Cui dixit aliquando angelorum, Filius meus es tu, Ego hodie genui te?“, quod ad Christum asserit esse dictum. Secundum autem positionem praedictam, eadem ratione angeli filii dicerentur et Christus: utrisque enim nomen filiationis competeret secundum quandam sublimitatem naturae, in qua creati sunt a Deo.

Nec obstat si Christus sit excellentioris naturae prae aliis angelis: quia etiam inter angelos ordines diversi inveniuntur, ut ex superioribus patet, et tamen omnibus eadem filiationis ratio competit. Non igitur Christus Filius Dei dicitur secundum quod asserit praedicta positio.

Item. Cum ratione creationis nomen filiationis divinae multis conveni-

---

[3] Cf. Avicennam, *Metaphys.*, tract. IX 4.

zuallererst ein ‚Geist' erfloß, in welchem die Formen aller Dinge enthalten sind; er sei höheren Ranges als alle anderen Dinge. Sie nannten ihn den ‚väterlichen Intellekt'. Nach ihm folgte die Weltseele und daraufhin die anderen Geschöpfe. Dasjenige, was in den Heiligen Schriften vom Sohne Gottes gesagt wird, gelte vom besagten Geist, so dachten sie, insbesondere deswegen, weil die Heilige Schrift den Sohn Gottes „Weisheit Gottes" und „Wort Gottes" nennt.

Dieser Meinung entspricht die These Avicennas, welcher die erste Intelligenz über die Seele des ersten Himmels stellte, die ihn bewegt. Über diese hinaus stellte er schließlich Gott an die Spitze.

Somit nahmen die Arianer vom Sohne Gottes an, er sei ein alle anderen Geschöpfe überragendes Geschöpf, durch dessen Vermittlung Gott alles erschaffen habe. Sie nahmen dies insbesondere deswegen an, weil gewisse Philosophen die These vertraten, die Dinge gingen in einer bestimmten Ordnung derart vom ersten Anfangsgrund aus, daß durch das Erstgeschaffene alles andere geschaffen ist.

7. KAPITEL

WIDERLEGUNG DER THESE DES ARIUS

Man braucht die Aussagen der Heiligen Schrift nur sorgfältig zu erwägen, um zu begreifen, daß diese These der Heiligen Schrift offensichtlich widerspricht.

Zwar bezeichnet die Heilige Schrift sowohl Christus mit „Sohn Gottes" als auch die Engel mit „Söhne Gottes", jedoch aus jeweils verschiedenem Grund. So sagt der Apostel in Hebr 1, 5: „Denn zu welchem von den Engeln hat er je gesagt: ‚Mein Sohn bist Du, heute habe ich Dich gezeugt?'". Er erklärt, dies sei zu Christus gesagt worden. Der erwähnten These gemäß würden die Engel jedoch aus demselben Grunde wie Christus „Söhne Gottes" genannt. Beiden würde demnach der Ausdruck ‚Sohnschaft' aufgrund einer gewissen Erhabenheit der Natur zugesprochen, in der sie von Gott geschaffen sind.

Dem widerspricht auch nicht, wenn Christus im Vergleich mit den Engeln von hervorragenderer Natur wäre, weil es auch unter den Engeln verschiedene Ordnungen gibt, wie sich aus dem Vorhergehenden ergibt (III 80). Dennoch kommt allen derselbe Sachgrund für die Sohnschaft zu. Also wird Christus nicht aufgrund des Geschaffenseins als „Sohn Gottes" bezeichnet.

Ferner. Da vielen, etwa allen Engeln und Heiligen, der Ausdruck ‚Sohn

at, quia omnibus angelis et sanctis; si etiam Christus eadem ratione filius diceretur, non esset ‚unigenitus‘, licet propter excellentiam suae naturae, inter ceteros ‚primogenitus‘ posset dici. Asserit autem eum Scriptura esse unigenitum, Ioan. I: „Vidimus eum quasi Unigenitum a Patre". Non igitur ratione creationis ‚Dei Filius‘ dicitur.

Amplius. Nomen ‚filiationis‘ proprie et vere generationem viventium consequitur, in quibus genitum ex substantia generantis procedit: alias enim nomen filiationis non secundum veritatem, sed potius secundum similitudinem accipitur, cum filios dicimus aut discipulos, aut hos quorum gerimus curam. Si igitur Christus non diceretur Filius nisi ratione creationis, cum id quod creatur a Deo, non ex substantia Dei derivetur, Christus vere Filius dici non posset. Dicitur autem verus Filius, I Ioan. V: „Ut simus" inquit, „in vero Filio eius" Iesu Christo. Non igitur Dei Filius dicitur, quasi a Deo creatus in quantacumque naturae excellentia, sed quasi ex Dei substantia genitus.

Praeterea. Si Christus ratione creationis Filius dicitur, non erit verus Deus: nihil enim creatum Deus potest dici, nisi per quandam similitudinem ad Deum. Ipse autem Iesus Christus est verus Deus: cum enim Ioannes dixisset, Ioan. V: „Ut simus in vero Filio eius", subdit: „Hic est verus Deus et vita aeterna". Non igitur Christus Filius Dei dicitur ratione creationis.

Amplius. Apostolus, ad Rom. IX, dicit: „Ex quibus Christus est secundum carnem, qui est super omnia Deus benedictus in saecula, Amen". Et Tit. II: „Expectantes beatam spem, et adventum gloriae magni Dei et Salvatoris nostri Iesu Christi". Et Ierem. XXIII dicitur: „Suscitabo David germen iustum"; et postea subditur: „Et hoc est nomen quod vocabunt eum, Dominus iustus noster", ubi in Hebraeo habetur nomen tetragrammaton, quod de solo Deo certum est dici. Ex quibus apparet quod Filius Dei est verus Deus.

Praeterea. Si Christus verus Filius est, de necessitate sequitur quod sit verus Deus. Non enim vere filius potest dici quod ab alio gignitur, etiam

Gottes' aufgrund des Geschaffenseins zukommt, so folgt: würde auch Christus aus demselben Grunde „Sohn" genannt, dann wäre er nicht der „Eingeborene", obwohl er aufgrund der Erhabenheit seiner Natur der „Erstgeborene" unter den übrigen heißen könnte. Die Schrift aber behauptet in Joh 1, 14, er sei der Eingeborene: „Wir haben seine Herrlichkeit geschaut, eine Herrlichkeit als des Eingeborenen vom Vater". Demgemäß wird er nicht aufgrund des Geschaffenseins „Sohn Gottes" genannt.

Zudem. Der Ausdruck ‚Sohnschaft' wird im eigentlichen und wahren Sinne dem zugeschrieben, welcher von Lebendigem gezeugt wurde, wobei das Gezeugte aus der Substanz des Zeugenden hervorgeht. In anderen Fällen trifft ‚Sohnschaft' nicht im wörtlichen, sondern nur im metaphorischen Sinne zu, etwa dann, wenn wir Schüler oder Schützlinge „Söhne" nennen. Würde aber Christus lediglich aufgrund des Geschaffenseins „Sohn" genannt, sofern das, was von Gott geschaffen ist, nicht aus der Substanz des Vaters hervorgegangen ist, so könnte Christus nicht wahrhaft „Sohn" heißen. In 1 Joh 5, 20 wird er aber wahrhaft „Sohn" genannt: „Und wir sind im Wahrhaftigen, in seinem Sohne Jesus Christus". Er wird also nicht „Sohn Gottes" genannt wie jemand, der von Gott mit einer wie auch immer beschaffenen Erhabenheit der Natur ausgestattet ist, sondern wie jemand, der aus der Substanz Gottes entstand.

Außerdem. Wenn Christus aufgrund des Geschaffenseins „Sohn" heißt, so ist er nicht wahrer Gott, denn nichts Geschaffenes kann „Gott" genannt werden, es sei denn aufgrund einer gewissen Ähnlichkeit mit Gott. Jesus Christus selbst aber ist wahrer Gott, denn als Johannes sagte: „Und wir sind in dem Wahrhaftigen, in seinem Sohne Jesus Christus", so fügte er 1 Joh 5, 20 hinzu: „Dieser ist der wahrhaftige Gott und ewiges Leben". Demnach wird Christus nicht aufgrund des Geschaffenseins „Sohn Gottes" genannt.

Überdies. Der Apostel sagt in Rö 9,5: „... aus denen Christus dem Fleische nach stammt; der über allem ist, Gott, sei hochgelobt in Ewigkeit. Amen!"; desgleichen Tit 2, 13: „... als Menschen, die auf die selige Hoffnung harren und auf die Epiphanie der Herrlichkeit unseres großen Gottes und Heilandes Christus Jesus". Auch heißt es Jer 23, 5, 6: „Siehe, es kommen Tage, spricht Jahwe, in denen ich dem David einen gerechten Sproß werde erstehen lassen". Danach wird hinzugefügt: „Und das ist sein Name, den man ihm geben wird ‚Jahwe, unsere Gerechtigkeit'". Hier steht im Hebräischen das Tetragramm, also der Name, der gewiß nur Gott zugesprochen wird. Hieraus geht hervor, daß der Sohn Gottes wahrer Gott ist. Er ist also nicht etwas Geschaffenes.

Zudem. Ist Christus wahrer Sohn, so folgt mit Notwendigkeit, daß er wahrer Gott ist. Nur dann nämlich kann jemand, welcher von einem

si de substantia generantis nascatur nisi in similem speciem generantis procedat: oportet enim quod filius hominis homo sit. Si igitur Christus est verus Filius Dei, oportet quod sit verus Deus; non est igitur aliquid creatum.

Item. Nulla creatura recipit totam plenitudinem divinae bonitatis: quia, sicut ex superioribus patet, perfectiones a Deo in creaturas per modum cuiusdam descensus procedunt. Christus autem habet in se totam plenitudinem divinae bonitatis: dicit enim Apostolus, ad Coloss. II: „In ipso habitat omnis plenitudo divinitatis". Christus ergo non est creatura.

Adhuc. Licet intellectus angeli perfectiorem cognitionem habeat quam intellectus hominis, tamen multum deficit ab intellectu divino. Intellectus autem Christi non deficit in cognitione ab intellectu divino: dicit enim Apostolus, ad Coloss. II, quod in Christo „sunt omnes thesauri sapientiae et scientiae absconditi". Non est igitur Christus Filius Dei creatura.

Amplius. Quicquid Deus habet in seipso, est eius essentia, ut in Primo ostensum est. Omnia autem quae habet Pater, sunt Filii: dicit enim ipse Filius, Ioan. XVI: „Omnia quaecumque habet Pater mea sunt"; et Ioan. XVII, ad Patrem loquens, ait: „Mea omnia tua sunt, et tua mea sunt". Est ergo eadem essentia et natura Patris et Filii. Non est igitur Filius creatura.

Praeterea. Apostolus dicit, Philipp. II, quod Filius, antequam exinaniret semetipsum formam servi accipiens, „in forma Dei" erat. Per formam autem Dei non aliud intelligitur quam natura divina, sicut per formam servi non intelligitur aliud quam humana natura. Est ergo Filius in natura divina. Non est igitur creatura.

Item. Nihil creatum potest esse Deo aequale. Filius autem est Patri aequalis. Dicitur enim Ioan. V: „Quaerebant eum Iudaei interficere, quia non solum solvebat sabbatum, sed et Patrem suum dicebat Deum, aequalem se Deo faciens". Haec est autem Evangelistae narratio, „cuius testimonium verum est", quod Christus Filium Dei se dicebat et Deo aequalem, et propterea eum Iudaei persequebantur. Nec dubium est alicui christiano quin illud quod Christus de se dixit, verum sit: cum et Apostolus dicat, Philipp. II, hoc „non fuisse rapinam, quod aequalem se esse Patri arbitratus est". Est ergo Filius aequalis Patri. Non est igitur creatura.

Amplius. In Psalmo [LXXXVIII] legitur non esse similitudinem alicuius ad Deum etiam inter angelos qui filii Dei dicuntur: „Quis", inquit,

anderen hervorgebracht ist, wahrhaft ‚Sohn' genannt werden – selbst wenn er der Substanz des Hervorbringenden entstammt –, wenn er artgleich mit dem Zeugenden entsteht. Deswegen muß der Sohn eines Menschen Mensch sein. Wenn also Christus wahrhaft der Sohn Gottes ist, so muß er wahrer Gott sein. Also ist er kein Geschöpf.

Überdies. Weil die Vollkommenheiten von Gott her in die Geschöpfe nach Art eines gewissen Abstiegs gelangen, wie aus dem oben Gesagten (IV 1) ersichtlich wird, so nimmt kein Geschöpf die volle Fülle der göttlichen Güte auf. Christus aber hat die gesamte Fülle göttlicher Güte in sich. So sagt der Apostel Kol 2,9: „Denn in ihm wohnt die ganze Fülle der Gottheit leibhaftig". Also ist Christus kein Geschöpf.

Zudem. Obwohl der Verstand des Engels über eine vollkommenere Erkenntnis als der des Menschen verfügt, so ist er doch dem göttlichen Verstand bei weitem unterlegen. Der Verstand Christi jedoch fällt an Erkenntnis nicht vom göttlichen Verstand ab. So sagt der Apostel in Kol 2,3, daß in Christus „alle Schätze der Weisheit und Erkenntnis verborgen sind". Also ist Christus, der Sohn Gottes, kein Geschöpf.

Ferner. Wie wir im 1. Buch gezeigt haben (I 21 f.) ist all das, was Gott in sich birgt, seine Wesenheit. Alles jedoch, was dem Vater gehört, gehört dem Sohn. So sagt der Sohn selbst in Joh 16,15: „Alles, was der Vater hat, ist mein". Weiterhin sagt er, wenn er Joh 17,10 zum Vater spricht: „Alles meinige gehört Dir und das Deinige mir". Die Wesenheit und Natur des Vaters und des Sohnes sind also dieselbe. Also ist der Sohn kein Geschöpf.

Außerdem. Der Apostel sagt in Phil 2,6 f., daß der Sohn „in Gottesgestalt" war, bevor er „sich entäußerte und Knechtsgestalt annahm". Unter „Gottesgestalt" ist aber nichts anderes zu verstehen als die göttliche Natur, gleichwie unter „Knechtsgestalt" nichts anderes zu verstehen ist als die menschliche Natur. Der Sohn ist mithin göttlicher Natur. Also ist er kein Geschöpf.

Zudem. Nichts Geschaffenes kann Gott gleich sein. Der Sohn jedoch ist dem Vater gleich. So heißt es Joh 5,18: „Deshalb trachteten die Juden noch mehr danach, ihn zu töten, weil er nicht nur den Sabbat brach, sondern auch Gott seinen Vater nannte und sich so Gott gleichstellte". Der Evangelist, dessen Zeugnis wahr ist, sagt uns also, daß sich Christus „Sohn Gottes" und „gottgleich" nannte; deswegen verfolgten ihn die Juden. Kein Christ kann daran zweifeln, daß wahr ist, was Christus von sich selbst behauptet, da ja auch der Apostel Philipp 2,6 erklärt, es sei „kein Raub, sich als dem Vater gleich betrachtet zu haben". Also ist der Sohn dem Vater gleich. Mithin ist er kein Geschöpf.

Zudem. Es steht im Psalm (Ps 89,7) zu lesen, daß niemand Gott ähnlich ist, nicht einmal die Engel, die „Söhne Gottes" heißen. „Denn", so sagt

„similis Deo in filiis Dei?" Et alibi, [Psalm. LXXXII]: „Deus, quis similis erit tibi?" Quod de perfecta similitudine accipi oportet: quod patet ex his quae in primo libro tractata sunt. Christus autem perfectam sui similitudinem ad Patrem ostendit, etiam in vivendo: dicitur enim Ioan. V: „Sicut Pater habet vitam in semetipso, sic dedit et Filio vitam habere in semetipso". Non est igitur Christus computandus inter filios Dei creatos.

Adhuc. Nulla substantia creata repraesentat Deum quantum ad eius substantiam: quicquid enim ex perfectione cuiuscumque creaturae apparet, minus est quam quod Deus est; unde per nullam creaturam sciri potest de Deo *quid est*. Filius autem repraesentat Patrem: dicit enim de eo Apostolus, ad Coloss. I, quod est „imago invisibilis Dei". Et ne aestimetur esse imago deficiens, essentiam Dei non repraesentans, per quam non possit cognosci de Deo *quid est*, sicut vir dicitur ,imago Dei', I ad Cor. XI; ostenditur perfecta esse imago, ipsam Dei substantiam repraesentans, dicente Apostolo, Hebr. I: „Cum sit splendor gloriae, et figura substantiae eius". Non est igitur Filius creatura.

Praeterea. Nihil quod est in aliquo genere, est universalis causa eorum quae sunt in genere illo, sicut universalis causa hominum non est aliquis homo, nihil enim est sui ipsius causa: sed sol, qui est extra genus humanum, est universalis causa generationis humanae, et ulterius Deus. Filius autem est universalis causa creaturarum: dicitur enim Ioan. I: „Omnia per ipsum facta sunt"; et Proverb. VIII, dicit Sapientia genita: „Cum eo eram componens" omnia, et Apostolus dicit, ad Coloss. I: „In ipso condita sunt universa in caelo et in terra". Ipse igitur non est de genere creaturarum.

Item. Ex ostensis in secundo libro manifestum est quod substantiae incorporeae, quas angelos dicimus, non possunt aliter fieri quam per creationem; et etiam ostensum est quod nulla substantia potest creare nisi solus Deus. Sed Dei Filius Iesus Christus est causa angelorum, eos in esse producens: dicit enim Apostolus, Coloss. I: „Sive throni, sive dominationes, sive principatus, sive potestates, omnia per ipsum et in ipso creata sunt". Ipse igitur Filius non est creatura.

der Psalmist, „wer unter den Göttersöhnen käme Ihm gleich?". Andernorts, Ps 83,2, heißt es: „O Gott, wer wird Dir gleich sein?". Dies ist mit
Bezug auf die vollkommene Ähnlichkeit zu verstehen, was aus dem hervorgeht, was im 1. Buch (I 29) behandelt wurde. Christus jedoch erklärt
seine vollkommene Ähnlichkeit mit dem Vater sogar im Hinblick auf
seinen Lebensvollzug. So heißt es Joh 5,26: „Denn wie der Vater Leben
in sich selbst hat, so hat er auch dem Sohne gegeben, Leben in sich selbst
zu haben". Also ist Christus nicht zu den geschaffenen Göttersöhnen zu
zählen.

Zudem. Keine geschaffene Substanz vergegenwärtigt Gott seiner Substanz nach. Was sich nämlich bei jedem Geschöpf an Vollkommenheit
findet, das ist weniger als das, was Gott ist. Deswegen kann man durch
kein Geschöpf wissen, was Gott ist. Der Sohn aber vergegenwärtigt den
Vater. Der Apostel nämlich sagt von ihm in Kol 1,15, er sei „das Bild des
unsichtbaren Gottes". Man soll aber nicht annehmen, es handle sich um
ein unvollkommenes Bild, welches die Wesenheit Gottes nicht vergegenwärtigt, wodurch man nicht erkennen kann, was Gott ist – so wie man
vom Mann sagt, er sei „Bild Gottes" (1 Kor 11,7). Der Apostel macht
deutlich, daß Er das vollkommene Bild des Vaters ist, eine Ausprägung,
welche die Substanz Gottes selbst vergegenwärtigt, wenn er Hebr 1,3
bemerkt: „Er, der Abglanz seiner Herrlichkeit und Ausprägung seines
Wesens ist". Also ist der Sohn Gottes kein Geschöpf.

Außerdem. Nichts, was unter eine bestimmte Gattung fällt, ist universale Ursache dessen, was sich in dieser Gattung befindet. So ist kein bestimmter Mensch die universale Ursache der Menschen; nichts nämlich
ist Ursache seiner selbst. Die Sonne aber, die nicht unter die menschliche
Gattung fällt, ist universale Ursache des menschlichen Entstehens. Dies
trifft mehr noch auf Gott zu. Der Sohn jedoch ist die universale Ursache
der Geschöpfe. In Joh 1,3 heißt es nämlich: „Alles ist durch ihn geschaffen". Auch sagt die gezeugte Weisheit in Spr 8,30: „Da war ich an seiner
Seite, alles zusammenfügend". Der Apostel spricht in Kol 1,16: „Denn in
ihm ward alles erschaffen, im Himmel und auf Erden". Also gehört er
selbst nicht zur Gattung der Geschöpfe.

Ferner. Aus den Darlegungen des 2. Buches (II 98) wird ersichtlich, daß
die unkörperlichen Substanzen, welche wir „Engel" nennen, nur durch
Schöpfung entstehen können. Zudem wurde (II 21) gezeigt, daß keine
Substanz außer Gott allein erschaffen kann. Der Sohn Gottes jedoch, Jesus Christus, ist Ursache der Engel, indem er sie ins Sein bringt. So sagt
der Apostel in Kol 1,16: „Seien es Throne oder Hoheiten oder Herrschaf-
ten oder Gewalten: alles ist erschaffen durch ihn und auf ihn hin". Also
ist der Sohn selbst kein Geschöpf.

Praeterea. Cum propria actio cuiuslibet rei sequatur naturam ipsius, nulli competit propria actio alicuius rei cui non competit illius rei natura: quod enim non habet humanam speciem, nec actionem humanam habere potest. Propriae autem actiones Dei conveniunt Filio: sicut creare, ut iam ostensum est, continere et conservare omnia in esse, et peccata purgare; quae propria esse Dei ex superioribus patet. Dicitur autem de Filio, ad Coloss. I, quod „omnia in ipso constant"; et ad Hebr. I, dicitur quod portat „omnia verbo virtutis suae, purgationem peccatorum faciens". Filius igitur Dei est naturae divinae, et non est creatura. Sed quia posset Arianus dicere quod haec Filius facit, non tanquam principale agens, sed sicut instrumentum principalis agentis, quod per propriam virtutem non agit, sed solum per virtutem principalis agentis, hanc rationem Dominus excludit, Ioan. V, dicens: „Quaecumque Pater facit haec et Filius similiter facit". Sicut igitur Pater per se operatur et propria virtute, ita et Filius.

Ulterius etiam ex hoc verbo concluditur, quod sit eadem virtus et potestas Filii et Patris. Non solum enim dicit quod Filius similiter operatur sicut et Pater, sed quod „eadem et similiter". Idem autem non potest esse operatum eodem modo a duobus agentibus nisi vel dissimiliter, sicut idem fit a principali agente et instrumento: vel, si similiter, oportet quod conveniant in una virtute. Quae quidem virtus quandoque congregatur ex diversis virtutibus in diversis agentibus inventis, sicut patet in multis trahentibus navem: omnes enim similiter trahunt, et, quia virtus cuiuslibet imperfecta est et insufficiens ad istum effectum, ex diversis virtutibus congregatur una virtus omnium, quae sufficit ad trahendum navem. Hoc autem non potest dici in Patre et Filio: virtus enim Dei Patris non est

Überdies. Da die spezifische Tätigkeit jeglicher Sache ihrer Natur entsprechend erfolgt, so kommt keinem die eigentümliche Tätigkeit einer Sache zu, dem nicht auch die Natur jener Sache zukommt. Was mithin nicht zur menschlichen Art gehört, das kann auch keine menschlichen Handlungen vollbringen. Doch kommen die Tätigkeiten, welche spezifisch Gott eigen sind, dem Sohn zu, so etwa zu erschaffen (wie bereits gezeigt wurde), alles im Sein zusammenzuhalten und zu bewahren, sowie Sünden zu tilgen. Wie wir oben aufgewiesen haben, sind dies Tätigkeiten, die Gott selbst eigentümlich sind. Ebenso heißt es Kol 1, 17 vom Sohn: „Alles hat in ihm Bestand". Desgleichen heißt es Hebr 1, 3: „... der auch das All trägt durch sein machtvolles Wort, hat Reinigung von den Sünden vollbracht". Also ist der Sohn Gottes göttlicher Natur. Er ist kein Geschöpf.

Ein Arianer könnte nun behaupten, der Sohn vollbringe derartiges nicht als hauptsächlich tätiges Prinzip, sondern als Instrument des hauptsächlich Tätigen, da er nicht aufgrund eigenen Vermögens handelt, sondern ausschließlich aufgrund des Vermögens des hauptsächlich tätigen Prinzips. Der Herr schließt diese These aus, wenn er Joh 5, 19 spricht: „Denn was jener tut, das tut der Sohn in gleicher Weise". Wie also der Vater aufgrund seiner selbst und aufgrund eigenen Vermögens tätig ist, so ist es auch der Sohn.

Darüber hinaus. Aus derselben Passage läßt sich erschließen, daß das Vermögen und die Macht des Vaters und die des Sohnes dieselbe sind. Sie besagt nämlich nicht nur, daß der Sohn ähnlich wie der Vater tätig ist, sondern daß er dasselbe auch auf ähnliche Weise vollbringt. Ergibt sich dasselbe Ergebnis der Tätigkeit von zwei Handelnden auf dieselbe Weise, so geschieht dies entweder nur dann, wenn sie hieran auf verschiedene Weise Anteil haben (so wie sich dasselbe Resultat aufgrund des hauptsächlich tätigen Prinzips und des Instrumentes ergibt), oder wenn sie ähnlichen Anteil an ihm haben. Dann aber müssen sie in einem Vermögen übereinkommen. Ein derartiges Vermögen resultiert manchmal aus der Vereinigung verschiedener Vermögen von verschiedenen Tätigen, so etwa dann, wenn viele ein Schiff ziehen. Alle nämlich ziehen auf gleiche Weise. Da das Vermögen jedes einzelnen unvollkommen und zum Erreichen jener Wirkung unzureichend ist, so ergibt sich aus der Vereinigung verschiedener Vermögen ein Gesamtvermögen, welches zum Ziehen des Schiffes hinreicht. Dasselbe kann jedoch nicht vom Vater und vom Sohn gesagt werden. Das Vermögen Gottes, des Vaters nämlich ist nicht unvollkommen, sondern unbegrenzt, wie im 1. Buch gezeigt wurde (I 43). Also müssen das Vermögen des Vaters und das des Sohnes numerisch identisch sein. Da das Vermögen der Natur der Sache folgt, so müssen Natur und We-

imperfecta, sed infinita, ut in Primo ostensum est. Oportet igitur quod eadem numero sit virtus Patris et Filii. Et cum virtus consequatur naturam rei, oportet quod eadem numero sit natura et essentia Patris et Filii.

Quod etiam ex praecedentibus concludi potest. Nam si in Filio est natura divina, ut multipliciter ostensum est; cum natura divina multiplicari non possit, ut in primo libro ostensum est: sequitur de necessitate quod sit eadem numero natura et essentia in Patre et Filio.

Item. Ultima nostra beatitudo in solo Deo est, in quo etiam solo spes hominis debet poni et cui soli est honor latriae exhibendus, ut in tertio libro ostensum est. Beatitudo autem nostra in Dei Filio est; dicit enim, Ioan. XVII: „Haec est vita aeterna, ut cognoscant te", scilicet Patrem, „et quem misisti, Iesum Christum"; et I Ioan. V, dicitur de Filio quod est „verus Deus et vita aeterna". Certum est autem nomine ‚vitae aeternae‘ in Scripturis sacris ultimam beatitudinem significari.

Dicit etiam Isaias de Filio, ut Apostolus inducit, [Rom. XV]: „Erit radix Iesse, et qui exsurget regere gentes, in eo gentes sperabunt".

Dicitur etiam in Psalmo [LXXI]: „Et adorabunt eum omnes reges, omnes gentes servient ei". Et Ioan. V dicitur: „Omnes honorificent Filium sicut honorificant Patrem". Et iterum in Psalmo [XCVI], dicitur: „Adorate eum, omnes angeli eius": quod de Filio Apostolus introducit Hebr. I.

Manifestum est igitur Filium Dei verum Deum esse.

Ad hoc etiam ostendendum valent ea quae superius contra Photinum inducta sunt ad ostendendum Christum Deum esse, non factum, sed verum.

Ex praemissis igitur et consimilibus sacrae Scripturae documentis Ecclesia catholica edocta, Christum verum et naturalem Dei Filium confitetur, aeternum, Patri aequalem, et verum Deum, eiusdem essentiae et naturae cum Patre, genitum, non creatum nec factum.

Unde patet quod sola Ecclesiae catholicae fides vere confitetur generationem in Deo, dum ipsam generationem Filii ad hoc refert quod Filius accepit divinam naturam a Patre. Alii vero haeretici ad aliquam extraneam naturam hanc generationem referunt: Photinus quidem et Sabellius ad humanam; Arius autem, non ad humanam, sed ad quandam naturam creatam digniorem ceteris creaturis.

Differt etiam Arius a Sabellio et Photino quod huiusmodi generationem

senheit des Vaters und des Sohnes identisch sein. Dies läßt sich auch aus
dem Vorhergehenden erschließen. Ist nämlich die göttliche Natur im
Sohn, wie vielfach gezeigt wurde, und kann sich die göttliche Natur nicht
vervielfältigen, wie im 1. Buch erwiesen ist (I 42), so folgt mit Notwendigkeit, daß im Vater und im Sohn Natur und Wesenheit numerisch eine
sind.

Überdies. Unsere höchste Glückseligkeit liegt allein in Gott, auf den
allein des Menschen Hoffnung zu setzen und dem allein die Ehre der
Verehrung zu erweisen ist, wie im 3. Buch gezeigt wurde (III, 37;52; 120).
Unsere Glückseligkeit aber liegt im Sohne Gottes. Er sagt nämlich Joh
17,3: „Das aber ist das ewige Leben, daß sie Dich", d. h. den Vater, „erkennen und den Du gesandt hast, Jesus Christus". Weiterhin heißt es
1 Joh 5,20 vom Sohn: „Dieser ist der wahrhaftige Gott und ewiges Leben". Sicher ist, daß der Ausdruck „ewiges Leben" in den Heiligen Schriften die höchste Glückseligkeit bezeichnet.

So sagt Jesaja (Jes 11,10) vom Sohn, wie der Apostel in Rö 15,12 zitiert:
„Es kommt die Wurzel Isai, und der aufsteht, über die Völker zu herrschen, auf ihn hoffen die Heiden".

Auch heißt es Ps 72,11: „Alle Könige der Erde beten ihn an, alle Völker
müssen ihm dienen". Desgleichen heißt es Jo 5,23: „… damit alle den
Sohn ehren, so wie sie den Vater ehren". Wiederum heißt es Ps. 97,7: „Alle
seine Engel, betet ihn an". Diese Worte wendet der Apostel auf den Sohn
an (Hebr 1,6).

Es ist also offensichtlich, daß der Sohn Gottes wahrer Gott ist.

Zum Beweis dessen sind auch die zuvor gegen Photinus vorgebrachten
Argumente einschlägig, daß Christus Gott ist, nicht geschaffen, sondern
wahrhaftig.

Durch die erwähnten und die hiermit verwandten Dokumente der Heiligen Schrift belehrt, bekennt die Katholische Kirche Christus als den
wahren und naturhaften Sohn Gottes, gleich ewig mit dem Vater und ihm
gleichgestellt, als wahren Gott, derselben Wesenheit und Natur mit dem
Vater, gezeugt, weder geschaffen noch gemacht.

Somit ist ersichtlich, daß allein der Glaube der Katholischen Kirche
wahrheitsgemäß die Zeugung in Gott bekennt, indem sie die Zeugung des
Sohnes darauf bezieht, daß der Sohn von Gott die göttliche Natur annahm. Andere jedoch, Häretiker, beziehen diese Zeugung auf irgendeine
andere Natur. Photinus und Sabellius beziehen sie auf die menschliche,
Arius dagegen bezieht sie nicht auf die menschliche, sondern auf eine
geschaffene Natur, welche höheren Ranges als die der übrigen Geschöpfe
sein soll.

Auch unterscheidet sich Arius von Sabellius und Photinus darin, daß

praedictam asserit ante mundum fuisse; illi vero eam fuisse negant ante nativitatem ex Virgine.

Sabellius tamen a Photino differt in hoc, quod Sabellius Christum verum Deum confitetur et naturalem, non autem Photinus neque Arius: sed Photinus purum hominem; Arius autem quasi commixtum ex quadam excellentissima creatura divina et humana. Hi tamen aliam esse personam Patris et Filii confitentur, quod Sabellius negat.

Fides ergo catholica, media via incedens, confitetur, cum Ario et Photino, contra Sabellium, aliam personam Patris et Filii, et Filium genitum, Patrem vero omnino ingenitum: cum Sabellio vero, contra Photinum et Arium, Christum verum et naturalem Deum et eiusdem naturae cum Patre, licet non eiusdem personae.

Ex quo etiam indicium veritatis catholicae sumi potest: nam vero, ut Philosophus dicit[4], etiam falsa attestantur: falsa vero non solum a veris, sed etiam ab invicem distant.

CAPITULUM VIII

SOLUTIO AD AUCTORITATES QUAS ARIUS PRO SE INDUCEBAT

Quia vero veritas veritati contraria esse non potest, manifestum est ea quae ex Scripturis veritatis ab Arianis introducta sunt ad suum errorem confirmandum, eorum sententiae accommoda non esse. Cum enim ex Scripturis divinis ostensum sit Patris et Filii eandem numero essentiam esse et naturam divinam, secundum quam uterque verus dicitur Deus, oportet Patrem et Filium non duos deos, sed unum Deum esse. Si enim plures dii essent, oporteret per consequens divinitatis essentiam in utroque partitam esse sicut in duobus hominibus est alia et alia humanitas numero: et praecipue cum non sit aliud divina natura et aliud ipse Deus, ut supra ostensum est; ex quo de necessitate consequitur quod, existente una natura divina in Patre et Filio, quod sint Pater et Filius unus Deus. Licet ergo Patrem confiteamur Deum, et Filium Deum, non tamen recedimus a sen-

---

[4] Cf. Aristotelem, *Anal. pr.* II 2–4, 53b 4–57b 17; *Anal. post.* I 32 (88a 20 f.); cf. *Ethic.* I 8 (1098b 11 f.).

er behauptet, eine derartige Zeugung habe vor der Erschaffung der Welt stattgefunden, während jene leugnen, daß sie vor der Geburt aus der Jungfrau erfolgt ist.

Dennoch unterscheidet sich Sabellius von Photinus darin, daß Sabellius Christus als wahren und naturhaften Gott bekennt. Dies tun weder Photinus noch Arius. Photinus bekennt ihn als bloßen Menschen, Arius dagegen gleichsam als aus einem äußert erhabenen, göttlichen und menschlichen Geschöpf gemischt. Sie bekennen, daß die Person des Vaters von der des Sohnes verschieden ist. Dies leugnet Sabellius.

Der Katholische Glaube nimmt mithin einen Mittelweg ein, indem er mit Arius und Photinus gegen Sabellius bekennt, der Vater und der Sohn seien verschiedene Personen, der Sohn sei gezeugt, der Vater jedoch wahrhaft vollständig ungezeugt. Mit Sabellius gegen Photinus und Arius bekennt er, daß Christus wahrer und naturhafter Gott ist, derselben Natur wie der Vater, wenn auch nicht derselben Person.

Hieraus läßt sich ein Anzeichen der Katholischen Wahrheit gewinnen, da selbst Falsches von Wahrem zeugt, wie der Philosoph (Aristoteles) sagt. Falsches jedoch ist nicht nur Wahrem, sondern auch untereinander entgegengesetzt.

8. KAPITEL

RICHTIGSTELLUNG DER DEUTUNG DER AUTORITATIVEN QUELLEN, WELCHE ARIUS FÜR SICH HERANZOG

Da sich nun die Wahrheit nicht konträr zur Wahrheit verhalten kann, so kann sich offenkundig das, was von den Arianern aus den Schriften der Wahrheit zur Unterstützung ihres Irrtums angeführt wird, nicht mit ihren eigenen Aussagen in Übereinstimmung befinden. Wie anhand der göttlichen Schriften gezeigt wurde, daß nämlich dem Vater und dem Sohn eine identische Wesenheit und göttliche Natur zukommt, wonach jeder von beiden „wahrer Gott" heißt, so können Vater und Sohn nicht zwei Götter sein. Sie müssen vielmehr ein Gott sein. Wären sie mehrere Götter, so würde folgen, daß die Wesenheit Gottes in beiden geteilt sein muß, so wie in zwei Menschen das Menschsein numerisch verschieden ist. Dies würde insbesondere angesichts der Tatsache gelten, daß die göttliche Natur und Gott selbst nichts Verschiedenes sind, wie oben gezeigt wurde (I 21). Hieraus folgt notwendig, daß Vater und Sohn ein Gott sind, da im Vater und im Sohn eine Natur besteht. Dementsprechend weichen wir also nicht von der Ansicht ab, die besagt, daß es einen einzigen Gott gibt,

tentia qua ponitur unus solus Deus, quam in Primo et rationibus et auctoritatibus firmavimus. Unde, etsi sit unus solus verus Deus, tamen hoc
et de Patre et de Filio praedicari confitemur.

Cum ergo Dominus, ad Patrem loquens, dicit, Ioan. XVII: „Ut cognoscant te solum Deum verum", non sic intelligendum est quod solus Pater
sit verus Deus, quasi Filius non sit verus Deus, quod tamen manifeste
Scripturae testimonio probatur: sed quod illa quae est una sola vera deitas
Patri conveniat, ita tamen quod non excludatur inde et Filius. Unde signanter non dicit Dominus: „ut cognoscant solum Deum verum", quasi
solus ipse sit Deus; sed dixit: „ut cognoscant te", et addit „solum verum
Deum", ut ostenderet Patrem, cuius se Filium protestabatur, esse Deum
in quo invenitur illa quae sola est vera divinitas. Et, quia oportet verum
filium eiusdem naturae esse cum patre, magis sequitur quod illa quae sola
est vera divinitas Filio conveniat, quam ab ea Filius excludatur. Unde et
Ioannes, in Primae suae Canonicae, quasi haec verba Domini exponens,
utrumque istorum vero Filio attribuit quae hic Dominus dicit de Patre,
scilicet quod sit verus Deus, et quod in eo sit vita aeterna, dicens, [I Ioan.
V]: „Ut cognoscamus verum Deum, et simus in vero Filio eius. Hic est
verus Deus et vita aeterna".

Si tamen confessus esset Filius quod solus Pater esset verus Deus, non
propter hoc a vera divinitate Filius excludi intelligendus esset: nam quia
Pater et Filius sunt unus Deus, ut ostensum est, quicquid ratione divinitatis de Patre dicitur, idem est ac si de Filio diceretur, et e converso. Non
enim propter hoc quod Dominus dicit, Matth XI: „Nemo novit Filium
nisi Pater, neque Patrem quis novit nisi Filius", intelligitur vel Pater a sui
cognitione excludi, vel Filius.

Ex quo etiam patet quod vera Filii divinitas non excluditur ex verbis
Apostoli quibus dicit, I Tim. VI: „Quem suis temporibus ostendet beatus
et solus potens, Rex regum et Dominus dominantium". Non enim in his
verbis Pater nominatur, sed id quod est commune Patri et Filio. Nam
quod et Filius sit „Rex regum et Dominus dominantium", manifeste
ostenditur Apoc. XIX, ubi dicitur: „Vestitus erat veste aspersa sanguine,
et" vocabatur „nomen eius: Verbum Dei" et postea subditur: „Et habet in

wie wir im 1. Buch (I 42) sowohl aus Vernunftgründen als auch auf der
Grundlage von Autoritäten dargelegt haben, wenn wir den Vater sowie
den Sohn als Gott bekennen. Selbst wenn es demnach nur einen einzigen
wahren Gott gibt, so bekennen wir dennoch, daß dies sowohl vom Vater
als auch vom Sohn gilt.

Spricht also der Herr Joh 17, 3 zum Vater: „... daß sie Dich, den allein
wahren Gott, erkennen ...", dann ist dies nicht so zu verstehen, als sei
allein der Vater wahrer Gott, gleichsam als sei der Sohn nicht wahrer Gott
(doch das Zeugnis der Schrift belegt mit aller Deutlichkeit, daß er wahrer
Gott ist), sondern daß jene eine und einzige wahre Gottheit zwar dem
Vater zukommt, aber so, daß sie deswegen nicht vom Sohne ausgeschlossen ist. Daher sagte der Herr bezeichnenderweise nicht: „... daß sie Dich,
den einzig wahren Gott erkennen ...", gleichsam als sei er [der Vater]
allein Gott; vielmehr sagte er: „... damit sie Dich" – und fügt „den allein
wahren Gott" hinzu, um anzudeuten, daß der Vater, dessen Sohn zu sein
er bekannte, Gott ist, in welchem die einzig wahre Gottheit anwest. Da
der wahre Sohn derselben Natur wie der Vater sein muß, so folgt eher,
daß die einzig wahre Gottheit dem Sohne zukommt, als daß der Sohn von
ihr ausgeschlossen ist. So schreibt auch Johannes – gegen Ende seines
ersten kanonischen Briefes – beide Dinge, die der Herr vom Vater aussagt,
daß er nämlich wahrer Gott ist und in ihm sich ewiges Leben befindet,
dem Sohn zu, indem er diese Herrenworte erläutert: „... damit wir den
wahren Gott erkennen. Und wir sind in seinem wahren Sohn. Dieser ist
der wahrhaftige Gott und ewiges Leben" (1 Joh 5, 20).

Hätte der Sohn dennoch bekannt, allein der Vater sei wahrer Gott, so
dürfte man den Sohn deswegen nicht als von der wahren Gottheit ausgeschlossen verstehen. Weil der Vater und der Sohn ein Gott sind, wie gezeigt wurde, so ist das, was vom Vater aufgrund seiner Gottheit ausgesagt
wird, dasselbe, als wenn man es vom Sohn aussagte und umgekehrt. Wenn
der Herr in Mt 11, 27 spricht: „Niemand kennt den Sohn als der Vater;
und den Vater kennt niemand als der Sohn", so darf man dies nicht so
verstehen, als seien sowohl der Vater als auch der Sohn von der Gottes-
erkenntnis ausgeschlossen.

Hieraus geht auch hervor, daß die wahre Gottheit des Sohnes auch
nicht durch die folgenden Worte des Apostels (1 Tim 6, 15) ausgeschlossen
ist: „... die zur rechten Zeit herbeiführen wird er, der selige und alleinige
Herrscher, der König der Könige und der Herr der Herren". Mit diesen
Worten wird nämlich nicht der Vater angesprochen, sondern das, was
Vater und Sohn gemeinsam ist. Es wird explizit dargelegt, daß auch der
Sohn „König der Könige" und „Herr der Herren" ist, wenn es Apok
19, 13 heißt: „Und angetan ist er mit einem blutgetränkten Mantel, und

vestimento et in femore suo scriptum: „Rex regum et Dominus dominantium".

Nec ab hoc quod subditur: „Qui solus habet immortalitatem", excluditur Filius: cum et sibi credentibus immortalitatem conferat; unde dicitur Ioan. II: „Qui credit in me, non morietur in aeternum".

Sed et hoc quod subditur: „Quem nemo hominum vidit, sed nec videre potest", certum est Filio convenire: cum Dominus dicat, Matth. XI: „Nemo novit Filium nisi Pater". Cui non obstat quod visibilis apparuit: hoc enim secundum carnem factum est. Est autem invisibilis secundum deitatem, sicut et Pater; unde Apostolus, in eadem epistola, I Tim. III, dicit: „Manifeste magnum est pietatis sacramentum, quod manifestatum est in carne".

Nec cogit quod haec de solo Patre dicta intelligamus quia dicitur quasi oporteat alium esse ostendentem et alium ostensum; Nam et Filius seipsum ostendit: dicit enim ipse, Ioan. XIV: „Qui diligit me, diligetur a Patre meo; et ego diligam eum, et manifestabo ei meipsum"; unde et ei dicimus, [Psalm. LXXIX]: „Ostende faciem tuam, et salvi erimus".

Quod autem Dominus dicit, Ioan. XIV: „Pater maior me est", qualiter sit intelligendum, Apostolus docet. Cum enim ‚maius‘ referatur ad ‚minus‘, oportet intelligi hoc dici de Filio secundum quod est ‚minoratus‘. Ostendit autem Apostolus eum esse minoratum secundum assumptionem formae servilis, ita tamen quod Deo Patri aequalis existat secundum formam divinam: dicit enim, ad Philipp. II: „Cum in forma Dei esset, non rapinam arbitratus est esse se aequalem Deo, sed semetipsum exinanivit, formam servi accipiens". Nec est mirum si ex hoc Pater eo maior dicatur, cum etiam ab angelis eum minoratum Apostolus dicat, Hebr. II: „Eum", inquit, „qui modico ab angelis minoratus est", vidimus „Iesum, propter passionem mortis, gloria et honore coronatum".

Ex quo etiam patet quod secundum eandem rationem dicitur Filius esse „Patri subiectus", scilicet secundum humanam naturam. Quod ex ipsa circumstantia litterae apparet. Praemiserat enim Apostolus, [I Cor. XV]:

sein Name ward genannt: das Wort Gottes". Danach wird [Apok 19, 16] hinzugefügt: „Und auf seinem Mantel, und zwar auf seinem Schenkel, trägt er einen Namen geschrieben: König der Könige und Herr der Herren".

Ebenso wird der Sohn nicht durch das folgende „der allein unsterblich ist" (1 Tim 6, 16) ausgeschlossen, da er auch denen Unsterblichkeit verleiht, welche an ihn glauben. So heißt es Joh 11, 26: „Und jeder, der [lebt und] an mich glaubt, wird in Ewigkeit nicht sterben".

Wird (1 Tim 6, 16) hinzugefügt: „… den kein Mensch gesehen hat noch zu sehen vermag", so gilt dies sicherlich vom Sohn, da der Herr Mt 11, 27 sagt: „Niemand kennt den Sohn außer der Vater". Dem widerspricht nicht, daß er sichtbar erschien, geschah dies doch dem Fleische nach; allerdings ist er – wie auch der Vater – hinsichtlich seiner Gottheit unsichtbar. So bemerkt der Apostel im selben Brief (1Tim 3, 16): „Und ganz gewiß, groß ist das Geheimnis der Frömmigkeit: er wurde geoffenbart im Fleische …".

Auch sind wir nicht genötigt, dies so zu verstehen, als werde es ausschließlich vom Vater behauptet, weil der Text nahelegt, daß man einen Unterschied zwischen dem sich Offenbarenden und dem Offenbarten machen muß. Der Sohn nämlich offenbart sich selbst. So sagt er selbst Joh 14, 21: „Wer aber mich liebt, wird von meinem Vater geliebt werden, und ich werde ihn lieben und mich ihm offenbaren". Demgemäß sprechen wir auch zu ihm: „Laß leuchten Dein Angesicht, so sind wir gerettet" (Ps 80, 20).

Hinsichtlich des Wortes des Herrn (Joh 14, 28): „Der Vater ist größer als ich" lehrt uns der Apostel, wie es zu verstehen ist. Da sich ein Mehr auf ein Minder bezieht, so muß dieses Wort als Äußerung im Hinblick auf die Erniedrigung des Sohnes verstanden werden. Demgemäß legt der Apostel dar, er sei erniedrigt, insofern er Knechtsgestalt annahm; dennoch aber existiere er der göttlichen Gestalt nach Gott, dem Vater gleich. Er sagt nämlich in Phil 2, 6 f.: „Er, der in Gottesgestalt war, erachtete das Gottgleichsein nicht als Beutestück; sondern er entäußerte sich selbst und nahm Knechtsgestalt an". Noch nimmt es wunder, daß der Vater deswegen größer als er genannt wird, wenn der Apostel Hebr 2, 9 bemerkt, daß er selbst niedriger als die Engel gestellt wurde: „Doch sehen wir den ein wenig unter die Engel Erniedrigten, Jesus nämlich, mit Herrlichkeit und Ehre gekrönt um seines Todesleidens willen …".

Hieraus geht ebenfalls hervor, daß es aus demselben Grunde heißt, der Sohn sei „dem Vater unterworfen" (1 Kor 15, 28), nämlich aufgrund seiner menschlichen Natur. Dies wird aus dem Kontext des Briefes selbst deutlich. Der Apostel hatte nämlich (1 Kor 15, 21) vorweggeschickt: „Denn

„Per hominem mors, et per hominem resurrectio mortuorum"; et postea
subiunxerat quod „unusquisque resurget in suo ordine: primum Christus,
deinde ii qui sunt Christi"; et postea addit: „Deinde finis, cum tradiderit
regnum Deo et Patri"; et ostenso quale sit hoc regnum, quia scilicet oportet ei omnia esse subiecta, consequenter subiungit: „Cum subiecta illi fuerint omnia, tunc ipse Filius subiectus erit ei qui subiecit sibi omnia". Ipse
ergo contextus litterae ostendit hoc de Christo debere intelligi secundum
quod est homo: sic enim mortuus est et resurrexit. Nam secundum divinitatem, cum omnia faciat quae facit Pater, ut ostensum est, etiam ipse sibi
subiecit omnia: unde Apostolus dicit ad Philipp. III: „Salvatorem expectamus Dominum Iesum Christum, qui reformabit corpus humilitatis nostrae configuratum corpori claritatis suae, secundum operationem qua
possit sibi subiicere omnia".

Ex eo autem quod Pater Filio ‚dare' dicitur in Scripturis, ex quo per
Scripturam sequitur ipsum ‚recipere', non potest ostendi aliqua indigentia
esse in ipso, sed hoc requiritur ad hoc quod Filius sit; non enim Filius dici
posset nisi a Patre genitus esset; omne autem genitum a generante naturam
recipit generantis. Per hoc ergo quod Pater Filio dare dicitur, nihil aliud
intelligitur quam Filii generatio, secundum quam Pater Filio dedit suam
naturam.

Et hoc ipsum ex eo quod datur, intelligi potest. Dicit enim Dominus,
Ioan. X: „Pater meus quod dedit mihi, maius omnibus est"; id autem quod
maius omnibus est, divina natura est, in qua Filius est Patri aequalis. Quod
ipsa verba Domini ostendunt. Praemiserat enim quod „oves suas nullus
de manu eius rapere posset", ad cuius probationem inducit verbum propositum, scilicet quod „id quod est sibi a Patre datum maius omnibus sit".
Et, quia „de manu Patris", ut subiungit, „nemo rapere potest". Ex hoc
sequitur quod nec etiam de manu Filii. Non autem sequeretur nisi per id
quod est sibi a Patre datum, esset Patri aequalis. Unde, ad hoc clarius
explicandum, subdit: „Ego et Pater unum sumus".

Similiter etiam Apostolus, ad Philipp. II, dicit: „Et dedit illi nomen
quod est super omne nomen, ut in nomine Iesu omne genu flectatur,

da der Tod durch einen Menschen (gekommen ist), so auch durch einen Menschen die Auferstehung der Toten". Danach (1 Kor 23) hatte er hinzugefügt, daß „ein jeder in der für ihn geltenden Reihenfolge auferstehen wird, zuerst Christus, dann die, die Christi sind". Danach fügt er (1 Kor 15,24) hinzu: „Danach ist das Ende da, wenn er Gott dem Vater die Königsherrschaft übergibt …". Nachdem er erklärt hat, wie beschaffen diese Herrschaft ist, da ihm ja alles unterworfen sein muß, so fügt er (1 Kor 15,28) sachgemäß hinzu: „Ist aber einmal alles ihm unterworfen, dann wird auch der Sohn selber sich dem unterwerfen, der ihm alles unterworfen hat …". Also zeigt der Kontext des Briefes selbst, daß dies in bezug auf Christus als Menschen verstanden werden muß; als solcher nämlich ist er sterblich und stand von den Toten auf; denn hinsichtlich seiner Gottheit – da er „alles tut, was der Vater tut" (Joh 5,19), wie erklärt wurde – hat er selbst sich alles unterworfen. Daher bemerkt der Apostel Phil 3,20 f.: „Wir erwarten den Retter, den Herrn Jesus Christus. Er wird den Leib unserer Niedrigkeit umwandeln, daß er gleichgestaltet sei dem Leib seiner Herrlichkeit, vermöge der Kraft, mit der er sich alles zu unterwerfen vermag".

Aus der Tatsache jedoch, daß es in der Schrift (Mt 11,27) heißt, der Vater „gebe" dem Sohn, wonach aus der Schrift folgt, daß der Sohn „empfangen" hat, kann man nicht schließen, es habe ihm an irgend etwas gefehlt. Empfangen zu haben ist vielmehr dazu erforderlich, daß er Sohn ist. Er könnte nämlich nicht Sohn heißen, wäre er nicht vom Vater gezeugt worden. Alles Gezeugte aber empfängt die Natur des Zeugenden vom Zeugenden. Mithin ist unter demjenigen, was der Vater dem Sohne gibt, nichts anderes zu verstehen als die Zeugung des Sohnes, der gemäß der Vater dem Sohne seine Natur gab.

Dies kann man von der Gabe her verstehen. Der Herr sagt nämlich Joh 10,29: „Der Vater, der sie mir gegeben hat, ist größer als alles …". Was aber größer als alles ist, das ist die göttliche Natur, worin der Sohn dem Vater gleich ist. Dies zeigen die Herrenworte selbst. Er hatte nämlich (Joh 10,28) vorweggeschickt, daß „keiner seine Schafe aus seiner Hand rauben" könne. Zum Beweis äußert er das zitierte Wort. Es besagt, daß „das, was ihm vom Vater gegeben ist, größer als alles" ist. Weil niemand aus der Hand des Vaters rauben kann, fügt er hinzu, so kann mithin auch niemand aus der Hand des Sohnes rauben. Dies würde nur dann nicht der Fall sein, wenn er nicht durch das, was ihm vom Vater gegeben wurde, ihm gleich wäre. Zur besseren Verdeutlichung fügt er (Joh 10,30) hinzu: „Ich und der Vater sind eins".

Ähnlich spricht auch der Apostel in Phil 2,9 f.: „… und [hat] ihm den Namen gegeben, der über allen Namen ist, auf daß im Namen Jesu sich

caelestium, terrestrium et infernorum". Nomen autem omnibus nominibus altius, quod omnis creatura veneratur, non est aliud quam nomen divinitatis. Ex hac ergo datione generatio ipsa intelligitur, secundum quam Pater Filio veram divinitatem dedit. Idem etiam ostenditur ex hoc quod „omnia" sibi dicit esse data „a Patre"; non autem essent sibi data omnia, nisi „omnis plenitudo divinitatis", quae est in Patre esset in Filio.

Sic igitur, ex hoc quod sibi Patrem dedisse asserit, se verum Filium confitetur, contra Sabellium. Ex magnitudine vero eius quod datur, Patri se confitetur esse aequalem, ut Arius confundatur. Patet igitur quod talis donatio indigentiam in Filio non designat; non enim ante fuit Filius quam sibi daretur: cum generatio eius sit ipsa donatio. Neque plenitudo dati hoc patitur, ut indigere possit ille cui constat esse donatum.

Nec obviat praedictis quod ex tempore Filio Pater dedisse legitur in Scripturis: sicut Dominus post resurrectionem dicit discipulis, [Matth. XXVIII]: „Data est mihi omnis potestas in caelo et in terra"; et Apostolus, ad Philipp. II, dicit quod „propter hoc Deus Christum exaltavit et dedit illi nomen quod est super omne nomen, quia factus fuerat obediens usque ad mortem", quasi hoc nomen non habuerit ab aeterno. Est enim consuetus Scripturae modus ut aliqua dicantur esse vel fieri quando innotescunt. Hoc autem quod Filius ab aeterno universalem potestatem et nomen divinum acceperit, post resurrectionem, praedicantibus discipulis, mundo est manifestatum. Et hoc etiam verba Domini ostendunt. Dicit enim Dominus, Ioan. XVII: „Clarifica me tu, Pater, apud temetipsum, claritate quam habui priusquam mundus fieret". Petit enim ut sua gloria, quam ab aeterno a Patre recepit ut Deus, in eo iam homine facto esse declaretur.

Ex hoc autem manifestum est quomodo Filius doceatur, cum non sit ignorans. Ostensum est enim in primo libro quod intelligere et esse in Deo idem sunt. Unde communicatio divinae naturae est etiam intelligentiae communicatio. Communicatio autem intelligentiae ‚demonstratio‘, vel ‚locutio‘, sive ‚doctrina‘ potest dici. Per hoc ergo quod Filius sua nativitate

jedes Knie beuge im Himmel und auf der Erde und unter der Erde". Nun ist der Name über allen Namen, den jegliches Geschöpf verehrt, kein anderer als der Name Gottes. Mithin hat man unter dieser Zeugungsgabe die Zeugung selbst zu verstehen, der gemäß der Vater dem Sohn die wahre Gottheit gab.

Dasselbe ergibt sich aus der Behauptung, daß ihm „alles vom Vater gegeben" (Mt 11,27) wurde. So wäre nicht alles gegeben worden, wäre nicht „die ganze Fülle der Gottheit" (Kol 2,9), die im Vater ist, auch im Sohn.

Aufgrund desjenigen also, von dem er sagt, es habe ihm der Vater gegeben, bekennt er, er sei wahrer Sohn. Dies spricht gegen Sabellius (vgl. IV 5). Folglich bekennt er aufgrund der Größe der Gabe, er sei dem Vater gleich. Dies stellt Arius falsch dar. Mithin weist eine derartige Gabe offensichtlich nicht auf einen Mangel im Sohn hin (denn er war nicht Sohn, bevor ihm nicht gegeben wurde), da seine Zeugung die Gabe selbst ist; noch ist die Fülle des Gegebenen mit einem möglichen Mangel im Empfangenden verträglich.

Ebensowenig widerspricht es dem Gesagten, wenn in der Schrift geschrieben steht, der Vater habe dem Sohn in der Zeit gegeben. So spricht Mt 28,18 der Herr zu den Jüngern nach der Auferstehung: „Mir ist alle Gewalt gegeben im Himmel und auf Erden", und der Apostel sagt in Phil 2,8 f.: „Darum hat Gott ihn erhöht und ihm den Namen gegeben, der über alle Namen ist", weil er „gehorsam wurde bis zum Tode, bis zum Tod am Kreuz", als ob er diesen Namen nicht von Ewigkeit getragen hätte. Ist es doch eine gewohnte Redeweise der Schrift, daß sie Dinge dann als existent oder werdend bezeichnet, wenn sie uns bekannt werden. Die Tatsache jedoch, daß der Sohn von Ewigkeit her sämtliche Macht wie auch den göttlichen Namen angenommen hat, ist der Welt durch die nach der Auferstehung predigenden Jünger bezeugt. Dies bezeugen auch die Worte Gottes. So sagt der Herr Joh 17,5: „Jetzt verherrliche du mich, Vater, bei dir selbst mit der Herrlichkeit, die ich, ehe die Welt war, bei dir hatte". Er bittet nämlich darum, daß sich seine Herrlichkeit, die er als Gott von Ewigkeit vom Vater erhielt, als in ihm, dem Mensch Gewordenen, vorhanden offenbare.

Hieraus wird auch ersichtlich, wie der Sohn belehrt wird, damit er nicht unwissend sei. Es wurde bereits im 1. Buch gezeigt (I 45), daß in Gott Verstehen und Sein dasselbe sind. Deswegen ist die Mitteilung der göttlichen Natur zugleich Mitteilung von Einsicht. Nun kann man die Mitteilung von Einsicht „Beweis", „Zurede" oder „Lehre" nennen. Dadurch, daß der Sohn durch seine Geburt vom Vater die göttliche Natur annahm, so heißt es, er habe es „vom Vater gehört" (Joh 15,15), „der Vater habe

a Patre naturam divinam acceperit, dicitur vel „a Patre audivisse", vel „Pater ei demonstrasse", vel si quid aliud simile legitur in Scripturis: non quod prius Filius ignorans aut nesciens fuerit, et postmodum eum Pater docuerit. Confitetur enim Apostolus, I ad Cor. I, „Christum Dei virtutem et Dei sapientiam": non est autem possibile quod sapientia sit ignorans neque quod virtus infirmetur.

Ideo etiam quod dicitur, Ioan. V: „Non potest Filius a se facere quicquam", nullam infirmitatem agendi demonstrat in Filio: sed, quia, cum Deo non sit aliud agere quam esse, nec sua actio sit aliud quam sua essentia, ut supra probatum est, ita dicitur quod Filius non possit a se agere, sed agat a Patre, sicut quod non potest a se esse, sed solum a Patre: si enim a se esset, iam Filius non esset. Sicut ergo Filius non potest non esse Filius, ita a se agere non potest. Quia vero eandem naturam accipit Filius quam Pater, et ex consequenti eandem virtutem, licet Filius a se non sit nec a se operetur, tamen „per se est" et „per se operatur": quia sicut est per propriam naturam, quam accepit a Patre, ita per propriam naturam, a Patre acceptam, operatur. Unde postquam Dominus dixerat, [Ioan. V]: „Non potest Filius a se facere quicquam", ut ostenderet quod, licet non a se, tamen per se Filius operatur, subiungit: „Quaecumque ille fecerit", scilicet Pater, „haec et Filius similiter facit".

Ex praemissis etiam apparet qualiter „Pater praecipiat Filio"; aut „Filius obediat Patri"; aut „Patrem oret", aut „mittatur a Patre". Haec enim omnia Filio conveniunt secundum quod est Patri subiectus, quod non est nisi secundum humanitatem assumptam, ut ostensum est. Pater ergo Filio praecipit ut subiecto sibi secundum humanam naturam. Et hoc etiam verba Domini manifestant. Nam, cum Dominus dicat, [Ioan. XIV]: „Ut cognoscat mundus quia diligo Patrem, et sicut mandatum dedit mihi Pater, sic facio", quod sit istud mandatum ostenditur per id quod subditur, „Surgite, eamus hinc": hoc enim dixit ad passionem accedens, mandatum autem patiendi manifestum est Filio non competere nisi secundum humanam naturam. Similiter, ubi ait, [Ioan. XV]: „Si praecepta mea servaveritis, manebitis in dilectione mea, sicut et ego praecepta Patris mei servavi, et maneo in eius dilectione", manifestum est haec praecepta ad Filium per-

es ihm bewiesen" (Joh 5,20), oder die Schriften verwenden eine gleichbe-
deutende Redewendung; doch nicht eine solche, die zu verstehen gibt, der
Sohn sei zuvor unkundig und unwissend gewesen und der Vater habe ihn
daraufhin belehrt. So bekennt der Apostel in 1 Kor 1,24, daß Christus
„die Macht Gottes und die Weisheit Gottes" ist; also ist es weder möglich,
daß sich die Weisheit in Unkenntnis befindet, noch daß die Macht geschwächt ist.

So erklärt sich auch das folgende Wort von Joh 5,19: „Der Sohn kann
von sich aus nichts tun, außer was er den Vater tun sieht". Dies beweist
keinerlei Handlungsschwäche im Sohn; vielmehr gilt, da in Gott Handeln nichts anderes ist als Sein, daß sein Handeln nichts anderes ist als
seine Wesenheit, wie oben bewiesen wurde (I 45). Dementsprechend sagt
man, daß der Sohn nicht von sich her zu handeln vermag, sondern aufgrund des Vaters, und zwar deswegen, weil er nicht von sich her, sondern
allein vom Vater her zu sein vermag. Wäre er nämlich von sich her, so
wäre er nicht Sohn. Da nun der Sohn unmöglich nicht Sohn ist, so
vermag er rein von sich her nicht zu handeln. Weil aber der Sohn
dieselbe Natur und folglich auch dieselbe Macht besitzt, worüber der
Vater verfügt, so ist und wirkt er dennoch durch sich, auch wenn er nicht
von sich her ist und wirkt. Gleichwie er durch die ihm eigentümliche
Natur west, welche er vom Vater annahm, ebenso wirkt er durch eben-
diese vom Vater angenommene Natur. So fügt der Herr hinzu, nachdem
er in Joh 5,19 gesprochen hat: „Der Sohn vermag von sich aus nichts
zu tun", daß „was jener (d. h. der Vater) tut, das tut der Sohn in gleicher
Weise".

Aus dem Vorhergehenden wird ebenfalls ersichtlich, auf welche Weise
der Vater dem Sohne Weisung erteilt oder der Sohn auf den Vater hört,
den Vater bittet, oder vom Vater gesandt wird. Dies alles nämlich trifft
auf den Sohn zu, insofern er dem Vater unterworfen ist. Es ist ausschließlich in der Menschheit begründet, welche er annahm, wie gezeigt wurde.
Also erteilt der Vater dem Sohne Weisung als demjenigen, welcher ihm
der menschlichen Natur nach unterworfen ist. Dies bezeugen auch die
Herrenworte. Sagt nämlich der Herr (Joh 14,31): „Aber die Welt soll
erkennen, daß ich den Vater liebe und so handle, wie mir der Vater aufgetragen hat", so wird im folgenden deutlich, um welchen Auftrag es sich
dabei handelt: „Stehet auf, wir wollen von hier weggehen". Dies sagte er
auf dem Weg zum Leiden. Nun ist offenkundig dem Sohn der Leidens-
befehl ausschließlich in bezug auf seine menschliche Natur zugesprochen.
Ähnliches gilt, wenn er (Joh 15,10) spricht: „Wenn ihr meine Gebote
haltet, werdet ihr in meiner Liebe bleiben, wie ich die Gebote meines
Vaters gehalten habe und in seiner Liebe bleibe". Offenbar beziehen sich

tinere prout a Patre diligebatur ut homo, sicut ipse discipulos ut homines diligebat.

Et quod praecepta Patris ad Filium accipienda sint secundum humanam naturam a Filio assumptam, Apostolus ostendit, dicens Filium obedientem Patri fuisse in his quae pertinent ad humanam naturam: dicit enim, ad Philipp. II: „Factus est obediens" Patri „usque ad mortem".

Ostendit etiam Apostolus quod orare Filio conveniat secundum humanam naturam. Dicit enim, ad Hebr. V, quod „in diebus carnis suae preces supplicationesque ad eum qui possit eum salvum a morte facere, cum clamore valido et lacrimis offerens, exauditus est pro sua reverentia".

Secundum quid etiam missus a Patre dicatur, Apostolus ostendit, ad Gal. IV, dicens: „Misit Deus Filium suum factum ex muliere". Eo ergo dicitur missus quod est factus ex muliere: quod quidem secundum carnem assumptam certum est sibi convenire.

Patet igitur quod per haec omnia non potest ostendi Filius Patri esse subiectus nisi secundum humanam naturam.

Sed tamen sciendum est quod Filius ‚mitti a Patre' dicitur etiam invisibiliter inquantum Deus, sine praeiudicio aequalitatis quam habet ad Patrem, ut infra ostendetur, cum agetur de missione Spiritus Sancti.

Similiter etiam patet quod, per hoc quod „Filius a Patre clarificatur" vel „suscitatur"; vel „exaltatur", non potest ostendi quod Filius sit minor Patre, nisi secundum humanam naturam. Non enim Filius clarificatione indiget quasi de novo claritatem accipiens, cum eam profiteatur se „ante mundum habuisse": sed oportebat quod sua claritas, quae sub infirmitate carnis erat occultata, per carnis glorificationem et miraculorum operationem manifestaretur in fide credentium populorum. Unde de eius occultatione dicitur Isaiae LIII: Vere „absconditus est vultus eius. Unde nec reputavimus eum".

Similiter autem secundum hoc Christus suscitatus est quod est passus et mortuus, idest secundum carnem. Dicitur enim I Petr. IV: „Christo passo in carne, et vos eadem cogitatione armamini".

Exaltari etiam eum oportuit secundum hoc quod fuit humiliatus. Nam

diese Weisungen auf den Sohn, sofern er als Mensch vom Vater geliebt wurde, wie er selbst die Jünger als Menschen liebte.

Der Apostel macht deutlich, daß die Weisungen des Vaters vom Sohn gemäß der vom Sohne angenommenen menschlichen Natur empfangen werden müssen, wenn er lehrt, daß der Sohn dem Vater in demjenigen gehorsam war, was sich auf die menschliche Natur gründet. So sagt er Phil 2, 8: „Er wurde (dem Vater) gehorsam bis zum Tod".

Auch gibt der Apostel zu verstehen, daß der Sohn aufgrund seiner menschlichen Natur betet. Er bemerkt nämlich in Hebr 5, 7: „Er hat in den Tagen seines Fleisches Bitten und Flehrufe mit lautem Geschrei und unter Tränen an den gerichtet, der ihn vom Tode erretten konnte, und er ist erhört worden um seiner Frömmigkeit willen".

Der Apostel zeigt, in welcher Hinsicht man sagen kann, daß er vom Vater gesandt ist, wenn er Gal 4, 4 sagt: „Gott entsandte seinen Sohn, geboren aus einer Frau". Also bedeutet „entsandt", daß er aus einer Frau geboren wurde. Gewiß trifft dies auf ihn im Hinblick auf die Fleischesannahme zu.

Mithin wird deutlich, daß durch alle diese Texte nur belegt werden kann, daß der Sohn dem Vater der menschlichen Natur nach unterworfen ist.

Dennoch gilt es an der Behauptung festzuhalten, der Sohn werde als Gott auch auf unsichtbare Weise vom Vater gesandt, ohne daß damit ein Präjudiz bezüglich seiner Gleichheit mit dem Vater involviert ist, wie weiter unten gezeigt werden wird, wenn von der Sendung des Heiligen Geistes die Rede ist (IV 23).

Gleichermaßen ist nunmehr ersichtlich, daß man nicht aufgrund der Verherrlichung, der Auferweckung oder der Erhöhung des Sohnes durch den Vater erklären kann, der Sohn sei geringer als der Vater, es sei denn der menschlichen Natur nach. Es ist nämlich nicht der Fall, daß der Sohn der Herrlichkeit ermangelt, sofern er erneut die Herrlichkeit annimmt, da er bekennt, sie „vor Erschaffung der Welt besessen" zu haben (Joh 17, 5). Allerdings war es erforderlich, daß sich seine unter der Schwäche des Fleisches verborgene Herrlichkeit im Glauben der Menschen durch die Verherrlichung des Fleisches und durch Wundertaten offenbarte. So heißt es Jes 53, 3 von ihrer Verborgenheit: „Wie einer, vor dem man sein Angesicht verhüllt, verabscheut, von niemand beachtet".

Dasselbe gilt im Hinblick auf die Tatsache, daß Christus auferweckt wurde, litt und starb, d. h. im Hinblick auf seine fleischliche Existenz. So heißt es 1 Petr 4, 1: „Da nun Christus dem Fleische nach gelitten hat, so wappnet auch ihr euch mit der gleichen Einsicht".

Er mußte erhöht werden, weil er erniedrigt war. So spricht auch der

et Apostolus dicit, Philipp. II: „Humiliavit semetipsum factus obediens usque ad mortem, propter quod et Deus exaltavit illum".

Sic ergo per hoc quod Pater clarificat Filium, suscitat et exaltat, Filius non ostenditur minor Patre, nisi secundum humanam naturam; nam, secundum divinam naturam, qua est Patri aequalis, est eadem virtus Patris et Filii, et eadem operatio; unde et ipse Filius propria virtute se exaltat, secundum illud Psalmistae, Psalm. XX: „Exaltare, Domine, in virtute tua".

Ipse seipsum suscitat: quia de se dicit, Ioan. X: „Potestatem habeo ponendi animam meam, et iterum sumere eam".

Ipse etiam non solum seipsum clarificat, sed etiam Patrem: dicit enim Ioan. XVII: „Clarifica Filium tuum, ut et Filius tuus clarificet te"; non quod Pater velamine carnis assumptae sit occultatus, sed suae invisibilitate naturae. Quo etiam modo Filius est occultus secundum divinam naturam: nam Patri et Filio commune est quod dicitur Isaiae XLV: „Vere tu es Deus absconditus, Sanctus, Israel, Salvator". Filius autem Patrem clarificat, non claritatem ei dando, sed eum mundo manifestando: nam et ipse ibidem, [Ioan. XVII], dicit: „Manifestavi nomen tuum hominibus".

Non est autem credendum quod in Dei Filio sit aliquis potestatis defectus: cum ipse dicat, [Matth. XXVIII]: „Data est mihi omnis potestas in caelo et in terra". Unde quod ipse dicit, [Matt. XX]: „Sedere ad dexteram meam vel sinistram non est meum dare vobis, sed quibus paratum est a Patre meo", non ostendit quod Filius distribuendarum caelestium sedium potestatem non habeat: cum per huiusmodi sessionem participatio vitae aeternae intelligatur, cuius collationem ad se pertinere ostendit cum dicit, Ioan. X: „Oves meae vocem meam audiunt, et ego cognosco eas, et sequuntur me; et ego vitam aeternam do eis". Dicitur etiam Ioan. V, „quod Pater omne iudicium dedit Filio"; ad iudicium autem pertinet ut pro meritis aliqui in caelesti gloria collocentur: unde et Matth. XXV dicitur quod „Filius hominis statuet oves a dextris et haedos a sinistris". Pertinet ergo ad potestatem Filii statuere aliquem vel a dextris vel a sinistris: sive utrumque referatur ad differentem gloriae participationem; sive unum referatur ad gloriam, et alterum referatur ad poenam.

Apostel in Phil 2,7 ff.: „Er entäußerte sich selbst, ... und wurde gehorsam bis zum Tode ... Darum hat Gott ihn erhöht ...".

Dadurch also, daß der Vater den Sohn verherrlicht, ihn auferweckt und erhöht, erweist sich der Sohn nur der menschlichen Natur nach dem Vater untergeordnet. Entsprechend der göttlichen Natur, wodurch er dem Vater gleich ist, sind Macht und Wirken des Vaters und des Sohnes gleich. Deswegen erhöht sich auch der Sohn aus eigener Macht, entsprechend dem Wort des Psalms (Ps 21,14): „Erhebe dich, Jahwe, in deiner Macht".

Auch vollzieht er selbst die Auferweckung, gemäß dem Schriftwort Joh 10,18: „Ich habe die Vollmacht, es [mein Leben] hinzugeben, und ich habe die Vollmacht, es wieder zu nehmen".

Ebenso verherrlicht er nicht nur sich selbst, sondern auch den Vater. So sagt er Joh 17,1: „Verherrliche deinen Sohn, damit dein Sohn dich verherrliche", doch nicht so, als sei der Vater unter dem Gewand des angenommenen Fleisches verborgen, sondern durch die Unsichtbarkeit seiner Natur. Auf dieselbe Weise ist auch der Sohn seiner göttlichen Natur nach verborgen; denn dem Vater und dem Sohn ist gemeinsam, was die Schrift in Jes 45,15 bekennt: „Fürwahr, du bist der verborgene Gott, der Gott Israels, der Retter.". Der Sohn aber verherrlicht den Vater nicht, indem er ihm Herrlichkeit gibt, sondern indem er ihn der Welt offenbart. So bemerkt er selbst Jo 17,6: „Ich habe deinen Namen den Menschen offenbart ...".

Man darf nun nicht glauben, dem Gottessohn fehle es irgendwie an Macht, obgleich er (Mt 28,18) sagt: „Mir ist alle Gewalt gegeben im Himmel und auf Erden". Allerdings sagt er selbst (Mt 20,23): „Aber das Sitzen zu meiner Rechten und zu meiner Linken, das habe nicht ich zu vergeben, sondern es wird denen [zuteil werden], denen es von meinem Vater bereitet ist". Damit erklärt er nicht, der Sohn verfüge über keine Macht, die himmlischen Plätze zu verteilen, sofern hierunter die Teilhabe am ewigen Leben zu verstehen ist. Er erklärt, über dessen Verleihung zu verfügen, wenn er Joh 10,27 f. spricht: „Meine Schafe hören meine Stimme, und ich kenne sie, und sie folgen mir. Und ich gebe ihnen ewiges Leben". Auch heißt es Joh 5,22: „Der Vater ... hat alles Gericht dem Sohne übergeben ...". Doch gehört zum Gericht, daß einige wegen ihrer Verdienste an der himmlischen Herrlichkeit teilhaben werden. So wird auch Mt 25,33 davon gesprochen, daß der Menschensohn „... die Schafe zu seiner Rechten stellen wird, die Böcke aber zu seiner Linken". Also gehört es zur Macht des Sohnes, jemanden zu seiner Rechten oder zu seiner Linken zu stellen, sei es, daß beides eine unterschiedliche Teilhabe an der Herrlichkeit bedeutet, oder sei es, daß sich das eine auf die Herrlichkeit, das andere aber auf die Strafe bezieht.

Oportet igitur ut verbi propositi sensus ex praemissis sumatur. Praemittitur namque quod mater filiorum Zebedaei accesserat ad Iesum petens
ut unus filiorum eius sederet ad dextram et alius ad sinistram: et ad hoc
petendum mota videbatur ex quadam fiducia propinquitatis carnalis quam
habebat ad hominem Christum. Dominus ergo sua responsione non dixit
quod ad eius potestatem non pertineret dare quod petebatur, sed quod ad
eum non pertinebat illis dare pro quibus rogabatur. Non enim dixit: „Sedere ad dextram meam vel sinistram non est meum dare alicui": quin
potius ostendit quod suum erat hoc dare illis „quibus erat paratum a
Patre" suo. Non enim hoc dare ad eum pertinebat secundum quod erat
filius Virginis, sed secundum quod erat Filius Dei. Et ideo non erat suum
hoc dare aliquibus propter hoc quod ad eum pertinebant secundum quod
erat filius Virginis, scilicet secundum propinquitatem carnalem: sed propter hoc quod pertinebant ad eum secundum quod erat Filius Dei, quibus
scilicet paratum erat a Patre per praedestinationem aeternam.

Sed quod etiam haec praeparatio ad potestatem Filii pertineat, ipse Dominus confitetur dicens, Ioan. XIV: „In domo Patris mei mansiones multae sunt; si quo minus, dixissem vobis: quia vado parare vobis locum".
Mansiones autem multae sunt diversi gradus participandae beatitudinis,
qui ab aeterno a Deo in praedestinatione praeparati sunt. Cum ergo Dominus dicit, quod „si in aliquo minus esset", idest, si deficerent praeparatae mansiones hominibus ad beatitudinem introducendis; et subdit: „dixissem, quia vado parare vobis locum"; ostendit huiusmodi praeparatio-
nem ad suam potestatem pertinere.

Neque etiam potest intelligi quod Filius horam adventus sui ignoret:
cum in eo sint „omnes thesauri sapientiae et scientiae absconditi", ut Apostolus dicit, [Coloss. II]; et cum id quod maius est perfecte cognoscat,
scilicet Patrem. Sed hoc intelligendum est quia Filius, inter homines homo
constitutus, ad modum ignorantis se habuit, dum discipulis non revelavit.
Est enim consuetus modus loquendi in Scripturis ut Deus dicatur aliquid
cognoscere si illud cognoscere facit: sicut habetur Gen. XXII: „Nunc cognovi quod" timeas Dominum idest, „nunc cognoscere feci"; Et sic, per
oppositum, Filius nescire dicitur quod non facit nos scire.

Tristitia vero et timor et alia huiusmodi manifestum est quod ad Chri-

Mithin muß man den Sinn des erwähnten Wortes aus dem vorhergehenden Kontext eruieren. So wird vorweggeschickt (Mt 20,20 ff.), daß sich die Mutter der Söhne des Zebedäus Jesus mit der Bitte genaht hatte, einer ihrer Söhne möge zu seiner Rechten und der andere zur Linken sitzen. Sie schien zu dieser Bitte aufgrund ihres Vertrauens in die fleischliche Verwandtschaft motiviert, die sie mit dem Menschen Christus teilte. Mit seiner Antwort sagte der Herr nun nicht, er habe keine Macht zu gewähren, um was sie bat; vielmehr sei es nicht an ihm, es jenen zu geben, für die sie fragte. Er sagte nämlich nicht: „Es ist nicht an mir, irgend jemandem das Sitzen zu meiner Rechten und zu meiner Linken zu vergeben"; vielmehr machte er deutlich, daß es an ihm liegt, es an jene zu vergeben, welchen es von seinem Vater bereitet ist, denn dies zu vergeben war nicht in seiner Macht als Sohn der Jungfrau, sondern als Sohn Gottes. Deswegen lag es nicht in seiner Macht, dies an irgend jemanden zu vergeben, sofern es an ihm als Sohn der Jungfrau aufgrund von Blutsverwandtschaft gelegen hätte. Doch lag es in seiner Macht als Sohn Gottes, es denen zu gewähren, welchen es vom Vater aufgrund ewiger Vorherbestimmung bereitet war.

Der Herr erklärt selbst, daß auch diese Vorbereitung zur Macht des Sohnes Gottes gehört, wenn er in Joh 14,2 spricht: „Im Hause meines Vaters sind viele Wohnungen. Wäre es nicht so, hätte ich es euch gesagt. Ich gehe, um euch einen Platz zu bereiten". Die vielen Wohnungen nun sind verschiedene Grade der Teilhabe an der Glückseligkeit, welche seit Ewigkeit von Gott in der Vorherbestimmung bereitet sind. Wenn also der Herr sagt: „Wenn es nicht so wäre", d. h., wenn es nicht genügend vorbereitete Wohnungen für die Menschen gäbe, die zur Glückseligkeit gelangen sollen, so fügt er hinzu: „so hätte ich es euch gesagt. Ich gehe, um euch einen Platz zu bereiten". Damit macht er deutlich, daß eine derartige Vorbereitung in seiner Macht steht.

Man darf auch nicht annehmen, der Sohn kenne die Stunde seiner Wiederkunft nicht, da in ihm „alle Schätze der Weisheit und Erkenntnis verborgen sind", wie der Apostel (Kol 2,3) bemerkt, und weil er dasjenige vollkommen erkennt, was größer ist, nämlich den Vater. Es bedeutet vielmehr, daß sich der Sohn, als Mensch unter Menschen lebend, auf die Weise eines Nichtwissenden verhielt, indem er dies den Jüngern nicht offenbarte. Es stellt eine übliche Redeweise in den Schriften dar, daß es von Gott heißt, er wisse etwas, wenn er es andere wissen läßt, so zum Beispiel Gen 22,12: „Denn nun weiß ich, daß du Gott fürchtest", d. h. „nun habe ich es dich wissen lassen". Umgekehrt heißt es vom Sohn, er wisse das nicht, was er uns nicht wissen macht.

Hinsichtlich der Trauer, der Angst und dergleichen ist offenkundig,

stum pertineant secundum quod homo; unde et per hoc nulla minoratio potest in divinitate Filii deprehendi.

Quod autem dicitur sapientia „esse creata" primo quidem, potest intelligi, non de Sapientia quae est Filius Dei, sed de sapientia quam Deus indidit creaturis. Dicitur enim Eccli. I: „Ipse creavit" eam, scilicet sapientiam, „Spiritu Sancto, et effudit illam super omnia opera sua".

Potest etiam referri ad naturam creatam assumptam a Filio, ut sit sensus [Eccli. XXIV]: „Ab initio et ante saecula creata sum", idest, „praevisa sum creaturae uniri".

Vel, per hoc quod sapientia et ‚creata' et ‚genita' nuncupatur, modus divinae generationis nobis insinuatur. In generatione enim quod generatur accipit naturam generantis, quod perfectionis est: sed, in generationibus quae sunt apud nos, generans ipse mutatur, quod imperfectionis est. In creatione vero creans non mutatur, sed creatum non recipit naturam creantis. Dicitur ergo simul Filius ‚creatus' et ‚genitus', ut ex creatione accipiatur immutabilitas Patris, ex generatione unitas naturae in Patre et Filio. Et sic huiusmodi Scripturae intellectum synodus exposuit: ut per Hilarium patet[5].

Quod vero Filius dicitur ‚primogenitus creaturae', non ex hoc est quod Filius sit in ordine creaturarum, sed quia Filius est a Patre et a Patre accipit, a quo sunt et accipiunt creaturae. Sed Filius accipit a Patre eandem naturam: non autem creaturae. Unde et Filius non solum ‚primogenitus' dicitur, sed etiam ‚unigenitus', propter singularem modum accipiendi.

Per hoc autem quod Dominus ad Patrem dicit de discipulis, [Ioan. XVII]: „Ut sint unum sicut et nos unum sumus", ostenditur quidem quod Pater et Filius sunt unum eo modo quo discipulos unum esse oportet, scilicet per amorem: hic tamen unionis modus non excludit essentiae unitatem, sed magis eam demonstrat. Dicitur enim Ioan. III: „Pater diligit Filium, et omnia dedit in manu eius": per quod plenitudo divinitatis ostenditur esse in Filio, ut dictum est.

---

[5] Cf. Hilarium, *De synodis* seu *De fide orientalium*, n. 17 (PL 10/493 C – 494 B).

daß sie Christus als Mensch erlebte; deswegen darf man auch nicht annehmen, es handle sich hierbei um eine Verminderung in der Gottheit des Sohnes.

Wird die Weisheit aber als „geschaffen" bezeichnet, so kann dies zunächst nicht von der Weisheit gelten, welche der Sohn Gottes ist, sondern von jener Weisheit, welche Gott den Geschöpfen eingab. So heißt es bei Sir 1, 9: „Der Herr, er hat sie (d. h. die Weisheit) geschaffen im Heiligen Geist …, und sie ausgegossen über all seine Werke".

Es kann sich auch auf die vom Sohne angenommene Natur beziehen, so daß der Sinn der folgende ist: „Ich ward vor aller Zeit gebildet, von Anbeginn, vor den Uranfängen der Erde" (Spr 8, 23), d. h. „ich bin vorherbestimmt, mit der Schöpfung vereint zu werden".

Wiederum heißt es (Spr 8, 24 f.), die Weisheit sei sowohl „geschaffen" als auch „gezeugt". Dadurch wird uns die Weise göttlicher Zeugung nahegelegt. In der Zeugung nämlich nimmt das, was gezeugt wird, die Natur des Zeugenden an. Dies ist ein Zeichen von Vollkommenheit. Im Falle unserer [menschlichen] Zeugungen jedoch verändert sich der Zeugende selbst. Dies ist ein Zeichen von Unvollkommenheit. Doch bei der Schöpfung verändert sich weder der Schöpfende, noch empfängt das Geschaffene die Natur des Schöpfers. Dementsprechend heißt es, der Sohn sei zugleich „geschaffen" und „gezeugt", insofern man die Unveränderlichkeit des Vaters aufgrund der Schöpfung und die Einheit der Natur im Vater und im Sohn aufgrund der Zeugung anzunehmen hat. Auf diese Weise interpretierte das Konzil das Schriftverständnis, wie aus den Werken des Hilarius ersichtlich ist [vgl. Hilarius, *De Synodis*].

Wird der Sohn (Kol 1, 15) „Erstgeborener der Schöpfung" genannt, dann ist dies nicht derart zu verstehen, als sei der Sohn zur Ordnung der Geschöpfe zu zählen, sondern vielmehr, daß er Sohn vom Vater ist und vom Vater empfängt, von dem alle Geschöpfe sind und empfangen. Der Sohn aber empfängt dieselbe Natur vom Vater, nicht jedoch die Geschöpfe. Deswegen wird der Sohn nicht nur „Erstgeborener", sondern [Joh. 1, 18] auch „Eingeborener" genannt, und zwar wegen der einzigartigen Weise des Empfangens.

Das Wort des Herrn (Joh 17, 22) über die Jünger, welches er an den Vater richtet: „… damit sie eins sind, wie wir eins sind", zeigt zwar, daß Vater und Sohn eins sind, wie die Jünger eins sein sollen, d. h. aufgrund von Liebe; dennoch schließt die Weise der Vereinigung nicht die Einheit des Wesens aus, sie stellt sie vielmehr deutlich heraus. So heißt es Joh 3, 35: „Der Vater liebt den Sohn und hat ihm alles in die Hand gegeben". Damit wird dargelegt, wie bereits gesagt wurde, daß die Fülle der Gottheit im Sohne ist.

Sic igitur patet quod testimonia Scripturarum quae Ariani pro se assumebant, non repugnant veritati quam fides catholica confitetur.

CAPITULUM IX

SOLUTIO AD AUCTORITATES PHOTINI ET SABELLII

Ex his autem consideratis, apparet quod nec ea quae Photinus et Sabellius pro suis opinionibus ex sacris Scripturis adducebant, eorum errores confirmare possunt.

Nam quod Dominus post resurrectionem dicit, ad Matth. [XXVIII]: „Data est mihi omnis potestas in caelo et in terra", non ideo dicitur quasi tunc de novo hanc potestatem acceperat: sed quia potestas quam Filius Dei ab aeterno acceperat, in eodem homine facto apparere incoeperat per victoriam quam de morte habuerat resurgendo.

Quod vero Apostolus dicit, ad Rom. I, de Filio loquens: „Qui factus est ei ex semine David", manifeste ostenditur qualiter sit intelligendum, ex eo quod additur, „secundum carnem". Non enim dixit quod Filius Dei esset simpliciter factus: sed quod factus esset „ex semine David secundum carnem", per assumptionem humanae naturae; sicut et Ioan. [I] dicitur: „Verbum caro factum est".

Unde etiam patet quod hoc quod sequitur, [Rom. I]: „Qui praedestinatus est Filius Dei in virtute", secundum humanam naturam ad Filium pertinet. Quod enim humana natura Filio Dei uniretur, ut sic homo possit dici Filius Dei, non fuit ex humanis meritis, sed ex gratia Dei praedestinantis.

Similiter etiam quod idem Apostolus, ad Philipp. [II] dicit, quod „Deus" Christum propter passionis meritum „exaltavit", ad humanam naturam referendum est, in qua fuerat humilitas passionis.

Unde et quod subditur: „Dedit illi nomen quod est super omne nomen", ad hoc referendum est quod nomen conveniens Filio ex nativitate aeterna, manifestandum esset in fide populorum convenire Filio incarnato.

Per quod et manifestum est, quod id quod dicit Petrus, quod „Deus Iesum et Christum et Dominum fecit", ad Filium referendum est secun-

Mithin widersprechen die Schriftzeugnisse, die die Arianer für sich beanspruchten, offenkundig nicht der Wahrheit, welche der Katholische Glaube bekennt.

9. Kapitel

Richtigstellung der Erklärungen des Photinus und Sabellius

Aufgrund der bisherigen Überlegungen wird ersichtlich, daß die Texte, die Photinus und Sabellius zur Stützung ihrer Meinungen aus den Heiligen Schriften heranzogen, ihre Irrtümer nicht positiv bestätigen können.

Die Worte von Mt 28, 18, welche unser Herr nach seiner Auferstehung spricht: „Mir ist alle Macht gegeben im Himmel und auf Erden", bedeuten nämlich nicht, daß er diese Macht danach erneut empfing, sondern daß die Macht, die der Sohn Gottes von Ewigkeit her erhalten hatte, in demselben geschaffenen Menschen durch den Sieg, den er über den Tod aufgrund seiner Auferstehung erlangte, in Erscheinung zu treten begann.

Wenn der Apostel in Rö 1, 3 vom Sohne sagt: „Der hervorgegangen ist aus dem Samen Davids", dann wird aus der Hinzufügung ersichtlich, wie dies zu verstehen ist, nämlich „dem Fleische nach". So sagte er nicht, der Sohn sei schlechthin hervorgebracht, sondern er sei „durch die Annahme der menschlichen Natur dem Fleische nach" aus dem Geschlecht Davids hervorgebracht. Es heißt auch in Joh 1, 14: „Das Wort ist Fleisch geworden".

Ebenfalls wird damit Rö 1, 4 einsichtig: „Der in Macht vorherbestimmt ist als Sohn Gottes". Dies gilt bezüglich der menschlichen Natur des Sohnes. Die Vereinigung der menschlichen Natur mit dem Sohne Gottes nämlich, wonach der Sohn Gottes Mensch genannt werden kann, geschah nicht aufgrund menschlicher Verdienste, sondern aufgrund der Gnade des prädestinierenden Gottes.

Gleichermaßen muß man die Worte des Apostels von Phil 2, 8: „Gott hat Christus" wegen des Verdienstes des Leidens „erhöht", auf die menschliche Natur beziehen, worin sich die Niedrigkeit des Leidens ereignete.

Damit hat man auch die Ergänzung im Text, nämlich „er hat ihm den Namen gegeben, der über alle Namen ist", darauf zu beziehen, daß sich der dem Sohn aufgrund seiner ewigen Geburt treffend zukommende Name im Glauben der Völker deutlich als angemessen für den Fleisch gewordenen Sohn erweisen muß.

Somit wird ebenfalls ersichtlich, daß man jenes Wort des Petrus, welches besagt, Gott habe Jesus zum Christus und Herrn gemacht, auf den

dum humanam naturam, in qua incoepit id habere ex tempore quod in natura divinitatis habuit ab aeterno.

Quod etiam Sabellius introducit de unitate deitatis, [Deut. VI]: „Audi, Israel Dominus Deus tuus, Deus unus est"; et, [Deut. XXXII]: „Videte quod ego sim solus, et non sit alius Deus praeter me" sententiae catholicae fidei non repugnat, quae Patrem et Filium non duos deos, sed unum Deum esse confitetur, ut dictum est.

Similiter etiam, quod dicitur, [Ioan. XIV]: „Pater in me manens ipse facit opera", et „Ego in Patre, et Pater in me est", non ostendit unitatem personae, ut volebat Sabellius, sed unitatem essentiae, quam Arius negabat. Si enim esset una persona Patris et Filii, non congrue diceretur Pater esse in Filio et Filius in Patre: cum non dicatur proprie idem suppositum in seipso esse, sed solum ratione partium; quia enim partes in toto sunt et quod convenit partibus solet attribui toti, quandoque dicitur aliquod totum esse in seipso. Hic autem modus loquendi non competit in divinis, in quibus partes esse non possunt, ut in Primo ostensum est. Relinquitur igitur, cum Pater in Filio et Filius in Patre esse dicatur quod Pater et Filius non sint idem supposito.

Sed ex hoc ostenditur quod Patris et Filii sit essentia una. Hoc enim posito, manifeste apparet qualiter Pater est in Filio et Filius in Patre. Nam cum Pater sit sua essentia, quia in Deo non est aliud essentia et essentiam habens, ut in Primo ostensum est, relinquitur quod in quocumque sit essentia Patris, sit Pater: et eadem ratione, in quocumque est essentia Filii, est Filius. Unde, cum essentia Patris sit in Filio et essentia Filii in Patre, eo quod una est essentia utriusque, ut fides catholica docet; sequitur manifeste quod Pater sit in Filio et Filius sit in Patre. Et sic eodem verbo et Sabellii et Arii error confutatur.

Sohn beziehen muß, sofern er eine menschliche Natur besitzt, in der er in der Zeit jenes zu besitzen begann, was er von Ewigkeit aufgrund der göttlichen Natur immer schon besaß.

Somit widersprechen die von Sabellius zur Einheit der Gottheit angeführten Worte von Deut. 6, 4: „Höre, Israel! Der Herr, unser Gott, ist der einzige Jahwe!" und Deut 32, 39: „Seht jetzt, daß ich es bin, nur ich, und kein Gott sonst bei mir" nicht dem Dogma Katholischen Glaubens, welcher bekennt, daß der Vater und der Sohn nicht zwei Götter, sondern ein Gott sind, wie gesagt wurde.

Ähnlich stellt das Wort (Joh 14, 10): „Der Vater, der in mir ist, tut seine Werke. Glaubet mir, daß ich im Vater bin und der Vater in mir ist", nicht die Einheit der Person unter Beweis, wie Sabellius es wollte, sondern die Einheit der Wesenheit, die Arius leugnete. Wären nämlich Vater und Sohn eine Person, so würde man unzutreffend sagen, der Vater sei im Sohn und der Sohn im Vater, da man nicht im eigentlichen Sinne davon sprechen kann, daß dasselbe Zugrundeliegende in sich selbst sei, sondern lediglich aufgrund von Teilen. Weil die Teile im Ganzen sind und weil man das, was den Teilen zukommt, dem Ganzen zuzuschreiben pflegt, so redet man bisweilen davon, ein Ganzes sei in sich selbst. Diese Redeweise jedoch ist nicht auf Göttliches anwendbar, in dem es keine Teile geben kann, wie im 1. Buch gezeigt wurde (I 20). Also verbleibt, daß Vater und Sohn dem Zugrundeliegenden nach nicht dasselbe sind, da man davon spricht, daß der Vater im Sohn und der Sohn im Vater ist.

Jedoch folgt daraus, daß Vater und Sohn einer Wesenheit sind. Ist dies der Fall, so ist offenbar, wie der Vater im Sohn und der Sohn im Vater west. Da nun der Vater seine Wesenheit ist, weil es nämlich in Gott keine Verschiedenheit zwischen Sein und Wesensbesitz gibt, wie im 1. Buch gezeigt wurde (I 22), so verbleibt: Wer immer die Wesenheit des Vaters besitzt, der ist der Vater. Aus demselben Grunde gilt: Wer immer die Wesenheit des Sohnes besitzt, der ist der Sohn. Daher folgt offensichtlich, daß der Vater im Sohn und der Sohn im Vater ist, weil die Wesenheit des Vaters im Sohne und die Wesenheit des Sohnes im Vater derart anwest, daß die Wesenheit von beiden eine ist, wie der Katholische Glaube lehrt. Mithin widerlegt derselbe Text den Irrtum des Sabellius und den des Arius.

Capitulum X

Rationes contra generationem et processionem divinam

Omnibus igitur diligenter consideratis, manifeste apparet hoc nobis de generatione divina in Sacris Scripturis proponi credendum quod Pater et Filius, etsi personis distinguantur, sunt tamen unus Deus, et unam habent essentiam seu naturam. Quia vero a creaturarum natura hoc invenitur valde remotum, ut aliqua duo supposito distinguantur et tamen eorum sit una essentia; humana ratio, ex creaturarum proprietatibus procedens, multipliciter in hoc secreto divinae generationis patitur difficultatem.

Nam cum generatio nobis nota mutatio quaedam sit, cui opponitur corruptio, difficile videtur in Deo generationem ponere, qui est immutabilis, incorruptibilis et aeternus, ut ex superioribus patet.

Amplius. Si generatio mutatio est, oportet omne quod generatur mutabile esse. Quod autem mutatur exit de potentia in actum; nam „motus est actus existentis in potentia secundum quod huiusmodi" [*Phys.* III 1]. Si igitur Filius Dei est genitus, videtur quod neque aeternus sit, tanquam de potentia in actum exiens; neque verus Deus, ex quo non est actus purus, sed aliquid potentialitatis habens.

Adhuc. Genitum naturam accipit a generante. Si ergo Filius genitus est a Deo Patre, oportet quod naturam quam habet, a Patre acceperit. Non est autem possibile quod acceperit a Patre aliam naturam numero quam Pater habet et similem specie, sicut fit in generationibus univocis, ut cum homo generat hominem, et ignis ignem: supra enim ostensum est quod impossibile est esse plures numero deitates.

Videtur etiam esse impossibile quod receperit eandem naturam numero quam Pater habet. Quia si recepit partem eius, sequitur divinam naturam esse divisibilem; si autem totam, videtur sequi quod natura divina, si sit tota transfusa in Filium, desinat esse in Patre; et sic Pater generando corrumpitur.

201a 10–11

10. Kapitel

Gründe gegen die göttliche Zeugung
und den göttlichen Hervorgang

Mithin ist es nach sorgsamer Überlegung von allem völlig einsichtig, daß uns im Hinblick auf die göttliche Zeugung aufgrund der Heiligen Schriften zu glauben vorgelegt ist, daß Vater und Sohn ein Gott sind und daß sie eine Wesenheit oder Natur besitzen, auch wenn sie den Personen nach verschieden sind. Weil es aber der Natur der Geschöpfe völlig fremd ist, daß sich zwei Dinge dem Zugrundeliegenden nach unterscheiden und dennoch einer Wesenheit sind, so sieht sich die von geschöpflichen Eigenschaften ausgehende menschliche Vernunft angesichts dieses Geheimnisses göttlicher Zeugung vielerlei Schwierigkeiten ausgesetzt.

Da die uns bekannte Zeugung eine gewisse Veränderung bedeutet, welcher das Vergehen entgegengesetzt ist, so scheint es problematisch, Gott eine Zeugung zuzuschreiben, ist er doch unveränderlich, unvergänglich und ewig, wie aus dem vorher Gesagten ersichtlich ist (I 13; 15).

Zudem. Handelt es sich bei der Zeugung um eine Veränderung, so muß alles, was gezeugt wird, auch veränderlich sein. Das, was der Veränderung unterworfen ist, gelangt von der Möglichkeit zur Wirklichkeit, denn „Bewegung ist die Wirklichkeit des in Möglichkeit Existierenden als eines solchen" (Aristoteles). Wenn also der Sohn Gottes gezeugt ist, so scheint er weder ewig zu sein, da er gleichsam von der Möglichkeit zur Wirklichkeit gelangt, noch scheint er wahrer Gott zu sein, weil er nicht reine Wirklichkeit ist, sondern eine gewisse Potentialität besitzt [vgl. I 16].

Überdies. Das Gezeugte empfängt seine Natur vom Zeugenden. Ist also der Sohn von Gott, dem Vater gezeugt, so muß er die Natur, welche er besitzt, vom Vater angenommen haben. Unmöglich nämlich hat er vom Vater eine von dessen Natur numerisch verschiedene und artgleiche Natur angenommen, wie es bei univoken Zeugungen der Fall ist, z. B. wenn ein Mensch einen Menschen oder Feuer Feuer erzeugt. So wurde oben nachgewiesen (I 42; IV 9), daß es unmöglich mehrere, der Anzahl nach verschiedene Gottheiten gibt.

Auch scheint es unmöglich, daß er numerisch dieselbe Natur empfing, welche der Vater besitzt, weil daraus folgt, daß die göttliche Natur teilbar ist, wenn er einen Teil von ihr empfangen hat. Hat er sie aber als ganze empfangen, so scheint daraus zu folgen, daß die göttliche Natur aufhört im Vater zu sein, wenn sie ganz auf den Sohn übergegangen ist. Damit wird der Vater durch Zeugung vernichtet.

Neque iterum potest dici quod natura divina per quandam exuberantiam effluat a Patre in Filium, sicut aqua fontis effluit in rivum et fons non evacuatur: quia natura divina, sicut non potest dividi, ita nec augeri.

Videtur ergo reliquum esse quod Filius naturam a Patre acceperit, non eandem numero nec specie quam Pater habet, sed omnino alterius generis: sicut accidit in generatione aequivoca, ut, cum animalia ex putrefactione nata virtute solis generantur, ad cuius speciem non attingunt. Sequitur ergo quod Dei Filius neque verus Filius sit, cum non habeat speciem Patris, neque verus Deus, cum non recipiat divinam naturam.

Item. Si Filius recipit naturam a Deo Patre, oportet quod in eo aliud sit recipiens et aliud natura recepta: nihil enim recipit seipsum. Filius igitur non est sua essentia vel natura. Non est igitur verus Deus.

Praeterea. Si Filius non est aliud quam essentia divina; cum essentia divina sit subsistens, ut in Primo probatum est; constat autem quod etiam Pater est ipsa essentia divina: videtur relinqui quod Pater et Filius conveniant in eadem re subsistente. „Res autem subsistens in intellectualibus naturis vocatur persona" [Boetius, *De persona et duabus naturis contra Eut. et Nest.*, c. 3]. Sequitur ergo, si Filius est ipsa divina essentia, quod Pater et Filius conveniant in persona. Si autem Filius non est ipsa divina essentia, non est verus Deus: hoc enim de Deo probatum est in primo libro. Videtur igitur quod vel Filius non sit verus Deus, ut dicebat Arius: vel non sit alius personaliter a Patre, ut Sabellius asserebat.

PL 64/1343CD

Adhuc. Illud quod est principium individuationis in unoquoque, impossibile est inesse alteri quod supposito distinguatur ab eo: quod enim in multis est, non est individuationis principium. Ipsa autem essentia Dei est per quam Deus individuatur: non enim essentia Dei est forma in materia, ut per materiam individuari posset. Non est igitur aliud in Deo Patre per quod individuetur, quam sua essentia. Eius igitur essentia in nullo alio supposito esse potest. Aut igitur non est in Filio, et sic Filius non est verus Deus, secundum Arium. Aut Filius non est alius supposito a Patre, et sic est eadem persona utriusque, secundum Sabellium.

Desgleichen kann man nicht sagen, die göttliche Natur ergieße sich gleichsam durch Überströmen vom Vater auf den Sohn, so wie Quellwasser in den Fluß strömt, ohne daß sich der Quell dabei erschöpft. Weil aber die göttliche Natur nicht auf diese Weise teilbar ist, so ist sie auch nicht vermehrbar.

Damit scheint übrigzubleiben, daß der Sohn nicht die numerisch und artmäßig identische Natur vom Vater angenommen hat, welche dieser besitzt, sondern eine Natur völlig anderer Art, wie es bei äquivoker Zeugung der Fall ist, wie wenn etwa durch Sonnenkraft Lebewesen aus faulender Materie gezeugt werden, ohne daß sie dabei die spezifische Natur der Sonne übernehmen. Also folgt, daß der Sohn Gottes weder wahrer Sohn ist, weil er nicht artgleich mit dem Vater ist, noch ist er wahrer Gott, weil er nicht die göttliche Natur empfängt.

Außerdem. Wenn der Sohn die Natur von Gott, dem Vater empfängt, so müssen bei ihm Empfangender und empfangene Natur verschieden sein. Nichts nämlich empfängt sich selbst. Also ist der Sohn weder seine Wesenheit noch seine Natur; mithin ist er nicht wahrer Gott.

Zudem. Wenn der Sohn Gottes nichts anderes als die göttliche Wesenheit ist, da die göttliche Wesenheit subsistiert, wie im 1. Buch gezeigt wurde (I 22) – nun steht aber fest, daß auch der Vater die göttliche Wesenheit selbst ist –, so scheint daraus zu folgen, daß Vater und Sohn in derselben subsistenten Sache übereinkommen. „Bei Vernunftwesen wird die subsistierende Sache ‚Person‘ genannt" (Boethius). Also folgt, daß Vater und Sohn eine Person sind, wenn der Sohn die göttliche Wesenheit selbst ist. Ist aber der Sohn nicht die göttliche Wesenheit selbst, dann ist er nicht wahrer Gott; dies nämlich wurde im 1. Buch von Gott nachgewiesen (I 21). Also hat es den Anschein, als ob der Sohn entweder nicht wahrer Gott ist, was Arius behauptete, oder nicht der Person nach verschieden vom Vater, wie Sabellius erklärte.

Ferner. Dasjenige, welches das Prinzip der Individuation in jeglicher Sache ausmacht, kann unmöglich einem anderen innewohnen, welches dem Zugrundeliegenden nach verschieden ist. Was nämlich in vielen Dingen ist, das ist kein Prinzip der Individuation. Nun ist es die Wesenheit Gottes selbst, durch die Gott individuiert ist; doch ist die Wesenheit Gottes nicht Form in Materie [vgl. I 27], so daß er durch Materie individuiert werden könnte. In Gott, dem Vater, gibt es also nichts anderes als seine Wesenheit, wodurch er individuiert ist. Mithin kann seine Wesenheit keinem anderen Zugrundeliegenden innewohnen. Entweder also ist sie nicht im Sohn; dann ist der Sohn nicht wahrer Gott. Dies meint Arius. Oder der Sohn ist dem Zugrundeliegenden nach niemand anderes als der Vater; dann sind beide dieselbe Person. Dies nahm Sabellius an.

Amplius. Si Pater et Filius sunt duo supposita sive duae personae et tamen sunt in essentia unum, oportet in eis esse aliquid praeter essentiam per quod distinguantur: nam essentia communis utrique ponitur; quod autem commune est, non potest esse distinctionis principium. Oportet igitur id quo distinguuntur Pater et Filius, esse aliud ab essentia divina. Est ergo persona Filii composita ex duobus, et similiter persona Patris: scilicet ex essentia communi, et ex principio distinguente. Uterque igitur est compositus. Neuter ergo est verus Deus.

Si quis autem dicat quod distinguuntur sola relatione, prout unus est Pater et alius Filius; quae autem relative praedicantur non *aliquid* videntur praedicare in eo de quo dicuntur, sed magis *ad aliqid*; et sic per hoc compositio non inducitur: videtur quod haec responsio non sit sufficiens ad praedicta inconvenientia vitanda.

Nam relatio non potest esse absque aliquo absoluto: in quolibet enim relativo oportet intelligi quod ad se dicitur praeter id quod ad aliud dicitur; sicut servus aliquid est absolute, praeter id quod ad dominum dicitur. Relatio igitur illa per quam Pater et Filius distinguuntur, oportet quod habeat aliquod absolutum in quo fundetur. Aut igitur illud absolutum est unum tantum: aut sunt duo absoluta. Si est unum tantum, in eo non potest fundari duplex relatio: nisi forte sit relatio identitatis, quae distinctionem operari non potest, sicut dicitur idem eidem idem. Si ergo sit talis relatio quae distinctionem requirat, oportet quod praeintelligatur absolutorum distinctio. Non ergo videtur possibile quod personae Patris et Filii solis relationibus distinguantur.

Praeterea. Oportet dicere quod relatio illa quae Filium distinguit a Patre, aut sit res aliqua: aut sit in solo intellectu. Si autem sit res aliqua; non autem videtur esse illa res quae est divina essentia, quia divina essentia communis est Patri et Filio; erit ergo in Filio aliqua res quae non est eius essentia. Et sic non est verus Deus: ostensum est enim in Primo quod nihil

Zudem. Wenn es sich beim Sohn und dem Vater um zwei Zugrundeliegende oder um zwei Personen handelt, die aber dennoch der Wesenheit
nach eines sind, so muß es in ihnen etwas außer der Wesenheit geben,
wodurch sie sich voneinander unterscheiden, denn die Wesenheit wird als
ihnen gemeinsam angenommen. Doch kann das, was ihnen gemeinsam ist,
nicht Prinzip ihrer Verschiedenheit sein. Also muß das, wodurch sich
Vater und Sohn voneinander unterscheiden, etwas von der göttlichen Wesenheit Verschiedenes sein. Mithin besteht die Person des Sohnes aus
zweierlei Grundbestimmungen: aus der gemeinsamen Wesenheit und aus
dem unterscheidenden Prinzip. Ähnliches gilt für die Person des Vaters.
Die Personen von beiden sind demnach zusammengesetzt; also ist keiner
von beiden wahrer Gott.

Nun mag jemand behaupten, sie unterschieden sich lediglich der Relation nach, dergemäß der eine der Vater, der andere der Sohn ist. Dabei
scheint relative Prädikation dem, wovon die Rede ist, nichts weiteres außer dessen Bezug auf anderes zuzuschreiben, so daß wir nicht daraus
schließen können, in den göttlichen Personen gebe es eine Zusammensetzung. Diese Antwort jedoch reicht anscheinend nicht dazu aus, die genannten Unstimmigkeiten zu vermeiden.

Keine Relation nämlich kann ohne etwas für sich Bestehendes vorkommen, denn bei jedem Relativen hat man außer dem, was von ihm im
Hinblick auf anderes ausgesagt wird, etwas anzunehmen, was man von
ihm mit Bezug auf sich selbst aussagt. So etwa ist der Sklave einerseits
etwas für sich Bestehendes, andererseits etwas in bezug auf den Herrn.
Also muß sich jene Relation, wodurch sich Vater und Sohn voneinander
unterscheiden, auf etwas für sich Bestehendes gründen. Nun ist jenes für
sich Bestehende entweder nur eines, oder es handelt sich um zweierlei für
sich bestehende Dinge. Falls es nur eines ist, so kann sich nur dann eine
zweifache Relation in ihm gründen, wenn es sich um eine Relation der
Identität handelt, die keinen Unterschied zu treffen erlaubt, wie wenn
man dasselbe von demselben aussagt. Soll die Relation mithin so beschaffen sein, daß sie eine Unterscheidung erfordert, so gilt es zunächst, den
Unterschied ihrer für sich bestehenden Elemente zu verstehen. Also
scheint es nicht möglich, daß sich die Personen des Vaters und des Sohnes
lediglich relational voneinander unterscheiden.

Außerdem. Es muß betont werden, daß jene Relation, welche den Vater
vom Sohn unterscheidet, entweder sachlich fundiert ist oder lediglich im
Intellekt besteht. Handelt es sich bei ihr aber um einen bestimmten realen
Sachverhalt, so scheint sie nicht dasselbe wie die göttliche Wesenheit zu
sein, da die göttliche Wesenheit dem Vater und dem Sohn gemeinsam
zukommt. Also wird es etwas im Sohn geben, was nicht seine Wesenheit

est in Deo quod non sit sua essentia. Si autem illa relatio sit in intellectu tantum, non ergo potest personaliter distinguere Filium a Patre: quae enim personaliter distinguuntur, realiter oportet distingui.

Item. Omne relativum dependet a suo correlativo. Quod autem dependet ab altero, non est verus Deus. Si igitur personae Patris et Filii relationibus distinguantur, neuter erit verus Deus.

Adhuc. Si Pater est Deus et Filius est Deus, oportet quod hoc nomen ‚Deus‘ de Patre et Filio substantialiter praedicetur: cum divinitas accidens esse non possit. Praedicatum autem substantiale est vere ipsum de quo praedicatur: nam cum dicitur, „Homo est animal“, quod vere homo est, animal est; et similiter, cum dicitur, „Socrates est homo“, quod vere Socrates est, homo est. Ex quo videtur sequi quod impossibile sit ex parte subiectorum inveniri pluralitatem, cum unitas sit ex parte substantialis praedicati: non enim Socrates et Plato sunt unus homo, licet sint unum in humanitate; neque homo et asinus sunt unum animal, licet sint unum in animali. Si ergo Pater et Filius sunt duae personae, impossibile videtur quod sint unus Deus.

Amplius. Opposita praedicata pluralitatem ostendunt in eo de quo praedicantur. De Deo autem Patre et de Deo Filio opposita praedicantur: nam Pater est Deus ingenitus et generans, Filius autem est Deus genitus. Non igitur videtur esse possibile quod Pater et Filius sint unus Deus.

Haec igitur et similia sunt ex quibus aliqui, divinorum mysteria propria ratione metiri volentes, divinam generationem impugnare nituntur.

Sed, quia veritas in seipsa fortis est et nulla impugnatione convellitur, oportet intendere ad ostendendum quod veritas fidei ratione superari non possit.

ausmacht; mithin ist er nicht wahrer Gott. Es wurde jedoch im 1. Buch gezeigt (I 23), daß in Gott nichts ist, was nicht seine Wesenheit ist. Bestünde jene Relation jedoch ausschließlich im Intellekt, so könnte sie keinen personhaften Unterschied zwischen Sohn und Vater begründen, denn was sich personhaft voneinander unterscheidet, das muß real voneinander verschieden sein.

Überdies. Jedes Relative hängt von seinem Korrelat ab. Doch ist nicht etwas wahrer Gott, was von einem anderen abhängt. Unterscheiden sich also die Personen des Vaters und des Sohnes durch Relationen, so ist keiner von beiden wahrer Gott.

Weiterhin. Wenn der Vater Gott ist und der Sohn Gott ist, so muß der Ausdruck ‚Gott' vom Vater und vom Sohn substantial prädiziert werden, da die Gottheit kein Akzidens sein kann (vgl. I 23). Ein substantiales Prädikat jedoch ist wahrhaft das selbst, wovon es prädiziert wird. Sagt man beispielsweise: „Der Mensch ist ein Lebewesen", so bedeutet dies: „Was wahrhaft Mensch ist, das ist ein Lebewesen", oder gleichermaßen: „Sokrates ist ein Mensch"; dies bedeutet: „Was wahrhaft Sokrates ist, das ist ein Mensch". Hieraus folgt offenbar, daß es unmöglich eine Vielheit hinsichtlich des Zugrundeliegenden geben kann, da es Einheit hinsichtlich des substantialen Prädikats gibt. Auch wenn Sokrates und Platon in ihrer Menschheit eins sind, so sind sie dennoch nicht ein und derselbe Mensch; ebensowenig sind Mensch und Esel ein Lebewesen, doch sind sie beide Lebewesen. Sind also Vater und Sohn zwei Personen, so scheint es unmöglich, daß sie ein Gott sind.

Zudem. Entgegengesetzte Prädikate weisen auf eine Vielheit in jenem hin, wovon man sie prädiziert. Nun prädiziert man Entgegengesetztes von Gott dem Vater und Gott dem Sohne. Der Vater ist der ungezeugte und zeugende Gott, der Sohn dagegen ist der gezeugte Gott. Mithin scheint es nicht möglich, daß Vater und Sohn ein Gott sind.

Auf diese und ähnliche Argumente stützen sich einige Autoren, die die göttlichen Geheimnisse an ihrer Vernunft messen wollen, um die göttliche Zeugung anzufechten.

Weil aber die Wahrheit in sich stark ist und durch keinen Angriff geschwächt wird, so haben wir zu zeigen, daß die Glaubenswahrheit nicht durch Vernunft überwunden werden kann.

Capitulum XI

Quomodo accipienda sit generatio in divinis, et quae de Filio Dei dicuntur in Scripturis

Principium autem huius intentionis hinc sumere oportet, quod secundum diversitatem naturarum diversus emanationis modus invenitur in rebus: et quanto aliqua natura est altior, tanto id quod ex ea emanat, magis ei est intimum.

In rebus enim omnibus inanimata corpora infimum locum tenent: in quibus emanationes aliter esse non possunt nisi per actionem unius eorum in aliquod alterum. Sic enim ex igne generatur ignis, dum ab igne corpus extraneum alteratur, et ad qualitatem et speciem ignis perducitur.

Inter animata vero corpora, proximum locum tenent plantae, in quibus iam emanatio ex interiori procedit, in quantum scilicet humor plantae intraneus in semen convertitur, et illud semen, terrae mandatum, crescit in plantam. Iam ergo hic primus gradus vitae invenitur: nam viventia sunt quae seipsa movent ad agendum; illa vero quae non nisi exteriora movere possunt, omnino sunt vita carentia. In plantis vero hoc indicium vitae est quod id quod in ipsis est, movet ad aliquam formam.

Est tamen vita plantarum imperfecta: quia emanatio in eis licet ab interiori procedat, tamen paulatim ab interioribus exiens quod emanat, finaliter omnino extrinsecum invenitur. Humor enim arboris primo ab arbore egrediens fit flos; et tandem fructus ab arboris cortice discretus, sed ei colligatus; perfecto autem fructu, omnino ab arbore separatur, et, in terram cadens, sementina virtute producit aliam plantam.

Si quis etiam diligenter consideret, primum huius emanationis principium ab exteriori sumitur; nam humor intrinsecus arboris per radices a terra sumitur, de qua planta suscipit nutrimentum.

Ultra plantarum vero vitam, altior gradus vitae invenitur, qui est secundum animam sensitivam: cuius emanatio propria, etsi ab exteriori incipiat, in interiori tamen terminatur; et quanto emanatio magis incesserit, tanto magis ad intima devenitur. Sensibile enim exterius formam suam exterioribus sensibus ingerit; a quibus procedit in imaginationem et ulterius in memoriae thesaurum. In quolibet tamen huius emanationis processu, principium et terminus pertinent ad diversa: non enim aliqua potentia

11. Kapitel

Der Sinn von ‚Zeugung‘ im Bereich des Göttlichen und die Aussagen der Schriften über den Sohn

Die Verfolgung dieser Absicht macht es erforderlich, mit der Feststellung zu beginnen, daß unter den Dingen entsprechend der Verschiedenheit ihrer Natur verschiedene Arten von Hervorgang vorkommen. Je höheren Ranges eine bestimmte Natur ist, desto mehr ist ihr das innerlich, was aus ihr hervorgeht.

Nun nehmen die unbeseelten Körper den untersten Rang unter allen Dingen ein. Bei ihnen kann es nur Hervorgänge durch Einwirken des einen auf ein anderes geben. So etwa wird Feuer aus Feuer erzeugt, wenn durch Feuer ein von ihm verschiedener Körper verändert wird, womit dieser in die Qualität und Art des Feuers überführt wird.

Unter den beseelten Körpern nehmen die Pflanzen den nächsthöheren Rang ein. Bei ihnen erfolgt der Hervorgang bereits aus dem Inneren, insofern sich der innere Saft der Pflanze zum Samen wandelt und jener Same, ist er einmal dem Erdboden übergeben, zu einer Pflanze heranwächst. So findet sich hier auch die erste Stufe von Leben, denn Lebendiges bewegt sich selbst zur Tätigkeit. Was aber nur Äußeres zu bewegen vermag, das entbehrt jeglichen Lebens. Bei den Pflanzen ist es jedoch ein Zeichen von Leben, daß das, was in ihnen ist, eine Form ausprägt.

Dennoch ist das Leben der Pflanzen noch unvollkommen, weil der Hervorgang bei ihnen zwar von innen her geschieht, jedoch dasjenige, was allmählich aus dem Innern hervorgeht, sich schließlich vollständig außerhalb befindet. So wird der aus dem Baum hervortretende Saft zunächst eine Blüte und daraufhin eine von der Baumrinde geschiedene, aber dennoch mit ihr verbundene Frucht. Die reife Frucht wiederum trennt sich völlig vom Baum, fällt auf den Erdboden und produziert eine neue Pflanze aufgrund ihrer Samenkraft.

Wenn man es aber recht bedenkt, so kommt das erste Prinzip dieses Hervorganges von außerhalb. Der innere Saft des Baumes nämlich wird durch die Wurzeln aus dem Erdboden aufgenommen, woraus die Pflanze ihre Nahrung schöpft.

Über das Leben der Pflanzen hinaus findet man einen höheren Grad von Leben, den der Seele mit Sinnesvermögen. Ihre spezifische Hervorgehensweise findet im Inneren ihren Abschluß, auch wenn sie von außen beginnt. Je mehr der Hervorgang vorangeschritten ist, desto mehr gelangt er zu Innerem: ein sinnlich wahrnehmbarer, äußerer Gegenstand prägt seine Form den äußeren Sinnen auf, von denen aus sie in die Vorstellung

sensitiva in seipsam reflectitur. Est ergo hic gradus vitae tanto altior quam vita plantarum, quanto operatio huius vitae magis in intimis continetur: non tamen est omnino vita perfecta, cum emanatio semper fiat ex uno in alterum.

Est igitur supremus et perfectus gradus vitae qui est secundum intellectum: nam intellectus in seipsum reflectitur, et seipsum intelligere potest. Sed et in intellectuali vita diversi gradus inveniuntur.

Nam intellectus humanus, etsi seipsum cognoscere possit, tamen primum suae cognitionis initium ab extrinseco sumit: quia non est intelligere sine phantasmate, ut ex superioribus patet.

Perfectior igitur est intellectualis vita in angelis, in quibus intellectus ad sui cognitionem non procedit ex aliquo exteriori, sed per se cognoscit seipsum. Nondum tamen ad ultimam perfectionem vita ipsorum pertingit: quia, licet intentio intellecta sit eis omnino intrinseca, non tamen ipsa intentio intellecta est eorum substantia; quia non est idem in eis intelligere et esse, ut ex superioribus patet.

Ultima igitur perfectio vitae competit Deo, in quo non est aliud intelligere et aliud esse, ut supra ostensum est, et ita oportet quod intentio intellecta in Deo sit ipsa divina essentia.

Dico autem ‚intentionem intellectam‘ id quod intellectus in seipso concipit de re intellecta. Quae quidem in nobis neque est ipsa res quae intelligitur; neque est ipsa substantia intellectus; sed est quaedam similitudo concepta intellectu de re intellecta, quam voces exteriores significant; unde et ipsa intentio ‚verbum interius‘ nominatur, quod est exteriori verbo significatum. Et quidem quod praedicta intentio non sit in nobis res intellecta, inde apparet quod aliud est intelligere rem, et aliud est intelligere ipsam intentionem intellectam, quod intellectus facit dum super suum opus reflectitur; unde et aliae scientiae sunt de rebus, et aliae de intentionibus intellectis. Quod autem intentio intellecta non sit ipse intellectus in

und schließlich in den Gedächtnisspeicher gelangt. Dennoch beziehen sich Beginn und Ende bei jeglichem Emanationsprozeß dieser Art auf Verschiedenes; kein Sinnesvermögen nämlich wendet sich auf sich selbst. Also ist dieser Grad von Leben insofern höher als das Leben der Pflanzen, als sich dessen Tätigkeit mehr im Inneren einbehält. Dennoch handelt es sich nicht schlechthin um vollkommenes Leben, denn der Hervorgang geschieht stets von Einem zu einem Anderen.

Also ist der höchste und vollkommene Lebensgrad jener, welcher dem Verstand entspricht. Der Verstand nämlich wendet sich auf sich selbst und vermag sich selbst zu verstehen. Aber auch im Verstandesleben gibt es verschiedene Grade.

So nimmt der menschliche Intellekt, auch wenn er sich selbst zu erkennen vermag, dennoch den ersten Anfang seiner Erkenntnis von außen, da es kein Verstehen ohne sinnlich vermittelte Vorstellung gibt, wie aus dem oben Gesagten hervorgeht (II 60).

Ein vollkommeneres Verstandesleben gibt es mithin bei den Engeln, bei denen der Verstand nicht im Ausgang von etwas Äußerem zur Erkenntnis seiner selbst vordringt, sondern sich durch sich selbst erkennt (vgl. II 96 ff.). Trotzdem gelangt ihr Leben noch nicht zur letzten Vollkommenheit. Obgleich ihnen das im Erkennen hervorgebrachte Begreifen vollständig innerlich ist, macht es selbst dennoch nicht ihre Substanz aus, weil in ihnen Erkennen und Sein nicht dasselbe sind, wie aus dem oben Gesagten hervorgeht.

Also kommt die höchste Lebensvollkommenheit Gott zu, in dem Erkennen und Sein nicht verschieden sind, wie oben (I 45) gezeigt wurde. Demnach muß der im Erkennen hervorgebrachte Begriff in Gott die göttliche Wesenheit selbst sein.

Ich nenne aber den „im Erkennen hervorgebrachten Begriff" dasjenige, was der Verstand in sich selbst von der verstandenen Sache konzipiert. In uns selbst jedoch handelt es sich hierbei weder um die verstandene Sache selbst noch um die Substanz des Verstandes, sondern gleichsam um eine durch den Verstand von der verstandenen Sache konzipierte Abbildung, welche die sprachlichen Laute bezeichnen. Darum wird auch dieser Begriff selbst „inneres Wort" genannt. Man bezeichnet es durch das äußere Wort. Daß der erwähnte Begriff in uns nicht die verstandene Sache ist, wird aus der Tatsache deutlich, daß es eines ist, die Sache zu verstehen, und etwas anderes, den im Erkennen hervorgebrachten Begriff selbst zu verstehen. Dies tut der Verstand, wenn er über sein eigenes Werk reflektiert. Deswegen handeln auch die einen Wissenschaften von den Dingen und die anderen von den Verstandeskonzepten. Daß der im Erkennen hervorgebrachte Begriff jedoch nicht unser Verstand selbst ist, geht daraus

nobis, ex hoc patet quod esse intentionis intellectae in ipso intelligi consistit: non autem esse intellectus nostri, cuius esse non est suum intelligere.

Cum ergo in Deo sit idem esse et intelligere, intentio intellecta in ipso est ipse eius intellectus. Et quia intellectus in eo est res intellecta, intelligendo enim se intelligit omnia alia, ut in Primo ostensum est; relinquitur quod in Deo intelligente seipsum sit idem intellectus, et res quae intelligitur, et intentio intellecta.

His igitur consideratis, utcumque concipere possumus qualiter sit divina generatio accipienda. Patet enim quod non est possibile sic accipi generationem divinam sicut in rebus inanimatis generatio invenitur, in quibus generans imprimit suam speciem in exteriorem materiam. Oportet enim, secundum positionem fidei, quod Filius a Deo genitus veram habeat deitatem et sit verus Deus; ipsa autem deitas non est forma materiae inhaerens; neque Deus est ex materia existens; ut probatum est.

Similiter autem non potest accipi divina generatio ad modum generationis quae in plantis invenitur, et etiam in animalibus, quae communicant cum plantis in nutritiva et generativa virtute. Separatur enim aliquid quod erat in planta vel animali ad generationem similis in specie, quod in fine generationis est omnino extra generantem. A Deo autem, cum indivisibilis sit, non potest aliquid separari. Ipse etiam Filius a Deo genitus non est extra Patrem generantem, sed in eo: sicut ex superioribus auctoritatibus patet.

Neque etiam potest generatio divina intelligi secundum modum emanationis quae invenitur in anima sensitiva. Non enim Deus ab aliquo exteriori accipit ut in alterum influere possit: non enim esset primum agens. Operationes etiam animae sensitivae non complentur sine corporalibus instrumentis: Deum autem manifestum est incorporeum esse.

Relinquitur igitur quod generatio divina secundum intellectualem emanationem sit intelligenda.

Hoc autem sic manifestari oportet. Manifestum est enim ex his quae in Primo declarata sunt, quod Deus seipsum intelligit. Omne autem intellectum, inquantum intellectum, oportet esse in intelligente: significat enim ipsum intelligere apprehensionem eius quod intelligitur per intellectum; unde etiam intellectus noster, seipsum intelligens, est in seipso, non solum

hervor, daß das Sein des im Erkennen hervorgebrachten Begriffs im Erkennen selbst besteht, nicht aber das Sein unseres Intellektes, dessen Sein nicht sein Erkennen ist.

Da mithin Sein und Erkennen in Gott dasselbe sind, so ist in ihm der im Erkennen hervorgebrachte Begriff sein Verstand. Da ferner gilt, daß in ihm der Verstand die verstandene Sache ist (indem er sich nämlich selbst erkennt, erkennt er auch alles andere, wie im 1. Buch gezeigt wurde (I 49), so verbleibt, daß beim sich selbst erkennenden Gott der Verstand, die verstandene Sache und der im Erkennen hervorgebrachte Begriff dasselbe sind.

So gut es eben geht, können wir aufgrund dieser Überlegungen nunmehr begreifen, wie die göttliche Zeugung zu verstehen ist. Offensichtlich kann sie unmöglich auf die Weise der Erzeugung verstanden werden, wie sie unter unbeseelten Dingen statthat, bei denen das Erzeugende seine Artbestimmtheit einer äußeren Materie aufprägt. So muß der Glaubensauffassung gemäß der vom Vater gezeugte Sohn wahre Gottheit besitzen und wahrer Gott sein. Die Gottheit selbst aber ist nicht eine der Materie inhärierende Form, noch existiert Gott aufgrund von Materie, wie im 1. Buch erwiesen wurde (I 17,27).

Gleichermaßen kann man die göttliche Zeugung nicht auf die Weise pflanzlicher Zeugung oder der Zeugung bei Tieren verstehen, welche das Ernährungs- und Zeugungsvermögen mit den Pflanzen gemeinsam haben. Bei einer derartigen Zeugung sondert sich nämlich etwas der Art nach Ähnliches ab, was zuvor in der Pflanze oder im Tier war. Dies befindet sich am Ende der Zeugung völlig außerhalb des Zeugenden. Doch von Gott kann sich nichts abtrennen, da er unteilbar ist; auch der von Gott gezeugte Sohn selbst ist nicht außerhalb des zeugenden Vaters, vielmehr in ihm, wie aufgrund der oben zitierten Autoritäten deutlich wird.

Auch kann man die göttliche Zeugung nicht nach der Art jenes Hervorganges verstehen, der sich in der Sinnenseele findet, denn Gott empfängt nicht das Vermögen, in einen anderen einzufließen, von etwas Äußerem; sonst nämlich wäre er nicht der Ersttätige. Zudem können die Tätigkeiten der Sinnenseele nicht ohne körperliche Hilfsmittel vollzogen werden. Gott aber ist zweifellos unkörperlich.

Mithin bleibt übrig, daß die göttliche Zeugung dem verstandesmäßigen Hervorgang entsprechend zu verstehen ist.

Dies soll folgendermaßen deutlich werden: Aus den bisherigen Erklärungen des 1. Buches (I 47) wird ersichtlich, daß Gott sich selbst erkennt. Nun muß jegliches Erkannte als Erkanntes im Erkennenden sein, denn Erkennen selbst bedeutet die verstandesmäßige Erfassung dessen, was erkannt wird. So weit auch unser Verstand bei der Selbsterkenntnis in sich

ut idem sibi per essentiam, sed etiam ut a se apprehensum intelligendo. Oportet igitur quod Deus in seipso sit ut intellectum in intelligente. Intellectum autem in intelligente est intentio intellecta et verbum. Est igitur in Deo intelligente seipsum Verbum Dei quasi Deus intellectus: sicut verbum lapidis in intellectu est lapis intellectus. Hinc est quod Ioan. I dicitur: „Verbum erat apud Deum".

Quia vero intellectus divinus non exit de potentia in actum, sed semper est actu existens, ut in Primo probatum est, ex necessitate oportet quod semper seipsum intellexerit. Ex hoc autem quod se intelligit, oportet quod verbum ipsius in ipso sit, ut ostensum est. Necesse est igitur semper verbum eius in Deo extitisse. Est igitur coaeternum Deo verbum ipsius, nec accedit ei ex tempore, sicut intellectui nostro accedit ex tempore verbum interius conceptum, quod est intentio intellecta. Hinc est quod Ioan. I dicitur: „In principio erat Verbum".

Cum autem intellectus divinus non solum sit semper in actu, sed etiam sit ipse actus purus, ut in Primo probatum est; oportet quod substantia intellectus divini sit ipsum suum intelligere, quod est actus intellectus; esse autem verbi interius concepti, sive intentionis intellectae, est ipsum suum intelligi. Idem ergo esse est Verbi divini, et intellectus divini; et per consequens ipsius Dei, qui est suus intellectus. Esse autem Dei est eius essentia vel natura, quae idem est quod ipse Deus, ut in Primo ostensum est. Verbum igitur Dei est ipsum esse divinum et essentia eius et ipse verus Deus.

Non autem sic est de verbo intellectus humani. Cum enim intellectus noster seipsum intelligit, aliud est esse intellectus et aliud ipsum eius intelligere: substantia enim intellectus erat in potentia intelligens antequam intelligeret actu. Sequitur ergo quod aliud sit esse intentionis intellectae, et aliud intellectus ipsius; cum intentionis intellectae esse sit ipsum intelligi. Unde oportet quod, in homine intelligente seipsum, verbum interius conceptum non sit homo verus, naturale hominis esse habens, sed sit ‚homo intellectus' tantum, quasi quaedam similitudo hominis veri ab intellectu apprehensa.

Ipsum vero Verbum Dei, ex hoc ipso quod est Deus intellectus, est

selbst, nicht nur als mit sich wesenhaft identisch, sondern auch als das im Erkennen von sich Erfaßte. Also muß Gott in sich selbst sein wie das Erkannte im Erkennenden. Im Erkennenden aber west das Erkannte als der im Erkennen hervorgebrachte Begriff und das Wort. Mithin ist das Wort Gottes im sich selbst erkennenden Gott gleichsam der erkannte Gott, so wie das Wort ‚Stein‘ im Verstand der erkannte Stein ist. Daher heißt es Joh 1,1: „Das Wort war bei Gott".

Weil aber der göttliche Verstand nicht von der Möglichkeit zur Wirklichkeit übergeht, sondern stets im Verwirklichtsein existiert, wie im 1. Buch erwiesen wurde (I 55 f.), so folgt mit Notwendigkeit, daß er sich immer schon selbst erkannt hat. Aus der Tatsache jedoch, daß er sich selbst erkennt, ergibt sich notwendig, daß sein Wort in ihm ist, wie gezeigt wurde. Notwendigerweise also hat sein Wort immer schon in ihm selbst existiert. Es handelt sich also um das mit Gott gleichewige Wort seiner selbst; es kam ihm nicht im Laufe der Zeit zu, so wie unserem Verstand das innerlich konzipierte Wort zukam, welches den im Erkennen hervorgebrachten Begriff ausmacht. Daher heißt es Joh 1,1: „Im Anfang war das Wort".

Da der göttliche Verstand nicht nur immer schon im Verwirklichtsein west, sondern selbst reine Wirklichkeit ist, wie im 1. Buch bewiesen wurde (I 16), so muß die Substanz des göttlichen Verstandes seine Selbsterkenntnis sein, worin die Wirklichkeit des Verstandes besteht. Das Sein des innerlich gebildeten Wortes oder des im Erkennen hervorgebrachten Begriffs ist die Selbsterkenntnis selbst. Das Sein des göttlichen Wortes und des göttlichen Verstandes ist mithin dasselbe, also auch das Sein Gottes selbst, der sein Verstand ist. Das Sein Gottes aber ist seine Wesenheit oder Natur, was dasselbe ist wie Gott selbst, wie im 1. Buch gezeigt wurde (I 22). Also ist das Wort Gottes sein göttliches Sein selbst, seine Wesenheit und wahrer Gott.

So verhält es sich nicht mit dem Wort des menschlichen Verstandes. Erkennt unser Verstand sich selbst, dann sind das Sein des Verstandes und sein Erkennen verschieden. Die Substanz des Verstandes nämlich war der Möglichkeit nach erkennend, bevor er wirklich erkannte. Folglich sind das Sein des im Erkennen hervorgebrachten Begriffs und das des Verstandes selbst voneinander verschieden, da das Sein des im Erkennen hervorgebrachten Begriffs das Erkanntwerden selbst ist. Deswegen kann im Falle des sich selbst erkennenden Menschen das innerlich gebildete Wort nicht ein wahrer Mensch sein, welcher naturgemäß das Sein des Menschen besitzt. Es ist lediglich ein ‚erkannter Mensch‘, gleichsam eine vom Verstande erfaßte Abbildung eines wahren Menschen.

Das Wort Gottes selbst aber ist wahrer Gott und besitzt allein aufgrund

verus Deus, habens naturaliter esse divinum: eo quod non est aliud naturale esse Dei et aliud eius intelligere, ut dictum est. Hinc est quod Ioan.
I dicitur: „Deus erat Verbum". Quod quia absolute dicitur, demonstrat
Verbum Dei verum Deum debere intelligi. Verbum enim hominis non
posset dici simpliciter et absolute homo, sed secundum quid, scilicet
‚homo intellectus': unde haec falsa esset, „Homo est verbum"; sed haec
potest esse vera: „Homo intellectus est verbum". Cum ergo dicitur, „Deus
erat Verbum", ostenditur Verbum divinum non solum esse intentionem
intellectam, sicut verbum nostrum; sed etiam rem in natura existentem et
subsistentem. Deus enim verus res subsistens est: cum maxime sit per se
ens.

Non sic autem natura Dei est in Verbo ut sit una specie et numero
differens. Sic enim Verbum habet naturam Dei sicut intelligere Dei est
ipsum esse eius, ut dictum est. Intelligere autem est ipsum esse divinum.
Verbum igitur habet ipsam essentiam divinam, non solum specie, sed numero eandem.

Item. Natura quae est una secundum speciem, non dividitur in plura
secundum numerum nisi propter materiam. Divina autem natura omnino
immaterialis est. Impossibile est igitur quod natura divina sit una specie
et numero differens. Verbum igitur Dei in eadem natura numero communicat cum Deo.

Propter quod Verbum Dei, et Deus cuius est Verbum, non sunt duo
dii, sed unus Deus. Nam quod apud nos duo habentes humanam naturam
sint duo homines, ex hoc contingit quod natura humana numero dividitur
in duobus. Ostensum est autem in primo libro ea quae in creaturis divisa
sunt, in Deo simpliciter unum esse: sicut in creatura aliud est essentia et
esse; et in quibusdam est etiam aliud quod subsistit in sua essentia et eius
essentia sive natura, nam hic homo non est sua humanitas nec suum esse;
sed Deus est sua essentia et suum esse.

Et quamvis haec in Deo unum sint verissime, tamen in Deo est quicquid
pertinet ad rationem vel subsistentiae vel essentiae vel ipsius esse: convenit
enim ei non esse in aliquo, inquantum est subsistens; esse quid, inquantum
est essentia, et esse in actu, ratione ipsius esse. Oportet igitur, cum in Deo
sit idem intelligens, et intelligere, et intentio intellecta, quod est Verbum

der Tatsache naturhaft göttliches Sein, daß es der erkannte Gott ist, denn das naturgemäße Sein Gottes ist nicht von seinem Erkennen verschieden, wie gesagt wurde. Daher heißt es auch Joh 1, 1: „Gott war das Wort". Weil es uneingeschränkt gesagt ist, so hat man unter dem Worte Gottes offenbar den wahren Gott zu verstehen. Das Wort des Menschen könnte nicht schlechthin und uneingeschränkt, sondern nur in einem qualifizierten Sinne ‚Mensch' heißen, wie etwa im Falle von ‚erkannter Mensch'. Daher ist die Aussage: „Der Mensch ist Wort" falsch; die folgende Aussage aber kann wahr sein: „Der erkannte Mensch ist Wort". Wenn es also heißt: „Gott war das Wort", so wird damit erklärt, daß es sich beim göttlichen Wort nicht nur – wie bei unserem Wort – um den im Erkennen hervorgebrachten Begriff handelt, sondern daß es auch tatsächlich existiert und subsistiert. Der wahre Gott nämlich ist etwas Subsistierendes, da er auf höchste Weise durch sich seiend ist.

Die Natur Gottes west jedoch nicht dergestalt im Worte, als seien sie einer Art, doch numerisch verschieden. Das Wort besitzt im selben Sinne die Natur Gottes, wie Gottes Erkennen sein Sein selbst ist. Dies wurde bereits gesagt. Erkennen aber ist das göttliche Sein selbst. Mithin besitzt das Wort die göttliche Wesenheit nicht nur der Art nach, sondern auch auf numerisch identische Weise.

Ferner. Eine Natur, die der Art nach eine ist, ist nur aufgrund von Materie in numerisch Verschiedenes ausdifferenziert. Die göttliche Natur jedoch ist vollständig immateriell. Mithin ist die göttliche Natur unmöglich der Art nach eine, aber numerisch verschieden. Das Wort Gottes kommt demnach mit Gott in der numerisch identischen Natur überein.

Deswegen sind das Wort Gottes und Gott, dem das Wort eignet, nicht zwei Götter, sondern ein Gott. Demgegenüber sind bei uns zwei Wesen, welche die menschliche Natur besitzen, zwei Menschen. Daraus ergibt sich, daß sich die menschliche Natur numerisch auf zwei verteilt. Doch ist im 1. Buch gezeigt worden (I 31), daß das bei den Geschöpfen Geteilte in Gott schlechthin eines ist. So sind etwa beim Geschöpf Sein und Wesen verschieden; in einigen Dingen findet sich auch Verschiedenheit zwischen dem, was in ihrer Wesenheit subsistiert und ihrer Wesenheit oder Natur selbst. So ist dieser Mensch hier weder seine Menschheit noch sein Sein. Gott aber ist seine Wesenheit und sein Sein.

Obwohl in Gott Wesenheit und Sein höchst wahrhaftig eins sind, so ist doch das, was zu seiner Subsistenz, seinem Wesen oder seinem Sein gehört, in Gott. Es kommt ihm nämlich zu, nicht in anderem zu sein, sofern er subsistiert. Es kommt ihm zu, Bestimmtes zu sein, insofern er Wesenheit ist. Es kommt ihm zu, wirklich zu sein aufgrund seines Seins selbst. Da in Gott der Erkennende, das Erkennen und der im Erkennen hervor-

ipsius, quod verissime in Deo sit et quod pertinet ad rationem intelligentis; et quod pertinet ad rationem eius quod est intelligere; et quod pertinet ad rationem intentionis intellectae, sive Verbi. Est autem de ratione interioris verbi, quod est intentio intellecta, quod procedat ab intelligente secundum suum intelligere, cum sit quasi terminus intellectualis operationis: intellectus enim intelligendo concipit et format intentionem sive rationem intellectam, quae est interius verbum. Oportet igitur quod a Deo secundum ipsum suum intelligere procedat Verbum ipsius. Comparatur igitur Verbum Dei ad Deum intelligentem, cuius est Verbum, sicut ad eum a quo est: hoc enim est de ratione verbi. Cum igitur in Deo intelligens, intelligere, et intentio intellecta sive Verbum, sint per essentiam unum et per hoc necesse sit quod quodlibet horum sit Deus; remanet tamen sola distinctio relationis, prout Verbum refertur ad concipientem ut a quo est. Hinc est quod Evangelista, quia dixerat, [Ioan. I]: „Deus erat Verbum"; ne omnino distinctio sublata intelligeretur Verbi a Deo dicente sive concipiente Verbum, subiunxit: „Hoc erat in principio apud Deum": quasi dicat: Hoc Verbum, quod Deum esse dixi, aliquo modo distinctum est a Deo dicente, ut sic possit dici „apud Deum esse".

Verbum autem interius conceptum est quaedam ratio et similitudo rei intellectae; similitudo autem alicuius in altero existens vel habet rationem ‚exemplaris‘, si se habeat ut principium: vel habet potius rationem ‚imaginis‘, si se habeat ad id cuius est similitudo sicut ad principium. Utriusque autem exemplum in nostro intellectu perspicitur. Quia enim similitudo artificiati existens in mente artificis est principium operationis per quam artificiatum est, comparatur ad artificiatum ut exemplar ad exemplatum: sed similitudo rei naturalis in nostro intellectu concepta comparatur ad rem cuius similitudo existit ut ad suum principium, quia nostrum intelligere a sensibus principium accipit, qui per res naturales immutantur. Cum autem Deus et seipsum intelligat et alia, ut in Primo ostensum est, eius intelligere principium est rerum intellectarum ab ipso, cum ab eo causentur per intellectum et voluntatem: sed ad intelligibile quod est ipse, comparatur ut ad principium; est enim hoc intelligibile idem cum intellectu intelligente, cuius quaedam emanatio est verbum conceptum. Oportet igi-

gebrachte Begriff, welcher Sein Wort ist, dasselbe sind, so muß das, was dem Erkennenden, dem Erkennen und dem im Erkennen hervorgebrachten Begriff, d. h. dem Wort eignet, auf höchst wahrhafte Weise in Gott sein. Nun eignet es dem inneren Wort, also dem im Erkennen hervorgebrachten Begriff, daß es dem Erkennenden nach Maßgabe seines Erkennens entspringt, da es gleichsam den Endpunkt der Verstandestätigkeit ausmacht, denn durch Erkennen bildet und formt der Verstand den Sinn oder den im Erkennen hervorgebrachten Begriff, welcher das innere Wort ist. Also muß sein Wort von Gott nach Maßgabe seines Erkennens hervorgehen. Demgemäß verhält sich das Wort Gottes zum erkennenden Gott, dessen Wort es ist, wie zu dessen Urheber. Ein derartiges Verhältnis liegt im Wesen des Wortes begründet. Da nun in Gott Erkennender, Erkennen und der im Verstande hervorgebrachte Begriff oder das Wort wesenhaft eins sind und dadurch notwendigerweise jedes von diesen Gott ist, so verbleibt lediglich ein relationaler Unterschied zwischen ihnen, sofern sich das Wort auf den Erkennenden als auf dessen Urheber bezieht. Deswegen fügte der Evangelist seiner Aussage (Joh 1,1): „Gott war das Wort" die weitere hinzu (Joh 1,2): „Dieses war im Anfang bei Gott", damit man nicht meint, jeglicher Unterschied zwischen dem Worte und dem sprechenden oder das Wort bildenden Gott würde aufgehoben. Er will gleichsam sagen: Dieses Wort, von dem ich gesagt habe, es sei Gott, ist auf gewisse Weise vom sprechenden Gott verschieden, so daß man deswegen sagen könnte, es sei „bei Gott".

Nun ist das innerlich gebildete Wort eine gewisse Ansicht und Abbildung der erkannten Sache. Wenn das Bild von etwas in einem anderen existiert, dann hat es entweder den Charakter eines ‚Urbildes', wenn es sich wie ein Prinzip verhält, oder es hat eher den Charakter eines ‚Bildes', wenn es sich zu dem, dessen Abbild es ist, wie zu seinem Prinzip verhält. Wir besitzen ein Beispiel für beide Fälle in unserem Verstand: Weil das Bild des im Geist des Künstlers existierenden Kunsterzeugnisses das Prinzip der Tätigkeit ist, wodurch es hergestellt wird, so verhält sich das Bild zum Hergestellten wie das Urbild zu dem, wofür es Urbild ist. Ein in unserem Verstand geformtes Bild eines Naturgegenstandes dagegen verhält sich zum Gegenstand, dessen Abbildung es ist, wie zu seinem Prinzip, denn unser Erkennen empfängt das Prinzip von den Sinnen, welche durch die Naturgegenstände beeinflußt werden. Da sich Gott jedoch selbst und anderes erkennt, wie im 1. Buch gezeigt wurde (I 49), so ist sein Erkennen das Prinzip der von ihm erkannten Dinge, weil sie von ihm durch seinen Verstand und Willen verursacht werden. Im Hinblick auf das Erkennbare jedoch, das er selbst ist, verhält er sich wie zum Prinzip. Dies Erkennbare nämlich ist mit dem erkennenden Verstand identisch und das konzipierte

tur quod Verbum Dei comparetur ad res alias intellectas a Deo sicut
‚exemplar', et ad ipsum Deum, cuius est Verbum, sicut eius ‚imago'. Hinc
est quod de Verbo Dei dicitur, Coloss. I, quod est „imago invisibilis Dei".

Est autem differentia inter intellectum et sensum: nam sensus apprehendit rem quantum ad exteriora eius accidentia, quae sunt color, sapor,
quantitas, et alia huiusmodi; sed intellectus ingreditur ad interiora rei. Et
quia omnis cognitio perficitur secundum similitudinem quae est inter co-
gnoscens et cognitum, oportet quod in sensu sit similitudo rei sensibilis
quantum ad eius accidentia: in intellectu vero sit similitudo rei intellectae
quantum ad eius essentiam. Verbum igitur in intellectu conceptum est
imago vel exemplar substantiae rei intellectae. Cum ergo Verbum Dei sit
imago Dei, ut ostensum est, necesse est quod sit imago Dei quantum ad
eius essentiam. Hinc est quod Apostolus dicit, Hebr. I, quod est „figura
substantiae Dei".

Imago autem alicuius rei est duplex. Est enim aliqua imago quae non
communicat in natura cum eo cuius est imago: sive sit imago eius quantum
ad exteriora accidentia, sicut statua aenea est imago hominis, nec tamen
est homo; sive sit imago quantum ad substantiam rei; ratio enim hominis
in intellectu non est homo, nam, ut Philosophus dicit: „Non lapis est in
anima sed species lapidis" [*De anima* III 8]. Imago autem alicuius rei quae
eandem naturam habet cum re cuius est imago, est sicut filius regis, in quo
imago patris apparet et est eiusdem naturae cum ipso. Ostensum est autem
quod Verbum Dei est imago dicentis quantum ad ipsam eius essentiam;
et quod in eadem natura cum dicente communicat. Relinquitur igitur
quod Verbum Dei non solum sit imago, sed etiam Filius. Non enim sic
esse imaginem alicuius ut eiusdem naturae cum illo sit, in aliquo invenitur
qui filius dici non possit, dummodo hoc in viventibus accipiatur: nam
quod procedit ex aliquo vivente in similitudinem speciei, dicitur filius eius.
Hinc est quod in Psalmo [II], dicitur: „Dominus dixit ad me, Filius meus
es tu".

Rursus considerandum est quod, cum in qualibet natura processio filii
a patre sit naturalis, ex quo Verbum Dei Filius Dei dicitur, oportet quod
naturaliter generetur et a Patre procedat. Et hoc quidem supradictis convenit: ut ex his quae in intellectu nostro accidunt, perspici potest. Intel-

431 b 29–432 a 1

Wort ist dessen Emanation. Also muß sich das Wort Gottes zu den anderen von Gott erkannten Dingen wie ein ‚Urbild' verhalten, und zu Gott selbst, dessen Wort es ist, wie dessen ‚Abbild'. Daher heißt es in Kol 1, 15 vom Worte Gottes, es sei „Bild des unsichtbaren Gottes".

Doch sind Verstand und Sinnesvermögen unterschieden, insofern das Sinnesvermögen die Sache hinsichtlich ihrer äußeren Akzidentien erfaßt, wie z. B. hinsichtlich der Farbe, dem Geschmack, der Quantität und dergleichen mehr. Der Verstand aber dringt zum Inneren der Sache vor. Da jegliche Erkenntnis gemäß einer zwischen Erkennendem und Erkanntem vermittelnden Abbildung zustande kommt, so muß sich das Abbild der Akzidentien der sinnlich wahrnehmbaren Sache im Sinnesvermögen befinden, die Abbildung der Wesenheit der erkannten Sache jedoch im Verstand. Das im Verstande konzipierte Wort ist mithin das Bild oder das Urbild der Substanz der erkannten Sache. Wenn also das Wort Gottes Bild Gottes ist, wie gezeigt wurde, dann muß es das Bild der Wesenheit Gottes sein. Daher bemerkt der Apostel in Hebr 1, 3, es sei „Ausprägung des Wesens Gottes".

Etwas ist aber Bild einer Sache in einem zweifachen Sinne. So gibt es einerseits ein Bild, welches nicht derselben Natur ist wie die des Abgebildeten. Beispielsweise handelt es sich hierbei um ein Bild von dessen äußeren Akzidentien. So ist die Bronzestatue ein Bild eines Menschen, ohne doch ein Mensch zu sein. Andererseits gibt es ein Bild der Substanz der Sache. So ist der Begriff des Menschen im Verstand kein Mensch, wie der Philosoph (Aristoteles) bemerkt: „Nicht der Stein ist in der Seele, sondern dessen Artbegriff". Ein Bild einer Sache jedoch, welches dieselbe Natur wie die des Abgebildeten besitzt, ist beispielsweise der Königssohn, in dem das Ebenbild des Vaters erscheint und der dieselbe Natur wie dieser besitzt. Doch wurde gezeigt, daß das Wort Gottes das Bild der Wesenheit des Redenden ist und daß es mit dem Redenden in derselben Natur übereinkommt. Also verbleibt, daß das Wort Gottes nicht nur Bild, sondern auch der Sohn ist, denn es ist nicht möglich, daß es einerseits Bild von etwas ist und dieselbe Natur mit dem Abgebildeten teilt, andererseits aber nicht Sohn genannt werden kann, wofern von Lebendigem die Rede ist. Ein Abbild der Art des aus einem Lebendigen Entspringenden wird dessen Sohn genannt. Daher heißt es auch im Psalm (Ps 2,7): „Der Herr sprach zu mir ‚Mein Sohn bist du'".

Da das Wort Gottes „Sohn Gottes" heißt und in jeder Natur der Hervorgang des Sohnes vom Vater auf naturgemäße Weise geschieht, so ist wiederum zu beachten, daß es auf naturgemäße Weise gezeugt werden und vom Vater hervorgehen muß. Dies stimmt mit dem vorher Gesagten überein und vermag aufgrund unserer Verstandesmerkmale einsichtig zu

lectus enim noster aliqua naturaliter cognoscit: sicut prima intelligibilium principia, quorum intelligibiles conceptiones, quae verba interiora dicuntur, naturaliter in ipso existunt et ex eo procedunt. Sunt etiam quaedam intelligibilia quae non naturaliter intellectus noster cognoscit, sed in eorum cognitionem ratiocinando pertingit: et horum conceptiones in intellectu nostro naturaliter non existunt, sed cum studio quaeruntur. Manifestum est autem quod Deus seipsum naturaliter intelligit, sicut et naturaliter est: suum enim intelligere est suum esse, ut in Primo probatum est. Verbum igitur Dei seipsum intelligentis naturaliter ab ipso procedit. Et cum Verbum Dei sit eiusdem naturae cum Deo dicente, et sit similitudo ipsius; sequitur quod hic naturalis processus sit in similitudinem eius a quo est processio cum identitate naturae. Haec est autem verae generationis ratio in rebus viventibus, quod id quod generatur, a generante procedat ut similitudo ipsius et eiusdem naturae cum ipso. Est ergo Verbum Dei ,genitum' vere a Deo dicente: et eius processio ,generatio' vel ,nativitas' dici potest. Hinc est quod in Psalmo [II], dicitur: „Ego hodie genui te": idest, in aeternitate, quae semper est praesens, et nulla est in ea ratio praeteriti et futuri.

Unde patet falsum esse quod Ariani dixerunt, quod Pater genuit Filium voluntate. Quae enim voluntate sunt, non naturalia sunt.[6]

---

[6] Hic frequenter, sed indebite interponitur: „Quia vero non minus est quod Deus de seipso intelligit quam quod in ipso est (alias non intelligeret seipsum perfecte, nec suum esse esset suum intelligere), oportet Verbum Dei Deo esse essentiale. Hoc autem est Filius Dei. Est igitur Filius Dei Patri essentialis. – Hoc etiam hinc manifestum est quod Filius Dei, cum sit verus filius, habet speciem et naturam Patris. Cuilibet autem naturae determinata quantitas debetur: unde etiam apud nos filius ad aequalitatem patris perducitur in fine generationis et augmenti, nisi aliquis defectus appareat propter materiam indispositam et propter debilitatem virtutis activae in generatione; et quidem quod a principio filius nascatur minor patre, contingit ex hoc quod animalis generatio procedit de potentia ad actum et paulatim ducitur de imperfectione ad perfectionem. Nihil autem horum est possibile in divina generatione accidere, quia generatio divina non est ex materia nec per exitum de potentia in actum, nec virtus Dei generantis potest esse deficiens, cum sit infinita. Oportet igitur Filium Dei Patri esse aequalem. – Item. Si Filius sit Patri inaequalis,

werden. Unser Verstand nämlich erkennt einiges auf naturhafte Weise, so etwa die ersten Prinzipien des Erkennbaren, deren Verstandesbegriffe, die ‚innere Worte' genannt werden, naturhaft im Verstande existieren und ihm entspringen; doch gibt es einige erkennbare Dinge, welche unser Verstand nicht naturhaft erkennt, sondern durch Schlußfolgerung zu ihrer Erkenntnis gelangt. Diese Begriffe existieren nicht naturgemäß in unserem Verstand; vielmehr erfordert es Mühe, sie aufzusuchen. Doch erkennt sich Gott offenkundig auf naturhafte Weise, gleichwie er auch auf naturhafte Weise existiert. Sein Erkennen nämlich ist sein Sein, wie im 1. Buch erwiesen wurde (I 45). Also entspringt das Wort des sich selbst erkennenden Gottes auf naturgemäße Weise aus ihm. Folglich bewirkt dieser naturhafte Vorgang eine der Natur nach identische Abbildung von dem, wovon sie hervorgeht, da das Wort Gottes dieselbe Natur wie die des redenden Gottes besitzt und dessen Abbild ist. Das Wesen wahrhafter Zeugung im Bereiche des Lebendigen besteht gerade darin, daß das Gezeugte dem Zeugenden als dessen naturgleiches Abbild entspringt. Mithin ist das Wort Gottes wahrhaft vom redenden Gott „gezeugt". Sein Hervorgang kann „Zeugung" oder „Geburt" genannt werden. Daher heißt es Ps 2,7: „Heute habe ich dich gezeugt", d. h. in der Ewigkeit, die stets gegenwärtig ist, in der es weder Vergangenes noch Zukünftiges gibt.

Daher ist es offensichtlich falsch, wenn die Arianer behaupteten, der Vater habe den Sohn aus freiem Willen gezeugt. Freiwillig Geschehendes nämlich gehört nicht zum Bereich des Naturhaften.[1]

[1] An dieser Stelle wird oft ungerechtfertigterweise eingefügt: „Da dasjenige, was Gott von sich selbst erkennt, jedoch nichts Geringeres ist als das, was in ihm ist – sonst würde er sich nicht auf vollkommene Weise selbst erkennen, noch wäre sein Sein sein Erkennen –, so muß das Wort Gottes Gott wesenhaft zueignen. Dies aber ist der Sohn Gottes. Mithin ist der Sohn Gottes dem Vater wesenhaft zugeeignet. Von daher wird ebenso ersichtlich, daß der Sohn die Art und Natur des Vaters besitzt, da er wahrer Sohn ist. Jedweder Natur muß nun eine bestimmte Quantität zukommen. Deswegen gelangt bei uns ein Sohn am Ende des Zeugung- und Wachstumsprozesses nur dann zur Gleichheit mit dem Vater, wenn kein Defekt aufgrund von ungeordneter Materie oder einer Schwächung der aktiven Zeugungskraft vorliegt. Zwar trifft es zu, daß ein Sohn zunächst geringer als der Vater geboren wird, weil Zeugung unter Lebewesen von der Möglichkeit zur Wirklichkeit fortschreitet, doch vollzieht sie sich als allmähliches Fortschreiten von der Unvollkommenheit zur Vollkommenheit. Allerdings kann nichts dergleichen im Falle göttlicher Zeugung zutreffen, da göttliche Zeugung weder aufgrund von Materie noch als Hervorgang von der Möglichkeit zur Wirklichkeit geschieht; ebensowenig kann die Kraft des zeugenden Gottes geschwächt sein, da sie unendlich ist. Mithin muß der Sohn dem Vater gleichgestellt sein. Wäre der Sohn dem Vater nicht gleichgestellt, so müßten die Größe des Vaters und die des Sohnes numerisch verschieden

Considerandum est etiam quod id quod generatur, quandiu in generante manet, dicitur esse ,conceptum'. Verbum autem Dei ita est a Deo genitum quod tamen ab ipso non recedit, sed in eo manet, ut ex superioribus patet. Recte ergo Verbum Dei potest dici a Deo ,conceptum'. Hinc est quod Proverb. VIII, Dei Sapientia dicit: „Nondum erant abyssi, et ego iam concepta eram".

Est autem differentia inter conceptionem Verbi Dei, et materialem conceptionem quae apud nos in animalibus invenitur. Nam proles, quandiu concepta est et in utero clauditur, nondum habet ultimam perfectionem, ut per se subsistat a generante secundum locum distinctum: unde oportet quod in corporali generatione animalium aliud sit genitae prolis ,conceptio' atque aliud ,partus' ipsius, secundum quem etiam loco separatur proles genita a generante, ab utero generantis egrediens. Verbum autem Dei, in ipso Deo dicente existens, est perfectum, in se subsistens, distinctum a Deo dicente: non enim expectatur ibi localis distinctio, si sola relatione distinguuntur, ut dictum est. Idem est ergo in generatione Verbi Dei et conceptio et partus; et ideo, postquam ex ore Sapientiae dictum est, Proverb. VIII: „Ego iam concepta eram", post pauca subditur: „Ante colles ego parturiebar".

Sed quia conceptio et partus in rebus corporalibus cum motu sunt, oportet in eis quandam successionem esse: cum conceptionis terminus sit esse concepti in concipiente; terminus autem partus sit esse eius qui paritur distinctum a pariente. Necesse est igitur in corporalibus quod id quod concipitur, nondum sit; et id quod parturitur, in parturiendo non sit a parturiente distinctum. Conceptio autem et partus intelligibilis verbi non est cum motu, nec cum successione: unde simul dum concipitur, est; et

oportet aliam numero esse magnitudinem Patris et Filii; nam eadem numero quantitas non potest seipsa esse maior et minor. Divina autem magnitudo non est aliud quam eius essentia, ut ex primo libro apparet. Erit igitur alia numero essentia Patris et Filii; cuius contrarium supra ostensum est. Oportet igitur dicere Filium Patri esse aequalem. Hinc est quod dicitur Ioan. V, quod Iesus „Patrem suum dicebat Deum, aequalem se faciens Deo; et dicitur, ad Philipp. II, quod „non rapinam arbitratus est esse se aequalem Deo".

Ebenfalls gilt es zu beachten, daß das Gezeugte als „empfangen" bezeichnet wird, solange es im Zeugenden verbleibt. Das Wort Gottes aber ist derart vom Vater gezeugt, daß es sich gerade nicht von seinem Urheber trennt, sondern in ihm verbleibt, wie aus dem oben Gesagten hervorgeht. Mit Recht also kann das Wort Gottes als von Gott „empfangen" bezeichnet werden. Deswegen spricht die Weisheit Gottes in Spr 8, 24: „Ich ward empfangen, als die Urfluten noch nicht waren".

Doch gibt es einen Unterschied zwischen dem Empfangen des Wortes Gottes und der materiellen Empfängnis bei uns unter Lebewesen. Solange das Kind empfangen und im Mutterleib einbehalten ist, hat es noch nicht die letzte Vollkommenheit erlangt, die ihm erlaubt, vom Zeugenden örtlich getrennt für sich zu subsistieren. Deswegen müssen bei der leiblichen Zeugung der Lebewesen die ,Empfängnis' des gezeugten Kindes und die ,Geburt' selbst, wodurch sich das Neugeborene lokal von der Zeugenden trennt, indem es aus dem Mutterleib der Gebärenden hervorkommt, jeweils verschieden sein. Das Wort Gottes jedoch, das im sprechenden Gott selbst existiert, ist in sich subsistierend vollkommen, verschieden vom sprechenden Gott; doch erwartet man hier keinen lokalen Unterschied, wenn sie sich lediglich relational voneinander unterscheiden, wie gesagt wurde. Bei der Zeugung des Wortes Gottes sind mithin Empfängnis und Geburt dasselbe. So wird, nachdem es aus dem Munde der Weisheit hieß: „Ich ward bereits empfangen", kurz danach entsprechend (Spr 8, 25) hinzugefügt: „vor den Hügeln ward ich hervorgebracht".

Im Bereich der Leibwesen aber sind Empfängnis und Geburt mit Bewegung verbunden, so daß hierzwischen eine gewisse Aufeinanderfolge statthaben muß. Da der Abschlußpunkt der Empfängnis im Sein des Empfangenen im Empfangenden besteht, der Endpunkt der Geburt jedoch im Sein des vom Gebärenden verschiedenen Neugeborenen, so ist im Bereich der Leibwesen notwendig das, was empfangen wird, noch nicht existent, und das, was geboren wird, beim Gebären nicht vom Gebärenden verschieden. Konzipierung und Zur-Existenz-Gelangen des intelligiblen Wortes jedoch involvieren weder Bewegung noch Aufeinan-

sein, denn eine numerisch identische Quantität kann nicht in sich selbst größer und kleiner sein. Die göttliche Größe jedoch ist nichts anderes als seine Wesenheit, wie im 1. Buch deutlich wird (I 22, 23). Damit wären die Wesenheit des Vaters und die des Sohnes numerisch verschieden. Das Gegenteil hiervon wurde allerdings oben bewiesen. Mithin muß man behaupten, der Sohn sei dem Vater gleichgestellt. Daher wird auch in Joh 5, 18 davon gesprochen, daß Jesus „Gott seinen Vater nannte und sich so Gott gleichstellte"; auch heißt es in Phil 2, 6: „Er ... erachtete das Gottgleichsein nicht als Beutestück".

simul dum parturitur, distinctum est; sicut quod illuminatur, simul dum illuminatur, illuminatum est, eo quod in illuminatione nulla successio est. Et cum hoc inveniatur in intelligibili verbo nostro, multo magis competit Verbo Dei: non solum quia intelligibilis conceptio et partus est, sed quia in aeternitate existit utrumque, in qua prius et posterius esse non possunt. Hinc est quod, postquam ex ore Sapientiae dictum est, Proverb. VII: „Ante colles ego parturiebar"; ne intelligeretur quod, dum parturiretur, non esset, subditur: „Quando praeparabat caelos, aderam": ut sic, cum in generatione carnali animalium prius aliquid concipiatur, deinde parturiatur, et deinde conveniat sibi adesse parturienti, quasi sibi consociatum nec ab eo distinctum; haec omnia in divina generatione simul esse intelligantur; nam Verbum Dei simul concipitur, parturitur et adest.

Et quia quod paritur, ex utero procedit, sicut generatio Verbi Dei, ad insinuandam perfectam distinctionem eius a generante, dicitur ,partus', simili ratione dicitur ,generatio ex utero', secundum illud Psalm. CIX: „Ex utero ante luciferum genui te".

Quia tamen non est talis distinctio Verbi a dicente quae impediat Verbum esse in dicente, ut ex dictis patet; sicut ad insinuandam distinctionem Verbi, dicitur parturiri, vel ex utero genitum esse, ita ad ostendendum quod talis distinctio non excludit Verbum esse in dicente, dicitur Ioan. I, quod est „in sinu Patris".

Attendendum est autem quod generatio carnalis animalium perficitur per virtutem activam et passivam: et ab activa quidem virtute dicitur pater, a passiva vero dicitur mater. Unde eorum quae ad generationem prolis requiruntur, quaedam conveniunt patri, quaedam conveniunt matri: dare enim naturam et speciem prolis competit patri; concipere autem et parturire competit matri, tanquam patienti et recipienti. Cum autem processio Verbi secundum hoc dicta sit esse quod Deus seipsum intelligit; ipsum autem divinum intelligere non est per aliquam virtutem passivam, sed quasi activam, quia intellectus divinus non est in potentia, sed actu tantum:

derfolge; daher existiert es gleichzeitig mit dem Konzipieren und ist mit dem Zur-Existenz-Gelangen zugleich unterschieden. Gleicherweise ist das, was erleuchtet wird, mit dem Erleuchten gleichzeitig erhellt, weil es beim Erleuchten keine Aufeinanderfolge gibt. Findet sich dies bereits bei unserem intelligiblen Wort, so kommt es um so eher dem Worte Gottes zu, nicht nur deswegen, weil es sich um ein intelligibles Konzipieren und ein intelligibles Zur-Existenz-Gelangen handelt, sondern weil beides in der Ewigkeit statthat, in der es kein Vorher und Nachher geben kann. Um dem Mißverständnis vorzubeugen, daß das Wort Gottes nicht war, bevor es nicht gezeugt wurde, wird dem Worte der Weisheit: „Vor den Hügeln ward ich geboren" hinzugefügt: „Ich war dabei, als er den Himmel erstellte" (Spr 8, 27). Während bei der fleischlichen Zeugung der Lebewesen etwas zunächst empfangen, dann geboren wird, und es daraufhin dem Gebärenden ohne eigenständige Existenz gleichsam beigesellt ist, so muß man all dies bei der göttlichen Zeugung als gleichzeitig zutreffend verstehen. Das Wort Gottes ist zugleich empfangen, geboren und anwesend.

Weil nun das, was geboren wird, aus dem Mutterleib hervorkommt, so wird auch die Zeugung des Wortes Gottes „Geburt" genannt, um einen vollkommenen Unterschied zwischen ihm und dem Zeugenden anzudeuten. Gemäß dem Psalmwort (Ps 110, 3): „Vom Mutterschoß, vor dem Morgenstern, habe ich dich gezeugt" wird sie „Zeugung aus dem Mutterleib" genannt.

Der Unterschied zwischen Wort und Sprecher ist aber nicht dergestalt, daß er nicht zuließe, daß das Wort im Redenden ist, wie aus dem Gesagten hervorgeht. Ebenso wie man sagt, es werde geboren oder es sei aus dem Mutterleib gezeugt, um damit die Unterschiedenheit des Wortes anzudeuten, so heißt es Joh 1, 18: „Er ist an der Brust des Vaters", damit deutlich wird, daß ein derartiger Unterschied nicht ausschließt, daß das Wort im Redenden ist.

Ebenfalls ist zu beachten, daß die fleischliche Zeugung bei Lebewesen durch eine aktive und eine passive Kraft zustande kommt. Die aktive Kraft wird dem Vater, die passive der Mutter zugesprochen. Daher kommt einiges, was zur Zeugung der Nachkommenschaft erforderlich ist, dem Vater, einiges der Mutter zu. Dem Vater kommt zu, dem Kind die Natur und die Art zu geben, während Empfangen und Gebären der Mutter als der Erleidenden und Aufnehmenden zukommt. Das göttliche Erkennen selbst kommt jedoch nicht durch eine passive, sondern gleichsam durch eine aktive Kraft zustande, weil sich der göttliche Intellekt nicht im Zustande der Möglichkeit, sondern nur in dem des Wirklichseins befindet. Entsprechend dem bisher Gesagten ist aber der Hervorgang des Wortes darin begründet, daß er sich selbst erkennt. Somit trifft dies bei der

in generatione Verbi Dei non competit ratio matris, sed solum patris. Unde quae in generatione carnali distinctim patri et matri conveniunt, omnia in generatione Verbi Patri attribuuntur in sacris Scripturis: dicitur enim Pater et „dare Filio vitam" et „concipere et parturire".

Capitulum XII

Quomodo Filius Dei dicatur Dei Sapientia

Quia vero ea quae de Sapientia divina dicuntur ad generationem Verbi adduximus, consequens est ostendere quod per divinam Sapientiam, ex cuius persona praemissa verba proponuntur, Verbum Dei intelligi possit.

Et ut a rebus humanis ad divinorum cognitionem perveniamus, considerare oportet quod sapientia in homine dicitur habitus quidam quo mens nostra perficitur in cognitione altissimorum[7]: et huiusmodi sunt divina. Cum vero secundum sapientiae habitum in intellectu nostro aliqua formatur conceptio de divinis, ipsa conceptio intellectus, quae est interius verbum, sapientiae nomen accipere solet: secundum illum modum loquendi quo actus et species nominibus habituum a quibus procedunt, nominantur; quod enim iuste fit, interdum iustitia dicitur; et quod fit fortiter, fortitudo; et generaliter quod virtuose fit, virtus dicitur. Et per hunc modum, quod sapienter excogitatur, dicitur sapientia alicuius.

In Deo autem sapientiam quidem oportet dici, ex eo quod seipsum cognoscit: sed quia non cognoscit se per aliquam speciem nisi per essentiam suam, quinimmo et ipsum eius intelligere est eius essentia, sapientia Dei habitus esse non potest, sed est ipsa Dei essentia. Manifestum est autem ex dictis quod Dei Filius est Verbum et conceptio Dei intelligentis seipsum. Sequitur igitur quod ipsum Dei Verbum, tanquam sapienter mente divina conceptum, proprie ‚concepta seu genita Sapientia'[8] dicatur; unde Apostolus Christum „Dei Sapientiam" nominat, I ad Cor. I.

Ipsum autem sapientiae verbum mente conceptum est quaedam mani-

---

[7] Cf. Aristotelem, *Met.* I 1 (981b 28–29).
[8] Cf. Augustinum, *De trin.* VII 2 (PL 42/936).

Zeugung des Wortes Gottes nicht aufgrund einer Mutter, sondern ausschließlich aufgrund des Vaters zu. Folglich wird bei der Zeugung des Wortes alles das, was bei der fleischlichen Zeugung jeweils die unterschiedliche spezifische Funktion des Vaters und der Mutter ausmacht, in den Heiligen Schriften dem Vater zugeschrieben. Vom Vater nämlich heißt es, er „gebe dem Sohn Leben", „empfange und gebäre".

12. KAPITEL

WIE DER SOHN GOTTES
ALS ‚WEISHEIT GOTTES' BEZEICHNET WERDEN SOLL

Wir haben die Äußerungen über die göttliche Weisheit zur Erklärung der Zeugung des Wortes herangezogen. Nunmehr kommt es darauf an zu zeigen, daß das Wort Gottes durch die göttliche Weisheit verstanden werden kann, deren Person die vorausgeschickten Worte galten.

Um von menschlichen Dingen zur Erkenntnis der göttlichen zu gelangen, ist zu erwägen, daß die Weisheit im Menschen als ein Verhalten bezeichnet wird, wodurch sich unser Geist zur Erkenntnis der höchsten Dinge vervollkommnet (Aristoteles); dergestalt sind die göttlichen Dinge. Wenn sich in unserem Verstand, dem Weisheitshabitus gemäß, ein gewisses Begreifen von Göttlichem formt, so nimmt das Begreifen des Verstandes selbst, welches das innere Wort ist, gewöhnlich die Bezeichnung ‚Weisheit' entsprechend jener Redefigur an, wonach Akte und Arten mit den Namen jenes Verhaltens bezeichnet werden, aus denen sie hervorgehen. So wird manchmal eine gerechte Handlung Gerechtigkeit, eine tapfere Handlung Tapferkeit genannt; allgemein wird das, was auf tugendhafte Weise geschieht, als Tugend bezeichnet. Derart wird auch das weise Erdachte Weisheit genannt.

Bei Gott nun muß man Weisheit auf die Tatsache beziehen, daß er sich selbst erkennt. Weil er sich aber nicht durch einen Artbegriff, sondern durch seine Wesenheit erkennt, so kann die Weisheit Gottes kein Verhalten sein, da ja sein Selbsterkennen seine Wesenheit ist; vielmehr handelt es sich hierbei um die Wesenheit Gottes selbst. Nun ist aber aufgrund des Gesagten deutlich, daß der Sohn Gottes das Wort und das Begreifen des sich selbst erkennenden Gottes ist. Mithin folgt, daß das Wort Gottes selbst, welches gleichsam weise vom Geist Gottes gebildet wurde, mit Recht als ‚gebildete oder gezeugte Weisheit' bezeichnet wird. Daher nennt der Apostel in 1 Kor 1,24 Christus die „Weisheit Gottes".

Dieses vom Geist gebildete Wort der Weisheit jedoch ist eine Bekun-

festatio sapientiae intelligentis: sicut et in nobis omnes habitus per actus manifestantur. Quia ergo divina sapientia ,lux' dicitur, prout in puro actu cognitionis consistit; lucis autem manifestatio splendor ipsius est ab ea procedens: convenienter et Verbum divinae sapientiae ,splendor lucis' nominatur, secundum illud Apostoli, Hebr. I, de Filio dicentis: „Cum sit splendor gloriae"; unde et Filius manifestationem Patris sibi adscribit, Ioan. XVII, dicens: „Pater, manifestavi nomen tuum hominibus".

Sed tamen, licet Filius, qui est Dei Verbum, proprie ,Sapientia concepta' dicatur, nomen tamen ,sapientiae' absolute dictum oportet esse commune Patri et Filio: cum sapientia quae per Verbum resplendet, sit Patris essentia, ut dictum est; essentia vero Patris sit sibi et Filio communis.

Capitulum XIII

Quod non est nisi unus Filius in divinis

Quia vero Deus, intelligendo seipsum, omnia alia intelligit, ut in Primo ostensum est; seipsum autem uno et simplici intuitu intelligit, cum suum intelligere sit suum esse: necesse est Verbum Dei esse unicum tantum. Cum autem in divinis nihil aliud sit Filii generatio quam Verbi conceptio, sequitur quod una sola sit generatio in divinis, et unicus Filius solus a Patre genitus. Unde Ioan. I dicitur: „Vidimus eum quasi Unigenitum a Patre"; et iterum: „Unigenitus Filius, qui est in sinu Patris, ipse nobis enarravit nobis."

Videtur tamen ex praemissis sequi quod et Verbi divini sit aliud verbum, et Filius sit alius filius. Ostensum est enim quod Verbum Dei sit verus Deus. Oportet igitur omnia quae Deo conveniunt, Verbo Dei convenire. Deus autem ex necessitate seipsum intelligit. Et Verbum igitur Dei seipsum intelligit. Si igitur ex hoc quod Deus seipsum intelligit, Verbum ab eo genitum in Deo ponitur, consequi videtur quod etiam et Verbo, inquantum seipsum intelligit, aliud verbum attribuatur. Et sic Verbi erit verbum, et Filii filius; et illud verbum, si Deus est, iterum seipsum

dung der Weisheit des Erkennenden, gleichwie sich auch bei uns alles Verhalten in Handlungen manifestiert. Weil nun die göttliche Weisheit „Licht" genannt wird, da sie in einem reinen Erkennensakt besteht (die Offenbarung von Licht aber ist sein Glanz, der von ihm ausgeht), so wird auch das Wort der göttlichen Weisheit gemäß jenem Wort des Apostels über den Sohn in Hebr 1, 3 auf treffliche Weise „Lichtglanz" genannt: „Er, der da Abglanz seiner Herrlichkeit ... ist". Daher schreibt sich auch der Sohn die Offenbarung des Vaters zu, indem er in Joh 17, 5 f. spricht: „Vater, ... ich habe deinen Namen den Menschen geoffenbart".

Wenn nun der Sohn, der Wort Gottes ist, mit Recht „empfangene Weisheit Gottes" heißt, dann muß der Ausdruck ‚Weisheit' im absoluten Sinne dem Vater und dem Sohn gemeinsam zukommen, da die Weisheit, die durch das Wort widerscheint, die Wesenheit Gottes ist, wie gesagt wurde. Die Wesenheit des Vaters jedoch ist ihm und dem Sohn gemeinsam.

13. KAPITEL

IM GÖTTLICHEN GIBT ES NUR EINEN SOHN

Gott erkennt alles andere, indem er sich selbst erkennt, wie im 1. Buch gezeigt wurde (I 49). Er erkennt sich aber in einem einzigen und einfachen Erkenntnisakt, weil sein Erkennen sein Sein ist (I 45). Deswegen kann das Wort Gottes nur schlechthin eines sein. Weil die Zeugung des Sohnes im Bereiche des Göttlichen jedoch nichts anderes ist als das Bilden des Wortes, so folgt daraus, daß es im Göttlichen nur eine einzige Zeugung und einen einzigen, vom Vater gezeugten Sohn gibt. Daher heißt es Joh 1, 14: „Wir haben seine Herrlichkeit geschaut, eine Herrlichkeit als des Eingeborenen vom Vater"; wiederum heißt es in Joh 1, 18: „Der eingeborene Sohn, der an der Brust des Vaters ruht, er hat Kunde gebracht".

Dennoch scheint aus dem Bisherigen zu folgen, daß es noch ein weiteres Wort des göttlichen Wortes und einen weiteren Sohn des Sohnes gibt. Es wurde nämlich gezeigt, daß das Wort Gottes wahrer Gott ist. Also muß alles, was Gott zukommt, auch dem Wort Gottes zukommen. Gott aber erkennt sich selbst mit Notwendigkeit; mithin erkennt sich auch das Wort Gottes mit Notwendigkeit. Wenn man also aufgrund der Tatsache, daß Gott sich selbst erkennt, in Gott ein von ihm gezeugtes Wort annimmt, so scheint daraus zu folgen, daß auch dem Wort, sofern es sich selbst erkennt, ein weiteres Wort zuzuschreiben ist. Somit wird es ein Wort des Wortes und einen Sohn des Sohnes geben. Wenn nun wiederum jenes Wort sich selbst erkennt, sofern es Gott ist, wird es ein weiteres Wort

intelliget et habebit aliud verbum; et sic in infinitum generatio divina
procedet.

Huius autem solutio ex praemissis haberi potest. Cum enim ostensum
sit quod Verbum Dei sit Deus, ostensum tamen est quod non est alius
Deus a Deo cuius est Verbum, sed unus omnino, hoc solo ab eo distinctum quod ab eo est ut Verbum procedens. Sicut autem Verbum non
est alius Deus, ita nec est alius intellectus, et per consequens nec aliud
intelligere: unde nec aliud verbum. Nec tamen sequitur quod sit verbum
sui ipsius, secundum quod Verbum seipsum intelligit. Nam in hoc solo
Verbum a dicente distinguitur, ut dictum est, quod est ab ipso. Omnia
ergo alia communiter attribuenda sunt Deo dicenti, qui est Pater, et Verbo,
quod est Filius, propter hoc quod etiam Verbum est Deus: sed hoc solum
ut ab eo sit Verbum, adscribendum est proprie Patri; et hoc quod est esse
a Deo dicente, attribuendum est proprie Filio.

Ex quo etiam patet quod Filius non est impotens, etsi generare Filium
non possit, cum tamen Pater generet Filium. Nam eadem potentia est
Patris et Filii, sicut et eadem divinitas. Et cum generatio in divinis sit
intelligibilis Verbi conceptio, secundum scilicet quod Deus intelligit seipsum, oportet quod potentia ad generandum in Deo sit sicut potentia ad
intelligendum seipsum. Et cum intelligere seipsum in Deo sit unum et
simplex, oportet et potentiam intelligendi seipsum, quae non est aliud
quam suus actus, esse unam tantum. Ex eadem ergo potentia est et quod
Verbum concipiatur et quod dicens Verbum concipiat. Unde ex eadem
potentia est quod Pater generet, et quod Filius generetur. Nullam ergo
potentiam habet Pater quam non habeat Filius; sed Pater habet ad generare
generativam potentiam, Filius autem ad generari; quae sola relatione differre ex dictis patet.

Sed quia Apostolus Filium Dei dicit verbum habere, ex quo sequi videtur quod Filii sit filius, et Verbi verbum; considerandum est qualiter
verba Apostoli hoc dicentis sint intelligenda. Dicit enim Hebr. I: „Diebus
istis locutus est nobis in Filio", et postea: „Qui, cum sit splendor gloriae
et figura substantiae eius, portans omnia verbo virtutis suae", etc. Huius
autem intellectum sumere oportet ex his quae iam dicta sunt. Dictum est
enim quod conceptio sapientiae, quae est Verbum, sapientiae sibi vindicat
nomen. Ulterius autem procedentibus apparet quod etiam exterior effec-

besitzen; derart wird die göttliche Zeugung sich ins Unendliche fortsetzen.

Die Lösung dieses Problems kann jedoch auf der Grundlage des Bisherigen erfolgen. Weil gezeigt wurde, daß das Wort Gottes Gott ist, so ist zugleich erwiesen, daß das Wort kein anderer Gott ist als jener, dessen Wort es ist. Er ist schlechthin einer, lediglich von sich als von ihm hervorgehendes Wort unterschieden. Gleichwie aber das Wort kein anderer Gott ist, so ist er auch kein anderer Verstand und folglich kein anderes Erkennen. Daher ist er auch kein anderes Wort. Dennoch folgt daraus nicht, daß dem Wort aufgrund seines Selbsterkennens sein eigenes Wort eignet, denn es hieß, daß das Wort lediglich insofern vom Sprecher verschieden ist, als es von ihm ausgeht. Mithin muß alles andere dem sprechenden Gott, welcher der Vater ist, und dem Wort, welches der Sohn ist, gemeinsam zugeschrieben werden, weil auch das Wort Gott ist. Ausschließlich dem Vater ist zuzuschreiben, daß ihm das Wort entspringt; ausschließlich dem Sohn ist zuzuschreiben, daß er Sein von Gott dem Redenden ist.

Zudem ergibt sich hieraus, daß der Sohn nicht unvermögend ist, auch wenn er keinen Sohn zeugen kann, da der Vater den Sohn zeugt, denn die Macht und die Gottheit des Vaters und des Sohnes sind dieselbe. Da gemäß der Tatsache, daß Gott sich selbst erkennt, die Zeugung im Bereich des Göttlichen die Bildung des intelligiblen Wortes ist, so muß das Vermögen zu zeugen dem Vermögen des Selbsterkennens gleichkommen. Da das Selbsterkennen in Gott eines und einfach ist, so darf auch das Vermögen des Selbsterkennens, welches nichts anderes ist als Seine Wirklichkeit, lediglich eines sein. Aufgrund desselben Vermögens also wird das Wort gebildet und bildet der Sprechende das Wort. Aufgrund desselben Vermögens zeugt der Vater und wird der Sohn gezeugt. Damit hat der Vater kein anderes Vermögen als der Sohn; doch besitzt der Vater Zeugungsvermögen zum Zeugen, der Sohn hingegen das Vermögen gezeugt zu werden. Aus dem Gesagten geht jedoch hervor, daß dies lediglich einen relationalen Unterschied ausmacht.

Weil nun der Apostel dem Sohn Gottes ein Wort zuschreibt, woraus zu folgen scheint, daß der Sohn über einen Sohn und das Wort über ein Wort verfügt, so ist zu überlegen, wie diese Worte des Apostels zu verstehen sind. Er sagt in Hebr 1,2: „In der Endzeit dieser Tage hat er zu uns gesprochen durch den Sohn" und danach (Hebr 1,3): „Er, der da Abglanz seiner Herrlichkeit und Ausprägung seines Wesens ist, der auch das All trägt durch sein machtvolles Wort, …". Den Sinn dieser Worte muß man dem bereits Gesagten entnehmen. Es hieß nämlich, daß der Begriff der Weisheit, welcher das Wort ist, mit Recht ‚Weisheit' genannt wird. Wenn wir einen Schritt weitergehen, so wird deutlich, daß auch die äußere, aus dem Begriff der Weisheit entspringende Wirkung auf jene

tus ex conceptione sapientiae proveniens sapientia dici potest, per modum quo effectus nomen causae sibi assumit: dicitur enim sapientia alicuius esse non solum id quod sapienter excogitat, sed etiam id quod sapienter facit. Ex quo contingit ut etiam explicatio divinae sapientiae per opus in rebus creatis Dei sapientia dicatur, secundum illud Eccli. I: „Ipse creavit illam", scilicet sapientiam, „Spiritu Sancto"; et postea dicit: „Et effudit illam super omnia opera sua". Sic igitur et id quod ex Verbo efficitur, verbi accipit nomen: nam et in nobis expressio interioris verbi per vocem, dicitur verbum, quasi sit verbum verbi, quia est interioris verbi ostensivum. Sic igitur non solum divini intellectus conceptio dicitur Verbum, quod est Filius, sed etiam explicatio divini conceptus per opera exteriora, verbum Verbi nominatur. Et sic oportet intelligi quod Filius portet omnia „verbo virtutis suae", sicut et id quod in Psalmo CXLVIII legitur: „Ignis, grando, nix, glacies, spiritus procellarum, quae faciunt verbum eius": quia scilicet per virtutes creaturarum explicantur divinae conceptionis effectus in rebus.

Cum vero Deus, intelligendo seipsum, omnia alia intelligat, ut dictum est, oportet quod Verbum in Deo conceptum ex eo quod seipsum intelligit, sit etiam Verbum omnium rerum. Non tamen eodem modo est Verbum Dei, et aliarum rerum. Nam Dei quidem Verbum est ex eo procedens: aliarum autem rerum, non sicut ex eis procedens, non enim Deus a rebus scientiam sumit, sed magis per suam scientiam res in esse producit, ut supra ostensum est. Oportet igitur quod Verbum Dei omnium quae facta sunt, ratio perfecta existat.

Qualiter autem singulorum ratio esse possit, ex his quae in primo libro tractata sunt manifestum est, ubi ostensum est quod Deus omnium propriam cognitionem habet.

Quicumque autem facit aliquid per intellectum, operatur per rationem rerum factarum quam apud se habet: domus enim quae est in materia, fit ab aedificatore per rationem domus quam habet in mente. Ostensum est autem supra quod Deus res in esse produxit, non naturali necessitate, sed quasi per intellectum et voluntatem agens. Fecit igitur Deus omnia per Verbum suum, quod est ratio rerum factarum ab ipso. Hinc est quod dicitur Ioan. I: „Omnia per ipsum facta sunt". Cui consonat quod Moyses, mundi originem describens, in singulis operibus tali utitur modo loquendi, ad Gen. I: „Dixit Deus: Fiat lux, et facta est lux; Dixit quoque Deus, Fiat firmamentum"; et sic de aliis. Quae omnia Psalmista compre-

Weise ‚Weisheit' genannt werden kann, wie die Wirkung die Bezeichnung für die Ursache annimmt. So nennen wir nicht nur ‚Weisheit', was jemand weise erdachte, sondern auch das, was er weise vollzieht. Deswegen wird auch die Entfaltung göttlicher Weisheit im Werk der Schöpfung „Weisheit Gottes" genannt. So heißt es Sir 1,9f.: „Er hat sie" – d. h. die Weisheit – „geschaffen im heiligen Geiste", woraufhin er sagt: „... und sie ausgegossen über all seine Werke". Damit also nahm auch das vom Wort Bewirkte den Namen ‚Wort' an. Bei uns wird ebenso der lautliche Ausdruck des inneren Wortes ‚Wort' genannt. Er ist gleichsam Wort des Wortes, weil er das innere Wort offenbart. Mithin wird nicht nur der Begriff des göttlichen Verstandes ‚Wort' genannt, welches der Sohn ist; es wird auch die Entfaltung des göttlichen Begriffes in den äußeren Werken ‚Wort des Wortes' genannt. Dergestalt hat man auch zu verstehen, daß der Sohn alles durch das Wort seiner Macht erhält, wie man auch den Spruch von Ps 148,8: „Feuer und Hagel, Wolken und Schnee, brausende Stürme, die ihr vollführt seinen Willen" zu verstehen hat, denn durch die Kräfte der Geschöpfe entfalten sich die Wirkungen des göttlichen Begriffs.

Da Gott in seinem Selbsterkennen alles andere erkennt, wie es hieß, so muß auch das in Gott gebildete Wort, aufgrund dessen er sich selbst erkennt, eines und dasselbe von allen Dingen sein. Dennoch ist es nicht auf dieselbe Weise Wort Gottes und Wort der anderen Dinge. Zwar ist es Wort Gottes, sofern es ihm entspringt, es ist aber nicht Wort von den anderen Dingen, wie wenn es von ihnen seinen Ursprung nähme. Gott nämlich empfängt nicht sein Wissen von den Dingen, sondern bringt umgekehrt die Dinge durch sein Wissen zum Sein, wie oben gezeigt wurde. Folglich muß das Wort Gottes der vollkommene Vorbegriff alles Geschaffenen sein.

Wie es aber der eigentümliche Vorbegriff von Einzeldingen zu sein vermag, ist aus dem im 1. Buch Behandelten ersichtlich. Dort wurde gezeigt, daß Gott von allem eine eigene Erkenntnis besitzt.

Wer aber etwas mit Verstand tut, der handelt aufgrund eines Vorbegriffs von den hergestellten Dingen, über den er verfügt. So wird das materiell bestehende Haus vom Erbauer aufgrund eines Vorbegriffs in seinem Geist hergestellt. Weiter oben (II 23) wurde jedoch gezeigt, daß Gott die Dinge nicht aus Naturnotwendigkeit, sondern gleichsam aus Verstand und Willen handelnd zum Sein bringt. Mithin schuf Gott alles durch sein Wort, welches der Vorbegriff der von ihm geschaffenen Dinge ist. Daher heißt es Joh 1,3: „Alles ist durch ihn geschaffen". Damit stimmt überein, daß sich Moses bei der Beschreibung der Weltentstehung in Gen 1,3,6 der folgenden Redeweise bedient: „Da sprach Gott ‚Es werde Licht!'" und es ward Licht ...; Nun sprach Gott: „Es werde ein Firmament ..." etc. Dies

hendit, dicens, Psalm. CXLVIII: „Dixit, et facta sunt". Dicere enim est verbum producere. Sic ergo intelligendum est quod „Deus dixit, et facta sunt", quia Verbum produxit, per quod res in esse produxit sicut per earum rationem perfectam.

Sed quia idem est causa conservationis rerum et productionis ipsarum, sicut omnia per Verbum facta sunt, ita omnia per Dei Verbum conservantur in esse. Unde Psalmista dicit, Psalm. XXXII: „Verbo Domini caeli firmati sunt"; et Apostolus dicit, ad Hebr. I, de Filio, quod „portat omnia verbo virtutis suae"; quod quidem qualiter accipi oporteat, iam dictum est.

Sciendum tamen quod Verbum Dei in hoc differt a ratione quae est in mente artificis, quia Verbum Dei Deus subsistens est: ratio autem artificiati in mente artificis non est res subsistens, sed solum intelligibilis forma. Formae autem non subsistenti non competit proprie ut agat, agere enim rei perfectae et subsistentis est: sed est eius ut ea agatur, est enim forma principium actionis quo agens agit. Ratio igitur domus in mente artificis non agit domum: sed artifex per eam domum facit. Verbum autem Dei, quod est ratio rerum factarrum a Deo, cum sit subsistens, agit, non solum per ipsum aliquid agitur. Et ideo Dei Sapientia loquitur, Proverb. VIII: „Cum eo eram cuncta componens"; et Ioan. V, Dominus dicit: „Pater meus operatur, et ego operor".

Considerandum est etiam quod res facta per intellectum praeexistit in ratione intellecta, ante etiam quam sit in seipsa: prius enim domus est in ratione artificis quam perducatur in actum, Verbum autem Dei est ratio omnium eorum quae a Deo sunt facta, ut ostensum est. Oportet igitur quod omnia quae sunt facta a Deo, praeextiterint in Verbo Dei, antequam sint etiam in propria natura. Quod autem est in aliquo est in eo per modum eius in quo est, et non per proprium modum: domus enim in mente artificis intelligibiliter et immaterialiter existit. Res igitur intelligendae sunt in Verbo Dei praeextitisse secundum modum Verbi ipsius. Est autem modus ipsius Verbi quod sit unum, simplex, immateriale, et non solum vivens, sed etiam vita: cum sit suum esse. Oportet igitur quod res factae a Deo praeextiterint in Verbo Dei ab aeterno, immaterialiter, et absque omni compositione, et quod nihil aliud in eo sint quam ipsum Verbum,

alles faßt der Psalmist in Ps. 148, 5 mit den Worten zusammen: „... denn er befahl, und sie waren geschaffen". Nun bedeutet zu reden ein Wort zu erzeugen. Derart also ist „Gott hat gesprochen und es geschah" zu verstehen: Er erzeugte das Wort, wodurch er die Dinge durch ihren vollkommenen Vorbegriff zum Sein brachte.

Da jedoch die Ursache der Erhaltung und der Erschaffung der Dinge dieselbe ist, sofern alles durch das Wort geschaffen ist, so werden sie auch durch das Wort Gottes im Sein bewahrt. Daher sagt der Psalmist in Ps 33, 6: „Vom Wort Jahwes sind die Himmel geschaffen", und der Apostel bemerkt in Hebr 1, 3 über den Sohn: „... der auch das All trägt durch sein machtvolles Wort". Es wurde bereits erklärt, wie dies zu verstehen ist.

Jedoch muß man wissen, daß sich das Wort Gottes insofern vom Vorbegriff im Geiste eines Baumeisters unterscheidet, als es sich beim Wort Gottes um den subsistierenden Gott handelt. Das Konzept des Bauwerks im Geiste des Baumeisters ist jedoch nichts Subsistierendes, sondern lediglich eine intelligible Form. Einer nicht subsistierenden Form jedoch eignet es nicht zu handeln, denn Handeln ist Sache eines Vollkommenen und Subsistierenden. Handeln ist vielmehr Sache desjenigen, der auf ihrer Grundlage handelt, da die Form Handlungsprinzip ist, aufgrund dessen der Handelnde handelt. Also stellt nicht der Vorbegriff des Hauses im Geist des Baumeisters das Haus her; vielmehr baut der Baumeister das Haus mittels des Vorbegriffs. Das Wort Gottes jedoch handelt (also der Vorbegriff der von Gott geschaffenen Dinge), da es subsistiert; es ist nicht lediglich etwas, aufgrund dessen man handelt. Daher sagt die Weisheit Gottes in Spr 8, 30: „Ich war mit ihm, alles zusammenfügend". So spricht der Herr in Joh 5, 17: „Mein Vater wirkt bis jetzt, und auch ich wirke".

Weiterhin gilt es zu erwägen, daß eine mit Verstand gemachte Sache zuvor im Vorbegriff des Verstandes existiert, bevor sie für sich selbst existiert. So existiert das Haus im Verstand des Baumeisters, bevor es tatsächlich gebaut wird. Das Wort Gottes aber ist Vorbegriff alles dessen, was von Gott geschaffen ist, wie gezeigt wurde. Also muß alles von Gott Geschaffene zuvor im Worte Gottes existiert haben, bevor es auch in der ihm eigentümlichen Natur existierte. Was sich aber in etwas befindet, das ist in ihm auf die Weise dessen, worin es ist, nicht aber auf eine ihm eigentümliche Weise. So existiert das Haus im Geist des Baumeisters auf intelligible und immaterielle Weise. Demnach müssen die Dinge im Worte Gottes auf dessen Weise präexistiert haben. Nun ist es die Weise des Wortes, daß es eines, einfach, immateriell ist und nicht nur lebt, sondern auch Leben ist, da es sein Sein ist. Mithin müssen die von Gott geschaffenen Dinge seit Ewigkeit immateriell und ohne jegliche Zusammensetzung im Wort Gottes präexistiert haben. In ihm sind sie nichts anderes als das Wort

quod est vita. Propter quod dicitur Ioan. I: „Quod factum est, in ipso vita erat", idest, in Verbo.

Sicut autem operans per intellectum per rationem quam apud se habet, res in esse producit; ita etiam qui alium docet, per rationem quam apud se habet, scientiam causat in illo: cum scientia discipuli sit deducta a scientia docentis, sicut imago quaedam ipsius. Deus autem non solum est causa per intellectum suum omnium quae naturaliter subsistunt, sed etiam omnis intellectualis cognitio ab intellectu divino derivatur, sicut ex superioribus patet. Oportet igitur quod per Verbum Dei, quod est ratio intellectus divini, causetur omnis intellectualis cognitio. Propter quod dicitur Ioan. I: „Vita erat lux hominum": quia scilicet ipsum Verbum, quod vita est, et in quo omnia vita sunt, manifestat, ut lux quaedam, mentibus hominum veritatem.

Nec est ex defectu Verbi quod non omnes homines ad veritatis cognitionem perveniunt, sed aliqui tenebrosi existunt. Provenit autem hoc ex defectu hominum, qui ad Verbum non convertuntur, nec eum plene capere possunt: unde adhuc in hominibus tenebrae remanent, vel maiores vel minores, secundum quod magis et minus convertuntur ad Verbum et capiunt ipsum. Unde Ioannes, ut omnem defectum a manifestativa Verbi virtute excludat, cum dixisset quod „vita est lux hominum", subiungit quod „in tenebris lucet, et tenebrae eam non comprehenderunt". Non enim tenebrae sunt ex hoc quod Verbum non luceat, sed ex hoc quod aliqui lucem Verbi non capiunt: sicut, luce corporei solis per orbem diffusa, tenebrae sunt ei qui oculos vel clausos vel debiles habet.

Haec igitur sunt quae de generatione divina, et de virtute Unigeniti Filii Dei, ex Sacris Scripturis edocti, utcumque concipere possumus.

selbst, welches Leben ist. Deswegen heißt es in Joh 1,3 f.: „Was geschaffen wurde, war Leben in ihm", d. h. im Wort.

Wie jemand, welcher mit Verstand und einem Vorbegriff, über den er verfügt, Dinge zum Existieren bringt, so verursacht auch jener Wissen im Lernenden, welcher einen anderen etwas lehrt aufgrund des Vorbegriffes, über den er verfügt, da das Wissen des Schülers wie ein Abbild vom Wissen des Lehrers gewonnen wird. Doch ist Gott durch seinen Verstand nicht allein Ursache alles dessen, was natürlich subsistiert; vielmehr ist auch jegliche verstandesmäßige Erkenntnis vom göttlichen Verstand abgeleitet, wie aus dem oben Gesagten hervorgeht (III 67,76). Mithin muß jegliche Verstandeserkenntnis durch das Wort Gottes als göttlichem Vorbegriff verursacht sein. Deswegen heißt es Joh 1,4: „Das Leben war das Licht der Menschen", denn das Wort selbst, das Leben ist und in dem alles Leben ist, offenbart dem Geist der Menschen die Wahrheit wie ein Licht.

Doch ist es kein Fehler des Wortes, daß nicht alle Menschen zur Erkenntnis der Wahrheit gelangen, sondern einige in der Finsternis verbleiben. Dies geschieht aufgrund eines Fehlers der Menschen, welche sich nicht zum Wort bekehren oder ihn vollständig zu erfassen vermögen. Bis jetzt verbleibt daher mehr oder weniger geringe Finsternis bei den Menschen, je nachdem sie sich mehr oder weniger zum Wort bekehrt haben und es erfassen. Um allen Fehl von der sich offenbarenden Macht des Wortes auszuschließen, als er sagte: „Das Leben ist das Licht der Menschen", fügt Johannes [Joh 1,5] hinzu: „Und das Licht scheint in der Finsternis, und die Finsternis hat es nicht ergriffen". Es gibt nämlich nicht deswegen Finsternis, weil das Wort nicht scheint, sondern weil einige das Licht des Wortes nicht erfassen. So gibt es auch keine Finsternis, wenn das Licht der körperhaften Sonne über die Erde gebreitet ist, es sei denn für den, der die Augen geschlossen hält oder unter Sehschwäche leidet.

Dies also ist es, was wir aufgrund der Belehrung durch die Heiligen Schriften von der göttlichen Zeugung und der Macht des eingeborenen Sohnes Gottes, so gut es eben geht, zu erfassen vermögen.

Capitulum XIV

Solutio ad rationes supra inductas
contra generationem divinam

Quia vero veritas omnem falsitatem excludit et dubietatem dissolvit, in promptu iam fit ea dissolvere quae circa generationem divinam difficultatem afferre videbantur.

Iam enim ex dictis patet quod in Deo generationem intelligibilem ponimus, non autem talem qualis est in materialibus rebus, quarum generatio mutatio quaedam est, corruptioni opposita: quia neque verbum in intellectu nostro cum aliqua mutatione concipitur, neque habet oppositam corruptionem; cui quidem conceptioni similem esse Fiii Dei generationem, iam patet ex dictis.

Similiter etiam verbum quod in mente nostra concipitur, non exit de potentia in actum nisi quatenus intellectus noster procedit de potentia in actum. Nec tamen verbum oritur ex intellectu nostro nisi prout exisit in actu: simul autem cum in actu existit, est in eo verbum conceptum. Intellectus autem divinus nunquam est in potentia, sed solum in actu, ut supra ostensum est. Generatio igitur Verbi ipsius non est secundum exitum de potentia in actum: sed sicut oritur actus ex actu, ut splendor ex luce, et ratio intellecta ex intellectu in actu. Unde etiam apparet quod generatio non prohibet Dei Filium esse verum Deum, aut ipsum esse aeternum. Quin magis necesse est ipsum esse coaeternum Deo, cuius est Verbum: quia intellectus in actu nunquam est sine verbo.

Et quia Filii Dei generatio non est materialis, sed intelligibilis, stulte iam dubitatur si Pater totam naturam dedit aut partem. Manifestum est enim quod, si Deus se intelligit, oportet quod tota plenitudo ipsius contineatur in Verbo. Nec tamen substantia Filio data desinit esse in Patre: quia nec etiam apud nos desinit esse propria natura in re quae intelligitur, ex hoc quod verbum nostri intellectus ex ipsa re intellecta habet ut intelligibiliter eandem naturam contineat.

Ex hoc etiam quod divina generatio non est materialis, manifestum est quod non oportet in Filio Dei esse aliud recipiens, et aliud naturam re-

14. Kapitel

Widerlegung der erwähnten Einwände gegen die göttliche Zeugung

Weil die Wahrheit jeden Irrtum ausschließt und den Zweifel beseitigt, so fällt es nunmehr leicht, jene Argumente zu entkräften, welche hinsichtlich der göttlichen Zeugung Schwierigkeiten zu bereiten schienen.

Aus dem bisher Gesagten (IV 11) geht bereits hervor, daß wir bei Gott eine intelligible Zeugung annehmen, nicht aber eine solche, wie sie sich bei materiellen Dingen findet. Deren Entstehen bedeutet eine gewisse Veränderung, welche dem Vergehen entgegengesetzt ist. Bereits das Wort in unserem Verstande wird weder mit einer gewissen Veränderung gebildet, noch kennt es ein ihr entgegengesetztes Vergehen. Aus dem Gesagten geht schon hervor, daß die Zeugung des Sohnes Gottes diesem Bilden analog geschieht.

Ähnlich geht auch das in unserem Geist konzipierte Wort nur insofern von der Möglichkeit zur Wirklichkeit über, als unser Verstand von der Möglichkeit zur Wirklichkeit übergeht. Und doch entspringt das Wort nur dann unserem Verstand, wenn er im Verwirklichtsein existiert. Existiert er aber im Verwirklichtsein, so ist das konzipierte Wort zugleich in ihm. Der göttliche Verstand jedoch ist niemals in der Möglichkeit, sondern ausschließlich verwirklicht, wie oben gezeigt wurde (I 45). Mithin geschieht die Zeugung seines Wortes nicht als Hervorgang von der Möglichkeit zum Verwirklichtsein, sondern entspringt aus dem Wirken der Wirklichkeit wie der Glanz aus dem Licht und der Verstandesbegriff aus dem aktuierten Verstand. Insofern wird auch ersichtlich, daß die Zeugung den Sohn Gottes nicht daran hindert, wahrer Gott oder das ewige Sein selbst zu sein, da ja das Sein selbst gleichewig mit Gott sein muß, dessen Wort es ist, weil der aktuierte Verstand niemals ohne Wort ist.

Da es sich bei der Zeugung des Sohnes Gottes nicht um eine materielle, sondern um eine intelligible Zeugung handelt, so ist es töricht zu zweifeln, ob der Vater seine ganze Natur oder nur einen Teil davon gab. So ist doch offenkundig, daß seine ganze Fülle im Wort enthalten sein muß, wenn Gott sich selbst erkennt. Dennoch hört die dem Sohn gegebene Substanz nicht auf, im Vater zu sein, da auch bei uns die eigentümliche Natur nicht in der Sache aufhört, die erkannt wird. Sie hört deswegen nicht auf, weil das Wort unseres Verstandes aufgrund der erkannten Sache selbst numerisch dieselbe Natur, aber eben auf intelligible Weise enthält.

Die Tatsache, daß die göttliche Zeugung nicht materiell ist, macht deutlich, daß im Sohne Gottes Empfangendes und empfangene Natur nicht

ceptam. Hoc enim in materialibus generationibus accidere necesse est inquantum materia generati recipit formam generantis. In generatione autem intelligibili non sic est. Non enim sic verbum ab intellectu exoritur quod pars eius praeintelligatur ut recipiens, et pars eius ab intellectu effluat, sed totaliter verbum ab intellectu originem habet: sicut et in nobis totaliter unum verbum ex aliis oritur, ut conclusio ex principiis. Ubi autem totaliter aliquid ex alio oritur, non est assignare recipiens et receptum, sed totum quod exoritur ab eo est a quo oritur.

Similiter etiam patet quod non excluditur divinae generationis veritas ex hoc quod in Deo plurium subsistentium distinctio esse non possit. Essentia enim divina, etsi subsistens sit, non tamen potest separari a relatione quam oportet in Deo intelligi ex hoc quod Verbum conceptum divinae mentis est ab ipso Deo dicente. Nam et Verbum est divina essentia, ut ostensum est; et Deus dicens, a quo est Verbum, est etiam divina essentia; non alia et alia, sed eadem numero. Huiusmodi autem relationes non sunt accidentia in Deo, sed res subsistentes: Deo enim nihil accidere potest, ut supra probatum est. Sunt igitur plures res subsistentes, si relationes considerentur: est autem una res subsistens, si consideretur essentia. Et propter hoc dicimus unum Deum, quia est una essentia subsistens: et plures personas, propter distinctionem subsistentium relationum. Personarum enim distinctio, etiam in rebus humanis, non attenditur secundum essentiam speciei, sed secundum ea quae sunt naturae speciei adiuncta: in omnibus enim personis hominum est una speciei natura, sunt tamen plures personae, propter hoc quod distinguuntur homines in his quae sunt adiuncta naturae. Non ergo in divinis dicenda est una persona propter unitatem essentiae subsistentis: sed plures, propter relationes.

Ex hoc autem patet quod id quod est quasi individuationis principium, non sequitur esse in alio: nam neque essentia divina est in alio Deo, neque paternitas est in Filio.

Quamvis autem duae personae, Patris scilicet et Filii, non distinguantur essentia, sed relatione, non tamen relatio est aliud quam essentia secundum rem: cum relatio in Deo accidens esse non possit. Nec hoc impossibile reputabitur si quis diligenter consideret ea quae in Primo determinata

verschieden sind. Diese Verschiedenheit ist jedoch bei materiellen Zeugungen notwendig gegeben, insofern die Materie des Gezeugten die Form des Zeugenden empfängt. Bei intelligibler Zeugung verhält es sich nicht so. Das Wort entspringt dem Verstand nicht derart, daß ein Teil von ihm als Empfangendes vorweg erkannt würde und ein anderer Teil dem Verstand entströmte; vielmehr entstammt das Wort vollständig dem Verstand, wie auch bei uns ein Wort aus einem anderen entspringt gleich der Konklusion aus den Anfangssätzen. Wo aber etwas vollständig aus einem anderen entspringt, dort kann man nicht von Empfangendem und Empfangenem reden. Das Ganze, was entspringt, kommt von dem, wovon es entspringt.

Gleichermaßen ist nunmehr offensichtlich, daß die Einheit der göttlichen Zeugung deswegen nicht ausgeschlossen ist, weil es in Gott keinen Unterschied zwischen mehreren Subsistierenden geben kann. Auch wenn die göttliche Wesenheit subsistiert, so kann man sie doch nicht von der Relation trennen, die man in Gott aufgrund der Tatsache anzunehmen hat, daß das gebildete Wort des göttlichen Geistes vom sprechenden Gott selbst stammt. So ist sowohl das Wort die göttliche Wesenheit, wie gezeigt wurde, als auch der redende Gott, dessen Wort es ist, ebenfalls die göttliche Wesenheit. Dabei handelt es sich nicht um eine jeweils verschiedene, sondern numerisch um dieselbe Wesenheit. Bei derartigen Relationen geht es jedoch nicht um Akzidentien in Gott, sondern um subsistierende Sachverhalte. Gott nämlich kann nichts beiläufig zukommen, wie oben bewiesen wurde (I 22). Also handelt es sich um mehrere subsistierende Sachverhalte, betrachtet man die Relationen; es ist aber eine subsistierende Sache unter dem Gesichtspunkt der Wesenheit. Deswegen sagen wir, Gott sei einer, weil er eine subsistierende Wesenheit ist; er sei mehrere Personen aufgrund der Unterscheidung von subsistierenden Relationen. Selbst im menschlichen Bereich richtet sich die Unterscheidung zwischen Personen nicht auf die Wesenheit der Art, sondern auf das, was der Artnatur hinzugefügt ist. Alle menschlichen Personen nämlich zeichnen sich durch eine Artnatur aus; dennoch sind es verschiedene Personen, weil sich die Menschen dadurch voneinander unterschieden, was ihrer Natur beigefügt ist. Also darf man beim Göttlichen nicht aufgrund der Einheit der zugrundeliegenden Wesenheit von einer Person sprechen; vielmehr handelt es sich aufgrund der Relationen um mehrere.

Damit wird auch ersichtlich, daß dasjenige, was gleichsam das Individuationsprinzip in dem einen ausmacht, nicht notwendig dasselbe in einem anderen ist. So ist die göttliche Wesenheit weder in einem anderen Gott, noch ist Vaterschaft im Sohn.

Wenn auch zwei Personen, die des Vaters und die des Sohnes, sich nicht der Wesenheit, sondern der Relation nach voneinander unterscheiden, so

sunt, ubi ostensum est quod in Deo sunt omnium entium perfectiones, non secundum compositionem aliquam, sed secundum simplicis essentiae unitatem. Nam diversae perfectiones quas res creata per multas obtinet formas, Deo competunt secundum unam et simplicem eius essentiam. Homo enim aliquis per aliam formam vivit, et per aliam est sapiens, et per aliam est iustus: quae omnia Deo per essentiam suam conveniunt. Sicut igitur sapientia et iustitia in homine quidem sunt accidentia, in Deo autem sunt idem quod divina essentia: sic aliqua relatio, puta paternitatis et filiationis, etsi in hominibus sit accidens, in Deo est divina essentia.

Non autem ideo dicitur quod divina sapientia sit eius essentia, cum in nobis sapientia super essentiam addat, quasi divina sapientia a nostra sapientia deficiat: sed quia eius essentia nostram essentiam excedit, ita quod id ad quod essentia nostra non sufficit, scilicet scire et iustum esse, Deus secundum suam essentiam habet perfecte. Oportet igitur quod quicquid nobis convenit secundum essentiam et sapientiam distinctum, simul Deo secundum essentiam suam attribuatur. Et similis ratio in aliis est observanda. Cum igitur divina essentia sit ipsa paternitatis vel filiationis relatio, oportet quod quicquid est paternitatis proprium Deo conveniat, licet paternitas sit ipsa essentia. Est autem hoc proprium paternitatis, ut a filiatione distinguatur: dicitur enim pater ad filium quasi ad alium, et haec est ratio patris ut sit filii pater. Licet ergo Deus Pater sit divina essentia, et similiter Deus Filius, ex hoc tamen quod est Pater, distinguitur a Filio, licet sint unum ex hoc quod uterque est divina essentia.

Ex hoc etiam patet quod relatio in divinis non est absque absoluto. Aliter tamen comparatur ad absolutum in Deo quam in rebus creatis. Nam in rebus creatis comparatur relatio ad absolutum sicut accidens ad subiectum: non autem in Deo, sed per modum identitatis, sicut est et de aliis quae de Deo dicuntur. Idem autem subiectum non potest oppositas

ist doch die Relation der Sache nach nichts anderes als die Wesenheit, da eine Relation in Gott kein Akzidens sein kann; noch sollte man dies für unmöglich erachten, wenn man sorgfältig in Erwägung zieht, was im 1. Buch festgelegt wurde. Dort wurde gezeigt (I 30), daß sich alle Vollkommenheiten des Seienden in Gott finden, nicht als eine bestimmte Agglomeration, sondern gemäß der Einheit der einfachen Wesenheit. So kommen Gott verschiedenartige Vollkommenheiten, über welche ein geschaffenes Ding aufgrund vieler Formen verfügt, gemäß seiner einen und einfachen Wesenheit zu. So besitzt der Mensch als Lebewesen aufgrund einer Form Leben, aufgrund einer anderen ist er weise und aufgrund einer weiteren ist er gerecht. All dies kommt Gott aufgrund seiner Wesenheit zu. Wie also Weisheit und Gerechtigkeit im Menschen Akzidentien, in Gott aber dasselbe sind (was die göttliche Wesenheit ausmacht), so ist eine bestimmte Relation, etwa die der Vaterschaft und der Sohnschaft, in Gott die göttliche Wesenheit, auch wenn sie bei den Menschen ein Akzidens darstellt.

Deswegen behauptet man zwar, die Weisheit Gottes sei seine Wesenheit, während unsere Weisheit zur Wesenheit lediglich hinzukommt. Dies ist jedoch nicht so zu verstehen, als ob die göttliche Weisheit gleichsam von unserer Weisheit abfiele; vielmehr übersteigt die Wesenheit Gottes die unsrige derart, daß Gott das, wozu unsere Wesenheit nicht ausreicht, nämlich zu wissen und gerecht zu sein, gerade aufgrund seiner Wesenheit auf vollkommene Weise besitzt. Folglich muß das, was uns gemäß unserer Wesenheit und Weisheit jeweils unterschiedlich zukommt, Gott gemäß seiner Wesenheit zugleich zugeschrieben werden. Dasselbe gilt es auch beim anderen zu beachten: Da die göttliche Wesenheit die Relation der Vaterschaft oder der Sohnschaft selbst ist, so muß auch dasjenige Gott zukommen, welches spezifisch für die Vaterschaft ist, wenngleich die Vaterschaft in der Wesenheit selbst einbegriffen ist. Nun eignet es der Vaterschaft, sich von der Sohnschaft zu unterscheiden, denn ein Vater verhält sich zum Sohn gleichsam als zu einem anderen und der Begriff ‚Vater‘ beinhaltet, daß ein Vater ‚des Sohnes‘ Vater sei. Wenn also Gott Vater die göttliche Wesenheit ist, ebenso wie Gott Sohn, so unterscheidet er sich dennoch vom Sohne, weil er Vater ist, auch wenn er eines mit ihm insofern ist, als beide die göttliche Wesenheit sind.

Hieraus ergibt sich zudem, daß eine Relation im Bereiche des Göttlichen nicht ohne irgendein von ihr für sich Bestehendes besteht; doch verhält sich dies bei Gott anders als bei den geschaffenen Dingen. Unter den geschaffenen Dingen nämlich verhält sich die Relation zum für sich Bestehenden wie ein Akzidens zum Zugrundeliegenden. Dies ist aber bei Gott nicht der Fall. Sie verhält sich hier auf die Weise der Identität, wie

relationes in se habere, ut sit idem homo pater et filius. Sed essentia divina, propter omnimodam eius perfectionem, idem est et sapientiae et iustitiae et aliis huiusmodi, quae apud nos in diversis generibus continentur. Et similiter nihil prohibet unam essentiam esse idem et paternitati et filiationi, et Patrem et Filium unum Deum esse, licet Pater non sit Filius: eadem enim essentia est quae est res habens esse naturaliter, et Verbum intelligibile sui ipsius.

Ex his etiam quae dicta sunt, potest esse manifestum quod relationes in Deo sunt secundum rem, et non solo intellectu. Omnis enim relatio quae consequitur propriam operationem alicuius rei, aut potentiam aut quantitatem aut aliquid huiusmodi, realiter in eo existit: aliter enim esset in eo solo intellectu, sicut apparet de scientia et scibili. Relatio enim scientiae ad scibile consequitur actionem scientis, non autem actionem scibilis, scibile enim eodem modo se habet, quantum in se est, et quando intelligitur et quando non intelligitur: et ideo relatio in sciente realiter est, in scibili autem secundum intellectum tantum; dicitur enim quod intelligitur scibile ad scientiam relative ex eo quod scientia refertur ad ipsum. Simile quoque apparet in dextro et sinistro. In animalibus enim distinctae sunt virtutes ex quibus relatio dextri et sinistri consurgit: propter quod talis relatio vere et realiter in animali existit; unde, qualitercumque vertatur animal, semper relatio eodem modo manet, nunquam enim pars dextra sinistra dicetur. Res vero inanimatae, quae praedictis virtutibus carent, non habent in se huiusmodi relationem realiter existentem sed nominantur secundum relationem dextri aut sinistri ex eo quod animalia aliquo modo se habent ad ipsam: unde eadem columna nunc dextra, nunc sinistra dicitur, secundum quod animal ex diverso situ ei comparatur. Relatio autem Verbi ad Deum dicentem, cuius est Verbum, in Deo ponitur ex hoc quod Deus seipsum intelligit, quae quidem operatio in Deo est, vel magis est ipse Deus, ut supra ostensum est. Relinquitur igitur praedictas relationes in Deo esse vere et realiter, et non solum secundum intellectum nostrum.

Quamvis autem in Deo ponatur esse relatio, non tamen sequitur quod

es auch bei den anderen Dingen der Fall ist, welche von Gott ausgesagt werden. Doch kann dasselbe Zugrundeliegende nicht entgegengesetzte Relationen in sich begreifen, so daß derselbe Mensch in derselben Hinsicht Vater und Sohn wäre. Weil die göttliche Wesenheit jedoch in jeder Hinsicht vollkommen ist, ist sie identisch mit Weisheit, Gerechtigkeit und dergleichen, was bei uns in verschiedenen Gattungen enthalten ist. So hindert nichts daran, daß die eine Wesenheit sowohl identisch mit der Vaterschaft als auch mit der Sohnschaft ist, und der Vater wie der Sohn ein Gott sind, wenngleich der Vater nicht der Sohn ist. So ist es dieselbe Wesenheit, welche naturgemäß Sein hat und das intelligible Wort ihrer selbst ist.

Aus dem Gesagten vermag deutlich zu werden, daß es sich bei den Relationen in Gott um reale und nicht lediglich um rationale Relationen handelt. Jede Relation nämlich, die aus der eigentümlichen Tätigkeit einer Sache resultiert, Möglichkeit, Quantität oder dergleichen, existiert real in ihr; andernfalls handelte es sich lediglich um ein rationales Innesein, wie es sich beispielsweise beim Wissen und beim Wißbaren zeigt: Das Verhältnis des Wissens zum Wißbaren stellt sich mit der Tätigkeit des Wissenden ein, nicht jedoch mit der Tätigkeit des Wißbaren, denn das Wißbare verbleibt in sich selbst unverändert, werde es nun verstanden oder nicht verstanden. Folglich besteht die Relation im Wissenden real, im Wißbaren dagegen lediglich rational. Demgemäß wird das, was verstanden wird, im Hinblick auf das Wissen „Wißbares" genannt, sofern sich das Wissen auf es bezieht. Ähnliches wird auch an den Ausdrücken ‚links' und ‚rechts' deutlich: So gibt es bei den Lebewesen unterschiedliche Vermögen, aus denen sich die Relation von rechts und links ergibt; deswegen besteht eine derartige Relation wahrhaft und wirklich beim Lebewesen. In welche Richtung sich ein Tier auch wendet, so verbleibt doch die Relation stets dieselbe. Seine rechte Seite kann nie seine linke Seite genannt werden. Unbelebte Dinge jedoch, welche nicht über die besagten Vermögen verfügen, besitzen keine derartige real in ihnen existierende Relation. Das Rechts-links-Verhältnis wird ihnen daraufhin zugeschrieben, wie sich Lebewesen zu ihnen verhalten. So wird eine Säule bald links- und bald rechtsstehend genannt aufgrund ihres Vergleiches mit wechselnden Positionen eines Lebewesens. Die Relation des Wortes zum sprechenden Gott jedoch, dessen Wort es ist, befindet sich deswegen in Gott, weil Gott sich selbst erkennt. Diese Tätigkeit ist in Gott, oder besser: sie ist Gott selbst, wie oben gezeigt wurde (I 47). Mithin folgt, daß die genannten Relationen in Gott wahrhaft und wirklich existieren und nicht allein eine Sache unseres Verstandes sind.

Auch wenn es in Gott Relation gibt, so folgt daraus jedoch nicht, daß

in Deo sit aliquid habens esse dependens. In nobis enim relationes habent
esse dependens, quia earum esse est aliud ab esse substantiae: unde habent
proprium modum essendi secundum propriam rationem, sicut et in aliis
accidentibus contingit. Quia enim omnia accidentia sunt formae quaedam
substantiae superadditae, et a principiis substantiae causatae; oportet quod
eorum esse sit superadditum supra esse substantiae, et ab ipso dependens;
et tanto uniuscuiusque eorum esse est prius vel posterius, quanto forma
accidentalis, secundum propriam rationem, fuerit propinquior substantiae
vel magis perfecta. Propter quod et relatio realiter substantiae adveniens
et postremum et imperfectissimum esse habet: postremum quidem, quia
non solum praeexigit esse substantiae, sed etiam esse aliorum accidentium,
ex quibus causatur relatio, sicut unum in quantitate causat aequalitatem,
et unum in qualitate similitudinem; imperfectissimum autem, quia propria
relationis ratio consistit in eo quod est ad alterum, unde esse eius proprium, quod substantiae superaddit, non solum dependet ab esse substantiae,
sed etiam ab esse alicuius exterioris.

Haec autem in divinis locum non habent: quia non est in Deo aliquod
aliud esse quam substantiae; quicquid enim in Deo est, substantia est. Sicut
igitur esse sapientiae in Deo non est esse dependens a substantia, quia esse
sapientiae est esse substantiae; ita nec esse relationis est esse dependens
neque a substantia, neque ab alio exteriori, quia etiam esse relationis est
esse substantiae. Non igitur per hoc quod relatio in Deo ponitur, sequitur
quod sit in eo aliquod esse dependens; sed solum quod in Deo sit respec-
tus aliquis, in quo ratio relationis consistit; sicut ex hoc quod sapientia in
Deo ponitur, non sequitur quod sit in eo aliquid accidentale, sed solum
perfectio quaedam in qua ratio sapientiae consistit.

Per quod etiam patet quod ex imperfectione quae in relationibus creatis
esse videtur, non sequitur quod personae divinae sint imperfectae, quae
relationibus distinguuntur: sed sequitur quod divinarum personarum mi-
nima sit distinctio.

Patet etiam ex praedictis quod, licet ,Deus' de Patre et Filio substantialiter praedicetur, non tamen sequitur, si Pater et Filius sint plures quidam,
quod sint plures dii. Sunt enim plures propter distinctionem subsistentium relationum: sed tamen sunt unus Deus propter unitatem essentiae

es in Gott etwas gibt, was abhängiges Sein hat. In uns haben Relationen ein abhängiges Sein, weil ihr Sein aus dem Sein einer Substanz resultiert. Daher besitzen sie die ihnen eignende Seinsweise gemäß der ihnen eigentümlichen Natur, wie es auch bei den anderen Akzidentien zutrifft. Alle Akzidentien nämlich sind bestimmte Formen, welche einer Substanz hinzugefügt und von deren Prinzipien verursacht sind. Daher muß ihr Sein über das Sein der Substanz hinaus hinzugefügt und von diesem abhängig sein. Das Maß, nach dem das Sein eines jeden von ihnen vor- oder nachgeordnet ist, hängt von dem Maße ab, wonach die akzidentelle Form (gemäß der ihr eigentümlichen Natur) der Substanz näher oder wonach sie vollkommener ist. Deswegen nimmt auch eine der Substanz real zufallende Relation im Hinblick auf ihr Sein den letzten Rang ein und ist höchst unvollkommen: Sie kommt zuletzt, weil sie nicht nur das Sein der Substanz, sondern auch das der anderen Akzidentien voraussetzt, wodurch die Relation verursacht wird. So etwa verursacht Einheit bei der Quantität die Gleichheit und Einheit bei der Qualität die Ähnlichkeit. Sie hat höchst unvollkommenes Sein, weil die eigentümliche Charakteristik der Relation darin besteht, in bezug auf anderes zu sein. Daher hängt das ihr eigentümliche Sein, welches sie der Substanz hinzufügt, nicht nur von deren Sein, sondern auch vom Sein eines ihr Äußerlichen ab.

Dies kann jedoch bei Göttlichem nicht der Fall sein, da es in Gott kein anderes Sein als das der Substanz gibt. Was immer in Gott ist, das ist Substanz. Mithin ist das Sein der Weisheit in Gott kein von der Substanz abhängiges Sein, da das Sein der Weisheit das Sein der Substanz ist. So ist auch das Sein der Relation weder ein vom Sein der Substanz noch ein vom Sein eines Äußerlichen abhängiges Sein, weil auch das Sein der Relation das Sein der Substanz ist. Also folgt aus der Annahme einer Relation in Gott nicht, daß es in ihm abhängiges Sein gibt, sondern lediglich, daß in Gott ein gewisser Aspekt vorkommt, in dem das Relationsverhältnis besteht. Gleicherweise folgt aus der Annahme von Weisheit in Gott nicht, daß es in ihm etwas Akzidentelles gibt; vielmehr folgt, daß es in ihm eine gewisse Vollkommenheit gibt, worin der Grund der Weisheit besteht.

Hieraus wird ebenfalls ersichtlich, daß aus der Unvollkommenheit, die die geschaffenen Relationen auszuzeichnen scheint, nicht folgt, daß die göttlichen Personen, welche relational unterschieden sind, unvollkommen sind; vielmehr folgt, daß es zwischen den göttlichen Personen einen höchst geringen Unterschied gibt.

Aus dem Gesagten wird ebenfalls deutlich, daß man nicht folgern kann, Vater und Sohn seien mehrere Götter, sofern es sich bei ihnen um mehrere Personen handelt, wenngleich ‚Gott' vom Vater und vom Sohn substantial prädiziert wird. Sie sind mehrere aufgrund des Unterschiedes der zugrun-

subsistentis. Hoc autem in hominibus non contingit, ut plures aliqui sint unus homo: quia essentia humanitatis non est una numero in utroque; neque essentia humanitatis est subsistens, ut humanitas sit homo.

Ex hoc autem quod in Deo est essentiae unitas et relationum distinctio, manifestum fit quod nihil prohibet in uno Deo opposita quaedam inveniri: illa dumtaxat opposita quae relationis distinctionem consequuntur, ut ‚generans‘ et ‚genitum‘, quae opponuntur relative, et ‚genitum‘ et ‚ingenitum‘, quae opponuntur ut affirmatio et negatio. Ubicumque enim est aliqua distinctio, oportet inveniri negationis et affirmationis oppositionem. Quae enim secundum nullam affirmationem et negationem differunt, penitus indistincta sunt: oportet enim quod quantum ad omnia unum esset quod et alterum, et sic essent penitus idem, et nullo modo distincta.

Haec igitur de generatione divina dicta sufficiant.

Capitulum XV

De Spiritu Sancto, quod sit in divinis

Divinae autem Scripturae auctoritas non solum nobis in divinis Patrem et Filium annuntiat, sed his duobus Spiritum Sanctum connumerat. Dicit enim Dominus, Matth. XXVIII: „Euntes docete omnes gentes, baptizantes eos in nomine Patris et Filii et Spiritus Sancti"; et I Ioan. V: „Tres sunt qui testimonium dant in caelo, Pater, Verbum et Spiritus Sanctus". Huius etiam Spiritus Sancti processionem quandam Sacra Scriptura commemorat. Dicit enim Ioan. XV: „Cum venerit Paraclitus, quem ego mittam vobis a Patre, Spiritum veritatis, qui a Patre procedit, ille testimonium perhibebit de me".

deliegenden Relationen; dennoch sind sie ein Gott aufgrund der Einheit der zugrundeliegenden Wesenheit. Bei Menschen aber ist es nicht der Fall, daß mehrere ein Mensch sind, weil die Wesenheit der Menschheit in beiden nicht numerisch eine ist; noch ist die Wesenheit der Menschheit subsistent, so daß die Menschheit ein Mensch ist.

Nun wird aus der Tatsache der Einheit der Wesenheit und der Verschiedenheit der Relationen in Gott offensichtlich, daß nichts daran hindert, daß sich gewisse Gegensätze in Gott finden, zumindest jene, welche eine Folge des relationalen Unterschiedes darstellen, z. B. ,zeugend' und ,gezeugt', welche einander relativ entgegengesetzt sind, und z. B. ,gezeugt' und ,ungezeugt', die einander wie Bejahung und Verneinung entgegengesetzt sind. Wo immer sich ein gewisser Unterschied findet, dort muß sich auch der Gegensatz von Negation und Affirmation finden. Was sich nämlich keiner Affirmation oder Negation gemäß voneinander unterscheidet, das ist gänzlich ununterschieden, denn was in jeder Hinsicht eines wie das andere ist, das muß völlig dasselbe und auf keine Weise verschieden voneinander sein.

Diese Bemerkungen zur göttlichen Zeugung sollen hinreichen.

15. KAPITEL

ÜBER DEN HEILIGEN GEIST: ER IST IN GOTT

Die Autorität der Göttlichen Schrift verkündet uns im Göttlichen nicht nur den Vater und den Sohn, sondern zählt beiden den Heiligen Geist zu. So spricht der Herr in Mt 28,19: „Darum gehet hin und machet alle Völker zu Jüngern und taufet sie auf den Namen des Vaters und des Sohnes und des Heiligen Geistes", und 1 Joh 5,7 sagt: „Drei sind es, die Zeugnis geben im Himmel: der Vater, das Wort und der Heilige Geist". Auch erwähnt die Heilige Schrift einen Hervorgang des Geistes, wenn sie in Joh 15,26 sagt: „Wenn der Helfer kommt, den ich euch vom Vater senden werde, den Geist der Wahrheit, der vom Vater ausgeht, der wird von mir Zeugnis ablegen".

Capitulum XVI

Rationes ex quibus aliqui Spiritum Sanctum
existimaverunt esse creaturam

Opinati sunt autem quidam Spiritum Sanctum creaturam esse, aliis creaturis excelsiorem: ad cuius assertionem Sacrae Scripturae testimoniis utebantur.

Dicitur enim Amos IV, secundum litteram Septuaginta: „Ecce, formans montes, et creans spiritum, et annuntians homini verbum eius". Et Zach. XII: „Dicit Dominus, extendens caelum, et fundans terram, et creans spiritum hominis in eo". Videtur igitur quod Spiritus Sanctus sit creatura.

Adhuc. Dicit Dominus, Ioan. XVI, de Spiritu Sancto loquens: „Non loquetur a semetipso, sed quaecumque audiet, loquetur": ex quo videtur quod nihil ultroneae potestatis auctoritate loquatur, sed iubenti per ministerium famuletur; loqui enim quae quis audit, famulantis esse videtur. Videtur igitur Spiritus Sanctus esse creatura Deo subiecta.

Item. Mitti inferioris esse videtur: cum in mittente importetur auctoritas. Spiritus autem Sanctus a Patre et Filio mittitur. Dicit enim Dominus, Ioan. XV: „Paraclitus Spiritus Sanctus, quem mittet Pater in nomine meo, ille vos docebit omnia"; et Ioan. XV: „Cum venerit Paraclitus, quem ego mittam vobis a Patre". Spiritus ergo Sanctus et Patre et Filio minor esse videtur.

Adhuc. Scriptura divina, Filium Patri associans in his quae divinitatis esse videntur, de Spiritu Sancto mentionem non facit: ut patet Matth. II, cum Dominus dicit: „Nemo novit Filium nisi Pater, neque Patrem quis novit nisi Filius, de Spiritu Sancto mentione non facta. Et Ioan. XVII dicitur: „Haec est vita aeterna, ut cognoscant te, solum Deum verum, et quem misisti, Iesum Christum", ubi etiam de Spiritu Sancto mentio non fit.

Apostolus etiam, ad Rom. I, dicit: „Gratia vobis et pax a Deo Patre nostro, et Domino Iesu Christo"; et I ad Cor. VIII: „Nobis unus Deus Pater, ex quo omnia et nos in illo et unus Dominus Iesus Christus, per

16. Kapitel

Gründe für die Annahme einiger Menschen, der Heilige Geist sei ein Geschöpf

Einige meinten, der Heilige Geist sei ein Geschöpf, höher als die übrigen Geschöpfe. Zur Bekräftigung dieser Behauptung stützten sie sich auf die Zeugnisse der Heiligen Schrift.

So heißt es der Septuaginta gemäß bei Amos 4, 13: „Denn siehe, er hat die Berge gebildet und den Wind [Geist] geschaffen, er tut dem Menschen kund, was er im Sinne hat". Wiederum heißt es bei Sach 12, 1: „So spricht Jahwe, der den Himmel ausspannt, die Erde gegründet und den Geist in der Brust des Menschen geformt hat". Demnach ist der Heilige Geist anscheinend ein Geschöpf.

Überdies. Der Herr sagt in Joh 16, 13, wenn er vom Heiligen Geist redet: „Denn er wird nicht von sich aus reden, sondern er wird reden, was er hört". Hiernach hat es den Anschein, als ob er nichts aufgrund der Autorität eigener Vollmacht redet, sondern lediglich einem Befehlenden dienstbar ist. Nun ist es offenbar Zeichen eines Dienenden, das nachzusprechen, was er hört. Demnach scheint es sich beim Heiligen Geist um ein Gott untergeordnetes Geschöpf zu handeln.

Ferner. Offenbar kennzeichnet es einen Untergeordneten, ‚geschickt' zu werden, da die Autorität hierfür im Sendenden vorausgesetzt ist. Der Heilige Geist jedoch wird vom Vater und vom Sohn gesandt, denn der Herr sagt in Joh 14, 26: „Der Helfer aber, der Heilige Geist, den der Vater in meinem Namen senden wird, der wird euch alles lehren". Wiederum heißt es Joh 15, 26: „Wenn der Helfer kommt, den ich euch vom Vater senden werde". Mithin scheint der Heilige Geist sowohl geringer als der Vater als auch der Sohn zu sein.

Ferner. Die Heilige Schrift erwähnt nicht den Heiligen Geist, wenn sie bei dem, was allem Anschein nach zur Gottheit gehört, den Sohn dem Vater beigesellt. Dies wird offenkundig, wenn der Herr in Mt 11, 27 spricht: „Niemand kennt den Sohn als der Vater; und den Vater kennt niemand als nur der Sohn …". Der Heilige Geist wird nicht erwähnt; vielmehr heißt es Joh 17, 3: „Das aber ist das ewige Leben, daß sie dich, den allein wahren Gott, erkennen und den du gesandt hast, Jesus Christus.". Auch hier wird der Heilige Geist nicht erwähnt.

Auch sagt der Apostel in Rö 1, 7: „Gnade sei euch und Friede von Gott, unserm Vater, und dem Herrn Jesus Christus" und in 1 Kor 8, 6: „… so haben wir doch nur einen Gott, den Vater, aus dem alles ist und für den wir da sind, und [wir haben] nur einen Herrn, Jesus Christus, durch den

quem omnia et nos per ipsum": in quibus etiam nihil de Spiritu Sancto dicitur. Videtur igitur Spiritus Sanctus Deus non esse.

Amplius. Omne quod movetur creatum est: ostensum est enim in Primo Deum immobilem esse. Spiritui autem Sancto Scriptura divina motum attribuit. Dicitur enim Gen. I: „Spiritus Domini ferebatur super aquas". Et Ioel II: „Effundam de spiritu meo super omnem carnem". Videtur igitur Spiritus Sanctus creatura esse.

Praeterea. Omne quod potest augeri vel dividi, mutabile est et creatum. Haec autem Spiritui Sancto in Scripturis Sacris attribui videntur. Dicit enim Dominus, Num. II, ad Moysen: „Congrega mihi septuaginta viros de senioribus Israel, et auferam de spiritu tuo, tradamque eis". Et IV Reg. II, dicitur quod Eliseus ab Elia petiit: „Obsecro quod fiat spiritus tuus duplex in me", et Elias respondit: „Si videris quando tollar a te, erit quod petisti". Videtur ergo Spiritus Sanctus esse mutabilis, et non esse Deus.

Item. In Deum tristitia cadere non potest: cum tristitia passio quaedam sit, Deus autem impassibilis est. Cadit autem tristitia in Spiritum Sanctum. Unde Apostolus dicit, Ephes. IV: „Nolite contristare Spiritum Sanctum Dei". Et Isaiae LXIII dicitur: „Ipsi ad iracundiam provocaverunt, et afflixerunt Spiritum Sanctum eius". Videtur igitur Spiritus Sanctus Deus non esse.

Adhuc. Deo non convenit orare, sed magis orari. Spiritui autem Sancto orare convenit: dicitur enim ad Rom. VIII: „Ipse Spiritus postulat pro nobis gemitibus inenarrabilibus". Spiritus ergo Sanctus non esse Deus videtur.

Amplius. Nullus congrue donat nisi id cuius habet dominium. Sed Deus Pater dat Spiritum Sanctum, et similiter Filius. Dicit enim Dominus, Lucae XI: „Pater vester de caelo dabit Spiritum bonum petentibus se"; et Act. V, Petrus dicit quod „Deus Spiritum Sanctum dedit obedientibus sibi".

Ex his igitur videtur quod Spiritus Sanctus Deus non sit.

Item. Si Spiritus Sanctus verus Deus est, oportet quod naturam divinam habeat: et sic, cum Spiritus Sanctus „a Patre procedat", ut dicitur Ioan. XV, necesse est quod ab eo naturam divinam accipiat. Quod autem accipit naturam eius a quo producitur, ab eo generatur: proprium enim est geniti

alles ist, durch den auch wir sind". Hier wird ebenfalls nichts vom Heiligen Geist erwähnt. Demnach, so scheint es, ist der Heilige Geist nicht Gott.

Zudem. Alles ist geschaffen, was in Bewegung ist. Nun wurde im 1. Buch gezeigt, daß Gott unbeweglich ist. Doch schreibt die Heilige Schrift dem Heiligen Geist Bewegung zu, wenn es Gen 1,2 heißt: „Der Geist Gottes schwebte über den Wassern" und Joel 3,1: „Danach werde ich ausgießen meinen Geist über alles Fleisch". Also scheint es sich beim Heiligen Geist um ein Geschöpf zu handeln.

Zudem. Alles ist geschaffen, was vermehrt oder geteilt werden kann. Dies aber scheint in den Heiligen Schriften dem Heiligen Geist zugeschrieben zu werden. So spricht der Herr zu Moses in Num 11,16 f.: „Hole mir siebzig Männer aus den Ältesten Israels zusammen; ... ich werde von dem Geiste, der auf dir ruht, nehmen und auf sie legen". Ebenfalls heißt es in 2 Kö 2,9, daß Elischa den Elija bat: „So möge denn ein doppelter Anteil von deinem Geiste mir zufallen", worauf Elija (ibid., 10) antwortete: „Wenn du mich siehst, wie ich von dir entrückt werde, so wird es dir zuteil werden". Demnach scheint der Heilige Geist veränderlich und nicht Gott zu sein.

Weiterhin. Es kann in Gott keine Trauer geben, da es sich hierbei um ein bestimmtes Erleiden handelt; Gott aber kann nichts erleiden (I 16,89). Doch kommt Trauer dem Heiligen Geist zu; daher sagt der Apostel in Eph. 4,30: „Betrübet nicht den heiligen Geist Gottes". Auch heißt es Jes 63,10: „Sie aber empörten sich und betrübten seinen heiligen Geist". Demnach scheint der Heilige Geist nicht Gott zu sein.

Zudem. Es eignet Gott nicht zu beten, sondern angebetet zu werden. Doch eignet es dem Heiligen Geist zu beten; so heißt es Rö 8,26: „Da tritt der Geist selbst für uns ein mit unaussprechlichen Seufzern". Also scheint der Heilige Geist nicht Gott zu sein.

Ferner. Angemessenerweise schenkt man nur das, worüber man die Verfügungsgewalt besitzt. Aber Gott Vater gibt den Heiligen Geist und ähnlich der Sohn. So spricht der Herr in Lk 11,13: „Wieviel mehr wird euer Vater im Himmel Heiligen Geist denen geben, die ihn bitten!". Petrus bemerkt in Apg 5,32, daß Gott den Heiligen Geist „denen verliehen hat, die ihm gehorchen".

Hieraus scheint hervorzugehen, daß der Heilige Geist nicht Gott ist.

Weiterhin. Ist der Heilige Geist wahrer Gott, so muß er die göttliche Natur besitzen. Somit muß der Heilige Geist auch vom Vater die göttliche Natur annehmen, da er „aus ihm hervorgeht", wie es Joh 15,26 heißt. Was aber die Natur dessen annimmt, woraus es hervorgebracht wird, das wird von ihm gezeugt. So kommt es dem Gezeugten spezifisch zu, daß es in derselben Gattung wie sein Prinzip hervorgebracht wird. Also wird der

ut in similem speciem sui principii producatur. Spiritus ergo Sanctus genitus erit, et per consequens Filius. Quod sanae fidei repugnat.

Praeterea. Si Spiritus Sanctus naturam divinam a Patre accipit et non
quasi genitus, oportet divinam naturam duobus modis communicari: scilicet per modum generationis, quo procedit Filius; et per illum modum
quo procedit Spiritus Sanctus. Hoc autem uni naturae competere non
videtur, ut duobus modis communicetur, si quis universas naturas inspiciat. Oportet igitur, ut videtur, cum Spiritus Sanctus, naturam per generationem non accipiat quod nullo modo accipiat eam. Et sic videtur non
esse verus Deus.

PL 42/39   Fuit autem haec positio Arii [August., *De haeres.* c. 49], qui Filium et
Spiritum Sanctum dixit esse creaturas; Filium tamen maiorem Spiritu
Sancto, et Spiritum Sanctum eius ministrum; sicut et Filium minorem
Patre esse dicebat.

PL 42/39   Quem etiam quantum ad Spiritum Sanctum secutus est Macedonius
[ibid., c. 52], qui de Patre et Filio recte sensit quod unius eiusdemque
substantiae sint, sed hoc de Spiritu Sancto credere noluit, creaturam eum
esse dicens. Unde quidam Macedonianos Semiarianos vocant, eo quod
cum Arianis in parte conveniunt, et in parte differunt ab eisdem.

Capitulum XVII

Quod Spiritus Sanctus sit verus Deus

Ostenditur autem evidentibus Scripturae testimoniis quod Spiritus
Sanctus sit Deus. Nulli enim templum consecratur nisi Deo: unde et in
Psalmo [X] dicitur: „Deus in templo sancto suo". Deputatur autem templum Spiritui Sancto: dicit enim Apostolus, I ad Cor. VI: „An nescitis
quoniam membra vestra templum sunt Spiritus Sancti?" Spiritus ergo
Sanctus Deus est. Et praecipue cum membra nostra, quae templum Spiritus Sancti esse dicit, sint membra Christi: nam supra praemiserat: „Nescitis quoniam corpora vestra membra sunt Christi?" Inconveniens autem
esset, cum Christus sit verus Deus, ut ex superioribus patet, quod membra
Christi templum Spiritus Sancti essent, nisi Spiritus Sanctus Deus esset.

Heilige Geist gezeugt und folglich der Sohn sein. Dies widerspricht fürwahr dem Glauben.

Überdies. Empfängt der Heilige Geist zwar vom Vater die göttliche Natur, doch nicht wie ein Gezeugter, so muß sich die göttliche Natur auf zwei verschiedene Weisen mitteilen: einerseits auf die Weise der Zeugung, woraus der Sohn hervorgeht, andererseits auf jene Weise, wodurch der Heilige Geist seinen Ausgang nimmt. Wenn man jedoch sämtliche Naturen betrachtet, so scheint es unverträglich mit *einer* Natur zu sein, sich auf *zwei* verschiedene Weisen mitzuteilen. Wenn der Heilige Geist seine Natur nicht durch Zeugung annimmt, so kann er sie, wie es den Anschein hat, überhaupt nicht annehmen. Demnach scheint er nicht wahrer Gott zu sein.

Dies ist die Position des Arius gewesen, welcher behauptete, der Sohn und der Heilige Geist seien Geschöpfe; dennoch sei der Sohn höheren Ranges als der Heilige Geist und der Heilige Geist sei sein Diener, gleichwie er sagte, der Sohn sei geringer als der Vater.

Macedonius ist [Arius] in bezug auf den Heiligen Geist gefolgt. Er empfand richtig, daß sie einer und derselben Substanz sind, doch konnte er dies nicht vom Heiligen Geist glauben. Er sagte, es handle sich bei ihm um ein Geschöpf. Daher bezeichnen einige die Macedonianer als „Semi-Arianer", weil sie teils mit den Arianern übereinstimmen und teils anderer Ansicht sind.

17. Kapitel

Der Heilige Geist ist wahrer Gott

Aufgrund der offenkundigen Zeugnisse der Schrift läßt sich nachweisen, daß der Heilige Geist Gott ist. Nur Gott wird ein Tempel geweiht. Daher heißt es auch im Psalm (Ps 11,4): „Der Herr in seinem heiligen Tempel". Nun wird auch ein Tempel für den Heiligen Geist bestimmt. Der Apostel sagt nämlich in 1 Kor 6,19: „Oder wißt ihr nicht, daß euer Leib ein Tempel des Heiligen Geistes ist". Also ist der Heilige Geist Gott, insbesondere deswegen, weil unsere Glieder, von denen er sagt, sie seien der Tempel des Heiligen Geistes, die Glieder Christi sind. So hatte er in 1 Kor 6,15 vorweggeschickt: „Wißt ihr nicht, daß eure Leiber Glieder Christi sind?". Nun wäre es ungereimt, wenn es sich bei Christus um den wahren Gott handelte (wie aus dem oben [IV 3] Erörterten hervorgeht), und die Glieder Christi Tempel des Heiligen Geistes wären, außer in dem Falle, daß der Heilige Geist Gott ist.

Item. A sanctis latriae servitus non nisi vero Deo exhibetur: dicitur enim Deut. VI: „Dominum Deum tuum timebis, et illi soli servies". Serviunt autem sancti Spiritui Sancto: dicit enim Apostolus, Philipp. III: „Nos sumus circumcisio, qui Spiritui Deo servimus. Et licet quidam libri habeant, „qui Spiritu Domini servimus", tamen graeci libri, et antiquiores latini, habent, „Qui Spiritui Deo servimus". Et ex ipso graeco apparet quod hoc de servitute latriae intelligendum est, quae soli Deo debetur. Est igitur Spiritus Sanctus verus Deus, cui latria debetur.

Adhuc. Sanctificare homines proprium Dei opus est: dicitur enim Levit. XXII: „Ego Dominus, qui sanctifico vos". Est autem Spiritus Sanctus qui sanctificat: dicit enim Apostolus, I Cor. VI: „Abluti estis, sanctificati estis, iustificati estis, in nomine Domini nostri Iesu Christi, et in Spiritu Dei nostri"; et II ad Thess. II, dicitur: „Elegit nos Deus primitias in salutem in sanctificatione Spiritus et fide veritatis". Oportet igitur Spiritum Sanctum Deum esse.

Amplius. Sicut vita naturae corporis est per animam, ita vita iustitiae ipsius animae est per Deum: unde Dominus dicit, Ioan. VI: „Sicut misit me vivens Pater, et ego vivo propter Patrem, et qui manducat me, et ipse vivet propter me". Huiusmodi autem vita est per Spiritum Sanctum: unde ibidem subditur: „Spiritus est qui vivificat"; et ad Rom. VIII, dicit Apostolus: „Si Spiritu facta carnis mortificaveritis, vivetis". Spiritus ergo Sanctus divinae naturae est.

Praeterea. Dominus, in argumentum suae divinitatis contra Iudaeos, qui sustinere non poterant ut se Deo aequalem faceret, asserit in se esse resuscitandi virtutem: dicens, Ioan. V: „Sicut Pater suscitat mortuos et vivificat, sic et Filius quos vult vivificat". Virtus autem resuscitativa ad Spiritum Sanctum pertinet: dicit enim Apostolus, Rom. VIII: „Si Spiritus eius qui suscitavit Iesum Christum a mortuis, habitat in vobis, qui suscitavit Iesum Christum a mortuis, vivificabit et mortalia corpora vestra, propter inhabitantem Spiritum eius in vobis". Spiritus ergo Sanctus est divinae naturae.

Item. Creatio solius Dei opus est, ut supra ostensum est. Pertinet autem creatio ad Spiritum Sanctum: dicitur enim in Psalmo [CIII]: „Emitte Spi-

Überdies. Von den Heiligen wird nur dem wahren Gott der Dienst der Gottesverehrung erwiesen. So heißt es Deut 6,13: „Jahwe, deinen Gott, sollst du fürchten, ihm allein sollst du dienen". Die Heiligen aber dienen dem Heiligen Geist. So spricht der Apostel in Philipp 3,3: „Denn die Beschneidung sind wir, die wir dem göttlichen Geist dienen" [Vulg.: „Die im Geiste Gott dienen"]; eine andere Lesart lautet: „die wir im Geist des Herrn dienen"; doch liest man bei den griechischen und den älteren lateinischen Büchern: „die dem göttlichen Geiste dienen". Aus dem Griechischen selbst geht hervor, daß dies vom Dienst der Gottesverehrung zu verstehen ist, welcher allein Gott gezollt wird. Mithin ist der Heilige Geist der wahre Gott, dem der Gottesdienst gilt.

Außerdem. Die Heiligung von Menschen ist ausschließlich das Werk Gottes. So heißt es Lev 22,9: „Ich bin der Herr, der euch heiligt". Nun ist es aber der Heilige Geist, welcher heiligt, denn der Apostel sagt in 1 Kor 6,11: „Doch ihr seid reingewaschen, ihr seid gerechtfertigt worden im Namen des Herrn Jesus Christus und im Geiste unseres Gottes". Desgleichen heißt es 2 Thess 2,13: „... weil Gott euch von Anfang an zur Rettung erkoren hat durch die heiligende Kraft des Geistes und durch den Glauben an die Wahrheit". Also muß der Heilige Geist Gott sein.

Überdies. Wie ein Körperwesen aufgrund der Seele lebendig ist, so ist das Leben der Gerechtigkeit der Seele selbst in Gott begründet. Daher spricht der Herr in Joh 6,57: „Wie mich der lebendige Vater gesandt hat und ich durch den Vater lebe, so wird auch der, der mich ißt, durch mich leben". Ein derartiges Leben jedoch kommt uns durch den Heiligen Geist zu; daher wird (ibid., 64) hinzugefügt: „Der Geist ist es, der Leben schafft". Auch sagt der Apostel in Rö 8,13: „Wenn ihr aber mit dem Geist die Werke des Fleisches tötet, werdet ihr leben". Mithin ist der Heilige Geist göttlicher Natur.

Überdies. Der Herr erklärt beim Erweis seiner Gottheit gegenüber den Juden, welche nicht ertragen konnten, daß er sich gottgleich machte, er besitze die Macht, Tote zu erwecken. Er spricht in Joh 5,21: „Denn wie der Vater die Toten erweckt und lebendig macht, so macht auch der Sohn lebendig, die er will". Die Kraft Tote zu erwecken eignet dem Heiligen Geist. So sagt der Apostel Rö 8,11: „Wenn aber der Geist dessen, der Jesus von den Toten auferweckt hat, in euch wohnt, so wird er, der Christus von den Toten auferweckt hat, auch eure sterblichen Leiber lebendig machen durch seinen in euch wohnenden Geist". Also ist der Heilige Geist göttlicher Natur.

Zudem. Die Schöpfung ist das alleinige Werk Gottes, wie oben erwiesen wurde (II 21). Doch eignet das Erschaffen dem Heiligen Geist, da es

ritum tuum, et creabuntur"; et Iob XXXIII, dicitur: „Spiritus Dei fecit
me"; et Eccli. I, dicitur de Deo: „Ipse creavit illam", scilicet sapientiam,
„Spiritu Sancto". Est ergo Spiritus Sanctus divinae naturae.

Adhuc. Apostolus dicit, I ad Cor. II: „Spiritus omnia scrutatur, etiam
profunda Dei. Quis enim scit quae sunt hominis nisi spiritus hominis, qui
in ipso est? Ita et quae Dei sunt nemo cognovit nisi Spiritus Dei". Com-
prehendere autem omnia profunda Dei non est alicuius creaturae: quod
patet ex hoc quod Dominus dicit, Matth. XI: „Nemo novit Filium nisi
Pater, neque Patrem quis novit nisi Filius". Et Isaiae XXIV, ex persona
Dei, dicitur: „Secretum meum mihi". Ergo Spiritus Sanctus non est creatura.

Praeterea. Secundum praedictam Apostoli comparationem, Spiritus
Sanctus se habet ad Deum sicut spiritus hominis ad hominem. Spiritus
autem hominis intrinsecus est homini, et non est extraneae naturae ab
ipso, sed est aliquid eius. Igitur et Spiritus Sanctus non est naturae extraneae a Deo.

Amplius. Si quis conferat verba Apostoli praemissa verbis Isaiae Prophetae, manifeste percipiet Spiritum Sanctum Deum esse. Dicitur enim
Isaiae LXIV: „Oculus non vidit, Deus, absque te, quae praeparasti expectantibus te". Quae quidem verba Apostolus cum introduxisset, subiungit
verba praemissa scilicet quod Spiritus scrutatur profunda Dei. Unde manifestum est quod Spiritus Sanctus illa profunda Dei cognoscit quae praeparavit expectantibus eum. Si ergo haec nullus vidit praeter Deum, ut
Isaias dicit, manifestum est Spiritum Sanctum Deum esse.

Item. Isaiae VI dicitur: „Audivi vocem Dei dicentis: Quem mittam, et
quis ibit nobis? Et dixi: Ecce ego sum, mitte me. Et dixit: Vade, et dices
populo huic: Audite audientes et nolite intelligere". Haec autem verba
Paulus Spiritui Sancto attribuit: unde dicitur Act. [XXVIII] quod Paulus
dixit Iudaeis: „Bene Spiritus Sanctus locutus est per Isaiam Prophetam
dicens: Vade ad populum istum et dic ad eos: Aure audietis et non intel-
ligetis". Manifestum est ergo Spiritum Sanctum Deum esse.

Adhuc. Ex Sacris Scripturis apparet Deum esse qui locutus est per prophetas: dicitur enim Num. XII, ex ore Dei: „Si quis fuerit inter vos pro-
pheta Domini, in visione apparebo ei, vel per somnium loquar ad illum";

Ps 104,30 heißt: „Du sendest deinen Geist aus, und sie werden geschaffen". Auch heißt es bei Ijob 33,4: „Mich hat erschaffen Gottes Lebensgeist", und von Gott heißt es Eccl 1,9: „Er hat sie" – d. h. die Weisheit – „geschaffen … im Heiligen Geist". Mithin ist der Heilige Geist göttlicher Natur.

Zudem. Der Apostel bemerkt in 1 Kor 2,10f.: „… denn der Geist erforscht alles, sogar die Tiefen Gottes. Welcher Mensch weiß, was im Menschen ist, als nur der Geist des Menschen, der in ihm ist? So erkennt auch keiner, was in Gott ist, als nur der Geist Gottes". Nun vermag keinerlei Geschöpf alle Tiefen Gottes zu begreifen; dies geht aus dem folgenden Herrenwort von Mt 11,27 hervor: „Und niemand kennt den Sohn als der Vater; und den Vater kennt niemand als nur der Sohn …". Von der Person Gottes her heißt es bei Jes. 24,16: „Mein Geheimnis gehört mir". Also ist der Heilige Geist kein Geschöpf.

Außerdem. Dem vorhin genannten Vergleich des Apostels gemäß verhält sich der Heilige Geist zu Gott wie der Geist des Menschen zum Menschen. Der Menschengeist jedoch ist dem Menschen innerlich; er ist nicht von einer Natur, welche ihm äußerlich wäre, sondern er ist Teil von ihm. Mithin ist auch der Heilige Geist nicht von einer Natur, welche Gott äußerlich ist.

Ferner. Wenn man die erwähnten Worte des Apostels mit denen des Propheten Jesaja vergleicht, so wird man deutlich erfassen, daß der Heilige Geist Gott ist. So heißt es bei Jes 64,3: „… kein Auge hat gesehen einen Gott außer dir, der für den eintrat, der auf ihn harrte". Nachdem der Apostel diese Worte zitierte, fügte er die erwähnte Bemerkung hinzu, daß der Geist die Tiefen Gottes durchforscht. Hieraus ist offenkundig, daß der Heilige Geist jene Tiefen Gottes kennt, welche er denen bereitet hat, die auf ihn harren. Wenn sie aber niemand außer Gott gesehen hat, wie Jesaja sagt, so ist offensichtlich der Heilige Geist Gott.

Ebenso. Es heißt bei Jes 6,8 f.: „Dann hörte ich die Stimme des Herrn, der sprach: „Wen soll ich senden? Wer wird für uns gehen?" Da antwortete ich: „Hier bin ich, sende mich!" Und er sprach: „Gehe und verkünde diesem Volk da ‚Höret, ja, höret, doch verstehet nicht'". Paulus schreibt diese Worte dem Heiligen Geist zu; daher wird Apg 28,25 f. erzählt, was Paulus zu den Juden sprach: „Treffend hat der Heilige Geist durch den Propheten Jesaja zu euren Vätern gesagt: „Tritt hin vor dieses Volk und sprich: „Ihr werdet hören und nicht verstehen …". Offenkundig also ist der Heilige Geist Gott.

Außerdem. Aus den Heiligen Schriften geht hervor, daß es Gott ist, welcher durch die Propheten redete; so heißt es Num 12,6 aus dem Munde Gottes: „Ist sonst ein Prophet unter euch, tu' ich mich ihm durch

et in Psalmo [LXXXIV] dicitur: „Audiam quid loquatur in me Dominus Deus". Manifeste autem ostenditur Spiritum Sanctum locutum esse in prophetis. Dicitur enim Act. I: „Oportet enim impleri Scripturam quam praedixit Spiritus Sanctus per os David". Et Matth. XXII, Dominus dicit: „Quomodo dicunt scribae Christum filium David esse? Ipse enim dicebat in Spiritu Sancto: Dixit Dominus Domino meo, Sede a dextris meis". Et II Petr. I dicitur: „Non enim voluntate humana allata est aliquando prophetia, sed Spiritu Sancto inspirati locuti sunt sancti Dei homines". Manifeste ergo ex Scripturis colligitur Spiritum Sanctum Deum esse.

Item. Revelatio mysteriorum proprium opus Dei ostenditur in Scripturis: dicitur enim Dan. II: „Est Deus in caelo revelans mysteria". Mysteriorum autem revelatio opus Spiritus Sancti ostenditur: dicitur enim I ad Cor. II: „Nobis revelavit Deus per Spiritum suum"; et XIV dicitur: Spiritus „loquitur mysteria". Spiritus ergo Sanctus Deus est.

Praeterea. Interius docere proprium opus Dei est: dicitur enim in Psalmo [II] de Deo: „Qui docet hominem scientiam"; et Dan. II: „Dat sapientiam sapientibus, et scientiam intelligentibus disciplinam". Hoc autem proprium opus Spiritus Sancti esse manifestum est: dicit enim Dominus, Ioan. XIV: „Paraclitus Spiritus Sanctus, quem mittet Pater in nomine meo, ille vos docebit omnia". Spiritus ergo Sanctus est divinae naturae.

Adhuc. Quorum est eadem operatio, oportet esse eandem naturam. Est autem eadem operatio Filii et Spiritus Sancti. Quod enim Christus in sanctis loquatur, Apostolus ostendit, II ad Cor. [XIII], dicens: „An experimentum quaeritis eius qui in me loquitur, Christus?" Hoc etiam opus Spiritus Sancti esse manifeste apparet: dicitur enim Matth. X: „Non vos estis qui loquimini, sed Spiritus Patris vestri, qui loquitur in vobis". Est ergo eadem natura Filii et Spiritus Sancti, et per consequens Patris: cum ostensum sit Patrem et Filium unam esse naturam.

Amplius. Inhabitare mentes sanctorum proprium Dei est: unde Apostolus dicit, II ad Cor. VI: „Vos estis templum Dei vivi, sicut dicit Dominus. Quoniam inhabitabo in illis". Hoc autem idem Apostolus Spiritui

Gesichte kund, durch Träume" – nämlich durch den Heiligen Geist – „red' ich zu ihm". Auch heißt es im Psalm [Ps 84, 9]: „Hören will ich, was kündet Jahwe, unser Gott". Zudem wird mit aller Deutlichkeit gezeigt, daß der Heilige Geist durch die Propheten gesprochen hat, wenn es Apg 1, 16 heißt: „... es mußte das Schriftwort in Erfüllung gehen, das der Heilige Geist durch den Mund Davids ... im voraus gesprochen hat". Der Herr spricht Mt 22, 43 f.: „Wie sagen die Schriftgelehrten, Christus sei der Sohn Davids? Dieser selbst nämlich sagte im Heiligen Geist: „Der Herr sprach zu meinem Herrn: Setze dich zu meiner Rechten". Auch heißt es 2 Petr 1, 21: „Denn niemals erfolgte eine Weissagung durch menschliche Willkür, sondern, vom Heiligen Geiste getrieben, haben Menschen von Gott her geredet". Also ist in den Schriften hinlänglich erwiesen, daß der Heilige Geist Gott ist.

Ebenso. Die Offenbarung von Geheimnissen in den Schriften wird als ein charakteristisches Werk Gottes erwiesen. So heißt es Dan 2, 28: „Aber es ist ein Gott im Himmel, der Geheimnisse offenbart". Die Offenbarung von Geheimnissen jedoch wird als Werk des Heiligen Geistes angegeben, wenn 1 Kor 2, 10 gesagt wird: „Denn uns hat es Gott offenbart durch den Geist". Zudem heißt es 1 Kor 14, 2: „... er spricht im Geiste Geheimnisvolles". Also ist der Heilige Geist Gott.

Überdies. Die innerliche Belehrung stellt ein spezifisches Werk Gottes dar. So wird im Psalm (Ps 94, 10) von Gott folgendermaßen gesprochen: „Er, der die Menschen Erkenntnis lehrt", und bei Dan 2, 21: „Er gibt die Weisheit den Weisen und die Erkenntnis denen, die danach suchen". Nun liegt es auf der Hand, daß dies das eigentümliche Werk des Heiligen Geistes ist. Der Herr sagt nämlich in Joh 14, 26: „Der Helfer aber, der Heilige Geist, den der Vater in meinem Namen senden wird, der wird euch alles lehren ...". Also ist der Heilige Geist göttlicher Natur.

Außerdem. Dasjenige, welchem eine und dieselbe Tätigkeit gemein ist, muß dieselbe Natur besitzen. Nun ist die Tätigkeit des Sohnes und die des Heiligen Geistes dieselbe, denn der Apostel zeigt, daß Christus in den Heiligen spricht, indem er in 2 Kor 13, 3 sagt: „Ihr verlangt ja einen Ausweis dafür, daß Christus in mir redet". Nun ist es völlig deutlich, daß auch dies das Werk des Heiligen Geistes ist. So heißt es Mt 10, 20: „Denn nicht ihr seid es, die dann reden, sondern der Geist eures Vaters ist es, der in euch redet". Mithin ist die Natur des Sohnes und des Heiligen Geistes dieselbe und damit auch die des Vaters, da bereits gezeigt wurde, daß Vater und Sohn eine Natur besitzen.

Darüber hinaus. Gott eignet es, im Herzen der Heiligen zu wohnen. So spricht der Apostel in 2 Kor 6, 16: „Wir sind ja Tempel des lebendigen Gottes, wie Gott gesagt hat: „Ich will unter ihnen wohnen ...". Dasselbe

Sancto attribuit: dicit enim, I ad Cor. III: „Nescitis quia templum Dei estis, et Spiritus Sanctus habitat in vobis?" Est ergo Spiritus Sanctus Deus.

Item. Esse ubique proprium Dei est, qui dicit Ier. XXIII: „Caelum et terram ego impleo". Hoc Spiritui Sancto convenit. Dicitur enim Sap. I: „Spiritus Domini replevit orbem terrarum"; et in Psalmo [CXXXVIII]: „Quo ibo a Spiritu tuo? Et quo a facie tua fugiam? Si ascendero in caelum, tu illic es", etc. Dominus etiam discipulis dicit, Act. I: „Accipietis virtutem supervenientis Spiritus Sancti in vos, et eritis mihi testes in Ierusalem, et in omni Iudaea et Samaria, et usque ad ultimum terrae". Ex quo patet quod Spiritus Sanctus ubique est, qui ubicumque existentes inhabitat. Spiritus ergo Sanctus Deus est.

Praeterea. Expresse in Scriptura Spiritus Sanctus ‚Deus' nominatur. Dicit enim Petrus, Act. V: „Anania, cur tentavit Satanas cor tuum mentiri te Spiritui Sancto?" Et postea subdit: „Non es mentitus hominibus, sed Deo". Spiritus ergo Sanctus est Deus.

Item. I ad Cor. XIV dicitur: „Qui loquitur lingua, non hominibus loquitur, sed Deo: nemo enim audit, Spiritus autem loquitur mysteria": ex quo dat intelligere quod Spiritus Sanctus loquebatur in his qui variis linguis loquebantur. Postmodum autem dicit: „In lege scriptum est quoniam in aliis linguis et labiis aliis loquar populo huic, et nec sic exaudiet me, dicit Dominus". Spiritus ergo Sanctus, qui loquitur mysteria diversis labiis et linguis, Deus est.

Adhuc. Post pauca subditur: „Si omnes prophetent, intret autem quis infidelis vel idiota, convincitur ab omnibus, diiudicatur ab omnibus: occulta enim cordis eius manifesta fiunt, et ita, cadens in faciem, adorabit Deum, pronuntians quod vere Deus in vobis sit". Patet autem per id quod praemisit, quod „Spiritus loquitur mysteria" quod manifestatio occultorum cordis a Spiritu Sancto sit. Quod est proprium divinitatis signum: dicitur enim Ierem. XVII: „Pravum est cor hominis et inscrutabile: quis cognoscet illud? Ego Dominus, scrutans corda et probans renes". Unde

schreibt der Apostel dem Heiligen Geist zu. So sagt er in 1 Kor 3,16: „Wißt ihr nicht, daß ihr Gottes Tempel seid und der Geist Gottes in euch wohnt?". Also ist der Heilige Geist Gott.

Weiterhin. Allgegenwart ist ein charakterisches Merkmal Gottes, welcher in Jer 23,24 spricht: „Fülle ich nicht den Himmel und die Erde aus?". Dies gilt auch vom Heiligen Geist. So heißt es Weish 1,7: „Der Geist des Herrn erfüllt ja den Erdkreis" und im Psalm (Ps 139,7): „Wohin soll ich flüchten vor deinem Geiste? Wohin vor deinem Antlitz entfliehn?"; desgleichen: „Stiege ich zum Himmel empor, so bist du zugegen ..." (ibid., 8). Auch sagt der Herr Apg 1,8 zu den Jüngern: „Aber ihr werdet Kraft empfangen, indem der Heilige Geist auf euch kommt, und werdet meine Zeugen sein in Jerusalem und in ganz Judäa und Samaria und bis an das Ende der Erde" Hieraus geht hervor, daß der Heilige Geist überall ist, da er überall und jederzeit existierend einwohnt. Mithin ist der Heilige Geist Gott.

Zudem. Der Heilige Geist wird in der Schrift ausdrücklich „Gott" genannt. Petrus sagt nämlich in Apg 5,3: „Ananias, warum hat der Satan von deinem Herzen Besitz genommen, daß du den Heiligen Geist belogest ...". Später [ibid., 4] fügt er hinzu: „Nicht Menschen hast du belogen, sondern Gott". Demnach ist der Heilige Geist Gott.

Desgleichen. Es heißt in 1 Kor 14,2: „Denn der Zungenredner redet nicht zu Menschen, sondern zu Gott; es versteht ihn ja niemand, sondern er spricht im Geiste Geheimnisvolles". Hiermit gibt der Apostel zu verstehen, daß der Geist in denen sprach, die auf verschiedenartige Weise zungenredeten. Bald darauf sagt er jedoch: „Im Gesetze steht geschrieben: „Ich will zu diesem Volke in fremden Sprachen und mit den Lippen Fremder reden, aber nicht einmal so werden sie auf mich hören", spricht der Herr" (ibid., 21). Also ist der Heilige Geist, der in verschiedenen Zungen und Sprachen Geheimnisvolles spricht, Gott.

Ferner. Kurz darauf wird (1 Kor 14,24 f.) hinzugefügt: „Wenn jedoch alle prophetisch reden und es kommt ein Ungläubiger oder Fremdling herein, so wird er von allen überführt, von allen wird sein Urteil gesprochen, die Geheimnisse seines Herzens werden offenbar; und so wird er auf sein Angesicht fallen, Gott anbeten und bekennen: „Wahrhaftig, Gott ist unter euch!". Doch ist aufgrund der Vorbemerkungen ersichtlich, daß „der Geist Geheimnisvolles spricht" und die Offenbarung von Geheimnissen des Herzens durch den Heiligen Geist geschieht. Dies ist ein charakteristisches Zeichen von Gottheit. So heißt es bei Jer 17,9 f.: „Arglistig, mehr als alles, ist das Menschenherz. Es sitzt voll Unheil. Wer kann es durchschauen? Ich, Jahwe, der die Herzen erforscht und die Nieren prüft ...". Daher soll selbst ein Ungläubiger aufgrund dieses Indizes genau

ex hoc indicio etiam infidelis perpendere dicitur quod ille qui haec occulta cordium loquitur, sit Deus. Ergo Spiritus Sanctus Deus est.

Item. Parum post dicit: „Spiritus prophetarum prophetis subiecti sunt; non enim est dissensionis Deus, sed pacis". Gratiae autem prophetarum, quas ‚spiritus prophetarum' nominavit, a Spiritu Sancto sunt. Spiritus ergo Sanctus, qui huiusmodi gratias sic distribuit ut ex eis non dissensio, sed pax sequatur, Deus esse ostenditur in hoc quod dicit: „Non est dissensionis Deus, sed pacis".

Amplius. Adoptare in filios Dei non potest esse opus alterius nisi Dei. Nulla enim creatura spiritualis dicitur filius Dei per naturam, sed per adoptionis gratiam: unde et hoc opus Filio Dei, qui verus Deus est, Apostolus attribuit, ad Gal. IV, dicens: „Misit Deus Filium suum, ut adoptionem filiorum reciperemus". Spiritus autem Sanctus est adoptionis causa: dicit enim Apostolus, ad Rom. VIII: „Accepistis Spiritum adoptionis filiorum, in quo clamamus, Abba, Pater". Ergo Spiritus Sanctus non est creatura, sed Deus.

Item. Si Spiritus Sanctus non est Deus, oportet quod sit aliqua creatura. Planum est autem quod non est creatura corporalis. Nec etiam spiritualis. Nulla enim creatura spirituali creaturae infunditur: cum creatura non sit participabilis sed magis participans. Spiritus autem Sanctus infunditur sanctorum mentibus, quasi ab eis participatus: legitur enim et Christus eo plenus fuisse, et etiam Apostoli. Non est ergo Spiritus Sanctus creatura, sed Deus.

Si quis autem dicat praedicta opera, quae sunt Dei, Spiritui Sancto attribui non per auctoritatem ut Deo, sed per ministerium quasi creaturae: expresse hoc esse falsum apparet ex his quae Apostolus dicit, I Cor. XII, dicens: „Divisiones operationum sunt, idem vero Deus qui operatur omnia in omnibus"; et postea, connumeratis diversis donis Dei, subdit: „Haec omnia operatur unus atque idem Spiritus, dividens singulis prout vult". Ubi manifeste expressit Spiritum Sanctum Deum esse: tum ex eo quod Spiritum Sanctum operari dicit quae supra dixerat Deum operari; tum ex hoc quod eum pro suae voluntatis arbitrio operari confitetur. Manifestum est igitur Spiritum Sanctum Deum esse.

erwägen, daß jener, welcher derlei Herzensgeheimnisse ausspricht, Gott ist. Also ist der Heilige Geist Gott.

Ebenso. [Der Apostel] bemerkt ein wenig später (1 Kor 14,32 f.): „Und die Prophetengeister sind den Propheten unterstellt; denn Gott ist kein Gott der Unordnung, sondern des Friedens". Die Prophetengaben jedoch, welche er „Geister der Propheten" genannt hat, sind vom Heiligen Geist. Mithin ist mit dem Wort: „Gott ist kein Gott der Unordnung, sondern des Friedens" erwiesen, daß der Heilige Geist, welcher dergestalt Gaben verteilt, daß sie nicht Unordnung, sondern Frieden zur Folge haben, Gott ist.

Weiterhin. Es kann einzig die Tat Gottes und nicht die irgendeines anderen sein, jemanden als Sohn Gottes anzunehmen. So wird kein geistiges Geschöpf aufgrund seiner Natur „Sohn Gottes" genannt, sondern aufgrund der Gnade der Annahme an Sohnes statt. Daher schreibt der Apostel diese Tat auch dem Sohne Gottes zu, welcher wahrer Gott ist, wenn er Gal 4,4 f. sagt: „Gott schickte seinen Sohn ... damit wir an Kindes Statt angenommen würden". Der Heilige Geist aber ist die Ursache der Annahme. So sagt der Apostel in Rö 8,15: „... ihr habt den Geist der Sohnschaft empfangen, in dem wir rufen: „Abba, Vater!". Folglich ist der Heilige Geist kein Geschöpf, sondern Gott.

Zudem. Wäre der Heilige Geist nicht Gott, so müßte er ein bestimmtes Geschöpf sein. Nun ist klar, daß er weder ein körperhaftes noch ein geistiges Geschöpf ist. Kein Geschöpf nämlich wird einem geistigen Geschöpf eingegossen, da ein Geschöpf nicht partizipierbar ist, sondern lediglich partizipiert. Doch wird der Heilige Geist den Seelen der Heiligen eingegossen, so daß er gleichsam von ihnen partizipiert wird. So lesen wir, daß Christus und auch die Apostel von ihm erfüllt waren. Mithin ist der Heilige Geist kein Geschöpf, sondern Gott.

Die Behauptung jedoch, die genannten Werke Gottes würden dem Heiligen Geist nicht aufgrund seiner göttlichen Autorität, sondern aufgrund seiner Dienstfunktion zugeschrieben, kann aufgrund dessen, was der Apostel sagt, nachdrücklich als falsch erwiesen werden. Er bemerkt in 1 Kor 12,6: „Und es gibt Verschiedenheiten in den Wunderkräften, doch ist es derselbe Gott, der alles in allen wirkt". Nach der darauf folgenden Aufzählung verschiedener Gaben Gottes fügt er (ibid., 11) hinzu: „All das aber wirkt der eine und selbe Geist, indem er jedem nach seiner Eigenart zuteilt, wie er will". Dort drückte er deutlich aus, daß der Heilige Geist Gott ist, einerseits, indem er sagt, der Heilige Geist vollbringe das, wovon er zuvor behauptete, daß es Gott vollbringe, andererseits, indem er bekennt, daß der Heilige Geist diese Werke seinem eigenen Willen entsprechend vollbringt. Demnach ist der Heilige Geist offenkundig Gott.

Capitulum XVIII

Quod Spiritus Sanctus sit subsistens persona

Sed quia quidam Spiritum Sanctum asserunt non esse personam subsistentem, sed vel ipsam divinitatem Patris et Filii, ut quidam Macedonian [August., *De haeres*. c. 52] dixisse perhibentur; vel etiam aliquam accidentalem perfectionem mentis a Deo nobis donatam, puta sapientiam vel caritatem, vel aliquid huiusmodi, quae participantur a nobis sicut quaedam accidentia creata: contra hoc ostendendum est Spiritum Sanctum non esse aliquid huiusmodi.

Non enim formae accidentales proprie operantur, sed magis habens eas pro suae arbitrio voluntatis: homo enim sapiens utitur sapientia cum vult. Sed Spiritus Sanctus operatur pro suae arbitrio voluntatis, ut ostensum est. Non igitur est aestimandus Spiritus Sanctus velut aliqua accidentalis perfectio mentis.

Item. Spiritus Sanctus, ut ex Scripturis docemur, causa est omnium perfectionum humanae mentis. Dicit enim Apostolus, ad Rom. V: „Caritas Dei diffusa est in cordibus nostris per Spiritum Sanctum, qui datus est nobis"; et I ad Cor. XII: „Alii per Spiritum datur sermo sapientiae, alii sermo scientiae, secundum eundem Spiritum", et sic de aliis. Non ergo Spiritus Sanctus aestimandus quasi aliqua accidentalis perfectio mentis humanae, cum ipse omnium huiusmodi perfectionum causa existat.

Quod autem in nomine Spiritus Sancti designetur essentia Patris et Filii, ut sic a neutro personaliter distinguatur, repugnat his quae divina Scriptura de Spiritu Sancto tradit. Dicitur enim Ioan. XV, quod Spiritus Sanctus procedit a Patre; et Ioan. XVI, quod accipit a Filio: quod non potest de divina essentia intelligi, cum essentia divina a Patre non procedat, nec a Filio accipiat. Oportet igitur dicere quod Spiritus Sanctus sit subsistens persona.

Item. Sacra Scriptura manifeste de Spiritu Sancto loquitur tanquam de persona divina subsistente: dicitur enim Act. XIII: „Ministrantibus illis Domino et ieiunantibus, dicit illis Spiritus Sanctus: Segregate mihi Barnabam et Saulum in opus ad quod assumpsi eos"; et infra: „Et ipsi quidem, missi a Spiritu Sancto, abierunt"; et Act. XV, dicunt Apostoli: „Visum est

PL 42/39

18. Kapitel

Der Heilige Geist ist eine subsistierende Person

Einige behaupten, der Heilige Geist sei keine subsistierende Person. Von diesen haben wiederum einige gesagt, er sei die Gottheit des Vaters und des Sohnes selbst. Diese Meinung wird bestimmten Macedonianern zugeschrieben; oder sie meinten, es handle sich bei ihm um eine gewisse akzidentelle geistige Vollkommenheit, welche uns von Gott geschenkt wird, wie etwa Weisheit, Liebe oder dergleichen, deren wir wie gewisser geschaffener Akzidentien teilhaftig sind. Hiergegen gilt es zu zeigen, daß der Heilige Geist nichts Derartiges ist.

Akzidentelle Formen sind nicht eigentlich tätig; vielmehr ist jenes nach Maßgabe seines eigenen Willensspruches tätig, welches diese Formen besitzt. So benutzt der weise Mensch die Weisheit, wenn er will. Der Heilige Geist ist aufgrund seines eigenen Willensspruches tätig, wie gezeigt wurde (IV 17). Demnach darf man den Heiligen Geist nicht so einschätzen, als handle es sich [bei ihm] um eine akzidentelle geistige Vollkommenheit.

Zudem. Die Heiligen Schriften belehren uns, daß der Heilige Geist Ursache aller Vollkommenheiten des menschlichen Geistes ist. So spricht der Apostel in Rö 5,5: „... weil die Liebe Gottes in unseren Herzen ausgegossen ist durch den Heiligen Geist, der uns geschenkt wurde". Wiederum heißt es 1 Kor 12,8: „Dem einen nämlich wird durch den Geist Weisheitsrede gegeben, einem andern dagegen Erkenntnisrede nach demselben Geist ..." usw. Demnach darf man den Heiligen Geist nicht für irgendeine akzidentelle Vollkommenheit des menschlichen Geistes halten, da er selbst die Ursache aller derartigen Vollkommenheiten ist.

Die Ansicht, daß mit dem Ausdruck ‚Heiliger Geist' die Wesenheit des Vaters und des Sohnes bezeichnet wird, die sich als solche von keinem von beiden personal unterscheidet, widerstreitet der Schriftüberlieferung vom Heiligen Geist. So heißt es Joh 15,26, daß der Heilige Geist „vom Vater ausgeht" und Joh 16,14, daß er „vom Sohne empfängt". Beides kann man nicht von der göttlichen Wesenheit sagen, da sie weder vom Vater ausgeht noch etwas vom Sohn empfängt. Also hat man zu sagen, daß der Heilige Geist eine subsistierende Person ist.

Zudem. Die Heilige Schrift spricht eindeutig vom Heiligen Geist als einer subsistierenden göttlichen Person. Es heißt Apg 13,2: „Während sie dem Herrn den Gottesdienst verrichteten und fasteten, sprach der Heilige Geist: ‚Sondert mir Barnabas und Saulus zu dem Werke aus, zu dem ich sie berufen habe'". Weiter unten (ibid., 4) heißt es: „Vom Heiligen Geiste

Spiritui Sancto et nobis nihil ultra imponere oneris vobis" etc.; quae de Spiritu Sancto non dicerentur nisi esset subsistens persona. Est igitur Spiritus Sanctus subsistens persona.

Amplius. Cum Pater et Filius sint personae subsistentes et divinae naturae, Spiritus Sanctus non connumeraretur eisdem nisi et ipse esset persona subsistens in divina natura. Connumeratur autem eisdem: ut patet Matth. [XXVIII], dicente Domino discipulis, „Euntes docete omnes gentes, baptizantes eos in nomine Patris et Filii et Spiritus Sancti"; et II ad Cor. [XIII], „Gratia Domini nostri Iesu Christi, et caritas Dei, et communicatio Sancti Spiritus, sit semper cum omnibus vobis"; et I Ioan. [V], „Tres sunt qui testimonium dant in caelo, Pater, Verbum et Spiritus Sanctus, et hi tres unum sunt". Ex quo manifeste ostenditur quod non solum sit persona subsistens, sicut Pater et Filius, sed etiam cum eis essentiae habeat unitatem.

Posset autem aliquis contra praedicta calumniari, dicens aliud esse ‚Spiritum Dei', et aliud ‚Spiritum Sanctum'. Nam in quibusdam praemissarum auctoritatum nominatur ‚Spiritus Dei', in quibusdam vero ‚Spiritus Sanctus'.

Sed quod idem sit ‚Spiritus Dei' et ‚Spiritus Sanctus', manifeste ostenditur ex verbis Apostoli dicentis, I ad Cor. II, ubi, cum praemisisset, „Nobis revelavit Deus per Spiritum Sanctum", ad huius confirmationem inducit: „Spiritus enim omnia scrutatur, etiam profunda Dei"; et postea concludit: „Ita et quae sunt Dei, nemo novit nisi Spiritus Dei"; ex quo manifeste apparet quod idem sit Spiritus Sanctus et Spiritus Dei.

Idem apparet ex hoc quod Matth. X, Dominus dicit: „Non estis vos qui loquimini, sed Spiritus Patris vestri qui loquitur in vobis". Loco autem horum verborum Marcus [XIII] dicit: „Non estis vos loquentes, sed Spiritus Sanctus". Manifestum est igitur idem esse Spiritum Sanctum et Spiritum Dei.

Sic ergo, cum ex praemissis auctoritatibus multipliciter appareat Spiritum Sanctum non esse creaturam, sed verum Deum; manifestum est quod non cogimur dicere eodem modo esse intelligendum quod Spiritus Sanctus mentes sanctorum impleat et eos inhabitet, sicut diabolus aliquos implere vel inhabitare dicitur: habetur enim Ioan. XIII, de Iuda, quod

ausgesandt, zogen sie … hinab". Auch sagen die Apostel, Apg 15,28: „Denn es hat dem Heiligen Geiste und uns gefallen, euch weiter keine Lasten aufzulegen …". Man würde dies nicht vom Heiligen Geist behaupten, wäre er nicht eine subsistierende Person. Also handelt es sich beim Heiligen Geist um eine subsistierende Person.

Außerdem. Da Vater und Sohn subsistierende Personen und göttlicher Natur sind, würde der Heilige Geist nur dann zu ihnen gerechnet, wenn er selbst eine in der göttlichen Natur subsistierende Person wäre. Nun wird er ihnen aber eindeutig zugezählt, wenn der Herr Mt 28,19 zu den Jüngern sagt: „Darum gehet hin und machet alle Völker zu Jüngern und taufet sie auf den Namen des Vaters und des Sohnes und des Heiligen Geistes"; desgleichen 2 Kor 13,13: „Die Gnade des Herrn Jesus Christus und die Liebe Gottes und die Gemeinschaft des Heiligen Geistes sei mit euch allen!" und 1 Joh 5,7: „Denn drei sind es, die Zeugnis geben: der Geist und das Wasser und das Blut, und diese drei stimmen überein". Hieraus geht mit aller Deutlichkeit hervor, daß er nicht nur – wie Vater und Sohn – eine subsistierende Person ist, sondern auch die Einheit der Wesenheit mit ihnen gemeinsam hat.

Nun könnte jemand gegen das bisher Gesagte trügerisch einwenden, der Geist Gottes und der Heilige Geist seien verschieden, denn in einigen autoritativen Texten wird er „Geist Gottes", in anderen aber „Heiliger Geist" genannt.

Doch geht aus den Worten des Apostels mit aller Deutlichkeit hervor, daß der Geist Gottes und der Heilige Geist dasselbe sind, wenn er 1 Kor 2,10 sagt: „Denn uns hat es Gott offenbart durch den Geist", dann bestätigend hinzufügt: „… denn der Geist erforscht alles, sogar die Tiefen Gottes" (ibid.), und danach schließt: „So erkennt auch keiner, was in Gott ist, als nur der Geist Gottes" (ibid.,11). Damit ist völlig klar, daß der Heilige Geist und der Geist Gottes identisch sind.

Dasselbe geht gleichfalls aus dem Herrenwort Mt 10,20 hervor: „Denn nicht ihr seid es, die dann reden, sondern der Geist eures Vaters ist es, der in euch redet". Statt dessen sagt Markus in Mk. 13,11: „Denn nicht ihr seid es, die dann reden, sondern der Heilige Geist". Mithin sind offensichtlich der Heilige Geist und der Geist Gottes dasselbe.

Da nunmehr aufgrund der vorhergehenden autoritativen Texte auf vielfältige Weise deutlich geworden ist, daß der Heilige Geist kein Geschöpf, sondern wahrer Gott ist, so sind wir offenbar auch nicht gezwungen zu behaupten, daß jener Sinn, in dem wir sagen, der Heilige Geist erfülle die Herzen der Heiligen und wohne in ihnen, als derselbe zu verstehen ist wie wenn man sagt, der Teufel besäße jemanden und wohne in ihm. So liest man Joh 13,27 von Judas: „Und nach dem Bissen, da fuhr der Satan

„post bucellam introivit in eo Satanas"; et Act. V dicit Petrus, ut quidam libri habent: „Anania, cur implevit Satanas cor tuum?" Cum enim diabolus creatura sit, ut ex superioribus est manifestum, non implet aliquem participatione sui; neque potest mentem inhabitare per suam substantiam; sed dicitur aliquos implere per effectum suae malitiae, unde et Paulus dicit ad quendam, Act. XIII: „O plene omni dolo et omni fallacia!" Spiritus autem Sanctus, cum Deus sit, per suam substantiam mentem inhabitat, et sui participatione bonos facit: ipse enim est sua bonitas, cum sit Deus; quod de nulla creatura verum esse potest. Nec tamen per hoc removetur quin per effectum suae virtutis sanctorum impleat mentes.

Capitulum XIX

Quomodo intelligenda sunt quae de Spiritu Sancto dicuntur

Sanctarum igitur Scripturarum testimoniis edocti, hoc firmiter de Spiritu Sancto tenemus, quod verus sit Deus, subsistens, et personaliter distinctus a Patre et Filio. Oportet autem considerare qualiter huiusmodi veritas utcumque accipi debeat, ut ab impugnationibus infidelium defendatur.

Ad cuius evidentiam praemitti oportet quod in qualibet intellectuali natura oportet inveniri voluntatem. Intellectus enim fit in actu per formam intelligibilem inquantum est intelligens, sicut res naturalis fit actu in esse naturali per propriam formam. Res autem naturalis per formam qua perficitur in sua specie, habet inclinationem in proprias operationes et proprium finem, quem per operationes consequitur: „quale enim est unum quodque, talia operatur" [*Ethic.* III 7], et in sibi convenientia tendit. Unde etiam oportet quod ex forma intelligibili consequatur in intelligente inclinatio ad proprias operationes et proprium finem. Haec autem inclinatio in intellectuali natura voluntas est, quae est principium operationum quae in nobis sunt, quibus intelligens propter finem operatur: finis enim et bonum est voluntatis obiectum. Oportet igitur in quolibet intelligente inveniri etiam voluntatem.

Cum autem ad voluntatem plures actus pertinere videantur, ut deside-

1114a 32–b 1

in ihn". Überdies sagt Petrus in Apg 5,3 einigen Schriftversionen entsprechend: „Ananias, warum hat der Satan von deinem Herzen Besitz genommen, …". Da nun der Teufel ein Geschöpf ist, wie aus dem oben Gesagten hervorgeht (III 10), so erfüllt er weder jemanden durch Teilhabe an sich selbst, noch kann er partizipativ oder substantiell im Geiste eines Menschen wohnen. Man sagt vielmehr, er erfülle jemanden aufgrund der Wirkung seiner Bosheit. Daher spricht auch Paulus Apg 13,10 zu jemandem: „Du Sohn des Teufels, voll Falschheit und Bosheit jeder Art". Weil aber der Heilige Geist Gott ist, so wohnt er aufgrund seiner Substanz in jemandes Geist und macht ihn durch seine Teilhabe gut; er selbst ist nämlich seine eigene Gutheit, weil er Gott ist. Dies kann von keinem Geschöpf gelten. Es hindert ihn jedoch nicht daran, die Seelen der Heiligen durch die Wirkung seiner Macht zu erfüllen.

19. Kapitel

Wie das vom Heiligen Geist Gesagte zu verstehen ist

Durch die Zeugnisse der Heiligen Schriften belehrt, halten wir mithin unumstößlich daran fest, daß der Heilige Geist wahrer, subsistierender und personal vom Vater und vom Sohn unterschiedener Gott ist. Doch gilt es zu erwägen, wie man eine derartige Wahrheit aufzufassen hat, damit sie gegen die Angriffe von Ungläubigen gefeit ist.

Zur Klärung ist vorwegzuschicken, daß sich in jeglicher Verstandesnatur Wille finden muß. Der Verstand nämlich wird durch die intelligible Form aktuiert, insofern er tatsächlich erkennt, genauso wie ein Naturding aufgrund seiner ihm eigentümlichen Form zum Naturhaftsein aktuiert ist. Nun besitzt ein Naturding aufgrund seiner Form, durch die es in seiner Art vollendet ist, eine Tendenz zu spezifischen Tätigkeiten und ein ihm eigentümliches Ziel, das es in den Tätigkeiten zu erreichen sucht. „Ein jegliches Ding nämlich ist nach der Weise seines Beschaffenseins tätig" (Aristoteles) und tendiert zu dem, was ihm entspricht. Daher muß es auch im Erkennenden aufgrund der intelligiblen Form eine Tendenz zu spezifischen Tätigkeiten und zu einem spezifischen Ziel geben. In einer Verstandesnatur macht diese Neigung den Willen aus. Er ist das Prinzip der Tätigkeiten, welche in unserer Macht stehen, wobei der Verstand um eines Zieles willen tätig ist, denn das Objekt des Willens ist ein Ziel und ein Gut. Mithin muß sich in jedwedem Verstandeswesen auch Wille finden lassen.

Selbst wenn offenbar mehrere Akte zum Willen gehören, z. B. zu be-

rare, delectari, odire, et huiusmodi, omnium tamen amor et unum principium et communis radix invenitur. Quod ex his accipi potest. Voluntas enim, ut dictum est, sic se habet in rebus intellectualibus sicut naturalis inclinatio in rebus naturalibus, quae et ,naturalis appetitus' dicitur. Ex hoc autem oritur inclinatio naturalis, quod res naturalis habet affinitatem et convenientiam secundum formam, quam diximus esse inclinationis principium, cum eo ad quod movetur, sicut grave cum loco inferiori. Unde etiam hinc oritur omnis inclinatio voluntatis, quod per formam intelligibilem aliquid apprehenditur ut conveniens vel afficiens. Affici autem ad aliquid, inquantum huiusmodi, est amare ipsum. Omnis igitur inclinatio voluntatis, et etiam appetitus sensibilis, ex amore originem habet. Ex hoc enim quod aliquid amamus, desideramus illud si absit, gaudemus autem cum adest, et tristamur cum ab eo impedimur, et odimus quae nos ab amato impediunt, et irascimur contra ea.

Sic igitur quod amatur non solum est in intellectu amantis, sed etiam in voluntate ipsius: aliter tamen et aliter. In intellectu enim est secundum similitudinem suae speciei: in voluntate autem amantis est sicut terminus motus in principio motivo proportionato per convenientiam et proportionem quam habet ad ipsum. Sicut in igne quodammodo est locus sursum ratione levitatis, secundum quam habet proportionem et convenientiam ad talem locum: ignis vero generatus est in igne generante per similitudinem suae formae.

Quia igitur ostensum est quod in omni natura intellectuali est voluntas; Deus autem intelligens est, ut in Primo ostensum est: oportet quod in ipso sit voluntas: non quidem quod voluntas Dei sit aliquid eius essentiae superveniens, sicut nec intellectus, ut supra ostensum est, sed voluntas Dei est ipsa eius substantia. Et cum intellectus etiam Dei sit ipsa eius substantia, sequitur quod una res sint in Deo intellectus et voluntas. Qualiter autem quae in aliis rebus plures res sunt, in Deo sint una res, ex his quae in Primo dicta sunt, potest esse manifestum.

Et quia ostensum est in Primo quod operatio Dei sit ipsa eius essentia; et essentia Dei sit eius voluntas: sequitur quod in Deo non est voluntas secundum potentiam vel habitum, sed secundum actum. Ostensum est

gehren, zu genießen, zu hassen und dergleichen, so findet sich doch unter allen die Liebe sowohl als Prinzip als auch als gemeinsame Wurzel. Dies läßt sich folgendermaßen begreiflich machen: Wie gesagt wurde (III 88), verhält sich der Wille unter den Verstandesdingen wie die natürliche Tendenz unter den Naturdingen. Diese wird auch ‚natürliches Streben' genannt. Die natürliche Tendenz entsteht aber aus der Tatsache, daß das Naturding hinsichtlich seiner Form – von der wir sagten, sie sei das Prinzip der Tendenz – gleichwie das Schwere im Verhältnis zu einem tiefergelegenen Ort – eine Verwandtschaft und Entsprechung mit dem besitzt, woraufhin es in Bewegung ist. So entspringt auch jegliche Willensneigung aus der Tatsache, daß etwas aufgrund der intelligiblen Form als entsprechend und anziehend erfaßt wird. Zu etwas Derartigem hingezogen zu werden bedeutet jedoch, es zu lieben. Mithin hat jegliche Willensneigung und jegliches sinnesgebundene Streben seinen Ursprung in der Liebe. Lieben wir etwas, so verlangen wir es, wenn es abwest; doch freuen wir uns bei dessen Anwesenheit; wir trauern, wenn wir von ihm ferngehalten werden. Wir hassen das, was uns vom Geliebten fernhält und sind darüber zornig.

Mithin ist das Geliebte nicht allein im Verstand, sondern auch im Willen des Liebenden, und das auf jeweils verschiedene Weise. So ist es im Verstand hinsichtlich seines Artbildes. Im Willen des Liebenden ist das Geliebte wie der Endpunkt der Bewegung im Bewegungsprinzip, welches durch eine zwischen ihnen waltende Zusammenstimmung und Proportion auf ihn [als den Endpunkt] hingeordnet ist. So z. B. ist im Feuer auf gewisse Weise das Oben, und zwar aufgrund der Leichte, dergemäß es eine Hinordnung und Entsprechung zu einem solchen Ort besitzt; das Feuer selbst wird im erzeugenden Feuer aufgrund der Formverwandtschaft gezeugt.

Da gezeigt wurde, daß es in jeglicher Verstandesnatur Wille gibt, Gott aber erkennt, wie im 1. Buch erwiesen wurde (I 44), so muß es in ihm Willen geben; zwar nicht derart, als sei der Wille Gottes etwas, was ihm über seine Wesenheit hinaus zukäme. Dies ist auch nicht hinsichtlich seines Verstandes der Fall, wie oben deutlich gemacht wurde (I 45,73); vielmehr ist der Wille Gottes seine Substanz selbst (I 73). Da auch der Verstand Gottes seine Substanz selbst ist, so folgt, daß Verstand und Wille in Gott eine Sache sind. Aus dem im 1. Buch Gesagten (I 31) mag deutlich geworden sein, wie das, was bei anderen Dingen Verschiedenes darstellt, in Gott eine Sache ist.

Da im 1. Buch gezeigt wurde (I 32), daß die Tätigkeit Gottes seine Wesenheit selbst und seine Wesenheit sein Wille ist (I 73), so ergibt sich, daß es bei Gott keinen potentiellen oder habituellen, sondern ausschließ-

autem quod omnis actus voluntatis in amore radicatur. Unde oportet quod in Deo sit amor.

Et quia, ut in Primo ostensum est, proprium obiectum divinae voluntatis est eius bonitas, necesse est quod Deus primo et principaliter suam bonitatem et seipsum amet. Cum autem ostensum sit quod amatum necesse est aliqualiter esse in voluntate amantis; ipse autem Deus seipsum amat: necesse est quod ipse Deus sit in sua voluntate ut amatum in amante. Est autem amatum in amante secundum quod amatur; amare autem quoddam velle est; velle autem Dei est eius esse, sicut et voluntas eius est eius esse; esse igitur Dei in voluntate sua per modum amoris, non est esse accidentale, sicut in nobis, sed essentiale. Unde oportet quod Deus, secundum quod consideratur ut in sua voluntate existens, sit vere et substantialiter Deus.

Quod autem aliquid sit in voluntate ut amatum in amante, ordinem quendam habet ad conceptionem qua ab intellectu concipitur, et ad ipsam rem cuius intellectualis conceptio dicitur verbum: non enim amaretur aliquid nisi aliquo modo cognosceretur; nec solum amati cognitio amatur, sed secundum quod in se bonum est. Necesse est igitur quod amor quo Deus est in voluntate divina ut amatum in amante, et a Verbo Dei, et a Deo cuius est Verbum, procedat.

Cum autem ostensum sit quod amatum in amante non est sccundum similitudinem speciei, sicut intellectum in intelligente; omne autem quod procedit ab altero per modum geniti, procedit secundum similitudinem speciei a generante: relinquitur quod processus rei ad hoc quod sit in voluntate sicut amatum in amante, non sit per modum generationis, sicut processus rei ad hoc quod sit in intellectu habet rationem generationis, ut supra ostensum est. Deus igitur procedens per modum amoris, non procedit ut genitus. Neque igitur filius dici potest.

Sed quia amatum in voluntate existit ut inclinans, et quodammodo impellens intrinsecus amantem in ipsam rem amatam; impulsus autem rei viventis ab interiori ad spiritum pertinet: convenit Deo per modum amoris procedenti ut ‚Spiritus' dicatur eius, quasi quadam spiratione existente.

Hinc est quod Apostolus Spiritui et Amori impulsum quendam attri-

lich einen je immer schon verwirklichten Willen gibt. Nun wurde gezeigt, daß jeglicher Willensakt in der Liebe wurzelt. Also muß in Gott Liebe sein.

Da zudem der spezifische Gegenstand des göttlichen Willens seine Güte ist, wie im 1. Buch gezeigt wurde (I 74), so folgt notwendig, daß Gott in erster Linie und ursprünglich seine Güte und auch sich selbst liebt. Da jedoch erwiesen wurde, daß notwendig das Geliebte irgendwie im Willen des Liebenden ist, Gott aber sich selbst liebt, so muß Gott in seinem Willen wie das Geliebte im Liebenden sein. Doch ist das Geliebte im Liebenden, sofern es geliebt wird. Lieben aber ist ein gewisses Wollen. Das Wollen Gottes jedoch ist sein Sein, so wie auch sein Wille sein Sein ist. Das durch den Modus der Liebe bestimmte Sein Gottes in seinem Willen ist nicht, wie bei uns, ein akzidentelles, sondern ein wesenhaftes Sein. Daher muß Gott unter dem Gesichtspunkt seiner Willensexistenz wahrhaft und substantiell Gott sein.

Die Tatsache, daß etwas wie das Geliebte im Liebenden im Willen anwest, weist sowohl eine gewisse Hinordnung zu seinem vom Verstande gebildeten Begriff auf als auch zur Sache selbst, deren verstandesmäßige Erfassung Wort genannt wird. Nichts würde nämlich geliebt, würde es nicht auf irgendeine Weise erkannt; ebensowenig wird einzig die Erkenntnis des Geliebten geliebt, sondern der Gegenstand, insofern er in sich selbst gut ist. Notwendigerweise also muß jene Liebe, durch die Gott im göttlichen Willen wie das Geliebte im Liebenden west, sowohl vom Worte Gottes als auch von Gott ausgehen, dessen Wort es ist.

Nun wurde aber gezeigt, daß das Geliebte im Liebenden nicht wie das Erkannte im Erkennenden ist, nämlich nach Art eines Artbildes. Doch geht dasjenige, was aus einem anderen durch Zeugung entsteht, aus seinem Erzeuger gemäß Artähnlichkeit hervor. So verbleibt, daß der Hervorgang von etwas, was im Willen wie ein Geliebtes im Liebenden west, nicht auf die Weise von Zeugung zustande kommt, während der Hervorgang einer Sache im Verstande Zeugungscharakter besitzt, wie oben gezeigt wurde. Mithin geht Gott, welcher sich auf die Weise der Liebe entäußert, nicht als Gezeugter hervor; also kann man ihn auch nicht Sohn nennen.

Das Geliebte existiert aber im Willen als etwas, was den Liebenden zur geliebten Sache selbst hinneigt und ihn hierzu auf gewisse Weise innerlich antreibt. Nun ist der innere Antrieb eines Lebendigen Sache des Lebenshauchs. Füglich wird Gott, welcher auf die Weise der Liebe hervorgeht, „Lebenshauch" genannt, der gleichsam durch Hauchung existiert.

Daher schreibt der Apostel dem Geist und der Liebe einen gewissen Antrieb zu. So heißt es Rö 8,14: „Alle, die sich vom Geist Gottes leiten

buit: dicit enim, Rom. VIII: „Qui Spiritu Dei aguntur, hi filii Dei sunt"; et II ad Cor. V: „Caritas Christi urget nos".

Quia vero omnis intellectualis motus a termino denominatur; amor autem praedictus est quo Deus ipse amatur: convenienter Deus per modum amoris procedens dicitur ‚Spiritus Sanctus'; ea enim quae Deo dicata sunt ‚sancta' dici consueverunt.

Capitulum XX

De effectibus attributis Spiritui Sancto in Scripturis respectu totius creaturae

Oportet autem, secundum convenientiam praedictorum, considerare effectus quos Spiritui Sancto Sacra Scriptura attribuit.

Ostensum est enim in superioribus quod bonitas Dei est eius ratio volendi quod alia sint, et per suam voluntatem res in esse producit. Amor igitur quo suam bonitatem amat, est causa creationis rerum; unde et quidam antiqui philosophi amorem deorum causam omnium esse posuerunt, ut patet in I *Metaphysicorum* [c. 4]; et Dionysius dicit, IV cap. *De divinis nominibus* [par. 10], quod „divinus amor non permisit ipsum sine germine esse". Habitum est autem ex praemissis quod Spiritus Sanctus procedit per modum amoris quo Deus amat seipsum. Igitur Spiritus Sanctus est principium creationis rerum. Et hoc significatur in Psalmo [CIII]: „Emitte Spiritum tuum et creabuntur".

984b 27
PG 63/708B

Ex hoc etiam quod Spiritus Sanctus per modum amoris procedit; amor autem vim quandam impulsivam et motivam habet: motus qui est a Deo in rebus, Spiritui Sancto proprie attribui videtur. Prima autem mutatio in rebus a Deo existens intelligitur secundum quod ex materia creata informi species diversas produxit. Unde hoc opus Spiritui Sancto Sacra Scriptura attribuit: dicitur enim Gen. I: „Spiritus Domini ferebatur super aquas". Vult enim Augustinus[9] per ‚aquas' intelligi materiam primam super quam Spiritus Domini ferri dicitur, non quasi ipse moveatur, sed quia est motionis principium.

Rursus. Rerum gubernatio a Deo secundum quandam motionem esse

---

[9] Cf. Augustinum, *De Gen. ad litt.* I 15, n. 29 (PL 34/257).

lassen, die sind Söhne Gottes" und 2 Kor 5,14: „Denn die Liebe Christi drängt uns".

Weil nun jede verstandesmäßige Bewegung von ihrem Endpunkt her benannt wird, die besagte Liebe aber jene ist, womit sich Gott selbst liebt, so wird Gott, welcher auf die Weise der Liebe hervorgeht, treffend „Heiliger Geist" genannt, denn das, was Gott geweiht ist, hat man gewöhnlich als „heilig" bezeichnet.

20. KAPITEL

WIRKUNGEN AUF DIE GESAMTE SCHÖPFUNG, DIE IN DEN SCHRIFTEN DEM HEILIGEN GEIST ZUGESCHRIEBEN WERDEN

Unter angemessener Rücksicht auf das bisher Gesagte gilt es nunmehr die Wirkungen zu erwägen, welche die Heilige Schrift dem Heiligen Geist zuspricht.

So wurde bereits gezeigt (I 75), daß die Güte Gottes der Willensgrund dafür ist, daß andere Dinge sind. Durch seinen Willen bringt er die Dinge zum Sein. Also ist die Liebe, womit er seine Güte liebt, die Ursache der Schöpfung der Dinge (vgl. I 75). Deswegen haben auch einige antike Philosophen dafür gehalten, die „Liebe der Götter" sei Ursache von allem, wie aus dem 1. Buch der *Metaphysik* [des Aristoteles] hervorgeht. Auch Dionysius sagt [*Über die göttlichen Namen* IV], daß „die göttliche Liebe ihm selbst nicht erlaubte, fruchtlos zu sein". Nun ergibt sich aus dem zuvor Gesagten, daß der Heilige Geist nach Art jener Liebe hervorgeht, mit der Gott sich selbst liebt. Mithin ist der Heilige Geist das Prinzip der Schöpfung der Dinge. Dies wird mit den Psalmworten (Ps 104,30) angedeutet: „Du sendest deinen Geist aus und sie werden geschaffen".

Aufgrund dessen, daß der Heilige Geist nach Art der Liebe hervorgeht, die Liebe aber eine antreibende und motivierende Kraft besitzt, scheint man recht daran zu tun, die von Gott in den Dingen verursachte Bewegung dem Heiligen Geist zuzuschreiben. Die erste, auf Gott zurückgehende, reale Veränderung versteht man so, daß er aus der geschaffenen, ungeformten Materie verschiedene Arten hervorbrachte. Daher schreibt die Heilige Schrift dieses Werk dem Heiligen Geist zu. So heißt es Gen 1,2: „Der Geist Gottes schwebte über den Wassern". Dementsprechend will Augustinus unter den „Wassern" die Erstmaterie verstanden wissen, über die sich der Geist Gottes bewegen soll, nicht als würde er selbst bewegt, sondern weil er das Prinzip der Bewegung ist.

Wiederum versteht man die Lenkung der Dinge durch Gott als eine

intelligitur, secundum quod Deus omnia dirigit et movet in proprios fines. Si igitur impulsus et motio ad Spiritum Sanctum ratione amoris pertinet, convenienter rerum gubernatio et propagatio Spiritui Sancto attribuitur. Unde Iob XXXIII dicitur: „Spiritus Domini fecit me" et in Psalmo [CXLII]: „Spiritus tuus bonus deducet me in terram rectam".

Et quia gubernare subditos proprius actus domini est, convenienter Spiritui Sancto dominium attribuitur. Dicit enim Apostolus, II ad Cor. III: „Spiritus autem Dominus est". Et in Symbolo fidei[10] dicitur: „Credo in Spiritum Sanctum Dominum".

Item. Vita maxime in motu manifestatur: moventia enim seipsa ‚vivere' dicimus, et universaliter quaecumque a seipsis aguntur ad operandum. Si igitur ratione amoris Spiritui Sancto impulsio et motio competit, convenienter etiam sibi attribuitur vita. Dicitur enim Ioan. VI: „Spiritus est qui vivificat"; et Ezech. XXXVII: „Dabo vobis Spiritum et vivetis", et in Symbolo fidei nos in Spiritum Sanctum ‚vivificantem' credere profitemur. Quod etiam et nomini ‚Spiritus' consonat: nam etiam corporalis vita animalium est per spiritum vitalem a principio vitae in cetera membra diffusum.

Capitulum XXI

De effectibus attributis Spiritui Sancto
in sacra scriptura respectu rationalis creaturae, quantum ad ea quae Deus nobis largitur

Considerandum est etiam, quantum ad effectus quos proprie in natura rationali facit, quod ex hoc quod divinae perfectioni utcumque assimilamur, huiusmodi perfectio a Deo nobis dari dicitur: sicut sapientia a Deo nobis donatur secundum quod divinae sapientiae utcumque assimilamur. Cum igitur Spiritus Sanctus procedat per modum amoris quo Deus seipsum amat, ut ostensum est; ex hoc quod huic amori assimilamur Deum amantes, Spiritus Sanctus a Deo nobis dari dicitur. Unde Apostolus dicit, Rom. V: „Caritas Dei diffusa est in cordibus nostris per Spiritum Sanctum, qui datus est nobis".

---

[10] *Symb. Nicaeno-Const.* (DS 86).

gewisse Bewegung, der entsprechend Gott alle Dinge lenkt und zu den für sie spezifischen Zielen führt. Wenn mithin der Antrieb und die Bewegung auf den Heiligen Geist als Liebe zurückgehen, dann schreibt man die Lenkung und Fortpflanzung der Dinge angemessen dem Heiligen Geist zu. Daher heißt es bei Ijob 33,4: „Mich hat erschaffen Gottes Lebensgeist" und im Psalm (Ps 143,10): „Dein guter Geist möge mich leiten auf ebenem Land".

Da die charakteristische Tätigkeit eines Herrn darin besteht, Untergebene zu leiten, so wird dem Heiligen Geist angemessen die Herrschaft zugeschrieben. Deswegen sagt der Apostel 2 Kor 3,17: „Der Herr ist der Geist". Im Glaubensbekenntnis heißt es: „Ich glaube an den Heiligen Geist, den Herrn".

Weiterhin. Leben wird am meisten an Bewegung offenkundig. So sagen wir, etwas lebe, wenn es sich selbst bewegt. Dies gilt generell für alles, was sich selbst zur Tätigkeit bestimmt. Wenn also dem Heiligen Geist Antrieb und Bewegung zukommt, und zwar aufgrund von Liebe, dann wird man ihm auch angebrachterweise Leben zuschreiben. So heißt es Joh 6,64: „Der Geist ist es, der Leben schafft" und Ez 37,6: „Und ich will ... Odem euch geben, daß ihr lebendig werdet". Im Glaubenssymbol bekennen wir, daß wir an den ‚lebendigmachenden' Heiligen Geist glauben. Dies stimmt auch mit dem Ausdruck ‚Geist' zusammen: das leibliche Leben von Lebewesen vollzieht sich aufgrund des Lebensgeistes, welcher vom Prinzip des Lebens in die übrigen Glieder strömt.

21. Kapitel

Die dem Heiligen Geist zugeschriebenen Wirkungen auf die Vernunftnatur hinsichtlich dessen, was uns Gott schenkt

Hinsichtlich der Effekte, die Gott ausschließlich im Bereiche der Verstandesnatur bewirkt, gilt es folgendes zu beachten: Wie auch immer wir uns der göttlichen Vollkommenheit angleichen, so wird uns eine derartige Vollkommenheit von Gott gegeben. Beispielsweise wird uns Weisheit von Gott geschenkt, so daß wir uns nach Möglichkeit der göttlichen Weisheit angleichen. Da der Geist Gottes als die Liebe hervorgeht, womit Gott sich selbst liebt, wie gezeigt wurde (IV 19), so wird uns, wenn wir Gott lieben, der Heilige Geist dergestalt geschenkt, daß wir uns dieser Liebe angleichen. Entsprechend sagt der Apostel in Rö 5,5: „... weil die Liebe Gottes in unseren Herzen ausgegossen ist durch den Heiligen Geist, der uns geschenkt wurde".

Sciendum tamen est quod ea quae a Deo in nobis sunt, reducuntur in Deum sicut in causam efficientem et exemplarem.

In causam quidem efficientem, inquantum virtute operativa divina aliquid in nobis efficitur. In causam quidem exemplarem, secundum quod id quod in nobis a Deo est, aliquo modo Deum imitatur. Cum ergo eadem virtus sit Patris et Filii et Spiritus Sancti, sicut et eadem essentia; oportet quod omne id quod Deus in nobis efficit, sit, sicut a causa efficiente, simul a Patre et Filio et Spiritu Sancto. Verbum tamen sapientiae, quo Deum cognoscimus, nobis a Deo immissum, est proprie repraesentativum Filii. Et similiter amor quo Deum diligimus, est proprium repraesentativum Spiritus Sancti. Et sic caritas quae in nobis est, licet sit effectus Patris et Filii et Spiritus Sancti, tamen quadam speciali ratione dicitur esse in nobis per Spiritum Sanctum.

Quia vero effectus divini non solum divina operatione esse incipiunt, sed etiam per eam tenentur in esse, ut ex superioribus patet, nihil autem operari potest ubi non est, oportet enim operans et operatum in actu esse simul, sicut movens et motum[11]: necesse est ut, ubicumque est aliquis effectus Dei, ibi sit ipse Deus effector. Unde, cum caritas, qua Deum diligimus, sit in nobis per Spiritum Sanctum, oportet quod ipse etiam Spiritus Sanctus in nobis sit, quandiu caritas in nobis est. Unde Apostolus dicit, I Cor. III: „Nescitis quoniam templum Dei estis, et Spiritus Sanctus habitat in vobis?"

Cum igitur per Spiritum Sanctum Dei amatores efficiamur; omne autem amatum in amante est, inquantum huiusmodi: necesse est quod per Spiritum Sanctum Pater etiam et Filius in nobis habitent. Unde Dominus dicit, Ioan. XIV: „Ad eum veniemus", scilicet diligentem Deum, „et mansionem apud eum faciemus". Et I Ioan. III, dicitur: „In hoc scimus quoniam manet in nobis de Spiritu quem dedit nobis".

Rursus. Manifestum est quod Deus maxime amat illos quos sui amatores per Spiritum Sanctum constituit, non enim tantum bonum nisi amando conferret, unde Proverb. VIII dicitur ex persona Domini: „Ego diligentes me diligo; non quasi nos" prius „dilexerimus Deum, sed quoniam ipse prior dilexit nos", ut dicitur I Ioan. IV. Omne autem amatum in amante est. Necesse est igitur quod per Spiritum Sanctum non solum Deus sit in nobis, sed etiam nos in Deo. Unde dicitur I Ioan. IV: „Qui manet in

---

[11] Cf. Aristotelem, *Phys.* VII 2 (243a 3–6).

Dennoch muß man wissen, daß das, was sich von Gott in uns befindet, auf Gott als Wirk- und Exemplarursache gründet:

Auf Gott als Wirkursache, insofern etwas in uns durch die göttliche Wirkmacht bewirkt wird; auf Gott als Exemplarursache, insofern das, was von ihm in uns ist, auf irgendeine Weise Gott nachahmt. Nun ist die Macht und Wesenheit des Vaters, des Sohnes und des Heiligen Geistes dieselbe. Mithin muß all das, was Gott in uns wirkursächlich bewirkt, zugleich vom Vater, vom Sohn und vom Heiligen Geist stammen. Dennoch repräsentiert „das Wort der Weisheit" [vgl. I Kor 24,30], welches uns von Gott eingegeben ist und wodurch wir Gott erkennen, im eigentlichen Sinne den Sohn. Gleichermaßen vergegenwärtigt die Liebe, mit der wir Gott lieben, im eigentlichen Sinne den Heiligen Geist. Auch wenn die karitative Liebe, welche in uns ist, vom Vater, vom Sohne und vom Heiligen Geist bewirkt wird, so wird sie dennoch insbesondere als durch den Heiligen Geist in uns anwesend bezeichnet.

Nun entspringen die göttlichen Wirkungen nicht nur der göttlichen Tätigkeit, sondern werden durch sie auch im Sein gehalten, wie aus dem bereits Gesagten (III 65) hervorgeht. Jedoch vermag nichts tätig zu sein, wo es nicht ist, denn der Tätige und das Getätigte müssen – wie Bewegendes und Bewegtes –, faktisch zugleich bestehen. Wo immer mithin eine Wirkung Gottes vorkommt, dort muß auch Gott selbst als Bewirkender anwesend sein. Da sich die karitative Liebe, womit wir Gott lieben, aufgrund des Heiligen Geistes in uns befindet, so muß der Heilige Geist in uns sein, solange sie in uns weilt. So sagt der Apostel in 1 Kor. 3, 16: „Wißt ihr nicht, daß ihr Gottes Tempel seid und der Geist Gottes in euch wohnt?".

Nun werden wir durch den Heiligen Geist zu Liebenden, die Gott lieben. Jedes Geliebte aber ist im Liebenden als Geliebtes. Daher müssen auch der Vater und der Sohn durch den Heiligen Geist in uns wohnen. Daher spricht der Herr in Joh 14,23: „... und wir werden zu ihm kommen", d. h. zu dem, der Gott liebt, „und Wohnung bei ihm nehmen". Ebenfalls heißt es 1 Joh 3,24: „Und daran erkennen wir, daß er in uns bleibt: an dem Geiste, den er uns gegeben hat".

Wiederum. Offenkundig liebt Gott diejenigen am meisten, welche er durch den Heiligen Geist zu solchen macht, die ihn lieben. Nur durch Liebe würde er ein so hohes Gut vermitteln. Daher sagt der Herr in Spr 8,17 von sich: „Ich liebe die, die mich lieben"; „... nicht daß wir Gott geliebt haben, sondern daß er uns geliebt ... hat", wie es 1 Joh 4,10 heißt. Nun weilt jegliches Geliebte im Liebenden. Also muß Gott aufgrund des Heiligen Geistes nicht nur in uns sein, sondern wir müssen auch in ihm sein. Daher heißt es 1 Joh 4,16: „Wer in der Liebe bleibt, der bleibt in

caritate in Deo manet, et Deus in eo"; et iterum: „In hoc intelligimus quoniam in eo manemus, et ipse in nobis, quoniam de Spiritu suo dedit nobis".

Est autem hoc amicitiae proprium, quod amico aliquis sua secreta revelet. Cum enim amicitia coniungat affectus, et duorum faciat quasi cor unum, non videtur extra cor suum aliquis illud protulisse quod amico revelat: unde et Dominus dicit discipulis, Ioan. XV: „Iam non dicam vos servos, sed amicos meos: quia omnia quae audivi a Patre meo, nota feci vobis". Quia igitur per Spiritum Sanctum amici Dei constituimur, convenienter per Spiritum Sanctum hominibus dicuntur revelari divina mysteria. Unde Apostolus dicit, I ad Cor. II: „Scriptum est quod oculus non vidit, nec auris audivit, nec in cor hominis ascendit, quae praeparavit Deus diligentibus se; nobis autem revelavit Deus per Spiritum Sanctum".

Et quia ex his quae homo novit, formatur eius loquela, convenienter etiam per Spiritum Sanctum homo loquitur divina mysteria: secundum illud I Cor. XIV: „Spiritu loquitur mysteria"; et Matth. X: „Non enim vos estis qui loquimini, sed Spiritus Patris vestri qui loquitur in vobis". Et de prophetis dicitur II Petr. I, quod „Spiritu Sancto inspirati locuti sunt sancti Dei homines".

Unde etiam in Symbolo fidei[12] dicitur de Spiritu Sancto: „Qui locutus est per prophetas".

Non solum autem est proprium amicitiae quod amico aliquis revelet sua secreta propter unitatem affectus, sed eadem unitas requirit quod etiam ea quae habet, amico communicet: quia, „cum homo amicum habeat ut se alterum" [*Ethic.* IX 4], necesse est quod ei subveniat sicut et sibi sua ei communicans; unde et proprium amicitiae esse ponitur „velle et facere bonum amico" [*Ethic.* IX 4]; secundum illud I Ioan. III: „Qui habuerit substantiam huius mundi, et viderit fratrem suum necessitatem habentem, et clauserit viscera sua ab eo: quomodo caritas Dei manet in eo?". Hoc autem maxime in Deo habet locum, cuius velle est efficax ad effectum. Et ideo convenienter omnia dona Dei per Spiritum Sanctum nobis ,donari' dicuntur: secundum illud I Cor. XII: „Alii datur per Spiritum sermo sapientiae; alii autem sermo scientiae secundum eundem Spiritum";

1166a 30–31

1166a 3

---

[12] *Symbol. Nicaeno-Const.* (DS 86).

Gott, und Gott bleibt in ihm". Wiederum heißt es 1 Joh 4,13: „Daran
erkennen wir, daß wir in ihm bleiben und er in uns, daß er uns von seinem
Geiste gegeben hat".

Ein charakteristisches Merkmal von Freundschaft besteht darin, daß
man dem Freund seine Geheimnisse anvertraut. So vereint Freundschaft
die Affekte und macht aus zwei Herzen eines. Wenn somit jemand seinem
Freunde etwas anvertraut, dann hat er es offenbar nicht aus seinem eigenen Herzen herausgenommen. So spricht der Herr in Joh 15,15 zu seinen
Jüngern: „Ich nenne euch nicht mehr Knechte; ... weil ich euch alles
kundgetan habe, was ich von meinem Vater gehört habe". Da wir durch
den Heiligen Geist zu Freunden Gottes gemacht werden, so ist es angemessen zu sagen, daß die göttlichen Geheimnisse den Menschen durch
den Heiligen Geist offenbart werden. Entsprechend sagt der Apostel in
1 Kor 2,9f.: „... [wir verkünden] wie geschrieben steht: „Was kein Auge
gesehen und kein Ohr gehört hat und was in keines Menschen Herz gedrungen ist, alles, was Gott denen bereitet hat, die ihn lieben. Denn Gott
hat es uns offenbart durch den Geist ...".

Die Rede des Menschen gründet sich auf das, was er weiß. Deswegen
ist es angemessen, daß der Mensch die göttlichen Geheimnisse durch den
Heiligen Geist ausspricht, dem Schriftwort von 1 Kor 14,2 gemäß: „...
sondern er spricht im Geiste Geheimnisvolles". Wiederum heißt es Mt
10,20: „Denn nicht ihr seid es, die dann reden, sondern der Geist eures
Vaters ist es, der in euch redet". Von den Propheten heißt es 2 Petr 1,21:
„... vom Heiligen Geiste getrieben, haben Menschen von Gott her geredet".

Daher heißt es auch im Glaubenssymbol vom Heiligen Geist: „Der
gesprochen hat durch die Propheten".

Doch ist es nicht nur charakteristisch für die Freundschaft, daß jemand
seinem Freund um der affektiven Einheit willen seine Geheimnisse offenbart. Dieselbe Einheit macht es erforderlich, daß er auch sein Besitztum
mit dem Freund teilt. Da man einen Freund als sein anderes Selbst besitzt
(Aristoteles), so muß man ihm beistehen, wie man sich selbst beisteht,
indem man das Seine teilt. Somit heißt es, es eigne der Freundschaft, dem
Freund Gutes zu wünschen und Gutes zu vollbringen (Aristoteles), gemäß dem Wort von 1 Joh 3,17: „Wenn einer die Güter der Welt besitzt
und seinen Freund Not leiden sieht und sein Herz vor ihm verschließt,
wie kann in dem die Liebe Gottes bleiben?". Dies trifft in höchstem Maße
auf Gott zu, dessen Wollen wirkungsvoll ist. Daher heißt es treffend, alle
Gaben Gottes seien uns durch den Heiligen Geist geschenkt: „Dem einen
nämlich wird durch den Geist Weisheitsrede gegeben, einem anderen dagegen Erkenntnisrede nach demselben Geist" (1 Kor 12,8). Nach der Auf-

et postea [ibid.], multis enumeratis: „Haec onmia operatur unus atque idem Spiritus, dividens singulis prout vult".

Manifestum est autem quod, sicut ad hoc quod corpus aliquod ad locum ignis perveniat, oportet quod igni assimiletur levitatem acquirens, ex qua motu ignis proprio moveatur; ita ad hoc quod homo ad beatitudinem divinae fruitionis, quae Deo propria est secundum suam naturam, perveniat, necesse est, primo quidem quod per spirituales perfectiones Deo assimiletur; et deinde secundum eas operetur; et sic tandem praedictam beatitudinem consequetur. Dona autem spiritualia nobis per Spiritum Sanctum dantur, ut ostensum est. Et sic per Spiritum Sanctum Deo configuramur; et per ipsum ad bene operandum habiles reddimur; et per eundem ad beatitudinem nobis via paratur.

Quae tria Apostolus insinuat nobis, II Cor. I, dicens: „Unxit nos Deus; et signavit nos; et dedit pignus Spiritus in cordibus nostris. Et Ephes. I: „Signati estis Spiritu promissionis Sancto, qui est pignus hereditatis nostrae". ‚Signatio' enim ad similitudinem configurationis pertinere videtur; ‚unctio' autem ad habilitatem hominis ad perfectas operationes; ‚pignus' autem ad spem qua ordinamur in caelestem hereditatem, quae est beatitudo perfecta.

Et quia ex benevolentia quam quis habet ad aliquem, contingit quod eum sibi adoptat in filium, ut sic ad eum hereditas adoptantis pertineat; convenienter Spiritui Sancto adoptio filiorum Dei attribuitur; secundum illud Rom. VIII: „Accepistis Spiritum adoptionis filiorum, in quo clamamus, Abba, Pater".

Per hoc autem quod aliquis alterius amicus constituitur, omnis offensa removetur, amicitiae enim offensa contrariatur: unde dicitur Proverb. X: „Universa delicta operit caritas". Cum igitur per Spiritum Sanctum Dei amici constituamur, consequens est quod per ipsum nobis a Deo remittantur peccata: et ideo Dominus dicit discipulis, Ioan. XX: „Accipite Spiritum Sanctum: quorum remiseritis peccata, remittentur". Et ideo Matth. XII, blasphemantibus in Spiritum Sanctum peccatorum remissio denegatur, quasi non habentibus illud per quod homo remissionem consequitur peccatorum.

zählung vieler anderer Dinge sagt er in 1 Kor 12,11: „All das aber wirkt
der eine und selbe Geist, indem er jedem nach seiner Eigenart zuteilt, wie
er will".

Offenkundig muß sich ein Körper durch Annahme von Leichte dem
Feuer assimilieren und somit die spezifische Bewegung des Feuers übernehmen, soll er zum Ort des Feuers gelangen. Auf ähnliche Weise muß sich
der Mensch zwar zunächst Gott durch geistige Vollkommenheiten angleichen, um zur göttlichen Glückseligkeit zu gelangen, welche Gott, seiner
Natur entsprechend, eigentümlich ist, dann aber auch ihnen gemäß tätig
sein, und somit schließlich die erwähnte Glückseligkeit erreichen. Die Geistesgaben werden uns jedoch durch den Heiligen Geist verliehen. Dies
wurde bereits gezeigt. Somit werden wir durch den Heiligen Geist Gott
gleichgestaltet. Durch ihn werden wir in die Lage versetzt, gut zu handeln.
Durch denselben Geist wird uns der Weg zur Glückseligkeit bereitet.

Diese drei Dinge legt uns der Apostel nahe, wenn er 2 Kor 1,21 f.
spricht: „Der aber, der uns (samt euch auf Christus fest gegründet und)
gesalbt hat, das ist Gott; er hat uns auch das Siegel aufgedrückt und als
Angeld den Geist in unsere Herzen gegeben" und Eph 1,13 f.: „... in ihm
(sage ich, seid ihr) mit dem Heiligen Geiste der Verheißung besiegelt worden. Er ist das Angeld unseres Erbes ...". Mithin bezieht sich das „Auf-
drücken des Siegels" offenbar auf das Bild der Gleichgestaltung, während
die „Salbung" meint, daß der Mensch in die Lage versetzt wird, vollkommene Tätigkeiten zu vollziehen. Das „Angeld" meint die Hoffnung, durch
die wir auf das himmlische Erbe, also auf die Glückseligkeit hingeordnet
werden.

Da man jemanden aufgrund des Wohlwollens, welches man für ihn
hegt, an Sohnes Statt annimmt, so daß auf ihn das Erbe des Annehmenden
übergeht, so schreibt man dem Heiligen Geist auf treffende Weise die
Annahme der Söhne Gottes zu, gemäß dem Wort von Rö 8,15: „... sondern ihr habt den Geist der Sohnschaft empfangen, in dem wir rufen
‚Abba (Vater)!'".

Dadurch, daß jemand eines anderen Freund ist, wird jegliche Ungunst
beseitigt, denn Freundschaft ist der Ungunst entgegengesetzt. Deswegen
heißt es Spr 10,12: „Liebe deckt alle Verfehlungen zu". Folglich werden
uns von Gott durch den Heiligen Geist die Sünden nachgelassen, da wir
durch ihn Freunde Gottes werden. Daher spricht der Herr in Joh 20,22
zu den Jüngern: „Empfanget Heiligen Geist. Welchen ihr die Sünden
nachlasset, denen sind sie nachgelassen ...". Aus demselben Grunde wird
nach Mt 12,31 denjenigen der Nachlaß der Sünden vorenthalten, welche
den Heiligen Geist schmähen, so als besäßen sie nicht das, wodurch man
Nachlaß der Sünden erlangt.

Inde etiam est quod per Spiritum Sanctum dicimur renovari, et purgari, sive lavari: secundum illud Psalmi [CIII]: „Emitte Spiritum tuum et creabuntur, et renovabis faciem terrae"; et Ephes. IV: „Renovamini Spiritu mentis vestrae"; et Isaiae IV: „Si abluerit Dominus sordes filiorum Sion, et sanguinem filiarum laverit de medio eius, in Spiritu iudicii et Spiritu ardoris".

CAPITULUM XXII

DE EFFECTIBUS ATTRIBUTIS SPIRITUI SANCTO
SECUNDUM QUOD MOVET CREATURAM IN DEUM

His igitur consideratis quae per Spiritum Sanctum in Sacris Scripturis nobis a Deo fieri dicuntur, oportet considerare quomodo per Spiritum Sanctum moveamur in Deum.

Et primo quidem, hoc videtur esse amicitiae maxime proprium, simul conversari ad amicum. Conversatio autem hominis ad Deum est per contemplationem ipsius: sicut et Apostolus dicebat, Philipp. III: „Nostra conversatio in caelis est". Quia igitur Spiritus Sanctus nos amatores Dei facit, consequens est quod per Spiritum Sanctum Dei contemplatores constituamur. Unde Apostolus dicit, II Cor. III: „Nos autem omnes, revelata facie gloriam Dei speculantes, in eandem imaginem transformamur a claritate in claritatem, tanquam a Domini Spiritu".

Est autem et amicitiae proprium quod aliquis in praesentia amici delectetur, et in eius verbis et factis gaudeat, et in eo consolationem contra omnes anxietates inveniat: unde in tristitiis maxime ad amicos consolationis causa confugimus. Quia igitur Spiritus Sanctus Dei nos amicos constituit, et eum in nobis habitare facit et nos in ipso, ut ostensum est, consequens est ut per Spiritum Sanctum gaudium de Deo et consolationem habeamus contra omnes mundi adversitates et impugnationes. Unde et in Psalmo [L] dicitur: „Redde mihi laetitiam salutaris tui, et Spiritu principali confirma me"; et Rom. XIV: „Regnum Dei est iustitia et pax et gaudium in Spiritu Sancto", et Act. IX dicitur: „Ecclesia habebat pacem et aedificabatur, ambulans in timore Dei, et consolatione Spiritus Sancti replebatur". Et ideo Dominus Spiritum Sanctum ‚Paraclitum‘,

Auch sagt man, daß wir durch den Heiligen Geist erneuert, gereinigt oder gewaschen werden. So heißt es im Psalm (Ps 104,30): „Du sendest deinen Geist aus, und sie werden geschaffen, und das Angesicht der Erde machest du neu" und Eph 4,23: „Erneuert euch vielmehr durch den Geist eures Denkens"; überdies Jes 4,4: „Wenn der Herr den Schmutz der Tochter Zion abgewaschen und die Blutschuld Jerusalems gereinigt hat aus seiner Mitte durch den Hauch des Gerichts und den Hauch der Verwüstung …".

22. Kapitel

Die dem Heiligen Geist zugeschriebenen Wirkungen hinsichtlich dessen, dass er die Schöpfung zu Gott bewegt

Nachdem wir überlegt haben, was gemäß der Aussage der Heiligen Schriften von Gott her durch den Heiligen Geist in uns geschieht, ist nunmehr in Erwägung zu ziehen, auf welche Weise wir durch den Heiligen Geist zu Gott bewegt werden.

Zunächst gehört offenbar der vertraute Umgang mit dem Freunde recht eigentlich zur Freundschaft. Der vertraute Umgang des Menschen mit Gott jedoch geschieht durch Kontemplation, wie auch der Apostel in Phil 3,20 betonte: „Unsere Heimat aber ist im Himmel". Folglich werden wir durch den Heiligen Geist zu Betrachtern Gottes, da uns der Heilige Geist Gott lieben heißt. So spricht der Apostel in 2 Kor 3,18: „Wir alle aber, die wir mit unverhülltem Angesicht die Herrlichkeit des Herrn widerspiegeln, werden in das gleiche Bild verwandelt von Herrlichkeit zu Herrlichkeit, wie es vom Herrn aus geschieht, welcher Geist ist".

Auch charakterisiert es die Freundschaft, daß die Gegenwart des Freundes beglückt, man an seinen Worten und Taten seine Freude hat und in ihm Trost angesichts aller Widerwärtigkeiten findet. Deswegen nehmen wir bei traurigen Widerfahrnissen zum Trost am ehesten bei Freunden unsere Zuflucht. Mithin haben wir durch den Heiligen Geist Gottesfreude und Trost bei allen Widrigkeiten und Anfechtungen der Welt, weil uns der Heilige Geist zu Freunden Gottes macht, ihn in uns und uns in ihm wohnen läßt. Dies wurde bereits gezeigt [vgl. III 151]. So heißt es im Psalm (Ps 51,14): „Deines Heiles Wonne schenke mir wieder, in willigem Geiste mache mich stark" und Rö 14,17: „Das Reich Gottes besteht … in Gerechtigkeit, Friede und Freude im Heiligen Geist". Wiederum heißt es Apg 9,31: „Sie bauten sich auf und wandelten in der Furcht des Herrn und wurden erfüllt vom Trost des Heiligen Geistes". Daher nennt der

idest ‚Consolatorem‘, nominat, Ioan. XIV: „Paraclitus autem Spiritus Sanctus", etc.

Similiter autem et amicitiae proprium est consentire amico in his quae vult. Voluntas autem Dei nobis per praecepta ipsius explicatur. Pertinet igitur ad amorem quo Deum diligimus, ut eius mandata impleamus: secundum illud Ioan. XIV: „Si diligitis me, mandata mea servate". Unde, cum per Spiritum Sanctum Dei amatores constituamur, per ipsum etiam quodammodo agimur ut praecepta Dei impleamus: secundum illud Apostoli, Rom. VIII: „Qui Spiritu Dei aguntur, hi filii Dei sunt".

Considerandum tamen est quod a Spiritu Sancto filii Dei aguntur non
982b 26   sicut servi, sed sicut liberi. Cum enim liber „sit qui sui causa est" [*Met.* I 2], illud libere agimus quod ex nobis ipsis agimus. Hoc vero est quod ex voluntate agimus: quod autem agimus: contra voluntatem, non libere, sed serviliter agimus; sive sit violentia absoluta, ut „quando totum principium
1110b 15–17   est extra, nihil conferente vim passo" [*Ethic.* III 1], puta cum aliquis vi impellitur ad motum; sive sit violentia voluntario mixta, ut cum aliquis vult facere vel pati quod minus est contrarium voluntati, ut evadat quod magis voluntati contrariatur. Spiritus autem Sanctus sic nos ad agendum inclinat ut nos voluntarie agere faciat, inquantum nos amatores Dei constituit. Filii igitur Dei libere a Spiritu Sancto aguntur ex amore, non serviliter ex timore. Unde Apostolus, Rom. VIII, dicit: „Non accepistis spiritum servitutis iterum in timore, sed Spiritum adoptionis filiorum".

Cum autem voluntas ordinetur in id quod est vere bonum, sive propter passionem sive propter malum habitum aut dispositionem homo ab eo quod est vere bonum avertatur, serviliter agit, inquantum a quodam extraneo inclinatur, si consideretur ipse ordo naturalis voluntatis. Sed si consideretur actus voluntatis ut inclinatae in apparens bonum, libere agit cum sequitur passionem aut habitum corruptum; serviliter autem agit si, tali voluntate manente, propter timorem legis in contrarium positae, abstinet

Herr in Joh 14, 26 den Heiligen Geist auch den Helfer, d. h. den Trö-
ster: „Der Helfer aber, der Heilige Geist …".
Gleichermaßen eignet es der Freundschaft, sich mit dem Freunde über
das im Einklang zu finden, was er will. Nun ist uns der Wille Gottes durch
seine Gebote bekannt. Damit gehört es zur Liebe, mit der wir Gott lieben,
seine Gebote zu erfüllen, gemäß dem Schriftwort von Joh 14, 15: „Wenn
ihr mich liebt, werdet ihr meine Gebote halten". Da wir durch den Heiligen Geist zu Menschen werden, welche Gott lieben, so werden wir auch
auf gewisse Weise durch denselben Geist dazu gebracht, seine Gebote zu
erfüllen. Entsprechend bemerkt der Apostel Rö 8, 14: „Alle, die sich vom
Geiste Gottes leiten lassen, die sind Söhne Gottes".

Dennoch ist zu erwägen, daß wir aufgrund des Handelns des Heiligen
Geistes nicht als Sklaven, sondern als Freie Söhne Gottes sind. Sofern
nämlich „jener frei ist, welcher Ursache seiner [Tätigkeiten] ist" (Aristoteles), so tun wir dasjenige freiwillig, was wir aus uns selbst heraus tun.
Dies tun wir wahrhaft willentlich. Was wir jedoch gegen unseren Willen
vollbringen, das tun wir nicht freiwillig, sondern auf Sklavenart. Dabei
kann es sich einerseits um einen absoluten Zwang handeln, „wenn die
Ursache vollständig außerhalb des Handelnden liegt und der Erleidende
keinen eigenen Beitrag zur Handlung leistet" (Aristoteles), z. B. wenn
jemand gewaltmäßig zu einer Bewegung veranlaßt wird. Andererseits
kann sich Zwang mit Freiwilligem mischen, beispielsweise wenn jemand
etwas tun oder erleiden möchte, was dem Willen weniger widerspricht,
um damit dem zu entgehen, was dem Willen mehr widerspricht. Der Heilige Geist aber macht uns derart zum Handeln geneigt, daß er uns freiwillig handeln macht, insoweit er uns zu Menschen macht, die Gott lieben. Somit werden die Söhne Gottes vom Heiligen Geist dazu gebracht,
freiwillig und aus Liebe, nicht jedoch knechtisch und aus Furcht zu handeln. Daher bemerkt der Apostel in Rö 8, 15: „Ihr habt doch nicht den
Geist der Knechtschaft empfangen, daß ihr euch wieder fürchten müßt,
sondern ihr habt den Geist der Sohnschaft empfangen …".

Der Wille ist auf das hingeordnet, was wahrhaft gut ist. Wenn man sich
nun vom wahrhaft Guten abwendet, sei es aufgrund einer Leidenschaft,
sei es aufgrund einer schlechten Angewohnheit oder Disposition, so handelt man knechtisch, sofern man sich in seiner Neigung von etwas Äu-
ßerlichem bestimmen läßt, betrachtet man die natürliche Ordnung des
Willens selbst. Betrachtet man jedoch den Willensakt als auf ein scheinbar
Gutes gerichtet, so handelt man frei, wenn man einer Leidenschaft oder
einer schlechten Angewohnheit folgt; doch handelt man knechtisch, falls
man – bei gleichbleibendem Wollen – aus Furcht vor dem Gesetz, das der
Erfüllung des Verlangens zuwiderläuft, von dem absieht, was man ver-

ab eo quod vult. Cum igitur Spiritus Sanctus per amorem voluntatem inclinet in verum bonum, in quod naturaliter ordinatur, tollit et servitutem qua, servus passionis et peccati effectus, contra ordinem voluntatis agit; et servitutem qua, contra motum suae voluntatis, secundum legem agit, quasi legis servus, non amicus. Propter quod Apostolus dicit, II Cor. III: „Ubi Spiritus Domini, ibi libertas“; et Galat. V: „Si Spiritu ducimini, non estis sub lege“.

Hinc est quod Spiritus Sanctus „facta carnis mortificare“ dicitur, secundum quod per passionem carnis a vero bono non avertimur, in quod Spiritus Sanctus per amorem nos ordinat: secundum illud Rom. VIII: „Si Spiritu facta carnis mortificaveritis, vivetis“.

Capitulum XXIII

Solutio rationum supra inductarum
contra divinitatem Spiritus Sancti

Restat autem solvere supra positas rationes, quibus concludi videbatur quod Spiritus Sanctus sit creatura, et non Deus.

Circa quod considerandum est primo, quod nomen ‚spiritus‘ a respiratione animalium sumptum videtur, in qua aër cum quodam motu infertur et emittitur. Unde nomen ‚spiritus‘ ad omnem impulsum et motum vel cuiuscumque aërei corporis trahitur: et sic ventus dicitur ‚spiritus‘, secundum illud Psalmi [CXLVIII], „Ignis, grando, nix, glacies, spiritus procellarum, quae faciunt verbum eius“. Sic etiam vapor tenuis diffusus per membra ad eorum motus, ‚spiritus‘ vocatur. Rursus, quia aër invisibilis est, translatum est ulterius ‚spiritus‘ nomen ad omnes virtutes et substantias invisibiles et motivas. Et propter hoc et anima sensibilis, et anima rationalis, et angeli, et Deus, ‚spiritus‘ dicuntur: et proprie Deus per modum amoris procedens, quia amor virtutem quandam motivam insinuat.

Sic igitur quod Amos [IV] dicit, „creans spiritum“, de vento intelligit:

langt. Da der Heilige Geist den Willen zum wahren Gut, worauf er naturgemäß hingeordnet ist, durch Liebe geneigt macht, so hebt er sowohl die Knechtschaft auf, durch die man als Sklave von Leidenschaft und Sünde der Willensordnung zuwiderhandelt, als auch jene Knechtschaft, durch die man seiner Willensbewegung zuwiderhandelt, indem man sich gleichsam als Sklave des Gesetzes, nicht aber als dessen Freund, gesetzeskonform verhält. Daher bemerkt der Apostel in 2 Kor 3, 17: „Wo aber der Geist des Herrn ist, da ist Freiheit" und in Gal 5, 18: „Laßt ihr euch aber vom Geiste leiten, so steht ihr nicht unter einem Gesetze".

Daher heißt es auch, der Heilige Geist mache die Fleischeswerke deswegen zunichte, damit wir uns nicht aufgrund der fleischlichen Leidenschaft vom wahren Gut abwenden, auf das uns der Heilige Geist durch Liebe hinordnet, entsprechend dem Wort Rö 8, 13: „Wenn ihr aber mit dem Geist die Werke des Fleisches tötet, werdet ihr leben".

23. KAPITEL

WIDERLEGUNG DER GENANNTEN GRÜNDE GEGEN DIE GOTTHEIT DES HEILIGEN GEISTES

Es verbleibt die Widerlegung der erwähnten Argumente (vgl. IV 16), denen gemäß man zum Schluß zu gelangen schien, der Heilige Geist sei nicht Gott, sondern ein Geschöpf.

In diesem Zusammenhang gilt es zunächst in Betracht zu ziehen, daß der Ausdruck ‚Geist' offenbar auf die Atmung von Lebewesen zurückgeht. Bei der Atmung wird Luft mit einer bestimmten Bewegung ein- und ausgeatmet. Daher wird der Ausdruck ‚Geist' in bezug auf jeglichen Antrieb und jegliche Bewegung eines lufthaften Körpers verwendet. So wird auch im Psalm (Ps 148, 8) der Wind „Geist" genannt: „Feuer und Hagel, Wolken und Schnee, brausende Stürme, die ihr vollführt seinen Willen". Auch wird die durch die Körperteile strömende und ihre Bewegung ermöglichende feine Ausdünstung „Geist" genannt. Darüber hinaus überträgt man den Ausdruck ‚Geist' auf jegliche Art von Vermögen oder Substanz, die unsichtbar ist und Bewegung verursacht, weil Luft unsichtbar ist. Daher nennt man die Sinnenseele und die Verstandesseele „Geister", ebenso wie die Engel und Gott. Strenggenommen wird Gott, der nach Art der Liebe hervorgeht, „Geist" genannt, da die Liebe ein gewisses Bewegungsvermögen involviert.

Wenn Amos (Am 4, 13) sagt: „... und den Geist geschaffen ...", so meint er den Wind, wie es unsere Übersetzung deutlicher ausdrückt. Dies

ut nostra translatio expressius habet; quod etiam consonat ei quod praemittitur, formans montes.

Quod vero Zacharias [XII] de Deo dicit, quod est „creans", vel „fingens
spiritum hominis in eo", de anima humana intelligit. Unde concludi non
potest quod Spiritus Sanctus sit creatura.

Similiter autem nec ex hoc quod Dominus dicit de Spiritu Sancto, [Ioan.
XVI], „Non loquetur a semetipso, sed quaecumque audiet loquetur", concludi potest quod sit creatura. Ostensum est enim quod Spiritus Sanctus
est Deus de Deo procedens. Unde oportet quod essentiam suam ab alio
habeat: sicut et de Filio Dei dictum est supra. Et sic, eum in Deo et scientia
et virtus et operatio Dei sit eius essentia, omnis Filii et Spiritus Sancti
scientia et virtus et operatio est ab alio: sed Filii a Patre tantum, Spiritus
autem Sancti a Patre et Filio. Quia igitur una de operationibus Spiritus
Sancti est quod loquatur in sanctis viris, ut ostensum est, propter hoc
dicitur quod „non loquitur a semetipso", quia a se non operatur.

‚Audire' autem ipsius est accipere scientiam, sicut et essentiam, a Patre
et Filio, eo quod nos per auditum scientiam accipimus: est enim consuetum in Scriptura ut divina per modum humanorum tradantur. Nec movere
oportet quod dicit, ‚audiet', quasi de futuro loquens, cum accipere Spiritum Sanctum sit aeternum: nam aeterno verba cuiuslibet temporis aptari
possunt, eo quod aeternitas totum tempus complectitur.

Secundum eadem etiam apparet quod missio qua Spiritus Sanctus mitti
dicitur a Patre et Filio, non potest concludere eum esse creaturam. Dictum
est enim supra quod Filius Dei secundum hoc missus fuisse dicitur, quod
in carne visibili hominibus apparuit, et sic novo quodam modo fuit in
mundo, quo prius non fuerat, scilicet visibiliter, in quo tamen fuerat semper invisibiliter ut Deus. Quod autem hoc Filius ageret, ei a Patre fuit:
unde et secundum hoc a Patre dicitur missus.

Sic autem et Spiritus Sanctus visibiliter apparuit: vel „in specie columbae"
[Matth. III] super Christum in baptismo; vel „in linguis igneis"
[Act. II] super Apostolos. Et licet non fuerit factus columba vel ignis,
sicut Filius factus est homo; tamen sicut in signis quibusdam ipsius in
huiusmodi visibilibus speciebus apparuit; et sic etiam ipse quodam novo
modo, scilicet visibiliter, in mundo fuit. Et hoc ei fuit a Patre et Filio: unde

stimmt mit dem vorweggehenden Text überein: „... er hat die Berge gebildet ...“ (ibid.).

Sagt Sacharia (Sach 12, 1) von Gott, er habe „den Geist in der Brust des
Menschen geformt“ oder geschaffen, so meint er damit die menschliche
Seele. Daher kann man nicht folgern, der Heilige Geist sei ein Geschöpf.

Ebenfalls kann man nicht aus dem, was der Herr (Joh 16, 13) vom
Heiligen Geist sagt, nämlich: „Denn er wird nicht von sich aus reden,
sondern er wird reden, was er hört“, den Schluß ziehen, er sei ein Geschöpf. So wurde bereits gezeigt, daß der Heilige Geist Gott ist (IV 17)
und von Gott ausgeht (IV 19). Somit muß er seine Wesenheit von einem
anderen her empfangen, wie es auch zuvor vom Sohne Gottes hieß (IV
11). Wie nun in Gott sein Wissen, seine Macht und seine Tätigkeit seine
Wesenheit ausmachen, so stammt jegliches Wissen, jegliche Macht und
jegliche Tätigkeit des Sohnes und des Heiligen Geistes von einem anderen,
die des Sohnes allerdings ausschließlich vom Vater, die des Heiligen Geistes dagegen vom Vater und vom Sohn. Nun macht es eine der Tätigkeiten
des Heiligen Geistes aus, in den Heiligen zu sprechen, wie wir (IV 21)
gezeigt haben. Deswegen sagt man, er „rede nicht von sich selbst“, weil
er nicht von sich her tätig ist.

Sein ‚Hören‘ besteht darin, vom Vater und vom Sohn Wissen anzunehmen, genau so wie er von ihnen die Wesenheit empfängt, so daß wir durch
das Vernommene Wissen erlangen. So ist es in der Schrift üblich, daß
Göttliches nach Art des Menschlichen überliefert wird. Doch braucht uns
die futurische Zeitform von „er wird hören“ nicht zu beunruhigen, denn
beim Heiligen Geist ist die Annahme ein ewiges Geschehen. Für Ewiges
können Verben beliebiger Zeitform verwendet werden, da die Ewigkeit
das Gesamt der Zeit umfaßt.

Demgemäß erlaubt also offenkundig die Sendung, wonach man sagt,
der Heilige Geist sei vom Vater und vom Sohn ‚gesandt‘, nicht die Fol-
gerung, er sei ein Geschöpf. Oben (IV 8) wurde bereits betont, es heiße,
der Sohn Gottes sei gesandt worden, insofern er im sichtbaren Fleisch den
Menschen erschien, so daß er auf neue Weise in der Welt war, in der er
zuvor nicht, d. h. nicht sichtbar, war. Doch war er immer schon unsichtbar
in ihr als Gott. Dieses Handeln des Sohnes geschah aufgrund des Vaters;
daher heißt es auch, er sei vom Vater gesandt.

Dergestalt erschien auch der Heilige Geist auf sichtbare Weise, sei es in
Gestalt einer „über Christus schwebenden Taube“ bei seiner Taufe (vgl.
Mt 3, 16) oder sei es in der Form von „Feuerzungen“ über den Aposteln
[vgl. Apg 2, 3]. Auch wenn er weder eine Taube noch zu Feuer wurde, so
wie der Sohn Mensch wurde, so erschien er dennoch unter diesen sichtbaren Gestalten als Zeichen seiner selbst. Somit war auch er auf neue

et ipse a Patre et Filio dicitur missus. Quod non minorationem in ipso, sed processionem ostendit.

Est tamen et alius modus quo tam Filius quam Spiritus Sanctus invisibiliter mitti dicuntur. Patet enim ex dictis quod Filius procedit a Patre per modum notitiae, qua Deus cognoscit seipsum; et Spiritus Sanctus procedit a Patre et Filio per modum amoris, quo Deus amat seipsum. Unde, sicut dictum est, cum aliquis per Spiritum Sanctum amator Dei efficitur, Spiritus Sanctus est inhabitator ipsius: et sic quodam novo modo in homine est, scilicet secundum novum proprium effectum ipsum inhabitans. Et quod hunc effectum in homine faciat Spiritus Sanctus, est ei a Patre et Filio: et propter hoc a Patre et Filio invisibiliter dicitur mitti. Et pari ratione, in mente hominis Filius dicitur mitti invisibiliter, eum aliquis sic in divina cognitione constituitur quod ex tali cognitione Dei amor procedat in homine. Unde patet quod nec iste etiam modus missionis in Filio aut Spiritu Sancto minorationem inducit, sed solum processionem ab alio.

Similiter etiam nec Spiritum Sanctum a divinitate excludit quod Pater et Filius interdum connumerantur, non facta mentione de Spiritu Sancto: sicut nec Filium a divinitate excludit quod interdum fit mentio de Patre, non facta mentione de Filio. Per hoc enim tacite Scriptura insinuat quod quicquid, ad divinitatem pertinens, de uno trium dicitur, de omnibus est intelligendum, eo quod sunt unus Deus. Nec etiam potest Deus Pater sine Verbo et Amore intelligi, nec e converso: et propter hoc in uno trium omnes tres intelliguntur. Unde et interdum fit mentio de solo Filio, in eo quod commune est tribus: sicut est illud Matth. XI, „Neque Patrem quis novit nisi Filius": cum tamen et Pater et Spiritus Sanctus Patrem cognoscant. Similiter etiam de Spiritu Sancto dicitur I Cor. II: „Quae sunt Dei, nemo novit nisi Spiritus Dei", cum tamen certum sit quod ab hac cognitione divinorum neque Pater neque Filius excludantur.

Patet etiam quod non potest ostendi Spiritus Sanctus esse creatura per hoc quod de ipso in Scriptura Sacra aliqua ad motum pertinentia dicta inveniuntur. Sunt enim accipienda metaphorice. Sic enim et Deo aliquando

Weise, d. h. sichtbar, in der Welt. Dies geschah ihm vom Vater und vom Sohn. Deswegen heißt es, er sei vom Vater und vom Sohne gesandt. Doch bedeutet dies keine Minderung, sondern Hervorgang.

Allerdings gibt es noch eine andere Weise, wonach es heißt, der Sohn und der Heilige Geist seien unsichtbar gesandt. Aus dem bisher Gesagten ist nämlich ersichtlich, daß der Sohn nach Art des Wissens hervorgeht, wodurch Gott sich selbst erkennt (IV 11). Der Heilige Geist geht aus dem Vater und dem Sohn nach Art der Liebe hervor, womit Gott sich selbst liebt (IV 19). Wenn daher, wie erklärt wurde (IV 21), der Heilige Geist jemanden dazu bringt, daß er Gott liebt, so wohnt der Heilige Geist in ihm. Somit ist er auf eine neue Weise im Menschen, d. h. indem er einer neuen, eigentümlichen Wirkung gemäß in ihm wohnt. Das Zustandebringen dieser Wirkung im Menschen durch den Heiligen Geist geschieht im Ausgang vom Vater und vom Sohn. Deswegen heißt es, er werde auf unsichtbare Weise vom Vater und vom Sohne gesandt. Aus gleichem Grunde heißt es, der Sohn werde unsichtbar im Geist des Menschen gesandt, damit man hierdurch zur Kenntnis Gottes gelangt und aufgrund einer derartigen Kenntnis im Menschen die Liebe zu Gott entspringt. Offenkundig hat daher die Weise der Sendung im Sohne oder dem Heiligen Geist keine Minderung zur Folge. Sie bedeutet lediglich einen Hervorgang von einem anderen.

Ähnlich schließt auch nicht die Tatsache, daß der Vater und der Sohn bisweilen ohne Erwähnung des Heiligen Geistes zusammen erwähnt werden, den Heiligen Geist von der Gottheit aus, gleichwie es nicht den Sohn aus der Gottheit ausschließt, daß bisweilen zwar der Vater, nicht aber der Sohn erwähnt wird (vgl. IV 8). Damit nämlich legt die Schrift stillschweigend nahe, daß das, was von einem der drei gelten soll, als für alle gültig zu verstehen ist aufgrund dessen, daß sie ein Gott sind. Auch kann man Gott Vater nicht ohne das Wort und die Liebe verstehen oder umgekehrt. Daher sind im Verständnis von einem der drei alle drei enthalten. So wird manchmal lediglich der Sohn mit Bezug auf das erwähnt, was allen dreien gemeinsam ist, wie wenn es Mt 11, 27 etwa heißt: „... und den Vater kennt niemand als der Sohn ...", auch wenn der Vater und der Heilige Geist den Vater kennen. Ähnlich heißt es auch 1 Kor 2, 11 vom Heiligen Geist: „So erkennt auch keiner, was in Gott ist, als nur der Geist Gottes". Dennoch ist gewiß, daß weder der Vater noch der Sohn von dieser Kenntnis des Göttlichen ausgeschlossen sind.

Offenkundig kann die These, der Heilige Geist sei ein Geschöpf, ebenfalls nicht aus der Tatsache bewiesen werden, daß sich in der Heiligen Schrift bestimmte Bemerkungen über ihn finden lassen, die Bewegung nahelegen. Sie sind metaphorisch zu verstehen. So schreibt die Heilige

Scriptura Sacra motum attribuit: ut est illud Gen. III, „Cum audissent vocem Domini deambulantis in paradiso"; et XVIII, „Descendam, et videbo utrum clamorem opere compleverint". Quod ergo dicitur, „Spiritus Domini ferebatur super aquas", intelligendum est eo modo dictum esse sicut dicitur quod voluntas fertur in volitum, et amor in amatum. Quamvis et hoc quidam non de Spiritu Sancto, sed de aëre[13] intelligere velint, qui habet naturalem locum super aquam, unde ad eius multimodas transmutationes significandas, dictum est quod „ferebatur super aquas".

Quod etiam dicitur, „Effundam de Spiritu meo super omnem carnem", ea ratione dictum esse oportet intelligi qua Spiritus Sanctus dicitur mitti hominibus a Patre vel Filio, ut dictum est. In verbo autem effusionis abundantia effectus Spiritus Sancti intelligitur; et quod non stabit in uno, sed ad plures deveniet, a quibus etiam quodammodo in alios derivetur, sicut patet in his quae corporaliter effunduntur.

Similiter autem quod dicitur, „Auferam de spiritu tuo tradamque eis", non ad ipsam essentiam seu personam Spiritus Sancti referendum est, cum indivisibilis sit: sed ad ipsius effectus, secundum quos in nobis habitat, qui in homine possunt augeri et minui; non tamen ita quod id quod subtrahitur uni, idem numero alteri conferatur sicut in rebus corporalibus accidit; sed quia aliquid simile potest accrescere uni in quo alii decrescit. Nec tamen requiritur quod ad hoc quod accrescat uni, alteri subtrahatur: quia res spiritualis potest simul absque detrimento cuiuslibet a pluribus possideri. Unde nec intelligendum est quod de donis spiritualibus oportuerit aliquid subtrahi Moysi ad hoc quod aliis conferretur, sed ad actum sive ad officium referendum est: quia quod Spiritus Sanctus prius per solum Moysen effecerat, postea per plures implevit.

Sic etiam nec Elisaeus petiit ut Spiritus Sancti essentia seu persona duplicata augeretur: sed ut duos effectus Spiritus Sancti qui fuerant in Elia, scilicet prophetia et operatio miraculorum, essent etiam in ipso.

Quamvis etiam non sit inconveniens quod effectum Spiritus Sancti

---

[13] Cf. Basilium, *In Hexaem.* II 6 (PG 29/42 C – 43 B).

Schrift bisweilen auch Gott Bewegung zu, wenn es etwa in Gen 3,8 heißt: „Da vernahmen sie den Schritt Jahwes Gottes, der sich beim Tagwind im Garten erging" und Gen 18,21: „Darum will ich hinabgehen und sehen, ob alle so getan haben, wie der Klageschrei über sie zu mir gedrungen ist, oder nicht; ich will es wissen". Wenn es also Gen 1,2 heißt: „... und der Geist Gottes schwebte über den Wassern", so hat man dies auf die angegebene Weise zu verstehen, wie wenn wir sagen, der Wille sei zum Gewollten und die Liebe zum Geliebten geneigt. Doch einige wollen dies nicht vom Heiligen Geist, sondern von der Luft verstehen, die ihren natürlichen Ort über dem Wasser hat. Zur Andeutung ihrer vielfältigen Veränderungen heißt es daher: „Er schwebte über den Wassern" (Gen 1,2).

Das Wort (Joel 3,1): „Danach werde ich ausgießen meinen Geist über alles Fleisch" ist so zu verstehen, daß es mit der Absicht gesagt wurde, sich auf die Sendung des Heiligen Geistes zu den Menschen durch den Vater und den Sohn zu beziehen, wie erklärt worden ist. Der Ausdruck ‚ausgießen' deutet den Überfluß des Wirkens des Heiligen Geistes an, insofern es sich nicht nur auf eine Person beschränkt, sondern viele erreicht, von denen aus es gewissermaßen auf andere weiterfließen wird, wie es auch bei dem geschieht, was sich körperhaft verströmt.

Ähnlich wenn es (Num 11,17) heißt: „... ich werde von dem Geiste, der auf dir ruht, nehmen und auf sie legen", so hat man dies nicht auf die Wesenheit oder die Person des Heiligen Geistes selbst zu beziehen, weil sie unteilbar ist, sondern auf seine Wirkungen, denen gemäß er in uns wohnt. Sie können sich im Menschen vermehren oder vermindern. Damit verhält es sich jedoch nicht so, als ob sich dasselbe, was einem Menschen entzogen wird, numerisch identisch auf einen anderen übertrüge, wie es bei Körperdingen geschieht. Vielmehr verhält es sich so, wie etwas Ähnliches bei dem einen zunehmen, bei dem anderen abnehmen kann. Dennoch ist es hierfür nicht erforderlich, daß das, was dem einen zuwächst, dem anderen entzogen wird, da eine geistige Sache zugleich von mehreren besessen werden kann, ohne daß jemand irgendeinen Verlust erleidet. So hat man auch nicht zu meinen, Moses müsse etwas von den Geistesgaben entzogen worden sein, damit sie anderen übertragen werden konnten. Diese Übertragung bezieht sich auf den Akt oder das Amt, denn der Heilige Geist vollbrachte durch mehrere Personen, was er zuvor durch Moses alleine bewirkt hatte.

So bat auch Elisäus nicht darum, die Wesenheit oder die Person des Heiligen Geistes möge sich in ihm verdoppeln, sondern darum, daß zwei Wirkungen des Heiligen Geistes, über die Elias verfügt hatte, nämlich Prophetie und das Wirken von Wundern, auch in ihm selbst seien.

Doch ist es nicht unangemessen, daß jemand einen reicheren, ent-

unus alio abundantius participet, secundum duplam vel quantamcumque aliam proportionem: cum mensura utriusque sit finita. Non tamen hoc praesumpsisset Elisaeus petere, ut in effectu spirituali superaret magistrum.

Patet etiam ex consuetudine Sacrae Scripturae quod per quandam similitudinem humani animi passiones transferuntur in Deum: sicut dicitur in Psalmo [CV]: „Iratus est furore Dominus in populum suum". Dicitur enim Deus iratus per similitudinem effectus: punit enim, quod et irati faciunt; unde et ibidem subditur: „Et tradidit eos in manus gentium". – Sic et Spiritus Sanctus contristari dicitur per similitudinem effectus: deserit enim peccatores, sicut contristati deserunt contristantes.

Est etiam consuetus modus loquendi in Sacra Scriptura ut illud Deo attribuatur quod in homine facit: secundum illud Gen. XXII: „Nunc cognovi quod timeas Dominum", idest, nunc ‚cognoscere feci'. Et hoc modo dicitur quod Spiritus Sanctus ‚postulat', quia postulantes facit: facit enim amorem Dei in cordibus nostris, ex quo desideramus ipso frui, et desiderantes postulamus.

Cum autem Spiritus Sanctus procedat per modum amoris quo seipsum Deus amat; eodem autem amore Deus se et alia propter suam bonitatem amat: manifestum est quod ad Spiritum Sanctum pertinet amor quo Deus nos amat. Similiter etiam et amor quo nos Deum amamus: cum nos Dei faciat amatores, ut ex dictis patet. Et quantum ad utrumque, Spiritui Sancto competit ‚donari'. Ratione quidem amoris quo Deus nos amat, eo modo loquendi quo unusquisque dicitur ‚dare amorem suum' alicui cum eum amare incipit:–quamvis Deus neminem ex tempore amare incipiat, si respiciatur ad voluntatem divinam qua nos amat; effectus tamen sui amoris ex tempore causatur in aliquo, cum eum ad se trahit. Ratione autem amoris quo nos Deum amamus, quia hunc amorem Spiritus Sanctus facit in nobis: unde secundum hunc amorem in nobis habitat, ut ex dictis patet, et sic eum habemus ut cuius ope fruimur. Et quia hoc est Spiritui Sancto a Patre et Filio, quod per amorem quem in nobis causat, in nobis sit et

weder einen doppelten oder irgend anders proportionierten Anteil an den Wirkungen des Heiligen Geistes hat als ein anderer, denn das Vermögen eines jeden ist bemessen und begrenzt. Doch hätte es Elisäus sich nicht einfallen lassen, darum zu bitten, den Meister an geistlicher Wirkung zu überragen.

Angesichts der üblichen Redeweise der Schrift ist es zudem offenkundig, daß Affekte der menschlichen Seele aufgrund einer gewissen Ähnlichkeit auf Gott übertragen werden. So heißt es im Psalm (Ps 106, 40): „Da entbrannte wider sein Volk der Zorn Jahwes". Nun schreibt man Gott „Zorn" aufgrund der Ähnlichkeit der Wirkung zu. Auch bestraft er. Dies tun auch die Zornigen. Daher wird an derselben Textstelle hinzugefügt: „In die Hand der Heiden ließ er sie fallen" (ibid.). Aufgrund der Ähnlichkeit der Wirkung heißt es ebenfalls, der Heilige Geist „trauere". Er verläßt nämlich die Sünder, so wie die Betrauerten die Trauernden verlassen.

Nun ist es eine gewohnte Redeweise in der Heiligen Schrift, daß Gott jenes zugeschrieben wird, was er im Menschen wirkt, dem Worte von Gen 22, 12 gemäß: „Denn nun weiß ich, daß du Gott fürchtest", d. h. „nun habe ich es dich wissen lassen". Genauso heißt es, der Heilige Geist „bitte", da er uns bitten macht. Er bewirkt nämlich Liebe zu Gott in unseren Herzen, woraufhin wir danach verlangen (und verlangend bitten wir) uns an ihm zu erfreuen.

Offensichtlich bezieht sich die Liebe, womit uns Gott liebt, auf den Heiligen Geist, denn er geht auf die Weise jener Liebe hervor, womit Gott sich selbst liebt. Doch aufgrund seiner Güte liebt Gott sich und anderes mit derselben Liebe. Offensichtlich eignet dem Heiligen Geist jene Liebe, mit der Gott uns liebt. Ähnlich ist jene Liebe, womit wir Gott lieben, Sache des Heiligen Geistes, da er uns zu Menschen macht, welche Gott lieben, wie aus dem Bisherigen zu ersehen ist (IV 21). In beiderlei Hinsicht kommt es dem Heiligen Geist zu, uns ‚geschenkt' zu werden: Hinsichtlich der Liebe, womit Gott uns liebt, stimmt es mit unserer üblichen Redeweise überein, wenn wir sagen, daß jemand „seine Liebe einem anderen gibt", wenn er beginnt, ihn zu lieben. – Doch beginnt Gott niemanden so zu lieben, als handle es sich um einen Beginn in der Zeit, wenn man den göttlichen Willen betrachtet, aufgrund dessen er uns liebt. Die Wirkung seiner Liebe in jemandem ist jedoch in der Zeit verursacht, indem er ihn zu sich zieht. Hinsichtlich der Liebe, mit welcher wir Gott lieben [ist sie Sache des Heiligen Geistes], weil der Heilige Geist diese Liebe in uns zustande kommen läßt. Daher wohnt er auch dieser Liebe gemäß in uns, wie bereits gesagt wurde (IV 21), und so besitzen wir ihn wie jemanden, dessen Reichtum wir genießen. Deswegen heißt es trefflich, der Heilige Geist werde uns vom Vater und vom Sohn „gegeben", weil es ihm durch

habeatur a nobis, convenienter dicitur a Patre et Filio nobis ‚dari'. Nec per hoc Patre et Filio minor ostenditur: sed ab ipsis habet originem. Dicitur etiam et a seipso dari nobis, inquantum amorem secundum quem nos inhabitat, simul cum Patre et Filio in nobis causat.

Quamvis autem Spiritus Sanctus verus sit Deus, et veram naturam divinam habeat a Patre et Filio, non tamen oportet quod filius sit. Filius enim dicitur aliquis ex eo quod genitus est: unde, si res aliqua naturam alterius ab eo acciperet non per genituram, sed per alium quemcumque modum, ratione filiationis careret; ut puta si aliquis homo, virtute sibi divinitus ad hoc concessa, faceret hominem ex aliqua sui corporis parte, vel etiam exteriori modo, sicut facit artificiata, productus homo producentis filius non diceretur, quia non procederet ab eo ut natus. Processio autem Spiritus Sancti rationem nativitatis non habet, ut supra ostensum est. Unde Spiritus Sanctus, licet a Patre et Filio divinam naturam habeat, non tamen eorum filius dici potest.

Quod autem in sola natura divina pluribus modis natura communicatur, rationabile est. Quia in solo Deo eius operatio est suum esse. Unde, cum in eo, sicut in qualibet intellectuali natura, sit intelligere et velle, id quod procedit in eo per modum intellectus ut Verbum, aut amoris et voluntatis ut Amor, oportet quod habet esse divinum, et sit Deus. Et sic tam Filius quam Spiritus Sanctus est verus Deus.

Haec igitur de Spiritus Sancti divinitate dicta sint. Alia vero quae circa eius processionem difficultatem habent, ex his quae de nativitate Filii dicta sunt, considerare oportet.

Capitulum XXIV

Quod Spiritus Sanctus procedat a Filio

Quidam vero circa Spiritus Sancti processionem errare inveniuntur, dicentes Spiritum Sanctum a Filio non procedere. Et ideo ostendendum est Spiritum Sanctum a Filio procedere.

Manifestum est enim ex Sacra Scriptura quod Spiritus Sanctus est Spi-

den Vater und den Sohn zukommt, mit jener Liebe in uns zu sein und von uns besessen zu werden, welche er in uns verursacht. Doch erweist ihn dies nicht geringer als den Vater und den Sohn, sondern zeigt nur, daß er in ihnen seinen Ursprung hat. So heißt es auch, er selbst gebe sich uns, sofern er die Liebe, gemäß welcher er in uns weilt, zugleich mit dem Vater und dem Sohn in uns verursacht.

Obwohl der Heilige Geist wahrer Gott ist und vom Vater und vom Sohn die wahre Natur Gottes hat, so folgt daraus nicht, daß er Sohn ist. ‚Sohn' nämlich heißt jemand aufgrund der Tatsache, daß er geboren ist. Wenn demnach etwas von einem anderen auf andere Weise als durch Geburt dessen Natur annimmt, so ermangelt es deswegen der Sohnschaft. Bildete jemand durch eine von Gott eingeräumte Vollmacht einen anderen Menschen aus einem Teil seines Körpers oder auf eine äußerliche Weise, so stellt er ein Kunstprodukt her. Der hergestellte Mensch würde nicht als Sohn bezeichnet, da er nicht durch Geburt entstünde. Nun hat der Hervorgang des Heiligen Geistes nicht Geburtscharakter, wie oben gezeigt wurde (IV 19). Deswegen kann der Heilige Geist, selbst wenn er vom Vater und vom Sohn die göttliche Natur besitzt, nicht als ihr Sohn bezeichnet werden.

Es leuchtet ein, daß sich die göttliche Natur einzig in Gott auf unterschiedliche Weisen mitteilt, da allein bei Gott Tätigkeit und Sein identisch sind. Da sich in ihm, wie bei jeglicher Geistnatur, Verstand und Wille finden, so muß dasjenige, welches auf die Weise des Verstandes hervorgeht (wie das Wort), und was nach Art der Liebe oder des Willens hervorgeht (wie die Liebe), göttliches Sein haben und Gott sein. Daher sind sowohl der Sohn als auch der Heilige Geist wahrer Gott.

Diese Bemerkungen über die Gottheit des Heiligen Geistes sollen ausreichen. Weitere Probleme, die hinsichtlich seines Hervorganges Schwierigkeiten bereiten, muß man auf dem Hintergrund des über die Geburt des Sohnes Gesagten (IV 13 f.) erörtern.

24. KAPITEL

DER HEILIGE GEIST GEHT AUS DEM SOHN HERVOR

Einige befinden sich hinsichtlich des Hervorganges des Heiligen Geistes im Irrtum, wenn sie behaupten, er gehe nicht aus dem Sohn hervor. Daher gilt es zu zeigen, daß der Heilige Geist vom Sohn seinen Ausgang nimmt.

Aus der Heiligen Schrift geht eindeutig hervor, daß der Heilige Geist

ritus Filii: dicitur enim Rom. VIII: „Si quis Spiritum Christi non habet, hic non est eius".

Sed ne aliquis posset dicere quod alius sit Spiritus qui procedit a Patre, et alius qui est Filii, ostenditur ex verbis eiusdem Apostoli quod idem Spiritus Sanctus sit Patris et Filii. Nam hoc quod inductum est, „Si quis Spiritum Christi non habet, hic non est eius", subiunxit postquam dixerat, „Si Spiritus Dei habitat in nobis", etc.

Non autem potest dici Spiritus Sanctus esse Spiritus Christi ex hoc solo quod eum habuit tanquam homo, secundum illud Luc. IV, „Iesus, plenus Spiritu Sancto, regressus est a Iordane". Dicitur enim Galat. IV: „Quoniam estis filii Dei, misit Deus Spiritum Filii sui in corda vestra, clamantem, Abba (Pater)". Ex hoc ergo Spiritus Sanctus nos facit filios Dei, inquantum est Spiritus Filii Dei. Efficimur autem filii Dei adoptivi per assimilationem ad Filium Dei naturalem: secundum illud Rom. VIII: „Quos praescivit, et praedestinavit fieri conformes imaginis Filii eius, ut sit ipse primogenitus in multis fratribus". Sic igitur est Spiritus Sanctus Spiritus Christi, inquantum est Filius Dei naturalis.

Non potest autem secundum aliam habitudinem Spiritus Sanctus dici Spiritus Filii Dei nisi secundum aliquam originem: quia haec sola distinctio in divinis invenitur. Necesse est igitur dicere quod Spiritus Sanctus sic sit Filii quod ab eo procedat.

Item. Spiritus Sanctus a Filio mittitur: secundum illud Ioan. XV: „Cum venerit Paraclitus, quem ego mittam vobis a Patre". Mittens autem auctoritatem aliquam habet in missum. Oportet igitur dicere quod Filius habeat aliquam auctoritatem respectu Spiritus Sancti. Non autem dominii vel maioritatis, sed secundum solam originem. Sic igitur Spiritus Sanctus est a Filio.

Si quis autem dicat quod etiam Filius mittitur a Spiritu Sancto, quia dicitur Luc. IV, quod Dominus dixit in se impletum illud Isaiae [LXI], „Spiritus Domini super me, evangelizare pauperibus misit me": sed considerandum est quod Filius a Spiritu Sancto mittitur secundum naturam assumptam. Spiritus autem Sanctus non assumpsit naturam creatam, ut secundum eam possit dici missus a Filio, vel Filius habere auctoritatem

der Geist des Sohnes ist. So heißt es Rö 8, 9: „Wenn aber jemand den Geist Christi nicht hat, so gehört dieser ihm nicht an".

Aus den Worten desselben Apostels wird ersichtlich, daß der Heilige Geist des Vaters und des Sohnes derselbe ist, damit niemand sagen kann, der Geist, welcher vom Vater seinen Ausgang nimmt, sei verschieden vom Geist, welcher dem Sohn eignet. So wird dem gerade zitierten Wort: „Wenn aber jemand den Geist Christi nicht hat, so gehört dieser ihm nicht an" das folgende vorweggeschickt: „... wenn anders der Geist in euch wohnt" etc. (ibid.).

Nun kann aber nicht allein deswegen der Heilige Geist „Geist Christi" heißen, weil Christus ihn als Mensch besaß. So heißt es Lk 4, 1: „Voll des Heiligen Geistes kehrte Jesus vom Jordan zurück". Desgleichen heißt es Gal 4, 6: „Weil ihr nun aber tatsächlich Kinder seid – hat Gott den Geist seines Sohnes in unsere Herzen gesandt, der da ruft: Abba (Vater)!". Also macht uns der Heilige Geist zu Söhnen Gottes, insofern es sich bei ihm um den Geist des Sohnes Gottes handelt. So werden wir adoptierte Söhne Gottes durch die Angleichung an den natürlichen Sohn Gottes. Es heißt Rö 8, 29: „Denn die er vorhererkannte, hat er auch vorherbestimmt, dem Bild seines Sohnes gleichgestaltet zu werden, damit er der Erstgeborene unter vielen Brüdern sei". Somit handelt es sich beim Heiligen Geist um den Geist Christi, sofern dieser der natürliche Sohn Gottes ist.

Der Heilige Geist kann aber nicht aufgrund einer anderen Beziehung als der der Urheberschaft „Geist des Sohnes Gottes" genannt werden, denn dies ist ein Unterschied, welcher einzig sich im Göttlichen findet. Mithin muß man sagen, daß der Heilige Geist insofern der Geist des Sohnes ist, als er aus ihm hervorgeht.

Weiterhin. Es heißt bei Joh 15, 26, der Heilige Geist werde vom Sohn gesandt: „Wenn der Helfer kommt, den ich euch vom Vater senden werde ...". Doch hat der Sendende eine gewisse Autorität über den Gesandten. Also muß man sagen, daß der Sohn im Hinblick auf den Heiligen Geist über eine gewisse Autorität verfügt, allerdings nicht eine Autorität der Herrschaft oder der Überlegenheit, sondern lediglich eine der Urheberschaft. Also kommt der Heilige Geist vom Sohn.

Falls aber jemand behauptet, auch der Sohn werde vom Heiligen Geist gesandt, weil der Herr erklärt, in ihm erfülle sich das Wort des Jesaia, nämlich: „Der Geist des Herrn ruht auf mir ... er hat mich gesandt, Armen Frohbotschaft zu bringen ..." (Jes 61, 1; Lk. 4, 18), so ist zu beachten, daß der Sohn hinsichtlich seiner menschlichen Natur vom Heiligen Geist gesandt wird. Der Heilige Geist aber nahm keine Geschöpfesgestalt an, so daß man hinsichtlich dieser Natur sagen könnte, er werde vom Sohne gesandt oder der Sohn besitze Autorität über ihn. Somit verbleibt, daß

respectu ipsius. Relinquitur igitur quod respectu personae aeternae Filius super Spiritum Sanctum auctoritatem habeat.

Amplius. Ioan. XVI, dicit Filius de Spiritu Sancto: „Ille me clarificabit, quia de meo accipiet". Non autem potest dici quod accipiat id quod est Filii, non tamen accipiat a Filio: utputa si dicatur quod accipiat essentiam divinam, quae est Filii a Patre; unde et subditur, „Omnia quaecumque habet Pater, mea sunt. Propterea dixi vobis quia de meo accipiet": – si enim omnia quae Patris sunt et Filii sunt, oportet quod auctoritas Patris, secundum quam est principium Spiritus Sancti, sit et Filii. Sicut ergo Spiritus Sanctus accipit de eo quod est Patris a Patre, ita accipit de eo quod est Filii a Filio.

Ad hoc etiam induci possunt auctoritates doctorum eccclesiae, etiam Graecorum.

Dicit enim Athanasius[14]: „Spiritus Sanctus a Patre et Filio, non factus nec creatus nec genitus, sed procedens".

Cyrillus etiam, in epistola sua[15], quam Synodus Chalcedonensis recepit, dicit: „Spiritus Veritatis nominatur et est Spiritus Veritatis et profluit ab eo, sicut denique et ex Deo Patre".

Didymus etiam dicit, in libro *De Spiritu Sancto* : „Neque quid est aliud Filius exceptis his quae ei dantur a Patre; neque alia est Spiritus Sancti substantia praeter id quod ei datur a Filio".

Ridiculosum est autem quod quidam concedunt Spiritum Sanctum ‚esse a Filio‘, vel profluere ab ipso, *sed non* ‚procedere ab ipso‘.

Verbum enim ‚processionis‘ inter omnia quae ad originem pertinent, magis invenitur esse commune: quicquid enim quocumque modo est ab aliquo, ab ipso procedere dicimus. Et quia divina melius per communia quam per specialia designantur, verbum ‚processionis‘ in origine divinarum personarum maxime est accommodum. Unde si concedatur quod Spiritus Sanctus ‚sit a Filio‘, vel ‚profluat ab eo‘, sequitur quod ‚ab eo procedat‘.

Item. Habetur in determinatione Quinti Concilii[16]: „Sequimur per omnia sanctos patres et doctores Ecclesiae, Athanasium, Hilarium, Basilium, Gregorium Theologum et Gregorium Nyssenum, Ambrosium, Augustinum, Theophilum, Ioannem Constantinopolitanum, Cyrillum, Leonem, Proclum: et suscipimus omnia quae de recta fide et condamnatione haereticorum exposuerunt". Manifestum est autem ex multis auctoritatibus

---

[14] In symbolo *Quicumque* (DS 39).

[15] Cyrillus, *Epistola synodica ad Nestorium* (Salvatore Nostro), par. 10 (PG 77/117 C).

[16] *Consessione* I (Mansi IX, col. 183 A B).

der Sohn über den Heiligen Geist unter dem Gesichtspunkt der ewigen Person Autorität verfügt.

Ferner. Der Sohn sagt Joh 16,14 vom Heiligen Geist: „Er wird mich verherrlichen, weil er von dem Meinigen nehmen und euch verkündigen wird". Doch kann man nicht sagen, er nehme an, was dem Sohn gehört, es sei denn, er empfinge es vom Sohn. Beispielsweise heißt es, er nehme die göttliche Wesenheit des Sohnes vom Vater an. Daher wird im Text hinzugefügt: „Alles, was der Vater hat, ist mein. Deshalb habe ich gesagt ‚Er nimmt von dem Meinigen ...'" (ibid., 15). Wenn alles, was dem Vater gehört, auch dem Sohne gehört, so muß die Autorität des Vaters hinsichtlich dessen, daß er der Ursprung des Heiligen Geistes ist, auch dem Sohne eignen. Folglich nimmt der Heilige Geist vom Vater an, was des Vaters ist, wie er auch vom Sohne annimmt, was des Sohnes ist.

Es lassen sich hierfür auch die Autoritäten der Kirchenväter heranziehen, die griechischen Väter eingeschlossen.

So sagt Athanasius: „Der Heilige Geist ist vom Vater und vom Sohn, weder gemacht noch geschaffen oder geboren; vielmehr geht er hervor".

Cyrillus sagt in seinem Brief, den das Konzil von Chalkedon empfing: „Er wird der Geist der Wahrheit genannt; er ist der Geist der Wahrheit und fließt aus ihm hervor, wie er auch schließlich aus Gott dem Vater entspringt".

Ebenso sagt Didymus in seinem Buch *Über den Heiligen Geist*: „Weder ist der Sohn etwas anderes, außer in dem, was ihm vom Vater gegeben wird, noch ist die Substanz des Heiligen Geistes eine andere, außer in dem, was ihm vom Sohne gegeben wird".

Lächerlich ist jedoch, was einige vom Heiligen Geiste behaupten: er sei vom Sohne, fließe zwar aus ihm hervor, ginge aber nicht aus ihm hervor.

Denn das Wort ‚Hervorgang' scheint unter allem, was sich auf den Ursprung bezieht, die weiteste Bedeutung zu besitzen: Was immer auf irgendeine Weise von etwas anderem stammt, von dem sagen wir, daß es aus ihm hervorgeht. Da man Göttliches besser mit allgemeinen als mit speziellen Ausdrücken bezeichnet, so hat das Wort ‚Hervorgang' hinsichtlich des Ursprungs der göttlichen Personen höchste Beachtung zu finden. Räumt man daher ein, daß „der Heilige Geist vom Sohne ist" oder „aus ihm erfließt", so folgt, daß „er aus ihm hervorgeht".

Ferner. Ein Beschluß des 5. Konzils sagt: „In allen Dingen folgen wir der Lehre der heiligen Väter und der Doktoren der Kirche. Wir folgen Athanasius, Hilarius, Basilius, Gregor dem Theologen, Gregor von Nyssa, Ambrosius, Augustinus, Theophilus, Johannes von Konstantinopel, Cyrillus, Leo, Probus. Wir nehmen alles an, was sie über den rechten Glauben und die Verurteilung der Häretiker erklärten". Ebenso wird aus

Augustini, et praecipue in libro *De Trinitate*, et *Super Ioannem*, quod Spiritus Sanctus sit a Filio. Oportet igitur concedi quod Spiritus Sanctus sit a Filio sicut et a Patre.

Hoc etiam evidentibus rationibus apparet. In rebus enim, remota materiali distinctione, quae in divinis personis locum habere non potest, non inveniuntur aliqua distingui nisi per aliquam oppositionem. Quae enim nullam oppositionem habent ad invicem, simul esse possunt in eodem, unde per ea distinctio causari non potest: album enim et triangulare, licet diversa sint, quia tamen non opponuntur, in eodem esse contingit. Oportet autem supponere, secundum fidei catholicae documenta, quod Spiritus Sanctus a Filio distinguatur: aliter enim non esset trinitas, sed dualitas in personis. Oportet igitur huiusmodi distinctionem per aliquam oppositionem fieri.

Non autem oppositione *affirmationis et negationis*[17]: quia sic distinguuntur ‚entia' a ‚non entibus'.

Nec etiam oppositione *privationis et habitus* : quia sic distinguuntur ‚perfecta' ab ‚imperfectis'.

Neque etiam oppositione *contrarietatis*. Quia sic distinguuntur quae sunt secundum formam diversa: nam „contrarietas", ut philosophi docent, „est differentia secundum formam" [*Met.* X 9]. Quae quidem differentia divinis personis non convenit, cum earum sit una forma, sicut una essentia: secundum illud Apostoli, Philipp. II, de Filio dicentis, „qui cum in forma Dei esset", scilicet Patris.

Relinquitur igitur unam personam divinam ab alia non distingui nisi oppositione *relationis* : sic enim ‚Filius' a ‚Patre' distinguitur secundum oppositionem relativam patris et filii. Non enim in divinis personis alia relativa oppositio esse potest nisi secundum originem.

Nam relative opposita vel supra *quantitatem* fundatur, ut duplum et dimidium; vel super *actionem et passionem*, ut ‚dominus' et ‚servus', ‚movens' et ‚motum', ‚pater' et ‚filius'.

Rursus, relativorum quae super quantitatem fundantur, quaedam fundantur super diversam quantitatem, ut ‚duplum' et ‚dimidium', ‚maius' et ‚minus'; quaedam super ipsam unitatem, ut ‚idem', quod significat unum

1058b 1–2

---

[17] Cf. Aristotelem, *Categ.* c.10 (11b 19).

vielen autoritativen Werken des Augustinus, vor allem aus der Schrift *Über die Trinität* und dem *Johanneskommentar* offenkundig, daß der Heilige Geist vom Sohne ist. Mithin hat man zuzugeben, daß der Heilige Geist vom Sohne wie vom Vater ist.

Dasselbe wird aus evidenten Sachgründen ersichtlich. Abgesehen vom materiellen Unterschied, der in den göttlichen Personen nicht statthaben kann, läßt sich unter den Dingen nur dann etwas unterscheiden, wenn ein gewisser Gegensatz vorkommt. Dinge, die auf keinerlei Weise einander entgegengesetzt sind, können in derselben Sache zugleich bestehen. Deswegen kann durch sie kein Unterschied verursacht werden. Weiß und dreieckig zu sein kann derselben Sache zukommen, denn diese Eigenschaften sind zwar verschieden voneinander, doch bilden sie keinen Gegensatz. Den Dokumenten des Katholischen Glaubens gemäß hat man jedoch vorauszusetzen, daß sich der Heilige Geist vom Sohne unterscheidet; andernfalls gäbe es keine Dreiheit, sondern eine Zweiheit in den Personen. Mithin hat ein derartiger Unterschied auf einem gewissen Gegensatz zu beruhen.

Doch kann es sich dabei weder um den Gegensatz zwischen „Bejahung" und „Verneinung" handeln, denn hierdurch wird Seiendes von nicht-Seiendem unterschieden (Aristoteles);

noch kann es der Gegensatz zwischen „Beraubung" und „Haben" sein, denn hierdurch unterscheidet sich Vollkommenes von Unvollkommenem.

Auch handelt es sich nicht um den Gegensatz der „Kontrarietät", denn hierdurch unterscheiden sich Dinge verschiedener Gestalt. „Kontrarietät" bedeutet nämlich eine „Verschiedenheit der Form", wie die Philosophen lehren. Ein derartiger Unterschied jedoch ist unverträglich mit den göttlichen Personen, da sie eine Form und eine Wesenheit besitzen, gemäß dem Worte Phil 2,6 des Apostels, das vom Sohn handelt: „Er, der in Gottesgestalt (d. h. in der Gestalt des Vaters) war".

Mithin verbleibt, daß sich eine göttliche Person von einer anderen nur aufgrund eines „relationalen Gegensatzes" unterscheidet. So unterscheidet sich der Sohn vom Vater gemäß dem relativen Gegensatz zwischen Vater und Sohn, denn es kann in den göttlichen Personen keinen anderen relativen Gegensatz geben als den hinsichtlich des Ursprungs.

Relativ Entgegengesetztes (wie ‚doppelt' und ‚halb') gründet sich auf die „Quantität" oder (wie bei ‚Herr' und ‚Knecht', ‚Bewegendes' und ‚Bewegtes', ‚Vater' und ‚Sohn') auf „Tun und Erleiden".

Zudem basiert einiges Relative, was sich auf Quantität gründet, auf verschiedener Quantität, so etwa ‚doppelt' und ‚halb', ‚größer' und ‚kleiner'; anderes basiert auf der Einheit selbst, so etwa ‚dasselbe', womit man etwas bezeichnet, was der Substanz nach eines ist; ‚gleich', womit die

in substantia; et ‚aequale‘, quod significat unum in quantitate; et ‚simile‘, quod significat unum in qualitate.

Divinae igitur personae distingui non possunt relationibus fundatis super diversitatem *quantitatis*: quia sic tolleretur trium personarum aequalitas.

Neque iterum relationibus quae fundantur super *unum*: quia huiusmodi relationes distinctionem non causant, immo magis ad convenientiam pertinere inveniuntur, etsi forte aliqua eorum distinctionem praesupponunt.

In relationibus vero omnibus super *actionem vel passionem* fundatis, semper alterum est ut subiectum, et inaequale secundum virtutem, nisi solum in relationibus originis, in quibus nulla minoratio designatur, eo quod invenitur aliquid producere sibi simile et aequale secundum naturam et virtutem.

Relinquitur igitur quod divinae personae distingui non possunt nisi *oppositione relativa secundum originem.*

Oportet igitur quod, si Spiritus Sanctus a Filio distinguitur, quod sit ab eo: non enim est dicere quod Filius sit a Spiritu Sancto, cum Spiritus Sanctus magis Filii esse dicatur, et a Filio detur.

Item. A Patre est Filius et Spiritus Sanctus. Oportet igitur Patrem referri et ad Filium et ad Spiritum Sanctum ut principium ad id quod est a principio. Refertur autem ad Filium ratione paternitatis, non autem ad Spiritum Sanctum: quia tunc Spiritus Sanctus esset filius; paternitas enim non dicitur nisi ad filium. Oportet igitur in Patre esse aliam relationem qua referatur ad Spiritum Sanctum, et vocetur ‚spiratio‘. Similiter, cum in Filio sit quaedam relatio qua refertur ad Patrem, quae dicitur ‚filiatio‘, oportet quod in Spiritu Sancto sit etiam alia relatio qua referatur ad Patrem, et dicatur ‚processio‘. Et sic secundum originem Filii a Patre sint duae relationes, una in originante, alia in originato, scilicet paternitas et filiatio; et aliae duae ex parte originis Spiritus Sancti, scilicet spiratio et processio. Paternitas igitur et spiratio non constituunt duas personas, sed ad unam personam Patris pertinent: quia non habent oppositionem ad

quantitative Einheit bezeichnet wird, und ‚ähnlich‘, womit man etwas bezeichnet, was der Qualität nach eines ist.

Folglich können sich die göttlichen Personen nicht aufgrund von Relationen voneinander unterscheiden, die auf einer Verschiedenheit der „Quantität" beruhen, denn dies würde die Gleichheit der drei Personen aufheben.

Ihre Unterschiedenheit kann sich auch nicht auf Relationen gründen, die auf „Einheit" beruhen, denn diese verursachen keinen sachlichen Unterschied. Tatsächlich sind sie eher der Übereinstimmung verwandt, auch wenn es möglich ist, daß die eine oder andere einen Unterschied voraussetzt.

Bei allen Relationen jedoch, die auf „Tun oder Erleiden" beruhen, ist Eines stets Subjekt und von ungleichem Vermögen, einzig außer bei Relationen des „Ursprungs", die keine Verminderung bedeuten, weil hierbei etwas ein ihm an Natur und Vermögen Ähnliches und Gleiches hervorbringt.

Mithin verbleibt, daß sich die göttlichen Personen nur durch einen „relativen Gegensatz dem Ursprung nach" voneinander unterscheiden können.

Unterscheidet sich also der Heilige Geist vom Sohne, so muß er von ihm sein. Man kann nämlich nicht behaupten, der Sohn sei vom Heiligen Geist, da man eher sagt, der Heilige Geist sei vom Sohn und vom Sohn gespendet.

Weiterhin. Sowohl der Sohn als auch der Heilige Geist sind vom Vater. Also muß sich der Vater auf den Sohn und den Heiligen Geist beziehen, wie sich ein Anfangsgrund auf das bezieht, was ihm entspringt. Nun bezieht er sich auf den Sohn aufgrund der Vaterschaft, doch nicht auf dieselbe Weise auf den Heiligen Geist. Sonst wäre der Heilige Geist ein Sohn. Vaterschaft jedoch bezieht sich ausschließlich auf den Sohn. Demnach muß es im Vater eine weitere Relation geben, der entsprechend er sich auf den Heiligen Geist bezieht. Sie soll „Hauchung" heißen. Da es im Sohne eine Relation gibt, der gemäß er sich auf den Vater bezieht – sie heißt „Sohnschaft" –, so muß es im Heiligen Geist ebenfalls eine weitere Relation geben, der entsprechend er sich auf den Vater bezieht. Sie wird „Hervorgang" genannt. Somit gibt es zwei dem Ursprung des Sohnes vom Vater gemäße Relationen: die eine wurzelt in dem, was entspringen läßt, die andere in dem, was entsprungen ist, d. h. „Vaterschaft" und „Sohnschaft". Zudem kommen zwei weitere Relationen von seiten des Heiligen Geistes vor, nämlich „Hauchung" und „Hervorgang". Demnach konstituieren Vaterschaft und Hauchung nicht zwei Personen, sondern gehören der einen Person des Vaters, da sie keinen wechselseitigen Gegensatz involvieren. Folglich konstituieren auch Sohnschaft und Hervorgang nicht

invicem. Neque igitur filiatio et processio duas personas constituerent, sed ad unam pertinerent, nisi haberent oppositionem ad invicem. Non est autem dare aliam oppositionem nisi secundum originem. Oportet igitur quod sit oppositio originis inter Filium et Spiritum Sanctum, ita quod unus sit ab alio.

Adhuc. Quaecumque conveniunt in aliquo communi, si distinguantur ad invicem, oportet quod distinguantur secundum aliquas differentias per se, et non per accidens, pertinentes ad illud commune: sicut homo et equus conveniunt in ,animali', et distinguuntur ab invicem, non per album et nigrum, quae se habent per accidens ad animal, sed per rationale et irrationale, quae per se ad animal pertinent; quia, cum animal sit quod habet animam, oportet quod hoc distinguatur per hoc quod est habere animam talem vel talem, utputa rationalem vel irrationalem. Manifestum est autem quod Filius et Spiritus Sanctus conveniunt in hoc quod est *esse ab alio*, quia uterque est a Patre: et secundum hoc Pater convenienter differt ab utroque, inquantum est innascibilis. Si igitur Spiritus Sanctus distinguatur a Filio, oportet quod hoc sit per differentias quae per se dividant hoc quod est *ens ab alio*. Quae quidem non possunt esse nisi differentiae eiusdem generis scilicet ad originem pertinentes, ut unus eorum sit ab alio. Relinquitur igitur quod ad hoc quod Spiritus Sanctus distinguatur a Filio, necesse est quod sit a Filio.

Amplius. Si quis dicat Spiritum Sanctum distingui a Filio, non quia sit a Filio, sed propter diversam originem utriusque a Patre: in idem hoc realiter redire necesse est. Si enim Spiritus Sanctus est alius a Filio, oportet quod alia sit origo vel processio utriusque. Duae autem origines non possunt distingui nisi per terminum, vel principium, vel subiectum. Sicut origo equi differt ab origine bovis ex parte termini: secundum quod hae duae origines terminantur ad naturas specie diversas. Ex parte autem principii: ut si supponamus in eadem specie animalis quaedam generari ex virtute activa solis tantum; quaedam autem, simul cum hac, ex virtute

zwei Personen; vielmehr sind sie der einen Person zu eigen, es sei denn, sie involvierten einen wechselseitigen Gegensatz. Nun kann aber kein anderer Gegensatz als der des Ursprunges vorhanden sein. Also muß es einen Ursprungsgegensatz zwischen dem Sohn und dem Heiligen Geist dergestalt geben, daß der eine aus dem anderen hervorgeht.

Überdies. Welche Dinge auch immer, die voneinander unterschieden sind, in etwas ihnen Gemeinsamem übereinkommen, die müssen hinsichtlich bestimmter differenzierender Merkmale voneinander verschieden sein, die dem Gemeinsamen jeweils an sich selbst und nicht beiläufig zu eigen sind. So kommen Mensch und Pferd darin überein, ‚Lebewesen‘ zu sein. Sie unterscheiden sich nicht durch ihre weiße oder schwarze Farbe voneinander. Diese kommt einem Lebewesen beiläufig zu. Sie unterscheiden sich vielmehr charakteristischerweise dadurch, verstandesbegabt oder unverständig zu sein. Dies kommt einem Lebewesen an sich zu. Da nämlich ein Lebewesen mit einem Wesen identisch ist, das eine Seele besitzt, so muß es durch dasjenige unterschieden sein, was es dazu macht, eine so oder so geartete, etwa eine rationale oder eine irrationale Seele zu besitzen. Offenkundig kommen der Sohn und der Heilige Geist im ‚Sein von einem anderen‘ überein, da jeder von beiden vom Vater ist. Insofern der Vater unhervorgegangen ist, unterscheidet er sich sachgemäß von beiden. Unterscheidet sich nun der Heilige Geist vom Sohn, so muß dies aufgrund von Unterschieden der Fall sein, welche an sich jenes scheiden, was ‚Seiendes von einem anderen‘ ausmacht. Nun kann es sich hierbei nur um Differenzen derselben Gattung handeln, d. h. um solche, die sich auf den Ursprung beziehen, so daß eines von ihnen vom anderen ist. Folglich verbleibt, daß der Heilige Geist vom Sohne hervorgehen muß, um verschieden von ihm zu sein.

Ferner. Sagt jemand, der Heilige Geist unterscheide sich nicht insofern vom Sohn, als er vom Sohne ist, sondern aufgrund eines unterschiedlichen Ursprungs beider vom Vater, so muß dies tatsächlich auf dasselbe hinauslaufen. Ist nämlich der Heilige Geist vom Sohn verschieden, so hat es für jeden von ihnen einen jeweils verschiedenen Ursprung oder Hervorgang zu geben. Doch können sich zwei Ursprünge voneinander nur durch den Abschluß, durch den Anfang oder durch den zugrundeliegenden Träger unterscheiden. So unterscheidet sich der Ursprung des Pferdes vom Ursprung des Ochsen hinsichtlich der Abschlußgestalt, wonach diese beiden Ursprünge in artmäßig verschiedenen Naturen enden. Sie unterscheiden sich hinsichtlich des Anfangs: So werden in derselben Art von Lebendigem einige Lebewesen einzig durch die aktive Kraft der Sonne hervorgebracht, während andere durch dieselbe Kraft im Zusammenwirken mit der aktiven Kraft des Samens entstehen. Hin-

activa seminis. Ex parte vero subiecti, differt generatio huius equi et illius secundum quod natura speciei in diversa materia recipitur. Haec autem distinctio quae est ex parte subiecti, in divinis personis locum habere non potest: cum sint omnino immateriales. Similiter etiam ex parte termini, ut ita liceat loqui, non potest esse processionum distinctio: quia unam et eandem divinam naturam quam accipit Filius nascendo, accipit Spiritus Sanctus procedendo. Relinquitur igitur quod utriusque originis distinctio esse non potest nisi ex parte principii. Manifestum est autem quod principium originis Filii est Pater solus.

Si igitur processionis Spiritus Sancti principium sit solus Pater, non erit alia processio Spiritus Sancti a generatione Filii: et sic nec Spiritus Sanctus distinctus a Filio. Ad hoc igitur quod sint aliae processiones et alii procedentes, necesse est dicere quod Spiritus Sanctus non sit a solo Patre, sed a Patre et Filio.

Si quis vero iterum dicat quod differunt processiones secundum principium inquantum Pater producit Filium per modum intellectus ut Verbum, Spiritum autem Sanctum per modum voluntatis quasi Amorem: – secundum hoc oportebit dici quod secundum differentiam voluntatis et intellectus in Deo Patre distinguantur duae processiones et duo procedentes. Sed voluntas et intellectus in Deo Patre non distinguuntur secundum rem, sed solum secundum rationem: ut in primo libro ostensum est. Sequitur igitur quod duae processiones et duo procedentes differant solum ratione. Ea vero quae solum ratione differunt, de se invicem praedicantur: verum enim dicetur quod divina voluntas est intellectus eius, et e converso. Verum ergo, erit dicere quod Spiritus Sanctus est Filius et e converso: quod est Sabellianae impietatis. Non igitur sufficit ad distinctionem Spiritus Sancti et Filii dicere quod Filius procedat per modum intellectus, et Spiritus Sanctus per modum voluntatis, nisi cum hoc dicatur quod Spiritus Sanctus sit a Filio.

Praeterea. Ex hoc ipso quod dicitur quod Spiritus Sanctus procedit per modum voluntatis, et Filius per modum intellectus, sequitur quod Spiritus

sichtlich des zugrundeliegenden Trägers unterscheidet sich die Zeugung dieses Pferdes von der Zeugung jenes Pferdes, sofern die Artnatur in unterschiedlicher Materie aufgenommen ist. Dieser Unterschied hinsichtlich des zugrundeliegenden Trägers kann nicht in den göttlichen Personen vorhanden sein, da sie ja vollständig immateriell sind. Ähnliches gilt auch für den Unterschied hinsichtlich der Abschlußgestalt (falls man diesen Ausdruck verwenden will). In dieser Hinsicht kann es keinen Unterschied zwischen den Hervorgängen geben, weil der Heilige Geist durch Hervorgang eine und dieselbe göttliche Natur annimmt, welche der Sohn durch Geburt empfängt. Folglich verbleibt, daß der jeweilige Ursprungsunterschied beider nur hinsichtlich des Prinzips vorliegen kann. Nun ist offenkundig der Vater allein Anfangsgrund des Entstehens des Sohnes.

Wäre einzig der Vater Prinzip des Hervorgehens des Heiligen Geistes, dann gäbe es keinen von der Zeugung des Sohnes verschiedenen Hervorgang des Heiligen Geistes. Damit wäre der Heilige Geist nicht vom Sohne verschieden. Doch muß man hinsichtlich der Tatsache, daß es je verschiedene Hervorgänge und Hervorgehende gibt, betonen, daß der Heilige Geist nicht ausschließlich vom Vater, sondern vom Vater und vom Sohn ist.

Behauptet jemand wiederum, die Hervorgänge unterschieden sich hinsichtlich des Anfangsgrundes insofern voneinander, als der Vater den Sohn nach Verstandesart hervorbringt, d. h. als Wort, während er den Heiligen Geist nach Art des Willens hervorbringt, also als Liebe, so wird man demgemäß sagen müssen, daß in Gott Vater im Hinblick auf den Unterschied zwischen Wille und Verstand zwei Hervorgänge und zwei Hervorgehende zu unterscheiden sind. Doch unterscheiden sich Wille und Verstand in Gott Vater sachlich nicht voneinander, sondern nur logisch, wie im 1. Buch nachgewiesen wurde (I 45; 73). Folglich unterscheiden sich die zwei Hervorgänge und die zwei Hervorgehenden lediglich logisch voneinander. Dasjenige jedoch, was sich lediglich logisch voneinander unterscheidet, prädiziert man wechselseitig voneinander. So ist es wahr zu behaupten, der göttliche Wille sei sein Verstand und umgekehrt. Mithin wird es auch wahr sein zu behaupten, der Heilige Geist sei der Sohn und umgekehrt. Dies ist die gottlose These des Sabellius [IV 5]. Folglich reicht es in bezug auf den Unterschied zwischen Heiligem Geist und Sohn nicht, wenn man behauptet, der Sohn gehe nach Art des Verstandes und der Heilige Geist nach Art des Willens hervor, es sei denn, man behauptet zugleich, der Heilige Geist sei vom Sohn.

Zudem. Es folgt aus der Tatsache, daß es heißt, der Heilige Geist gehe nach Art des Willens und der Sohn nach Art des Verstandes hervor, daß

Sanctus sit a Filio. Nam amor procedit a verbo: eo quod nihil amare possumus nisi verbo cordis illud concipiamus.

Item. Si quis diversas species rerum consideret, in eis quidam ordo ostenditur: prout viventia sunt supra non viventia, et animalia supra plantas, et homo super alia animalia, et in singulis horum diversi gradus inveniuntur secundum diversas species; unde et Plato species rerum dixit esse numeros[18] qui specie variantur per additionem vel subtractionem unitatis. Unde in substantiis immaterialibus non potest esse distinctio nisi secundum ordinem. In divinis autem personis, quae sunt omnino immateriales, non potest esse alius ordo nisi originis. Non igitur sunt duae personae ab una procedentes, nisi una earum procedat ab altera. Et sic oportet Spiritum Sanctum procedere a Filio.

Adhuc. Pater et Filius, quantum ad unitatem essentiae, non differunt nisi in hoc quod hic est Pater et hic est Filius. Quicquid igitur praeter hoc est, commune est Patri et Filio. Esse autem principium Spiritus Sancti est praeter rationem paternitatis et filiationis: nam alia relatio est qua Pater est Pater, et qua Pater est principium Spiritus Sancti, ut supra dictum est. Esse igitur principium Spiritus Sancti est commune Patri et Filio.

Amplius. Quicquid non est contra rationem alicuius, non est impossibile ei convenire, nisi forte per accidens. Esse autem principium Spiritus Sancti non est contra rationem Filii. Neque inquantum est Deus: quia Pater est principium Spiritus Sancti. Neque inquantum est Filius: eo quod alia est processio Spiritus Sancti et Filii; non est autem repugnans id quod est a principio secundum unam processionem, esse principium processionis alterius. Relinquitur igitur quod non sit impossibile Filium esse principium Spiritus Sancti. Quod autem non est impossibile, potest esse. „In divinis autem non differt esse et posse" [*Phys.* III 4] Ergo Filius est principium Spiritus Sancti.

203b 30

---

[18] Cf. Aristotelem, *Phys.* VII 4 (249b 23 – 26).

der Heilige Geist vom Sohn ist. Die Liebe nämlich geht deswegen aus dem Wort hervor, weil wir nur dann etwas lieben können, wenn wir es im Worte unseres Herzens erfassen.

Ferner. Betrachtet man verschiedene Arten von Dingen, so zeigt sich bei ihnen eine gewisse Ordnung. So etwa ist Organisches dem Anorganischen, so sind Tiere den Pflanzen und der Mensch allen übrigen Tieren dergestalt übergeordnet, daß sich bei jedem einzelnen von ihnen verschiedene, den unterschiedlichen Arten entsprechende Grade finden. Daher behauptet Platon, die Arten der Dinge seien Zahlen, welche durch Addition oder Subtraktion von Einheit der Art nach variieren. Folglich kann es bei immateriellen Substanzen nur einen Unterschied der Ordnung nach geben. Nun kann es bei den göttlichen Personen, die völlig immateriell sind, nur einen Unterschied dem Ursprunge nach geben. Folglich gehen nicht zwei Personen aus einer hervor, es sei denn, die eine gehe aus der anderen hervor. Daher muß der Heilige Geist aus dem Sohne hervorgehen.

Darüber hinaus. Der Vater und der Sohn unterscheiden sich hinsichtlich der Einheit ihrer Wesenheit nur insofern, als dies der Vater und dies der Sohn ist. Folglich kommt alles hierüber hinaus Zutreffende dem Vater und dem Sohn gemeinsam zu. Anfangsgrund des Heiligen Geistes zu sein geht jedoch über Vaterschaft und Sohnschaft hinaus, denn die Relation, wonach der Vater Vater ist und jene, wonach der Vater Anfangsgrund des Heiligen Geistes ist, sind voneinander verschieden, wie oben erläutert wurde. Mithin kommt es dem Vater und dem Sohn gemeinsam zu, Prinzip des Heiligen Geistes zu sein.

Außerdem. Es ist nicht unmöglich, daß dasjenige, welches der Natur einer Sache nicht widerstreitet, ihr tatsächlich auch zukommt, es sei denn, dem stünde zufällig etwas im Wege. Prinzip des Heiligen Geistes zu sein widerstreitet jedoch weder dem Sohne unter der Hinsicht, daß er Gott ist, weil der Vater, welcher Gott ist, den Anfangsgrund des Heiligen Geistes darstellt, noch unter der Hinsicht, daß er Sohn ist, da es sich beim Hervorgang des Heiligen Geistes und des Sohnes um jeweils verschiedene Hervorgänge handelt. Folglich ist es nicht unmöglich, daß das, was vom Ursprung des einen Hervorgangs stammt, Ursprung des anderen ist. Was aber nicht unmöglich ist, das kann sein. Doch sind „im Göttlichen Sein und Möglichkeit nicht verschieden" (Aristoteles). Mithin ist der Sohn Prinzip des Heiligen Geistes.

CAPITULUM XXV

RATIONES OSTENDERE VOLENTIUM QUOD SPIRITUS SANCTUS
NON PROCEDAT A FILIO, ET SOLUTIO IPSARUM

Quidam vero, pertinaciter veritati resistere volentes, quaedam in contrarium inducunt, quae vix responsione sunt digna. Dicunt enim quod Dominus, de processione Spiritus Sancti loquens, eum a Patre procedere dixit, nulla mentione facta de Filio: ut patet Ioan. XV, ubi dicitur: „Cum venerit Paraclitus, quem ego mittam vobis a Patre, Spiritum Veritatis, qui a Patre procedit". Unde, cum de Deo nihil sit sentiendum nisi quod in Scriptura traditur, non est dicendum quod Spiritus Sanctus procedat a Filio.

Sed hoc omnino frivolum est. Nam propter unitatem essentiae, quod in Scripturis de una persona dicitur, et de alia oportet intelligi, nisi repugnet proprietati personali ipsius, etiam si dictio exclusiva adderetur. Licet enim dicatur, Matth. XI, quod „nemo novit Filium nisi Pater", non tamen a cognitione Filii vel ipse Filius, vel Spiritus Sanctus excluditur. Unde etiam si diceretur in Evangelio quod Spiritus Sanctus non procedit nisi a Patre, non per hoc removeretur quin procederet a Filio: cum hoc proprietati Filii non repugnet, ut ostensum est.

Nec est mirum si Dominus Spiritum Sanctum a Patre procedere dixit, de se mentione non facta: quia omnia ad Patrem referre solet, a quo habet quicquid habet; sicut cum dicit, Ioan. VII: „Mea doctrina non est mea sed eius qui misit me, Patris". Et multa huiusmodi in verbis Domini inveniuntur, ad commendandam in Patre auctoritatem principii.

Nec tamen in auctoritate praemissa omnino reticuit se esse Spiritus Sancti principium: cum dixit eum „Spiritum Veritatis" [Ioan. XV], se autem prius [Ioan. XIV] dixerat ‚Veritatem'.

Obiiciunt etiam quod in quibusdam Conciliis invenitur sub intermina-

25. Kapitel

Die Argumente jener, welche nachweisen wollen, dass der Heilige Geist nicht aus dem Sohne hervorgeht – Widerlegung der Argumente

Einige wollen der Wahrheit hartnäckig widerstehen. Sie führen Dinge an, die der Wahrheit entgegengesetzt sind, welche kaum eine Antwort wert sind. Sprach der Herr vom Hervorgang des Heiligen Geistes, so behaupten sie, er habe gesagt, daß er vom Vater hervorgeht, wobei der Sohn mit keinem Wort erwähnt wird. Dies soll aus der Stelle offenkundig werden, wo es bei Joh 15,26 heißt: „Wenn der Helfer kommt, den ich euch vom Vater senden werde, der Geist der Wahrheit, der vom Vater ausgeht". Da wir nur das von Gott glauben sollen, was die Schrift überliefert, so darf man nicht sagen, der Heilige Geist nehme vom Sohne seinen Anfang.

Dies ist barer Unsinn. Aufgrund der Einheit der Wesenheit hat man das, was die Schrift über die eine Person sagt, als ebenfalls auf die andere zutreffend zu verstehen (selbst wenn eine ausschließende Redeweise verwendet wird), es sei denn, es widerspräche einer Eigenschaft, welche ihr als diese Person eigentümlich zukommt. Heißt es beispielsweise bei Mt 11,27: „Und niemand kennt den Sohn als der Vater", so wird das Wissen vom Sohne weder vom Sohne selbst noch vom Heiligen Geist ausgeschlossen. Selbst wenn es im Evangelium hieße, der Heilige Geist ginge ausschließlich aus dem Vater hervor, so wäre damit nicht ausgeschlossen, daß er vom Sohne ausgeht, da dies der Eigenschaft des Sohnes nicht widerstreitet, wie nachgewiesen wurde (IV 24).

Noch soll es wundern, wenn der Herr sagte (und sich dabei selbst nicht erwähnte), der Heilige Geist gehe vom Vater aus, da er gewöhnlich alles auf den Vater bezieht, von dem er hat, worüber er verfügt. So sagt er in Joh 7,16: „Meine Lehre ist nicht von mir, sondern von dem, der mich gesandt hat", d. h. vom Vater. Unter den Herrenworten lassen sich viele Bemerkungen finden, welche betonen, daß die Autorität des Anfangsgrundes beim Vater liegt.

Im zuvor erwähnten Schriftwort jedoch verschweigt er keineswegs, daß er das Prinzip des Heiligen Geistes ist, denn er nennt ihn den „Geist der Wahrheit" (Joh 15,26), wobei er sich bereits vorher als „die Wahrheit" (Joh 14,6) bezeichnete.

Auch widersprechen sie dem, was in einigen Konzilien unter Strafe des Ausschlusses verboten wurde, nämlich irgendeinen Zusatz zum Glau-

tione anathematis prohibitum ne aliquid addatur in Symbolo in Conciliis
ordinato: in quo tamen de processione Spiritus Sancti a Filio mentio non
habetur. Unde arguunt Latinos anathematis reos, qui hoc in Symbolo
addiderunt.

Sed haec efficaciam non habent.

Nam in determinatione Synodi Chalcedonensis[19] dicitur quod Patres
apud Constantinopolim congregati doctrinam Nicaenae Synodi corrobo-
raverunt, „non quasi aliquid minus esset inferentes, sed de Spiritu Sancto
intellectum eorum, adversum eos qui Dominum eum respuere tentaver-
unt, Scripturarum testimoniis declarantes".

Et similiter dicendum est quod processio Spiritus Sancti a Filio impli-
cite continetur in Constantinopolitano Symbolo[20], in hoc quod ibi dicitur
quod „procedit a Patre": quia quod de Patre intelligitur, oportet et de Filio
intelligi, ut dictum est.

Et ad hoc addendum suffecit auctoritas Romani Pontificis, per quam
etiam inveniuntur antiqua Concilia esse confirmata.

Inducunt etiam quod Spiritus Sanctus, cum sit simplex, non potest esse
a duobus; et quod Spiritus Sanctus, si perfecte procedat a Patre, non procedit a Filio; et alia huiusmodi. Quae facile est solvere etiam parum in
theologicis exercitato. Nam Pater et Filius sunt unum principium Spiritus
Sancti, propter unitatem divinae virtutis, et una productione producunt
Spiritum Sanctum: sicut etiam tres personae sunt unum principium creaturae, et una actione creaturam producunt.

Capitulum XXVI

Quod non sunt nisi tres personae in divinis,
Pater, Filius et Spiritus Sanctus

Ex his igitur quae dicta sunt, accipere oportet quod in divina natura
tres personae subsistunt, Pater et Filius et Spiritus Sanctus, et quod hi tres
sunt unus Deus, solis relationibus ad invicem distincti. Pater enim a Filio
distinguitur paternitatis relatione, et innascibilitate; Filius autem a Patre
relatione filiationis; Pater autem et Filius a Spiritu Sancto spiratione, ut

---

[19] *Actio* V (Mansi VII, 114 B).
[20] *Symbol. Nicaeno-Const.* (Ench. Symbol. 86).

benssymbol zu machen, das von den Konzilien festgelegt wurde. Doch ist in ihm vom Hervorgang des Heiligen Geistes aus dem Sohn nicht die Rede. Daher bezichtigten sie die Latiner, die einen derartigen Zusatz zum Symbol machten, unter dem Anathem zu stehen.

Diese Einwände sind jedoch völlig wirkungslos.

Im Beschluß der Synode zu Chalkedon heißt es nämlich, die zu Konstantinopel versammelten Väter hätten die Lehre der Synode von Nikaia nicht so bestätigt, als wollten sie unterstellen, die vorhergehende Synode enthielte weniger an Lehre, sondern indem sie deren Verständnis vom Heiligen Geist dadurch erklärten, daß sie die Autorität der Schriften gegen jene heranzogen, welche zu verwerfen suchten, daß der Heilige Geist der Herr ist.

Ähnlich muß man sagen, daß der Hervorgang des Heiligen Geistes aus dem Sohn implizit im Symbol von Konstantinopel enthalten ist, sofern es dort heißt, „er geht vom Vater hervor". So muß das, was man dem Vater zuschreibt, auch dem Sohne zuschreiben, wie gesagt wurde (IV 8).

Um dies hinzuzufügen, reichte die Autorität des Römischen Papstes aus, durch die die frühen Konzilien bestätigt worden sind.

Zudem führen sie an, der Heilige Geist könne nicht von zweien sein, da er einfach ist und daß er, nimmt er vollkommen vom Vater seinen Anfang, nicht vom Sohne hervorgeht. Sie behaupteten noch weitere Dinge dieser Art, die man leicht entkräften kann, selbst wenn man nur wenig in der Theologie geübt ist. So sind der Vater und der Sohn ein Prinzip des Heiligen Geistes aufgrund der Einheit des göttlichen Vermögens. Sie bringen den Heiligen Geist in einem produktiven Akt hervor. Auch sind die drei Personen ein Prinzip des Geschöpfes. In einem Akt bringen sie das Geschöpf hervor.

26. KAPITEL

ES GIBT LEDIGLICH DREI PERSONEN IM GÖTTLICHEN: DEN VATER, DEN SOHN UND DEN HEILIGEN GEIST

Aufgrund des Erörterten hat man anzunehmen, daß in der göttlichen Natur drei Personen subsistieren, Vater, Sohn und Heiliger Geist, und daß diese drei einzig relational voneinander unterschieden sind. Der Vater nämlich unterscheidet sich vom Sohn durch die Relation der Vaterschaft und des Nichtgeborenseins. Der Sohn unterscheidet sich vom Vater durch die Relation der Sohnschaft. Der Vater und der Sohn wiederum unterscheiden sich vom Heiligen Geist durch die sogenannte

ita dicatur; Spiritus autem Sanctus a Patre et Filio processione amoris, qua ab utroque procedit.

Praeter has tres personas non est quartam in divina natura ponere. Personae enim divinae, cum in essentia conveniant, non possunt distingui nisi per relationem originis, ut ex dictis patet. Has autem originis relationes accipere oportet, non secundum processionem in exteriora tendentem, sic enim procedens non esset coessentiale suo principio: sed oportet quod processio interius consistat. Quod autem aliquid procedat manens intra suum principium, invenitur solum in operatione intellectus et voluntatis, ut ex dictis patet. Unde personae divinae multiplicari non possunt nisi secundum quod exigit processio intellectus et voluntatis in Deo. Non est autem possibile quod in Deo sit nisi una processio secundum intellectum: eo quod suum intelligere est unum et simplex et perfectum, quia intelligendo se intelligit omnia alia. Et sic non potest esse in Deo nisi una Verbi processio. Similiter autem oportet et processionem amoris esse unam tantum: quia etiam divinum velle est unum et simplex, amando enim se amat omnia alia. Non est igitur possibile quod sint in Deo nisi duae personae procedentes: una per modum intellectus ut Verbum, scilicet Filius; et alia per modum amoris, ut Spiritus Sanctus. Est etiam et una persona non procedens, scilicet Pater. Solum igitur tres personae in Trinitate esse possunt.

Item. Si secundum processionem oportet personas divinas distingui; modus autem personae quantum ad processiones non potest esse nisi triplex; ut scilicet sit aut omnino non procedens, quod Patris est; aut a non procedente procedens, quod Filii est; aut a procedente procedens, quod Spiritus Sancti est: impossibile est igitur ponere plures quam tres personas.

Licet autem in aliis viventibus possint relationes originis multiplicari, ut scilicet sint in natura humana plures patres et plures filii, in divina natura hoc omnino impossibile est esse. Nam filiatio, cum in una natura sit unius speciei, non potest multiplicari nisi secundum materiam aut subiectum, sicut est etiam de aliis formis. Unde, cum in Deo non sit materia aut subiectum; et ipsae relationes sint subsistentes, ut ex supra dictis patet:

Hauchung. Der Heilige Geist aber unterscheidet sich vom Vater und vom Sohne durch den Hervorgang der Liebe, dem gemäß er aus beiden hervorgeht.

Außer diesen drei Personen gibt es in der göttlichen Natur keine vierte. Die göttlichen Personen können nur durch die Ursprungsrelation voneinander verschieden sein, da sie in derselben Wesenheit übereinkommen, wie aus dem oben Gesagten deutlich wird (IV 11; 24). Nun darf man diese Ursprungsrelationen nicht nach Maßgabe eines Hervorgangs deuten, welcher auf äußere Dinge hintendiert. Dann nämlich wäre das Hervorgehende nicht mit dem Prinzip wesensgleich. Vielmehr muß es sich um einen immanenten Hervorgang handeln. Einen derartigen Hervorgang, welcher in seinem Ursprung verbleibt, findet man ausschließlich bei der Tätigkeit des Verstandes oder des Willens, wie aus dem bisher Dargelegten hervorgeht (IV 11; 19). Daher können sich die göttlichen Personen nur insofern vervielfältigen, als es der Hervorgang des Intellektes und des Willens in Gott zustande bringt. Doch kann es in Gott nur einen Hervorgang nach Art des Intellektes geben, weil sein Erkennen eines, einfach und vollkommen ist, erkennt er ja alles weitere, indem er sich selbst erkennt. Somit kann es in Gott nur einen Hervorgang des Wortes geben. Ähnlich kann auch nur ein Hervorgang der Liebe vorkommen, da auch das göttliche Wollen nur eines und einfach ist: Indem er sich selbst liebt, liebt er alles andere. Mithin kann es in Gott nur zwei hervorgehende Personen geben. Die eine geht nach Art des Verstandes als Wort hervor, d. h. der Sohn; die andere nach Art der Liebe, also der Heilige Geist. So gibt es eine Person, die nicht hervorgeht, d. h. den Vater. Folglich kann es nur drei Personen in der Trinität geben.

Zudem. Unterscheiden sich die Personen dem Hervorgange nach, so gibt es unmöglich mehr als drei Personen. Hinsichtlich der Hervorgänge jedoch sind in einer Person nur drei Modi möglich: entweder geht sie überhaupt nicht hervor, wie der Vater; oder sie geht aus jemandem hervor, der selbst nicht hervorgeht, wie der Sohn; oder sie geht aus jemand hervor, der seinerseits hervorgeht, wie der Heilige Geist.

Bei anderen Lebewesen jedoch können sich die Ursprungsrelationen ausdifferenzieren. So etwa gibt es im Bereich der menschlichen Natur mehrere Väter und mehrere Söhne. Doch im Bereich der göttlichen Natur ist es völlig unmöglich, daß dies zutreffen kann. Da die Sohnschaft in einer Natur einer Art ist, so kann sie sich nur der Materie oder dem zugrundeliegenden Träger nach vervielfältigen, wie es auch bei anderen Formen der Fall ist. Daher können in Gott unmöglich mehrere Sohnschaften vorkommen, weil in Gott weder Materie noch ein zugrundeliegender Träger vorhanden ist und die Relationen selbst subsistieren, wie aus dem bereits

impossibile est quod in Deo sint plures filiationes. Et eadem ratio est de aliis. Et sic in Deo sunt solum tres personae.

Si quis autem obiiciens dicat quod in Filio, cum sit perfectus Deus, est virtus intellectiva perfecta, et sic potest producere verbum; et similiter, cum in Spiritu Sancto sit bonitas infinita, quae est communicationis principium, poterit alteri divinae personae naturam divinam communicare: – considerare debet quod Filius est Deus ut genitus, non ut generans: unde virtus intellectiva est in eo ut in procedente per modum verbi, non ut in producente verbum. Et similiter, cum Spiritus Sanctus sit Deus ut procedens, est in eo bonitas infinita ut in persona accipiente, non ut in communicante alteri bonitatem infinitam. Non enim distinguuntur ab invicem nisi solis relationibus, ut ex supra dictis patet. Tota igitur plenitudo divinitatis est in Filio, et eadem numero quae est in Patre: sed cum relatione nativitatis, sicut in Patre cum relatione generationis activae. Unde, si relatio Patris attribueretur Filio, omnis distinctio tolleretur. Et eadem ratio est de Spiritu Sancto.

Huius autem divinae Trinitatis similitudinem in mente humana possumus considerare. Ipsa enim mens, ex hoc quod se actu intelligit, verbum suum concipit in seipsa: quod nihil aliud est quam ipsa intentio intelligibilis mentis, quae et mens intellecta dicitur, in mente existens. Quae dum ulterius seipsam amat, seipsam producit in voluntate ut amatum. Ulterius autem non procedit intra se, sed concluditur circulo, dum per amorem redit ad ipsam substantiam a qua processio incoeperat per intentionem intellectam: sed fit processio ad exteriores effectus, dum ex amore sui procedit ad aliquid faciendum. Et sic tria in mente inveniuntur: mens ipsa, quae est processionis principium, in sua natura existens; et mens concepta in intellectu; et mens amata in voluntate. Non tamen haec tria sunt una natura: quia intelligere mentis non est eius esse, nec eius velle est eius esse aut intelligere. Et propter hoc etiam mens intellecta et mens amata non sunt personae: cum non sint subsistentes. Mens etiam ipsa, in sua natura existens, non est persona: cum non sit totum quod subsistit, sed pars subsistentis, scilicet hominis.

Dargelegten (IV 14) ersichtlich wird. Dasselbe gilt von den anderen Relationen. Mithin wesen in Gott nur drei Personen.

Wirft aber jemand ein, im Sohne gebe es ein vollkommenes Verstandesvermögen, da er vollkommener Gott ist, so daß er das Wort hervorbringen kann, und behauptet sodann, ähnlich könne der Heilige Geist einer anderen göttlichen Person die göttliche Natur vermitteln, da in ihm unbegrenzte Güte ist, welche das Prinzip der Vermittlung ausmacht, so muß man erwägen, daß der Sohn als Gezeugter, nicht aber als Zeugender Gott ist. Daher ist Verstandesvermögen in ihm, sofern er nach Art des Wortes hervorgeht, nicht aber nach Art eines das Wort Hervorbringenden. Ähnliches gilt für den Heiligen Geist. Da der Heilige Geist als Hervorgehender Gott ist, so ist unbegrenzte Güte in ihm nach Art einer Güte aufnehmenden Person, nicht jedoch auf die Weise von jemandem, der einem anderen unbegrenzte Güte mitteilt. Doch unterscheiden sie sich lediglich relational voneinander, wie aus dem Vorhergehenden (IV 14; 24) ersichtlich ist. Folglich ist die gesamte Fülle der Gottheit im Sohne. Sie ist numerisch mit der des Vaters identisch, allerdings zusammen mit der Relation der Geburt. Sie ist im Vater, doch zusammen mit der Relation aktiver Zeugung. Schriebe man mithin die Relation des Vaters dem Sohne zu, so höbe sich jeglicher Unterschied auf. Dasselbe trifft auf den Heiligen Geist zu.

Wir können auch das Ebenbild der göttlichen Trinität im menschlichen Geist betrachten. Aufgrund der Tatsache, daß der Geist sich selbst wirklich erkennt, bildet er sein Wort in sich selbst. Dies ist nichts anderes als der Begriff des erkenntnisfähigen Geistes selbst, welcher auch ,verstandener Geist' heißt. Er existiert im Geist. Darüber hinaus: Wenn der Geist sich selbst liebt, so bringt er sich selbst im Willen als Geliebtes hervor. Er entspringt aber nicht innerhalb seiner selbst, sondern er schließt sich im Kreis, während er durch die Liebe zu seiner eigenen Substanz zurückkehrt, wovon der Hervorgang durch den im Verstande hervorgebrachten Begriff begann. Doch geschieht der Hervorgang auf äußere Wirkungen hin, während er aus Liebe zu sich zur Tat fortschreitet. Somit findet sich dreierlei im Geiste: der Geist selbst, welcher das in seiner Natur existierende Prinzip des Hervorganges ist, der verstandesmäßig begriffene Geist und der im Willen geliebte Geist. Dennoch machen diese drei nicht eine Natur aus, da das Erkennen des Geistes nicht sein Sein ist; noch ist sein Wollen sein Sein oder sein Erkennen. Folglich sind auch der erkannte Geist und der geliebte Geist keine Personen, da sie nicht subsistieren. Auch ist der in seiner Natur existierende Geist selbst keine Person, da er nicht das ganze ist, was subsistiert, sondern lediglich ein Teil dessen, d. h. des Menschen.

PL 42/34-38 In mente igitur nostra invenitur similitudo Trinitatis divinae quantum ad processionem, quae „multiplicat Trinitatem" [Boet., *De trin.* c. 6] cum ex dictis manifestum sit esse in divina natura Deum ingenitum, qui est totius divinae processionis principium, scilicet Patrem; et Deum genitum per modum verbi in intellectu concepti, scilicet Filium; et Deum per modum amoris procedentem, scilicet Spiritum Sanctum. Ulterius autem intra divinam naturam nulla processio invenitur, sed solum processio in exteriores effectus. In hoc autem deficit a repraesentatione divinae Trinitatis, quod Pater et Filius et Spiritus Sanctus sunt unius naturae, et singulis horum est persona perfecta, eo quod intelligere et velle sunt ipsum esse divinum, ut ostensum est. Et propter hoc, sic consideratur divina similitudo in homine sicut similitudo Herculis in lapide: quantum ad repraesentationem formae, non quantum ad convenientiam naturae. Unde et in mente hominis dicitur esse ‚imago Dei': Secundum illud Gen. I: „Faciamus hominem ad imaginem et similitudinem nostram".

Invenitur etiam in aliis rebus divinae Trinitatis similitudo: prout quaelibet res in sua substantia una est: et specie quadam formatur; et ordinem aliquem habet. Sicut autem ex dictis patet, conceptio intellectus in esse intelligibili est sicut informatio speciei in esse naturali: amor autem est sicut inclinatio vel ordo in re naturali. Unde et species naturalium rerum a remotis repraesentat Filium: ordo autem Spiritum Sanctum. Et ideo, propter remotam repraesentationem et obscuram in irrationabilibus rebus, dicitur in eis esse Trinitatis vestigium, non imago: secundum illud Iob XI: Numquid „vestigia Dei comprehendes" etc.

Et haec de Divina Trinitate ad praesens dicta sufficiant.

Folglich findet sich in unserem Geist ein Ebenbild der göttlichen Trinität hinsichtlich des Hervorganges, welcher „die Trinität (d. h. die Personen) vervielfältigt" (Boethius). So haben wir hinreichend nachgewiesen, daß es in der göttlichen Natur den ungezeugten Gott gibt, welcher Anfangsgrund des gesamten göttlichen Hervorganges ist, d. h. den Vater; daß es den nach Art des im Verstande gebildeten Wortes gezeugten Gott gibt, also den Sohn, und daß es den nach Art der Liebe hervorgehenden Gott gibt, d. h. den Heiligen Geist. Darüber hinaus jedoch findet sich innerhalb der göttlichen Natur kein weiterer Hervorgang, sondern einzig ein Hervorgang, der in äußeren Wirkungen endet. Der menschliche Geist repräsentiert jedoch die göttliche Trinität nicht darin, daß Vater und Sohn und Heiliger Geist einer Natur sind, wobei es sich bei jedem einzelnen von ihnen deswegen um eine vollkommene Person handelt, weil Erkennen und Wollen das göttliche Sein selbst sind, wie gezeigt wurde (I 45; 73). Deswegen betrachtet man das göttliche Ebenbild im Menschen wie ein Ebenbild des Herkules im Stein, also im Hinblick auf die Repräsentation der Form, nicht aber im Hinblick auf die Übereinstimmung der Natur. Daher heißt es auch, im Geiste des Menschen sei ein „Bild Gottes" [vgl. IV 11], dem Worte von Gen 1,26 gemäß: „Laßt uns den Menschen machen nach unserem Bilde, uns ähnlich".

Auch in anderen Dingen findet sich ein Abbild der Gottheit, sofern jedwedes in seiner Substanz eines ist, durch die Art geformt wird und eine gewisse Ordnung aufweist. Wie auch aus den bisherigen Darlegungen hervorgeht (IV 11; 19), so ist die Begriffsfassung des Verstandes bei intelligiblem Sein wie die Einformung der Art bei naturhaftem Sein. Die Liebe ist wie die Tendenz oder die Ordnung in einem Naturding. Daher repräsentiert die Art bei Naturdingen auf entfernte Weise den Sohn, die Ordnung den Heiligen Geist. Wegen der entfernten und dunklen Repräsentation bei den Dingen, die vernunftlos sind, heißt es, in ihnen sei nicht ein ‚Bild', sondern eine ‚Spur' der Trinität vorhanden, gemäß dem Wort Ijob 11,7: „Kannst du meine Spuren verstehen, [bis zur Vollkommenheit Schaddais gelangen]?".

Damit soll über die göttliche Trinität gegenwärtig genug gesagt sein.

Capitulum XXVII

De incarnatione Verbi
secundum traditionem Sacrae Scripturae

Quoniam autem supra, cum de generatione divina ageretur, dictum est Dei Filio, Domino Iesu Christo, quaedam secundum divinam naturam, quaedam secundum humanam convenire, quam ex tempore assumendo, Dei aeternus Filius voluit incarnari: de ipso nunc incarnationis mysterio restat dicendum. Quod quidem inter divina opera maxime rationem excedit: nihil enim mirabilius excogitari potest divinitus factum quam quod verus Deus, Dei Filius, fieret homo verus. Et quia inter omnia mirabilissimum est, consequitur quod ad huius maxime mirabilis fidem omnia alia miracula ordinentur: cum „id quod est in unoquoque genere maximum,

993b 24–26   causa aliorum esse videatur" [*Met.* I a. 1].

Hanc autem Dei incarnationem mirabilem, auctoritate divina tradente, confitemur. Dicitur enim Ioan. I: „Verbum caro factum est, et habitavit in nobis". Et Apostolus Paulus, Philipp. II, dicit, de Filio Dei loquens: „Cum in forma Dei esset, non rapinam arbitratus est se esse aequalem Deo: sed semetipsum exinanivit formam servi accipiens, in similitudinem hominum factus, et habitu inventus ut homo".

Hoc etiam ipsius Domini Iesu Christi verba manifeste ostendunt: cum de se quandoque loquatur humilia et humana, ut est illud [Ioan. XIV]: „Pater maior me est", et [Matth. XXVI]: „Tristis est anima mea usque ad mortem", quae ei secundum humanitatem assumptam conveniunt; quandoque vero sublimia et divina, ut est illud [Ioan. X]: „Ego et Pater unum sumus" et [Ioan. XVI]: „Omnia quae habet Pater, mea sunt", quae certum est ei secundum naturam divinam competere.

Ostendunt etiam hoc ipsius Domini facta quae de ipso leguntur. Quod enim timuit, tristatus est, esuriit, mortuus est, pertinet ad humanam naturam. Quod propria potestate infirmos sanavit, quod mortuos suscitavit, et quod elementis mundi efficaciter imperavit, quod daemones expulit, quod peccata dimisit, quod a mortuis cum voluit resurrexit, quod denique caelos ascendit divinam in eo virtutem demonstrant.

27. Kapitel

Die Inkarnation des Wortes
gemäss der Überlieferung der Heiligen Schrift

Bei der Erörterung der göttlichen Zeugung (IV 4; 8) wurde bereits gesagt, daß dem Sohn Gottes, dem Herrn Jesus Christus, bestimmte Eigenschaften nach Maßgabe seiner göttlichen Natur zukommen und gewisse Eigenschaften aufgrund seiner menschlichen Natur, durch deren Annahme in der Zeit sich der ewige Sohn Gottes inkarnieren wollte. Somit muß nunmehr über das Geheimnis der Inkarnation gesprochen werden (vgl. IV 1). Unter den göttlichen Werken übersteigt es den Verstand am meisten. Man kann sich nämlich keine wunderbarere göttliche Tat denken als die, daß Gottes Sohn, der wahre Gott, wahrer Mensch wird. Da dies unter allem das Wunderbarste ist, so folgt, daß alle anderen Wunder auf dieses höchste Wunder bezogen sind, da „das, was in jeglicher Gattung das Höchste ist, offenbar die Ursache des übrigen ist" (Aristoteles).

Wir bekennen diese wunderbare Inkarnation Gottes aufgrund der göttlichen Autorität, die sie überliefert. So heißt es Joh 1, 14: „Und das Wort ist Fleisch geworden und hat unter uns gewohnt". Der Apostel spricht, wenn er Phil 2, 6 f. vom Sohne Gottes redet: „Er, der in Gottesgestalt war, erachtete das Gottgleichsein nicht als Beutestück; sondern er entäußerte sich selbst, nahm Knechtsgestalt an und ward den Menschen gleich. In seiner äußeren Erscheinung als ein Mensch befunden …".

Dies stellen auch die Worte des Herrn Jesus Christus selbst klar unter Beweis, da er sich bisweilen Geringes und Menschliches zuschreibt, wenn es etwa (Joh 14, 28) heißt: „Der Vater ist größer als ich", und (Mt 26, 38): „Meine Seele ist betrübt bis in den Tod". Dies kommt ihm aufgrund der Menschheit zu, die er annahm. Bisweilen jedoch schreibt er sich Hohes und Göttliches zu, wenn es etwa (Joh 10, 30) heißt: „Ich und der Vater sind eins" und (Joh 16, 15): „Alles, was der Vater hat, ist mein". Dies kommt ihm gewiß aufgrund seiner göttlichen Natur zu.

Dasselbe wird auch aus den Taten des Herrn selbst ersichtlich, die man ihm zuschreibt. So gehört es zu seiner menschlichen Natur, daß er sich fürchtete, betrübt war, Hunger litt und starb. Es offenbart die in ihm befindliche göttliche Macht, daß er aus eigenem Vermögen Kranke heilte, Tote lebendig machte, den Elementen der Welt wirksam befahl, Dämonen austrieb, Sünden nachließ, nach seinem Willen von den Toten auferstand und schließlich in den Himmel auffuhr.

Capitulum XXVIII

De errore Photini circa incarnationem

Quidam autem, Scripturarum sensum depravantes, circa Domini nostri Iesu Christi divinitatem et humanitatem perversum sensum conceperunt.

Fuerunt enim quidam, ut Ebion et Cerinthus, et postea P.aulus Samosatenus et Photinus, qui in Christo solum naturam humanam confitentur; divinitatem vero non per naturam, sed per quandam excellentem divinae gloriae participationem, quam per opera meruerat, in eo fuisse confingunt, ut superius dictum est. Sed, ut alia praetermittamus quae contra positionem huiusmodi dicta sunt superius, haec positio incarnationis mysterium tollit.

Non enim, secundum positionem huiusmodi, Deus carnem assumpsisset, ut fieret homo: sed magis homo carnalis Deus factus fuisset. Et sic non verum esset quod Ioannes dicit [Ioan. I]: „Verbum caro factum est“: sed magis e contrario, Caro Verbum facta fuisset.

Similiter etiam non convenirent Dei Filio exinanitio aut descensio, sed magis homini glorificatio et ascensio, et sic non verum esset quod Apostolus dicit [Philip. II]: „Qui cum in forma Dei esset, exinanivit semetipsum formam servi accipiens“: sed sola exaltatio hominis in divinam gloriam, de qua postmodum subditur [ibid.]: „Propter quod et Deus exaltavit illum“.

Neque verum esset quod Dominus dicit [Ioan. VI]: „Descendi de caelo“, sed solum quod ait [Ioan. XX]: „Ascendo ad Patrem meum“: cum tamen utrumque Scriptura coniungat. Dicit enim Dominus, Ioan. III: „Nemo ascendit in caelum nisi qui de caelo descendit, Filius hominis, qui est in caelo“; et Ephes. IV: „ Qui descendit, ipse est qui ascendit super omnes caelos“.

Sic etiam non conveniret Filio quod missus esset a Patre neque quod a Patre exiverit ut veniret in mundum, sed solum quod ad Patrem iret: cum tamen ipse utrumque coniungat, dicens, Ioan. XVI: „Vado ad eum qui misit me“; et iterum [ibid.]: „Exivi a Patre et veni in mundum et iterum relinquo mundum et vado ad Patrem“; in quorum utroque et humanitas et divinitas comprobatur.

28. Kapitel

Der Irrtum des Photinus bezüglich der Inkarnation

Einige haben sich hinsichtlich der Gottheit und Menschheit unseres Herrn Jesus Christus eine verkehrte Meinung gebildet, indem sie den Sinn der Schriften verdrehten.

So gab es einige, etwa Ebion und Cerinth, später auch Paulus von Samosate und Photinus, die bekennen, in Christus gebe es einzig die menschliche Natur. Sie denken sich aus, daß die Gottheit in ihm nicht aufgrund seiner Natur vorhanden ist, sondern ihm durch eine hervorragende Teilhabe an der göttlichen Herrlichkeit zukommt, die er sich durch Werke verdient hatte. Dies wurde bereits (IV 9) erläutert (IV 4). Übergeht man das weitere, was bereits gegen eine derartige These gesagt wurde, so hebt diese Ansicht das Inkarnationsgeheimnis auf.

Einer derartigen These entsprechend hätte Gott nicht Fleisch angenommen, um Mensch zu werden; eher wäre ein fleischlicher Mensch zu Gott gemacht worden. Folglich wäre es nicht wahr, wenn Johannes in Joh 1, 14 sagt: „Das Wort ist Fleisch geworden"; eher wäre umgekehrt „das Fleisch Wort geworden".

Ähnlich hätte sich der Sohn Gottes nicht entäußert oder wäre herabgestiegen, sondern eher wäre der Mensch verherrlicht und aufgestiegen. Demnach wäre unwahr, was der Apostel (Phil 2, 6 f.) behauptet: „Er, der in Gottesgestalt war ... entäußerte sich selbst, nahm Knechtsgestalt an". Wahr wäre einzig die Erhöhung des Menschen zur göttlichen Herrlichkeit, worüber es ein wenig weiter (Phil 2, 9) heißt: „Darum hat Gott ihn erhöht".

Ebenso wäre nicht wahr, was der Herr (Joh 6, 38) sagt: „Denn ich bin vom Himmel herabgekommen", sondern einzig, wenn er (Joh 20, 17) sagt: „Ich steige hinauf zu meinem Vater". Doch verbindet die Schrift beide Bemerkungen. So sagt der Herr in Joh 3, 13: „Und doch ist niemand in den Himmel hinaufgestiegen außer dem, der vom Himmel herabgestiegen ist, der Menschensohn", und Eph 4, 10: „Er, der hinabstieg, ist derselbe, der hinaufstieg über alle Himmel".

Folglich träfe es auch nicht zu, daß der Sohn vom Vater gesandt wurde oder vom Vater ausging, um in die Welt zu kommen. Es träfe einzig zu, daß er zum Vater ging. Dennoch verbindet er selbst beides, wenn er Joh 16, 5 sagt: „Jetzt aber gehe ich zu dem, der mich gesandt hat". Wiederum spricht er in Joh 16, 28: „Ich bin vom Vater ausgegangen und in die Welt gekommen. Nun verlasse ich die Welt wieder und gehe zum Vater". Beide Zitate stellen sowohl die Menschheit als auch die Gottheit unter Beweis.

Capitulum XXIX

De errore Manichaeorum circa incarnationem

Fuerunt autem et alii qui, veritate incarnationis negata, quandam fictitiam incarnationis similitudinem introduxerunt. Dixerunt enim Manichaei [August., *De haeres.* c. 46] Dei Filium non verum corpus, sed phantasticum assumpsisse. Unde nec verus homo esse potuit, sed apparens: neque ea quae secundum hominem gessit, sicut quod natus est, quod comedit, bibit, ambulavit, passus est et sepultus, in veritate fuisse, sed in quadam simulatione, consequitur. Et sic patet quod totum Incarnationis mysterium ad quandam fictionem deducunt.

PL 42/34–38

Haec autem positio primo quidem Scripturae auctoritatem evacuat. Cum enim carnis similitudo caro non sit, neque similitudo ambulationis ambulatio, et in ceteris similiter, mentitur Scriptura dicens [Ioan. I]: „Verbum caro factum est", si solum phantastica caro fuit. Mentitur etiam dicens Iesum Christum ambulasse, comedisse, mortuum fuisse et sepultum, si haec in sola phantastica apparitione contigerunt. Si autem vel in modico auctoritati Sacrae Scripturae derogetur, iam nihil fixum in fide nostra esse poterit, quae Sacris Scripturis innititur, secundum illud Ioan. XX: „Haec scripta sunt ut credatis".

Potest autem aliquis dicere Scripturae quidem Sacrae veritatem non deesse, dum id quod apparuit, refert ac si factum fuisset: quia rerum similitudines aequivoce ac figurate ipsarum rerum nominibus nuncupantur, sicut homo pictus aequivoce dicitur homo; et ipsa Sacra Scriptura consuevit hoc modo loquendi uti, ut est illud I Cor. X, „Petra autem erat Christus". Plurima autem corporalia in Scripturis de Deo inveniuntur dici propter similitudinem solam: sicut quod nominatur agnus vel leo, vel aliquid huiusmodi.

Sed licet rerum similitudines aequivoce rerum sibi nomina interdum assumant, non tamen competit Sacrae Scripturae ut narrationem unius facti totam sub tali aequivocatione proponat, ita quod ex aliis Scripturae locis manifesta veritas haberi non possit: quia ex hoc non eruditio hominum, sed magis deceptio sequeretur; cum tamen Apostolus dicat, Rom.

29. Kapitel

Der Irrtum der Manichäer bezüglich der Inkarnation

Andere wiederum leugneten die Wahrheit der Inkarnation und führten so etwas wie ein fiktives Abbild von ihr ein. So behaupteten die Manichäer, der Sohn Gottes habe keinen wahrhaften, sondern einen geisterartigen Leib angenommen. Daher konnte es sich bei ihm nicht um einen wahren, sondern nur um einen Scheinmenschen handeln. Auch konnte das, was sich ihm aufgrund seiner Menschheit zutrug, geboren zu sein etwa, zu essen, zu trinken, zu gehen, zu leiden und begraben zu werden, nicht tatsächlich der Fall gewesen sein. Es habe vielmehr eine gewisse Ähnlichkeit mit der Realität. Folglich machen sie das ganze Geheimnis der Inkarnation offenkundig zu einer Fiktion.

Erstens untergräbt diese These die Autorität der Schrift. Da ein Abbild von Fleisch nicht Fleisch ist, noch das Abbild von Laufen Laufen usw., so lügt die Schrift, wenn sie (Joh 1, 14) sagt: „Das Wort ist Fleisch geworden", handelte es sich einzig um geisterhaftes Fleisch. Auch lügt sie, wenn sie sagt, Jesus Christus sei gegangen, habe gegessen, sei gestorben und begraben worden, ereignete sich dies lediglich als geisterhafte Erscheinung. Falls die Autorität der Schrift jedoch nur ein wenig eingeschränkt wird, so wird nichts, was sich auf die Heiligen Schriften stützt, in unserem Glauben Bestand haben können. Entsprechend heißt es Joh 20, 31: „Diese [Zeichen] aber sind aufgeschrieben, damit ihr glaubet".

Nun mag jemand behaupten, der Heiligen Schrift ermangele es nicht der Wahrheit, wenn sie Erscheinungen derart berichtet, als seien sie Tatsachen. So werden Abbilder von Dingen äquivok und figurativ mit jenen Namen benannt, welche die Dinge selbst besitzen. So wird das Bild eines Menschen äquivok „Mensch" genannt. Die Heilige Schrift selbst machte gewöhnlich von dieser Redeweise Gebrauch, wenn es etwa (1 Kor 10, 4) heißt: „Der Fels aber war Christus". Auch findet man, daß in den Schriften mehrere Dinge von Gott ausgesagt werden, die Leibhaftes bezeichnen. Dies geschieht allerdings ausschließlich gleichnishaft. Beispielsweise wird er „Lamm", „Löwe" oder dergleichen genannt.

Selbst wenn es zutrifft, daß Abbilder von Dingen bisweilen auf äquivoke Weise mit Ausdrücken für das bezeichnet werden, was sie abbilden, so trifft dennoch nicht zu, daß die Heilige Schrift den gesamten Bericht eines Faktums unter Zuhilfenahme einer solchen äquivoken Redeweise derart erzählt, daß man die offenkundige Wahrheit nicht aus anderen Schriftstellen erfahren kann. Sonst nämlich wäre eher Täuschung als Bildung der Menschen die Folge. Doch sagt der Apostel in Rö 15, 4: „Denn was ge-

XV, quod „quaecumque scripta sunt, ad nostram doctrinam scripta sunt"; et II Tim. III: „Omnis Scriptura divinitus inspirata utilis est ad docendum et erudiendum".

Esset praeterea tota evangelica narratio poetica et fabularis, si rerum similitudines apparentes quasi res ipsas narraret: cum tamen dicatur II Petr. I: „Non enim indoctas fabulas secuti notam fecimus vobis Domini nostri Iesu Christi virtutem".

Sicubi vero Scriptura narrat aliqua quae apparentiam et non rerum existentiam habuerunt, ex ipso more narrationis hoc intelligere facit. Dicitur enim Gen. XVIII: „Cumque elevasset oculos", Abraham scilicet, „apparuerunt tres viri" ex quo datur intelligi quod secundum apparentiam viri fuerunt. Unde et in eis Deum adoravit et deitatem confessus est, dicens [ibid.]: „Loquar ad Dominum meum, cum sim pulvis et cinis"; et iterum [ibid.]: „Non est tuum hoc, qui iudicas omnem terram".

Quod vero Isaias et Ezechiel et alii prophetae aliqua descripserunt quae imaginarie visa sunt, errorem non generat: quia huiusmodi ponunt non in narratione historiae, sed in descriptione prophetiae. Et tamen semper aliquid addunt per quod apparitio designatur: sicut Isaiae VI: „Vidi Dominum sedentem etc."; Ezech. I: „ Facta est super me manus Domini et vidi etc.", Ezech. VIII: „Emissa similitudo manus apprehendit me et adduxit et veni in Ierusalem in visione Dei".

Quod etiam aliqua in Scripturis de rebus divinis per similitudinem dicuntur, errorem generare non potest. Tum quia similitudines sumuntur a rebus tam vilibus ut manifestum sit quod haec secundum similitudinem, et non secundum rerum existentiam dicuntur.

Tum quia inveniuntur aliqua proprie dicta in Scripturis per quae veritas expresse manifestatur quae sub similitudinibus in locis aliis occultatur. Quod quidem in proposito non accidit: nam nulla Scripturae auctoritas veritatem eorum quae de humanitate Christi leguntur, excludit.

Forte autem quis dicat quod hoc datur intelligi per hoc quod Apostolus dicit, Rom. VIII: „Misit Deus Filium suum in similitudinem carnis pec-

schrieben wurde, ist zu unserer Belehrung geschrieben", und in 2 Tim 3, 16: „Jede Schrift ist von Gott eingegeben und nützlich zur Belehrung … und zur Erziehung …".

Außerdem würde es sich bei der gesamten Evangeliumsgeschichte um Poesie und Fabel handeln, berichtete sie scheinhafte Abbilder der Dinge so, als seien sie die Dinge selbst. Vielmehr heißt es 2 Petr 1, 16: „Wir sind ja keinen ausgeklügelten Fabeln gefolgt, als wir euch die Macht und die Ankunft unseres Herrn Jesus Christus kundtaten".

Wo die Schrift etwas berichtet, was den Charakter von Schein hat und was sich nicht tatsächlich so verhält, dann gibt sie dies aufgrund der Erzählweise selbst zu erkennen. So heißt es Gen 18, 2: „Er (d. h. Abraham) erhob seine Augen, und siehe, da erschienen drei Männer vor ihm". Damit wird uns zu verstehen gegeben, daß es sich dem Anschein nach um Männer handelte. Daher verehrte er auch Gott in ihnen und bekannte die Gottheit, als er Gen 18, 27 sprach: „Ich habe mich nun einmal unterfangen, zu meinem Herrn zu reden, obwohl ich Staub und Asche bin". Wiederum heißt es Gen 18, 25: „Das sei ferne von dir! Sollte der Richter der ganzen Erde nicht Gerechtigkeit üben?".

Beschrieben Jesaia, Ezechiel oder die übrigen Propheten Erscheinungen, so führt dies nicht zum Irrtum, denn sie stellen es nicht nach Art einer Geschichtserzählung, sondern als Beschreibung einer Prophetie dar. Dennoch fügen sie stets eine Bemerkung hinzu, mit der man eine Erscheinung bezeichnet, etwa folgendermaßen wie Jes 6, 1: „[Im Todesjahr des Königs Usija] sah ich den Herrn Jahwe auf einem hohen und erhabenen Throne sitzen"; Ezech 1, 3 f.: „Dort kam über mich die Hand Jahwes. Ich schaute, und siehe, ein Sturmwind kam von Norden" etc.; Ezech 8, 3: „Und er streckte etwas aus wie eine Hand … und brachte mich nach Jerusalem in göttlichen Gesichten …".

Ebenso kann anderes keinen Irrtum erzeugen, was in den Schriften gleichnishaft von göttlichen Dingen gesagt ist. Einerseits werden die Gleichnisse von Dingen genommen, welche von derart geringer Bedeutung sind, daß deutlich ist, daß sie nach Art von Gleichnissen und nicht veritativ erwähnt werden.

Andererseits findet sich in den Schriften an bestimmten Stellen jenes direkt ausgedrückt, was an anderen Stellen hinter Metaphern verborgen liegt. Hierdurch wird die Wahrheit ausdrücklich bekundet. Dies trifft aber auf den vorliegenden Fall nicht zu, denn keine Schriftautorität schließt die Wahrheit dessen aus, was über die Menschheit Christi zu lesen ist.

Vielleicht mag man einwenden, dies werde uns doch mit den Worten Rö 8, 3 des Apostels zu verstehen gegeben: „Er sandte seinen eigenen

cati". Vel per hoc quod dicit Philipp.II: „In similitudinem hominum factus, et habitu inventus ut homo".

Hic autem sensus per ea quae adduntur excluditur. Non enim dicit solum „in similitudinem carnis", sed addit „peccati": quia Christus veram quidem carnem habuit, sed non „carnem peccati", quia in eo peccatum non fuit, sed „similem carni peccati", quia carnem passibilem habuit, qualis est facta caro hominis ex peccato.

Similiter fictionis intellectus excluditur ab hoc quod dicit „in similitudinem hominum factus", per hoc quod dicitur [ibid.]: „formam servi accipiens". Manifestum est enim ‚formam' pro natura poni, et non pro similitudine, ex hoc quod dixerat [ibid.]: „Qui cum in forma Dei esset", ubi pro ‚natura' ponitur ‚forma': non enim ponunt quod Christus fuerit similitudinarie Deus. Excluditur etiam fictionis intellectus per hoc quod subdit [ibid.]: „Factus obediens usque ad mortem".

Non ergo similitudo accipitur pro similitudine apparentiae, sed pro naturali similitudine speciei: sicut omnes homines similes specie dicuntur.

Magis autem Sacra Scriptura expresse phantasmatis suspicionem excludit. Dicitur enim Matth XIV, quod „videntes discipuli Iesum ambulantem supra mare, turbati sunt, dicentes, quia phantasma est, et prae timore clamaverunt". Quam quidem eorum suspicionem Dominus consequenter removit: unde subditur: „Statimque Iesus locutus est eis, dicens: ‚Habete fiduciam, Ego sum, Nolite timere'".

Quamvis non rationabile videatur quod aut discipulos lateret quod non nisi corpus phantasticum assumpsisset, cum eos ad hoc elegerit ut de eo testimonium perhiberent veritatis „ex his quae viderant et audierant": aut si eos non latebat, aestimatio phantasmatis non incussisset tunc eis timorem.

Adhuc autem expressius suspicionem phantastici corporis a mentibus discipulorum removit Dominus post resurrectionem. Dicitur enim Lucae [XXIV] quod discipuli, „conturbati et conterriti, aestimabant se spiritum videre", dum scilicet viderunt Iesum. Et dixit eis: „Quid turbati estis, et cogitationes ascendunt in corda vestra? Videte manus meas et pedes meos, quia ego ipse sum. Palpate et videte: quia spiritus carnem et ossa non

Sohn in der Gestalt des sündigen Fleisches", oder Phil 2,7: „... und ward den Menschen gleich. In seiner äußeren Erscheinung als ein Mensch erfunden ...".

Dieser Sinn aber schließt sich durch eine Hinzufügung im Text aus. Er sagt nämlich nicht lediglich „in der Gestalt des Fleisches", sondern fügt „sündig" hinzu. Nun besaß Christus zwar Fleisch, doch nicht „sündiges Fleisch", da es in ihm keine Sünde gab. Doch war es „dem sündigen Fleisch ähnlich", da es sich um leidensfähiges Fleisch handelte. Hierzu ist das Fleisch des Menschen durch die Sünde geworden.

Auf ähnliche Weise ist ein fiktionales Verständnis durch den Ausdruck „und ward den Menschen gleich" dadurch ausgeschlossen, daß es heißt: „Er nahm Knechtsgestalt an". Offensichtlich hat man die Gestalt als die Natur aufzufassen und nicht als ein Abbild. So hatte er gesagt: „Er, der in Gottesgestalt war". In diesem Falle steht ‚Gestalt' für die Natur, denn es steht nicht da, daß Christus gleichnishaft Gott war. Ein fiktionales Verständnis schließt sich ebenfalls durch die folgende Hinzufügung aus: „... und wurde gehorsam bis zum Tode".

Folglich bezeichnet ‚Gleichgestaltigkeit' hier nicht die Gleichgestaltigkeit einer Erscheinung, sondern die wahrhafte Gleichgestaltigkeit der Art. Entsprechend sagt man auch, alle Menschen seien artgleich.

Noch ausdrücklicher schließt die Heilige Schrift den Verdacht einer geisterhaften Erscheinung aus. Es heißt nämlich Mt 14,26: „Als die Apostel Jesus über den See schreiten sahen, entsetzten sie sich und meinten, es sei ein Gespenst, und vor Furcht schrien sie auf". Doch der Herr nahm ihnen diesen Verdacht auf treffliche Weise. So wird (Mt 14,27) hinzugefügt: „Er aber redete sie sogleich an und sprach ‚Mut! Ich bin es. Fürchtet euch nicht'".

Nun ist es offenbar widersinnig anzunehmen, den Jüngern hätte verborgen sein sollen, hätte er nur einen geisterhaften Körper angenommen, wenn man sich vor Augen hält, daß er sie auserwählte, damit sie aufgrund dessen, „was sie gesehen und gehört hatten" (Apg 4,20), das Zeugnis der Wahrheit von ihm ablegten. Falls es ihnen jedoch nicht vorenthalten blieb, so hätte ihnen die Annahme, es handle sich um ein Gespenst, daraufhin keine Furcht eingeflößt.

Nach der Auferstehung beseitigt der Herr noch nachdrücklicher den Verdacht aus dem Geist der Jünger, es handle sich um einen Geisterleib. So heißt es Lk 24,37 ff. von den Jüngern: „Erschrocken und von Furcht ergriffen, meinten sie aber einen Geist zu sehen", während sie Jesus sahen. „Und er sprach zu ihnen ‚Was seid ihr bestürzt, und warum steigen Zweifel in euren Herzen auf? Seht meine Hände und Füße, daß ich es selbst bin! Rühret mich an und seht, daß ein Geist nicht Fleisch und Bein hat,

habet, sicut me videtis habere". Frustra enim se palpandum praebuit, si non nisi corpus phantasticum habuisset.

Item. Apostoli seipsos idoneos Christi testes ostendunt: dicit enim Petrus, Act. X: „Hunc", scilicet Iesum, „Deus suscitavit tertia die, et dedit eum manifestum fieri non omni populo, sed testibus praeordinatis a Deo, nobis qui manducavimus et bibimus cum illo postquam resurrexit a mortuis". Et Ioannes Apostolus, in principio suae Epistolae [I Ioan. I], dicit: „Quod vidimus oculis nostris, quod perspeximus, et manus nostrae contrectaverunt de Verbo vitae, hoc testamur". Non potest autem efficax sumi testimonium veritatis per ea quae non in rei existentia, sed solum in apparentia sunt gesta. Si igitur corpus Christi fuit phantasticum, et non vere manducavit et bibit, neque vere visus est et palpatus, sed phantastice tantum, invenitur non esse idoneum testimonium Apostolorum de Christo. Et sic „inanis est eorum praedicatio, inanis est et fides nostra", ut dicit Paulus I Cor. XV.

Amplius autem, si Christus verum corpus non habuit, non vere mortuus est. Ergo nec vere resurrexit. Sunt igitur Apostoli falsi testes Christi, praedicantes mundo ipsum resurrexisse. Unde Apostolus ibidem dicit: „Invenimur autem et falsi testes Dei: quoniam testimonium diximus adversus Deum, quod suscitaverit Iesum, quem non suscitavit".

Praeterea. Falsitas non est idonea via ad veritatem: secundum illud Eccli. XXXIV: „A mendace quid verum dicetur?" Adventus autem Christi in mundum ad veritatis manifestationem fuit: dicit enim ipse, Ioan. XVIII: „Ego autem in hoc natus sum, et ad hoc veni, ut testimonium perhibeam veritati". Non igitur in Christo fuit aliqua falsitas. Fuisset autem si ea quae dicuntur de ipso, in apparentia tantum fuissent: nam „falsum est quod non est ut videtur" [*Met.* V 29]. Omnia igitur quae de Christo dicuntur, secundum rei existentiam fuerunt.

1024b 21–26

Adhuc. Rom. V, dicitur quod „iustificati sumus in sanguine Christi"; et Apoc. V, dicitur: „Redemisti nos, Domine, in sanguine tuo". Si igitur Christus non habuit verum sanguinem, neque vere pro nobis ipsum fudit. Neque igitur vere iustificati, neque vere redempti sumus. Ad nihil igitur utile est esse in Christo.

wie ihr es an mir seht". Hätte er lediglich einen Geisterleib besessen, so hätte er sich vergeblich zum Anrühren dargeboten.

Zudem. Die Apostel selbst erweisen sich als geeignete Zeugen Christi. So sagt Petrus Apg 10, 40 f.: „Aber Gott hat ihn (d. h. Jesus) auferweckt am dritten Tage und ihn sichtbar erscheinen lassen, nicht dem ganzen Volke, sondern nur den Zeugen, die Gott vorherbestimmt hatte, uns, die wir nach seiner Auferstehung von den Toten mit ihm gegessen und getrunken haben". Der Apostel Johannes sagt zu Beginn seines Briefes (1 Joh 1, 1 ff.): „Was wir gehört und mit unseren Augen gesehen haben, was wir betrachtet und was unsere Hände betastet haben, vom Wort des Lebens ..., das verkünden wir". Nun kann man aber kein wirkliches Zeugnis der Wahrheit durch das gewinnen, was nicht tatsächlich, sondern nur dem Anschein nach geschieht. War nun der Leib Christi geisterhaft, dann hätte er weder wahrhaft gegessen oder getrunken, noch wäre er sichtbar oder anfühlbar gewesen. Dies wäre alles lediglich geisterartig der Fall gewesen. Dann aber gibt es über Christus kein brauchbares Zeugnis der Apostel. Somit ist ihre „Predigt nichtig, und nichtig ist auch unser Glaube", wie Paulus 1 Kor 15, 14 bemerkt.

Ferner. Hat Christus keinen wahrhaften Leib besessen, so ist er auch nicht gestorben. Folglich ist er auch nicht wahrhaft auferstanden. Mithin sind die Apostel falsche Zeugen Christi, wenn sie der Welt verkünden, Christus sei auferstanden. Daher sagt der Apostel in 1 Kor 15, 15: „Dann aber stehen wir auch als falsche Zeugen Gottes da, weil wir wider Gott Zeugnis dafür abgelegt haben, er habe Christus auferweckt, während er ihn doch nicht auferweckt hat, wenn wirklich keine Toten auferweckt werden".

Außerdem. Falschheit bietet keinen geeigneten Weg zur Wahrheit, gemäß dem Wort Sir 34, 4: „... und wie [ist] von der Lüge Wahrheit [zu erwarten]?". Die Ankunft des Herrn in der Welt jedoch geschah zur Offenbarung der Wahrheit. So sagt er selbst Jo 18, 37: „Ich bin dazu geboren und dazu in die Welt gekommen, um für die Wahrheit Zeugnis abzulegen". Folglich gab es in Christus keinerlei Falschheit. Doch wäre dies der Fall, so wäre das, was man von ihm berichtet, lediglich imaginär geschehen; denn „falsch ist, was nicht so ist, wie es scheint" (Aristoteles). Mithin muß alles, was von Christus berichtet wird, auch tatsächlich der Fall gewesen sein.

Weiterhin. Es heißt Rö 5, 9, wir seien „in Christi Blut gerechtfertigt". Desgleichen heißt es Apok 5, 9: „Denn ... du hast uns, Herr, mit deinem Blute erkauft". Besaß Christus jedoch nicht wahrhaftes Blut und hat er es nicht wahrhaft für uns vergossen, so sind wir weder wahrhaft gerechtfertigt noch wahrhaft erlöst. Folglich ist das Sein in Christus zu nichts nutze.

Item. Si non nisi phantasia intelligendus est adventus Christi in mundum, nihil novum in Christi adventu accidit: nam et in Veteri Testamento Deus apparuit Moysi et prophetis secundum multiplices figuras, ut etiam Scriptura Novi Testamenti testatur. Hoc autem totam doctrinam Novi Testamenti evacuat. Non igitur corpus phantasticum, sed verum Filius Dei assumpsit[21].

Capitulum XXX

De errore Valentini circa incarnationem

His autem et Valentinus propinque de mysterio incarnationis sensit. Dixit enim quod Christus non terrenum corpus habuit, sed de caelo portavit: et quod nihil de Virgine Matre accepit, sed per eam quasi aquaeductum transivit [August., *De haeres.* c.11]. Occasionem autem sui erroris ex quibusdam verbis Sacrae Scripturae accepisse videtur. Dicitur enim Ioan. III: „Nemo ascendit in caelum nisi qui de caelo descendit, Filius hominis, qui est in caelo … Qui de caelo venit, super omnes est". Et Ioan. VI, dicit Dominus: „Descendi de caelo, non ut faciam voluntatem meam, sed voluntatem eius qui misit me". Et I Cor. XV: „Primus homo de terra, terrenus; secundus homo de caelo, caelestis". Quae omnia sic intelligi volunt ut Christus de caelo etiam secundum corpus descendisse credatur.

Procedit autem tam haec Valentini positio, quam Manichaeorum praemissa, ex una falsa radice: quia credebant quod haec omnia terrena a diabolo sint creata. Unde, cum „Filius Dei in hoc apparuerit ut dissolvat opera diaboli", sicut dicitur I Ioan. III, non ei competebat ut de creatura diaboli corpus assumeret: cum etiam Paulus dicat, II Cor. VI: „Quae societas lucis ad tenebras? Quae autem conventio Christi ad Belial?"

Et quia quae ab eadem radice procedunt, similes fructus producunt, in idem falsitatis inconveniens relabitur haec positio cum praedicta. Uniuscuiusque enim speciei sunt determinata essentialia principia, materiam dico et formam, ex quibus constituitur ratio speciei in his quae sunt ex

[21] Cf. Marc. XII, 26; Hebr. I, 1.

Überdies. Handelte es sich bei der Ankunft Christi in der Welt lediglich um ein imaginäres Ereignis, dann geschah hiermit nichts Neues, denn auch im Alten Testament erschien Gott dem Moses und den Propheten unter vielerlei Gestalten. Dies bezeugt auch die Schrift des Neuen Testamentes [vgl. Mk 12, 26; Hebr 1, 1]. Das aber macht die gesamte Lehre des Neuen Testamentes zunichte. Demnach nahm der Sohn Gottes keinen geisterhaften, sondern einen wahrhaften Leib an.

30. Kapitel

Der Irrtum des Valentinus bezüglich der Inkarnation

Die Meinung des Valentinus bezüglich des Inkarnationsmysteriums stand der gerade erwähnten nahe. Er behauptete nämlich, Christus habe keinen irdischen Leib besessen, sondern ihn vom Himmel mitgebracht; weiterhin habe er nichts von der jungfräulichen Mutter angenommen, sondern sei gleichsam durch sie hindurchgegangen, so wie Wasser durch ein Aquädukt fließt. Anscheinend kam er zu dieser irrigen Auffassung aufgrund bestimmter Stellen der Heiligen Schrift. So heißt es Joh 3, 13: „Und doch ist niemand in den Himmel hinaufgestiegen außer dem, der vom Himmel herabgestiegen ist, der Menschensohn, der im Himmel ist", und (Joh 3, 31): „Wer von oben kommt, steht über allem". Ebenso sagt der Herr Joh 6, 38: „Denn ich bin vom Himmel herabgekommen, nicht um meinen Willen zu tun, sondern den Willen dessen, der mich gesandt hat", und 1 Kor 15, 47: „Der erste Mensch ist aus Erde, ist Staub; der zweite Mensch stammt aus dem Himmel". Sie wollen alle diese Texte so verstehen, als ob man glaubt, Christus sei auch leibhaft vom Himmel herabgestiegen.

Nun entstammt sowohl diese These des Valentinus als auch die der Manichäer einer falschen Wurzel, weil sie glaubten, daß alles Irdische vom Teufel geschaffen wurde. Folglich kam es dem Sohne Gottes nicht zu, „der dazu erschienen ist, daß er die Werke des Teufels zerstöre", wie es 1. Joh 3, 8 heißt, einen vom Teufel geschaffenen Leib anzunehmen. So sagt auch Paulus 2 Kor 6, 14 f.: „Was für eine Gemeinschaft besteht zwischen Licht und Finsternis? Wie ist ferner Christus mit Belial in Einklang zu bringen?".

Da das, was derselben Wurzel entsproßt, ähnliche Früchte zeitigt, so versinkt diese These in derselben unverträglichen Falschheit wie die vorhergehende. Jede Art beruht auf wohlbestimmten wesenhaften Anfangsgründen, die ich Materie und Form nenne. Sie konstituieren die Artnatur

materia et forma composita. Sed sicut caro humana et os et huiusmodi sunt materia propria hominis, ita ignis, aër, aqua et terra, et huiusmodi, qualia sentimus, sunt materia carnis et ossis et huiusmodi partium. Si igitur corpus Christi non fuit terrenum, non fuit in ipso vera caro et verum os, sed omnia secundum apparentiam tantum. Et ita etiam non fuit verus homo, sed apparens: cum tamen, ut dictum est, ipse dicat [Luc. XXIV]: „Spiritus carnem et ossa non habet, sicut me videtis habere".

Adhuc. Corpus caeleste secundum suam naturam est incorruptibile et inalterabile, et extra suum *ubi* non potest transferri[22]. Non autem decuit quod Dei Filius dignitati naturae assumptae aliquid detraheret, sed magis quod eam exaltaret. Non igitur corpus caeleste aut incorruptibile ad inferiora portavit, sed magis assumptum terrenum corpus et passibile incorruptibile reddidit et caeleste.

Item. Apostolus dicit, Rom. I, de Filio Dei, quod „factus est ex semine David secundum carnem". Sed corpus David terrenum fuit. Ergo et corpus Christi.

Amplius. Idem Apostolus dicit, Galat. IV, quod „Deus misit Filium suum factum ex muliere". Et Matth. I, dicitur quod „Iacob genuit Ioseph, virum Mariae, de qua natus est Iesus, qui vocatur Christus". Non autem vel ex ea factus, vel de ea natus diceretur, si solum per eam sicut per fistulam transisset, nihil ex ea assumens. Ex ea igitur corpus assumpsit.

Praeterea. Non posset dici Mater Iesu Maria, quod Evangelista testatur [Matth. I], nisi ex ea aliquid accepisset.

Adhuc. Apostolus dicit, Hebr. II: „Qui sanctificat", scilicet Christus, „et qui sanctificantur", scilicet fideles Christi, „ex uno omnes. Propter quam causam non confunditur eos vocare fratres, dicens: Narrabo nomen tuum fratribus meis". Et infra: „Quia ergo pueri communicaverunt carni et sanguini, et ipse similiter participavit eisdem". Si autem Christus corpus caeleste solum habuit, manifestum est, cum nos corpus terrenum habeamus, quod non sumus ex uno cum ipso, et per consequens neque fratres eius possumus dici. Neque etiam ipse participavit carni et sanguini: nam

---

[22] Cf. Aristotelem, *De caelo et mundo* I 3 (269b 31sq).

desjenigen, welches aus Materie und Form zusammengesetzt ist. Geradeso
wie das menschliche Fleisch, die Knochen und dergleichen die dem Menschen eigentümliche Materie darstellen, so machen Feuer, Luft, Wasser,
Erde und dergleichen sinnlich Wahrnehmbares die Materie des Fleisches,
der Knochen und weiterer Teile dieser Art aus. Handelte es sich folglich
beim Leib Christi nicht um einen irdischen Leib, so gäbe es in ihm auch
kein richtiges Fleisch oder richtige Knochen. Alles wäre nur dem Anschein nach vorhanden. Dann aber war er kein wahrhafter, sondern lediglich ein Scheinmensch. Doch spricht er selbst (Lk 24,39), wie bereits bemerkt wurde: „Ein Geist hat nicht Fleisch und Bein, wie ihr es an mir
seht".

Zudem. Ein Himmelskörper ist seiner eigenen Natur nach unzerstörbar
und unveränderlich und kann sich nicht von seinem natürlichen Ort bewegen. Nun stand es dem Sohn Gottes nicht an, die Würde seiner angenommenen Natur zu schmälern; umgekehrt gilt, daß er sie erhöht hat.
Folglich brachte er keinen himmlischen oder unvergänglichen Körper mit
sich vom Himmel herunter; vielmehr machte er den irdischen und leidensfähigen Leib, den er annahm, zu einem unvergänglichen und himmlischen.

Weiterhin. Der Apostel sagt in Rö 1,3 vom Sohn Gottes, er sei „nach
dem Fleisch aus dem Geschlecht Davids hervorgegangen". Der Leib Davids jedoch war irdisch; folglich auch der Leib Christi.

Zudem. Der Apostel behauptet dasselbe, wenn er in Gal 4,4 sagt: „Gott
entsandte seinen Sohn, geboren aus einer Frau", und Mt 1,16: „Jakob
zeugte den Joseph, den Mann Marias, von welcher Jesus geboren wurde,
der Christus genannt wird". Nun hieße es nicht, er sei aus ihr gemacht
oder ihr geboren, wenn er durch sie wie durch eine Wasserröhre hindurchgegangen wäre, indem er nichts von ihr annahm. Folglich empfing
er den Leib von ihr.

Außerdem. Maria könnte nicht „Mutter Jesu" heißen (was der Evangelist [Mt 1,18] bezeugt), hätte er nicht irgend etwas von ihr empfangen.

Überdies. Der Apostel sagt in Hebr 2,11 f.: „Denn der, welcher heiligt",
d. h. Christus, „und die, welche geheiligt werden", also diejenigen, welche
an Christus glauben, „sie kommen alle von einem Einzigen her; deswegen
schämt er sich auch nicht, sie Brüder zu nennen, indem er sagt ‚Ich will
deinen Namen meinen Brüdern verkünden'". Im folgenden (ibid.,14)
heißt es: „Da nun die Kinder Fleisch und Blut gemeinsam haben, so hat
auch er in gleicher Weise daran teilgenommen". Hätte Christus jedoch
lediglich einen himmlischen Leib besessen, so sind wir offenkundig nicht
mit ihm von einem Einzigen her, da wir über einen irdischen Leib verfügen. Folglich können wir weder seine Brüder heißen, noch hat er selbst
Fleisch und Blut mit uns gemein gehabt. Nun setzen sich Fleisch und Blut

notum est quod caro et sanguis ex elementis inferioribus componuntur, et non sunt naturae caelestis. Patet igitur contra Apostolicam sententiam praedictam positionem esse.

Ea vero quibus innituntur, manifestum est frivola esse. Non enim Christus descendit de caelo secundum corpus aut animam, sed secundum quod Deus. Et hoc ex ipsis verbis Domini accipi potest. Cum enim diceret, Ioan. III: „Nemo ascendit in caelum nisi qui descendit de caelo", adiunxit: „Filius hominis, qui est in caelo": in quo ostendit se ita descendisse de caelo quod tamen in caelo esse non desierit. Hoc autem proprium Deitatis est, ut ita in terris sit quod et caelum impleat: secundum illud Ier. XXIII: „Caelum et terram ego impleo". Non ergo Filio Dei, inquantum Deus est, descendere de caelo competit secundum motum localem: nam quod localiter movetur, sic ad unum locum accedit quod recedit ab altero. Dicitur igitur Filius Dei descendisse secundum hoc quod terrenam substantiam sibi copulavit: sicut et Apostolus eum ‚exinanitum' dicit [Philip. II], inquantum formam servi accepit, ita tamen quod divinitatis naturam non perdidit.

Id vero quod pro radice huius positionis assumunt, ex superioribus patet esse falsum. Ostensum est enim in secundo libro quod ista corporalia non a diabolo, sed a Deo sunt facta.

Capitulum XXXI

De errore Apollinaris circa corpus Christi

Irrationabilius autem his circa incarnationis mysterium Apollinaris [August., De haeres. c. 55] erravit in hoc tamen cum praedictis concordans, quod corpus Christi non fuit de Virgine assumptum, sed, quod est magis impium, aliquid Verbi dicit in carnem Christi fuisse conversum: occasionem erroris sumens ex eo quod dicitur Ioan. I: „Verbum caro factum est", quod sic intelligendum putavit quasi ipsum Verbum sit conversum in carnem, sicut et intelligitur illud quod legitur Ioan. II: „Ut gustavit architriclinus aquam vinum factam", quod ea ratione dicitur, quia conversa est aqua in vinum.

PL 42/40

bekanntlich aus irdischen Elementen zusammen und sind nicht himmlischer Natur. Mithin widerstreitet die besagte These offensichtlich dem Apostolischen Spruch.

Offenbar sind die Argumente absurd, auf die sie sich stützen. Christus stieg nicht mit Leib und Seele vom Himmel herab, sondern als Gott. Dies kann man den Herrenworten selbst entnehmen. Sagte er nämlich Joh 3, 13: „Und doch ist niemand in den Himmel hinaufgestiegen außer dem, der vom Himmel herabgestiegen ist", so fügte er „der Menschensohn, der im Himmel ist" hinzu. Damit macht er deutlich, daß er dergestalt vom Himmel herabgestiegen ist, daß er dennoch nicht aufgehört hat, im Himmel zu verweilen. Es ist aber der Gottheit eigentümlich, so auf Erden zu sein, daß sie auch den Himmel erfüllt, dem Worte Jer 23, 24 gemäß: „Fülle ich nicht den Himmel und die Erde aus?". Folglich trifft auf den Sohn Gottes nicht zu, nach Art von Ortsbewegung vom Himmel herabzusteigen, sofern er Gott ist. Was sich durch Ortsbewegung auszeichnet, das bewegt sich zu einem Orte hin, indem es sich von einem anderen fortbewegt. Also heißt es, der Sohn Gottes sei dergestalt herabgestiegen, daß er sich mit einer irdischen Substanz vereinigte. So bezeichnet ihn auch der Apostel als jemanden, welcher sich „entäußerte", indem er Knechtsgestalt annahm. Dennoch verlor er hierdurch nicht die Natur der Gottheit.

Aus dieser Erörterung ist ersichtlich, daß die Wurzel dieser These, welche sie vertreten, auf Irrtum beruht. So wurde im 2. Buch nachgewiesen (II 41;15), daß Körper nicht vom Teufel, sondern von Gott gemacht sind.

31. Kapitel

Der Irrtum des Apollinaris bezüglich des Leibes Christi

Noch widersinniger hat sich Apollinaris hinsichtlich des Geheimnisses der Inkarnation getäuscht; doch stimmt er insofern mit den zuvor erwähnten Thesen überein, als er behauptet, der Leib Christi entstamme nicht der Jungfrau. Sein Unglaube ging sogar so weit, daß er behauptete, das Fleisch Christi sei durch Verwandlung eines Teils des Wortes zustande gekommen. Er entnahm seinen Irrtum dem Wort Joh 1, 14: „Und das Wort ist Fleisch geworden". Er meinte es so interpretieren zu müssen, als ob das Wort selbst in Fleisch verwandelt werde. Entsprechend versteht er auch die Stelle Joh 2, 9: „Als aber der Speisemeister von dem zu Wein gewordenen Wasser kostete", was deswegen gesagt wird, weil Wasser in Wein verwandelt wurde.

Huius autem erroris impossibilitatem ex his quae supra ostensa sunt, facile est deprehendere. Ostensum est enim supra quod Deus omnino immutabilis est. Omne autem quod in aliud convertitur, manifestum est mutari. Cum igitur Verbum Dei sit verus Deus, ut ostensum est, impossibile est quod Verbum Dei fuerit in carnem mutatum.

Item. Verbum Dei, cum sit Deus, simplex est: ostensum est enim supra in Deo compositionem non esse. Si igitur aliquid Verbi Dei sit conversum in carnem, oportet totum Verbum conversum esse. Quod autem in aliud convertitur, desinit esse id quod prius fuit: sicut aqua conversa in vinum, iam non est aqua sed vinum. Igitur post incarnationem secundum positionem praedictam, Verbum Dei penitus non erit. Quod apparet impossibile: tum ex hoc quod Verbum Dei est aeternum, secundum illud Ioan, I: „In principio erat Verbum"; tum quia post incarnationem Christus Verbum Dei dicitur, secundum illud Apoc. XIX: „Vestitus erat veste aspersa sanguine, et vocabatur nomen eius Verbum Dei".

Amplius. Eorum quae non communicant in materia et in genere uno, impossibile est fieri conversionem in invicem: non enim ex linea fit albedo, quia sunt diversorum generum; neque corpus elementare potest converti in aliquod corporum caelestium, vel in aliquam incorpoream substantiam, aut e converso, cum non conveniant in materia. Verbum autem Dei, cum sit Deus, non convenit neque in genere neque in materia cum quocumque alio: eo quod Deus neque in genere est, neque materiam habet. Impossibile est igitur Verbum Dei fuisse in carnem conversum, vel in quodcumque aliud.

Praeterea. De ratione carnis, ossis et sanguinis et huiusmodi partium est quod sit ex determinata materia. Si igitur Verbum Dei sit in carnem conversum, secundum positionem praedictam, sequetur quod in Christo non fuerit vera caro nec aliquid aliud huiusmodi. Et sic etiam non erit verus homo, sed apparens tantum, et alia huiusmodi quae supra contra Valentinum posuimus.

Patet igitur hoc quod Ioannes dicit: „Verbum caro factum est", non sic intelligendum esse quasi Verbum sit conversum in carnem: sed quia carnem assumpsit, ut cum hominibus conversaretur et eis visibilis appareret. Unde et subditur: „Et habitavit in nobis et vidimus gloriam eius" etc.:

Der Widersinn eines derartigen Irrtums läßt sich jedoch leicht aus dem oben Gesagten (I 13; 15) erfassen.

So wurde bereits (I 13) gezeigt, daß Gott vollständig unveränderlich ist. Offensichtlich verändert sich alles, was in etwas anderes verwandelt wird. Ist jedoch das Wort Gottes erwiesenermaßen (IV 3) wahrer Gott, so ist es unmöglich, daß das Wort Gottes zu Fleisch wurde.

Zudem. Das Wort Gottes ist einfach, da es Gott ist. So wurde bereits gezeigt (I 18), daß es in Gott keine Zusammensetzung gibt. Wäre mithin etwas vom Worte Gottes in Fleisch verwandelt, so müßte das gesamte Wort verwandelt worden sein. Nun hört aber dasjenige auf, dasselbe zu sein, was es zuvor war, wenn es in etwas anderes verwandelt wird. So ist das in Wein verwandelte Wasser nicht mehr Wasser, sondern Wein. Der erwähnten These gemäß dürfte es mithin das Wort Gottes nach der Inkarnation überhaupt nicht mehr geben. Das aber ist sowohl unmöglich aufgrund dessen, daß das Wort Gottes ewig ist, dem Worte Joh 1,1 gemäß: „Im Anfang war das Wort", als auch aufgrund der Tatsache, daß Christus nach der Inkarnation in Apok 19,13 „Wort Gottes" genannt wird: „Und angetan ist er mit einem blutgetränkten Mantel, und sein Name wird genannt ‚Wort Gottes'".

Zudem. Unmöglich können Dinge, die weder Materie noch Gattung gemein haben, ineinander verwandelt werden. So wird nicht aus einer Linie weiße Farbe, da beide verschiedenen Gattungen angehören. Ebensowenig kann ein aus Elementen bestehender Körper in einen Himmelskörper oder in eine unkörperliche Substanz verwandelt werden oder umgekehrt, da sie nicht der Materie nach übereinstimmen. Nun kommt das Wort Gottes weder der Materie noch der Gattung nach mit etwas anderem überein, da es Gott ist. Gott aber fällt weder in eine Gattung, noch besitzt er Materie (I 17; 25). Unmöglich also ist das Wort Gottes in Fleisch, noch in irgend etwas sonst verwandelt worden.

Außerdem. Es eignet dem Fleisch, den Knochen, dem Blut und dergleichen mehr, daß es aus umgrenzter Materie besteht. Wäre das Wort Gottes mithin in Fleisch verwandelt, wie es die besagte These haben will, so folgte daraus, daß sich in Christus weder richtiges Fleisch noch sonst etwas dieser Art befinden würde. Damit wäre er auch kein wahrer Mensch, sondern erschiene nur so. Es würden weitere Absurditäten folgen, die wir bereits erwähnten, als wir gegen Valentinus argumentierten (IV 30).

Folglich ist nunmehr deutlich, daß das Wort des Johannes von Joh 1,14: „Und das Wort ist Fleisch geworden" nicht so zu verstehen ist, als sei das Wort gleichsam in Fleisch verwandelt; vielmehr nahm es Fleisch an, um unter den Menschen zu weilen und ihnen sichtbar zu erscheinen. Daher wird (ibid.) hinzugefügt: „Und hat unter uns ge-

sicut et in Baruch [III] de Deo dicitur quod „in terris visus est, et cum hominibus conversatus est".

Capitulum XXXII

De errore Arii et Apollinaris circa animam Christi

Non solum autem circa corpus Christi, sed etiam circa eius animam aliqui male sensisse inveniuntur.

Posuit enim Arius quod in Christo non fuit anima, sed quod solam carnem assumpsit, cui divinitas loco animae fuit [August., *De haeres.* c. 49]. Et ad hoc ponendum necessitate quadam videtur fuisse inductus. Cum enim vellet asserere quod filius Dei sit creatura et minor Patre, ad hoc probandum illa Scripturarum assumpsit testimonia quae infirmitatem humanam ostendunt in Christo. Et ne aliquis eius probationem refelleret, dicendo assumpta ab eo testimonia Christo non secundum divinam naturam, sed humanam convenire, nequiter animam removit a Christo, ut, cum quaedam corpori humano convenire non possint, sicut quod miratus est, quod timuit, quod oravit, necessarium fiat huiusmodi in ipsum filium Dei minorationem inferre. Assumpsit autem in suae positionis assertionem praemissum verbum Ioannis dicentis [Ioan. I]: „Verbum caro factum est": ex quo accipere volebat quod solam carnem Verbum assumpserit, non autem animam. Et in hac positione etiam Apollinaris eum secutus est.

Manifestum est autem ex praemissis hanc positionem impossibilem esse. Ostensum est enim supra quod Deus forma corporis esse non potest. Cum igitur Verbum Dei sit Deus, ut ostensum est, impossibile est quod Verbum Dei sit forma corporis, ut sic carni pro anima esse possit.

Utilis autem est haec ratio contra Apollinarem, qui Verbum Dei verum Deum esse confitebatur: et licet hoc Arius negaret, tamen etiam contra eum praedicta ratio procedit. Quia non solum Deus non potest esse forma corporis, sed nec etiam aliquis supercaelestium spirituum, inter quos supremum filium Dei Arius ponebat: – nisi forte secundum positionem Ori-

PL 42/39

wohnt, und wir haben seine Herrlichkeit geschaut". So heißt es auch bei
Baruch 3, 38 von Gott: „Darauf erschien sie [die Weisheit] auf der Erde
und verkehrte mit den Menschen".

32. Kapitel

Der Irrtum des Arius und des Apollinaris
bezüglich der Seele Christi

Grobe Irrtümer lassen sich bei einigen nicht allein hinsichtlich des Leibes Christi, sondern auch bezüglich seiner Seele ausmachen.

So behauptete Arius, in Christus habe es keine Seele gegeben. Er habe
lediglich Fleisch angenommen, wobei die Gottheit den Platz der Seele
einnahm. Zu dieser Annahme schien er gewissermaßen gezwungen. Da er
nämlich zeigen wollte, daß der Sohn Gottes ein Geschöpf ist und Gott
untergeordnet, so zog er zum Beweis jene Stellen der Schriften als Zeugnisse heran, welche auf eine menschliche Schwäche in Christus hindeuten.
Damit nun nicht irgend jemand sein Argument durch die Behauptung
widerlege, diese Zeugnisse bezögen sich nicht auf Christus, sofern er göttlicher Natur ist, sondern sofern er über eine menschliche Natur verfügt,
so leugnete er nichtswürdigerweise, daß Christus eine Seele besitzt. Wenn
man Christus also Dinge zuschreibt, die nicht auf einen menschlichen
Leib zutreffen können, daß er sich beispielsweise verwunderte, daß er sich
fürchtete, daß er betete, so mußte man daraufhin notwendig zum Schluß
gelangen, es gebe im Sohne Gottes eine Minderung. Zur Unterstützung
seiner These verwendete er das Wort des Johannes (Joh 1, 14): „Und das
Wort ist Fleisch geworden". Hieraus wollte er schließen, daß das Wort
einzig Fleisch, nicht aber eine Seele angenommen hat. Auch Apollinaris
folgte ihm in dieser Auffassung.

Offenkundig ist diese These nach dem bisher Gesagten unmöglich. So
wurde oben gezeigt (I 27), daß Gott nicht die Form eines Körpers sein
kann. Wenn also erwiesenermaßen (IV 3) das Wort Gottes Gott ist, so
kann es unmöglich dergestalt die Form eines Körpers sein, daß es für das
Fleisch die Stelle der Seele einnimmt.

Ferner ist dieses Argument gegen Apollinaris verwendbar, der bekannte, das Wort Gottes sei wahrer Gott. Da nun Arius dies leugnete, so
wendet sich dasselbe Argument auch gegen ihn, denn Gott kann nicht nur
nicht die Form eines Körpers sein; dasselbe gilt ebenso für irgendeinen
der über dem Himmel weilenden Geister, worunter Arius den Sohn Gottes als höchsten zählte, es sei denn, man folgte vielleicht der These des

ginis, qui posuit humanas animas eiusdem speciei et naturae cum super-
caelestibus spiritibus esse. Cuius opinionis falsitatem supra ostendimus.

Item. Subtracto eo quod est de ratione hominis, verus homo esse non
potest. Manifestum est autem animam principaliter de ratione hominis
esse: cum sit eius forma. Si igitur Christus animam non habuit, verus
homo non fuit: cum tamen Apostolus eum hominem asserat, dicens, I ad
Tim. II: „Unus est mediator Dei et hominum, homo Christus Iesus".

Adhuc. Ex anima non solum ratio hominis, sed et singularium partium
eius dependet: unde, remota anima, oculus, caro et os hominis mortui
aequivoce dicuntur, „sicut oculus pictus aut lapideus" [*De anima* II 1]. Si
igitur in Christo non fuit anima, necesse est quod nec vera caro in eo
fuerit, nec aliqua alia partium hominis: cum tamen Dominus haec in se
esse perhibeat, dicens, Lucae [XXIV]: „Spiritus carnem et ossa non habet,
sicut me videtis habere".

Amplius. Quod generatur ex aliquo vivente, filius eius dici non potest
nisi in eandem speciem procedat: non enim vermis dicitur filius animalis
ex quo generatur. Sed si Christus animam non habuit, non fuit eiusdem
speciei cum aliis hominibus: quae enim secundum formam differunt, eiusdem speciei esse non possunt. Non igitur dici poterit quod Christus sit
filius Mariae Virginis, aut quod illa sit mater eius. Quod tamen in Evangelica Scriptura asseritur [Matth. I].

Praeterea. In Evangelio expresse dicitur quod Christus animam habuit:
sicut est illud Matth. XXVI: „Tristis est anima mea usque ad mortem"; et
Ioan. XII: „Nunc anima mea turbata est".

Et ne forte dicant ipsum filium Dei animam dici, eo quod, secundum
eorum positionem, loco animae carni sit: sumendum est quod Dominus
dicit, Ioan. X: „Potestatem habeo ponendi animam meam, et iterum sumendi eam"; ex quo intelligitur aliud esse quam animam in Christo, quod
habuit potestatem ponendi animam suam et sumendi. Non autem fuit in
potestate corporis quod uniretur Filio Dei vel separaretur ab eo: cum hoc
etiam naturae potestatem excedat. Oportet igitur intelligi in Christo aliud

412b 21–22

Origenes, welcher behauptete, die menschlichen Seelen seien derselben Art und Natur wie die über dem Himmel weilenden Geister. Die Falschheit dieser Meinung haben wir bereits nachgewiesen (II 94; 95).

Überdies. Zieht man dasjenige ab, was für den Menschen grundlegend ist, so kann es sich nicht um einen wahren Menschen handeln. Offensichtlich jedoch ist insbesondere die Seele für den Menschen grundlegend, da sie dessen Form ist. Verfügte Christus mithin über keine Seele, so handelte es sich nicht um einen wahren Menschen. Dennoch bezeichnet ihn der Apostel als „Mensch", wenn er 1 Tim 2, 5 sagt: „Denn … einer ist Mittler zwischen Gott und den Menschen, nämlich der Mensch Jesus Christus".

Zudem. Von der Seele hängt nicht nur der Lebensgrund des Menschen, sondern auch jedes einzelne seiner Teile ab. Daher werden sie, wenn sich die Seele entzogen hat, auf äquivoke Weise ‚Auge‘, ‚Fleisch‘ und ‚Gebein‘ eines Verstorbenen genannt, „wie es auch bei einem gemalten oder steinernen Auge der Fall ist" (Aristoteles). Gab es also in Christus keine Seele, so gab es notwendigerweise weder wahres Fleisch in ihm noch irgendwelche anderen menschlichen Teile. Doch behauptet der Herr in Lk 24, 39 das Gegenteil von sich: „Seht, daß ein Geist nicht Fleisch und Bein hat, wie ihr es an mir seht".

Darüber hinaus. Dasjenige, welches aus einem Lebwesen gezeugt wird, kann nur dann ‚Sohn‘ genannt werden, wenn es derselben Art ist. Ein Wurm heißt nämlich nicht ‚Sohn‘ des Lebewesens, aus dem er entsteht. Hätte nun Christus keine Seele besessen, so wäre er nicht derselben Art mit den anderen Menschen. Was sich nämlich der Form nach voneinander unterscheidet, das kann nicht derselben Art sein. Mithin wird man weder sagen können, Christus sei der Sohn von Maria, der Jungfrau, noch sei sie seine Mutter. Dies behauptet jedoch die Schrift des Evangeliums (Mt 1, 18; Lk 2, 7).

Außerdem. Es heißt im Evangelium ausdrücklich, daß Christus eine Seele besaß, gemäß dem Worte Mt 26, 38: „Meine Seele ist betrübt bis in den Tod", und Joh 12, 27: „Jetzt ist meine Seele erschüttert".

Sollten sie nun etwa behaupten, mit „Seele" sei der Sohn Gottes selbst gemeint, da er ja ihrer These gemäß die Stelle der Seele und des Fleisches einnimmt, so muß man sie auf das verweisen, was der Herr in Joh 10, 18 sagt: „Ich habe die Vollmacht, es (d. h. meine Seele) hinzugeben, und ich habe die Vollmacht, es wieder zu nehmen". Diesen Worten ist zu entnehmen, daß es in Christus etwas anderes als seine Seele gab, was über die Macht verfügte, seine Seele zu geben und zu nehmen. Doch stand es nicht in der Macht seines Körpers, sich mit dem Sohn Gottes zu vereinigen oder sich von Gott zu trennen, da dies das Naturvermögen überschreitet. Folglich hat man zu verstehen, daß in Christus Seele und Gottheit des Sohnes

fuisse animam, et aliud divinitatem Filii Dei, cui merito talis potestas tribuitur.

Item. Tristitia, ira et huiusmodi passiones sunt animae sensitivae: ut patet per Philosophum in VII *Physicorum* [3]. Haec autem in Christo fuisse ex Evangeliis comprobatur. Oportet igitur in Christo fuisse animam sensitivam: de qua planum est quod differt a natura divina Filii Dei.

Sed quia potest dici humana in Evangeliis metaphorice dici de Christo, sicut et de Deo in plerisque locis Sacrae Scripturae loquuntur, accipiendum est aliquid quod necesse sit ut proprie dictum intelligatur. Sicut enim alia corporalia quae de Christo Evangelistae narrant, proprie intelliguntur et non metaphorice, ita oportet non metaphorice de ipso intelligi quod manducaverit et esurierit [Matth. IV]. Esurire autem non est nisi habentis animam sensitivam: cum esuries sit appetitus cibi. Oportet igitur quod Christus habuit animam sensitivam.

Capitulum XXXIII

De errore Apollinaris dicentis animam rationalem non fuisse in Christo, et de errore Origenis dicentis animam Christi ante mundum fuisse creatam

His autem testimoniis Evangelicis Apollinaris convictus, confessus est in Christo animam sensitivam fuisse: tamen sine mente et intellectu, ita quod Verbum Dei fuerit illi animae loco intellectus et mentis [August., *De haeres.* c. 55].

Sed nec hoc sufficit ad inconvenientia praedicta vitanda. Homo enim speciem sortitur humanam ex hoc quod mentem humanam et rationem habet. Si igitur Christus haec non habuit, verus homo non fuit, nec eiusdem speciei nobiscum. Anima autem ratione carens ad aliam speciem pertinet quam anima rationem habens. Est enim secundum Philosophum, VIII *Metaphysicorum* [3], quod in definitionibus et speciebus quaelibet differentia essentialis addita vel subtracta variat speciem, sicut in numeris unitas. ,Rationale' autem est differentia specifica. Si igitur in Christo fuit anima sensitiva sine ratione, non fuit eiusdem speciei cum anima no-

Gottes, der mit Recht diese Vollmacht zugeschrieben wird, voneinander verschieden waren.

Ferner. Trauer, Zorn und dergleichen Affekte gehören zur Sinnenseele, wie der Philosoph (Aristoteles) bemerkt. Nun ist durch das Evangelium bestätigt, daß sie sich auch in Christus befunden haben. Demgemäß gab es eine Sinnenseele in Christus. Diese ist offensichtlich von der göttlichen Natur des Sohnes Gottes verschieden.

Da sich aber sagen läßt, daß die Evangelien Menschliches von Christus auf metaphorische Weise aussagen, ähnlich wie die Heilige Schrift an mehreren Stellen von Gott redet, so hat man sich auf etwas zu beziehen, was als im eigentlichen Sinne gesagt zu verstehen ist. Denn genauso wie wir die anderen körperbezogenen Dinge, welche die Evangelisten über Christus berichten, wörtlich und nicht metaphorisch zu verstehen haben, so darf man es auch nicht metaphorisch verstehen, daß er gegessen hat und daß er folglich auch Hunger empfand (Mt 4, 2; 9, 11; 11, 19). Nun kann aber nur jemand Hunger empfinden, wenn er über eine Sinnenseele verfügt, da Hunger im Streben nach Nahrung besteht. Demgemäß muß Christus eine Sinnenseele besessen haben.

33. KAPITEL

DIE IRRTÜMLICHE ANNAHME DES APOLLINARIS, WELCHE BESAGT, IN CHRISTUS HABE ES KEINE VERSTANDESSEELE GEGEBEN; UND DER IRRTUM DES ORIGENES, WELCHER BESAGT, DASS DIE SEELE CHRISTI VOR DER WELT GESCHAFFEN WAR

Durch diese Zeugnisse der Evangelien überzeugt, bekannte Apollinaris, in Christus habe es zwar eine Sinnenseele gegeben, doch sei sie ohne Geist und Verstand, so daß das Wort Gottes in dieser Seele den Platz des Verstandes und des Geistes einnahm.

Doch auch dies reicht nicht dazu aus, die erwähnten Absurditäten zu vermeiden. Ein Mensch nämlich erhält die menschliche Art, wenn er über einen menschlichen Geist und über Vernunft verfügt. Hätte Christus dies nicht besessen, so wäre er weder wahrer Mensch noch einer Art mit uns. Doch hört eine vernunftlose Seele einer anderen Art an als eine Seele, welche Vernunft besitzt. So heißt es nach dem Philosophen (Aristoteles), daß im Falle von Definitionen und Arten jegliche Hinzufügung oder Wegnahme eines essentiellen Unterschiedes die Art verändert, wie dies die Einheit bei Zahlen bewirkt. Nun ist ‚vernunftbegabt' ein artbildender Unterschied. Gäbe es also in Christus eine Sinnenseele ohne Vernunft, so

stra, quae est rationem habens. Nec ipse igitur Christus fuit eiusdem speciei nobiscum.

Adhuc. Inter ipsas animas sensitivas ratione carentes diversitas secundum speciem existit: quod patet ex animalibus irrationalibus, quae ab invicem specie differunt, quorum tamen unumquodque secundum propriam animam speciem habet. Sic igitur anima sensitiva ratione carens est quasi unum genus sub se plures species comprehendens. Nihil autem est in genere quod non sit in aliqua eius specie. Si igitur anima Christi fuit in genere animae sensitivae ratione carentis, oportet quod contineretur sub aliqua specierum eius: utpote quod fuerit in specie animae leonis aut alicuius alterius belluae. Quod est omnino absurdum.

Amplius. Corpus comparatur ad animam sicut materia ad formam, et sicut instrumentum ad principale agens. Oportet autem materiam proportionatam esse formae, et instrumentum principali agenti. Ergo secundum diversitatem animarum oportet et corporum diversitatem esse. Quod et secundum sensum apparet: nam in diversis animalibus inveniuntur diversae dispositiones membrorum, secundum quod conveniunt diversis dispositionibus animarum. Si ergo in Christo non fuit anima qualis est anima nostra, nec etiam membra habuisset sicut sunt membra humana.

Praeterea. Cum secundum Apollinarem Verbum Dei sit verus Deus, ei admiratio competere non potest: nam ea admiramur quorum causam ignoramus. Similiter autem nec admiratio animae sensitivae competere potest: cum ad animam sensitivam non pertineat sollicitari de cognitione causarum. In Christo autem admiratio fuit, sicut ex Evangeliis probatur: dicitur enim Matth. VIII quod audiens Iesus verba centurionis „miratus est". Oportet igitur, praeter divinitatem Verbi et animam sensitivam, in Christo aliquid ponere secundum quod admiratio ei competere possit, scilicet mentem humanam.

Manifestum est igitur ex praedictis quod in Christo verum corpus humanum et vera anima humana fuit. Sic igitur quod Ioannes dicit [Ioan. I]: „Verbum caro factum est", non sic intelligitur quasi Verbum sit in carnem conversum; neque sic quod Verbum carnem solam assumpserit; aut cum anima sensitiva[23] sine mente; sed secundum consuetum modum Scripturae, ponitur pars pro toto, ut sic dictum sit: „Verbum caro factum est", ac si diceretur, Verbum homo factum est; nam et ‚anima' interdum pro

---

[23] Corr. L.: aut animam sensitivam

wäre sie nicht derselben Art wie unsere Seele, die Vernunft besitzt. Folglich wäre Christus nicht derselben Art wie wir.

Ferner. Es gibt unter vernunftlosen Sinnenseelen Artverschiedenheit. Dies wird an vernunftlosen Lebewesen deutlich, die sich der Art nach voneinander unterscheiden. Dennoch besitzt jedes von ihnen eine Art nach Maßgabe der ihnen eigentümlichen Seele. Folglich handelt es sich bei der vernunftlosen Sinnenseele gleichsam um eine Gattung, welche mehrere Arten unter sich begreift. Nichts aber ist in einer Gattung, was nicht in einer ihrer Arten ist. Wäre also die Seele Christi in der Gattung der vernunftlosen Sinnenseele, so müßte sie in einer ihrer Arten enthalten sein, etwa in der Gattung der Löwenseele, der Pferdeseele oder der eines anderen Ungetüms. Dies ist völlig absurd.

Ferner. Der Körper verhält sich zur Seele wie die Materie zur Form und wie ein Instrument zum ursprünglichen Benutzer. Doch muß die Materie der Form und das Instrument dem Benutzer entsprechen. Dementsprechend muß es auch Verschiedenheit von Körpern gemäß der Verschiedenheit der Seelen geben. Dies ist auch durch Sinneserfahrung offenkundig, denn bei verschiedenen Tieren finden sich unterschiedliche Anordnungen ihrer Glieder nach Maßgabe der verschiedenen Seelendispositionen. Besäße also Christus keine Seele wie die unsrige, so besäße er keine menschlichen Glieder.

Zudem. Da nach Meinung des Apollinaris das Wort Gottes wahrer Gott ist (vgl. IV 31), so kann es sich auch nicht verwundern. Nun sind wir über das verwundert, „dessen Ursache wir nicht kennen" (Aristoteles). Ähnlich verwundert sich auch nicht die Sinnenseele, da es ihr nicht zukommt, sich um die Kenntnis von Ursachen zu kümmern. Christus aber verwundert sich, was aus den Evangelien hervorgeht. So heißt es Mt 8,10: „Als Jesus das (d. h. die Worte des Centurio) hörte, verwunderte er sich". Mithin muß man außer der Gottheit des Wortes und der Sinnenseele in Christus etwas annehmen, demgemäß er sich verwundern konnte, d. h. einen menschlichen Geist.

Aus dem bereits Gesagten (IV 29 ff.) geht also offenkundig hervor, daß Christus einen wahrhaften menschlichen Leib und eine wahrhafte menschliche Seele besaß. So sagt Johannes (Joh 1,14): „Das Wort ist Fleisch geworden", was man weder so zu verstehen hat, als sei das Wort gleichsam in Fleisch verwandelt, oder daß es einzig Fleisch und die Sinnenseele, aber ohne den Geist annahm. Der gewohnten Redeweise der Schrift gemäß wird aber der Teil für das Ganze gesetzt, wie wenn es heißt: „Das Wort ist Fleisch geworden", was soviel bedeutet wie „Das Wort ist Mensch geworden". In der Schrift wird auch bisweilen die Seele für den Menschen genommen. So heißt es Exod 1,5: „Die Gesamtzahl der Nachkommen Jakobs (der dem Schenkel Jakobs entsproßten Seelen) betrug

toto homine ponitur, dicitur enim Isaia XL: „Videbit omnis caro pariter quod os Domini locutum est". Sic igitur et hic caro pro toto homine ponitur, ad exprimendam humanae naturae infirmitatem, quam Verbum Dei assumpsit.

Si autem Christus humanam carnem et humanam animam habuit, ut ostensum est, manifestum est animam Christi non fuisse ante corporis eius conceptionem. Ostensum est enim quod humanae animae propriis corporibus non praeexistunt. Unde patet falsum esse Originis dogma[24], dicentis animam Christi ab initio, ante corporales creaturas, cum omnibus aliis spiritualibus creaturis creatam, et a Verbo Dei assumptam, et demum, circa finem saeculorum, pro salute hominum carne fuisse indutam.

Capitulum XXXIV

De errore Theodori Mopsuesteni et Nestorii circa unionem Verbi ad hominem

Ex praemissis igitur apparet quod Christo nec divina natura defuit, ut Ebion, Cerinthus et Photinus dixerunt; nec verum corpus humanum, secundum errorem Manichaei atque Valintini; nec etiam humana anima, sicut posuerunt Arius et Apollinaris. His igitur tribus substantiis in Christo convenientibus, scilicet divinitate, anima humana, et vero humano corpore, circa horum unionem quid sentiendum sit secundum Scripturarum documenta, inquirendum restat.

Theodorus igitur Mopsuestenus[25] et Nestorius eius sectator, talem sententiam de praedicta unione protulerunt. Dixerunt enim quod anima humana et corpus humanum verum naturali unione convenerunt in Christo ad constitutionem unius hominis eiusdem speciei et naturae cum aliis hominibus; et quod in hoc homine Deus habitavit sicut in templo suo, scilicet per gratiam, sicut et in aliis hominibus sanctis; unde dicitur Ioan. II, quod ipse Iudaeis dixit: „Solvite templum hoc, et in tribus diebus excitabo illud", et postea Evangelista, quasi exponens, subdit: „Ille autem dicebat

---

[24] Cf. Originem, *De princ.* II 6, n. 2 (PG 11/211B – 212 A).
[25] Cf. Theodorum Mopsuestenum, *De incarnatione* (PG 66/976 A – C).

siebzig Personen". Ähnlich nimmt man das Fleisch für den ganzen Menschen, wenn es Jes 40,5 heißt: „Und sehen wird es alles Fleisch miteinander. Denn der Mund Jahwes hat gesprochen". So wird auch hier das Fleisch für den ganzen Menschen genommen. Damit wird die menschliche Schwäche angedeutet, die das Wort annahm.

Besaß Christus jedoch erwiesenermaßen menschliches Fleisch und eine menschliche Seele, so hat es die Seele Christi offenkundig nicht vor der Bildung seines Körpers geben können. Es wurde bereits gezeigt (II 83), daß menschliche Seelen nicht vor den Körpern existieren, deren Seelen sie sind. Demgemäß ist die Lehre des Origenes offensichtlich falsch, welche besagt, die Seele Christi sei im Anfang zusammen mit allen anderen geistigen Geschöpfen noch vor den Körperdingen geschaffen, vom Worte Gottes angenommen und schließlich, am Ende der Zeiten, zum Heil der Menschen mit Fleisch umkleidet worden.

34. Kapitel

Der Irrtum des Theodor von Mopsuestia und des Nestorius hinsichtlich der Vereinigung des Wortes mit dem Menschen

Aus den bisherigen Erörterungen (IV 28 ff.) ergibt sich also, daß Christus weder die göttliche Natur fehlte, wie Ebion, Cerinth und Photinus behaupteten, noch daß er über keinen wahrhaften menschlichen Leib verfügte, was die Manichäer und die Valentiner meinten, noch daß er keine menschliche Seele besaß, wie es Arius und Apollinaris darstellten. Da diese drei Substanzen, also Gottheit, menschliche Seele und menschlicher Leib, in Christus vereint sind, so verbleibt uns aufgrund der Dokumente der Schrift zu untersuchen, welche Ansicht wir hinsichtlich ihrer Vereinigung aufrechtzuerhalten haben (IV 34; 38).

Theodor von Mopsuestia und sein Nachfolger Nestorius trugen über diese Vereinigung die folgende These vor: Sie sagten, in Christus seien eine menschliche Seele und ein menschlicher Leib dergestalt naturhaft vereint gewesen, daß sie einen Menschen derselben Art und Natur wie die übrigen Menschen konstituierten. In diesem Menschen wohnte Gott wie in seinem Tempel, d. h. durch Gnade, gleichwie dies auch bei anderen heiligmäßigen Menschen der Fall ist. Daher sagt Christus in Joh 2,19 zu den Juden: „Reißt diesen Tempel nieder, und in drei Tagen werde ich ihn wieder aufrichten". Danach fügt der Evangelist gleichsam als Erklärung hinzu: „Er aber redete vom Tempel seines Leibes" (ibid., 21). So spricht auch

de templo corporis sui"; et Apostolus, Coloss. I, dicit quod „in ipso complacuit onmem plenitudinem habitare".

Et ex hoc consecuta est ulterius quaedam affectualis unio inter hominem illum et Deum, dum et homo ille bona sua voluntate Deo inhaesit, et Deus sua voluntate illum acceptavit[26], secundum illud Ioan. VIII: „Qui me misit, mecum est, et non reliquit me solum, quia quae placita sunt ei facio semper"; ut sic intelligatur talis esse unio hominis illius ad Deum, qualis est unio de qua Apostolus dicit, I ad Cor. VI „Qui adhaeret Deo, unus spiritus est".

Et sicut ex hac unione nomina quae proprie Deo conveniunt, ad homines transferuntur, ut dicantur ‚dii' et ‚filii Dei', et ‚domini', et ‚sancti', et ‚christi', sicut ex diversis locis Scripturae patet; ita et nomina divina homini illi conveniunt, ut, propter Dei inhabitationem et unionem affectus, dicatur et Deus, et Dei filius, et Dominus, et Sanctus, et Christus.

Sed tamen, quia in illo homine maior plenitudo gratiae fuit quam in aliis hominibus sanctis, fuit prae ceteris templum Dei, et arctius Deo secundum affectum unitus, et singulari quodam privilegio divina nomina participavit. Et propter hanc excellentiam gratiae, constitutus est in participatione divinae dignitatis et honoris, ut scilicet coadoretur Deo[27].

Et sic, secundum praedicta, oportet quod alia sit persona Verbi Dei, et alia persona illius hominis qui Verbo Dei coadoretur. Et si dicatur una persona utriusque, hoc erit propter unionem affectualem praedictam: ut sic dicatur homo ille et Dei Verbum una persona, sicut dicitur [Matth. XIX] de viro et muliere quod „iam non sunt duo sed una caro".

Et quia talis unio non facit ut quod de uno dicitur, de altero dici possit, non enim quicquid convenit viro, verum est de muliere, aut e converso; ideo in unione Verbi et illius hominis hoc observandum putant, quod ea quae sunt propria illius hominis, ad humanam naturam pertinentia, de Verbo Dei, aut de Deo, convenienter dici non possunt; sicut homini illi convenit quod sit natus de virgine, quod passus, mortuus et sepultus, et huiusmodi; quae omnia asserunt de Deo, vel de Dei Verbo, dici non debere.

[26] Cf. Cyrillum, *Epistola synodica ad Nestorium* ⟨Salvatore nostro⟩, par. 5 (PG 77/111 C).

[27] Cf. Cyrillum, *Epistola synodica ad Nestorium* ⟨Salvatore nostro⟩, par. 6 (PG 77/110 – 111).

der Apostel in Kol 1,19: „Denn (Gott) gefiel es, in ihm die ganze Fülle wohnen zu lassen".

Darüber hinaus folgte hieraus eine gewisse affektive Vereinigung zwischen jenem Menschen und Gott, wobei jener Mensch aufgrund seines guten Willens Gott anhing und Gott ihn aufgrund seines Willens annahm, dem Worte Joh 8,29 gemäß: „Und der, der mich gesandt hat, ist mit mir. Er hat mich nicht allein gelassen, weil ich allezeit tue, was ihm wohlgefällig ist". So läßt sich die Vereinigung jenes Menschen mit Gott dergestalt verstehen, wie die Vereinigung beschaffen ist, von welcher der Apostel in 1 Kor 6,17 sagt: „Wer jedoch dem Herrn anhängt, der ist ein Geist [mit ihm]".

Und gerade wie spezifisch Gott zukommende Namen aufgrund dieser Vereinigung auch Menschen zugesprochen werden, so daß sie an verschiedenen Stellen der Schrift als „Götter", als „Söhne Gottes", „Herren", „Heilige" und „Gesalbte" bezeichnet werden, so kommen jenem Menschen auch göttliche Namen derart zu, daß er – aufgrund des Einwohnens Gottes in ihm und der affektiven Vereinigung – als Gott, als Sohn Gottes, als Herr, der Heilige und Christus bezeichnet wird.

Da jedoch in jenem Menschen eine größere Gnadenfülle als in den anderen Heiligen vorhanden war, so war er mehr als die übrigen Menschen Tempel Gottes, mit Gott enger affektiv vereinigt, und hatte an den göttlichen Namen aufgrund eines einzigartigen Privilegs teil. Wegen dieser Gnadenvortrefflichkeit ist er der göttlichen Würde und Ehre teilhaftig geworden, so daß er zusammen mit Gott verehrt wird.

Aus dem Gesagten folgt, daß die Person des Wortes Gottes und die Person jenes Menschen, welcher mit dem Wort Gottes zusammen verehrt wird, jeweils verschieden sind. Wenn wir von beiden als einer Person sprechen, so geschieht dies aufgrund der erwähnten affektiven Vereinigung. Wie es von Mann und Frau heißt, sie seien „nicht mehr zwei, sondern ein Fleisch" (Mt 19,6), so werden jener Mensch und das Wort Gottes eine Person genannt.

Eine derartige Vereinigung erlaubt jedoch nicht, dasjenige, welches man von der einen Person sagt, auch der anderen zuzuschreiben. (Was nämlich auf den Mann zutrifft, das trifft nicht auf die Frau zu und umgekehrt.) Daher meinen sie, hinsichtlich der Vereinigung des Wortes Gottes mit jenem Menschen beachten zu müssen, daß man das, was spezifisch jenem Menschen als zur menschlichen Natur gehörig zukommt, nicht übereinstimmend vom Worte Gottes oder von Gott sagen kann. So kommt es jenem Menschen zu, von einer Jungfrau geboren zu sein, gelitten zu haben, gestorben und begraben zu sein und dergleichen mehr. Sie behaupten, dies alles dürfe man von Gott oder vom Worte Gottes nicht sagen.

Sed quia sunt quaedam nomina quae, etsi Deo principaliter conveniant, communicantur tamen hominibus per aliquem modum, sicut ‚Christus‘, ‚Dominus‘, ‚Sanctus‘, et etiam ‚filius Dei‘, de huiusmodi nominibus secundum eos nihil prohibet praedicta praedicari.

Convenienter enim dicimus secundum eos[28] quod ‚Christus‘, vel ‚Dominus gloriae‘, vel ‚Sanctus sanctorum‘, vel ‚Dei filius‘, sit natus de virgine, passus, mortuus et sepultus. Unde et Beatam Virginem non matrem Dei vel Verbi Dei, sed matrem Christi nominandam esse dicunt.

Sed si quis diligenter consideret, praedicta positio veritatem incarnationis excludit. Non enim secundum praedicta Verbum Dei fuit homini illi unitum nisi secundum inhabitationem per gratiam, ex qua consequitur unio voluntatum. Inhabitatio autem Verbi Dei in homine non est Verbum Dei incarnari. Habitavit enim Verbum Dei, et Deus ipse, in omnibus sanctis a constitutione mundi, secundum illud Apostoli II ad Cor. VI: „Vos estis templum Dei vivi: sicut dicit Dominus: Quoniam inhabitabo in illis“: quae tamen inhabitatio incarnatio dici non potest; alioquin frequenter ab initio mundi Deus incarnatus fuisset.

Nec hoc etiam ad incarnationis rationem sufficit si Verbum Dei, aut Deus, pleniori gratia habitavit in illo homine: quia magis et minus speciem non diversificant unionis.

Cum igitur Christiana religio in fide incarnationis fundetur, evidenter apparet quod praedicta positio fundamentum Christianae religionis tollit.

Praeterea. Ex ipso modo loquendi Scripturarum, falsitas praedictae positionis apparet. Inhabitationem enim Verbi Dei in sanctis hominibus consuevit Sacra Scriptura his modis significare [Exod. VI]: „Locutus est Dominus ad Moysen“; [Exod. IV]: „Dicit Dominus ad Moysen“; [Ierem. 29]: „Factum est verbum Domini ad Ieremiam“ (aut ad aliquem aliorum prophetarum); [Ag. I]: „Factum est verbum Domini in manu Aggaei Prophetae“. Nunquam autem legitur quod verbum Domini factum sit vel Moyses, vel Ieremias, vel aliquis aliorum. Hoc autem modo singulariter unionem Dei Verbi ad carnem Christi designat Evangelista, dicens [Ioan. I]: „Verbum caro factum est“, ut supra espositum est. Manifestum est igitur quod non solum per modum inhabitationis Verbum Dei in homine Christo fuit, secundum traditiones Scripturae.

---

[28] Cf. Concilium Ephesinum, *Actio* I (Mansi IV, 1197A – B; 1200 E – 1201 A).

Auch wenn einige Namen, welche zwar in erster Linie Gott zukommen, dennoch auf gewisse Weise den Menschen zugeschrieben werden, so etwa „Gesalbter", „Herr", „Heiliger" und sogar „Sohn Gottes", so hindert ihrer Meinung nach nichts daran, ihnen die genannten Prädikate zuzuschreiben.

Nach ihrer Auffassung redet man gebührlich, wenn man sagt, „Christus" oder der „Herr der Herrlichkeit", der „Heilige der Heiligen" oder der „Sohn Gottes" sei aus der Jungfrau geboren, habe gelitten, sei gestorben und begraben worden. Daher sagen sie auch, die selige Jungfrau sei nicht „Mutter Gottes" oder „Mutter des Wortes Gottes", sondern „Mutter Christi" zu nennen.

Bedenkt man es jedoch sorgfältig, so schließt die besagte These die Wahrheit der Inkarnation aus. Entsprechend dem Vorweggehenden vereinigte sich das Wort Gottes mit jenem Menschen lediglich aufgrund der Gnadeneinwohnung. Hieraus folgt die Willensvereinigung. Doch handelt es sich bei der Einwohnung des Wortes Gottes im Menschen nicht um die Inkarnation des Wortes Gottes. Seit der Gründung der Welt nämlich wohnte das Wort Gottes und Gott selbst in den Heiligen, dem Worte 2 Kor 6,16 des Apostels gemäß, welches besagt: „Wir sind ja Tempel des lebendigen Gottes, wie Gott gesagt hat: ‚Ich will unter ihnen wohnen'". Doch kann man diese Einwohnung nicht „Inkarnation" nennen; andernfalls hätte sich Gott seit dem Beginn der Welt häufig inkarniert.

Auch reicht es zur Inkarnation nicht hin, wohnte das Wort Gottes oder Gott mit größerer Gnadenfülle in jenem Menschen, denn ein Mehr und Minder begründen keinen Unterschied in der Art der Vereinigung.

Da sich die christliche Religion jedoch auf den Glauben an die Inkarnation gründet, so wird offenkundig, daß die genannte These das Fundament des christlichen Glaubens zerstört.

Zudem. Die Falschheit der erwähnten These tritt angesichts der Redeweise der Schriften selbst zutage. So bezeichnet die Heilige Schrift die Einwohnung des Wortes Gottes in heiligmäßigen Menschen gewöhnlich folgenderweise (Exod 6,2; 10,13; passim): „Der Herr sprach zu Moses", oder (Exod 4,19; passim): „Es spricht der Herr zu Moses"; (Jer 1,1): „Es erging das Wort des Herrn an Jeremias" – oder an einen der anderen Propheten –; (Hag 1,1): „Das Wort des Herrn erging durch die Hand des Propheten Haggai". Nirgendwo aber steht, das Wort des Herrn sei Moses, Jeremias oder irgendwer sonst geworden. Auf diese Weise bezeichnet der Evangelist einzig die Vereinigung des Wortes Gottes mit dem Fleische Christi, wenn er Joh 1,14 sagt: „Das Wort ist Fleisch geworden", wie oben dargelegt wurde. Der Schriftüberlieferung gemäß war also das Wort Gottes offenkundig nicht im Menschen Christus nach Art einer Einwohnung.

Item. Omne quod factum est aliquid, est illud quod factum est: sicut quod factum est homo, est homo; et quod factum est album est album. Sed Verbum Dei factum est homo, ut ex praemissis habetur. Igitur Verbum Dei est homo. Impossibile est autem ut duorum differentium persona aut hypostasi vel supposito, unum de altero praedicetur: cum enim dicitur: „Homo est animal", id ipsum quod animal est, homo est; et cum dicitur: „Homo est albus", ipse homo albus esse significatur, licet albedo sit extra rationem humanitatis. Et ideo nullo modo dici potest quod Socrates sit Plato, vel aliquod aliud singularium eiusdem vel alterius speciei. Si igitur „Verbum caro factum est", idest „homo", ut Evangelista testatur [Ioan. I]; impossibile est quod Verbi Dei et illius hominis sint duae personae, vel duae hypostases, vel duo supposita.

Adhuc. Pronomina demonstrativa ad personam referuntur, vel hypostasim vel suppositum: nemo enim diceret: „Ego curro" alio currente; nisi forte figurative, utpote quod alius loco eius curreret. Sed ille homo qui dictus est Iesus, dicit de se: „Antequam Abraham fieret, ego sum", Ioan.VIII; et Ioan. X: „Ego et Pater unum sumus"; et plura alia quae manifeste ad divinitatem Verbi pertinent. Ergo manifestum est quod persona illius hominis loquentis et hypostasis est ipsa persona Filii Dei.

Amplius. Ex superioribus patet quod neque corpus Christi de caelo descendit, secundum errorem Valentini; neque anima, secundum errorem Origenis. Unde restat quod ad Verbum Dei pertineat quod dicitur descendisse, non motu locali, sed ratione unionis ad inferiorem naturam, ut supra dictum est. Sed ille homo, ex persona sua loquens, dicit se descendisse de caelo, Ioan. VI: „Ego sum panis vivus, qui de caelo descendi". Necesse est igitur personam et hypostasim illius hominis esse personam Verbi Dei.

Item. Manifestum est quod ascendere in caelum Christo homini convenit, qui „videntibus Apostolis elevatus est", ut dicitur Act. I, Descendere autem de caelo Verbo Dei convenit. Sed Apostolus dicit, Ephes. IV:

Ferner. Alles, was zu etwas Bestimmtem gemacht wurde, ist dasjenige, wozu es gemacht wurde. So ist Mensch, was Mensch wurde; weiß ist, was weiß wurde. Nun ist das Wort Gottes Mensch geworden, wie aus dem zuvor Gesagten ersichtlich ist. Folglich ist das Wort Gottes Mensch. Unmöglich jedoch kann bei zwei Dingen, die sich der Person, der Hypostase oder dem Zugrundeliegenden nach voneinander unterscheiden, das eine vom anderen ausgesagt werden. Sagt man nämlich: „Der Mensch ist ein Lebewesen", so ist dies bedeutungsgleich mit „dasselbe Ding, was ein Lebewesen ist, ist ein Mensch". Heißt es: „Der Mensch ist weiß", so wird der Mensch selbst als ‚weiß' bezeichnet, obgleich ‚Weißfarbigkeit' außerhalb des Begriffes ‚Menschsein' liegt. Daher kann man keineswegs sagen, Sokrates sei Platon oder irgendein anderes Individuum derselben oder verschiedener Art. Ist mithin das „Wort Fleisch" – also Mensch – „geworden", wie der Evangelist (Joh 1, 14) bezeugt, so ist es unmöglich, daß dem Wort Gottes und jenem Menschen zwei Personen, zwei Hypostasen oder zwei Supposita zukommen.

Weiterhin. Demonstrativpronomina beziehen sich auf die Person, die Hypostase oder das Suppositum. Niemand würde nämlich sagen: „Ich laufe" und damit meinen, ein anderer laufe, es sei denn, er redete vielleicht im figurativen Sinne, beispielsweise in dem Fall, wenn ein anderer an seiner Stelle läuft. Doch sagt jener Mensch, welcher Jesus genannt wird, in Joh 8, 58 von sich selbst: „Ehe Abraham ward, bin ich", und Joh 10, 30: „Ich und der Vater sind eins" und mehreres andere, was offensichtlich die Gottheit des Wortes betrifft. Folglich ist offenkundig die Person und Hypostase jenes Menschen, welcher redet, die Person des Sohnes Gottes selbst.

Ferner. Aus den bisherigen Bemerkungen geht hervor, daß weder der Leib Christi vom Himmel herabstieg, worin sich Valentinus (IV 30) irrte, noch die Seele, worin der Irrtum des Origenes (IV 33) bestand. Deswegen verbleibt, daß es das Wort war, von dem es heißt, es sei vom Himmel herabgestiegen. Dies geschah nicht aufgrund von Ortsbewegung, sondern durch Vereinigung mit einer geringer gestellten Natur, wie oben gesagt wurde (IV 30). Doch sagt jener Mensch, er sei vom Himmel herabgestiegen, wenn er von seiner eigenen Person in Joh 6, 51 behauptet: „Ich bin das lebendige Brot, das vom Himmel herabgekommen ist". Folglich muß die Person und Hypostase jenes Menschen die Person des Wortes Gottes sein.

Desgleichen. Es ist offenkundig der Fall, daß es dem Menschen Christus zukommt, in den Himmel aufzusteigen, „der", wie es Apg 1, 9 heißt, „vor ihren Augen emporgehoben ward". Vom Himmel herabzusteigen kommt jedoch dem Worte Gottes zu. Jedoch sagt der Apostel in Eph

„Qui descendit, ipse est et qui ascendit". Ipsa igitur est persona et hypostasis illius hominis, quae est persona et hypostasis Verbi Dei.

Adhuc. Ei quod originem habet ex mundo, et quod non fuit antequam esset in mundo, non convenit ‚venire in mundum'. Sed homo Christus secundum carnem originem habet ex mundo, quia verum corpus humanum et terrenum habuit, ut ostensum est. Secundum animam vero non fuit antequam esset in mundo: habuit enim veram animam humanam, de cuius natura est ut non sit antequam corpori uniatur. Relinquitur igitur quod homini illi ex sua humanitate non conveniat ‚venire in mundum'. Ipse autem se dicit venisse in mundum: „Exivi", inquit, „a Patre, et veni in mundum", Ioan. XVI. Manifestum est igitur quod id quod Verbo Dei convenit, de homine illo dicitur vere: nam quod Verbo Dei conveniat venire in mundum, manifeste ostendit Ioannes Evangelista, dicens: „In mundo erat, et mundus per ipsum factus est, et mundus eum non cognovit: in propria venit". Oportet igitur personam et hypostasim illius hominis loquentis esse personam et hypostasim Verbi Dei.

Item. Apostolus dicit, Hebr. X: „Ingrediens mundum dicit: „Hostiam et oblationem noluisti, corpus autem aptasti mihi". Ingrediens autem mundum Verbum Dei est, ut ostensum est. Ipsi igitur Dei Verbo corpus aptatur, ut scilicet sit proprium corpus eius. Quod dici non posset nisi esset eadem hypostasis Dei Verbi et illius hominis. Oportet igitur esse eandem hypostasim Dei Verbi et illius hominis.

Amplius. Omnis mutatio vel passio conveniens corpori alicuius, potest attribui ei cuius est corpus: si enim corpus Petri vulneretur, flagelletur, aut moriatur, potest dici quod Petrus vulneratur, flagellatur, aut moritur. Sed corpus illius hominis fuit corpus Verbi Dei, ut ostensum est. Ergo omnis passio quae in corpore illius hominis facta fuit, potest Verbo Dei attribui. Recte igitur dici potest quod Verbum Dei, et Deus, est passus, crucifixus, mortuus et sepultus. Quod ipsi negabant.

Item. Apostolus dicit, Hebr. II: „Decebat eum propter quem omnia, et per quem omnia, qui multos filios in gloriam adduxerat, auctorem salutis

4,10: „Er, der hinabstieg, ist derselbe, der hinaufstieg". Folglich ist es die Person und Hypostase jenes Menschen selbst, die die Person und Hypostase des Wortes Gottes ist.

Weiterhin. Wer seinen Ursprung aus der Welt hat und nicht war, bevor er in der Welt existierte, kann nicht „in die Welt kommen". Doch hat der Mensch Christus dem Fleische nach seinen Ursprung aus der Welt, da er über einen menschlichen und irdischen Leib verfügte, wie erklärt wurde (IV 29 ff.). Auch war er nicht hinsichtlich seiner Seele, bevor er in der Welt existierte, denn er besaß eine wahrhafte menschliche Seele, zu deren Natur es gehört, nicht zu sein, bevor sie nicht mit einem Körper vereint ist (II 83 ff.). Folglich verbleibt, daß es jenem Menschen aufgrund seines Menschseins nicht zukommt, „in die Welt zu kommen". Doch sagt er selbst, er sei in die Welt gekommen: „Ich bin", so spricht er Joh 16, 28, „vom Vater ausgegangen und in die Welt gekommen". Folglich gilt offenkundig das, was vom Worte Gottes gilt, auch wahrhaft von jenem Menschen. Nun macht der Evangelist völlig deutlich, daß es dem Worte Gottes eignet, in die Welt zu kommen, wenn er (Joh 1, 10 f.) sagt: „Er war in der Welt, und die Welt ist durch ihn geworden, und die Welt hat ihn nicht erkannt. Er kam in sein Eigentum". Also muß es sich bei der Person und Hypostase jenes Menschen, welcher redet, um die Person und Hypostase des Wortes Gottes handeln.

Weiterhin. Der Apostel sagt in Hebr 10, 5: „Darum spricht er beim Eintritt in die Welt ‚Opfer und Gaben hast du nicht gewollt, einen Leib aber hast du mir bereitet'". Nun ist das, was in die Welt kommt, das Wort Gottes, wie gezeigt wurde (IV 11). Folglich wird das Wort Gottes selbst derart mit einem Leib verbunden, daß er offenbar sein eigener Leib ist. Dies läßt sich nur dann behaupten, wenn die Hypostase des Wortes Gottes und die jenes Menschen dieselbe sind. Also muß es sich bei der Hypostase des Wortes Gottes und bei der jenes Menschen um dieselbe handeln.

Zudem. Jede Veränderung oder jedes Erleiden, dem jemandes Körper unterworfen ist, kann demjenigen zugeschrieben werden, dessen Körper es ist. Würde der Körper des Petrus verletzt, geschlagen oder stürbe er, so kann man sagen, Petrus werde verletzt, geschlagen oder sterbe. Doch war der Körper jenes Menschen der des Wortes Gottes, wie gezeigt wurde. Mithin kann man jegliches Erleiden, welches dem Körper jenes Menschen zugefügt wurde, als dem Worte Gottes zugefügt bezeichnen. Mit Recht kann es daher heißen, das Wort Gottes und Gott habe gelitten, sei gekreuzigt, gestorben und begraben. Dies aber leugneten sie.

Zudem. Der Apostel sagt in Hebr 2, 10: „Denn es ziemte sich für den, um dessentwillen alles ist und durch den alles ist, da er viele Söhne zur

eorum, per passionem consummari": ex quo habetur quod ille propter quem sunt omnia, et per quem sunt omnia, et qui homines in gloriam adducit, et qui est auctor salutis humanae, passus est et mortuus. Sed haec quatuor singulariter sunt Dei, et nulli alii attribuuntur: dicitur enim Proverb. XVI: „Universa propter semetipsum operatus est Dominus"; et Ioan. I, de Verbo Dei dicitur: „Omnia per ipsum facta sunt"; et in Psalmo [LXXXIII]: „Gratiam et gloriam dabit Dominus"; et alibi [Ps. XXXVI]: „Salus autem iustorum a Domino". Manifestum est igitur recte dici Deum, Dei Verbum, esse passum et mortuum.

Praeterea. Licet aliquis homo participatione dominii dominus dici possit, nullus tamen homo, neque creatura aliqua, potest dici ‚Dominus gloriae': quia gloriam futurae beatitudinis solus Deus ex natura possidet, alii vero per donum gratiae; unde et in Psalmo [XXIII] dicitur: „Dominus virtutum ipse est Rex gloriae". Sed Apostolus dicit Dominum gloriae esse crucifixum, I ad Cor. II. Vere igitur dici potest quod „Deus sit crucifixus".

Adhuc. Verbum Dei dicitur Dei Filius per naturam, ut ex supra dictis patet: homo autem, propter inhabitationem Dei, dicitur Dei filius per gratiam adoptionis. Sic igitur in Domino Iesu Christo, secundum positionem praedictam, est accipere utrumque filiationis modum: nam Verbum inhabitans est Dei Filius per naturam; homo inhabitatus est Dei filius per gratiam adoptionis. Unde homo ille non potest dici proprius, vel unigenitus Dei Filius, sed solum Dei Verbum, quod, secundum proprietatem nativitatis, singulariter a Patre genitum est. Attribuit autem Scriptura proprio et unigenito Dei Filio passionem et mortem. Dicit enim Apostolus, Rom. VIII: „... Proprio Filio suo non perpercit, sed pro nobis omnibus tradidit illum". Et Ioan. III: „Sic Deus dilexit mundum ut Filium suum unigenitum daret, ut omnis qui credit in illum non pereat, sed habeat vitam aeternam". Et quod loquatur de traditione ad mortem, patet per id quod eadem verba supra praemiserat de filio hominis crucifixo, dicens [ibid.]: „Sicut Moyses exaltavit serpentem in deserto, ita oportet exaltari filium hominis, ut omnis qui credit in illum" etc. Et Apostolus mortem

Herrlichkeit führte, den Anführer ihres Heils durch Leiden zu vollenden". Hieraus ist zu entnehmen, daß jener gelitten hat und starb, „weswegen und für den alle Dinge sind, der die Menschen zur Herrlichkeit führt" und welcher der Urheber des menschlichen Heils ist. Diese vier Dinge kommen ausschließlich Gott zu. Sie werden keinem anderen zugeschrieben. So heißt es Spr 16,4: „Jahwe hat alles zu seinem Zwecke geschaffen", und vom Worte Gottes heißt es Joh 1,3: „Alles ist durch es geworden", und im Psalm (Ps 84,12): „Herrlichkeit verleiht er (der Herr) und Gnade". Andernorts (Ps 37,39) heißt es: „Das Heil kommt den Gerechten von Jahwe". Folglich heißt es offenbar mit Recht, Gott, das Wort Gottes, habe gelitten und sei gestorben.

Außerdem. Auch wenn ein Mensch aufgrund seiner Teilhabe an Herrschaft „Herr" genannt werden kann, so kann doch kein Mensch, noch irgendein Geschöpf, „Herr der Herrlichkeit" genannt werden. Die Herrlichkeit der künftigen Glückseligkeit besitzt ausschließlich Gott aufgrund seiner Natur, die anderen jedoch durch das Geschenk der Gnade. Daher heißt es auch im Psalm (Ps 24,10): „Jahwe Zebaot, der ist der König der Herrlichkeit". Doch sagt der Apostel in 1 Kor 2,8, „der Herr der Herrlichkeit" sei „gekreuzigt" worden: „Denn hätten sie sie [die Weisheit Gottes] gekannt, so hätten sie den Herrn der Herrlichkeit nicht gekreuzigt". Folglich kann man wahrhaft sagen, „Gott sei gekreuzigt".

Weiterhin. Das Wort Gottes heißt „Sohn Gottes" aufgrund seiner Natur, wie aus dem oben Erörterten hervorgeht (IV 11). Wegen der Einwohnung Gottes heißt jedoch ein Mensch „Sohn Gottes" durch die Gnade der Annahme an Sohnes statt. Der erwähnten These gemäß hat man also im Herrn Jesus Christus beiderlei Weisen von Sohnschaft anzunehmen. So ist das einwohnende Wort Sohn Gottes aufgrund seiner Natur; der Mensch, in dem es einwohnt, ist Sohn Gottes aufgrund der Gnade der Annahme an Sohnes Statt. Daher kann jener Mensch nicht Gottes „eigener" oder „eingeborener" Sohn heißen, sondern einzig das Wort Gottes, das aufgrund der Eigentümlichkeit seiner Geburt auf singuläre Weise vom Vater gezeugt ist. Doch schreibt die Schrift Gottes eigenem und eingeborenen Sohn Leiden und Tod zu. So sagt der Apostel Rö 8,32: „Er, der des eigenen Sohnes nicht geschont, sondern ihn für uns alle dahingegeben hat", und Joh 3,16: „Denn so sehr hat Gott die Welt geliebt, daß er seinen eingeborenen Sohn dahingegeben hat, damit jeder, der an ihn glaubt, nicht verlorengehe, sondern ewiges Leben habe". Daß er von der Überlieferung zum Tod spricht, wird daraus ersichtlich, daß er dieselben Worte vorweg verwendete, als er vom gekreuzigten Sohn sagte (ibid., 14 f.): „Und wie Mose die Schlange in der Wüste erhöht hat, so muß der Menschensohn erhöht werden, damit jeder, der an ihn glaubt, ewiges Leben habe". So

Christi indicium divinae dilectionis ad mundum esse ostendit, dicens, Rom. V: „Commendat suam caritatem Deus in nobis, quoniam, cum adhuc inimici essemus, Christus pro nobis mortuus est". Recte igitur dici potest quod „Verbum Dei, Deus, sit passus et mortuus".

Item. Ex hoc dicitur aliquis filius alicuius matris, quia corpus eius ex ea sumitur, licet anima non sumatur ex matre, sed ab exteriori sit. Corpus autem illius hominis ex Virgine Matre sumptum est: ostensum est autem corpus illius hominis esse corpus Filii Dei naturalis, idest Verbi Dei. Convenienter igitur dicitur quod Beata Virgo sit ‚Mater Verbi Dei‘, et etiam ‚Dei‘, licet divinitas Verbi a matre non sumatur: non enim oportet quod filius totum quod est de sua substantia a matre sumat, sed solum corpus.

Amplius. Apostolus dicit, ad Galat. IV: „Misit Deus Filium suum factum ex muliere": ex quibus verbis ostenditur qualiter missio Filii Dei sit intelligenda: eo enim dicitur missus quo factus est ex muliere. Quod quidem verum esse non posset nisi Filius Dei ante fuisset quam factus esset ex muliere: quod enim in aliquid mittitur, prius esse intelligitur quam sit in eo quo mittitur. Sed homo ille, filius adoptivus, secundum Nestorium, non fuit antequam natus esset ex muliere. Quod ergo dicit: „Misit Deus Filium suum", non potest intelligi de filio adoptivo, sed oportet quod intelligatur de filio naturali, idest de Deo Dei Verbo. Sed ex hoc quod aliquis factus est ex muliere, dicitur filius mulieris. Deus ergo, Dei Verbum, est filius mulieris.

Sed forte dicet aliquis non debere verbum Apostoli sic intelligi quod Dei Filius ad hoc sit missus ut sit factus ex muliere: sed ita quod Dei filius qui est factus ex muliere et sub lege, ad hoc sit missus „ut eos qui sub lege erant redimeret" [Galat. IV]. Et secundum hoc, quod dicit „filium suum", non oportebit intelligi de Filio naturali, sed de homine illo qui est filius adoptionis.

Sed hic sensus excluditur ex ipsis Apostoli verbis. Non enim a lege potest absolvere nisi ille qui supra legem existit, qui est auctor legis. Lex autem a Deo posita est. Solius igitur Dei est a servitute legis eripere. Hoc

erklärt der Apostel den Tod Christi als ein Zeichen göttlicher Liebe für die Welt, wenn er Rö 5, 8 f. spricht: „Gott aber beweist seine Liebe zu uns dadurch, daß Christus für uns starb, als wir noch Sünder waren". Mithin kann man zu Recht sagen: „Gott, das Wort Gottes, hat gelitten und ist gestorben".

Überdies. Man sagt, jemand sei der Sohn seiner Mutter, weil sein Leib ihr entstammt, auch wenn er die Seele nicht von der Mutter, sondern von außen empfängt. Der Körper jenes Menschen stammte von der Mutter. Doch wurde bereits gezeigt, daß der Körper jenes Menschen der Leib von Gottes natürlichem Sohn, d. h. des Wortes Gottes ist. Füglich also heißt es, die selige Jungfrau sei „Mutter des Wortes Gottes" und damit auch Gottes, auch wenn die Gottheit des Wortes nicht von ihr kommt, denn der Sohn braucht nicht das Gesamt dessen, was seine Substanz ausmacht, sondern nur den Leib von der Mutter empfangen zu haben.

Weiterhin sagt der Apostel Gal 4, 4: „Gott entsandte seinen Sohn, geboren aus einer Frau". Hiermit macht er deutlich, wie man die Sendung des Sohnes Gottes zu verstehen hat. Er heißt nämlich insofern „gesandt", als er von einer Frau hervorgebracht wurde. Dies kann nur dann wahr sein, wenn es den Sohn Gottes bereits gab, bevor er aus einer Frau hervorgebracht wurde. Wird nämlich etwas in etwas hineingeschickt, so muß es, bevor es sich bei dem befindet, wohinein es gesandt wird, auch tatsächlich existieren. Jener Mensch aber, bei dem es sich nach Nestorius um einen angenommenen Sohn handelt, existierte nicht, bevor er aus der Jungfrau geboren wurde. Demgemäß können sich die Worte: „Er entsandte seinen Sohn" nicht auf einen Adoptivsohn beziehen; vielmehr hat man sie so zu verstehen, daß sie vom natürlichen Sohn, also von Gott, dem Worte Gottes gesagt sind. Nun wird aber jemand deswegen „Sohn einer Frau" genannt, weil er aus ihr hervorgegangen ist. Folglich ist Gott, das Wort Gottes, Sohn einer Frau.

Vielleicht mag nun jemand einwenden, man dürfe das Wort des Apostels nicht dahingehend verstehen, als sei der Sohn Gottes dazu gesandt, aus einer Frau hervorgebracht zu werden, sondern dahingehend, daß der Sohn Gottes, welcher aus einer Frau und unter dem Gesetz hervorgebracht ist, dazu entsandt war, „jene zu erlösen, welche unter dem Gesetze standen" (Gal 4, 5). Auch dürfe man den Ausdruck „seinen Sohn" nicht so verstehen, als bezöge er sich auf einen natürlichen Sohn; vielmehr beziehe er sich auf jenen Menschen, welcher Adoptivsohn ist.

Diese Deutung jedoch schließt sich durch die Worte des Apostels selbst aus. So kann nur jemand vom Gesetz entbinden, welcher selbst als Gesetzgeber über dem Gesetz steht. Nun ist aber das Gesetz von Gott festgelegt. Folglich ist es einzig Sache Gottes, von der Knechtschaft des Ge-

autem attribuit Apostolus Filio Dei de quo loquitur. Filius ergo Dei de quo loquitur, est Filius naturalis. Verum est ergo dicere quod naturalis Dei Filius, idest Deus Dei Verbum, est factus ex muliere.

Praeterea. Idem patet per hoc quod redemptio humani generis ipsi Deo attribuitur in Psalmo [XXX]: „Redemisti me, Domine Deus veritatis".

Adhuc. Adoptio filiorum Dei fit per Spiritum Sanctum: secundum illud Rom. VIII: „Accepistis Spiritum adoptionis filiorum". Spiritus autem Sanctus non est donum hominis, sed Dei. Adoptio ergo filiorum non causatur ab homine, sed a Deo. Causatur autem a Filio Dei misso a Deo et facto ex muliere: quod patet per id quod Apostolus subdit: „ut adoptionem filiorum reciperemus". Oportet igitur verbum Apostoli intelligi de Filio Dei naturali. Deus igitur, Dei Verbum, factus est ex muliere, idest ex Virgine Matre.

Item. Ioannes dicit [Ioan. I]: „Verbum caro factum est". Non autem habet carnem nisi ex muliere. Verbum igitur factum est ex muliere, idest ex Virgine Matre. Virgo igitur est Mater Dei Verbi.

Amplius. Apostolus dicit, Rom. IX, quod „Christus est ex patribus secundum carnem, qui est super omnia Deus benedictus in saecula". Non autem est ex patribus nisi mediante Virgine. Deus igitur, qui est super omnia, est ex Virgine secundum carnem. Virgo igitur est Mater Dei secundum carnem.

Adhuc. Apostolus dicit, Philipp. II de Christo Iesu, quod „cum in forma Dei esset, exinanivit semetipsum, formam servi accipiens, in similitudinem hominum factus".

Ubi manifestum est si, secundum Nestorium, Christum dividamus in duos, scilicet in hominem illum qui est filius adoptivus, et in Filium Dei naturalem, qui est Verbum Dei, quod non potest intelligi de homine illo. Ille enim homo, si purus homo sit, non prius fuit in forma Dei, ut postmodum in similitudinem hominum fieret: sed magis e converso homo existens divinitatis particeps factus est, in quo non fuit exinanitus, sed exaltatus. Oportet igitur quod intelligatur de Verbo Dei, quod prius fuerit ab aeterno in forma Dei, idest in natura Dei, et postmodum exinanivit semetipsum, in similitudinem hominum factus.

setzes zu befreien. Dies aber schreibt der Apostel dem Sohne Gottes zu, von dem die Rede ist. Mithin ist der Sohn Gottes, von dem die Rede ist, ein natürlicher Sohn. Also ist es wahr zu sagen, daß der natürliche Sohn Gottes, d. h. Gott, das Wort Gottes, aus einer Frau hervorgegangen ist.

Außerdem. Dasselbe wird daraus ersichtlich, daß Gott selbst im Psalm (Ps 31,6) die Erlösung des Menschengeschlechtes zugeschrieben wird: „Du hast mich erlöst, Herr, Gott der Wahrheit".

Zudem. Die Annahme der Söhne Gottes geschieht durch den Heiligen Geist, gemäß dem Wort von Rö 8,15: „Ihr habt den Geist der Sohnschaft empfangen". Der Heilige Geist jedoch ist keine Gabe des Menschen, sondern Gottes. Folglich wird die Annahme der Söhne nicht vom Menschen, sondern von Gott verursacht. Sie wird aber vom Sohne Gottes verursacht, welcher von Gott gesandt und aus einer Jungfrau hervorgegangen ist. Dies wird durch den Zusatz ersichtlich, den der Apostel in Gal 4,5 macht: „damit wir an Kindes Statt angenommen würden". Also hat man das Wort des Apostels so zu verstehen, daß es sich auf den natürlichen Sohn Gottes bezieht. Mithin ist Gott, das Wort Gottes, „aus einer Frau" hervorgegangen, d. h. aus der Jungfraumutter.

Wiederum. Johannes sagt (Joh 1,14): „Das Wort ist Fleisch geworden". Nun besitzt es nur aufgrund einer Frau Fleisch. Also ist das Wort aus einer Frau hervorgegangen, d. h. aus der Jungfraumutter, denn die Jungfrau ist die Mutter Gottes, des Wortes.

Darüber hinaus. Der Apostel sagt in Rö 9,5, daß „Christus dem Fleische nach aus den Vätern stammt; der über allem ist Gott, sei hochgelobt in Ewigkeit". Nun stammt er nur durch die Jungfrau von den Vätern. Folglich ist Gott, der über allem ist, dem Fleische nach aus einer Jungfrau. Also ist die Jungfrau Mutter Gottes dem Fleische nach.

Überdies. Der Apostel sagt in Phil 2,6f. von Christus Jesus: „Er, der in Gottesgestalt war, ..., entäußerte sich selbst, nahm Knechtsgestalt an und ward den Menschen gleich".

Falls wir mit Nestorius in Christus zwei Personen unterscheiden, nämlich jenen Menschen, welcher angenommener Sohn ist und andererseits den natürlichen Sohn Gottes, der das Wort Gottes ist, so ist nach diesen Worten klar, daß sie sich nicht auf jenen Menschen beziehen können. Ist jener Mensch nämlich bloß Mensch, so war er nicht zuvor in Gottesgestalt und wurde danach den Menschen gleich; eher umgekehrt ist ein real existierender Mensch der Gottheit teilhaftig geworden, wobei er sich nicht entäußerte, sondern erhöht wurde. Demnach hat man es so zu verstehen, daß das Wort Gottes zuvor von Ewigkeit her Gottesgestalt, also die Natur Gottes besaß, und es sich danach entäußerte, indem es den Menschen gleich wurde.

Non potest autem intelligi ista exinanitio per solam inhabitationem Verbi Dei in homine Iesu Christo. Nam Verbum Dei in omnibus sanctis, a principio mundi, habitavit per gratiam, nec tamen dicitur exinanitum: quia Deus sic suam bonitatem creaturis communicat quod nihil ei subtrahitur, sed magis quodammodo exaltatur, secundum quod eius sublimitas ex bonitate creaturarum apparet, et tanto amplius quanto creaturae fuerint meliores. Unde, si Verbum Dei plenius habitavit in homine Christo quam in aliis sanctis, minus etiam hic quam in aliis convenit exinanitio Verbi.

Manifestum est igitur quod unio Verbi ad humanam naturam non est intelligenda secundum solam inhabitationem Verbi Dei in homine illo, ut Nestorius dicebat: sed secundum hoc quod Verbum Dei vere factum est homo. Sic enim solum habebit locum ,exinanitio': ut scilicet dicatur Verbum Dei ,exinanitum', idest ,parvum factum', non amissione propriae magnitudinis, sed assumptione humanae parvitatis; sicut si anima praeexisteret corpori, et diceretur fieri substantia corporea quae est homo, non mutatione propriae naturae, sed assumptione naturae corporeae.

Praeterea. Manifestum est quod Spiritus Sanctus in homine Christo habitavit: dicitur enim Lucae IV, quod „Iesus plenus Spiritu Sancto regressus est a Iordane". Si igitur incarnatio Verbi secundum hoc solum intelligenda est quod Verbum Dei in homine illo plenissime habitavit, necesse erit dicere quod etiam Spiritus Sanctus erit incarnatus. Quod est omnino alienum a doctrina fidei.

Adhuc. Manifestum est Verbum Dei in sanctis angelis habitare, qui participatione Verbi intelligentia replentur. Dicit autem Apostolus, Hebr. II: „Nusquam angelos apprehendit, sed semen Abrahae apprehendi". Manifestum est igitur quod assumptio humanae naturae a Verbo non est secundum solam inhabitationem accipienda.

Adhuc. Si, secundum positionem Nestorii, Christus separaretur in duos secundum hypostasim differentes, idest in Verbum Dei et hominem illum, impossibile est quod Verbum Dei ,Christus' dicatur.

Quod patet tum ex modo loquendi Scripturae, quae nunquam ante incarnationem Deum, aut Dei Verbum, nominat Christum. Tum etiam ex ipsa nominis ratione. Dicitur enim ,Christus' quasi unctus. Unctus autem

Nun kann man die Entäußerung nicht lediglich als Einwohnung des Wortes Gottes im Menschen Jesus Christus verstehen, denn es wohnte durch die Gnade in allen Heiligen vom Beginn der Welt. Dennoch heißt es deswegen nicht, es habe sich damit entäußert. Nun teilt Gott den Geschöpfen seine Güte ohne eigenen Verlust mit. Dadurch wird er eher gleichsam erhöht, da seine Erhabenheit aus der Güte der Geschöpfe hervorscheint. Je größer die Güte der Geschöpfe ist, desto mehr wird er erhöht. Wenn daher das Wort Gottes im Menschen Christus mit größerer Fülle als in den anderen Heiligen wohnte, dann entäußerte es sich in ihm weniger als in den anderen.

Folglich ist klar, daß man die Vereinigung des Wortes mit der menschlichen Natur nicht einzig nach Art einer Einwohnung des Wortes Gottes in jenem Menschen verstehen kann, wie Nestorius behauptete, sondern in dem Sinne, daß das Wort Gottes wahrhaft Mensch wurde. Denn „Entäußerung" gibt es nur in dem Sinne, daß sich das Wort Gottes „entäußerte", also „sich erniedrigte", doch nicht so, als ob es sich seiner eigenen Größe entledigte, sondern indem es menschliche Niedrigkeit annahm. Existierte die Seele vor dem Körper und hieße es, sie würde zu einer körperhaften Substanz, d. h. einem Menschen, so geschähe dies nicht durch Veränderung der ihr spezifisch zukommenden Natur, sondern durch Annahme der Körpernatur.

Außerdem. Der Heilige Geist hat offensichtlich im Menschen Christus gewohnt. Es heißt nämlich Lk. 4, 1: „Voll des Heiligen Geistes kehrte Jesus vom Jordan zurück". Wäre mithin die Inkarnation des Wortes lediglich dahingehend zu verstehen, daß das Wort Gottes in jenem Menschen in höchster Fülle wohnte, so müßte man behaupten, auch der Heilige Geist habe sich inkarniert. Dies ist der Glaubenslehre völlig fremd.

Ferner. Das Wort Gottes wohnt offensichtlich in den heiligen Engeln, die aufgrund ihrer Teilhabe am Wort voll von Einsicht sind. So sagt der Apostel in Hebr 2, 16: „Es sind ja doch nicht Engel, deren er sich annimmt, sondern des Samens Abrahams nimmt er sich an". Also ist es offenkundig, daß sich die Annahme der menschlichen Natur durch das Wort nicht auf die Weise der Einwohnung allein verstehen läßt.

Zudem. Wäre Christus – entsprechend der Auffassung des Nestorius – zwei der Hypostase nach verschiedene Personen, d. h. das Wort Gottes und jener Mensch, so kann das Wort Gottes unmöglich „Christus" heißen.

Dies ist einerseits aus der Redeweise der Schrift ersichtlich, welche Gott oder das Wort Gottes vor der Inkarnation des Herrn niemals „Christus" nennt; andererseits ergibt es sich auch aus der Wortbedeutung selbst. So wird er „Christus" genannt, weil er gleichsam „gesalbt" ist, d. h., „er ist

intelligitur oleo exultationis, idest Spiritu Sancto, ut Petrus exponit, Act.
X. Non autem potest dici quod Verbum Dei sit unctum Spiritu Sancto:
quia sic Spiritus Sanctus esset maior Filio, ut sanctificans sanctificato.
Oportebit igitur quod hoc nomen ‚Christus' solum pro homine illo possit
intelligi.

Quod ergo dicit Apostolus, ad Philipp.II: „Hoc sentite in vobis quod
et in Christo Iesu", ad hominem illum referendum est. Subdit autem
[ibid.]: „Qui cum in forma Dei esset, non rapinam arbitratus est esse se
aequalem Deo". Verum est igitur dicere quod homo ille est in forma, idest
in natura Dei, et aequalis Deo. Licet autem homines dicantur ‚dii', vel ‚filii
Dei', propter inhabitantem Deum, nunquam tamen dicitur quod sint ‚ae-
quales Deo'. Patet igitur quod homo Christus non per solam inhabitationem dicitur Deus.

Item. Licet nomen Dei ad sanctos homines transferatur propter inhabitationem gratiae, nunquam tamen opera quae sunt solius Dei, sicut creare caelum et terram, vel aliquid huiusmodi, de aliquo sanctorum propter
inhabitationem gratiae dicitur. Christo autem homini attribuitur omnium
creatio. Dicitur enim Hebr. III: „Considerate Apostolum et Pontificem
confessionis nostrae Iesum Christum, qui fidelis est et qui fecit illum sicut
et Moyses, in omni domo illius": quod oportet de homine illo, et non de
Dei Verbo intelligi tum quia ostensum est quod, secundum positionem
Nestorii, Verbum Dei Christus dici non potest; tum quia Verbum Dei non
est factum, sed genitum. Addit autem Apostolus [ibid.]: „Ampliori gloria
iste prae Moyse dignus habitus est, quanto ampliorem honorem habet
domus qui fabricavit illam. Homo igitur Christus fabricavit domum Dei.
Quod consequenter Apostolus probat, subdens: „Omnis namque domus
fabricatur ab aliquo: qui autem omnia creavit, Deus est. Sic igitur Apostolus probat quod homo Christus fabricavit domum Dei, per hoc quod
Deus creavit omnia. Quae probatio nulla esset nisi Christus esset Deus
creans omnia. Sic igitur homini illi attribuitur creatio universorum: quod
est proprium opus Dei. Est igitur homo Christus ipse Deus secundum
hypostasim, et non ratione inhabitationis tantum.

gesalbt mit dem Öl der Freude" (Hebr 1, 9), d. h. „mit dem Heiligen Geist", wie Petrus in Apg. 10, 38 bemerkt. Doch kann man nicht sagen, das Wort Gottes sei durch den Heiligen Geist gesalbt; ansonsten wäre der Heilige Geist größer als der Sohn, wie der Salbende größer als der Gesalbte ist. Demnach müßte sich dieser Name ‚Christus' allein auf jenen Menschen beziehen lassen.

Sagt also der Apostel in Phil 2, 5: „Solche Gesinnung habt untereinander, wie sie auch in Christus Jesus war", so bezöge es sich auf jenen Menschen. Doch fügt er Phil 2, 5 f. hinzu: „Er, der in Gottesgestalt war, erachtete das Gottgleichsein nicht als Beutestück". Mithin ist es wahr zu behaupten, jener Mensch sei in der Gestalt (d. h. in der Natur) Gottes und Gott gleich. Nun können aber Menschen daraufhin „Götter" oder „Söhne Gottes" heißen, daß Gott in ihnen wohnt. Dennoch heißt es niemals, sie seien „Gott gleich". Offensichtlich also wird der Mensch Christus nicht durch die Einwohnung allein „Gott" genannt.

Auch wenn sich der Name ‚Gott' aufgrund der Einwohnung von Gnade auf heilige Menschen übertragen läßt, so schreibt man doch niemals all das, was einzig Gott zukommt, beispielsweise die Erschaffung des Himmels und der Erde und dergleichen, irgendeinem der Heiligen aufgrund dessen zu, daß Gnade in ihnen wohnt. Dem Menschen Christus aber wird die Erschaffung aller Dinge zugeschrieben. So heißt es Hebr 3, 1 f.: „Deshalb, heilige Brüder, Gefährten der himmlischen Berufung, richtet genau den Blick auf den Gesandten und Hohenpriester unseres Bekenntnisses, auf Jesus, der da treu ist dem, der ihn (dazu) bestellt hat, wie auch Mose (treu war) in seinem ganzen Hause". Dies hat man als auf jenen Menschen und nicht auf das Wort Gottes bezogen zu verstehen, sei es deswegen, weil gezeigt wurde, daß der These des Nestorius gemäß das Wort Gottes nicht „Christus" genannt werden kann, oder sei es deswegen, weil das Wort Gottes nicht gemacht, sondern gezeugt wurde. Auch fügt der Apostel in Hebr 3, 3 hinzu: „Denn dieser ist im Vergleich zu Mose einer größeren Herrlichkeit gewürdigt worden in dem Maße, wie der Erbauer größere Ehre genießt als das (von ihm erbaute) Haus". Also erbaute der Mensch Christus das Haus Gottes. Dies beweist der Apostel im Folgenden (ibid., 4): „Jedes Haus wird ja von jemandem erbaut; der Baumeister des Alls aber ist Gott". Also beweist der Apostel, daß der Mensch Christus das Haus Gottes erbaute, durch Verweis auf die Tatsache, daß Gott das All erschuf. Dies Argument bewiese jedoch nichts, wäre Christus nicht Gott, welcher alles erschafft. Also wird jenem Menschen die Schöpfung des Universums zugeschrieben. Dies ist das eigentümliche Werk Gottes. Mithin ist der Mensch Christus Gott selbst der Hypostase nach, nicht allein aufgrund der Einwohnung.

Amplius. Manifestum est quod homo Christus, loquens de se, multa divina dicit et supernaturalia: ut est illud Ioan VI: „Ego resuscitabo illum in novissimo die"; et Ioan. X: „Ego vitam aeternam do eis". Quod quidem esset summae superbiae, si ille homo loquens non esset secundum hypostasim ipse Deus, sed solum haberet Deum inhabitantem. Hoc autem homini Christo non competit, qui de se dicit, Matth. XI: „Discite a me quia mitis sum et humilis corde". Est igitur eadem persona hominis illius et Dei.

Praeterea. Sicut legitur in Scripturis quod homo ille est ,exaltatus'; dicitur enim Act. II: „Dextera igitur Dei exaltatus" etc.; ita legitur quod Deus sit ,exinanitus', Philipp.II: „Exinanivit semetipsum" etc. Sicut igitur sublimia possunt dici de homine illo ratione unionis, ut quod sit Deus, quod resuscitet mortuos, et alia huiusmodi; ita de Deo possunt dici humilia, ut quod sit natus de Virgine, passus, mortuus et sepultus.

Adhuc. Relativa tam verba quam pronomina idem suppositum referunt. Dicit autem Apostolus, Coloss. I, loquens de Filio Dei: „In ipso condita sunt universa in caelo et in terra, visibilia et invisibilia"; et postea subdit [ibid.]: „Et ipse est caput corporis Ecclesiae, qui est principium, primogenitus ex mortuis". Manifestum est autem quod hoc quod dicitur, „in ipso condita sunt universa", ad Verbum Dei pertinet: quod autem dicitur, „primogenitus ex mortuis", homini Christo competit. Sic igitur Dei Verbum et homo Christus sunt unum suppositum, et per consequens una persona; et oportet quod quicquid dicitur de homine illo, dicatur de Verbo Dei, et e converso.

Item. Apostolus dicit, I ad Cor. VIII: „Unus est Dominus Iesus Christus, per quem omnia". Manifestum est autem quod Iesus, nomen illius hominis per quem omnia, convenit Verbo Dei. Sic igitur Verbum Dei et homo ille sunt unus Dominus, nec duo domini nec duo filii, ut Nestorius dicebat. Et ex hoc ulterius sequitur quod Verbi Dei et hominis sit una persona.

Si quis autem diligenter consideret, haec Nestorii opinio quantum ad incarnationis mysterium, parum differt ab opinione Photini. Quia uterque hominem illum Deum dici asserebat solum propter inhabitationem gratiae: quamvis Photinus dixerit quod ille homo nomen divinitatis et gloriam per passionem et bona opera meruit; Nestorius autem confessus

Überdies. Christus schreibt sich offenkundig viele göttliche und übernatürliche Eigenschaften zu, wenn er von sich spricht, etwa Joh 6,40: „Ich
werde ihn auferwecken am Jüngsten Tage", und Joh 10,28: „Und ich gebe
ihnen ewiges Leben". Nun wäre dies Ausdruck größten Hochmutes, wäre
jener Mensch, welcher hier spricht, nicht der Hypostase nach Gott selbst,
sondern hätte Gott lediglich in sich einwohnen. Dies aber trifft auf den
Menschen Christus nicht zu, der von sich in Mt 11,29 sagt: „Lernt von
mir, denn ich bin sanftmütig und demütig von Herzen". Folglich handelt
es sich bei jenem Menschen und bei Gott um dieselbe Person.

Außerdem. Gleichwie in den Schriften steht, jener Mensch sei „erhöht"
worden, so heißt es Apg 2,33: „Durch die Rechte Gottes nun erhöht";
ebenso steht in Phil 2,7, Gott habe sich „entäußert": „Er entäußerte sich"
etc. Sowie also von jenem Menschen aufgrund der Vereinigung Erhabenes
gesagt werden kann, etwa daß er Gott ist, die Toten lebendig macht und
dergleichen mehr, so kann man von Gott Niedriges aussagen, etwa daß er
von einer Jungfrau geboren wurde, litt, starb und begraben wurde.

Ferner. Relative Ausdrücke, Nomina wie Pronomina beziehen sich auf
dasselbe Zugrundeliegende. So sagt der Apostel in Kol 1,16, wenn er vom
Sohn Gottes spricht: „Denn in ihm ward alles erschaffen, im Himmel und
auf Erden, das Sichtbare und das Unsichtbare". Danach fügt er Kol 1,18
hinzu: „Und er ist das Haupt seines Leibes, der Kirche. Er ist der Erstgeborene aus den Toten, damit er in allem den Vorrang habe". Offensichtlich bezieht sich auch Joh 1,3 auf das Wort Gottes: „Alles ist durch es
geworden". Heißt es jedoch „der Erstgeborene von den Toten", so bezieht
sich dies auf den Menschen Christus. Demnach sind das Wort Gottes und
der Mensch Christus ein Suppositum und somit eine Person. Was immer
man somit von jenem Menschen sagt, das gilt auch vom Worte Gottes
und umgekehrt.

Ebenfalls. Der Apostel sagt in 1 Kor 8,6: „Wir haben nur einen Herrn,
durch den alles ist". Nun kommt offensichtlich der Name „Jesus", also
der Name jenes Menschen, „durch den alles ist", dem Worte Gottes zu.
Folglich sind das Wort Gottes und jener Mensch ein Herr, weder zwei
Herren noch zwei Söhne, wie Nestorius behauptete. Hieraus folgt ferner,
daß das Wort Gottes und dieser Mensch eine Person sind.

Bedenkt man es aber sorgfältig, so unterscheidet sich die Meinung des
Nestorius bezüglich des Geheimnisses der Inkarnation nur geringfügig
von der des Photinus (IV 4; 28), weil beide behaupteten, jener Mensch sei
einzig aufgrund der Einwohnung der Gnade Gott. Photinus jedoch ver-
trat die Auffassung, jener Mensch habe sich den Namen und die Herrlichkeit der Gottheit durch sein Leiden und durch gute Werke verdient,
während Nestorius bekannte, er habe diesen Namen und die Herrlichkeit

est quod a principio suae conceptionis huiusmodi nomen et gloriam habuit, propter plenissimam habitationem Dei in ipso.

Circa generationem autem aeternam Verbi multum differebant: nam Nestorius eam confitebatur; Photinus vero negabat omnino.

Capitulum XXXV

Contra errorem Eutychetis

Quia ergo, sicut multipliciter ostensum est, ita oportet mysterium incarnationis intelligi quod Verbi Dei et hominis sit una eademque persona, relinquitur quaedam circa huius veritatis considerationem difficultas. Naturam enim divinam necesse est ut sua personalitas consequatur. Similiter autem videtur et de humana natura: nam omne quod subsistit in intellectuali vel rationali natura, habet rationem personae. Unde non videtur esse possibile quod sit una persona et sint duae naturae, divina et humana.

Ad huius autem difficultatis solutionem diversi diversas positiones attulerunt. Eutyches enim, ut unitatem personae contra Nestorium servaret in Christo, dicit in Christo esse etiam unam naturam, ita quod, quamvis ante unionem essent duae naturae distinctae, divina et humana, in unione tamen coierunt in unam naturam. Et sic dicebat Chrisi personam ex duabus naturis esse, non autem in duabus naturis subsistere. Propter quod in Chalcedonensi Synodo[29] est condemnatus.

Huius autem positionis falsitas ex multis apparet.

Ostensum enim est supra quod in Christo Iesu et corpus fuit, et anima rationalis, et divinitas. Et manifestum est quod corpus Christi, etiam post unionem, non fuit ipsa Verbi divinitas: nam corpus Christi, etiam post unionem, palpabile fuit, et corporeis oculis visibile, et lineamentis membrorum distinctum; quae omnia aliena sunt a divinitate Verbi, ut ex superioribus patet. Similiter etiam anima Christi, post unionem, aliud fuit a divinitate Verbi: quia anima Christi, etiam post unionem, passionibus tristitiae et doloris et irae affecta fuit; quae etiam divinitati Verbi nullo modo convenire possunt, ut ex praemissis patet. Anima autem humana et corpus

---

[29] Cf. Decretum dogmaticum ⟨Actionis quintae⟩ (Mansi VII, 114sq.).

seit dem Beginn seiner Empfängnis besessen aufgrund der einzigartig reichen Einwohnung Gottes in ihm.

Doch waren sie hinsichtlich der ewigen Zeugung des Wortes recht unterschiedlicher Auffassung: Nestorius bekannte sich zu ihr, Photinus hingegen leugnete sie vollständig.

35. KAPITEL

WIDER DEN IRRTUM DES EUTYCHES

Da man das Inkarnationsmysterium daher so zu verstehen hat (wie vielfältig gezeigt wurde), daß es sich beim Worte Gottes und beim Menschen um eine und dieselbe Person handelt, so verbleibt dennoch eine Schwierigkeit bei der Untersuchung dieser Wahrheit. Notwendig nämlich folgt aus der göttlichen Natur ihre Personhaftigkeit. Ähnlich scheint dies auch bei der menschlichen Natur der Fall; denn alles in einer Verstandes- oder Vernunftnatur Subsistierende hat Personcharakter. Daher scheint es nicht möglich, daß es eine Person mit zwei Naturen gibt, einer göttlichen und einer menschlichen.

Zur Auflösung dieser Schwierigkeit hat man verschiedene Positionen vertreten. Um die Einheit der Person in Christus gegen Nestorius zu bewahren, sagt Eutyches, es gebe in Christus auch eine Natur: selbst wenn es vor der Vereinigung zwei verschiedene Naturen gab, die göttliche und die menschliche, so verschmolzen sie jedoch in der Vereinigung zu einer Natur. Somit behauptete er, die Person Christi bestehe „aus zwei Naturen", jedoch „subsistiere nicht in zwei Naturen". Deswegen hat man ihn auf der Synode von Chalkedon verurteilt.

Die Falschheit dieser These ergibt sich aus vielen Dingen.

So wurde bereits gezeigt (IV 28 ff.), daß in Christus Jesus Leib, Verstandesseele und Gottheit vorhanden waren. Zudem war offenkundig der Leib Christi nicht die Gottheit des Wortes, selbst nach der Vereinigung, denn der Leib Christi war, selbst nach der Vereinigung, leidensfähig, leibhaften Augen sichtbar und durch die Gliedmaßen umgrenzt. Dies alles ist der Gottheit des Wortes fremd, wie aus dem oben Gesagten deutlich wird (I 17 ff.). Ähnlich war auch die Seele Christi nach der Vereinigung von der Gottheit des Wortes verschieden. Selbst nach der Vereinigung wurde die Seele Christi von Trauer, Schmerz und Zorn ergriffen. Dies kann jedoch keineswegs der Gottheit des Wortes zustoßen, wie aus dem vorher Erläuterten (I 89) ersichtlich ist. Doch konstituieren die menschliche Seele und der Leib die menschliche Natur. Folglich war, selbst nach der Vereinigung,

constituunt humanam naturam. Sic igitur, etiam post unionem, humana natura in Christo fuit aliud a divinitate Verbi, quae est natura divina. Sunt igitur in Christo, etiam post unionem, duae naturae.

Item. ,Natura' est secundum quam res aliqua dicitur res naturalis. Dicitur autem ,res naturalis' ex hoc quod habet formam, sicut et res artificialis: non enim dicitur domus antequam habeat formam artis, et similiter non dicitur equus antequam habeat formam naturae suae. Forma igitur rei naturalis est eius natura. Oportet autem dicere quod in Christo sint duae formae, etiam post unionem. Dicit enim Apostolus, Philipp. II, de Christo Iesu, quod „cum in forma Dei esset, formam servi accepit". Non autem potest dici quod sit eadem forma Dei, et forma servi: nihil enim accipit quod iam habet; et sic, si eadem est forma Dei et forma servi, cum iam formam Dei habuisset, non accepisset formam servi. Neque iterum potest dici quod forma Dei in Christo per unionem sit corrupta: quia sic Christus post unionem non esset Deus. Neque iterum potest dici quod forma servi sit corrupta in unione: quia sic non accepisset formam servi. Sed nec dici potest quod forma servi sit permixta formae Dei: quia quae permiscentur, non manent integra, sed partim utrumque corrumpitur; unde non diceret quod accepisset formam servi, sed aliquid eius. Et sic oportet dicere, secundum verba Apostoli, quod in Christo, etiam post unionem, fuerunt duae formae. Ergo duae naturae.

Amplius. Nomen ,naturae' primo impositum est ad significandum ipsam generationem nascentium. Et exinde translatum est ad significandum principium generationis huiusmodi. Et inde ad significandum principium motus intrinsecum mobili. Et quia huiusmodi principium est materia vel forma, ulterius natura dicitur forma vel materia rei naturalis habentis in se principium motus. Et quia forma et materia constituunt essentiam rei naturalis, extensum est nomen naturae ad significandum essentiam cuiuscumque rei in natura existentis: ut sic natura alicuius rei dicatur „essentia, quam significat definitio" [*Phys.* II 1]. Et hoc modo hic de natura

193a 30–b 3

die menschliche Natur in Christus von der Gottheit des Wortes verschieden, welche die göttliche Natur ausmacht. Mithin gibt es in Christus zwei Naturen, selbst nach der Vereinigung.

Überdies. „Natur" ist dasjenige, wonach etwas „naturhaft" genannt wird. Nun wird aber etwas „naturhaft" aufgrund dessen genannt, daß es eine Form besitzt. Ähnliches gilt für ein Kunstprodukt. So nennen wir nicht etwas ein Haus, bevor es nicht die durch Kunst verliehene Form besitzt. Ähnlich heißt ein Pferd erst dann ein Pferd, wenn es die ihm aufgrund seiner Natur zukommende Form besitzt. Folglich ist die Form eines Naturdinges dessen Natur. Demnach muß man behaupten, daß sich in Christus auch nach der Vereinigung zwei Formen finden. So sagt der Apostel in Phil 2, 6 f. von Christus Jesus: „Er, der in Gottesgestalt war … nahm Knechtsgestalt an". Doch kann man nicht behaupten, die Gestalt Gottes und die eines Knechts seien dieselbe, denn nichts nimmt etwas an, was es bereits besitzt. Wären daher die Form Gottes und die eines Knechts dieselbe, so hätte er nicht die eines Knechtes angenommen, da er bereits die Form Gottes besaß. Ebenso kann man nicht behaupten, die Form Gottes in Christus sei durch die Vereinigung zerstört; dann nämlich wäre Christus nach der Vereinigung nicht Gott gewesen. Auch kann man nicht sagen, die Form des Knechts sei durch die Vereinigung zerstört, denn so hätte er nicht die Form eines Knechtes angenommen. Ebenso kann man nicht behaupten, die Form eines Knechts habe sich mit der Form Gottes vermischt, denn was sich vermischt, das bleibt nicht unversehrt, vielmehr wird beides teilweise zerstört. Daher kann man auch nicht sagen, er hätte nur einen Teil der Form eines Knechts angenommen. Den Worten des Apostels gemäß muß man vielmehr sagen, es habe in Christus auch nach der Vereinigung zwei Formen und damit zwei Naturen gegeben.

Darüber hinaus. Der Ausdruck ‚Natur' wurde in erster Linie dazu verwendet, die Entstehung dessen zu bezeichnen, was geboren wird. Hernach wurde der Ausdruck übertragen zur Bezeichnung des Anfangsgrundes einer derartigen Entstehung, und daraufhin zur Bezeichnung des inneren Bewegungsprinzips des in Bewegung Befindlichen. Da es sich bei einem derartigen Prinzip um Materie oder um Form handelt, bezeichnet man darüber hinaus mit ‚Natur' die Form oder die Materie eines Naturdings, welches das Prinzip seiner Bewegung in sich hat. Und weil Form und Materie die Wesenheit eines Naturdings konstituieren, hat man die Bedeutung des Ausdrucks ‚Natur' erweitert zur Bezeichnung der Wesenheit jeder beliebigen in der Natur existierenden Sache. So heißt die „Natur einer Sache" ihre „Wesenheit, welche die Definition bezeichnet" (Aristoteles). Auf diese Weise steht hier die Natur zur Frage. In diesem Sinne

est quaestio: sic enim dicimus humanam naturam esse in Christo et divinam.

Si igitur, ut Eutyches posuit, humana natura et divina fuerunt duae ante unionem, sed ex eis in unione conflata est una natura, oportet hoc esse aliquo modorum secundum quos ex multis natum est unum fieri.

Fit autem unum ex multis, uno quidem modo, *secundum ordinem tantum*: sicut ex multis domibus fit civitas, et ex multis militibus fit exercitus. Alio modo, *ordine et compositione*: sicut ex partibus domus coniunctis et parietum colligatione fit domus.

Sed hi duo modi non competunt ad constitutionem unius naturae ex pluribus. Ea enim quorum forma est ordo vel compositio, non sunt res naturales, ut sic eorum unitas possit dici unitas naturae.

Tertio modo, ex pluribus fit unum *per commixtionem*: sicut ex quatuor elementis fit corpus mixtum. Hic etiam modus nullo modo competit ad propositum.

Primo quidem, quia mixtio non est nisi eorum quae communicant in materia, et quae agere et pati ad invicem nata sunt. Quod quidem hic esse non potest:

ostensum est enim in primo libro quod Deus immaterialis et omnino impassibilis est.

Secundo, quia ex his quorum unum multum excedit aliud, mixtio fieri non potest: si quis enim guttam vini mittat in mille amphoras aquae, non erit mixtio, sed corruptio vini[30]; propter quod etiam nec ligna in fornacem ignis missa dicimus misceri igni, sed ab igne consumi, propter excellentem ignis virtutem. Divina autem natura in infinitum humanam excedit: cum virtus Dei sit infinita, ut in Primo ostensum est. Nullo igitur modo posset fieri mixtio utriusque naturae.

Tertio quia, dato quod fieret mixtio, neutra natura remaneret salvata: miscibilia enim in mixto non salvantur, si sit vera mixtio. Facta igitur permixtione utriusque naturae, divinae scilicet et humanae, neutra natura remaneret, sed aliquod tertium: et sic Christus neque esset Deus neque homo. Non igitur sic potest intelligi quod Eutyches dixit, ante unionem

---

[30] Cf. Aristotelem, *De gen. et corr.* I 10 (328a 27sq.),

sagen wir nämlich, daß die menschliche und die göttliche Natur in Christus sind.

Waren also, wie Eutyches behauptete, die menschliche und die göttliche Natur vor der Vereinigung zwei, und sind sie durch die Vereinigung zu einer Natur zusammengeschmolzen, so muß dies auf eine der Weisen geschehen sein, wie eine Sache aus mehreren entsteht.

Nun wird folgendermaßen Eines aus Vielem: Es geschieht *erstens* durch bloße Zusammenordnung. So entsteht aus vielen Häusern eine Gemeinde und aus vielen Soldaten ein Heer.

Zweitens geschieht es durch Ordnung und Zusammenfügung. So wird ein Haus aus Teilen eines Hauses, die durch Kontakt und Verfugung miteinander verbunden sind.

Doch reichen diese beiden Weisen nicht zur Konstituierung einer Natur aus mehreren aus. Die Dinge nämlich, deren Form in der Ordnung oder Zusammensetzung besteht, sind nicht naturhaft. Man kann ihre Einheit nicht eine Einheit der Natur nennen.

Drittens wird durch Vermischung aus mehrerem eines. So wird aus den vier Elementen ein Mischkörper. Diese Weise jedoch reicht überhaupt nicht für unseren Fall aus:

– *Erstens* deswegen nicht, weil es Vermischung nur zwischen jenem gibt, was materiell ist und sich aufgrund seiner Natur aktiv oder passiv zueinander verhält. Dies kann hier nicht der Fall sein. So wurde im 1. Buch gezeigt (I 16 f.), daß Gott immateriell ist und unmöglich etwas erleiden kann.

– *Zweitens* deswegen nicht, weil man unmöglich zwei Dinge zusammenmischen kann, von denen das eine das andere weit überragt. Verteilte man einen Tropfen Wein auf tausend Amphoren Wasser, so käme keine Mischung, sondern Zerstörung des Weines zustande (Aristoteles). Desgleichen sagen wir auch nicht, Holzstücke vermischten sich mit Feuer, wenn sie in einen Feuerofen geworfen werden. Aufgrund der außerordentlichen Kraft des Feuers werden sie vom Feuer verzehrt. Unendlich jedoch überragt die göttliche Natur die menschliche, da die Macht Gottes unendlich ist, wie im 1. Buch gezeigt wurde (I 43). Keineswegs also könnte es eine Vermischung beider Naturen geben.

– *Drittens* deswegen nicht, weil keine der beiden Naturen intakt geblieben wäre, hätte eine derartige Vermischung stattgefunden. Gibt es eine richtige Vermischung, so bleibt das, was sich vermischt, in der Mixtur nicht als dasselbe bewahrt. Geschähe mithin eine Vermischung beider Naturen, der göttlichen wie der menschlichen, so verbliebe keine von ihnen; vielmehr käme etwas Drittes zustande. Folglich wäre Christus weder Gott noch Mensch. Damit kann man auch nicht die Behauptung des Eutyches

fuisse duas naturas, post unionem vero unam in Domino Jesu Christo, quasi ex duabus naturis sit constituta una natura.

Relinquitur ergo quod hoc intelligatur hoc modo, quod altera tantum earum post unionem remanserit. Aut igitur fuit in Christo sola natura divina, et id quod videbatur in eo humanum fuit phantasticum, ut Manichaeus dixit; aut divina natura conversa est in humanam, ut Apollinaris dixit; contra quos supra disputavimus. Relinquitur igitur hoc esse impossibile, ante unionem fuisse duas naturas in Christo, post unionem vero unam.

Amplius. Nunquam invenitur ex duabus naturis manentibus fieri unam: eo quod quaelibet natura est quoddam totum, ea vero ex quibus aliquid constituitur, cadunt in rationem partis; unde, cum ex anima et corpore fiat unum, neque corpus neque anima natura dici potest, sicut nunc loquimur de natura, quia neutrum habet speciem completam, sed utrumque est pars unius naturae. Cum igitur natura humana sit quaedam natura completa, et similiter natura divina, impossibile est quod concurrant in unam naturam, nisi vel utraque vel altera corrumpatur. Quod esse non potest: cum ex supra dictis pateat unum Christum et verum Deum et verum hominem esse. Impossibile est igitur in Christo unam esse tantum naturam.

Item. Ex duobus manentibus una natura constituitur vel sicut ex partibus corporalibus, sicut ex membris constituitur animal: quod hic dici non potest, cum divina natura non sit aliquid corporeum. Vel sicut ex materia et forma constituitur aliquid unum, sicut ex anima et corpore animal. Quod etiam non potest in proposito dici: ostensum est enim in primo libro quod Deus neque materia est, neque alicuius forma esse potest. Si igitur Christus est verus Deus et verus homo, ut ostensum est, impossibile est quod in eo sit una natura tantum.

Adhuc. Subtractio vel additio alicuius essentialis principii variat speciem rei: et per consequens mutat naturam, quae nihil est aliud quam „essentia, quam significat definitio" [*Phys.* II 1], ut dictum est. Et propter hoc videmus quod differentia specifica addita vel subtracta definitioni, facit differre secundum speciem: sicut animal rationale, et ratione carens,

193a 30–b 3

akzeptieren, es habe vor der Vereinigung zwei Naturen gegeben, nach der Vereinigung jedoch nur eine im Herrn Jesus Christus, wobei sich eine Natur aus zweien konstituierte.

Also müßte man es so verstehen, daß nach der Vereinigung nur eine der beiden Naturen übrigbleibt. In Christus war demnach entweder einzig die göttliche Natur, während es sich bei dem, was offensichtlich menschlich an ihm war, um bloßen Schein handelte, wie der Manichäer behauptete; oder es hat sich die göttliche Natur in eine menschliche verwandelt, wie Apollinaris behauptete. Hiergegen haben wir weiter oben disputiert. Folglich gilt es daran festzuhalten, daß es unmöglich vor der Vereinigung zwei Naturen in Christus gab, nach der Vereinigung jedoch nur eine.

Darüber hinaus. Es trifft niemals zu, daß sich aus zwei intakt bleibenden Naturen eine bildet, weil jedwede Natur eine gewisse Ganzheit darstellt. Das, was sich aus ihnen konstituiert, bildet einen Teil von ihr. Wird daher aus der Seele und dem Leib eines, dann kann man weder die Seele noch den Leib als ‚Natur‘ im hier verwendeten Sinne bezeichnen, weil keines von beiden eine vollständige Art besitzt, sondern jedes von ihnen Teil einer Natur ausmacht. Da es sich nun bei der menschlichen und gleichfalls bei der göttlichen Natur jeweils um eine vollständige Natur handelt, so können sie nur dann zu einer Natur zusammenschmelzen, wenn beide oder eine von beiden zerstört werden. Dies kann nicht sein, da aus dem zuvor Erörterten hervorgeht, daß der eine Christus wahrer Gott und wahrer Mensch ist (IV 28 ff.). Deswegen gibt es in Christus unmöglich nur eine Natur.

Ebenfalls. Eine Natur konstituiert sich aus zwei bleibenden Dingen einerseits auf die Weise, wie Körperteile es tun. So konstituiert sich ein Lebewesen aus Körperteilen. Dies kann man hier jedoch nicht behaupten, denn denn die göttliche Natur ist unkörperlich. Andererseits konstituiert sich ein Wesen aus Materie und Form, wie sich ein Lebewesen aus Seele und Leib konstituiert. Davon kann hier ebenfalls nicht die Rede sein, denn es wurde im 1. Buch nachgewiesen (I 17; 27), daß Gott weder die Materie noch die Form von irgend etwas sein kann. Ist also Christus wahrer Gott und wahrer Mensch, wie erwiesen wurde (IV 28 ff.), so kann es unmöglich nur eine Natur in ihm geben.

Überdies. Die Wegnahme oder Hinzufügung eines Wesensprinzips verändert die Art des Dinges; folglich verändert sie dessen Natur, bei der es sich um nichts anderes handelt als „die Wesenheit, die die Definition bezeichnet", wie gesagt wurde. Daher sehen wir, daß der artbildende Unterschied einen Artunterschied bedeutet, fügt man ihn der Definition hinzu oder nimmt man ihn von ihr weg. So unterscheiden sich ein vernunftbegabtes und ein vernunftloses Lebewesen artmäßig voneinander;

specie differunt; sicut et in numeris unitas addita vel subtracta facit aliam speciem numeri[31]. Forma autem est essentiale principium. Omnis igitur formae additio facit aliam speciem et aliam naturam, sicut nunc loquimur de natura. Si igitur divinitas Verbi addatur humanae naturae sicut forma, faciet aliam naturam. Et sic Christus non erit humanae naturae, sed cuiusdam alterius: sicut corpus animatum est alterius naturae quam id quod est corpus tantum.

Adhuc. Ea quae non conveniunt in natura, non sunt similia secundum speciem, ut homo et equus. Si autem natura Christi sit composita ex divina et humana, manifestum est quod non erit natura Christi in aliis hominibus. Ergo non erit similis nobis secundum speciem. Quod est contra Apostolum dicentem, Hebr. II, quod „debuit per omnia fratribus assimilari".

Praeterea. Ex forma et materia semper constituitur una species, quae est praedicabilis de pluribus actu vel potentia, quantum est de ratione speciei. Si igitur humanae naturae divina natura quasi forma adveniat, oportebit quod ex commixtione utriusque quaedam communis species resultet, quae sit a multis participabilis. Quod patet esse falsum: non enim est nisi „unus Iesus Christus" [I Cor. VIII], Deus et homo. Non igitur divina et humana natura in Christo constituerunt unam naturam.

Amplius. Hoc etiam videtur a fide alienum esse quod Eutyches dixit, ante unionem in Christo fuisse duas naturas. Cum enim humana natura ex anima et corpore constituatur, sequeretur quod vel anima, vel corpus, aut utrumque, ante Christi incarnationem fuerint. Quod per supra dicta patet esse falsum. Est igitur fidei contrarium dicere quod ante unionem fuerint duae naturae Christi, et post unionem una.

Capitulum XXXVI

De errore Macarii Antiocheni ponentis unam tantum voluntatem in Christo

Fere autem in idem redire videtur et Macarii Antiocheni positio, dicentis in Christo esse unam tantum operationem et voluntatem.

---

[31] Cf. Aristotelem, *Met.* VIII 3 (1043b 36 – 1044a 2).

so ergibt auch die Addition oder Subtraktion der Einheit bei Zahlen eine jeweils verschiedene Art von Zahl. Nun ist die Form ein wesenhaftes Prinzip. Mithin ergibt jegliche Hinzufügung einer Form eine andere Art und eine andere Natur im hier verwendeten Sinne des Ausdrucks. Wird also die Gottheit des Wortes der menschlichen Natur wie eine Form hinzugefügt, so resultierte daraus eine andere Natur. Somit besäße Christus keine menschliche, sondern irgendeine anders geartete Natur. Gleichermaßen ist ein beseelter Körper anderer Natur als ein bloßer Körper.

Weiterhin. Was nicht in einer Natur übereinstimmt, wie etwa Mensch und Pferd, ist einander nicht artähnlich. Ist die Natur Christi jedoch aus einer göttlichen und einer menschlichen zusammengesetzt, so gäbe es offensichtlich die Natur Christi nicht in anderen Menschen. Folglich wäre er uns nicht artähnlich. Dies widerspricht dem Wort des Apostels in Hebr 2,17: „Darum mußte er in allem den Brüdern gleich werden".

Außerdem. Eine Art konstituiert sich stets aus Form und Materie. Sie ist, was den Begriff der Art betrifft, von mehreren Dingen der Wirklichkeit oder der Möglichkeit nach prädizierbar. Käme also die göttliche der menschlichen Natur gleichsam als ihre Form zu, so müßte aus der Vermischung beider eine bestimmte gemeinsame Art resultieren, an der viele teilhaben könnten. Dies ist offenkundig falsch, denn es gibt nur einen Jesus Christus, welcher Gott und Mensch ist. Folglich konstituierten die göttliche und die menschliche Natur in Christus nicht eine Natur.

Darüber hinaus. Auch die Behauptung des Eutyches, vor der Vereinigung habe es in Christus zwei Naturen gegeben, ist offenbar dem Glauben fremd. Da sich die menschliche Natur aus Seele und Leib konstituiert, so würde folgen, daß es sowohl die Seele als auch den Leib oder beides vor der Inkarnation Christi gegeben hat. Nach den bisherigen Erörterungen ist dies offensichtlich falsch. Mithin widerspricht es dem Glauben, wenn man sagt, vor der Vereinigung habe es zwei Naturen Christi gegeben, nach der Vereinigung jedoch eine.

36. KAPITEL

DER IRRTUM DES MAKARIUS VON ANTIOCHIEN, WELCHER BEHAUPTETE, CHRISTUS VERFÜGE NUR ÜBER EINEN WILLEN

Die These des Makarius von Antiochien scheint beinahe auf dasselbe hinauszulaufen. Er behauptet, in Christus gebe es nur eine Tätigkeit und nur einen Willen.

Cuiuslibet enim naturae est aliqua operatio propria: nam forma est operationis principium, secundum quam unaquaeque natura habet propriam speciem. Unde oportet quod, sicut diversarum naturarum sunt diversae formae, ita sint et diversae actiones. Si igitur in Christo sit una tantum actio, sequitur quod in eo sit una tantum natura: quod est Eutychianae haeresis. Relinquitur igitur falsum esse quod in Christo sit una tantum operatio.

Item. In Christo est divina natura perfecta, per quam consubstantialis est Patri; et humana natura perfecta, secundum quam est unius speciei nobiscum. Sed de perfectione divinae naturae est voluntatem habere, ut in Primo ostensum est: similiter etiam de perfectione humanae naturae est quod habeat voluntatem, per quam est homo liberi arbitrii. Oportet igitur in Christo esse duas voluntates.

Adhuc. Voluntas est una pars potentialis animae humanae, sicut et intellectus. Si igitur in Christo non fuit alia voluntas praeter voluntatem Verbi, pari ratione nec fuit in eo intellectus praeter intellectum Verbi. Et sic redibit positio Apollinaris.

Amplius. Si in Christo fuit tantum una voluntas, oportet quod in eo fuerit solum voluntas divina: non enim Verbum voluntatem divinam, quam ab aeterno habuit, amittere potuit. Ad voluntatem autem divinam non pertinet mereri: quia meritum est alicuius in perfectionem tendentis. Sic igitur Christus nihil, neque sibi neque nobis, sua passione meruisset. Cuius contrarium docet Apostolus, Philipp. II, dicens: „Factus est obediens Patri usque ad mortem, propter quod et Deus exaltavit illum".

Praeterea. Si in Christo voluntas humana non fuit, sequitur quod neque secundum naturam assumptam liberi arbitrii fuerit: nam secundum voluntatem est homo liberi arbitrii. Sic igitur non agebat Christus homo ad modum hominis, sed ad modum aliorum animalium, quae libero arbitrio carent. Nihil igitur in eius actibus virtuosum et laudabile, aut nobis imitandum, fuit. Frustra igitur dicit, Matth. II: „Discite a me, quia mitis sum et humilis corde"; et Ioan. XIII: „Exemplum dedi vobis, ut quemadmodum ego feci, ita et vos faciatis".

Adhuc. In uno homine puro, quamvis sit supposito unus, sunt tamen plures et appetitus et operationes, secundum diversa naturalia principia.

Nun eignet jeglicher Natur eine für sie spezifische Tätigkeit, denn die Form, wonach jegliche Natur die ihr eigentümlich zukommende Art besitzt, ist das Prinzip der Tätigkeit. Daher muß es auch unterschiedliche Handlungen geben, gleichwie unterschiedlichen Naturen unterschiedliche Formen zukommen. Gäbe es also in Christus nur eine Handlung, so folgte daraus, daß in ihm nur eine Natur vorhanden ist. Dies ist die Häresie des Eutyches (IV 35). Mithin verbleibt, daß die These, die besagt, es gebe in Christus nur eine Tätigkeit, falsch ist.

Ferner. In Christus findet sich die vollkommene göttliche Natur, wonach er gleicher Substanz mit dem Vater ist, und es findet sich die vollkommene menschliche Natur, wonach er einer Art mit uns ist. Nun gehörte es zur Vollkommenheit der göttlichen Natur, einen Willen zu besitzen. Dies wurde im 1. Buch gezeigt (I 72). Gleichermaßen gehört es auch zur Vollkommenheit der menschlichen Natur, über einen Willen zu verfügen, aufgrund dessen der Mensch frei ist. Demnach muß es in Christus zwei Willen geben.

Ferner. Beim Willen, ebenso wie bei der Vernunft, handelt es sich um ein Vermögen der menschlichen Seele. Gab es also in Christus keinen anderen Willen außer dem des Wortes, so hätte es in ihm aus gleichem Grunde auch keinen Intellekt außer dem des Wortes gegeben. Damit kämen wir zum Irrtum des Apollinaris zurück (IV 33).

Zudem. Gab es in Christus nur einen Willen, so muß in ihm lediglich der göttlich Wille vorhanden gewesen sein. Das Wort nämlich konnte den göttlichen Willen nicht verlieren, den es von Ewigkeit her besaß. Doch ist es dem göttlichen Willen nicht eigen, sich Verdienste zu erwerben, weil sich jemand Verdienst erwirbt, welcher zur Vollkommenheit tendiert. Damit hätte sich Christus durch sein Leiden weder selbst noch uns Verdienste erworben. Der Apostel lehrt jedoch das Gegenteil, wenn er Phil 2, 8 f. sagt: „Er wurde (dem Vater) gehorsam ... Darum hat Gott ihn erhöht".

Überdies. Hätte es keinen menschlichen Willen in Christus gegeben, so folgte daraus, daß bei ihm hinsichtlich der von ihm angenommenen Natur kein freier Wille vorhanden war. Aufgrund des Willens nämlich ist der Mensch frei. Dann aber handelte der Mensch Christus nicht auf menschliche Weise, sondern nach Art anderer Lebewesen, welche keine Willensfreiheit besitzen. Damit wäre keine seiner Handlungen tugendhaft, lobenswert oder von uns nachzuahmen gewesen. Also sagt er vergebens in Mt 11, 29: „Lernt von mir, denn ich bin sanftmütig und demütig von Herzen", und in Jo 13, 15: „Denn ich habe euch ein Beispiel gegeben, damit auch ihr tut, wie ich euch getan habe".

Selbst in einem bloßen Menschen, welcher dem Suppositum nach einer ist, kommen mehrere Strebungen und Tätigkeiten den verschiedenen na-

Nam secundum rationalem partem, inest ei voluntas; secundum sensitivam, irascibilis et concupiscibilis; et rursus naturalis appetitus consequens vires naturales. Similiter autem et secundum oculum videt, secundum aurem audit, pede ambulat, lingua loquitur, et mente intelligit: quae sunt operationes diversae. Et hoc ideo est, quia operationes non multiplicantur solum secundum diversa subiecta operantia, sed etiam secundum diversa principia quibus unum et idem subiectum operatur, a quibus etiam operationes speciem trahunt. Divina vero natura multo plus distat ab humana quam naturalia principia humanae naturae ab invicem. Est igitur alia et alia voluntas et operatio divinae et humanae naturae in Christo, licet ipse Christus sit in utraque natura unus.

Item. Ex auctoritate Scripturae manifeste ostenditur in Christo duas voluntates fuisse. Dicit enim ipse, Ioan. VI: „Descendi de caelo non ut faciam voluntatem meam, sed voluntatem eius qui misit me", et Lucae XXII: „Non mea voluntas, sed tua fiat"; ex quibus patet quod in Christo fuit quaedam voluntas propria eius, praeter voluntatem Patris. Manifestum est autem quod in eo fuit voluntas quaedam communis sibi et Patri: Patris enim et Filii, sicut est una natura, ita etiam est una voluntas. Sunt igitur in Christo duae voluntates.

Idem autem et de operationibus patet. Fuit enim in Christo una operatio sibi et Patri communis, cum ipse dicat, Ioan. V: „Quaecumque Pater facit, haec et similiter Filius facit". Est autem in eo et alia operatio, quae non convenit Patri, ut dormire, esurire, comedere, et alia huiusmodi, quae Christus humanitus fecit vel passus est, ut Evangelistae tradunt. Non igitur fuit in Christo una tantum operatio.

Videtur autem haec positio ortum habuisse ex hoc quod eius auctores nescierunt distinguere inter id quod est *simpliciter unum*, et *ordine unum*. Viderunt enim voluntatem humanam in Christo omnino sub voluntate divina ordinatam fuisse, ita quod nihil voluntate humana Christus voluit nisi quod eum velle voluntas divina disposuit.

Similiter etiam nihil Christus secundum humanam naturam operatus est, vel agendo vel patiendo, nisi quod voluntas divina disposuit: secun-

turhaften Prinzipien gemäß vor. So verfügt er seinem Verstandesvermögen nach über einen Willen; seinem Sinnesvermögen nach besitzt er ein iraszibles und ein konkupiszibles Strebevermögen. Daneben verfügt er über ein natürliches Streben, welches aus seinen natürlichen Antrieben resultiert. Ähnlich sieht er auch mit den Augen, er hört mit den Ohren, geht mit den Füßen, redet mit der Stimme und versteht mit dem Geist. Dies sind alles verschiedene Tätigkeiten. Daher kommt es auch, daß sich die Tätigkeiten nicht nur den unterschiedlichen Tätigkeitsträgern nach, sondern auch nach Maßgabe unterschiedlicher Prinzipien ausdifferenzieren, durch die ein und derselbe Träger tätig ist und von denen die Tätigkeiten ihre Artbestimmung gewinnen. Doch unterscheidet sich die göttliche Natur weit mehr von der menschlichen, als die naturhaften Prinzipien der menschlichen Natur voneinander verschieden sind. Also sind der Wille und die Tätigkeit der göttlichen und der menschlichen Natur in Christus jeweils verschieden, auch wenn Christus selbst in beiden Naturen einer ist.

Ebenso. Aufgrund der Autorität der Schrift erweist es sich als offenkundig, daß Christus über zweierlei Willen verfügt hat. So sagt er selbst Joh 6, 38: „Denn ich bin vom Himmel herabgekommen, nicht um meinen Willen zu tun, sondern den Willen dessen, der mich gesandt hat", und in Lk 22, 42: „Doch nicht mein, sondern dein Wille geschehe". Hieraus ist ersichtlich, daß es in Christus neben dem Willen des Vaters einen ihm spezifisch zukommenden Willen gab. Offensichtlich aber gab es einen Willen, den er selbst und der Vater gemeinsam hatten. Wie nämlich Vater und Sohn einer Natur sind, so sind sie auch eines Willens. Mithin gibt es in Christus zweierlei Willen.

Dasselbe trifft auch auf die Tätigkeiten zu. So gab es in Christus eine ihm selbst und dem Vater gemeinsame Tätigkeit. Nun spricht Christus in Joh 5, 19: „Denn was jener (der Vater) tut, das tut der Sohn in gleicher Weise". Doch gibt es eine andere Tätigkeit in ihm, die nicht dem Vater eignet, so etwa zu schlafen, zu hungern, zu essen und dergleichen mehr, was Christus als Mensch getan und erlitten hat, wie die Evangelisten überliefern. Demnach gab es in Christus nicht nur eine Tätigkeit.

Nun scheint diese These ursprünglich darin begründet zu sein, daß ihre Urheber nicht zwischen dem zu unterscheiden wußten, was *schlechthin eines* und was *aufgrund einer Ordnung eines* ist. Sie bemerkten nämlich, daß der menschliche Wille Christi gänzlich dem göttlichen Willen dergestalt untergeordnet war, daß Christus nichts aufgrund seines menschlichen Willens wollte, was nicht der göttliche Wille ihn zu wollen hieß.

Ähnlich hat Christus auch nichts nach Maßgabe seiner menschlichen Natur getan oder erlitten, was nicht der göttliche Wille ihn zu tun oder

dum illud Ioan. VIII: „Quae placita sunt ei, facio semper". Humana etiam operatio Christi quandam efficaciam divinam ex unione divinitatis consequebatur, sicut actio secundarii agentis consequitur efficaciam quandam ex principali agente: et ex hoc contigit quod quaelibet eius actio vel passio fuit salubris. Propter quod Dionysius humanam Christi operationem vocat ,theandricam', idest ,Dei-virilem'; et etiam quia est Dei et hominis.

Videntes igitur humanam voluntatem et operationem Christi sub divina ordinari, infallibili ordine, iudicaverunt in Christo esse tantum voluntatem et operationem unam; quamvis non sit idem, ut dictum est, *ordinis*[32] *unum* et *simpliciter unum*.

Capitulum XXXVII

Contra eos qui dixerunt ex anima et corpore non esse aliquid unum constitutum in Christo

Ex praemissis igitur manifestum est quod in Christo est tantum una persona, secundum fidei assertionem, et duae naturae, contra id quod Nestorius et Eutyches posuerunt. Sed quia hoc alienum videtur ab his quae naturalis ratio experitur, fuerunt quidam posteriores talem de unione positionem asserentes:

Quia enim ex unione animae et corporis constituitur ,homo', sed ex hac anima et ex hoc corpore ,hic homo', quod hypostasim et personam designat, volentes evitare ne cogerentur in Christo ponere aliquam hypostasim vel personam praeter hypostasim vel personam Verbi, dixerunt quod anima et corpus non fuerunt unita in Christo, nec ex eis aliqua substantia facta est, et per hoc Nestorii haeresim vitare volebant.

Rursus, quia hoc impossibile videtur quod aliquid sit substantiale alicui et non sit de natura eius quam prius habuit, absque mutatione ipsius, Verbum autem omnino immutabile est: ne cogerentur ponere animam et corpus assumpta pertinere ad naturam Verbi quam habuit ab aeterno, po-

---

[32] Corr. L.: ordine

zu erleiden hieß, dem Worte Joh 8, 29 gemäß: „… weil ich allezeit tue, was ihm wohlgefällig ist".

Auch übernahm die menschliche Tätigkeit Christi durch dessen Vereinigung mit der Gottheit eine gewisse göttliche Wirksamkeit, gleichwie die Aktivität eines nachgeordneten Agens eine gewisse Wirksamkeit vom Hauptagens übernimmt. Hieraus ergibt sich, daß all sein Tun und Erleiden heilbringend war. Deswegen nennt Dionysius die menschliche Tätigkeit Christi „theandrisch", d. h. „gottmenschlich"; ebenso deswegen, weil sie die Tätigkeit Gottes und des Menschen ist.

Da sie also sahen, daß der menschliche Wille und die menschliche Tätigkeit Christi dem göttlichen Willen und der göttlichen Tätigkeit untrüglich untergeordnet waren, so urteilten sie, in Christus gebe es nur einen Willen und eine Tätigkeit, auch wenn eine Einheit der Ordnung und eine schlechthinnige Einheit nicht dasselbe sind, wie betont wurde.

37. Kapitel

Widerlegung jener, welche behaupten, Christi Seele und sein Leib bildeten keine Einheit

Den Thesen des Nestorius und des Eutyches zuwider geht aus den bisherigen Erörterungen (IV 34 f.) mithin offenkundig hervor, daß Christus – dem Glaubensbekenntnis gemäß – nur eine Person ist und über zwei Naturen verfügt. Da dies jedoch der natürlichen Vernunft offenbar widerspricht, so haben einige spätere Autoren die folgende Auffassung von der Vereinigung vertreten:

Der Mensch konstituiert sich aufgrund der Vereinigung von Seele und Leib; und zwar konstituiert sich aus dieser Seele und diesem Leib dieser Mensch (was die Hypostase und die Person bezeichnet). Nun sagten sie, weder seien die Seele und der Leib in Christus geeint, noch sei aus ihnen irgendeine Substanz geworden, weil sie nämlich vermeiden wollten, zur Annahme gezwungen zu sein, in Christus gebe es eine Hypostase oder Person außer der Hypostase oder Person des Wortes. Damit wollten sie die Häresie des Nestorius vermeiden.

Allerdings scheint es wiederum unmöglich, daß etwas, was einer Sache substanzhaft zukommt, jedoch nicht ihrer ursprünglichen Natur ist, ohne irgendwelche Veränderung der Sache selbst Teil ihrer Substanz wird. Das Wort aber ist völlig unveränderlich. Um nun nicht zur Annahme gezwungen zu sein, der angenommene Körper und die Seele gehörten zu jener Natur, welche das Wort von Ewigkeit her besaß, so behaupteten sie, das

suerunt quod Verbum assumpsit animam humanam et corpus modo accidentali, sicut homo assumit indumentum; per hoc errorem Eutychetis
excludere volentes.

Sed haec positio omnino doctrinae fidei repugnat. Anima enim et corpus sua unione hominem constituunt: forma enim, materiae adveniens
speciem constituit.

Si igitur anima et corpus non fuerint unita in Christo, Christus non fuit
homo: contra Apostolum dicentem I ad Tim. II: „Mediator Dei et hominum homo Christus Iesus".

Item. Unusquisque nostrum ea ratione homo dicitur quia est ex anima
rationali et corpore constitutus. Si igitur Christus non ea ratione dicitur
‚homo‘, sed solum quia habuit animam et corpus, licet non unita, aequivoce dicetur ‚homo‘, et non erit eiusdem speciei nobiscum: contra Apostolum dicentem, Hebr. II, quod „debuit per omnia fratribus assimilari".

Adhuc. Non omne corpus pertinet ad humanam naturam, sed solum
corpus humanum. Non est autem corpus humanum nisi quod est per
unionem animae rationalis vivificatum: neque enim oculus, aut manus, aut
pes, vel caro et os, anima separata, dicuntur nisi aequivoce[33]. Non igitur
poterit dici quod Verbum assumpsit naturam humanam, si corpus animae
non unitum assumpsit.

Amplius. Anima humana naturaliter unibilis est corpori. Anima igitur
quae nunquam corpori unitur ad aliquid constituendum, non est anima humana; quia „quod est praeter naturam, non potest esse semper"
286a 17–18 [De caelo et mundo II 3]. Si igitur anima Christi non est unita corpori eius
ad aliquid constituendum, relinquitur quod non sit anima humana. Et sic
in Christo non fuit humana natura.

Praeterea. Si Verbum unitum est animae et corpori accidentaliter sicut
indumento, natura humana non fuit natura Verbi. Verbum igitur, post
unionem, non fuit subsistens in duabus naturis: sicut neque homo indutus
dicitur in duabus naturis subsistere. Quod quia Eutyches dixit, in Chalcedonensi Synodo est damnatus[34].

Item. Indumenti passio non refertur ad indutum: non enim dicitur
homo nasci quando induitur, neque vulnerari si vestimentum laceretur. Si

---

[33] Cf. Aristotelem, De an. II 1 (412b 21sq.).
[34] Cf. Concilium Chalcedonense, Actio V (Mansi VII, 114sq.).

Wort habe eine menschliche Seele und einen menschlichen Leib bloß beiläufig angenommen, so wie jemand seine Kleidung anzieht. Damit wollten sie den Irrtum des Eutyches ausschließen.

Diese These widerstreitet jedoch völlig der Lehre des Glaubens. So konstituieren Seele und Leib einen Menschen durch ihre Vereinigung. Kommt nämlich Form zur Materie, so konstituiert sie eine Art.

Wären also Seele und Leib in Christus nicht geeint, so wäre Christus kein Mensch. Dies widerspricht dem Wort des Apostels von 1 Tim 2,5: „Denn einer ist Mittler zwischen Gott und den Menschen, nämlich der Mensch Jesus Christus".

Ferner. Jeder von uns wird deswegen „Mensch" genannt, weil er sich aus einer Verstandesseele und dem Körper konstituiert. Würde also Christus nicht aus eben diesem Grunde Mensch genannt, sondern einzig deswegen, weil er über eine Seele und einen Leib verfügte, die nicht vereinigt waren, so hieße er auf äquivoke Art ‚Mensch' und wäre nicht mit uns artgleich. Dagegen sagt der Apostel in Hebr 2,17: „Darum mußte er in allem den Brüdern gleich werden".

Darüber hinaus. Nicht jeder beliebige Körper gehört zur menschlichen Natur, sondern nur der menschliche. Doch handelt es sich nur dann um einen menschlichen Körper, wenn er aufgrund der Vereinigung mit einer Verstandesseele belebt ist. Sind das Auge, die Hand, der Fuß, Fleisch oder Knochen von der Seele getrennt, so tragen sie nur äquivok diese Bezeichnung (Aristoteles). Folglich könnte man nicht sagen, das Wort habe die menschliche Natur angenommen, hätte es einen mit der Seele unvereinten Körper angenommen.

Überdies. Die menschliche Seele ist natürlicherweise dazu disponiert, sich mit dem Körper zu vereinigen. Folglich handelt es sich bei einer Seele, welche sich niemals mit einem Körper vereint, um ein Wesen zu konstituieren, nicht um eine menschliche Seele, denn „was außerhalb der Natur geschieht, das kann nicht immer sein" (Aristoteles). Ist also die Seele Christi nicht mit seinem Körper vereint, um ein Wesen zu konstituieren, so folgt, daß es sich nicht um eine menschliche Seele handelt. Somit war Christus nicht menschlicher Natur.

Zudem. Wäre das Wort lediglich akzidentell mit der Seele und dem Leib wie mit einem Kleidungsstück vereint, so wäre die menschliche Natur nicht die Natur des Wortes. Folglich subsistierte das Wort nach der Vereinigung nicht in zwei Naturen, gleichwie man auch nicht sagt, daß der bekleidete Mensch in zwei Naturen subsistiert. Dies aber behauptete Eutyches, wofür ihn die Synode von Chalkedon verurteilte.

Zudem. Was der Kleidung geschieht, das geschieht nicht dem Bekleideten. Weder sagt man, der Mensch werde geboren, während er sich be-

igitur Verbum assumpsit animam et corpus sicut homo indumentum, non poterit dici quod Deus sit natus aut passus propter corpus assumptum.

Adhuc. Si Verbum assumpsit humanam naturam solum ut indumentum, quo posset hominum oculis apparere, frustra animam assumpsisset, quae secundum suam naturam invisibilis est.

Amplius. Secundum hoc non aliter assumpsisset Filius carnem humanam quam Spiritus Sanctus columbae speciem in qua apparuit [Matth. III]. Quod patet esse falsum: nam Spiritus Sanctus non dicitur ‚factus columba', neque ‚minor Patre', sicut Filius dicitur ‚factus homo', et ‚minor Patre' secundum naturam assumptam [Ioan. XIV].

Item. Si quis diligenter consideret ad hanc positionem diversarum haeresum inconvenientia sequuntur.

Ex eo enim quod dicit Filium Dei unitum animae et carni accidentali modo, sicut hominem vestimento, convenit cum opinione Nestorii, qui secundum inhabitationem Dei Verbi in homine unionem esse factam asseruit: non enim Deum esse indutum potest intelligi per tactum corporeum, sed solum per gratiam inhabitantem.

Ex hoc etiam quod dixit accidentalem unionem Verbi ad animam et carnem humanam, sequitur quod Verbum post unionem non fuit subsistens in duabus naturis, quod Eutyches dixit: nihil enim subsistit in eo quod sibi accidentaliter unitur.

Ex eo vero quod dicit animam et carnem non uniri ad aliquid constituendum, convenit partim quidem cum Ario et Apollinari, qui posuerunt corpus Christi non animatum anima rationali; et partim cum Manichaeo, qui posuit Christum non verum hominem, sed phantasticum fuisse. Si enim anima non est unita carni ad alicuius constitutionem, phantasticum erat quod videbatur Christus similis aliis hominibus ex unione animae et corporis constitutis.

Sumpsit autem haec positio occasionem ex verbo Apostoli dicentis, Philipp. II: „Habitu inventus ut homo". Non enim intellexerunt hoc secundum metaphoram dici. Quae autem metaphorice dicuntur, non oportet secundum omnia similia esse. Habet igitur natura humana assumpta

kleidet, noch daß er sich verletzt, wenn das Kleid zerrissen wird. Hat also das Wort eine Seele und einen Körper angezogen wie ein Mensch ein Kleidungsstück anzieht, so könnte man nicht sagen, Gott sei geboren oder habe gelitten, weil er einen Leib annahm.

Zudem. Hätte das Wort die menschliche Natur lediglich wie ein Kleid angenommen, woraufhin es den Augen der Menschen sichtbar werden konnte, so hätte es die Seele umsonst angenommen, denn sie ist naturgemäß unsichtbar.

Zudem. Demgemäß hätte der Sohn nicht anders menschliches Fleisch angenommen als der Heilige Geist, als er die Gestalt einer Taube annahm, in der er erschien (Mt 3, 16). Dies ist offensichtlich falsch, denn vom Heiligen Geist heißt es nicht, „Er ist eine Taube geworden", noch „dem Vater untergeordnet", so wie der Sohn „Mensch geworden" und „dem Vater untergeordnet" heißt wegen der Natur, welche er annahm.

Überlegt man es sorgfältig, so ergeben sich aus dieser These die Ungereimtheiten der verschiedenen Häresien.

Sofern es nämlich heißt, der Sohn sei lediglich akzidentell mit der Seele und dem Fleisch vereint (wie ein Mensch mit einem Kleidungsstück), so stimmt dies mit der Ansicht des Nestorius zusammen, welcher behauptete, diese Vereinigung sei in einem Menschen der Einwohnung des Wortes Gottes gemäß geschehen (IV 34). Dies kann man nicht so verstehen, als habe sich Gott durch Körperkontakt (mit dem Menschen) bekleidet; dies ist vielmehr einzig durch die einwohnende Gnade zustande gekommen.

Sofern die These besagt, die Vereinigung des Wortes mit der menschlichen Seele und dem menschlichen Leib sei akzidentell, so folgt daraus, daß das Wort nach der Vereinigung nicht in zwei Naturen subsistierte, was Eutyches behauptete (IV 35). Nichts nämlich subsistiert in dem, womit es sich beiläufig vereint.

Sagt er, Seele und Körper vereinigten sich nicht zur Konstituierung eines Wesens, so stimmt er einerseits teilweise mit Arius und Apollinaris überein, welche behaupteten, der Leib Christi sei nicht von einer Vernunftseele beseelt (IV 32 f.), teilweise stimmt er andererseits mit dem Manichäer überein, der meinte, Christus sei kein wahrer, sondern ein geisterartiger Mensch gewesen (IV 29). Ist nämlich die Seele nicht zur Konstituierung eines Wesens mit dem Fleisch vereint, so war das, was Christus den anderen Menschen ähnlich zu machen schien, die sich aus der Vereinigung von Seele und Körpers konstituieren, bloßer Schein.

Diese These gründete sich jedoch auf das Wort Phil 2,7 des Apostels: „... dem Kleide nach wie ein Mensch befunden"; doch verstanden sie dies nicht als Metapher. Metaphorisch Ausgedrücktes muß sich nicht in allem ähnlich sein. Zwar hat die angenommene menschliche Natur

quandam indumenti similitudinem, inquantum Verbum per carnem visibilem videbatur, sicut homo videtur per indumentum: non autem quantum ad hoc quod unio Verbi ad humanam naturam in Christo fuerit modo accidentali.

CAPITULUM XXXVIII

CONTRA EOS QUI PONUNT DUAS HYPOSTASES VEL DUO SUPPOSITA IN UNA PERSONA CHRISTI

Hanc igitur positionem, propter praedicta inconvenientia, alii quidem vitantes, posuerunt ex anima et carne in Domino Iesu Christo unam substantiam constitutam esse, scilicet hominem quemdam eiusdem speciei aliis hominibus; quem quidem hominem unitum dicunt Verbo Dei, non quidem in natura, sed in ‚persona‘, ut scilicet sit una persona Verbi Dei et illius hominis; sed quia homo ille quaedam individua substantia est, quod est esse hypostasim et suppositum, dicunt quidam in Christo aliam esse hypostasim et suppositum illius hominis et Verbi Dei, sed unam personam utriusque; ratione cuius unitatis dicunt Verbum Dei de homine illo praedicari, et hominem illum de Dei Verbo; ut sit sensus ‚Verbum Dei est homo‘, idest, ‚persona Verbi Dei est persona hominis, et e converso‘. Et hac ratione, quicquid de Verbo Dei praedicatur, dicunt de homine illo posse praedicari, et e converso; cum quadam tamen replicatione, ut, cum dicitur: „Deus est passus", sit sensus, ‚Homo, qui est Deus propter unitatem personae, est passus‘; et: „Homo creavit stellas", idest, ‚ille qui est homo‘.

Sed haec positio de necessitate in errorem Nestorii dilabitur. Si enim differentia personae et hypostasis attendatur, invenitur persona esse non alienum ab hypostasi, sed quaedam pars eius. Nihil enim aliud est persona quam hypostasis talis naturae scilicet rationalis: quod patet ex definitione Boetii dicentis [*De duabus naturis* c. 3] quod „persona est rationalis naturae individua substantia": ex quo patet quod, licet non omnis hypostasis

PL 64/1343

gewisse Ähnlichkeit mit einem Kleid, sofern das Wort durch das Fleisch sichtbar erschien, gleichwie sich ein Mensch bekleidet sehen läßt; doch nicht insofern, als wäre die Vereinigung des Wortes mit der menschlichen Natur bloß beiläufig gewesen.

38. Kapitel

Widerlegung jener, welche in der einen Person Christi zwei Hypostasen oder zwei Supposita annehmen

Zur Vermeidung der Absurditäten dieser These behaupteten andere wiederum, aus der Seele und dem Fleisch habe sich im Herrn Jesus Christus eine Substanz konstituiert, d. h. ein Mensch derselben Art wie die anderen Menschen. Zwar sagen sie, dieser Mensch sei mit dem Worte Gottes vereint, doch nicht in der ‚Natur‘, sondern in der ‚Person‘. Damit handle es sich beim Worte Gottes und bei jenem Menschen um eine Person. Weil nun jener Mensch eine individuelle Substanz, d. h. eine Hypostase und ein Suppositum darstellt, so behaupten sie zwar, in Christus seien die Hypostase und das Suppositum jenes Menschen und die des Wortes Gottes jeweils verschieden, doch kämen beide in derselben Person überein. Aufgrund dieser Einheit sagen sie, Wort Gottes zu sein werde jenem Menschen, und jener Mensch zu sein werde dem Worte Gottes zugeschrieben, so daß das Folgende Sinn ergibt: „Das Wort Gottes ist Mensch", d. h. „die Person des Wortes Gottes ist die Person des Menschen und umgekehrt". Was man deswegen auch immer dem Worte Gottes zuschreibt, das könne man, so sagen sie, auch jenem Menschen zuschreiben und umgekehrt. Dies gelte jedoch mit einer gewissen Einschränkung. Heiße es nämlich, „Gott hat gelitten", so bedeute dies, „der Mensch, welcher Gott ist, hat infolge der Einheit der Person gelitten". Heiße es, „der Mensch schuf die Sterne", so bedeute dies, „derjenige, welcher Mensch ist …".

Doch gleitet diese These notwendig in den Irrtum des Nestorius ab. Beachtet man nämlich den Unterschied zwischen einer Person und einer Hypostase, so findet man, daß eine Person nicht völlig von einer Hypostase verschieden ist, sondern vielmehr einen gewissen Teil von ihr ausmacht. Nichts anderes nämlich ist eine Person als eine Hypostase besonderer Natur, d. h. einer vernunftbegabten. Dies wird aus der Definition des Boethius ersichtlich, welche besagt: „Eine Person ist eine individuelle Substanz rationaler Natur". Hieraus geht hervor, daß jegliche Hypostase menschlicher Natur eine Person, nicht aber jede Hypostase eine Person ist. Hat sich mithin in Christus einzig aufgrund der Vereinigung der Seele

sit persona, omnis tamen hypostasis humanae naturae persona est. Si igitur ex sola unione animae et corporis constituta est in Christo quaedam substantia particularis quae est hypostasis, scilicet ille homo, sequitur quod ex eadem unione sit constituta persona. Sic igitur in Christo erunt duae personae, una illius hominis de novo constituta, et alia aeterna Verbi Dei. Quod est Nestorianae impietatis.

Item. Etsi hypostasis illius hominis non posset dici persona, tamen idem est hypostasis Verbi Dei quod persona. Si igitur hypostasis Verbi Dei non est illius hominis, neque etiam persona Verbi Dei erit persona illius hominis. Et sic falsum erit quod dicunt, quod persona illius hominis est persona Verbi Dei.

Adhuc. Dato quod persona esset aliud ab hypostasi Verbi Dei vel hominis, non posset alia differentia inveniri nisi quod persona supra hypostasim addit proprietatem aliquam: nihil enim ad genus substantiae pertinens addere potest, cum hypostasis sit completissimum in genere substantiae, quod dicitur ,substantia prima' [*Categ.* c. 5]. Si igitur unio facta est secundum personam et non secundum hypostasim, sequitur quod non sit facta unio nisi secundum aliquam proprietatem accidentalem. Quod iterum redit in errorem Nestorii.

2a 11–14

Amplius. Cyrillus dicit, in *Epistola ad Nestorium*, quae est in Ephesina Synodo approbata[35]: „Si quis non confitetur carni secundum subsistentiam unitum ex Deo Patre Verbum, unumque esse Christum cum sua carne, eumdem videlicet Deum simul et hominem, anathema sit". Et fere ubique in Synodalibus scriptis, hoc errori Nestorii deputatur, qui posuit duas in Christo hypostases.

PG 94/993AB

Praeterea. Damascenus, in III libro [*De fide orthodoxa* c. 3], dicit: „Ex duabus naturis perfectis dicimus esse factam unionem: non secundum prosopicam", idest personalem, „ut Dei inimicus dicit Nestorius, sed secundum hypostasim". Unde patet expresse quod haec fuit positio Nestorii, confiteri unam personam et duas hypostases.

Item. Hypostasis et suppositum oportet idem esse. Nam de prima substantia, quae est hypostasis, omnia alia praedicantur: scilicet et universalia in genere substantiae et accidentia, secundum Philosophum in *Praedicamentis* [*Categ.* c. 5]. Si igitur in Christo non sunt duae hypostases, per consequens neque duo supposita.

2a 19–b 6

Adhuc. Si Verbum et homo ille supposito differunt, oportet quod, sup-

---

[35] Cf. Concilium Ephesinum, *Actio* I (Mansi IV, 1180B – D).

mit dem Leib eine bestimmte partikuläre Substanz konstituiert, die eine Hypostase ist, d. h. jener Mensch, so folgt, daß sich aufgrund derselben Vereinigung eine Person konstituiert hat. Also gäbe es zwei Personen in Christus, einerseits die eine Person jenes Menschen, welche sich neu gebildet hat, und andererseits die des ewigen Wortes Gottes. Dies ist der nestorianische Irrtum.

Fernerhin. Auch wenn man die Hypostase jenes Menschen nicht „Person" nennen könnte, so ist dennoch die Hypostase des Wortes Gottes dasselbe wie seine Person. Handelte es sich bei der Hypostase des Wortes Gottes nicht um die jenes Menschen, so wäre die Person des Wortes Gottes auch nicht die Person jenes Menschen. Somit wäre ihre Behauptung falsch, die Person jenes Menschen sei die Person des Wortes Gottes.

Überdies. Setzt man einmal voraus, daß es einen Unterschied zwischen der Person und der Hypostase des Wortes Gottes oder des Menschen gibt, so könnte er nur darin bestehen, daß die Person eine bestimmte, über die Hypostase hinausgehende Eigenschaft besitzt. Nun kann sie nichts hinzufügen, was zur Gattung der Substanz gehört, da eine Hypostase das Vorzüglichste in der Gattung der Substanz ausmacht. Dies nennt sich „erste Substanz" (Aristoteles). Handelte es sich also um eine personale und nicht um eine hypostatische Vereinigung, so folgte daraus, daß sie nur einer bestimmten beiläufigen Eigenschaft gemäß stattfand. Diese Behauptung führt wiederum auf den Irrtum des Nestorius zurück.

Überdies. Cyrillus sagt in seinem Brief an Nestorius, der auf der Synode von Ephesus approbiert wurde: „Bekennt jemand nicht, das Wort Gottes, des Vaters, sei der Subsistenz nach mit dem Fleische vereint, und Christus sei eins mit seinem Fleisch, wobei Gott und Mensch zugleich dieselbe Person sind, der sei ausgeschlossen". In den Synodalschreiben sieht man es fast überall als Irrtum des Nestorius an, in Christus zwei Hypostasen anzunehmen.

Zudem. Der Damaszener sagt im 3. Buch [*Über den rechten Glauben*]: „Wir bekennen die Vereinigung von zwei vollkommenen Naturen, nicht dem Prosopon nach (d. h. nach der Person), wie der Gottesfeind Nestorius behauptete, sondern der Hypostase nach". Hieraus geht ausdrücklich hervor, daß es sich um die Position des Nestorius handelte, eine Person und zwei Hypostasen zu bekennen.

Zudem. Hypostase und Suppositum müssen dasselbe sein. So schreibt man, dem Philosophen (Aristoteles) in den *Kategorien* gemäß, der ersten Substanz, also der Hypostase, alle anderen Dinge zu, nämlich sowohl Universalien in der Gattung der Substanz als auch Akzidentien. Gibt es also in Christus nicht zwei Hypostasen, so gibt es auch nicht zwei Supposita.

Außerdem. Unterscheiden sich das Wort und jener Mensch dem Sup-

posito homine illo, non supponatur Verbum Dei, nec e converso. Sed distinctis suppositis, necesse est et ea quae de ipsis dicuntur, distingui: nam supposito hominis non conveniunt praedicta praedicata divina nisi propter Verbum, neque e converso. Separatim igitur accipienda erunt quae de Christo in Sripturis dicuntur, divina scilicet et humana: quod est contra sententiam Cyrilli[36] in Synodo confirmatam dicentis: „Si quis personis duabus vel subsistentiis vel eas quae sunt in Evangelicis et Apostolicis Scripturis impertit voces, aut de Christo a Sanctis dictas, aut ab ipso de se; et quasdam quidem velut homini praeter illud ex Deo Verbum specialiter intellecto applicat, quasdam vero velut Deo decibiles, soli ex Deo Patre Verbo, anathema sit".

Amplius. Secundum positionem praedictam, ea quae Verbo Dei conveniunt per naturam, de illo homine non dicerentur nisi per quamdam associationem in una persona: hoc enim significat replicatio interposita cum sic exponunt: „Homo ille creavit stellas", idest, ,Filius Dei, qui est homo ille', et similiter de aliis huiusmodi. Unde, cum dicitur: „Homo ille est Deus", sic intelligitur ,Homo ille Verbo Deus existit'. Huiusmodi autem locutiones condemnat Cyrillus, dicens: „Si quis audet dicere assumptum hominem adorari oportere, Dei Verbo, conglorificari, et coappellari Deum, quasi alterum alterius (id enim quod est «co» semper, quoties additur, hoc intelligi cogit); et non magis una adoratione honorificat Emmanuelem, et unam ei glorificationem adhibet, secundum quod factum est caro Verbum: anathema sit".

Praeterea. Si homo ille supposito est aliud a Dei Verbo, non potest ad personam Verbi pertinere nisi per assumptionem qua assumptus est a Verbo. Sed hoc est alienum a recto sensu fidei. Dicitur enim in Ephesina Synodo[37], ex verbis Felicis Papae et Martyris: „Credimus in Deum nostrum Iesum de Virgine Maria natum, quia ipse est Dei sempiternus Filius et Verbum, et non homo a Deo assumptus, ut alter sit praeter illum. Neque enim hominem assumpsit Dei Filius, ut sit alter praeter ipsum: sed Deus existens perfectus, factus simul et homo perfectus, incarnatus de Virgine".

---

[36] Anathematismus IV (Mansi V, 510 C – 511 A).
[37] Actio I (Mansi IV, 1187 C).

positum nach voneinander, dann setzt unmöglich das Suppositum jenes Menschen das Suppositum des Wortes Gottes voraus und umgekehrt. Handelt es sich aber um unterschiedliche Supposita, so muß auch das, was man über sie aussagt, jeweils verschieden sein. So kommen dem menschlichen Suppositum nicht die erwähnten göttlichen Prädikate zu, sondern einzig aufgrund des Wortes und umgekehrt. Damit müßte man das, was die Schriften über Christus sagen, also Göttliches und Menschliches, jeweils voneinander getrennt auffassen. Dies widerspricht dem auf der Synode bestätigten Spruch des Cyrillus: „Wenn jemand zwei Personen oder Subsistenzen solche Worte zuschreibt, wie sie in den Evangelien oder den apostolischen Schriften zu finden sind, und wie sie von den Heiligen über Christus oder von ihm selbst über sich geäußert wurden, und davon einiges dem Menschen gesondert zuschreibt, sofern er als vom Wort Gottes verschieden aufgefaßt wird, und anderes (als träfe es nur auf Gott zu) nur dem Worte Gottes, des Vaters, der sei ausgeschlossen".

Der besagten These gemäß könnte man Dinge, die dem Worte Gottes aufgrund seiner Natur zukommen, von jenem Menschen lediglich aufgrund dessen aussagen, daß sie in einer Person assoziativ zusammen vorkommen. Dies meinen sie auch mit der zwischengefügten Einschränkung, wenn sie folgendermaßen erklären: „Jener Mensch schuf die Sterne", d. h. „der Sohn Gottes, welcher jener Mensch ist". Ebenso verfahren sie mit anderen Aussagen dieser Art. Heißt es: „Jener Mensch ist Gott", so verstehen sie es folgendermaßen: „Das Wort Gottes, welches jener Mensch ist, ist Gott". Diese Redeweise verurteilt Cyrillus, indem er sagt: „Wagt es jemand zu behaupten, die angenommene Menschheit sei zu verehren, sie sei zusammen mit dem Worte Gottes zu verherrlichen und mit ihm zusammen Gott zu nennen, also gleichsam das eine wie das andere (da die Hinzufügung des Präfixes ‚mit-' dies stets bedeutet), statt ein und dieselbe Verehrung und ein und dieselbe Verherrlichung Emmanuel als dem fleischgewordenen Wort zu zollen, der sei ausgeschlossen".

Außerdem. Wenn jener Mensch dem Suppositum nach vom Worte Gottes verschieden ist, dann kann er, außer der Tatsache, vom Worte angenommen zu sein, keine Verbindung mit der Person des Wortes besitzen. Doch dies ist dem rechten Glaubenssinn fremd. So zitiert die Synode von Ephesus die Worte des Papstes und Märtyrers Felix: „Wir glauben, daß Jesus, unser Gott, geboren von der Jungfrau Maria, der ewige Sohn und das Wort Gottes ist, nicht ein von Gott angenommener Mensch, als gebe es einen anderen außer ihm. Denn der Sohn Gottes nahm keinen Menschen dergestalt an, als gebe es noch einen anderen außer ihm selbst; vielmehr verblieb er vollkommener Gott, ist als solcher zugleich vollkommener Mensch geworden, und nahm Fleischesgestalt an von der Jungfrau".

Item. Quae sunt plura supposito, simpliciter plura sunt, nec sunt unum nisi secundum quid. Si igitur in Christo sunt duo supposita, sequitur quod sit simpliciter duo, et non secundum quid. Quod est „solvere Iesum" [I Ioan. IV]: quia unumquodque in tantum est inquantum unum est [*Met.* IV 2]; quod igitur non est simpliciter unum, non est simpliciter ens.

1003b 26–32

Capitulum XXXIX

Quid Catholica fides sentiat de incarnatione Christi

Ex supra dictis igitur manifestum est quod, secundum Catholicae fidei traditionem, oportet dicere quod in Christo sit natura divina perfecta et humana natura perfecta, ex anima scilicet rationali et humana carne constituta; et quod hae duae naturae unitae sunt in Christo non per solam inhabitationem; neque accidentali modo, ut homo unitur vestimento; neque in sola personali habitudine et proprietate; sed secundum unam hypostasim et suppositum unum. Hoc enim solum modo salvari possunt ea quae in Scripturis circa incarnationem traduntur. Cum enim Scriptura Sacra indistincte quae sunt Dei homini illi attribuat, et quae sunt illius hominis Deo, ut ex praemissis patet; oportet unum et eundem esse de quo utraque dicantur.

Sed quia opposita de eodem secundum idem dici vere non possunt; divina autem et humana quae de Christo dicuntur, oppositionem habent, utpote ‚passum' et ‚impassibile', ‚mortuum' et ‚immortale', et cetera huiusmodi; necesse est quod secundum aliud et aliud divina et humana praedicentur de Christo. Sic igitur quantum ad id *de quo* utraque praedicantur, non est distinctio facienda, sed invenitur unitas. Quantum autem ad id *secundum quod* praedicantur, distinctio est facienda. Naturales autem proprietates praedicantur de unoquoque secundum eius naturam: sicut de hoc lapide ferri deorsum secundum naturam gravitatis. Cum igitur aliud et aliud sit secundum quod divina et humana praedicantur de Christo, ne-

Überdies. Solche Dinge, bei denen es sich dem Suppositum nach um mehrere handelt, sind schlechthin mehrere; sie sind nur im relativen Sinne eins. Gibt es mithin in Christus zwei Supposita, so folgt daraus, daß es schlechthin, nicht aber unter einer bestimmten Hinsicht zwei ist. Dies bedeutet „Jesus aufzulösen" (Joh 4,3), denn etwas existiert, sofern es eines ist. Ist es nicht schlechthin eines, so existiert es einfach nicht.

39. KAPITEL

DIE SICHT DES KATHOLISCHEN GLAUBENS HINSICHTLICH DER INKARNATION CHRISTI

Nach den bisherigen Darlegungen ist es offenkundig, daß man der Überlieferung des Katholischen Glaubens gemäß sagen muß, in Christus gebe es eine göttliche und vollkommene Natur, sowie eine menschliche und vollkommene Natur, die sich aus Verstandesseele und menschlichem Fleisch konstituiert. Diese beiden Naturen sind in Christus geeint; doch weder allein durch Einwohnung noch auf beiläufige Weise (wie ein Mensch mit seiner Kleidung geeint ist), noch allein im personalen Verhalten und der personalen Eigentümlichkeit, sondern einer Hypostase und einem Suppositum nach. Einzig auf diese Weise kann man das wahren, was die Schriften hinsichtlich der Inkarnation überliefern. Da die Heilige Schrift, wie aus dem bisher Gesagten deutlich wird, jenem Menschen Dinge zuschreibt, welche Gott eignen, und Gott zuschreibt, was jenem Menschen zukommt, so muß es sich in beiden Fällen um einen und denselben handeln, von dem geredet wird.

Da man nun von derselben Sache und in derselben Hinsicht nichts einander Entgegengesetztes als zugleich wahr behaupten kann, Göttliches und Menschliches aber, was man von Christus aussagt, einen Gegensatz darstellen, beispielsweise ‚gelitten' und ‚leidensunfähig', ‚gestorben' und ‚unsterblich' und dergleichen mehr, so folgt daraus, daß Christus göttliche und menschliche Dinge in jeweils unterschiedlicher Hinsicht zugeschrieben werden müssen. Folglich dürfen wir hinsichtlich des Subjektes, dem diese Dinge zugeschrieben werden, keinen Unterschied machen, sondern müssen an der Einheit festhalten. Was aber die Dinge betrifft, unter deren Hinsicht diese Zuschreibungen gemacht werden, so muß man eine Unterscheidung treffen. Natürliche Eigenschaften werden einer Sache aufgrund ihrer Natur zugeschrieben. So fällt dieser Stein nach unten aufgrund der Natur der Schwere. Da Christus göttliche und menschliche

cesse est dicere in Christo esse duas naturas inconfusas et impermixtas. Id autem de quo praedicantur proprietates naturales secundum naturam propriam ad genus substantiae pertinentem, est hypostasis et suppositum illius naturae. Quia igitur indistinctum est et unum id de quo humana et divina praedicantur circa Christum, necesse est dicere Christum esse unam hypostasim et unum suppositum humanae et divinae naturae. Sic enim vere et proprie de homine illo praedicabuntur divina, secundum hoc quod homo ille importat suppositum non solum humanae naturae, sed divinae: et e converso de Verbo Dei praedicantur humana inquantum est suppositum humanae naturae.

Ex quo etiam patet quod, licet Filius sit incarnatus, non tamen oportet neque Patrem neque Spiritum Sanctum esse incarnatum: cum incarnatio non sit facta secundum unionem in natura, in qua tres Personae divinae conveniunt, sed secundum hypostasim et suppositum, prout tres Personae distinguuntur. Et sic, sicut in Trinitate sunt plures personae subsistentes in una natura, ita in mysterio incarnationis est una persona subsistens in pluribus naturis.

Capitulum XL

Obiectiones contra fidem incarnationis

Sed contra hanc Catholicae fidei sententiam, plures difficultates concurrunt, propter quas adversarii fidei incarnationem impugnant.

Ostensum est enim in primo libro quod Deus neque corpus est, neque virtus in corpore. Si autem carnem assumpsit, sequitur quod vel sit mutatus in corpus, vel quod sit virtus in corpore, post incarnationem. Impossibile igitur videtur Deum fuisse incarnatum.

Item. Omne quod acquirit novam naturam, est substantiali mutationi subiectum: secundum hoc enim aliquid generatur, quod naturam aliquam acquirit. Si igitur hypostasis Filii Dei fiat de novo subsistens in natura humana, videtur quod esset substantialiter mutata.

Adhuc. Nulla hypostasis alicuius naturae extenditur extra naturam il-

Dinge unter jeweils verschiedener Hinsicht zugeschrieben werden, so folgt daraus, daß es in Christus zwei verschiedene, unverschmolzene und unvermischte Naturen gibt. Nun werden natürliche Eigenschaften einer Sache zugeschrieben, die aufgrund ihrer eigenen Natur zur Gattung der Substanz gehört. Hierbei handelt es sich um eine Hypostase oder um ein Suppositum dieser Natur. Da nun Menschliches und Göttliches, das man Christus zuschreibt, einem ungeteilten Subjekt zugeschrieben wird, so muß man sagen, Christus sei eine Hypostase und ein Suppositum menschlicher und göttlicher Natur. Auf diese Weise nämlich prädiziert man wahrheitsgemäß und richtig Göttliches von jenem Menschen, sofern jener Mensch ein Suppositum beider Naturen darstellt, der göttlichen sowie der menschlichen. Umgekehrt prädiziert man Menschliches vom Wort Gottes, sofern er das Suppositum der menschlichen Natur ist.

Hieraus wird ersichtlich, daß man dennoch nicht sagen darf, der Vater oder der Heilige Geist seien inkarniert, auch wenn der Sohn Fleisch annahm, weil die Inkarnation nicht als eine Vereinigung in der Natur geschah, über welche die drei göttlichen Personen gemeinsam verfügen, sondern in der Hypostase und dem Suppositum, wonach sie sich als drei Personen voneinander unterscheiden. Gleichwie es in der Trinität mehrere, in einer Natur subsistierende Personen gibt, so gibt es bei der Inkarnation eine Person, welche in mehreren Naturen subsistiert.

40. Kapitel

Einwände gegen den Inkarnationsglauben

Gegen diese Sicht des Katholischen Glaubens erheben sich nun mehrere schwierige Einwände, weswegen die Glaubensgegner gegen die Inkarnation ankämpfen.

[1] So wurde nachgewiesen (I 20), daß Gott weder ein Körper noch eine Kraft in einem Körper ist. Hat er aber Fleisch angenommen, so folgt, daß er sich nach der Inkarnation zu einem Körper gewandelt hat oder daß er zu einer Kraft in einem Körper wurde. Mithin scheint es unmöglich der Fall, daß Gott sich inkarniert hat.

[2] Weiterhin. Alles, was eine neue Natur annimmt, ist einer substantiellen Veränderung unterworfen. In diesem Sinne nämlich entsteht etwas, was eine Natur annimmt. Hätte also die Hypostase des Sohnes Gottes in menschlicher Natur zu subsistieren begonnen, so hätte sie sich offenbar substantiell verändert.

[3] Zudem. Keine Hypostase einer beliebigen Natur reicht weiter als

lam: quin potius natura invenitur extra hypostasim, utpote multas hypostases sub se habens. Si igitur hypostasis Filii Dei sit per incarnationem facta hypostasis humanae naturae, sequitur quod Filius Dei non sit ubique post incarnationem: cum humana natura ubique non sit.

Amplius. Rei unius et eiusdem non est nisi unum quod *quid est* : hoc enim significat substantiam rei, quae unius una est. Sed natura cuiuslibet rei est quod *quid est* eius: „natura enim rei est quam significat definitio" [*Phys.* II 1]. Impossibile est igitur, ut videtur, quod una hypostasis in duabus naturis subsistat.

193a 30b–3

Praeterea. In his quae sunt sine materia, non potest esse aliud quidditas rei et res, ut supra ostensum est. Et hoc praecipue est in Deo, qui est non solum sua quidditas, sed etiam suum esse. Sed humana natura non potest esse idem quod divina hypostasis. Ergo impossibile esse videtur quod divina hypostasis subsistat in humana natura.

Item. Natura est simplicior et formalior hypostasi quae in ea subsistit: nam per additionem alicuius materialis natura communis individuatur ad hanc hypostasim. Si igitur divina hypostasis subsistat in humana natura, videtur sequi quod humana natura sit simplicior et formalior quam divina hypostasis. Quod est omnino impossibile.

Adhuc. In his solum quae sunt ex materia et forma composita, differre invenitur singulare et quidditas eius: ex eo quod singulare est individuatum per materiam designatam, quae in quidditate et natura speciei non includitur; in signatione enim Socratis includitur haec materia, non autem in ratione humanae naturae. Omnis igitur hypostasis in natura humana subsistens est constituta per materiam signatam. Quod de divina hypostasi dici non potest. Non est igitur possibile, ut videtur, quod hypostasis Verbi Dei subsistat in humana natura.

Amplius. Anima et corpus in Christo non fuerunt minoris virtutis quam in aliis hominibus. Sed in aliis hominibus ex sua unione constituunt suppositum, hypostasim et personam. Igitur in Christo ex unione animae et corporis constituitur suppositum, hypostasis et persona. Non autem suppositum, hypostasis et persona Dei Verbi, quae est aeterna. Igitur in

diese Natur; eher reicht die Natur weiter als die Hypostase, so daß sie mehrere Hypostasen unter sich begreift. Ist also die Hypostase des Sohnes Gottes durch die Inkarnation eine Hypostase menschlicher Natur geworden, so folgt daraus, daß der Sohn Gottes nach der Inkarnation nicht überall ist, da sich die menschliche Natur nicht überall befindet.

[4] Zudem. Eine und dieselbe Sache hat nur eine „Washeit". Diese bezeichnet die Substanz einer Sache. Es gibt jeweils eine Substanz für eine Sache. Nun besteht die Natur einer beliebigen Sache in seiner „Washeit", denn „die Natur der Sache wird durch die Definition bezeichnet" (Aristoteles). Folglich ist es anscheinend unmöglich, daß eine Hypostase in zwei Naturen subsistiert.

[5] Außerdem. Bei Materielosem kann die Washeit einer Sache nicht von der Sache selbst verschieden sein, wie oben gezeigt wurde (I 21 f.; II 54). Dies gilt insbesondere für Gott, welcher nicht nur seine Washeit, sondern auch sein Sein ist (I 22). Doch kann menschliche Natur nicht dasselbe wie eine göttliche Hypostase sein. Offensichtlich also scheint es unmöglich, daß eine göttliche Hypostase in menschlicher Natur subsistiert.

[6] Ferner. Die Natur ist einfacher und hat mehr den Charakter einer Form als die Hypostase, welche in ihr subsistiert, denn die gemeinsame Natur wird durch die Hinzufügung von etwas Materiellem zu dieser Hypostase individuiert. Subsistiert also die göttliche Hypostase in menschlicher Natur, so scheint daraus zu folgen, daß die menschliche Natur einfacher und formhafter ist als die göttliche Hypostase. Das aber ist völlig unmöglich.

[7] Darüber hinaus. Einzig bei Dingen, die aus Materie und Form zusammengesetzt sind, findet sich ein Unterschied zwischen dem singulären Ding und seiner Washeit, weil das Singuläre durch geprägte Materie individuiert ist, die nicht in der Washeit oder der Natur der Art eingeschlossen ist. Die Prägung des Sokrates nämlich, nicht aber die menschliche Natur, schließt diese Materie ein. Folglich konstituiert sich jegliche Hypostase, die in menschlicher Natur subsistiert, aufgrund geprägter Materie. Dies kann man von einer göttlichen Hypostase nicht behaupten. Also ist es offenbar nicht möglich, daß die Hypostase des Wortes Gottes in menschlicher Natur subsistiert.

[8] Zudem. Christi Seele und Leib waren nicht von geringerem Vermögen, als es bei den anderen Menschen der Fall ist. Doch konstituieren sie durch ihre Vereinigung bei den anderen Menschen ein Suppositum, eine Hypostase und eine Person. Folglich konstituiert sich auch bei Christus aufgrund der Vereinigung von Seele und Leib ein Suppositum, eine Hypostase und eine Person, nicht jedoch ein Suppositum, eine Hypostase

Christo est aliud suppositum, hypostasis et persona, praeter suppositum, hypostasim et personam Dei Verbi, ut videtur.

Praeterea. Sicut ex anima et corpore constituitur humana natura in communi, ita ex hac anima et ex hoc corpore constituitur ‚hic homo‘, quod est hypostasis hominis. Sed in Christo fuit haec anima et hoc corpus. Igitur ex eorum unione constituta est hypostasis, ut videtur. Et sic idem quod prius.

Item. Hic homo qui est Christus, prout consideratur ex anima solum et carne consistens, est quaedam substantia. Non autem universalis. Ergo particularis. Ergo est hypostasis.

Adhuc. Si idem est suppositum humanae et divinae naturae in Christo, oportet quod de intellectu hominis qui est Christus, sit hypostasis divina. Non autem est de intellectu aliorum hominum.

‚Homo‘ igitur aequivoce de Christo dicetur et aliis. Et sic non erit eiusdem speciei nobiscum.

Amplius. In Christo tria inveniuntur, ut ex dictis patet: scilicet corpus, anima et divinitas. Anima autem, cum sit nobilior corpore, non est suppositum corporis, sed magis forma eius. Neque igitur id quod est divinum, est suppositum humanae naturae, sed magis formaliter se habet ad ipsam.

Praeterea. Omne quod advenit alicui post esse completum, advenit ei accidentaliter. Sed, cum Verbum Dei sit ab aeterno, manifestum est quod caro assumpta advenit ei post esse completum. Igitur advenit ei accidentaliter.

Capitulum XLI

Quomodo opporteat intelligere incarnationem Filii Dei

Ad horum igitur solutionem considerandam, paulo altius inchoandum est. Cum enim Eutyches unionem Dei et hominis factam esse posuerit in natura; Nestorius autem nec in natura nec in persona; fides autem Catho-

und eine ewige Person des Wortes Gottes. In Christus gibt es somit anscheinend ein Suppositum, eine Hypostase und eine Person neben dem davon verschiedenen Supositum, der Hypostase und der Person des Wortes Gottes.

[9] Außerdem. Gleichwie sich die menschliche Natur im allgemeinen aus Seele und Leib konstituiert, so konstituiert sich „dieser Mensch", d. h. die Hypostase eines Menschen, aus dieser Seele und diesem Leib. Nun besaß Christus diese Seele und diesen Leib. Aufgrund ihrer Vereinigung konstituierte sich also anscheinend eine Hypostase. Daraus folgt dasselbe wie zuvor.

[10] Ferner. Bei diesem Menschen, der Christus ist, handelt es sich um eine Substanz, wenn man ihn lediglich als aus Seele und Fleisch bestehend betrachtet. Doch ist er keine allgemeine Substanz. Also ist er eine partikuläre Substanz und damit eine Hypostase.

[11] Zudem. Sind das Suppositum der menschlichen und der göttlichen Natur in Christus dasselbe, so muß man den Menschen, um den es sich bei Christus handelt, als göttliche Hypostase begreifen. Dies Verständnis trifft aber nicht auf andere Menschen zu. Folglich schreibt man den Ausdruck ‚Mensch' Christus und den anderen Menschen auf äquivoke Weise zu. Damit wäre er nicht mit uns artgleich.

[12] Darüber hinaus. In Christus findet sich dreierlei, Leib, Seele und Gottheit, wie aus den bisherigen Darlegungen hervorgeht (IV 28 ff.). Die Seele ist jedoch nicht das Suppositum des Körpers, auch wenn sie höheren Ranges als dieser ist. Sie ist vielmehr seine Form. So handelt es sich auch nicht beim Göttlichen um das Suppositum der menschlichen Natur; vielmehr verhält es sich zu ihr eher nach Art einer Form.

[13] Zudem. Einer Sache kommt alles beiläufig zu, was ihr nach ihrer Vollendung zukommt. Da das Wort Gottes ewig ist, so kommt ihm offensichtlich das Fleisch, das es annahm, nach seiner Vollendung zu. Mithin kommt es ihm beiläufig zu.

41. Kapitel

Das rechte Verständnis
der Inkarnation des Sohnes Gottes

Zur Beantwortung dieser Einwände müssen wir ein wenig tiefer ansetzen. Während Eutyches behauptete, die Vereinigung Gottes mit dem Menschen sei in der Natur geschehen (IV 35), während Nestorius annahm, sie habe weder in der Natur noch in der Person stattgefunden

lica hoc teneat, quod sit facta unio in persona, non in natura: necessarium videtur praecognoscere quid sit ‚uniri in natura‘, et quid sit ‚uniri in persona‘.

‚Natura‘ igitur licet multis modis dicatur – nam et generatio viventium, et principium generationis et motus, et materia et forma natura dicuntur: item et aliquando natura dicitur quod *quid est* rei, continens ea quae ad speciei pertinent integritatem; sic enim dicimus naturam humanam communem esse omnibus hominibus, et similiter in ceteris: –illa ergo uniuntur in natura ex quibus constituitur integritas speciei alicuuus: sicut anima et corpus humanum uniuntur ad constituendum speciem animalis, et universaliter quaecumque sunt partes speciei.

Est autem impossibile quod alicui specei in sua integritate iam constitutae aliquid extraneum uniatur in unitatem naturae, nisi species solvatur. Cum enim species sint sicut numeri, in quibus quaelibet unitas addita vel subtracta variat speciem, si quid ad speciem iam perfectam addatur, necesse est iam aliam speciem esse: sicut si substantiae animatae tantum addatur ‚sensibile‘, erit alia species; nam animal et planta diversae species sunt.

Contingit tamen id quod non est de integritate speciei, in aliquo individuo sub illa specie contento reperiri: sicut album et vestitum in Socrate vel Platone, aut digitus sextus, vel aliquid huiusmodi. Unde nihil prohibet aliqua uniri in individuo quae non uniuntur in una integritate speciei: sicut humana natura et albedo et musica in Socrate, et huiusmodi, quae dicuntur esse ‚unum subiecto‘.

Et quia individuum in genere substantiae dicitur ‚hypostasis‘, in substantiis autem rationalibus dicitur etiam persona, convenienter omnia huiusmodi dicuntur uniri ‚secundum hypostasim‘, vel etiam ‚secundum personam‘. Sic igitur patet quod nihil prohibet aliqua non unita esse secundum naturam, uniri autem secundum hypostasim vel personam.

Audientes autem haeretici in Christo unionem Dei et hominis esse factam, contrariis viis incesserunt ad hoc exponendum, praetermisso tramite veritatis.

Aliqui enim hanc unionem aestimaverunt ad modum eorum quae uni-

(IV 34), so hält demgegenüber der Katholische Glaube daran fest, daß sie in der Person, nicht aber in der Natur geschah (IV 39). Damit scheint es notwendig, zunächst zu erfahren, was „Vereinigung in der Natur" und was „Vereinigung in der Person" bedeutet.

Nun spricht man von ‚Natur' auf vielerlei Weise. So nennt man das Entstehen von Lebendigem, das Prinzip des Entstehens und der Bewegung, oder Materie und Form ‚Natur'. Überdies bezeichnet man bisweilen das Wesenswas einer Sache als ‚Natur', welches alles das enthält, was zur Integrität einer Art gehört. So sagen wir, die menschliche Natur sei allen Menschen gemein; ähnlich verhält es sich bei den übrigen Dingen. Also ist jenes in der Natur vereint, woraus sich die Integrität einer Art konstituiert. So sind die menschliche Seele und der Leib vereint, um somit eine Art von Lebewesen und allgemein alles das zu konstituieren, was Teil dieser Art ist.

Doch vereinigt sich unmöglich etwas einer Art Äußerliches mit ihr in der Einheit der Natur, wenn ihre Integrität bereits konstituiert ist, es sei denn, die Art löste sich auf. Da sich die Arten wie Zahlen verhalten, bei denen Addition oder Subtraktion der Einheit die Art verändert, so muß es sich schon um eine andere Art handeln, wenn man etwas zu einer bereits in sich vollständigen Art hinzufügt. Wird beispielsweise einer Substanz, die lediglich belebt ist, ‚Sinnesvermögen' hinzugefügt, so erhielte man bereits eine andere Art; so handelt es sich bei Tier und Pflanze um verschiedene Arten.

Dennoch trifft es zu, daß etwas, was nicht die Integrität einer Art ausmacht, sich bei einem Individuum derselben Art findet, beispielsweise ‚weiß' und ‚bekleidet' bei Sokrates oder Platon, oder ‚ein sechster Finger', etc. Daher hindert nichts daran, daß etwas in einem Individuum vereint ist, was nicht in einem in sich abgeschlossenen Bestand einer Art als solchem vereint ist, wie etwa die menschliche Natur, Weißsein und Musikalität in Sokrates und dergleichen mehr, wovon man sagt, es sei „dem Zugrundeliegenden nach eines".

Da ein Individuum in der Gattung der Substanz „Hypostase" und ein Individuum der Gattung vernunftbegabter Substanzen zudem „Person" genannt wird, so ist es angebracht zu sagen, all dies sei „der Hypostase nach" oder „der Person nach" vereint. Folglich hindert offensichtlich nichts daran, daß etwas zwar nicht der Natur nach, aber der Hypostase oder der Person nach geeint ist.

Nun hörten Häretiker, in Christus sei eine Vereinigung Gottes mit dem Menschen geschehen. Bei ihrem Urteil hierüber schlugen sie gegensätzliche Wege ein, wobei sie aber den Pfad der Wahrheit außer acht ließen.

So meinten einige, Arius und Apollinaris etwa, diese Vereinigung ge-

untur in unam naturam: sicut Arius et Apollinaris, ponentes quod Verbum erat corpori Christi pro anima, sive pro mente; et sicut Eutyches, qui posuit ante incarnationem duas naturas Dei et hominis, post incarnationem vero unam.

Sed eorum dictum omnino impossibilitatem continet. Manifestum est enim naturam Verbi ab aeterno in sua integritate perfectissimam esse, nec omnino corrumpi aut mutari posse. Unde impossibile est aliquid extrinsecum a natura divina, utpote naturam humanam vel aliquam partem eius, in unitatem naturae ei advenire.

Alii vero, huius positionis impossibilitatem videntes, in viam contrariam diverterunt. Ea enim quae habenti aliquam naturam adveniunt nec tamen pertinent ad integritatem naturae illius, vel accidentia esse videntur, ut albedo et musica; vel accidentaliter se habere ad ipsum, sicut anulus, vestimentum, domus, et similia. Consideraverunt autem, quod, cum humana natura Verbo Dei adveniat nec ad eius naturae integritatem pertineat, necesse est, ut putaverunt, quod humana natura accidentalem unionem haberet ad Verbum. Et quidem manifestum est quod non potest inesse Verbo ut accidens: tum quia Deus non est susceptivum accidentis, ut supra probatum est; tum quia humana natura, cum sit de genere substantiae, nullius accidens esse potest. Unde reliquum videbatur quod humana natura adveniret Verbo, non sicut accidens, sed sicut accidentaliter se habens ad ipsum. Posuit igitur Nestorius quod humana natura Christi se habebat ad Verbum sicut templum quoddam: ita quod secundum solam inhabitationem erat intelligenda unio Verbi ad humanam naturam. Et quia templum seorsum habet suam individuationem ab eo qui inhabitat templum; individuatio autem conveniens humanae naturae est personalitas: reliquum erat quod alia esset personalitas humanae naturae, et alia Verbi. Et sic Verbum et ille homo erant duae personae.

Quod quidem inconveniens alii vitare volentes circa humanam naturam talem dispositionem introduxerunt ut ei personalitas proprie convenire non possit, dicentes animam et corpus, in quibus integritas humanae naturae consistit, a Verbo sic esse assumpta ut corpori anima non esset unita

schehe auf die Weise dessen, was in einer Natur geeint ist. Sie behaupteten, das Wort ersetzte im Leibe Christi die Seele oder den Geist (IV 32 ff.). Eutyches meinte, vor der Inkarnation habe es zwei Naturen, die Natur Gottes und die des Menschen gegeben, nach der Inkarnation jedoch nur eine.

Doch enthält ihr Urteil eine völlige Absurdidät. Offenkundig nämlich ist die Natur des Wortes von Ewigkeit her in ihre Integrität höchst vollkommen. Sie kann weder vergehen noch sich verändern. Daher kommt der göttlichen Natur unmöglich etwas ihr Äußerliches, etwa die menschliche Natur oder eines ihrer Teile, in der Einheit der Natur zu.

Andere wiederum bemerkten die Unmöglichkeit dieser These und schlugen deswegen einen entgegengesetzten Weg ein. Bei demjenigen nämlich, welches sich einer Sache zueignet, die über eine Natur verfügt, ohne jedoch zur Integrität dieser Natur zu gehören, scheint es sich einerseits um Akzidentien wie das Weißsein und die Musikalität zu handeln, andererseits scheint es sich nach Art eines Akzidenz zu ihr zu verhalten, wie etwa ein Ring, die Kleidung, das Haus und dergleichen. Indem sie beherzigten, daß dem Worte Gottes die menschliche Natur zukommt, ohne zur Integrität seiner Natur zu gehören, so dachten sie, die menschliche Natur sei notwendigerweise eine akzidentelle Vereinigung mit dem Worte eingegangen. Da sie im Worte aber nicht als Akzidens anwesen kann, weil Gott kein Akzidenz aufnimmt, wie bereits gezeigt wurde (I 23), und weil die menschliche Natur dadurch, daß sie von der Gattung der Substanz ist, nicht das Akzidens einer Sache sein kann, so scheint daraus zu folgen, daß die menschliche Natur dem Worte nicht als ein Akzidens zukommt, sondern sich lediglich nach Art eines Akzidens zu ihm verhält. Also behauptete Nestorius, die menschliche Natur Christi verhalte sich zum Worte wie ein Tempel, so daß man die Vereinigung des Wortes mit der menschlichen Natur einzig als Einwohnung zu verstehen habe. Da ein Tempel individuell von dem verschieden ist, welcher in ihm wohnt, und weil die der menschlichen Natur angemessene Individualität im Personsein besteht, so verblieb, daß das Personsein der menschlichen Natur von dem des Wortes verschieden sind. Also handelte es sich beim Worte und bei jenem Menschen um zwei Personen.

Zur Vermeidung dieser Unstimmigkeit stellten sich andere vor (IV 37), die menschliche Natur sei dergestalt angenommen worden, daß Personsein ihr nicht eigentlich zukommen konnte. Sie behaupteten, die Seele und der Leib, worin die Integrität der menschlichen Natur besteht, seien vom Wort auf eine Weise angenommen worden, daß die Seele nicht mit dem

ad aliquam substantiam constituendam, ne cogerentur dicere illam substantiam sic constitutam rationem personae habere. Unionem vero Verbi ad animam et corpus posuerunt sicut ad ea quae accidentaliter se habent, puta induti ad indumentum, in hoc quodammodo Nestorium imitantes.

His igitur remotis per supra dicta, necessarium est ponere talem fuisse unionem Verbi et hominis ut neque ex duabus una natura conflata sit; neque Verbi ad humanam naturam talis fuerit unio sicut est alicuius substantiae, puta hominis, ad exteriora, quae accidentaliter se habent ad ipsum, ut domus et vestimentum; sed Verbum in humana natura sicut in sibi propria facta per incarnationem, subsistere ponatur; ut et corpus illud vere sit corpus Verbi Dei; et similiter anima; et Verbum Dei vere sit homo.

Et quamvis haec unio perfecte ab homine non valeat explicari, tamen, secundum modum et facultatem nostram, conabimur aliquid dicere „ad aedificationem fidei" [Ephes. IV], ut circa hoc mysterium fides Catholica ab infidelibus defendatur.

In omnibus autem rebus creatis nihil invenitur huic unioni tam simile sicut unio animae ad corpus: et maior esset similitudo, ut etiam AugustiPL 42/1166nus dicit, *Contra Felicianum* [*arianum de unitate trinitatis* c. 12] si esset unus intellectus in omnibus hominibus, ut quidam posuerunt, secundum quos oporteret dicere quod intellectus praeexistens hoc modo de novo conceptui hominis uniatur ut ex utroque fiat una persona, sicut ponimus Verbum praeexistens humanae naturae in personam unam uniri. Unde et propter hanc similitudinem utriusque unionis, Athanasius dicit, in Symbolo [*Quicumque*] quod „sicut anima rationalis et caro unus est homo, ita Deus et homo unus est Christus".

Sed cum anima rationalis uniatur corpori et sicut materiae et sicut instrumento, non potest esse similitudo quantum ad primum modum unionis: sic enim ex Deo et homine fieret una natura, cum materia et forma proprie naturam constituant speciei. Relinquitur ergo ut attendatur similitudo secundum quod anima unitur corpori ut instrumento. Ad quod etiam dicta antiquorum Doctorum concordant, qui humanam naturam in

Körper vereint war, um eine Substanz zu konstituieren. Sie sagten dies, damit sie nicht gezwungen waren zuzugestehen, daß es sich bei der somit gebildeten Substanz um eine Person handelte. So behaupteten sie, die Vereinigung des Wortes mit der Seele und dem Leib sei nach Art dessen geschehen, was sich akzidentell zueinander verhält, wie es etwa beim Verhältnis zwischen einem Bekleidetem und der Bekleidung der Fall ist. Hiermit folgten sie gewisserweise dem Nestorius.

Nachdem all dies durch die bisherige Erörterung widerlegt ist (IV 37), so muß man nunmehr annehmen, die Vereinigung des Wortes mit dem Menschen sei so beschaffen gewesen, daß weder zwei Naturen zu einer einzigen zusammengeschmolzen sind, noch daß die Vereinigung des Wortes mit der menschlichen Natur eine akzidentelle Relation derart involvierte, wie sich eine Substanz – ein Mensch etwa – zu etwas ihm Äußerlichen, beispielsweise zu seinem Haus oder zu seinen Kleidern verhält. Vielmehr halten wir dafür, daß das Wort in der menschlichen Natur subsistiert, die durch die Inkarnation gleichsam zu dessen eigener Natur wurde, so daß der Leib und die Seele wahrhaft der Leib und die Seele des Wortes Gottes und das Wort Gottes wahrhaft Mensch ist.

Obgleich sich der Mensch diese Vereinigung nicht vollkommen erklären kann, so werden wir dennoch versuchen, so weit wir es eben vermögen, etwas zur „Erbauung des Glaubens" (Ephes 4, 29) zu sagen, und somit den Katholischen Glauben gegen Angriffe von Ungläubigen verteidigen, die sich auf das Geheimnis der Inkarnation richten.

Unter allen Geschöpfen findet sich nichts, was dieser Vereinigung ähnlicher ist als die Vereinigung von Seele und Leib. Diese Ähnlichkeit wäre noch größer, wie auch Augustinus in *Gegen Felicianus* bemerkt, gäbe es nur einen Intellekt in allen Menschen, wie einige behaupteten. Ihnen entsprechend müßte man sagen, daß sich der präexistente Intellekt erneut mit dem sich bei Empfängnis bildenden Menschen derart vereint, daß aus beiden eine Person wird, gleichwie wir behaupten, das präexistente Wort habe sich mit der menschlichen Natur zu einer Person vereint. Aufgrund der Ähnlichkeit beider Arten von Vereinigung sagt daher Athanasius im Glaubenssymbol: „Gleichwie die Verstandesseele und das Fleisch einen Menschen ausmachen, so machen Gott und Mensch einen Christus aus".

Doch ist der Leib mit der Verstandesseele als ihre Materie und ihr Instrument vereint. Damit kann es keine Ähnlichkeit bezüglich der ersten Weise der Vereinigung geben. Sonst nämlich entstünde eine Natur aus Gott und dem Menschen, da Materie und Form im eigentlichen Sinne eine Artnatur konstituieren. Folglich verbleibt, daß man seine Aufmerksamkeit der Ähnlichkeit zu schenken hat, nach der die Seele sich mit dem Körper als ihrem Instrument vereint. In der Tat stimmen die Urteile der

Christo ,organum quoddam divinitatis' posuerunt[38], sicut et ponitur corpus organum animae.

Aliter enim est animae organum corpus et eius partes, et aliter exteriora instrumenta. Haec enim dolabra non est proprium instrumentum, sicut haec manus: per dolabram enim multi possunt operari, sed haec manus ad propriam operationem huius animae deputatur. Propter quod manus est organum unitum et proprium: dolabra autem instrumentum exterius et commune. Sic igitur et in unione Dei et hominis considerari potest. Omnes enim homines comparantur ad Deum ut quaedam instrumenta quibus operatur: „ipse enim est qui operatur in nobis velle et perficere pro bona voluntate", secundum Apostolum, Philipp. II. Sed alii homines comparantur ad Deum quasi instrumenta extrinseca et separata: moventur enim a Deo non ad operationes proprias sibi tantum, sed ad operationes communes omni rationali naturae, ut est intelligere veritatem, diligere bona, et operari iusta. Sed humana natura in Christo assumpta est ut instrumentaliter operetur ea quae sunt operationes propriae solius Dei, sicut est mundare peccata, illuminare mentes per gratiam, et introducere in perfectionem vitae aeternae. Comparatur igitur humana natura Christi ad Deum sicut instrumentum proprium et coniunctum, ut manus ad animam.

Nec discrepat a rerum naturalium consuetudine quod aliquid sit naturaliter proprium instrumentum alicuius quod tamen non est forma ipsius. Nam lingua, prout est instrumentum locutionis, est proprium organum in-

429a 24–27   tellectus: qui tamen prout Philosophus probat [*De an.* III 4], nullius partis corporis actus est. Similiter etiam invenitur aliquod instrumentum quod ad naturam speciei non pertinet, et tamen ex parte materiae competit huic individuo: ut sextus digitus vel aliquid huiusmodi. Nihil igitur prohibet hoc modo ponere unionem humanae naturae ad Verbum quod humana natura sit quasi Verbi instrumentum non separatum sed coniunctum, nec tamen humana natura ad naturam Verbi pertinet, nec Verbum est eius forma; pertinet tamen ad eius personam.

---

[38] Cf. Ioannem Damascenum, *De fide orthodoxa* III, cc.15;19 (PG 94/1060 A; 1080B); cf. Athanasium, *Oratio III contra Arianos*, n.31 (PG 26/389 A); cf. Eusebium Caesariensem, *Demonstratio Evangelica* IV, c.13 (PG 22/285 C).

frühen Lehrer hiermit überein, wenn sie behaupteten, bei der menschlichen Natur Christi handle es sich um ein „Werkzeug der Gottheit", gleichwie man auch den Körper für das „Werkzeug" der Seele hält.

Nun sind der Körper und dessen Teile auf von äußerlichen Instrumenten verschiedene Weise Werkzeug. Diese Spitzhacke ist kein Instrument, das jemandem ausschließlich zukommt, so wie es bei dieser Hand der Fall ist. Viele nämlich können mit einer Spitzhacke tätig sein; diese Hand jedoch ist auf die spezifische Tätigkeit dieser Seele abgestellt. Deswegen handelt es sich bei der Hand um ein Werkzeug, welches organisch mit jemandem verbunden ist und ihm ausschließlich gehört. Die Spitzhacke jedoch ist ein äußeres und gemeinsames Instrument. Dies läßt sich auch auf die Vereinigung Gottes mit dem Menschen anwenden. Im Vergleich mit Gott sind alle Menschen wie Instrumente seiner Tätigkeiten. So spricht der Apostel Phil 2,13: „Denn Gott ist es, der in euch ebenso das Wollen wie das Vollbringen schafft nach seinem Wohlgefallen". Andere Menschen wiederum lassen sich mit Gott wie äußere und separate Instrumente vergleichen. Sie werden nämlich von Gott nicht zu Tätigkeiten bewegt, die nur ihnen eigentümlich sind, sondern zu Tätigkeiten, die sie mit jeglicher Vernunftnatur gemeinsam haben, beispielsweise dazu, die Wahrheit zu erfassen, Gutes zu lieben und das zu tun, was recht ist. Doch ist die menschliche Natur in Christus dergestalt angenommen, daß sie nach Art eines Instrumentes Tätigkeiten vollbringt, die lediglich Gott eignen, so etwa von Sünden zu reinigen, unseren Geist mit Gnade zu erleuchten und zur Vollkommenheit des ewigen Lebens zu führen. Im Vergleich mit Gott ist also die menschliche Natur Christi wie ein eigentümliches und organisch verbundenes Instrument, wie es beim Verhältnis der Hand zur Seele der Fall ist.

Es widerstreitet auch nicht dem naturgemäßen Verhalten der Dinge, wenn etwas naturgemäß ein Instrument darstellt, das einem Ding eigentümlich ist, ohne doch dessen Form zu sein. So ist die Stimme als Sprachinstrument das eigentümliche Instrument des Verstandes, welcher dennoch nicht die Form irgendeines Körperteils ausmacht, wie der Philosoph (Aristoteles) nachweist. Ähnlich findet man auch ein Instrument, welches nicht zu einer Artnatur gehört und dennoch diesem Individuum als Teil seiner Materie zukommt, etwa ein sechster Finger oder dergleichen. Mithin hindert nichts daran, demgemäß zu behaupten, daß durch die Vereinigung mit dem Worte die menschliche Natur gleichsam ein Instrument des Wortes wurde, was organisch mit ihm verbunden und nicht von ihm getrennt war. Dennoch gehört die menschliche Natur weder zur Natur des Wortes noch ist das Wort ihre Form. Trotzdem gehört sie zu seiner Person.

Praedicta tamen exempla non sic posita sunt ut omnimoda similitudo in his sit requirenda: intelligendum est enim Verbum Dei multo sublimius et intimius humanae naturae potuisse uniri quam anima qualicumque proprio instrumento: praecipue cum toti humanae naturae mediante intellectu coniunctum dicatur. Et licet Verbum Dei sua virtute penetret omnia, utpote omnia conservans et portans, creaturis tamen intellectualibus, quae proprie Verbo perfrui possunt et eius participes esse, ex quadam similitudinis affinitate, et eminentius et ineffabilius potest uniri.

Capitulum XLII

Quod assumptio humanae naturae maxime competebat Verbo Dei

Ex quo etiam patet quod humanae naturae assumptio potissime competit personae Verbi. Nam, si assumptio naturae humanae ad salutem hominum ordinatur; ultima autem salus hominis est ut secundum intellectivam partem perficiatur contemplatione Veritatis Primae: oportuit per Verbum, quod secundum emanationem intellectualem a Patre procedit, humanam naturam assumi.

Rursus. Affinitas quaedam videtur maxime Verbi ad humanam naturam. Homo enim propriam speciem sortitur secundum quod rationalis est. Verbum autem rationi affine est: unde apud Graecos ‚logos‘, ‚verbum‘ et ‚ratio‘ dicitur. Convenientissime igitur Verbum rationali naturae unitum est: nam et propter affinitatem praedictam, divina Scriptura nomen ‚imaginis‘ et Verbo attribuit et homini; dicit enim Apostolus, Coloss. I de Verbo, quod est „imago invisibilis Dei“; et idem de homine, I Cor. II, quod „vir est imago Dei“.

Habet etiam Verbum non solum ad rationalem naturam, sed etiam universaliter ad omnem creaturam quandam affinitatis rationem: cum Verbum contineat rationes omnium creatorum a Deo, sicut et artifex homo conceptione sui intellectus rationes artificiatorum comprehendit. Sic igitur

Bei allen erwähnten Beispielen dürfen wir jedoch nicht vollkommene Ähnlichkeit suchen. Wir müssen uns nämlich vor Augen halten, daß das Wort Gottes imstande war, sich auf eine Weise mit der menschlichen Natur zu vereinigen, welche weit erhabener und intimer ist als die Vereinigung der Seele mit irgendeinem der ihr eigentümlich zukommenden Instrumente, insbesondere deswegen, weil es heißt, es sei durch den Intellekt mit der gesamten menschlichen Natur verbunden. Da das Wort aufgrund seines Vermögens ohnehin alles durchdringt, indem es alles erhält und trägt, so vermag es sich dennoch aufgrund einer gewissen, auf Ähnlichkeit beruhenden Verwandtschaft, auf eine weit hervorragendere und unbeschreibliche Weise mit Verstandeswesen zu vereinigen, die in der Lage sind, das Wort wahrhaft zu genießen und an ihm teilzuhaben.

42. Kapitel

Die Annahme der menschlichen Natur entsprach dem Worte Gottes am meisten

Hieraus wird ebenfalls ersichtlich, daß die Annahme der menschlichen Natur der Person des Wortes am besten entspricht. Ist nämlich die Annahme der menschlichen Natur auf das Heil der Menschen ausgerichtet, und besteht das endgültige Heil des Menschen darin, durch die Betrachtung der Ersten Wahrheit in seinem Vernunftvermögen vervollkommnet zu werden, so war es angemessen, daß die menschliche Natur durch das Wort angenommen wurde, welches vom Vater durch Vernunftemanation hervorgeht.

Zudem. Es gibt offenbar die stärkste Affinität zwischen dem Wort und der menschlichen Natur. Der Mensch nämlich erlangt seine Artbestimmung dadurch, daß er verstandesbegabt ist. Nun ist das Wort dem Verstande verwandt. Daher heißt „Logos" bei den Griechen „Wort" und „Vernunft". Folglich ist es höchst angemessen, daß sich das Wort mit einer Verstandesnatur vereint hat. So schreibt auch die Heilige Schrift aufgrund eben dieser Affinität den Ausdruck ‚Ebenbild' sowohl dem Wort als auch dem Menschen zu. Der Apostel sagt nämlich in Kol 1, 15 vom Wort, es sei „das Bild des unsichtbaren Gottes"; vom Mann sagt er dasselbe in 1 Kor 11, 7, nämlich daß er „Bild und Abglanz Gottes" ist.

Auch besitzt das Wort nicht nur eine gewisse Affinität zur Verstandesnatur, sondern auch allgemein zu jeglicher Kreatur, da das Wort die Urgründe alles dessen in sich enthält, was von Gott geschaffen wurde, gleichwie der Baumeister die Grundstrukturen seiner Produkte verstan-

omnes creaturae nihil aliud sunt quam realis quaedam expressio et repraesentatio eorum quae in conceptione divini Verbi comprehenduntur: propter quod et ‚omnia per' Verbum ‚facta' esse dicuntur [Ioan. I]. Convenienter igitur Verbum creaturae, scilicet humanae naturae, unitum est.

CAPITULUM XLIII

QUOD HUMANA NATURA ASSUMPTA A VERBO
NON PRAEEXISTIT ASSUMPTIONI,
SED IN IPSA CONCEPTIONE FUIT ASSUMPTA A VERBO DEI

Cum autem Verbum humanam naturam assumpserit in unitatem personae, ut ex dictis iam patet, oportuit humanam naturam non praeexistere antequam Verbo uniretur.

Si enim praeexisteret, cum natura praeexistere non possit nisi in individuo, oportuisset esse aliquod individuum illius humanae naturae praeexistentis ante unionem. Individuum autem humanae naturae est hypostasis et persona. Erit igitur dicere quod humana natura assumenda a Verbo in aliqua hypostasi vel persona praeexstitisset. Si igitur natura illa assumpa fuisset manente priori hypostasi vel persona, remansissent post unionem duae hypostases vel personae, una Verbi, et alia hominis. Et sic non esset facta unio in hypostasi vel persona. Quod est contra sententiam fidei.

Si vero hypostasis vel persona illa non remaneret in qua natura assumenda a Verbo praeextitisset, hoc sine corruptione accidere non potuisset: nullum enim singulare desinit esse hoc quod est nisi per corruptionem. Sic igitur oportuisset illum hominem corrumpi qui unioni praeextitisset: et per consequens humanam naturam in eo existentem. Impossibile igitur fuit quod Verbum assumeret in unitatem personae aliquem hominem praeexistentem.

Simul autem et derogaretur perfectioni incarnationis Dei Verbi, si aliquid eorum quae naturalia sunt homini, ei deesset. Est autem naturale homini ut nascatur nativitate humana. Hoc autem Dei Verbum non haberet si hominem praeexistentem assumpsisset: nam ille homo in sua nativitate purus homo extitisset, unde eius nativitas Verbo non posset attribui,

desmäßig erfaßt. Folglich sind alle Geschöpfe nichts anderes als der reale Ausdruck und die Repräsentation dessen, was im Begreifen des göttlichen Wortes enthalten ist. Deswegen heißt es auch, „alles ist durch das Wort geschaffen" (Joh 1,3). Mithin war es angemessen, daß sich das Wort mit einem Geschöpf, d. h. mit der menschlichen Natur vereinigt.

43. Kapitel

Die vom Worte angenommene menschliche Natur existiert nicht vor der Annahme, sondern wurde im Moment der Empfängnis vom Worte Gottes angenommen

Da das Wort die menschliche Natur in der Einheit der Person annahm, wie aus dem hervorgeht, was bereits gesagt wurde (IV 39), so konnte die menschliche Natur nicht vor der Vereinigung mit dem Worte existieren.

Hätte sie nämlich zuvor existiert, so hätte es vor der Vereinigung ein Individuum mit dieser präexistierenden menschlichen Natur geben müssen, denn eine Natur kann nur in einem Individuum präexistieren. Doch handelt es sich bei einem Individuum menschlicher Natur um eine Hypostase und eine Person. Folglich wird man sagen müssen, die vom Worte anzunehmende menschliche Natur habe in einer Hypostase oder einer Person präexistiert. Wäre also jene Natur angenommen worden, wobei diese Hypostase oder Person nach der Annahme erhalten blieb, so hätte es daraufhin zwei Hypostasen oder Personen gegeben, eine des Wortes und eine des Menschen. Somit wäre keine Vereinigung in der Hypostase oder in der Person geschehen. Dies widerspricht dem Glaubensspruch.

Wäre aber jene Hypostase oder Person nicht in der Natur verblieben, in der sie als vom Worte anzunehmen präexistierte, so hätte dies nicht ohne Zerstörung geschehen können, denn ein Einzelwesen hört nur durch Zerstörung auf das zu sein, was es ist. Folglich hätte jener Mensch zerstört werden müssen, welcher vor der Vereinigung existierte, und damit auch die in ihm existierende menschliche Natur. Also hat das Wort unmöglich einen präexistenten Menschen in der Einheit der Person angenommen.

Zugleich würde es auch die Vollkommenheit der Inkarnation des Wortes Gottes vermindern, fehlte ihm etwas an dem, was dem Menschen natürlich ist. Nun gehört es zur Natur des Menschen, durch menschliche Geburt zur Welt zu kommen. Dies aber wäre beim Worte Gottes nicht der Fall, hätte es einen präexistierenden Menschen angenommen, denn jener Mensch hätte durch seine Geburt rein als Mensch existiert. Daher

nec Beata Virgo ‚Mater Verbi‘ dici posset. Fides autem Catholica „per omnia“ sine „peccato“ similem eum nobis in naturalibus confitetur [Hebr. IV], dicens Filium Dei, secundum Apostolum [Galat. IV], „factum ex muliere“ et natum, et Virginem matrem Dei. Non igitur hoc decuit, ut praeexistentem hominem assumeret.

Hinc etiam apparet quod ab ipso conceptionis principio naturam humanam sibi univit. Quia sicut humanatio Dei Verbi requirit quod Verbum Dei sit natum nativitate humana, ad hoc quod sit verus homo et naturalis per omnia in naturalibus nobis conformis, ita requirit quod Dei Verbum sit conceptum conceptione humana: non enim secundum naturae ordinem homo nascitur nisi prius concipiatur. Si autem natura humana assumenda prius in qualicumque statu concepta fuisset quam Verbo uniretur, illa conceptio Verbo Dei attribui non posset, ut diceretur conceptum conceptione humana. Oportuit igitur quod ab ipso conceptionis principio Verbum Dei humanae naturae uniretur.

Rursum. In generatione humana virtus activa agit ad complementum humanae naturae in aliquo determinato individuo. Si autem Verbum Dei non a principio conceptionis humanam naturam assumpsisset, virtus activa in generatione, ante unionem, suam actionem ordinasset ad aliquod individuum humanae naturae, quod est hypostasis vel persona humana; post unionem autem, oportuisset ordinari totam generationem ad aliam hypostasim vel personam, scilicet Dei Verbum, quod nascebatur in humana natura. Sic igitur non fuisset una numero generatio: utpote ad duas personas ordinata. Nec fuisset uniformis secundum totum: quod a naturae ordine videtur alienum. Non igitur fuit conveniens quod Verbum Dei post conceptionem humanam naturam assumeret, sed in ipsa conceptione.

Item. Hoc videtur generationis humanae ordo requirere, ut qui concipitur ipse idem nascatur, et non alius: cum conceptio ad nativitatem ordinetur. Unde, si Filius Dei natus est nativitate humana, oportet etiam quod Filius Dei sit conceptione humana conceptus, et non purus homo.

könnte man dessen Geburt nicht dem Worte zuschreiben, noch könnte die selige Jungfrau „Mutter des Wortes" heißen. Doch bekennt der Glaube, er sei uns „in allem gleich" gewesen, was uns aufgrund unserer Natur zukommt, „außer der Sünde" (Hebr 4, 15), indem es heißt, der Sohn Gottes sei, dem Apostel gemäß, „aus einer Jungfrau entstanden" und geboren, und die Jungfrau sei die „Mutter Gottes". Also war es nicht angemessen, daß er einen präexistenten Menschen annahm.

Hieraus wird auch ersichtlich, daß er sich vom Moment der Empfängnis an mit der menschlichen Natur vereinte. Gleichwie es die Menschwerdung des Wortes Gottes erfordert, daß es durch menschliche Geburt zur Welt kommt, um als wahrer und naturhafter Mensch zu gelten, in allem uns gleichgestaltet, was zu unserer Natur gehört, so ist es erforderlich, daß das Wort Gottes durch menschliche Empfängnis empfangen wurde. So wird der Naturordnung gemäß kein Mensch geboren, der nicht zuvor empfangen wurde. Hätte aber die anzunehmende menschliche Natur, bevor sie mit dem Worte vereint wurde, in einem wie auch immer gearteten Zustande existiert, so könnte man dem Worte Gottes nicht jene Empfängnis zuschreiben, wonach es hieße, es sei durch menschliche Empfängnis empfangen. Also mußte sich das Wort Gottes vom Moment der Empfängnis an mit der menschlichen Natur vereinigen.

Überdies. Das aktive Vermögen handelt bei der menschlichen Zeugung mit dem Ziel der Erfüllung menschlicher Natur in einem bestimmten Individuum. Hätte das Wort Gottes jedoch nicht vom Beginn der Empfängnis an menschliche Natur angenommen, so hätte das aktive Vermögen vor der Vereinigung bei der Zeugung seine Tätigkeit auf ein Individuum menschlicher Natur, also auf eine Hypostase oder eine Person, ausgerichtet; nach der Vereinigung aber hätte es die gesamte Zeugung auf eine davon verschiedene Hypostase oder Person ausgerichtet, d. h. auf das Wort Gottes, welches in menschlicher Natur zur Welt kam. Damit hätte nicht eine einzige Zeugung stattgefunden, da sie auf zwei Personen ausgerichtet war; der gesamte Prozeß wäre auch nicht einförmig gewesen. Dies scheint der Naturordnung fremd. Folglich war es angemessen, daß das Wort Gottes nicht nach der Empfängnis menschliche Natur angenommen hat, sondern im Moment der Empfängnis selbst.

Darüber hinaus. Die Ordnung menschlicher Zeugung erfordert offenbar, daß es sich bei demjenigen, welcher empfangen wird, auch um denselben und nicht um einen anderen handelt, welcher zur Welt kommt, denn die Empfängnis ist auf die Geburt ausgerichtet. Wenn der Sohn Gottes daher durch menschliche Geburt zur Welt kam, so muß er auch durch menschliche Empfängnis empfangen sein, jedoch nicht als bloßer Mensch.

Capitulum XLIV

Quod natura humana assumpta a verbo in ipsa conceptione fuit perfecta quantum ad animam et corpus

Ulterius autem ex hoc manifestum est quod in ipso conceptionis principio anima rationalis corpori fuit unita.

Verbum enim Dei mediante anima rationali corpus assumpsit: corpus enim hominis non magis assumptibile est a Deo quam alia corpora nisi propter animam rationalem. Non igitur Verbum Dei assumpsit corpus absque anima rationali. Cum igitur Verbum Dei assumpserit corpus ab ipso conceptionis principio, oportuit quod in ipso conceptionis principio anima rationalis corpori uniretur.

Item. Posito eo quod est posterius in generatione, necesse est et id quod est prius secundum generationis ordinem, poni. Posterius autem in generatione est id quod est perfectissimum. Perfectissimum autem est ipsum individuum generatum, quod in generatione humana est hypostasis vel persona, ad cuius constitutionem ordinantur et anima et corpus. Posita igitur personalitate hominis generati, necesse est quidem existere et corpus et animam rationalem. Personalitas autem hominis Christi non est alia quam personalitas Dei Verbi. Verbum autem Dei in ipsa conceptione univit sibi corpus humanum. Fuit ergo ibi personalitas illius hominis. Ergo oportuit quod et anima rationalis adesset.

Inconveniens etiam fuisset ut Verbum, quod est fons et origo omnium perfectionum et formarum, alicui rei informi et nondum perfectionem naturae habenti uniretur. Quicquid autem fit corporeum, ante animationem est informe et nondum perfectionem naturae habens. Non igitur fuit conveniens ut Verbum Dei uniretur corpori nondum animato. Et sic a principio conceptionis oportuit animam illam corpori uniri.

Ex hoc etiam apparet quod corpus illud assumptum a principio conceptionis fuit formatum, si nihil informe Dei Verbum assumere debuit.

Similiter autem anima requirit propriam materiam: sicut et quaelibet alia forma naturalis. Est autem propria materia animae corpus organizatum: est enim anima „entelechia corporis organici physici potentia vitam

44. KAPITEL

DIE VOM WORTE BEI DER EMPFÄNGNIS
ANGENOMMENE MENSCHLICHE NATUR WAR DER SEELE
UND DEM LEIBE NACH VOLLKOMMEN

Darüber hinaus wird hieraus auch ersichtlich, daß sich im Moment der Empfängnis eine Verstandesseele mit dem Leib vereinte.

Das Wort Gottes nämlich nahm einen Leib durch Vermittlung einer Verstandesseele an (IV 41), denn der menschliche Körper ist nur wegen der Verstandesseele mehr als andere Körper dazu disponiert, von Gott angenommen zu werden. Folglich nahm das Wort Gottes keinen Körper ohne Verstandesseele an. Da es nun im Moment der Empfängnis einen Leib annahm, so mußte sich gleichzeitig auch die Verstandesseele mit dem Körper vereinigen.

Liegt zudem das vor, was im Zeugungsprozeß später eintrifft, so muß man auch das als gegeben betrachten, was der Ordnung des Zeugungsprozesses nach früher der Fall war. Beim Zeugungsprozeß ist das Spätere jedoch das Vollkommenste; am vollkommensten ist aber das gezeugte Individuum selbst. Bei der menschlichen Zeugung ist dies eine Hypostase oder eine Person. Seele wie Leib sind auf ihre Konstituierung hingeordnet. Liegt Personalität eines gezeugten Menschen vor, so müssen auch Leib und Verstandesseele existieren. Die Personhaftigkeit des Menschen Christus aber ist keine andere als die des Wortes Gottes. Das Wort Gottes aber vereinigte sich im Moment der Empfängnis mit einem menschlichen Körper. Mithin lag hier die Personalität jenes Menschen vor. Also mußte auch eine Verstandesseele vorliegen.

Nun wäre es unangemessen gewesen, hätte sich das Wort, welches Quelle und Ursprung jeglicher Vollkommenheit und Form ist, mit etwas vereint, was ungeformt ist und noch nicht über die Vollkommenheit einer Natur verfügt. Also war es nicht füglich, daß sich das Wort Gottes mit einem noch nicht beseelten Körper vereinigte. Somit mußte vom Moment der Empfängnis an die Seele mit jenem Körper vereint sein.

Hieraus wird ebenfalls ersichtlich, daß dieser angenommene Körper vom Moment der Empfängnis an eine Formgestalt besaß, weil das Wort Gottes nichts Ungeformtes annehmen konnte.

Zugleich erfordert die Seele, wie jede andere Naturform, eine ihr entsprechende Materie. Die einer Seele entsprechende Materie aber ist ein organisch strukturierter Körper, denn bei der Seele handelt es sich um die „Entelechie eines physischen, organischen Körpers, welcher der Möglichkeit nach Leben besitzt" (Aristoteles). War also die Seele vom Moment

412a 10; 27–28 habentis" [*De an.* II 1]. Si igitur anima a principio conceptionis corpori fuit unita, ut ostensum est, necessarium fuit ut corpus a principio conceptionis organizatum et formatum esset.

Et etiam organizatio corporis ordine generationis praecedit animae rationalis introductionem. Unde, posito posteriori, necesse fuit et ponere prius.

Crementum autem quantitatis usque ad debitam mensuram, nihil prohibet sequi corporis animationem. Sic igitur circa conceptionem hominis assumpti sentiendum est, quod in ipso conceptionis principio fuit corpus organizatum et formatum, sed nondum habens debitam quantitatem.

Capitulum XLV

Quod Christum decuit nasci ex virgine

Per hoc autem patet quod necesse fuit hominem illum ex virgine matre nasci, absque naturali semine.

Semen enim viri requiritur in generatione humana tanquam principium activum, propter virtutem activam quae in ipso est. Sed virtus activa in generatione corporis Christi non potuit esse naturalis, secundum praedicta: quia virtus naturalis non subito perficit totam corporis formationem, sed ad hoc indiget tempore; corpus autem Christi in ipso principio suae conceptionis fuit formatum ct organizatum, ut ostensum est. Relinquitur igitur quod generatio Christi humana fuit absque naturali semine.

Item. Semen maris, in generatione animalis cuiuscumque, trahit ad se materiam quam mater ministrat, quasi virtus quae est in semine maris intendat sui ipsius complementum ut finem totius generationis; unde et, completa generatione, ipsum semen, immutatum et completum, est proles quae nascitur. Sed in generatione humana Christi fuit ultimus generationis terminus unio ad divinam personam, non autem aliqua persona seu hypostasis humana constituenda, ut ex dictis patet. Non igitur in hac generatione potuit esse activum principium semen viri, sed sola virtus divina: ut sicut semen viri, in generatione communi hominum, in suam subsisten-

der Empfängnis an mit dem Körper vereint, wie erwiesen wurde, so muß der Körper ebenfalls vom Moment der Empfängnis an organisch und geformt gewesen sein.

Auch geht aufgrund der Zeugungsordnung die organische Strukturierung der Einführung der Verstandesseele voraus. Liegt daher das Spätere vor, so muß auch das Frühere vorgelegen haben.

Auch gibt es keinen Grund, warum sich der Körper nicht auch nach seiner Beseelung weiter entwickeln sollte, bis er seine Reifestufe erreicht hat. Dementsprechend haben wir bezüglich der Empfängnis des angenommenen Menschen daran festzuhalten, daß es sich um einen organisch strukturierten und geformten Körper handelte, welcher allerdings noch nicht voll entwickelt war.

45. Kapitel

Es war geziemend, dass Christus aus einer Jungfrau geboren wurde

Damit wird auch deutlich, daß jener Mensch aus einer Jungfraumutter ohne natürlichen Samen geboren werden mußte.

Bei der menschlichen Zeugung ist der Samen eines Mannes wegen seiner in ihm wohnenden aktiven Kraft gleichsam als aktives Prinzip erforderlich. Der bisherigen Erörterung gemäß konnte jedoch die aktive Kraft bei der Zeugung des Leibes Christi nicht naturhaft sein, weil die natürliche Kraft nicht die gesamte Gestaltung des Körpers augenblicklich zustande bringt, sondern hierfür Zeit benötigt. Doch wurde der Leib Christi im Moment seiner Empfängnis geformt und organisch strukturiert, wie erwiesen wurde (IV 44). Mithin verbleibt, daß sich die menschliche Zeugung Christi ohne natürlichen Samen vollzog.

Ferner. Der Samen des männlichen Teils bei der Zeugung von Lebewesen zieht derart die Materie an, welche ihm der weibliche Teil liefert, daß die im männlichen Samen wohnende Kraft gleichsam ihre eigene Vervollkommnung als Ziel des gesamten Zeugungsprozesses bezweckt. Ist der Zeugungsprozeß abgeschlossen, so ist der Sprößling, welcher zur Welt kommt, der unveränderte und vollständige Samen selbst. Doch bildete die Vereinigung mit der göttlichen Person das Letztziel bei der menschlichen Zeugung Christi, nicht aber die Konstituierung einer menschlichen Person oder Hypostase, wie aus dem bereits Gesagten ersichtlich ist (IV 44). Also konnte bei dieser Zeugung der Samen eines Mannes nicht aktives Prinzip sein, sondern einzig die göttliche Kraft. Wie bei der allen Menschen gemeinsamen Zeugung der Samen des Mannes Materie an seine

tiam trahit materiam a matre ministratam, ita eandem materiam, in generatione Christi, Verbum Dei ad suam unionem assumpsit.

Similiter autem manifestum est quod conveniens erat ut in ipsa generatione humana Verbi Dei, aliqua proprietas spiritualis generationis verbi
reluceret. Verbum autem, secundum quod a dicente progreditur, sive interius conceptum sive exterius prolatum, corruptionem dicenti non affert,
sed magis perfectionis plenitudo per verbum attenditur in dicente. Conveniens igitur fuit ut sic Verbum Dei secundum humanam generationem
conciperetur et nasceretur, ut matris integritas non corrumperetur.

Cum hoc etiam manifestum est quod Verbum Dei, quo omnia constituta sunt, et quo omnia in sua integritate conservantur, sic nasci decuit ut
per omnia matris integritatem servaret. Conveniens igitur fuit hanc generationem fuisse ex virgine.

Neque tamen hic generationis modus verae et naturali humanitati Christi derogat, licet aliter quam alii homines generatus sit.

Manifestum est enim, cum virtus divina infinita sit, ut supra probatum
est; et per eam omnes causae virtutem producendi effectum sortiantur:
quod quicumque effectus per quamcumque causam producitur, potest per
Deum absque illius causae adminiculo produci eiusdem speciei et naturae.
Sicut igitur virtus naturalis quae est in humano semine producit hominem
verum, speciem et humanam naturam habentem; ita virtus divina, quae
talem virtutem semini dedit, absque huius virtute potest effectus illius
virtutis producere, constituendo verum hominem, speciem et naturam humanam habentem.

Si vero aliquis dicat quod, cum homo naturaliter generatus habeat corpus naturaliter constitutum ex semine maris et eo quod femina submini-
strat, quicquid sit illud, corpus Christi non fuit eiusdem naturae cum
nostro, si non est ex maris semine generatum: –ad hoc manifesta responsio
est secundum Aristotelis positionem [*De generat. animal.* I 20; 21; II 4],
dicentis quod semen maris non intrat materialiter in constitutionem concepti, sed est solum activum principium, materia vero corporis tota mini-
stratur a matre. Et sic, quantum ad materiam corpus Christi non differt a
corpore nostro: nam etiam corpora nostra materialiter constituta sunt ex
eo quod est sumptum ex matre.

Si vero aliquis praedictae positioni Aristotelis repugnet, adhuc praedicta

729a 9–b 8;
737b 15–23 }

Substanz zieht, die von der Frau beigesteuert wird, so nahm das Wort Gottes bei der Zeugung Christi dieselbe Materie an, um sich mit ihr zu vereinen.

Ähnlich war es auch offenkundig angemessen, daß bei der menschlichen Zeugung des Wortes Gottes etwas von der geisthaften Zeugung des Wortes widerschien. Nun tut ein Wort, wenn es von jemandem innerlich konzipiert oder durch äußere Rede gebildet wird, dem Redenden keinen Abbruch; vielmehr vervollkommnet es ihn. Also war es treffend, daß das Wort Gottes dergestalt auf die Weise menschlicher Zeugung empfangen und zur Welt gebracht wurde, daß die Integrität der Mutter nicht darunter litt.

Nun ist es offensichtlich geziemend, daß das Wort Gottes, durch das alles geschaffen und in seiner Integrität bewahrt ist, so zur Welt kam, daß es die Integrität der Mutter vollständig bewahrte. Mithin handelte es sich hierbei angemessenerweise um die Zeugung aus einer Jungfrau.

Dennoch schmälert diese Weise der Zeugung nicht das wahre und naturhafte Menschsein Christi, auch wenn er auf andere Art als die übrigen Menschen gezeugt wurde.

Nun wurde weiter oben nachgewiesen (I 43; II 22), daß das göttliche Vermögen unbegrenzt ist und daß hierdurch alle Ursachen das Vermögen erlangen, eine Wirkung zu erzielen (III 67 ff.). Demnach kann offensichtlich jedweder Effekt, der durch eine Ursache bewirkt wird, in derselben Art und Natur durch Gott ohne Hilfe dieser Ursache zustande gebracht werden. Wie also die natürliche, dem menschlichen Samen innewohnende Kraft einen wahren Menschen hervorbringt, der die menschliche Art und Natur besitzt, so vermag das göttliche Vermögen, das dem Samen eine derartige Kraft verlieh, ohne Zuhilfenahme einer solchen Kraft deren Wirkungen hervorzubringen, indem es einen wahren Menschen konstituiert, welcher über die menschliche Art und Natur verfügt.

Nun mag jemand einwenden, zur natürlichen Zeugung eines Menschen gehöre es, daß der Körper naturgemäß aus dem Samen des Mannes und auch aus dem konstituiert ist, was die Frau dazu beiträgt. Daher sei der Leib Christi nicht derselben Natur wie der unsrige, wenn er nicht aus dem Samen eines Mannes gezeugt wurde. Die offenkundige Antwort hierauf lautet nach der Position des Aristoteles, daß der männliche Samen der Materie nach nicht zur Konstituierung des Embryos beiträgt, sondern nur das aktive Prinzip darstellt. Die Materie des Körpers wird vollständig von der Mutter beigesteuert. Hinsichtlich der Materie also unterscheidet sich der Leib Christi nicht von unserem Leib, denn auch unsere Körper konstituieren sich der Materie nach aus dem, was von der Mutter kommt.

Aber selbst wenn man nicht mit der erwähnten Meinung des Aristoteles

obiectio efficaciam non habet. Similitudo enim aliquorum aut dissimilitudo in materia non attenditur secundum statum materiae in principio generationis, sed secundum conditionem materiae iam praeparatae, prout est in termino generationis. Non enim differt secundum materiam aër ex terra, vel ex aqua generatus: quia licet aqua et terra in principio generationis differentia sint, tamen per actionem generantis ad unam dispositionem reducuntur. Sic igitur divina virtute materia quae solum ex muliere sumitur, potest reduci, in fine generationis, ad eandem dispositionem quam habet materia si sumatur simul ex mare et femina. Unde non erit aliqua dissimilitudo, propter diversitatem materiae, inter corpus Christi, quod divina virtute formatum est ex materia a sola matre assumpta, et corpora nostra, quae virtute naturae formantur ex materia, etiam si ab utroque parente assumantur. Manifestum est enim quod plus differt a materia quae ex viro et muliere simul assumitur, ‚limus terrae‘, de quo Deus primum hominem formavit [Gen. II] quem utique constat fuisse verum hominem et nobis per omnia similem, quam materia sumpta solum ex femina, ex qua corpus Christi formatum est. Unde nativitas Christi ex virgine nihil derogat veritati humanitatis ipsius, nec similitudini eius ad nos. Licet enim virtus naturalis requirat determinatam materiam ad determinatum effectum ex ea producendum, virtus tamen divina, quae potest ex nihilo cuncta producere, in agendo ad materiam determinatam non coartatur.

Similiter etiam nec per hoc aliquid deperit dignitati Matris Christi quod virgo concepit et peperit, quin vera et naturalis mater Filii Dei dicatur. Virtute enim divina faciente, materiam naturalem ad generationem corporis Christi ministravit, quod solum ex parte matris requiritur: ea vero quae in aliis matribus ad corruptionem virginitatis faciunt, non ordinantur ad id quod matris est, sed solum ad id quod patris est, ut semen maris ad locum generationis perveniat.

übereinstimmt, so ist der besagte Einwand dennoch wirkungslos. So hängen materielle Ähnlichkeit oder Unähnlichkeit nicht vom Zustand der Materie zu Beginn, sondern von der Verfassung bereits durchgestalteter Materie gegen Ende der Zeugung ab. So unterscheidet sich Luft, die aus Erde entstanden ist, der Materie nach nicht von Luft, die aus Wasser gewonnen wurde. Auch wenn Wasser und Erde zu Beginn des Entstehensprozesses verschieden sind, so werden sie dennoch durch die Tätigkeit des Erzeugenden auf einen einzigen Zustand zurückgeführt. Somit kann also die einzig von der Frau kommende Materie durch göttliches Vermögen gegen Ende des Zeugungsprozesses in denselben Materiezustand überführt werden, der ansonsten zugleich aus Mann und Frau zustande kommt. Daher gibt es wegen der Verschiedenheit der Materie keine Unähnlichkeit zwischen dem Leib Christi, der aufgrund göttlichen Vermögens aus der einzig von der Mutter kommenden Materie geformt ist, und unseren Körpern, die aufgrund des Naturvermögens aus Materie geformt werden, auch wenn sie von beiden Elternteilen angenommen sind. Offenkundig nämlich unterscheidet sich der „Erdschlamm" (Gen 2,7), woraus Gott den ersten Menschen formte (welcher zweifelsohne ein wirklicher Mensch war, uns in jeder Beziehung ähnlich), mehr von der Materie, die zugleich von Mann und Frau stammt, als sich die Materie, welche allein von der Frau kommt, von der Materie unterscheidet, aus welcher der Leib Christi geformt wurde. Daher schmälert die Geburt Christi aus einer Jungfrau keineswegs die Wirklichkeit seines Menschseins noch die seiner Ähnlichkeit mit uns. Auch wenn eine Naturkraft zum Hervorbringen einer genau umschriebenen Wirkung eine genau umgrenzte Materie erfordert, so ist dennoch das göttliche Vermögen, welches alles aus nichts hervorzubringen imstande ist, bei seiner Tätigkeit nicht auf genau umschriebene Materie beschränkt.

Ähnlich tut es der Würde der Mutter Christi keinerlei Abbruch, daß sie sowohl bei der Empfängnis als auch bei der Geburt eine Jungfrau war. So heißt sie mit Recht „wahre und natürliche Mutter des Sohnes Gottes". Aufgrund der Tätigkeit des göttlichen Vermögens trug sie die zur Zeugung des Leibes Christi nötige natürliche Materie bei; dies ist alles, was seitens der Mutter erforderlich ist. Dagegen richtet sich das, was bei den übrigen Müttern zum Verlust der Jungfrauschaft führt, nicht auf die Mutterschaft, sondern auf die Vaterschaft, sofern der Samen des Mannes zum Ort der Zeugung gelangt.

Capitulum XLVI

Quod Christus natus est de Spiritu Sancto

Quamvis autem omnis divina operatio qua aliquid in creaturis agitur, sit toti Trinitati communis, ut ex supra habitis ostensum est, formatio tamen corporis Christi, quae divina virtute perfecta est, convenienter Spiritui Sancto attribuitur, licet sit toti Trinitati communis.

Hoc enim congruere videtur incarnationi Verbi. Nam sicut verbum nostrum in mente conceptum invisibile est, exterius autem voce prolatum sensibile fit; ita Verbum Dei secundum generationem aeternam in corde Patris invisibiliter existit, per incarnationem autem nobis sensibile factum est. Unde Verbi Dei incarnatio est sicut vocalis verbi nostri expressio. Expressio autem vocalis verbi nostri fit per spiritum nostrum, per quem vox verbi nostri formatur. Convenienter igitur et per Spiritum Filii Dei eius carnis formatio dicitur facta.

Convenit etiam hoc et generationi humanae. Virtus enim activa quae est in semine humano, ad se trahens materiam quae fluit a matre, per spiritum operatur: fundatur enim huiusmodi virtus in spiritu, propter cuius continentiam semen spumosum oportet esse et album[39]. Verbum igitur Dei, sibi carnem assumens ex virgine, convenienter hoc per Spiritum suum dicitur carnem assumendo formare.

Convenit etiam hoc ad insinuandam causam ad incarnationem Verbi moventem. Quae quidem nulla alia esse potuit nisi immensus amor Dei ad hominem, cuius naturam sibi voluit in unitate personae copulare. In divinis autem Spiritus Sanctus est qui procedit ut amor, ut supra dictum est. Conveniens igitur fuit ut incarnationis opus Spiritui Sancto attribuatur.

Solet etiam in Sacra Scriptura omnis gratia Spiritui Sancto attribui, quia quod gratis datur, ex amore donantis videtur esse collatum. Nulla autem maior est gratia homini collata quam quod Deo in persona uniretur. Convenienter igitur hoc opus Spiritui Sancto appropriatur.

---

[39] Cf. Aristotelem, *De generat. an.* II 2 (735a 30sq.).

46. Kapitel

Christus kam vom Heiligen Geist zur Welt

Selbst wenn jegliches göttliche Werk, das etwas bei den Geschöpfen bewirkt, der Trinität gemeinsam ist, wie wir oben gezeigt haben (IV 21), so schreibt man dennoch die Formung des Leibes Christi, welche durch göttliches Vermögen vollendet wurde, auch wenn sie der Trinität gemeinsam zukommt, angemessen dem Heiligen Geist zu.

Dies stimmt offenbar mit der Inkarnation des Wortes zusammen. Gleichwie nämlich unser Wort unsichtbar ist, wenn es vom Geist konzipiert wird, und sinnlich wahrnehmbar wird, wenn man es sprechend äußert, so existiert das Wort Gottes der ewigen Zeugung gemäß unsichtbar im Herzen des Vaters, doch ist es uns durch die Inkarnation sichtbar geworden. Daher gleicht die Inkarnation des Wortes der stimmlichen Verlautbarung unseres Wortes. Nun geschieht die stimmliche Verlautbarung unseres Wortes durch unseren Atem, womit wir den sprachlichen Laut unseres Wortes formen. Also sagt man treffend, die Formung des Fleisches des Sohnes Gottes sei durch den Heiligen Geist geschehen.

Dies harmonisiert auch mit der menschlichen Zeugung. Die aktive Kraft des menschlichen Samens nämlich, welche die von der Mutter stammende Materie an sich zieht, ist durch Lebenshauch tätig. Eine derartige Kraft basiert auf dem Lebenshauch. Aufgrund seiner Reinheit muß deswegen auch der schaumige Samen weiß sein. Entsprechend war es angemessen, daß die Formung des Fleisches durch den Heiligen Geist geschah, als das Wort Gottes einen Leib aus einer Jungfrau annahm.

Dies ist ebenfalls zur Andeutung des Motivs der Inkarnation des Wortes angemessen. Es konnte kein anderes als die unermeßliche Liebe Gottes zum Menschen sein, mit dessen Natur er sich in der Einheit der Person vereinigen wollte. Bei Gott ist es jedoch der Heilige Geist, welcher als Liebe hervorgeht, wie oben gesagt wurde (IV 19). Füglich also wird dem Heiligen Geist das Werk der Inkarnation zugeschrieben.

Auch spricht die Heilige Schrift dem Heiligen Geist gewöhnlich jegliche Gnade zu, denn das, was man aus freien Stücken gibt, scheint aufgrund der Gnade des Gebers hergegeben. Doch wird dem Menschen keine größere Gnade geschenkt, als daß er in der Person mit Gott vereinigt wird. Also wird dieses Werk treffend dem Heiligen Geist zugeschrieben.

Capitulum XLVII

Quod Christus non fuit Filius Spiritus Sancti
secundum carnem

Quamvis autem Christus de Spiritu Sancto et Virgine conceptus dicatur, non potest tamen dici Spiritus Sanctus pater Christi secundum generationem humanam, sicut Virgo dicitur mater eius.

Spiritus enim Sanctus non produxit humanam naturam in Christo ex sua substantia, sed sola sua virtute operatus est ad eius productionem. Non ergo potest dici Spiritus Sanctus pater Christi secundum humanam generationem.

Esset etiam inductivum erroris si Christus Spiritus Sancti filius diceretur. Manifestum est enim quod Verbum Dei secundum hoc habet personam distinctam quod est Filius Dei Patris. Si igitur secundum humanam naturam Spiritus Sancti filius diceretur, daretur intelligi quod Christus esset duo filii: nam Verbum Dei Spiritus Sancti filius esse non potest. Et sic, cum ,filiationis' nomen ad personam pertineat, non ad naturam, sequeretur quod in Christo essent duae personae. Quod est a fide Catholica alienum.

Inconveniens etiam esset ut auctoritas Patris et nomen ad personam aliam transferretur. Quod contingit si Spiritus Sanctus pater Christi diceretur.

Capitulum XLVIII

Quod non sit dicendum Christum esse creaturam

Ulterius etiam manifestum est quod, quamvis humana natura a Verbo assumpa sit aliqua creatura, non tamen potest simpliciter enuntiari Christum esse creaturam.

Creari enim est fieri quoddam. Cum autem fieri terminetur ad esse simpliciter, eius est fieri quod habet esse subsistens: et huiusmodi est individuum completum in genere substantiae, quod quidem in natura intellectuali dicitur persona aut etiam hypostasis. Formae vero et accidentia, et etiam partes, non dicuntur fieri nisi secundum quid, cum et esse non

47. Kapitel

Christus war nicht dem Fleische nach Sohn des Heiligen Geistes

Auch wenn man sagt, Christus sei vom Heiligen Geist und der Jungfrau empfangen, so kann man dennoch nicht behaupten, der Heilige Geist sei Vater Christi der menschlichen Zeugung nach, so wie man die Jungfrau seine Mutter nennt.

Der Heilige Geist nämlich brachte in Christus nicht die menschliche Natur aus seiner Substanz hervor, sondern war einzig aufgrund seines [kraftvollen] Vermögens an dessen Hervorbringung aktiv beteiligt. Mithin kann man nicht sagen, der Heilige Geist sei der Vater Christi nach Art der menschlichen Zeugung.

Man würde auch zu einem falschen Schluß gelangen, bezeichnete man Christus als den Sohn des Heiligen Geistes. Offensichtlich ist das Wort Gottes insofern eine besondere Person, als es der Sohn Gottes, des Vaters ist. Hieße er seiner menschlichen Natur nach Sohn des Heiligen Geistes, so würde uns damit zu verstehen gegeben, daß es sich bei Christus um zwei Söhne handelt. So kann das Wort Gottes nicht Sohn des Heiligen Geistes sein. Da sich der Ausdruck ‚Sohnschaft' auf die Person und nicht auf die Natur bezieht, so würde folgen, daß in Christus zwei Personen vorhanden wären. Dies ist dem Katholischen Glauben fremd (IV 34).

Ebenso wäre es ungereimt, wenn sich Urheberschaft und Name des Vaters auf eine andere Person übertrügen. Dies wäre aber der Fall, würde der Heilige Geist „Vater Christi" genannt.

48. Kapitel

Man darf nicht sagen, Christus sei ein Geschöpf

Auch wenn es sich bei der vom Worte angenommenen menschlichen Natur um ein Geschöpf handelt, so kann man offenbar dennoch nicht schlechthin behaupten, Christus sei ein Geschöpf.

Geschaffen zu sein bedeutet ‚etwas zu werden'. Da jedoch das Werden seinen Abschluß im Sein schlechthin findet, so eignet das Werden dem, was subsistierendes Sein besitzt. Dieserart ist das vollständige Individuum in der Gattung der Substanz. Bei der Vernunftnatur heißt es ‚Person' oder auch ‚Hypostase'. Von Formen, Akzidentien und Teilen sagt man jedoch nicht, daß sie werden, es sei denn unter einer bestimmten Hinsicht. Sie

habeant in se subsistens, sed subsistant in alio: unde, cum aliquis fit albus, non dicitur fieri simpliciter, sed secundum quid. In Christo autem non est alia hypostasis vel persona nisi Verbi Dei, quae est increata, ut ex praemissis manifestum est. Non igitur simpliciter potest enuntiari quod ‚Christus sit creatura‘: licet cum additione possit hoc dici, ut dicatur creatura *secundum quod* homo, vel, secundum humanam naturam.

Licet autem de subiecto quod est individuum in genere substantiae, non simpliciter dicatur fieri quod est proprium eius propter accidentia vel partes, sed solum secundum quid; tamen simpliciter praedicantur de subiecto quaecumque consequuntur naturaliter ad accidentia vel ad partes secundum propriam rationem; dicitur enim simpliciter homo esse ‚videns‘, quia hoc consequitur ad oculum; et ‚crispus‘, propter capillos; et ‚visibilis‘, propter colorem. Sic igitur et ea quae consequuntur proprie ad humanam naturam, simpliciter possunt enuntiari de Christo: sicut quod est ‚homo‘, quod est ‚visibilis‘, quod ‚ambulavit‘, et omnia huiusmodi. Quod autem est personae proprium, de Christo non enuntiatur ratione humanae naturae nisi cum aliqua additione, vel expressa vel subintellecta.

CAPITULUM XLIX

SOLUTIO RATIONUM CONTRA INCARNATIONEM SUPERIUS POSITARUM

His igitur habitis, ea quae contra incarnationis fidem supra opposita sunt, facile solvuntur.

Ostensum est enim incarnationem Verbi non sic esse intelligendam quod Verbum sit in carnem conversum, aut sit corpori unitum ut forma. Unde non est consequens ex hoc quod Verbum est incarnatum, quod vere Deus sit corpus vel virtus in corpore, ut *prima* ratio procedebat.

Similiter etiam non consequitur quod Verbum sit substantialiter mutatum per hoc quod naturam humanam assumpsit. Nulla enim mutatio in ipso Verbo Dei facta est, sed solum in humana natura quae est a Verbo

verfügen nämlich nicht über subsistierendes Sein, sondern subsistieren in etwas anderem. Wird jemand weiß, so heißt es daher nicht, er werde schlechthin zu Weiß, sondern nur unter einer bestimmten Hinsicht. Doch gibt es in Christus nur die Hypostase oder die Person des Wortes Gottes, die ungeschaffen ist, wie aus den bisherigen Darlegungen (IV 38) ersichtlich ist. Also kann man Christus nicht schlechthin ein „Geschöpf" nennen, es sei denn, man fügt hinzu, er sei deswegen ein Geschöpf, weil er Mensch ist oder weil er über eine menschliche Natur verfügt.

Auch wenn man von einem Zugrundeliegenden, bei dem es sich um ein Individuum in der Gattung der Substanz handelt, nicht schlechthin sagen kann, es werde aufgrund seiner Akzidentien oder Teile zu dem, was ihm eigentümlich ist, sondern nur unter einer gewissen Hinsicht, so schreibt man dennoch einem Zugrundeliegenden schlechthin dasjenige zu, was eine natürliche Konsequenz aus den Akzidentien oder den Teilen ist, sofern es in einem eigentümlichen Bezug zu ihm steht. So sagt man schlechthin, der Mensch sei „sehend", weil dies daraus folgt, daß er Augen hat; man sagt, er sei „krausköpfig" wegen seiner Haare, und er sei „sichtbar" wegen seiner Farbe. Somit kann auch das, was eine eigentümliche Folge der menschlichen Natur ist, schlechthin von Christus ausgesagt werden, beispielsweise daß er „Mensch" ist, daß er „sichtbar" ist, daß er „umherging" und dergleichen mehr. Was jedoch der Person eigentümlich zukommt, das sagt man von Christus nicht aufgrund seiner menschlichen Natur aus, es sei denn, man macht explizit oder implizit einen qualifizierenden Zusatz.

49. Kapitel

Widerlegung der zuvor vorgebrachten Einwände gegen die Inkarnation

Auf diesem Hintergrund lassen sich die oben erwähnten Einwände gegen die Inkarnation (IV 40) leicht widerlegen.

[Zu 1] Erwiesenermaßen kann man die Inkarnation nicht so verstehen, als sei das Wort in Fleisch verwandelt (IV 31) oder dem Körper als dessen Form zugesellt (IV 32). Daher folgt aus der Inkarnation des Wortes nicht, daß in Wirklichkeit der Körper oder die Kraft im Körper Gott ist. Dies behauptete der *erste* Einwand (IV 40).

[Zu 2] Ähnlich folgt auch nicht, daß das Wort durch die Annahme der menschlichen Natur substantiell verändert ist. Keine Veränderung nämlich hat im Worte selbst, sondern ausschließlich in der vom Worte ange-

assumpta, secundum quam competit Verbo et generatum esse temporaliter et natum, non autem secundum seipsum.

Quod etiam *tertio* proponitur, necessitatem non habet. Hypostasis enim non extenditur extra terminos illius naturae ex qua subsistentiam habet. Non autem Verbum Dei subsistentiam habet ex natura humana, sed magis naturam humanam ad suam subsistentiam vel personalitatem trahit: non enim per illam, sed in illa subsistit. Unde nihil prohibet Verbum Dei esse ubique, licet humana natura a Verbo Dei assumpta ubique non sit.

Ex hoc etiam solvitur *quartum*. Cuiuslibet enim rei subsistentis oportet esse unam naturam tantum per quam simpliciter esse habeat. Et sic Verbum Dei per solam naturam divinam simpliciter esse habet: non autem per humanam naturam, sed per eam habet quod sit *hoc*, scilicet quod sit homo.

Quintum etiam solvitur per hoc idem. Impossibile est enim quod natura per quam Verbum subsistit, sit aliud quam ipsa persona Verbi. Subsistit autem per naturam divinam: non autem per naturam humanam, sed eam ad suam subsistentiam trahit ut in ea subsistat, ut dictum est. Unde non oportet quod natura humana sit idem quod persona Verbi.

Hinc etiam excluditur id quod *sexto* obiiciebatur. Hypostasis enim est minus simplex, vel re vel intellectu, quam natura per quam constituitur in esse: re quidem, cum hypostasis non est sua natura; intellectu autem solo in illis in quibus idem est hypostasis et natura. Hypostasis autem Verbi non constituitur simpliciter per humanam naturam, ut per eam sit: sed per eam solum habet Verbum quod sit homo. Non igitur oportet quod natura humana sit simplicior quam Verbum inquantum est Verbum: sed solum inquantum Verbum est hic homo.

Ex quo etiam patet solutio ad id quod *septimo* obiicitur. Non enim oportet quod hypostasis Dei Verbi simpliciter sit constituta per materiam signatam, sed solum inquantum est hic homo. Sic enim solum per humanam naturam constituitur, ut dictum est.

Quod autem anima et corpus in Christo ad personalitatem Verbi trahuntur, non constituentia aliquam personam praeter personam Verbi, non pertinet ad minorationem virtutis, ut *octava* ratio procedebat, sed ad dig-

nommenen menschlichen Natur stattgefunden, woraufhin es dem Worte zukommt, in der Zeit gezeugt und zur Welt gekommen zu sein, nicht aber hinsichtlich seiner selbst.

[Zu 3] Auch der *dritte* Einwand ist nicht zwingend. Eine Hypostase erstreckt sich nämlich nicht über die Grenzen jener Natur hinaus, woraus sie ihre Subsistenz nimmt. Nun verfügt aber das Wort Gottes nicht aufgrund der menschlichen Natur über Subsistenz; vielmehr zieht es die menschliche Natur zu seiner Subsistenz oder seinem Personsein hin. Es subsistiert nicht durch die menschliche Natur, sondern in ihr. Daher hindert nichts daran, daß das Wort Gottes überall ist, während die vom Worte Gottes angenommene menschliche Natur nicht überall ist.

[Zu 4] Hiermit erledigt sich auch der *vierte* Einwand. Jede subsistierende Sache kann nur eine Natur besitzen, wodurch sie schlechthin über Sein verfügt. So hat das Wort Gottes einzig durch die göttliche Natur schlechthin ihr Sein, doch nicht aufgrund der menschlichen Natur. Hierdurch kommt ihr zu, daß es ,dieses' ist, d. h. ein Mensch.

[Zu 5] Auch der *fünfte* Einwand wird hierdurch widerlegt. Die Natur nämlich, durch die das Wort subsistiert, ist unmöglich etwas anderes als die Person des Wortes selbst. Jedoch subsistiert sie aufgrund der göttlichen, nicht aber aufgrund der menschlichen Natur; vielmehr zieht sie diese zu ihrer Subsistenz hin, so daß sie in ihr subsistiert, wie gesagt wurde. Daher kann es sich bei der menschlichen Natur nicht um die Person des Wortes handeln.

[Zu 6] Damit schließt sich auch der *sechste* Einwand aus. Eine Hypostase nämlich, existiere sie nun in Wirklichkeit oder im Intellekt, ist weniger einfach als die Natur, durch die sie im Sein konstituiert wird: in Wirklichkeit, wenn die Hypostase nicht mit ihrer Natur identisch ist; im Intellekt einzig bei demjenigen, bei dem Hypostase und Natur identisch sind. Die Hypostase des Wortes jedoch konstituiert sich nicht schlechthin aufgrund der menschlichen Natur, so daß sie durch diese existierte; vielmehr verdankt ihr das Wort einzig dieses, daß es Mensch ist. Folglich ist die menschliche Natur nicht einfacher als das Wort qua Wort, sondern einzig unter der Hinsicht, daß das Wort dieser Mensch ist.

[Zu 7] Hieraus wird auch die Widerlegung des *siebten* Einwandes ersichtlich. Es folgt nämlich nicht, daß die Hypostase des Wortes Gottes schlechthin durch umzeichnete Materie konstituiert ist; dies gilt einzig im Hinblick auf die Tatsache, daß es dieser Mensch ist. So ist sie lediglich in diesem Sinne durch die menschliche Natur konstituiert, wie gesagt wurde.

[Zu 8] Die Tatsache jedoch, daß die menschliche Seele und der Leib in Christus zum Personsein des Wortes gezogen werden, wobei sie nicht eine weitere Person außer der des Wortes konstituieren, bedeutet keine Schmä-

nitatem maiorem. Unumquodque enim melius esse habet cum suo digniori unitur, quam cum per se existit: sicut anima sensibilis nobilius esse
habet in homine quam in aliis animalibus, in quibus est forma principalis,
non tamen in homine.

Hinc etiam solvitur quod *nono* obiiciebatur. In Christo enim vere quidem fuit haec anima et hoc corpus: non tamen ex eis constituta est persona
aliqua praeter personam Dei Verbi, quia sunt ad personalitatem Dei Verbi
assumpta; sicut et corpus, cum est sine anima, propriam speciem habet,
sed cum unitur animae, ab ea speciem sortitur.

Ex hoc etiam solvitur quod *decimo* proponebatur. Manifestum est enim
quod hic homo qui est Christus, substantia quaedam est non universalis,
sed particularis. Et hypostasis quaedam est, non tamen alia hypostasis
quam hypostasis Verbi: quia humana natura ab hypostasi Verbi assumpta
est ut Verbum subsistat tam in humana natura quam in divina. Id autem
quod in humana natura subsistit, est hic homo. Unde ipsum Verbum sup-
ponitur cum dicitur ‚hic homo‘.

Sed si quis eandem obiectionem ad humanam naturam transferat, dicens
eam esse substantiam quandam non universalem sed particularem, et per
consequens hypostasim: –manifeste decipitur. Nam humana natura etiam
in Socrate vel Platone non est hypostasis: sed id quod in ea subsistit,
hypostasis est.

Quod autem substantia sit et particularis, non secundum illam significationem dicitur qua hypostasis est particularis substantia. ‚Substantia‘
2a 11–19   enim, secundum Philosophum [*Categ.* c. 5], dicitur dupliciter: scilicet pro
supposito in genere substantiae, quod dicitur hypostasis; et de eo quod
quid est, quod est ‚natura rei‘.

Sed neque partes alicuius substantiae sic dicuntur particulares substantiae quasi sint per se subsistentes, sed subsistunt in toto. Unde nec hypostases possunt dici: cum nulla earum sit substantia completa. Alias sequeretur quod in uno homine tot essent hypostases quot sunt partes.

Quod vero *undecimo* oppositum fuit, ex eo solvitur quod aequivocatio
inducitur ex diversa forma significata per nomen, non autem ex diversitate

lerung an Wirkvermögen, wie der *achte* Einwand lautete, sondern gereicht zur größeren Würde. Jedwede Sache nämlich verfügt über ein besseres Sein, wenn es sich mit etwas vereint, was würdiger als es selbst ist, statt für sich zu existieren. So verfügt die Sinnenseele im Menschen über vorzüglicheres Sein als in anderen Lebewesen, in denen sie die Hauptform ausmacht, nicht aber beim Menschen.

[Zu 9] Hiermit erledigt sich auch der *neunte* Einwand. In Christus nämlich gab es wahrhaft diese Seele und diesen Leib; dennoch konstituierte sich hieraus nicht eine weitere, von der Person des Wortes verschiedene Person, da sie in das Personsein des Wortes Gottes aufgenommen wurden. Ebenso hat der unbeseelte Körper eine ihm eigentümlich zukommende Art. Vereinigt er sich aber mit einer Seele, so erlangt er von ihr die Art.

[Zu 10] Damit erledigt sich auch der *zehnte* Einwand. Es ist offenkundig, daß dieser Mensch Christus keine universale, sondern eine partikuläre Substanz ist; ebenso offenkundig handelt es sich um eine Hypostase, doch um keine andere als die des Wortes Gottes, da die menschliche Natur von der Hypostase des Wortes dergestalt angenommen wurde, daß das Wort sowohl in der menschlichen als auch in der göttlichen Natur subsistiert. Bei demjenigen, welches in der menschlichen Natur subsistiert, handelt es sich um diesen Menschen; daher meint man das Wort selbst, wenn man „dieser Mensch" sagt.

Überträgt man aber diesen Einwand auf die menschliche Natur, indem man sagt, sie sei eine bestimmte Substanz, die nicht universal, sondern partikulär und damit eine Hypostase ist, so täuscht man sich offensichtlich. Die menschliche Natur, ob in Plato oder in Sokrates, ist keine Hypostase, sondern sie ist dasjenige, worin eine Hypostase subsistiert.

Wenn es heißt, sie sei eine Substanz und partikulär, dann ist der Sinn nicht derselbe, wie wenn wir sagen, eine Hypostase sei eine partikuläre Substanz. Dem Philosophen (Aristoteles) gemäß hat der Ausdruck „Substanz" eine zweifache Bedeutung: einmal bedeutet er „das Zugrundeliegende in der Gattung der Substanz". Dies heißt „Hypostase". Einmal bedeutet er ‚das, was es ist'. Dies ist die ‚Natur der betreffenden Sache'.

Auch heißen nicht die Teile einer Substanz partikuläre Substanzen, so als würden sie durch sich subsistieren; sie subsistieren vielmehr im Ganzen. Daher kann man sie auch nicht Hypostasen nennen, weil keines von ihnen eine vollständige Substanz darstellt. Andernfalls gäbe es in einem einzelnen Menschen so viele Hypostasen wie Teile vorhanden sind.

[Zu 11] Der *elfte* Einwand wird folgendermaßen widerlegt: Äquivokation besteht darin, daß man denselben Ausdruck für unterschiedliche Formen, nicht aber für unterschiedliche Supposita verwendet. So liegt keine

suppositionis: non enim hoc nomen ‚homo' aequivoce sumitur ex eo quod quandoque supponit pro Platone, quandoque pro Socrate. Hoc igitur nomen ‚homo', et de Christo et de aliis hominibus dictum, semper eandem formam significat, scilicet naturam humanam. Unde univoce praedicatur de eis: sed suppositio tantum variatur, in hoc quod quidem secundum quod pro Christo sumitur, supponit hypostasim increatam; secundum vero quod pro aliis sumitur, supponit hypostasim creatam.

Neque etiam hypostasis Verbi dicitur esse suppositum humanae naturae quasi subiiciatur ei ut formaliori, sicut *duodecima* ratio proponebat. Hoc enim esset necessarium si hypostasis Verbi per naturam humanam simpliciter constitueretur in esse. Quod patet esse falsum: dicitur enim hypostasis Verbi humanae naturae supponi prout eam ad suam subsistentiam trahit, sicut aliquid trahitur ad alterum nobilius cui unitur.

Non tamen sequitur quod humana natura accidentaliter Verbo adveniat, ex hoc quod Verbum ab aeterno praeextitit, sicut *ultima* ratio concludebat. Sic enim Verbum humanam naturam assumpsit ut vere sit homo. Esse autem hominem est esse in genere substantiae. Quia igitur ex unione naturae humanae hypostasis Verbi habet quod sit homo, non advenit ei accidentaliter: nam accidentia esse substantiale non conferunt.

Capitulum L

Quod peccatum originale traducatur a primo parente in posteros

Ostensum est igitur in praemissis non esse impossibile quod fides Catholica de incarnatione Filii Dei praedicat. Consequens autem est ostendere quod conveniens fuit Filium Dei naturam assumpsisse humanam.

Huius autem convenientiae rationem Apostolus assignare videtur ex peccato originali, quod in omnes pertransit: dicit enim Rom. V: „Sicut per inobedientiam unius hominis peccatores constituti sunt multi, ita et per unius hominis obedientiam iusti constituentur multi". Sed quia Pelagiani

Äquivokation vor, wenn man den Ausdruck ‚Mensch‘ einmal für Platon, ein anderes Mal für Sokrates verwendet. Folglich bezeichnet der Ausdruck ‚Mensch‘, wendet man ihn auf Christus und die anderen Menschen an, stets dieselbe Form, nämlich die menschliche Natur. Daher wird er ihnen univok zugeschrieben. Der Bezeichnungsmodus ändert sich aber nur dann, wenn er, auf Christus angewendet, für die ungeschaffene Hypostase steht, während er, auf andere Menschen angewendet, für die geschaffene Hypostase steht.

[Zu 12] Auch nennt man die Hypostase des Wortes nicht das Suppositum der menschlichen Natur, als liege sie als der formhafteren zugrunde, was der *zwölfte* Einwand behauptete. Dies wäre in der Tat notwendig, würde die Hypostase des Wortes durch die menschliche Natur schlechthin im Sein konstituiert, was offensichtlich falsch ist. Die Hypostase des Wortes soll nämlich der menschlichen Natur dergestalt zugrunde liegen, daß sie sie zu ihrer Subsistenz hinzieht, gleichwie etwas zu einem Vorzüglicheren hingezogen ist, mit dem es sich vereinigt.

[Zu 13] Daraus, daß das Wort von Ewigkeit präexistierte, folgt jedoch nicht, daß die menschliche Natur dem Worte beiläufig zukommt, wie der *letzte* Einwand folgerte. Das Wort nahm nämlich menschliche Natur an, um wahrhaft Mensch zu sein. Menschsein aber bedeutet, in der Gattung der Substanz zu sein. Da es der Hypostase des Wortes aufgrund seiner Vereinigung mit der menschlichen Natur zukommt, Mensch zu sein, so kommt ihr dies nicht beiläufig zu, denn Akzidentien verleihen nicht substantiales Sein.

50. Kapitel

Die Erbsünde wird von den ersten Eltern an die Nachfahren übertragen

Mit den bisherigen Erörterungen (IV 28 – 49) ist also nachgewiesen, daß das, was der Katholische Glaube von der Inkarnation des Wortes Gottes verkündigt, nicht unmöglich ist. Folglich bleibt zu zeigen, daß es angemessen war, daß der Sohn Gottes menschliche Natur annahm (IV 27).

Anscheinend erblickt der Apostel den Grund für die Angemessenheit in der Erbsünde, die auf alle übergeht. So sagt er Rö 5,19: „Denn wie durch den Ungehorsam des einen Menschen die Vielen zu Sündern gemacht wurden, so werden auch durch den Gehorsam des Einen die Vielen zu Gerechten gemacht". Da die häretischen Pelagianer die Erbsünde leug-

PL 42/47–49 haeretici peccatum originale negaverunt [August., *De haeres.* c. 88], ostendendum est homines cum peccato originali nasci.

Et primo quidem assumendum est quod dicitur Gen. II: „Tulit Dominus Deus hominem et posuit eum in paradiso, praecepitque ei dicens ‚Ex omni ligno paradisi comede, de ligno autem scientiae boni et mali ne comedas: in quacumque autem die comederis ex eo, morte morieris'". Sed quia Adam nec eo die quo comedit actu Mortuus est, oportet sic intelligi quod dicitur „morte morieris": idest, ‚necessitati mortis eris addictus'. Quod quidem frustra diceretur si homo ex institutione suae naturae necessitatem moriendi haberet. Oportet igitur dicere quod mors, et necessitas moriendi, sit poena homini pro peccato inflicta. Poena autem non infligitur iuste nisi pro culpa. In quibuscumque igitur invenitur haec poena, necesse est ut in eis inveniatur aliqua culpa. Sed in omni homine invenitur haec poena, etiam a principio suae nativitatis: ex tunc enim nascitur necessitati mortis addictus; unde et aliqui mox post nativitatem moriuntur, „de utero" translati „ad tumulum" [Iob X].

Ergo in eis est aliquod peccatum. Sed non peccatum actuale: quia non habent pueri usum liberi arbitrii, sine quo nihil imputatur homini ad peccatum, ut ex his quae dicta sunt in tertio libro apparet. Necesse est igitur dicere quod in eis sit peccatum per originem traductum.

Hoc etiam expresse apparet ex verbis Apostoli Rom. V: „Sicut per unum hominem in hunc mundum peccatum intravit, et per peccatum mors, ita et in omnes homines mors pertransiit, in quo omnes peccaverunt".

Non potest autem dici quod per unum hominem in mundum peccatum intraverit per modum imitationis. Quia sic peccatum non pervenisset nisi ad eos qui peccando primum hominem imitantur: et, cum mors per peccatum in mundum intraverit, non perveniret mors nisi ad eos qui peccant in similitudinem primi hominis peccantis. Sed ad hoc excludendum, Apostolus subdit [ibid.] quod „regnavit mors ab Adam usque ad Moysen etiam in eos qui non peccaverunt in similitudinem praevaricationis Adae." Non ergo intellexit Apostolus quod per unum hominem peccatum in mundum intraverit per modum imitationis, sed per modum originis.

Praeterea. Si secundum imitationem Apostolus loqueretur de introitu

neten, so muß nachgewiesen werden, daß die Menschen mit der Erbsünde geboren werden.

Zunächst hat man das Wort Gen 2, 15 ff. heranzuziehen: „Jahwe Gott nahm den Menschen und setzte ihn in den Garten Eden …, und Jahwe Gott gab den Menschen dieses Gebot: „Von allen Bäumen des Gartens darfst du essen. Von dem Baum der Erkenntnis des Guten und Bösen aber darfst du nicht essen. Denn am Tage, da du davon issest, mußt du sicher sterben". Da nun Adam am selben Tage, als er davon aß, tatsächlich nicht starb, so hat man das Wort „so mußt du sicher sterben" so zu verstehen, daß es bedeutet: „so wird es für dich notwendig sein, daß du stirbst". Dies wäre jedoch vergeblich gesagt, wäre es für den Menschen aufgrund der Eigenart seiner Natur notwendig zu sterben. Folglich muß man sagen, daß der Tod und die Notwendigkeit zu sterben eine dem Menschen aufgrund eines Vergehens auferlegte Strafe sind. Eine Strafe wird aber nur dann gerecht auferlegt, wenn ein Vergehen vorliegt. Jeder also, der auf diese Weise bestraft ist, muß sich eines Vergehens schuldig gemacht haben. Doch findet sich diese Strafe in jedem Menschen, sogar vom Moment seiner Geburt; denn ist er geboren, so steht er auch schon unter der Notwendigkeit zu sterben. Daher sterben einige bald nach der Geburt und werden „vom Mutterleib weg zu Grabe getragen" (Ijob 10, 19).

Also gibt es in ihnen irgendein Vergehen. Doch handelt es sich nicht um ein aktuelles Vergehen, weil die Kinder noch nicht vom freien Willen Gebrauch machen, ohne den dem Menschen nichts als Sünde angerechnet wird, wie aus dem im 3. Buche Erörterten hervorgeht (III 129 ff.). Also muß man sagen, in ihnen sei Erbsünde.

Dies geht ausdrücklich aus den Worten des Apostels von Rö 5, 12 hervor: „Deshalb, wie durch einen Menschen die Sünde in die Welt gekommen ist und durch die Sünde der Tod und so der Tod auf alle Menschen überging aufgrund der Tatsache, daß alle sündigten".

Nun kann man nicht sagen, durch einen Menschen sei die Sünde aufgrund von Nachahmung in die Welt gekommen, weil die Sünde somit nur auf diejenigen übergegangen wäre, welche durch Sündigen den ersten Menschen nachahmten. Da der Tod durch die Sünde in die Welt kam, so würde er nur zu jenen gelangen, welche durch Nachahmung des sündigenden ersten Menschen sündigen. Um dies auszuschließen fügt der Apostel in Rö 5, 14 hinzu: „Gleichwohl übte der Tod seine Herrschaft von Adam bis auf Mose auch über solche aus, die nicht entsprechend der Übertretung Adams gesündigt hatten". Also verstand es der Apostel nicht so, daß nach Art von Nachahmung die Sünde durch einen Menschen in die Welt kam, sondern auf ursprungshafte Weise.

Außerdem. Hätte der Apostel lediglich vom Eintritt der Sünde in die

peccati in mundum, potius dixisset per diabolum peccatum intrasse in mundum quam per unum hominem: sicut etiam expresse dicitur Sap. II: „Invidia diaboli mors introivit in orbem terrarum: imitantur autem illum qui sunt ex parte illius".

Adhuc. In Psalmo [L] David dicit: „Ecce, in iniquitatibus conceptus sum, et in peccatis concepit me mater mea". Quod non potest intelligi de peccato actuali: cum David ex legitimo matrimonio conceptus et natus dicatur. Oportet igitur ut hoc ad peccatum originale referatur.

Amplius. Iob XIV dicitur: „Quis potest facere mundum de immundo conceptum semine? Nonne tu qui solus es?" Ex quo manifeste accipi potest quod ex immunditia humani seminis aliqua immunditia ad hominem ex semine conceptum perveniat. Quod oportet intelligi de immunditia peccati, pro qua sola homo in iudicium deducitur: praemittitur enim [ibid.]: „Et dignum ducis super huiuscemodi aperire oculos tuos, et adducere eum tecum in iudicium?" Sic igitur aliquod peccatum est quod homo contrahit ab ipsa sui origine, quod ‚originale' dicitur.

Item. Baptismus et alia sacramenta Ecclesiae sunt quaedam remedia contra peccatum, ut infra patebit. Exhibetur autem baptismus, secundum communem Ecclesiae consuetudinem, pueris recenter natis. Frustra igitur exhiberetur nisi in eis esset aliquod peccatum. Non est autem in eis peccatum actuale: quia carent usu liberi arbitrii, sine quo nullus actus homini in culpam imputatur. Oportet igitur dicere in eis esse peccatum per originem traductum: cum in operibus Dei et Ecclesiae nihil sit vanum et frustra[40].

Si autem dicatur quod baptismus infantibus datur, non ut a peccato mundentur, sed ut ad regnum Dei perveniant, quo perveniri non potest sine baptismo, cum Dominus dicat, Ioan. III: „Nisi quis renatus fuerit ex aqua et Spiritu Sancto, non potest introire in regnum Dei": hoc vanum est.

Nullus enim a regno Dei excluditur nisi propter aliquam culpam. Finis enim omnis rationalis creaturae est ut ad beatitudinem perveniat, quae esse non potest nisi in regno Dei. Quod quidem nihil est aliud quam ordinata societas eorum qui divina visione fruuntur, in qua vera beatitudo consistit, ut patet ex his quae in Tertio sunt ostensa. Nihil autem a fine suo deficit nisi propter aliquod peccatum. Si igitur pueri nondum baptizati ad regnum Dei pervenire non possunt, oportet dicere esse in eis aliquod peccatum.

---

[40] Cf. Aristotelem, *De an.* III 9 (432b 21); 12 (434a 31).

Welt aufgrund von Nachahmung gesprochen, so hätte er besser daran getan zu sagen, sie sei durch den Teufel in die Welt gekommen statt durch einen Menschen, wie es auch in Weish 2,2 ausdrücklich heißt: „Durch den Neid des Teufels aber ist der Tod in die Welt gekommen, und die ihm angehören, ahmen ihn nach".

Zudem. David spricht (Ps 51,7): „Siehe, ich bin geboren in Schuld; ich war schon in Sünde, als mich die Mutter empfangen". Dies kann sich nicht auf eine aktuale Sünde beziehen, hält man sich vor Augen, daß David in einer legitimen Ehebeziehung empfangen und geboren wurde. Folglich muß es sich auf die Erbsünde beziehen.

Ferner. Es heißt Ijob 14,4: „Kann denn ein Reiner von Unreinem kommen? Auch nicht ein einziger!". Hieraus kann man offensichtlich entnehmen, daß aufgrund der Unreinheit des menschlichen Samens eine Unreinheit auf den aus dem Samen empfangenen Menschen übergeht. Dies muß sich auf die Unreinheit der Sünde beziehen, für die allein der Mensch vor den Richterstuhl gebracht wird. So wird in Ijob 14,3 vorausgeschickt: „Auch hältst du über ihn dein Auge offen und bringst ihn gar vor deinen Richterstuhl". Also ist es eine Sünde, die man sich von Beginn seines Lebens an zuzieht. Sie heißt Ursprungssünde.

Überdies. Es handelt sich bei der Taufe und bei den anderen Sakramenten um Heilmittel gegen die Sünde, wie weiter unten (IV 56) deutlich werden wird. Nun ist es allgemeiner Kirchenbrauch, Neugeborene zu taufen. Dies wäre nur dann sinnvoll, gäbe es in ihnen eine Sünde. Nun haben sie sich nicht aktual versündigt, da sie noch nicht vom freien Willen Gebrauch machen können, ohne den einem Menschen kein Akt als Schuld angerechnet wird. Also muß man sagen, es gebe in ihnen eine durch ihren Ursprung übertragene Sünde, da es unter den Werken Gottes und der Kirche nichts Sinn- und Ziellosels gibt.

Heißt es aber, die Taufe werde den Kindern nicht zur Reinigung von den Sünden gegeben, sondern damit sie in das Reich Gottes gelangen, wohin man nicht ohne Taufe gelangen kann (da der Herr Joh 3,5 sagt: „Wer nicht aus Wasser und Geist geboren wird, kann nicht in das Reich Gottes eingehen"), so ist dies sinnlos.

Es wird nämlich nur jener vom Reiche Gottes ausgeschlossen, welcher eine Schuld trägt. Das Ziel aller Vernunftkreatur nämlich besteht darin, zur Glückseligkeit zu gelangen. Dies kann nur im Reiche Gottes eintreffen, was in nichts anderem besteht als in der geordneten Gemeinschaft derer, welche die Gottesschau genießen. Hierin besteht die wahre Glückseligkeit, wie aus dem im 3. Buch Erwiesenen (III 48 ff.) klar hervorgeht (III 37 ff.). Nun verfehlt nichts sein Ziel außer wegen eines Fehlers. Können mithin die noch ungetauften Kinder nicht in das Reich Gottes gelangen, so muß man sagen, daß es in ihnen Sünde gibt.

Sic igitur, secundum Catholicae fidei traditionem, tenendum est homines nasci cum peccato originali.

Capitulum LI

Obiectiones contra peccatum originale

Sunt autem quaedam quae huic veritati adversari videntur.

Peccatum enim unius aliis non imputatur ad culpam: unde Ezech. XVIII dicitur quod „filius non portat iniquitatem patris". Et huius ratio est quia non laudamur neque vituperamur nisi ex his quae in nobis sunt. Haec autem sunt quae nostra voluntate committimus. Non igitur peccatum primi hominis toti humano generi imputatur.

Si vero quis dicat quod, uno peccante, „omnes peccaverunt in ipso" ut Apostolus dicere videtur [Rom. V], et sic uni non imputatur peccatum alterius, sed suum peccatum: hoc etiam, ut videtur, stare non potest.

Quia illi qui ex Adam nati sunt, quando Adam peccavit, in eo nondum erant actu, sed virtute tantum, sicut in prima origine. Peccare autem, cum sit agere, non competit nisi existenti in actu. Non igitur in Adam omnes peccavimus.

Si autem ita dicatur nos in Adam peccasse quasi originaliter ab eo in nos peccatum proveniat simul cum natura: hoc etiam impossibile videtur.

Accidens enim, cum de subiecto ad subiectum non transeat, non potest traduci nisi subiectum traducatur. Subiectum autem peccati anima rationalis est, quae non traducitur in nos ex primo parente, sed a Deo singillatim creatur in unoquoque, ut in Secundo ostensum est. Non igitur per originem peccatum ad nos ab Adam derivari potest.

Adhuc. Si peccatum a primo parente in alios derivatur quia ab eo originem trahunt, cum Christus a primo parente originem duxerit, videtur quod ipse etiam peccato originali subiectus fuerit. Quod est alienum a fide.

Praeterea. Quod consequitur aliquid secundum suam originem natura-

Somit muß man entsprechend der Überlieferung des Katholischen Glaubens daran festhalten, daß die Menschen mit der Erbsünde geboren werden.

51. KAPITEL

EINWÄNDE GEGEN DIE ERBSÜNDE

Doch gibt es Einwände, welche dieser Wahrheit zu widerstreiten scheinen.

[1] So wird die Sünde eines Menschen nicht anderen als Schuld angerechnet. Daher heißt es Ezech 18, 20: „Aber der Sohn soll nicht die Schuld des Vaters tragen". Der Grund hierfür liegt darin, daß wir nur für das gelobt oder getadelt werden, was in uns ist. Es ist das, was wir freiwillig tun. Also wird die Sünde des ersten Menschen nicht dem gesamten Menschengeschlecht eingepflanzt.

[2] Sagt jemand jedoch, mit der Sünde des einen hätten „alle in ihm gesündigt", wie der Apostel offenbar behauptet [Rö 5, 19], und somit werde dem einen die Sünde eines anderen nicht angerechnet, sondern nur seine eigene, so kann man diesen Einwand offenbar auch nicht aufrechterhalten.

Als nämlich Adam sündigte, waren seine Nachkommen noch nicht tatsächlich in ihm, sondern nur dem Vermögen nach als ihrem ersten Ursprung. Nur jemand, der tatsächlich existiert, kann sündigen, da zu sündigen zu handeln bedeutet. Also haben wir nicht alle in Adam gesündigt.

[3] Heißt es aber, wir hätten in dem Sinne in Adam gesündigt, daß er ursprünglich seine Sünde zusammen mit unserer Natur an uns übertragen hat, so scheint dies ebenfalls unmöglich.

Ein Akzidens nämlich kann nur dann übertragen werden, wenn das Zugrundeliegende selbst übertragen wird, da es nicht von einem Subjekt zu einem anderen übergeht. Das der Sünde Zugrundeliegende ist jedoch eine Verstandesseele. Sie wird uns nicht vom ersten Elternpaar übertragen, sondern von Gott in jedem nach Art einer Einprägung geschaffen, wie erwiesen worden ist (II 86 f.). Folglich kann sich die Sünde nicht durch unseren Ursprung von Adam auf uns übertragen.

[4] Ferner. Wird die Sünde vom ersten Elternpaar auf andere übertragen, weil sie ihm letztlich entstammen, so scheint auch Christus der Erbsünde unterworfen, sofern er dem ersten Elternpaar entspringt. Dies ist dem Glauben fremd.

[5] Außerdem. Was eine Folge des natürlichen Ursprungs einer Sache

lem, est ei naturale. Quod autem est alicui naturale, non est peccatum in ipso: sicut in talpa non est peccatum quod visu caret. Non igitur per originem a primo homine peccatum ad alios potuit derivari.

Si autem dicatur quod peccatum a primo parente in posteros derivatur per originem, non inquantum est naturalis, sed inquantum est vitiata: – hoc etiam, ut videtur, stare non potest.

Defectus enim in opere naturae non accidit nisi per defectum alicuius naturalis principii: sicut per corruptionem aliquam quae est in semine, causantur monstrosi partus animalium. Non est autem dare alicuius naturalis principii corruptionem in humano semine. Non videtur igitur quod aliquod peccatum ex vitiata origine derivetur in posteros a primo parente.

Item. Peccata quae proveniunt in operibus naturae per corruptionem alicuius principii, non fiunt semper vel frequenter, sed ut in paucioribus. Si igitur per vitiatam originem peccatum a primo parente in posteros derivetur, non derivabitur in omnes, sed in aliquos paucos.

Praeterea. Si per vitiatam originem aliquis defectus in prole proveniat, eiusdem generis oportet esse illum defectum cum vitio qui est in origine: quia effectus sunt conformes suis causis. Origo autem, sive generatio humana, cum sit actus potentiae generativae, quae nullo modo participat rationem, non potest habere in se vitium quod pertineat ad genus culpae: quia in his solis actibus potest esse virtus vel vitium qui subduntur aliqualiter rationi; unde non imputatur homini ad culpam si propter vitiatam originem, nascatur leprosus vel caecus. Nullo igitur modo defectus culpabilis provenire potest a primo parente in posteros per vitiatam originem.

Adhuc. Naturae bonum per peccatum non tollitur: unde etiam in daemonibus manent naturalia bona, ut Dionysius dicit [*De div. nom.* c. 4]. Generatio autem est actus naturae. Non igitur per peccatum primi hominis vitiari potuit humanae generationis origo, ut sic peccatum primi hominis ad posteros derivaretur.

PG 3/725B

Amplius. Homo generat sibi similem secundum speciem. In his ergo quae non pertinent ad generationem speciei, non oportet filium assimilari parentibus. Peccatum autem non potest pertinere ad rationem speciei: quia

darstellt, das ist ihr natürlich. Ist jemandem etwas natürlich, so stellt es keine Sünde in ihm dar. So ist es nicht Schuld des Maulwurfs, daß er blind ist. Also konnte sich die Sünde nicht aufgrund ihres Ursprungs vom ersten Menschen auf andere übertragen.

[6] Hieße es aber, die Sünde sei vom ersten Elternpaar auf die Nachfahren aufgrund des Ursprungs übertragen worden, allerdings nicht, insofern er natürlich, sondern insofern er verderbt war, so kann man diesen Einwand, wie es scheint, ebenfalls nicht aufrechterhalten.

Ein Defekt im Werke der Natur nämlich kommt nur aufgrund eines Defektes eines natürlichen Prinzips vor. So werden monströse Tiergeburten durch Verderbtheit des Samens verursacht. Doch gibt es keine Verderbtheit des natürlichen Prinzips im menschlichen Samen. Demnach scheint es nicht der Fall, daß sich eine Sünde aufgrund des verdorbenen Ursprungs vom ersten Elternpaar auf die Nachfahren überträgt.

[7] Ferner. Verfehlungen, welche in den Werken der Natur aufgrund der Verderbtheit eines Prinzips zustande kommen, kommen weder immer noch häufig, sondern in seltenen Fällen vor. Überträgt sich also die Sünde aufgrund des verderbten Ursprungs vom ersten Elternpaar auf die Nachfahren, so überträgt sie sich nicht auf alle, sondern nur auf einige wenige.

[8] Außerdem. Kommt aufgrund des verderbten Ursprungs in der Nachkommenschaft ein Defekt vor, so muß jener Defekt derselben Gattung angehören wie der ursprüngliche Fehl, da Effekte ihren Ursachen gleichgestaltet sind. Die menschliche Entstehung oder Zeugung ist ein Akt des Zeugungsvermögens, bei dem keineswegs Vernunft beteiligt ist. Deswegen kann sie keinen schuldhaften Fehl in sich bergen, da es einzig bei jenen Akten Tugend oder Fehl gibt, welche zu einem gewissen Grade vernunftbestimmt sind. Daher wird es dem Menschen nicht als Schuld angerechnet, wenn er aufgrund seines verderbten Ursprungs als Aussätziger oder als Blinder geboren wird. Also kann ein schuldhafter Defekt überhaupt nicht aufgrund des verderbten Ursprungs vom ersten Elternpaar auf die Nachfahren übergehen.

[9] Weiterhin. Sünde zerstört nicht das Gute der Natur. Deswegen bleibt naturhaft Gutes sogar in Dämonen bestehen, wie Dionysius sagt. Nun ist die Zeugung ein Akt der Natur. Folglich konnte der Ursprung menschlicher Entstehung nicht aufgrund der Sünde des ersten Menschen verderbt werden, so daß sich die Sünde des ersten Menschen auf die Nachfahren übertrug.

[10] Ferner. Der Mensch zeugt ein ihm Artgleiches. Daher ist ein Sohn nicht notwendigerweise seinen Eltern in Dingen ähnlich, die nicht zur Natur der Art gehören. Nun kann die Sünde kein Artmerkmal sein, da die Sünde keinen Teil dessen darstellt, was natürlich ist, sondern eher eine

peccatum non est eorum quae sunt secundum naturam, sed magis corruptio naturalis ordinis. Non igitur oportet quod ex primo homine peccante alii peccatores nascantur.

Praeterea. Filii magis similantur proximis parentibus quam remotis. Contingit autem quandoque quod proximi parentes sunt sine peccato, et in actu etiam generationis nullum peccatum committitur. Non igitur propter peccatum primi parentis peccatores omnes nascuntur.

Deinde, si peccatum a primo homine in alios derivatum est; maioris autem virtutis in agendo est bonum quam malum, ut supra ostensum est: multo magis satisfactio Adae, et iustitia eius, per eum ad alios transivit.

Adhuc. Si peccatum primi hominis per originem propagatur in posteros, pari etiam ratione peccata aliorum parentum ad posteros deveniunt. Et sic semper posteriores essent magis onerati peccatis quam priores. Quod praecipue ex hoc sequi necesse est, si peccatum transit a parente in prolem, et satisfactio transire non potest.

CAPITULUM LII

SOLUTIO OBIECTIONUM POSITARUM

Ad horum igitur solutionem, praemittendum est quod peccati originalis in humano genere probabiliter quaedam signa apparent. Cum enim Deus humanorum actuum sic curam gerat ut bonis operibus praemium et malis poenam retribuat, ut in superioribus est ostensum, ex ipsa poena possumus certificari de culpa. Patitur autem communiter humanum genus diversas poenas, et corporales et spirituales. Inter corporales potissima est mors, ad quam omnes aliae ordinantur: scilicet fames, sitis, et alia huiusmodi. Inter spirituales autem est potissima debilitas rationis, ex qua contingit quod homo difficulter pervenit ad veri cognitionem, et de facili labitur in errorem; et appetitus bestiales omnino superare non potest, sed multoties obnubilatur ab eis.

Posset tamen aliquis dicere huiusmodi defectus, tam corporales quam

Zerstörung der natürlichen Ordnung bedeutet. Mithin kann es nicht der Fall sein, daß aufgrund der Sünde des ersten Menschen die anderen als Sünder geboren werden.

[11] Außerdem. Kinder sind den nächsten Verwandten ähnlicher als den entfernten. Nun kann es geschehen, daß die unmittelbaren Verwandten ohne Sünde sind und daß beim Zeugungsakt keine Sünde begangen wird. Folglich werden nicht alle aufgrund der Sünde des ersten Elternpaares als Sünder geboren.

[12] Weiterhin. Wenn die Sünde vom ersten Menschen auf die anderen überging, und Gutes in seiner Tätigkeit wirkungsvoller ist als Böses, wie oben gezeigt wurde (III 12), so wurde durch Adam weit eher dessen Buße und Rechtschaffenheit auf die anderen übertragen.

[13] Darüber hinaus. Geht die Sünde des ersten Menschen aufgrund ihres Ursprungs auf die Nachfahren über, so gehen aus gleichem Grund auch die Sünden der anderen Eltern auf die Nachfahren über. Damit sind die Nachfahren stets mit mehr Sünden beladen als die Vorfahren. Dies muß sich insbesondere dann ergeben, wenn die Sünde von den Eltern auf den Nachwuchs übergeht, aber die Buße nicht übergehen kann.

52. Kapitel

Widerlegung der genannten Einwände

Zur Widerlegung dieser Einwände ist zunächst vorwegzuschicken, daß es offenbar bestimmte Anzeichen gibt, die mit Wahrscheinlichkeit auf das Vorliegen von Erbsünde im Menschengeschlecht schließen lassen. Da Gott über die Tätigkeiten der Menschen dergestalt wacht, daß er gute Werke belohnt und böse bestraft, wie weiter oben gezeigt wurde (III 140), so können wir aufgrund des Faktums der Strafe darauf schließen, daß Schuld vorliegt. Nun erleidet die Menschengattung gemeinsam unterschiedliche Strafen, körperliche wie geistige. Unter den körperlichen Strafen ist es vor allen Dingen der Tod, wozu alle anderen Strafen tendieren und hingeordnet sind, beispielsweise Hunger, Durst und dergleichen. Unter den geistigen ist es vor allem die Verstandesschwäche, woher es kommt, daß man nur unter Schwierigkeiten zur Erkenntnis des Wahren gelangt, leicht einem Irrtum verfällt und die animalischen Triebe überhaupt nicht überwinden kann, wobei man vielfach von ihnen umnebelt wird.

Dennoch könnte jemand behaupten, dergleichen Defekte, seien sie nun körperlich oder geistig, seien keine Strafen, sondern natürliche Defekte,

spirituales, non esse poenales, sed naturales defectus ex necessitate materiae consequentes. Necesse est enim corpus humanum, cum sit ex contrariis compositum, corruptibile esse; et sensibilem appetitum in ea quae sunt secundum sensum delectabilia moveri, quae interdum sunt contraria rationi; et cum intellectus possibilis sit in potentia ad omnia intelligibilia, nullum eorum habens in actu, sed ex sensibus natus ea acquirere, difficulter ad scientiam veritatis pertingere, et de facili propter phantasmata a vero deviare.

Sed tamen si quis recte consideret, satis probabiliter poterit aestimare, divina providentia supposita, quae singulis perfectionibus congrua perfectibilia coaptavit, quod Deus superiorem naturam inferiori ad hoc coniunxit ut ei dominaretur; et si quod huius dominii impedimentum ex defectu naturae contingeret, eius speciali et supernaturali beneficio tolleretur; ut scilicet, cum anima rationalis sit altioris naturae quam corpus, tali conditione credatur corpori esse coniuncta quod in corpore aliquid esse non possit contrarium animae, per quam corpus vivit; et similiter, si ratio in homine appetitui sensuali coniungitur et aliis sensitivis potentiis, quod ratio a sensitivis potentiis, non impediatur, sed magis eis dominetur.

Sic igitur, secundum doctrinam fidei, ponimus hominem a principio taliter esse institutum quod, quandiu ratio hominis Deo esset subiecta, et inferiores vires ei sine impedimento deservirent, et corpus ab eius subiectione impediri non posset per aliquod impedimentum corporale, Deo et sua gratia supplente quod ad hoc perficiendum natura minus habebat; ratione autem aversa a Deo, et inferiores vires a ratione repugnarent, et corpus vitae, quae est per animam, contrarias passiones susciperet.

Sic igitur huiusmodi defectus, quamvis naturales homini videantur, absolute considerando humanam naturam ex parte eius quod est in ea inferius, tamen, considerando divinam providentiam et dignitatem superioris partis humanae naturae, satis probabiliter probari potest huiusmodi defectus esse poenales. Et sic colligi potest humanum genus peccato aliquo originaliter esse infectum.

His igitur visis, respondendum est ad ea quae in contrarium sunt obiecta.

welche sich mit Notwendigkeit aus der Materie ergeben. So ist der menschliche Körper mit Notwendigkeit vergänglich, da er aus Gegensätzlichem zusammengesetzt ist. Das sinnesgebundene Streben muß zu Dingen neigen, die den Sinnen Lust bereiten, die jedoch bisweilen gegen die Vernunft sind. Der passive Intellekt verhält sich im Modus der Möglichkeit zu allem Erkennbaren. Hiervon besitzt er nichts tatsächlich, sondern erlangt es aufgrund seiner Natur vermittels der Sinne. So gelangt er unter Schwierigkeiten zur Kenntnis der Wahrheit und weicht aufgrund von Vorstellungen leicht vom Wahren ab.

Vorausgesetzt, daß die göttliche Vorsehung dem, was zu vervollkommnen ist, jeweils Vollkommenheiten zugeordnet hat, so wird man es hinreichend wahrscheinlich finden, wenn man es recht bedenkt, daß Gott eine höhere und eine niedere Natur deswegen vereint hat, damit die höhere die niedere beherrsche, und daß er ein dieser Herrschaft entgegenstehendes Hindernis, welches aufgrund eines natürlichen Defektes zustande kommt, durch besondere und übernatürliche Wohltätigkeit beseitigt. Da die Verstandesseele höherer Natur als der Körper ist, so nimmt man an, sie sei mit dem Körper dergestalt vereint, daß es nichts im Körper geben kann, was der Seele widerspräche, durch die der Körper lebendig ist. Ähnlich gilt: Ist der Verstand im Menschen mit sinnlichem Streben und den übrigen Sinnesvermögen verbunden, so wird er nicht durch die Sinnesvermögen behindert; eher beherrscht er sie.

Folglich behaupten wir gemäß der Lehre des Glaubens, daß der Mensch seit Beginn so eingerichtet ist, daß ihm nicht nur seine niederen Kräfte ohne Schaden dienlich sind, solange sein Verstand Gott unterworfen ist; es gibt auch nichts in seinem Körper, was aufgrund eines körperlichen Hindernisses seiner Unterordnung im Wege stünde. Denn Gott würde durch seine Gnade das ergänzen, über was die Natur zu wenig verfügte, um dies zu erreichen. Hätte sich der Verstand jedoch von Gott abgewandt, so würden die niederen Kräfte den Verstand bekämpfen, und sein Körper würde Leiden unterworfen, die dem Leben widerstreiten, das er von der Seele empfängt.

Obwohl diese Defekte, für sich gesehen, dem Menschen natürlich erscheinen, betrachtet man seine Natur von der niederen Seite, so kann man doch mit hinreichender Wahrscheinlichkeit zeigen, daß diese Defekte Strafen sind und folglich die Menschengattung ursprünglich mit einer Sünde behaftet ist, zieht man die göttliche Vorsehung und den höheren Teil der menschlichen Natur in Betracht.

Angesichts dessen sind nunmehr die gegenteiligen Ansichten zu beantworten.

Non enim est inconveniens quod, uno peccante, peccatum in omnes dicimus per originem esse propagatum, quamvis unusquisque ex proprio actu laudetur vel vituperetur: ut prima ratio procedebat. Aliter enim est in his quae sunt unius individui, et aliter in his quae sunt totius naturae speciei: nam „participatione speciei sunt plures homines velut unus homo", ut

Porphyrius dicit [*Isagoge*, c. *De specie*]. Peccatum igitur quod ad aliquod individuum sive personam hominis pertinet, alteri non imputatur ad culpam nisi peccanti: quia personaliter unus ab alio divisus est. Si quod autem peccatum est quod ipsam naturam speciei respiciat, non est inconveniens quod ex uno propagetur in alterum: sicut et natura speciei per unum aliis communicatur.

Cum autem peccatum malum quoddam sit rationalis naturae; malum autem est privatio boni: secundum illud bonum quod privatur, iudicandum est peccatum aliquod ad naturam communem, vel ad aliquam personam propriam pertinere. Peccata igitur actualia, quae communiter ab hominibus aguntur, adimunt aliquod bonum personae peccantis, puta gratiam et ordinem debitum partium animae: unde personalia sunt, nec, uno peccante, alteri imputantur. Primum autem peccatum primi hominis non solum peccantem destituit proprio et personali bono, scilicet gratia et debito ordine animae, sed etiam bono ad naturam communem pertinente. Ut enim supra dictum est, sic natura humana fuit instituta in sui primordio quod inferiores vires perfecte rationi subiicerentur, ratio Deo, et animae corpus, Deo per gratiam supplente id quod ad hoc deerat per naturam. Huiusmodi autem beneficium, quod a quibusdam ‚originalis iustitia‘[41] dicitur, sic primo homini collatum fuit ut ab eo simul cum natura humana propagaretur in posteros.

Ratione autem per peccatum primi hominis se subtrahente a subiectione divina, subsecutum est quod nec inferiores vires perfecte rationi subiiciantur, nec animae corpus: et hoc non tantum in primo peccante, sed idem defectus consequens pervenit ad posteros, ad quos etiam dicta originalis iustitia perventura erat.

Sic igitur peccatum primi hominis, a quo omnes alii secundum doctrinam fidei sunt derivati, et personale fuit, inquantum ipsum primum hominem proprio bono privavit; et naturale, inquantum abstulit sibi et suis

---

[41] Cf. Anselmum, *De conceptu virginali et originali peccato* c.1 (PL 158/434 A).

[Zu 1] Nun ist es nicht unvernünftig zu behaupten, daß die Sünde durch die Sünde des einen auf alle aufgrund ihres Ursprunges überging, auch wenn jeder aufgrund seiner eigenen Handlungen gelobt oder getadelt wird, wie das *erste* Argument (IV 51) lautete. Nun verhält es sich bei dem, was einem Individuum eignet und bei dem, was der gesamten Natur der Art zukommt, jeweils verschieden. „Durch Teilhabe an der Art nämlich sind mehrere Menschen gleichsam ein Mensch", wie Porphyrius bemerkt. Entsprechend rechnet man eine Sünde, die ein menschliches Individuum oder eine Person beging, nicht als Schuld einer anderen außer der des Sünders selbst an, weil es sich um jeweils verschiedene Personen handelt. Gibt es aber eine Sünde, die zur Artnatur selbst gehört, so ist es nicht unvernünftig, daß sie, genau wie die Artnatur, von einem Menschen den anderen übertragen wird.

Nun handelt es sich aber bei der Sünde um ein Übel rationaler Natur. Ein Übel stellt einen Mangel an Güte dar. Haben wir nun zu urteilen, ob eine Sünde zur gemeinsamen Natur oder zu einer Einzelperson gehört, so muß man darüber befinden, welches Gutes sie uns beraubt. Entsprechend berauben Aktualsünden, die alle Menschen gemeinhin begehen, die Person des Sünders eines Gutes, etwa der Gnade oder der rechten Ordnung zwischen den Seelenteilen. Folglich handelt es sich um persönliche Sünden. Wenn der eine sündigt, dann wird dies nicht einem anderen angerechnet. Die erste Sünde des ersten Menschen jedoch beraubte nicht nur den Sünder seines eigenen persönlichen Gutes, nämlich der Gnade und der rechten Seelenordnung, sondern ebenfalls jenes Gutes, welches zur gemeinsamen Natur gehört. So wurde bereits gesagt (III 81), daß die menschliche Natur ursprünglich so eingerichtet war, daß die niederen Kräfte vollkommen dem Verstande untergeordnet waren; der Verstand war Gott untergeordnet und der Körper der Seele, wobei Gott durch Gnade ergänzte, woran es der Natur nach fehlte. Ein derartiger Gnadenerweis wird von einigen „Ursprungsgerechtigkeit" genannt. Sie wurde dem ersten Menschen so zugeteilt, daß sie zusammen mit der menschlichen Natur von ihm auf die Nachfahren übertragen wurde.

Dadurch aber, daß sich der Verstand aufgrund der Sünde des ersten Menschen der Unterordnung unter Gott entzog, ergab es sich, daß sich weder die niederen Kräfte dem Verstande unterordneten noch der Körper der Seele. Dies geschah jedoch nicht nur beim ersten Sünder; derselbe Defekt gelangte auch gemeinsam auf die Nachfahren, auf die zudem die erwähnte Ursprungsgerechtigkeit übergangen war.

[Zu 2] Folglich handelte es sich bei der Sünde des ersten Menschen, von dem alle anderen abstammen, wie der Glaube lehrt, sowohl um eine persönliche Sünde, sofern sie den ersten Menschen selbst des eigenen

posteris consequenter beneficium collatum toti humanae naturae. Sic igitur huiusmodi defectus, in aliis consequens ex primo parente, etiam in aliis rationem culpae habet, prout omnes homines computantur unus homo per participationem naturae communis. Sic enim invenitur voluntarium huiusmodi peccatum voluntate primi parentis, quemadmodum et actio manus rationem culpae habet ex voluntate primi moventis, quod est ratio: ut sic aestimentur in peccato naturae diversi homines quasi naturae communis partes, sicut in peccato personali diversae unius hominis partes.

Secundum hoc igitur verum est dicere quod, uno peccante, omnes peccaverunt in ipso, ut Apostolus dicit: secundum quod secunda ratio proponebat. Non quod essent actu in ipso alii homines, sed virtute, sicut in originali principio. Nec dicuntur peccasse in eo quasi aliquem actum exercentes: sed inquantum pertinent ad naturam ipsius, quae per peccatum corrupta est.

Nec tamen sequitur, si peccatum a primo parente propagatur in posteros, cum subiectum peccati sit anima rationalis, quod anima rationalis simul cum semine propagetur: secundum processum *tertiae* rationis. Hoc enim modo propagatur hoc peccatum naturae quod originale dicitur, sicut et ipsa natura speciei, quae, quamvis per animam rationalem perficiatur, non tamen propagatur cum semine, sed solum corpus ad susceptionem talis animae aptum natum, ut in Secundo ostensum est.

Et licet Christus a primo parente secundum carnem descenderit, non tamen inquinationem originalis peccati incurrit, ut *quarta* ratio concludebat: quia materiam humani corporis solum a primo parente suscepit; virtus autem formativa corporis eius non fuit a primo parente derivata, sed fuit virtus Spiritus Sancti, ut supra ostensum est. Unde naturam humanam non ab Adam accepit sicut ab agente: licet eam de Adam susceperit sicut de materiali principio.

Considerandum est etiam quod praedicti defectus per naturalem originem traducuntur ex eo quod natura destituta est auxilio gratiae, quod ei fuerat in primo parente collatum ad posteros simul cum natura derivan-

Gutes beraubte, als auch um eine natürliche, sofern das Resultat dieser Sünde ihm und seinen Nachfahren einen Gnadenerweis entzog, welcher der gesamten menschlichen Natur gegolten hatte. Folglich ist dieser Defekt, welcher vom ersten Elternpaar auf die anderen überging, auch in den anderen Menschen schuldhaft, sofern alle Menschen aufgrund der Teilhabe an der ihnen gemeinsamen Natur als ein Mensch gezählt werden. So erweist sich diese Sünde hinsichtlich des Willens des ersten Elternpaares als freiwillig, geradeso wie die Tat der Hand aufgrund des Willens des Erstbewegers, d. h. des Verstandes schuldhaft ist. So beurteilt man die verschiedenen Menschen bei der Natursünde gleichsam wie Teile einer gemeinsamen Natur, bei der persönlichen Sünde gleichsam die verschiedenen Teile eines Menschen.

Demgemäß ist es wahr, mit dem Apostel zu behaupten (Rö 5, 19), daß „durch die Sünde des einen alle in ihm gesündigt haben", wie auch das *zweite* Argument lautete: nicht als wären andere Menschen tatsächlich in ihm; vielmehr sind sie in ihm wie in einem ursprünglichen Prinzip, also dem Vermögen nach. Auch heißt es nicht, sie hätten in ihm gesündigt, indem sie gleichsam eine Handlung vollführten, sondern sofern sie seine Natur teilten, welche durch die Sünde verdorben ist.

[Zu 3] Dennoch folgt daraus nicht, daß die Verstandesseele zugleich mit dem Samen übermittelt wird, sich die Sünde vom ersten Elternpaar auf die Nachfahren überträgt, und das Subjekt der Sünde die Verstandesseele ist. Dies behauptete jedoch der *dritte* Einwand. Diese Natursünde, welche Erbsünde heißt, überträgt sich auf die gleiche Weise wie die Natur der Art selbst. Obgleich die Verstandesseele diese Natur zur Vollendung bringt, überträgt sie sich nicht mit dem Samen, sondern einzig der Körper, welcher aufgrund seiner Natur fähig ist, eine derartige Seele aufzunehmen, wie im 2. Buch gezeigt wurde (II 86).

[Zu 4] Auch wenn Christus dem Fleische nach dem ersten Elternpaar entstammte, so war er dennoch nicht mit dem Makel der Erbsünde behaftet, wie der *vierte* Einwand folgerte. Vom ersten Elternpaar erhielt er nämlich einzig die Materie des menschlichen Körpers. Das seinen Körper gestaltende Vermögen jedoch entstammte nicht dem ersten Elternpaar, sondern es war die Kraft Heiligen Geistes, wie oben gezeigt wurde (IV 46). Daher nahm er die Menschennatur nicht von Adam an, als sei Adam der Handelnde; vielmehr nahm er sie von Adam wie von einem Materialprinzip an.

[Zu 5] Man hat auch zu erwägen, daß die genannten Defekte durch unseren natürlichen Ursprung deswegen übertragen werden, weil die Natur des Beistandes der Gnade beraubt ist, der ihr im ersten Elternpaar zukam, welcher dazu bestimmt war, zusammen mit der Natur auf die

dum. Et quia haec destitutio ex voluntario peccato processit, defectus consequens suscipit culpae rationem. Sic igitur defectus huiusmodi et culpabiles sunt per comparationem ad primum principium, quod est peccatum Adae; et naturales sunt per comparationem ad naturam iam destitutam; unde et Apostolus dicit, Ephes. II: „Eramus natura filii irae". Et per hoc solvitur ratio *quinta*.

Patet igitur secundum praedicta quod vitium originis ex quo peccatum originale causatur, provenit ex defectu alicuius principii, scilicet gratuiti doni quod naturae humanae in sui institutione fuit collatum. Quod quidem donum quodammodo fuit naturale: non quasi ex principiis naturae causatum, sed quia sic fuit homini datum ut simul cum natura propagaretur. Obiectio autem *sexta* procedebat secundum quod naturale dicitur quod ex principiis naturae causatur.

Procedit etiam *septima* ratio, per modum eundem, de defectu principii naturalis quod pertinet ad naturam speciei: quod enim ex defectu huiusmodi naturalis principii provenit, accidit ut in paucioribus. Sed defectus originalis peccati provenit ex defectu principii superadditi principiis speciei, ut dictum est.

Sciendum est etiam quod in actu generativae virtutis non potest esse vitium de genere actualis peccati, quod ex voluntate singularis personae dependet, eo quod actus generativae virtutis non obedit rationi vel voluntati, ut *octava* ratio procedebat. Sed vitium originalis culpae, quae ad naturam pertinet, nihil prohibet in actu generativae potentiae inveniri: cum et actus generativae potentiae naturales dicantur.

Quod vero *nono* obiicitur, de facili solvi potest secundum praemissa. Per peccatum enim non tollitur bonum naturae quod ad speciem naturae pertinet: sed bonum naturae quod per gratiam superadditum fuit, potuit per peccatum primi parentis auferri, ut supra dictum est.

Patet etiam ex eisdem de facili solutio ad *decimam* rationem. Quia cum privatio et defectus sibi invicem correspondeant, ea ratione in peccato originali filii parentibus similantur, qua etiam donum, a principio naturae

Nachfahren überzugehen. Da dieser Entzug aufgrund einer freiwillig begangenen Sünde erfolgte, so hat der sich daraus ergebende Defekt Schuldcharakter. Dementsprechend sind diese Defekte sowohl schuldhaft hinsichtlich ihres ersten Prinzips, welches in Adams Sünde lag, als auch natürlich hinsichtlich der bereits (der Gnade) entbehrenden Natur. Daher sagt der Apostel in Eph 2,3: „Wir waren von Natur Kinder des Zornes". Damit erledigt sich der *fünfte* Einwand.

[Zu 6] Damit ist deutlich, daß der ursprüngliche Fehl, wodurch die Erbsünde verursacht wurde, aufgrund des Fehlens eines Prinzips zustande kommt, nämlich der gnadenhaften Gabe, welche der menschlichen Natur bei seiner Erschaffung beigegeben wurde. In gewissem Sinne zwar war diese Gabe natürlich, doch nicht weil sie gleichsam durch Naturprinzipien verursacht worden wäre, sondern weil sie dem Menschen so gegeben wurde, daß sie zugleich mit der Natur weitergegeben werden sollte. Nun verstand der *sechste* Einwand ,natürlich' im Sinne dessen, was durch Naturprinzipien verursacht wird.

[Zu 7] Auch der *siebte* Einwand spricht vom Defekt eines natürlichen Prinzips im Sinne dessen, was zur Natur der Art gehört. Was sich nämlich aufgrund eines Defektes dieses natürlichen Prinzips ergibt, das trifft in seltenen Fällen zu; doch ergibt sich der Effekt der Erbsünde aufgrund des Fehls des Prinzips, welches dem Artprinzip zuzüglich zukommt, wie gesagt wurde.

[Zu 8] Auch muß man wissen, daß es im Akt des Zeugungsvermögens keinen Fehl nach Art einer Aktualsünde geben kann, da dies vom Willen einer Einzelperson abhängt, während der Akt des Zeugungsvermögens nicht dem Verstand oder dem Willen gehorcht, wie der *achte* Einwand meinte. Die Erbsünde aber gehört zur Natur. Deswegen hindert nichts daran, daß sie sich im Akt des Zeugungsvermögens findet, da auch die Akte des Zeugungsvermögens natürlich genannt werden.

[Zu 9] Aufgrund der bisherigen Überlegungen läßt sich ebenfalls der *neunte* Einwand leicht widerlegen. Durch die Sünde ist der Mensch nämlich nicht des natürlichen Gutes beraubt, welches seiner Artnatur zukommt. Das Gut der Natur, welches aufgrund von Gnade zuzüglich hinzukam, konnte durch die Sünde des ersten Elternpaares vernichtet werden, wie weiter oben gesagt wurde.

[Zu 10] Hieraus ergibt sich auch mühelos die Widerlegung des *zehnten* Einwandes. Da sich Beraubung und Defekt wechselseitig entsprechen, so folgt, daß die Kinder ihren Eltern hinsichtlich der Erbsünde insofern gleichen, als die der Natur ursprünglich zugeteilte Gabe von den Eltern auf die Nachfahren übergegangen wäre. Obwohl sie nicht im Wesen der Art enthalten war, so wurde sie dennoch aufgrund göttlicher Gnade dem er-

praestitum, fuisset a parentibus in posteros propagatum: quia licet ad rationem speciei non pertineret, tamen ex divina gratia datum fuit primo homini ut ab eo in totam speciem derivandum.

Considerandum est etiam quod, licet aliquis per gratiae sacramenta sic ab originali peccato mundetur ut ei non imputetur ad culpam, quod est personaliter ipsum a peccato originali liberari, non tamen natura totaliter sanatur: et ideo secundum actum naturae peccatum originale transmittitur in posteros. Sic igitur in homine generante in quantum est persona quaedam, non est originale peccatum; et contingit etiam in actu generationis nullum esse actuale peccatum, ut *undecima* ratio proponebat; sed inquantum homo generans est naturale generationis principium, infectio originalis peccati, quod naturam respicit, in eo manet et in actu generationis ipsius.

Sciendum etiam est quod peccatum actuale primi hominis in naturam transivit: quia natura in eo erat beneficio naturae praestito adhuc perfecta. Sed per peccatum ipsius natura hoc beneficio destituta, actus eius simpliciter personalis fuit. Unde non potuit satisfacere pro tota natura, neque bonum naturae reintegrare per suum actum: sed solum satisfacere aliquatenus potuit pro eo quod ad ipsius personam spectabat. Ex quo patet solutio ad *duodecimam* rationem.

Similiter autem et ad *tertiamdecimam*: quia peccata posteriorum parentum inveniunt naturam destitutam beneficio primitus ipsi naturae concesso. Unde ex eis non sequitur aliquis defectus qui propagetur in posteros, sed solum qui personam peccantis inficiat.

Sic igitur non est inconveniens, neque contra rationem, peccatum originale in hominibus esse: ut Pelagianorum haeresis confundatur, quae peccatum originale negavit.

CAPITULUM LIII

RATIONES QUIBUS VIDETUR PROBARI QUOD NON FUIT CONVENIENS DEUM INCARNARI

Quia vero incarnationis fides ab infidelibus stultitia reputatur, secundum illud Apostoli, I Cor. I: „Placuit Deo per stultitiam praedicationis salvos facere credentes"; stultum autem videtur aliquid praedicare, non

sten Menschen gegeben, damit sie sich von ihm ausgehend auf die gesamte Art übertrüge.

[Zu 11] Es gilt auch zu bedenken, daß selbst jemand nicht vollständig in seiner Natur geheilt ist, welcher durch die Sakramente der Gnade dergestalt von der Erbsünde reingewaschen ist, daß sie ihm nicht als Schuld angerechnet wird, was bedeutet, daß er persönlich von der Erbsünde befreit ist. Deshalb wird die Erbsünde durch einen Akt der Natur auf die Nachfahren übertragen. Selbst wenn also im zeugenden Menschen, sofern es sich um eine bestimmte Person handelt, keine Erbsünde vorhanden ist und es außerdem zutrifft, daß beim Zeugungsakt keine Sünde begangen wurde, was der *elfte* Einwand annahm, so steckt die Erbsünde nichtsdestoweniger sowohl den Erzeuger durch Infizierung der Natur an, sofern er das natürliche Zeugungsprinzip darstellt, als auch dessen Zeugungsakt.

[Zu 12] Auch muß man wissen, daß die Aktualsünde des ersten Menschen auf die Natur überging, weil Natur in ihm war. Bis dahin war sie wegen der ihr zugeteilten Gabe vollkommen; doch wurde die Natur aufgrund seiner Sünde dieser Gnadengabe beraubt. Somit wurde sein Akt schlechthin persönlich. Daher konnte er nicht für die gesamte Natur Buße tun, noch das Gut der Natur durch seinen Akt wiederherstellen. Er konnte nur bis zu einem gewissen Grade für sich selbst Buße tun. Dies reicht zur Beantwortung des *zwölften* Einwandes aus.

[Zu 13] Ähnlich erledigt sich auch der *dreizehnte* Einwand. Wenn Eltern in der Abfolge sündigen, dann ist die Natur bereits des ihm ursprünglich zuerteilten Gutes beraubt. Folglich verursacht ihre Sünde keinen Defekt, welcher der Nachkommenschaft übertragen würde, sondern infiziert nur die Person des Sünders.

Also ist es nicht unpassend oder unvernünftig, daß es die Erbsünde in den Menschen gibt. Das Gegenteil behauptete jedoch die Häresie der Pelagianer, die die Erbsünde leugnete.

53. KAPITEL

ARGUMENTE, DIE NACHZUWEISEN SCHEINEN, DASS DIE INKARNATION GOTTES NICHT ANGEMESSEN WAR

Dem Wort des Apostels von 1 Kor 1,21 gemäß, welches lautet: „Gott hat es für gut befunden, durch die Torheit der Predigt jene zu retten, die da glauben", wird der Inkarnationsglaube von den Ungläubigen als Torheit angesehen. Nun scheint es aber nicht allein töricht, etwas zu predigen,

solum quia est impossibile, sed etiam quia est indecens: insistunt infideles
ad incarnationis impugnationem, non solum nitentes ostendere esse impossibile quod fides Catholica praedicat, sed etiam incongruum esse, et
divinam bonitatem non decere.

Est enim divinae bonitati conveniens ut omnia suum ordinem teneant.
Est autem hic ordo rerum, ut Deus sit super omnia exaltatus, homo autem
inter infimas creaturas contineatur. Non igitur decet divinam maiestatem
humanae naturae uniri.

Item. Si conveniens fuit Deum hominem fieri, oportuit hoc esse propter
aliquam utilitatem inde provenientem. Sed quaecumque utilitas detur, cum
Deus omnipotens sit, hanc utilitatem producere potuit sola sua voluntate.
Cum igitur unumquodque fieri conveniat quam brevissime potest, non
oportuit quod Deus propter huiusmodi utilitatem humanam naturam sibi
uniret.

Adhuc. Cum Deus sit universalis omnium causa, ad utilitatem totius
universitatis rerum eum praecipue intendere oportet. Sed assumptio humanae naturae solum ad utilitatem hominis pertinet. Non igitur fuit conveniens quod, si alienam naturam Deus assumere debuit, quod solum naturam humanam assumpserit.

Amplius. Quanto aliquid est alicui magis simile, tanto ei convenientius
unitur. Deo autem similior et propinquior est angelica natura quam humana. Non igitur conveniens fuit assumere naturam humanam, angelica
praetermissa.

Praeterea. Id quod est praecipuum in homine est intelligentia veritatis.
In quo videtur homini impedimentum praestari si Deus humanam naturam assumpsit: datur enim ei ex hoc erroris occasio, ut consentiat his qui
posuerunt Deum non esse super omnia corpora exaltatum. Non igitur hoc
ad humanae naturae utilitatem conveniebat, quod Deus humanam naturam assumeret.

Item. Experimento discere possumus quod circa incarnationem Dei
plurimi errores sunt exorti. Videtur igitur humanae saluti conveniens non
fuisse quod Deus incarnaretur.

Adhuc. Inter omnia quae Deus fecit, istud videtur esse maximum, quod
ipsemet carnem assumpserit. Ex maximo autem opere maxima debet ex-

was Unmögliches beinhaltet, sondern auch deswegen, weil es unpassend ist. So bestehen die Ungläubigen darauf, die Inkarnation zu bekämpfen, nicht nur deswegen, weil sie glauben nachweisen zu können, daß das, was der Katholische Glaube predigt, unmöglich ist, sondern auch deswegen, weil sie es für unangemessen und der göttlichen Güte nicht geziemend erachten.

[1] Nun stimmt es mit der göttlichen Güte überein, daß alle Dinge ihre Ordnung einhalten. Doch erfordert diese Ordnung der Dinge, daß Gott über alles erhaben ist, der Mensch aber zu den niederen Geschöpfen zählt. Folglich ziemt es der göttlichen Majestät nicht, sich mit menschlicher Natur zu vereinen.

[2] Ferner. War es angemessen, daß Gott Mensch wurde, so hatte dies wegen eines bestimmten Nutzens zu geschehen, welcher sich hieraus ergab. Welchen Nutzen man auch immer annimmt, so konnte ihn Gott, da er allmächtig ist, allein durch seinen Willen zustande bringen. Da das angemessen in möglichst kurzer Zeit geschehen konnte, so war es nicht notwendig, daß Gott sich dieses Nutzens wegen mit der menschlichen Natur vereinte.

[3] Ferner. Da Gott die Universalursache von allem ist, so muß ihm insbesondere an dem gelegen sein, was dem Gesamt der Dinge nützt. Doch nutzt die Annahme der menschlichen Natur ausschließlich dem Menschen. Mußte also Gott eine andere Natur annehmen, so war es nicht angemessen, daß er einzig die menschliche Natur annahm.

[4] Ferner. Je mehr Dinge einander ähnlich sind, desto mehr ist es angemessen, wenn sie sich vereinen. Die Engelnatur ist jedoch Gott ähnlicher und näher als die menschliche. Also war es nicht angemessen, unter Übergehung der Engelnatur die menschliche Natur anzunehmen.

[5] Desgleichen. Hätte Gott die menschliche Natur angenommen, so scheint dies ein Hindernis für den Menschen zu bedeuten, das der Erkenntnis der Wahrheit (was den Menschen auszeichnet) entgegensteht. Damit nämlich ist eine Gelegenheit zum Irrtum gegeben, wenn er daraufhin denen zustimmt, welche behaupteten, Gott sei nicht über alle Körperdinge erhaben. Folglich war es im Hinblick darauf, was der menschlichen Natur von Nutzen ist, nicht angemessen, daß Gott menschliche Natur annahm.

[6] Desgleichen. Aus Erfahrung können wir lernen, daß mehrere Irrtümer hinsichtlich der Inkarnation Gottes aufgekommen sind. Also scheint es dem Heil der Menschen nicht angemessen, daß Gott sich inkarnierte.

[7] Weiterhin. Unter allen Werken Gottes scheint dies das größte, daß er Fleisch annahm. Von einem größten Werke jedoch darf man den größ-

pectari utilitas. Si igitur incarnatio Dei ad salutem hominum ordinatur, videtur fuisse conveniens quod ipse totum humanum genus salvasset: cum etiam omnium hominum salus vix videatur esse competens utilitas pro qua tantum opus fieri debuisset.

Amplius. Si propter salutem hominum Deus humanam naturam assumpsit, videtur fuisse conveniens ut eius divinitas hominibus per sufficientia indicia manifestaretur. Hoc autem non videtur contigisse: nam per aliquos alios homines, solo auxilio divinae virtutis absque unione Dei ad eorum naturam, inveniuntur similia miracula esse facta, vel etiam maiora quam fecerit Christus [Ioan. XIV]. Non igitur videtur Dei incarnatio sufficienter procurata fuisse ad humanam salutem.

Praeterea. Si hoc necessarium fuit humanae saluti quod Deus carnem assumeret, cum a principio mundi homines fuerint, videtur quod a principio mundi humanam naturam assumere debuit, et non quasi in fine temporum: videtur enim omnium praecedentium hominum salus praetermissa fuisse.

Item. Pari ratione, usque ad finem mundi debuisset eum hominibus conversari, ut homines sua praesentia erudiret et gubernaret.

Adhuc. Hoc maxime hominibus utile est, ut futurae beatitudinis in eis spes fundetur. Hanc autem spem magis ex Deo incarnato concepisset, si carnem immortalem et impassibilem et gloriosam assumpsisset, et omnibus ostendisset. Non igitur videtur fuisse conveniens quod carnem mortalem et infirmam assumpserit.

Amplius. Videtur fuisse conveniens, ad ostendendum quod omnia quae in mundo sunt, sint a Deo, quod ipse abundantia rerum mundanarum usus fuisset, in divitiis et in maximis honoribus vivens. Cuius contraria de ipso leguntur: quod pauperem et abiectam vitam duxit, et probrosam mortem sustinuit. Non igitur videtur esse conveniens quod fides de Deo incarnato praedicat.

Praeterea. Ex hoc quod ipse abiecta passus est, eius divinitas maxime fuit occultata: cum tamen hoc maxime necessarium fuerit hominibus ut eius divinitatem cognoscerent, si ipse fuit Deus incarnatus. Non igitur videtur quod fides praedicat humanae saluti convenire.

Si quis autem dicat quod propter obedientiam Patris Filius Dei mortem sustinuit, hoc non videtur rationabile.

ten Nutzen erwarten. Wenn also der Sinn der Inkarnation Gottes im Heil aller liegt, so scheint es angemessen, daß er das ganze Menschengeschlecht erlöste, da ja auch das Heil aller Menschen der angemessene Nutzen zu sein schien, zu dessen Erreichung ein so großes Werk geschehen mußte.

[8] Ferner. Hat Gott die menschliche Natur des Heiles der Menschen wegen angenommen, so scheint es angemessen gewesen zu sein, daß sich seine Gottheit den Menschen durch hinreichende Anzeichen manifestierte. Dies aber kann sich nicht zugetragen haben, denn man findet, daß sich durch andere Menschen, einzig durch den Beistand der göttlichen Kraft und ohne Vereinigung Gottes mit ihrer Natur, ähnliche Wunder ereignet haben, ja sogar größere als die, welche Christus vollbrachte [vgl. Joh 14,12]. Folglich scheint die Inkarnation Gottes für das menschliche Heil nicht hinreichend gewesen zu sein.

[9] Außerdem. War es für das menschliche Heil notwendig, daß Gott Fleisch annahm, so scheint es, daß er die menschliche Natur vom Beginn der Welt und nicht gleichsam am Ende der Zeiten annehmen mußte, da es seit Beginn der Welt Menschen gab; denn sonst ist das Heil aller vorhergehenden Menschen offenbar vernachlässigt worden.

[10] Weiterhin. Aus demselben Grunde hätte er bis zum Ende der Welt bei den Menschen verweilen müssen, um sie mit seiner Gegenwart zu erziehen und zu leiten.

[11] Ferner: Es nutzt den Menschen am meisten, wenn in ihnen die Hoffnung auf die zukünftige Glückseligkeit einen festen Grund hat. Doch hätten sie aufgrund der Inkarnation Gottes mehr Hoffnung geschöpft, hätte er unsterbliches, nicht leidensfähiges und verherrlichtes Fleisch angenommen und es allen gezeigt. Folglich scheint es nicht angemessen gewesen zu sein, daß er sterbliches und sogar schwaches Fleisch annahm.

[12] Zum Beweis, daß alles von Gott kommt, was in der Welt ist, schien es angemessen, hätte er einen Überfluß an weltlichen Besitztümern genossen, indem er in Reichtum und größtem Ansehen gelebt hätte. Nun sagt man, das Gegenteil sei der Fall gewesen. Offenbar führte er das Leben eines armen und erniedrigten Menschen und starb einen schmählichen Tod. Folglich scheint es nicht angemessen, daß der Glaube vom inkarnierten Gott kündet.

[13] Weiterhin. Durch die Tatsache, daß er Erniedrigungen erlitt, ist seine Gottheit am meisten überschattet worden; doch war es für die Menschen höchst erforderlich, seine Gottheit zu erkennen, wenn er der inkarnierte Gott war. Deswegen ist die Glaubensverkündigung dem menschlichen Heil offenbar nicht angemessen.

Obedientia enim impletur per hoc quod obediens se conformat voluntati praecipientis. Voluntas autem Dei Patris irrationabilis esse non potest. Si igitur non fuit conveniens Deum hominem factum mortem pati, quia mors contraria esse videtur divinitati, quae vita est, huius rei ratio ex obedientia ad Patrem convenienter assignari non potest.

Praeterea. Voluntas Dei non est ad mortem hominum, etiam peccatorum, sed magis ad vitam: secundum illud Ezech. XVIII: „Nolo mortem peccatoris, sed magis ut convertatur et vivat". Multo igitur minus potuit esse voluntas Dei Patris ut homo perfectissimus morte subiiceretur.

Amplius. Impium et crudele videtur innocentem praecepto ad mortem inducere: et praecipue pro impiis, qui morte sunt digni. Homo autem Christus Iesus innocens fuit. Impium igitur fuisset si praecepto Dei Patris mortem subiisset.

Si vero aliquis dicat hoc necessarium fuisse propter humilitatem demonstrandam, sicut Apostolus videtur dicere, Philipp. II, quod Christus „humiliavit semetipsum factus obediens usque ad mortem": nec haec quidem ratio conveniens videtur.

Primum quidem, quia in eo commendanda est humilitas qui habet superiorem, cui subiici possit: quod de Deo dici non potest. Non igitur conveniens fuit Dei Verbum humiliari usque ad mortem.

Item. Satis homines ad humilitatem informari poterant verbis divinis, quibus est fides omnimoda adhibenda, et exemplis humanis. Non igitur ad demonstrandum humilitatis exemplum necessarium fuit Verbum Dei aut carnem sumere, aut mortem subire.

Si quis autem iterum dicat quod propter nostrorum peccatorum purgationem necessarium fuit Christum mortem subire et alia quae videntur esse abiecta, sicut Apostolus dicit [Rom. IV] quod „traditus est propter peccata nostra", et iterum [Hebr. IX]: „Mortuus est ad multorum exhaurienda peccata": nec hoc videtur esse conveniens.

Primo quidem, quia per solam Dei gratiam hominum peccata purgantur.

[14] Behauptet nun jemand, der Sohn Gottes habe aus Gehorsam dem Vater gegenüber den Tod erlitten, dann scheint dies nicht vernünftig.

Gehorsam besteht nämlich darin, daß sich der Gehorchende nach dem Willen des Anweisenden richtet. Nun kann der Wille Gottes, des Vaters, nicht unvernünftig sein. War es also dem Mensch gewordenen Gott nicht angemessen, den Tod zu erleiden, weil der Gottheit, die Leben ist, der Tod offenbar entgegengesetzt ist, so kann sein Tod nicht angemessen dadurch erklärt werden, daß man sagt, er sei aus Gehorsam dem Vater gegenüber gestorben.

[15] Außerdem. Gott will nicht den Tod der Menschen, nicht einmal den der Sünder, sondern eher das Leben, dem Worte Ezech 33, 11 gemäß: „Ich habe kein Wohlgefallen am Tode des Gottlosen, sondern daran, daß der Gottlose von seinem Wege abgehe und lebe". Weit weniger konnte es der Wille des Vaters sein, daß der vollkommenste Mensch dem Tode unterworfen würde.

[16] Ferner. Offensichtlich ist es gottlos und grausam zu befehlen, ein Unschuldiger solle sterben, und insbesondere für Gottlose zu sterben, die ihrerseits des Todes würdig sind. Der Mensch Christus Jesus aber war unschuldig. Mithin wäre es gottlos gewesen, hätte er aufgrund der Anweisung Gottes, des Vaters, den Tod erlitten.

[17] Wendet aber jemand ein, dies sei zum Erweis von Demut notwendig gewesen, wie der Apostel in Phil 2, 8 offenbar behauptet: „Er erniedrigte sich selbst und wurde gehorsam bis zum Tode", so scheint auch diese Behauptung nicht angemessen:

Erstens ist bei demjenigen Demut empfehlenswert, welcher einen Vorgesetzten hat, dem er sich unterordnen kann. Dies kann man von Gott nicht sagen. Folglich war es nicht angemessen, daß sich das Wort Gottes bis zum Tode erniedrigte.

[18] Zudem. Es konnten die Menschen durch göttliche Worte, denen sie durchweg zu glauben haben, und durch menschliches Beispiel hinreichend Demut lernen. Deswegen war es nicht notwendig, daß das Wort Gottes entweder Fleisch annahm oder den Tod erlitt, um damit ein Beispiel für Demut zu geben.

[19] Wendet wiederum jemand ein, es sei wegen der Tilgung unserer Sünden notwendig gewesen, daß Christus den Tod und offenbar weitere Erniedrigungen erlitt, wie der Apostel (Rö 4, 25) sagt, er sei „um unserer Übertretungen willen hingeopfert", und wiederum in Hebr 9, 28: „So wird auch Christus ... als Opfer dargebracht ..., um die Sünden vieler auf sich zu nehmen", so scheint auch dies nicht angemessen:

Erstens, weil die Sünden der Menschen einzig durch die Gnade Gottes getilgt werden;

Deinde quia, si aliqua satisfactio requirebatur, conveniens fuit ut ille satisfaceret qui peccavit: quia in iusto Dei iudicio „unusquisque onus suum" debet portare [Galat. VI].

Item. Si conveniens fuit ut aliquis homine puro maior pro homine satisfaceret, sufficiens fuisse videtur si angelus, carne assumpta, huiusmodi satisfactionem implesset: cum angelus naturaliter sit superior homine.

Praeterea. Peccatum non expiatur peccato, sed magis augetur. Si igitur per mortem Christus satisfacere debuit, talis debuit eius mors esse in qua nullus peccaret: ut scilicet non violenta morte, sed naturaliter moreretur.

Adhuc. Si pro peccatis hominum Christum mori oportuit, cum frequenter homines peccent, oportuisset eum frequenter mortem subire.

Si quis autem dicat quod specialiter propter peccatum originale necessarium fuit Christum nasci et pati, quod quidem totam naturam humanam infecerat, homine primo peccante: – hoc impossibile videtur.

Si enim alii homines ad satisfaciendum pro peccato originali sufficientes non sunt, nec mors Christi pro peccatis humani generis satisfactoria fuisse videtur: quia et ipse secundum humanam naturam mortuus est, non secundum divinam.

Praeterea. Si Christus pro peccatis humani generis sufficienter satisfecit, iniustum videtur esse quod homines adhuc poenas patiantur, quas pro peccato Scriptura divina inductas esse commemorat [Gen. II].

Adhuc. Si Christus sufficienter pro peccatis humani generis satisfecit, non essent ultra remedia pro absolutione peccatorum quaerenda. Quaeruntur autem semper ab omnibus qui suae salutis curam habent. Non igitur videtur sufficienter Christum peccata hominum abstulisse.

Haec igitur sunt, et similia, ex quibus alicui videri potest ea quae de incarnatione fides Catholica praedicat, divinae maiestati et sapientiae convenientia non fuisse.

[20] dann auch, weil es angemessen war, daß derjenige Buße tat, welcher sündigte, wenn eine Buße erforderlich war. Gottes gerechtem Urteil entsprechend muß nämlich „jeder seine eigene Last tragen" (Gal 6, 5).

[21] Weiterhin. War es angemessen, daß ein Größerer als ein bloßer Mensch für den Menschen Buße tat, so hätte es offenbar ausgereicht, hätte ein Engel eine derartige Buße verrichtet, nachdem er Fleisch angenommen hätte, da ein Engel natürlicherweise größer ist als ein Mensch.

[22] Außerdem. Eine Sünde wird nicht durch eine Sünde gesühnt, sondern eher vermehrt. Mußte also Christus durch seinen Tod Buße tun, so mußte sein Tod so beschaffen sein, daß niemand hierbei sündigte, so daß er nicht eines gewaltsamen, sondern eines natürlichen Todes starb.

[23] Ferner. Mußte Christus für die Sünden der Menschen sterben, so mußte er häufig sterben, da die Menschen häufig sündigen.

[24] Wendet nun jemand ein, Christus habe insbesondere wegen der Erbsünde geboren werden und leiden müssen, denn dies sei die Sünde gewesen, die die gesamte menschliche Natur durch die Sünde des ersten Menschen ansteckte, so scheint auch dies unmöglich.

Sind nämlich die anderen Menschen nicht hinreichend in der Lage, für die Erbsünde Buße zu tun, dann scheint auch der Tod Christi als Bußeleistung für die Sünden des gesamten Menschengeschlechtes nicht hinreichend, da er selbst der menschlichen, nicht aber der göttlichen Natur nach starb.

[25] Außerdem. Tat Christus für die Sünden des Menschengeschlechtes hinreichend Buße, dann ist es anscheinend ungerecht, daß die Menschen weiterhin Strafen erleiden, von denen die göttliche Schrift erklärt, sie seien der Sünde wegen auferlegt (Gen 2, 17).

[26] Weiterhin. Tat Christus für die Sünden des Menschengeschlechts hinreichend Buße, dann brauchte man nicht noch darüber hinaus nach Heilmitteln zur Vergebung der Sünden suchen. Danach suchen aber alle, denen es an ihrem Heil gelegen ist. Also scheint Christus die Sünden der Menschen nicht hinreichend weggenommen zu haben.

[27] Diese und ähnliche Argumente sind es, wonach es jemandem so scheinen kann, als sei das, was der Katholische Glaube über die Inkarnation verkündigt, der göttlichen Erhabenheit und Weisheit nicht angemessen.

CAPITULUM LIV

QUOD CONVENIENS FUIT DEUM INCARNARI

Si quis autem diligenter et pie incarnationis mysteria consideret, inveniet tantam sapientiae profunditatem quod humanam cognitionem excedat secundum illud Apostoli [I Cor. 1]: „Quod stultum est Dei, sapientius est hominibus". Unde fit ut pie consideranti semper magis ac magis admirabiles rationes huius mysterii manifestantur.

Primum igitur hoc considerandum est, quod incarnatio Dei efficacissimum fuit auxilium homini ad beatitudinem tendenti. Ostensum est enim in Tertio quod perfecta beatitudo hominis in immediata Dei visione consistit. Posset autem alicui videri quod homo ad hunc statum nunquam possit pertingere quod intellectus humanus immediate ipsi divinae essentiae uniretur ut intellectus intelligibili, propter immensam distantiam naturarum: et sic circa inquisitionem beatitudinis homo tepesceret, ipsa desperatione detentus. Per hoc autem quod Deus humanam naturam sibi unire voluit in persona, evidentissime hominibus demonstratur quod homo per intellectum Deo potest uniri, ipsum immediate videndo. Fuit igitur convenientissimum quod Deus humanam naturam assumeret ad spem hominis in beatitudinem sublevandam. Unde post incarnationem Christi homines coeperunt magis ad caelestem beatitudinem aspirare: secundum quod ipse dicit, Ioan. X: „Ego veni ut vitam habeant et abundantius habeant".

Simul etiam per hoc homini auferuntur impedimenta beatitudinem adipiscendi. Cum enim perfecta hominis beatitudo in sola Dei fruitione consistat, ut supra ostensum est, necessarium est quod quicumque his quae infra Deum sunt inhaeret finaliter, a verae beatitudinis participatione impediatur. Ad hoc autem homo deduci poterat quod rebus infra Deum existentibus inhaereret ut fini, ignorando suae dignitatem naturae. Ex hoc enim contingit quod quidam, considerantes se secundum naturam corpoream et sensitivam, quam cum aliis animalibus habent communem, in rebus corporalibus et delectationibus carnis quandam beatitudinem bestialem requirunt. Quidam vero, considerantes quarundam creaturarum

54. KAPITEL

ES WAR ANGEMESSEN, DASS GOTT FLEISCH ANNAHM

Erwägt man die Geheimnisse der Inkarnation sorgfältig und mit Verehrung, so wird man einer derart großen Tiefe der Weisheit ansichtig, wie sie alle menschliche Erkenntnis übersteigt. So sagt der Apostel (1 Kor 1, 25): „Denn die göttliche Torheit ist weiser als die Menschen". Daher kommt es, daß sich dem verehrenden Betrachter stets mehr und mehr Gründe für ein derartiges Mysterium offenbaren.

Zuerst haben wir der Tatsache unsere Aufmerksamkeit zu widmen, daß die Inkarnation Gottes die wirksamste Hilfe für den sich nach Glückseligkeit ausstreckenden Menschen darstellt. So wurde im 3. Buch gezeigt (III 48 ff.), daß die vollkommene Glückseligkeit darin besteht, Gottes unmittelbar ansichtig zu werden. Doch könnte es jemandem aufgrund des unermeßlichen Abstandes zwischen der göttlichen und der menschlichen Natur so scheinen, als sei der Mensch niemals in der Lage, diesen Zustand zu erreichen, in dem sich der menschliche Verstand unmittelbar mit der göttlichen Wesenheit wie Erkennen und Erkennbares vereint. Folglich müßte der Mensch hinsichtlich seiner Suche nach Glückseligkeit verzweifeln und bliebe in dieser Verzweiflung gefangen. Dadurch aber, daß Gott die menschliche Natur personhaft mit sich vereinen wollte, wird dem Menschen höchst ausdrücklich vor Augen geführt, daß er sich durch den Intellekt mit Gott zu vereinen vermag, indem er seiner unmittelbar ansichtig wird. Also war es zur Unterstützung der Hoffnung des Menschen auf die Glückseligkeit zuhöchst angemessen, daß Gott die menschliche Natur annahm. Daher begannen die Menschen nach der Inkarnation Christi in verstärktem Maße nach der himmlischen Glückseligkeit zu trachten, dem Worte gemäß, das er selbst in Jo 10, 10 sprach: „Ich bin gekommen, damit sie Leben haben und es in Fülle haben".

Zugleich werden hierdurch für den Menschen Hindernisse beseitigt, die der Erreichung der Glückseligkeit entgegenstehen. Da nämlich die vollkommene Glückseligkeit des Menschen einzig im Genuß Gottes besteht, wie im 3. Buch gezeigt wurde (III 48 ff.), so folgt daraus, daß jeder, der sein Letztziel in Dingen sucht, die geringer sind als Gott, an der Teilhabe der wahren Glückseligkeit gehindert wird. Doch konnte sich der Mensch durch Unkenntnis der Würde seiner Natur dazu bringen, Dingen als Ziel anzuhangen, die geringer sind als Gott. Daher kommt es auch, daß einige Menschen bei Körperdingen und fleischlichen Gelüsten eine tierische Glückseligkeit suchen, sofern sie sich als Körper- und Sinneswesen begreifen, also danach, was sie mit den übrigen Tieren gemein haben. Andere

excellentiam super homines quantum ad aliqua, eorum cultui se adstrinxerunt: colentes mundum et partes eius, propter magnitudinem quantitatis
et temporis diuturnitatem; vel spirituales substantias, angelos et daemones,
propter hoc quod hominem excedere inveniuntur tam in immortalitate
quam in acumine intellectus, aestimantes in his, utpote supra se existentibus, hominis beatitudinem esse querendam. Quamvis autem quantum ad
aliquas conditiones homo aliquibus creaturis existat inferior: ac etiam infimis creaturis in quibusdam assimiletur: tamen secundum ordinem finis,
nihil homine existit altius nisi solus Deus, in quo solo perfecta hominis
beatitudo consistit. Hanc igitur hominis dignitatem, quod scilicet immediata Dei visione beatificandus sit, convenientissime Deus ostendit per hoc
quod ipse immediate naturam humanam assumpsit. Unde ex incarnatione
Dei hoc consecutum videmus, quod magna pars hominum, cultu angelorum, daemonum, et quarumcumque creaturarum praetermisso, spretis etiam voluptatibus carnis et corporalibus omnibus, ad solum Deum colendum se dedicaverunt, in quo solo beatitudinis complementum expectant;
secundum quod Apostolus monet [Colos. III]: „Quae sursum sunt quaerite, ubi Christus est in dextera Dei sedens; quae sursum sunt sapite, non
quae super terram".

   Adhuc. Quia beatitudo perfecta hominis in tali cognitione Dei consistit
quae facultatem omnis intellectus creati excedit, ut in Tertio ostensum est,
necessarium fuit quandam huiusmodi cognitionis praelibationem in homine esse, qua dirigeretur in illam plenitudinem cognitionis beatae: quod
quidem fit per fidem, ut in Tertio ostensum est. Cognitionem autem qua
homo in ultimum finem dirigitur, oportet esse certissimam, eo quod est
principium omnium quae ordinantur in ultimum finem: sicut et principia
naturaliter nota certissima sunt. Certissima autem cognitio alicuius esse
non potest nisi vel illud sit per se notum, sicut nobis prima demonstrationis principia; vel in ea quae per se nota sunt resolvatur, qualiter nobis
certissima est demonstrationis conclusio. Id autem quod de Deo nobis per
fidem tenendum proponitur, non potest esse homini per se notum: cum
facultatem humani intellectus excedat. Oportuit igitur hoc homini manifestari per eum cui sit per se notum. Et quamvis omnibus divinam essen-

wiederum, die hinsichtlich einiger Dinge die Überlegenheit bestimmter Geschöpfe über den Menschen sehen, haben sich ihrer Verehrung hingegeben, indem sie die Welt und ihre Teile der Größe ihrer Ausdehnung und ihrer zeitlichen Dauer wegen verehren; oder sie verehren geistige Substanzen, Engel und Dämonen, weil sie sie aufgrund ihrer Unsterblichkeit oder Geistesschärfe als dem Menschen überlegen erachten. Sie denken, daß hierin, also in dem, was über ihnen existiert, die Glückseligkeit des Menschen zu suchen sei. Doch obgleich der Mensch hinsichtlich gewisser Dinge einen niedereren Rang als bestimmte andere Geschöpfe einnimmt und sogar in einigen Dingen den niedrigsten Geschöpfen gleicht, so existiert doch, unter dem Gesichtspunkt der Zielordnung, außer Gott, in dem allein die vollkommene Glückseligkeit des Menschen besteht, nichts Höheres als der Mensch. Nun stellt Gott diese Würde des Menschen, die darin besteht, daß er dazu bestimmt ist, in der unmittelbaren Gottesschau beseligt zu werden, auf höchst angemessene Weise durch die Tatsache unter Beweis, daß er unvermittelt die menschliche Natur annahm. Daher sehen wir als Folge der Inkarnation Gottes, daß eine große Anzahl von Menschen die Verehrung von Engeln, Dämonen und aller Art von Geschöpfen aufgab und sich sogar von jeglichen Gelüsten des Fleisches und körperlichen Gelüsten losgesagt hat, um sich einzig der Gottesverehrung zu widmen. In Gott allein erwarten sie die Erfüllung der Glückseligkeit, gemäß dem, wozu der Apostel in Kol 3, 1 f. ermahnt: „Sucht, was droben ist, wo Christus ist, sitzend zur Rechten Gottes. Trachtet nach dem, was droben ist, nicht nach dem, was auf Erden".

Ferner. Da die vollkommene Glückseligkeit des Menschen in einer derartigen Erkenntnis Gottes besteht, welche das Vermögen jedes geschaffenen Intellekts übersteigt, wie im 3. Buch gezeigt wurde (III 48 ff.), so mußte es im Menschen einen gewissen Vorgeschmack dieser Erkenntnis geben, wodurch er zu jener Fülle glückseliger Erkenntnis hingeleitet würde. Dies geschieht durch den Glauben, wie im 3. Buch erwiesen wurde. Doch muß die Erkenntnis, wodurch der Mensch zum Letztziel geleitet wird, höchst gewiß sein, da es sich um das Prinzip alles dessen handelt, was auf das Letztziel hingeordnet ist, ähnlich wie die Prinzipien, welche von Natur bekannt sind, die gewissesten sind. Nun kann die Erkenntnis von etwas nur dann höchst gewiß sein, wenn sie wie die ersten Beweisprinzipien selbstevident ist, oder wenn sie auf das zurückgeführt werden kann, was selbstevident ist. Auf diese Weise ist uns die Konklusion eines Beweises höchst gewiß. Doch kann das, was uns durch den Glauben über Gott vorgelegt ist, dem Menschen nicht selbstevident sein, da es das Vermögen des menschlichen Intellekts überschreitet. Mithin mußte es sich dem Menschen durch den offenbaren, dem es selbstevident ist. Auch wenn

tiam videntibus sit quodammodo per se notum, tamen ad certissimam cognitionem habendam oportuit reductionem fieri in primum huius cognitionis principium, scilicet in Deum, cui est naturaliter per se notum, et a quo omnibus innotescit: sicut et certitudo scientiae non habetur nisi per resolutionem in prima principia indemonstrabilia. Oportuit igitur hominem, ad perfectam certitudinem consequendam de fidei veritate, ab ipso Deo instrui homine facto, ut homo, secundum modum humanum, divinam instructionem perciperet. Et hoc est quod dicitur Ioan. I: „Deum nemo vidit unquam: Unigenitus Filius, qui est in sinu Patris, ipse enarravit". Et ipse Dominus dicit, Ioan. XVIII: „Ego ad hoc natus sum et veni in mundum, ut testimonium perhibeam veritati". Propter quod videmus post Christi incarnationem evidentius et certius homines in divina cognitione esse instructos: secundum illud Isaiae XI: „Repleta est terra scientia Domini".

Item. Cum beatitudo hominis perfecta in divina fruitione consistat, oportuit affectum hominis ad desiderium divinae fruitionis disponi: sicut videmus homini beatitudinis desiderium naturaliter inesse. Desiderium autem fruitionis alicuius rei ex amore illius rei causatur. Necessarium igitur fuit hominem, ad perfectam beatitudinem tendentem, ad amorem divinum induci. Nihil autem sic ad amorem alicuius nos inducit sicut experimentum illius ad nos. Amor autem Dei ad homines nullo modo efficacius homini potuit demonstrari quam per hoc quod homini uniri voluit in persona: est enim proprium amoris unire amantem cum amato, inquantum possibile est[42]. Necessarium igitur fuit homini, ad beatitudinem perfectam tendenti, quod Deus fieret homo.

Amplius. Cum amicitia in quadam aequalitate consistat[43] ea quae multum inaequalia sunt, in amicitia copulari non posse videntur[44]. Ad hoc igitur quod familiarior amicitia esset inter hominem et Deum, expediens fuit homini quod Deus fieret homo, quia etiam naturaliter homo homini amicus est: ut sic, „dum visibiliter Deum cognoscimus, in invisibilium amorem rapiamur" [Praefatio Missae in Nativitate Domini].

Similiter etiam manifestum est quod beatitudo virtutis est praemium[45]. Oportet igitur ad beatitudinem tendentes secundum virtutem disponi. Ad

[42] Cf. Dionysium, De div. nom. IV (PG 3/709 C – D); (PG 3/713 A – B).
[43] Cf. Aristotelem, Ethic. VIII 7 (1157b 33–36).
[44] Cf. Aristotelem, Ethic. VIII 9 (1158a 3).
[45] Cf. Aristotelem, Ethic. I 10 (1099b 16–18).

dies für alle jene in gewissem Sinne selbstevident ist, die die göttliche Wesenheit schauen, so mußte es dennoch eine Rückführung auf das erste Prinzip dieser Erkenntnis geben, d. h. auf Gott, für den es aufgrund seiner Natur selbstevident ist, und von dem her es allen zur Kenntnis gebracht wird, damit auch wir eine höchst gewisse Erkenntnis hiervon gewinnen. So gewinnt man Gewißheit des Wissens auch nur durch Rückführung auf erste, unbeweisbare Prinzipien. Somit war es angebracht, daß der Mensch, um vollständige Gewißheit über die Wahrheit des Glaubens zu erlangen, vom Mensch gewordenen Gott selbst belehrt wurde, damit der Mensch die göttliche Belehrung nach Menschenart aufnehme. Daher heißt es Jo 1,18: „Gott hat niemand jemals gesehen. Der eingeborene Sohn, der an der Brust des Vaters ruht, er hat Kunde gebracht". Und der Herr selbst spricht in Jo 18,37: „Ich bin dazu geboren und dazu in die Welt gekommen, um für die Wahrheit Zeugnis abzulegen". Aus diesem Grunde sehen wir, daß die Menschen nach der Inkarnation Christi in der Erkenntnis Gottes einleuchtender und gewisser eingewiesen sind, dem Worte Jes 11,9 gemäß: „Denn das Land ist voll der Erkenntnis Jahwes".

Weiterhin. Besteht die vollkommene Glückseligkeit des Menschen im Genuß Gottes, so muß der Affekt des Menschen dazu veranlagt sein, ein Verlangen hiernach zu haben, gleichwie wir sehen, daß dem Menschen von Natur ein Glücksverlangen innewohnt. Doch wird das Verlangen, eine Sache zu genießen, dadurch verursacht, daß man sie liebt. Demgemäß mußte der nach vollkommener Glückseligkeit suchende Mensch zur Liebe Gottes geführt werden. Nichts aber bewegt uns mehr dazu, etwas zu lieben als die Erfahrung, von ihm geliebt zu werden. Nun konnte uns die Liebe Gottes zu den Menschen überhaupt nicht wirkungsvoller als dadurch erwiesen werden, daß er sich personhaft mit dem Menschen vereinigen wollte. So charakterisiert es die Liebe, daß sie den Liebenden soweit wie möglich mit dem Geliebten vereint. Folglich war es für den nach vollkommener Glückseligkeit suchenden Menschen notwendig, daß Gott Mensch wurde.

Ferner. Freundschaft besteht in einer gewissen Gleichheit, so daß dasjenige, welches recht ungleich ist, sich offenbar nicht in Freundschaft verbinden kann. Damit also die Freundschaft zwischen dem Menschen und Gott vertrauter sei, kam es dem Menschen zustatten, daß Gott Mensch wurde (da ja auch der Mensch von Natur des Menschen Freund ist), damit wir „zur Liebe zu Unsichtbarem hingerissen werden, wenn wir den sichtbar erschienenen Gott erkennen" (Weihnachtspräfation).

Ähnlich ist offenkundig das Glück der Lohn der Tugend. Dementsprechend müssen die Glückssuchenden zur Tugend disponiert sein. Nun werden wir durch Wort und Beispiel zur Tugend angeregt. Jemandes Bei-

virtutem autem et verbis et exemplis provocamur. Exempla autem alicuius et verba tanto efficacius ad virtutem inducunt, quanto de eo firmior bonitatis habetur opinio. De nullo autem homine puro infallibilis opinio bonitatis haberi poterat: quia etiam sanctissimi viri in aliquibus inveniuntur defecisse. Unde necessarium fuit homini, ad hoc quod in virtute firmaretur, quod a Deo humanato doctrinam et exempla virtutis acciperet. Propter quod ipse Dominus dicit, Ioan. XIII: „Exemplum dedi vobis, ut quemadmodum ego feci, ita et vos faciatis".

Item. Sicut virtutibus homo ad beatitudinem disponitur, ita et peccatis impeditur. Peccatum autem virtuti contrarium, impedimentum affert beatitudini, non solum inordinationem quandam animae inducens secundum quod eam ab ordine debiti finis abducit, sed etiam Deum offendens, a quo beatitudinis praemium expectatur, secundum quod Deus humanorum actuum curam habet, et peccatum contrarium est caritati divinae, ut in Tertio plenius ostensum est. Et insuper huius offensae homo conscientiam habens, per peccatum fiduciam accedendi ad Deum amittit, quae necessaria est ad beatitudinem consequendam. Necessarium est igitur humano generi, quod peccatis abundat, ut ei remedium aliquod adhibeatur contra peccata. Hoc autem remedium adhiberi non potest nisi per Deum, qui et voluntatem hominis movere potest in bonum, ut eam ad debitum ordinem reducat, et offensam in se commissam potest remittere; offensa enim non remittitur nisi per eum in quem offensa committitur. Ad hoc autem quod homo a conscientia offensae praeteritae liberetur, oportet quod sibi de remissione offensae per Deum constet. Non autem per certitudinem ei constare potest nisi a Deo de hoc certificetur. Conveniens igitur fuit, et humano generi ad beatitudinem consequendam expediens, quod Deus fieret homo, ut sic et remissionem peccatorum consequeretur per Deum, et huius remissionis certitudinem per hominem Deum. Unde et ipse Dominus dicit, Matth. IX: „Ut autem sciatis quia Filius hominis habet potestatem dimittendi peccata etc."; et Apostolus, Hebr. IX dicit quod „sanguis Christi emundabit conscientias nostras ab operibus mortuis, ad serviendum Deo viventi".

Adhuc. Ex traditione Ecclesiae docemur totum humanum genus peccato esse infectum. Habet autem hoc ordo divinae iustitiae, ut ex supe-

spiel und Wort regt um so wirksamer zur Tugend an, je fester man von dessen Güte überzeugt ist. Doch konnte man von niemandem, welcher lediglich Mensch ist, unfehlbar von dessen Güte überzeugt sein, weil man findet, daß auch die heiligmäßigsten Menschen in bestimmten Dingen Schwächen zeigten. Daher mußte der Mensch vom Mensch gewordenen Gott Lehre und Beispiel der Tugend empfangen, damit er in der Tugend gefestigt würde. Deswegen sagt der Herr selbst in Joh 13,15: „Denn ich habe euch ein Beispiel gegeben, damit auch ihr tut, wie ich euch getan habe".

Überdies. Gleichwie der Mensch durch Tugenden zur Glückseligkeit disponiert ist, so wird er durch Sünden daran gehindert. Die Sünde, die der Tugend entgegengesetzt ist, bedeutet nicht allein deswegen ein Hindernis für die Glückseligkeit, weil sie eine gewisse Unordnung in der Seele bewirkt, dergemäß sie von der gesollten Zielordnung wegführt, sondern auch deswegen, weil sie Gott beleidigt, von dem man den Lohn der Glückseligkeit erwartet und der sich um das menschliche Handeln sorgt. Zudem ist die Sünde der göttlichen Fürsorge entgegengesetzt, wie bereits im 3. Buch ausführlich genug gezeigt wurde (III 155). Ist sich der Mensch dieser Beleidigung überdies bewußt, so verliert er durch die Sünde das Vertrauen, zu Gott zu gelangen, was zum Erreichen der Glückseligkeit erforderlich ist. Also muß dem Menschengeschlecht, das von Sünden überströmt, hiergegen ein Heilmittel gegeben werden. Dieses Heilmittel kann aber nur von Gott gegeben werden, der auch in der Lage ist, den Willen des Menschen zum Guten zu bewegen. Damit führt er ihn zur gesollten Ordnung zurück und vergibt die ihm angetane Beleidigung. Eine Beleidigung wird nämlich nur von dem vergeben, dem sie angetan wird. Zur Befreiung des Menschen vom Bewußtsein seiner einstigen Beleidigung jedoch muß er der Vergebung der Beleidigung durch Gott sicher sein. Doch kann er sich dessen nur dann sicher sein, wenn Gott ihm dies versichert. Folglich war es auch angemessen und für das nach Glückseligkeit suchende Menschengeschlecht förderlich, daß Gott Mensch wurde, so daß er durch Gott Nachlaß der Sünden und über diesen Nachlaß durch den Mensch gewordenen Gott Gewißheit erlangte. Daher sagt der Herr selbst in Mt 9,6: „Damit ihr aber wißt, daß der Menschensohn Macht hat, auf Erden Sünden zu vergeben" etc. Der Apostel spricht in Hebr 9,14: „... um wieviel mehr wird das Blut Christi, der kraft ewigen Geistes sich selbst makellos Gott dargebracht hat, unser Gewissen von toten Werken reinigen, auf daß wir dienen dem lebendigen Gott".

Weiterhin. Durch die Überlieferung der Kirche werden wir darüber belehrt, daß das gesamte Menschengeschlecht von der Sünde befallen ist. Aus den bisherigen Darlegungen (III 158) ergibt sich, daß die Sünde nach

rioribus patet, quod peccatum sine satisfactione non remittatur a Deo. Satisfacere autem pro peccato totius humani generis nullus homo purus poterat: quia quilibet homo purus aliquid minus est tota generis humani universitate. Oportuit igitur, ad hoc quod humanum genus a peccato communi liberaretur, quod aliquis satisfaceret qui et homo esset, cui satisfactio competeret; et aliquid supra hominem, ut eius meritum sufficiens esset ad satisfaciendum pro peccato totius humani generis. Maius autem homine, quantum ad ordinem beatitudinis, nihil est nisi solus Deus: nam angeli, licet sint superiores quantum ad conditionem naturae, non tamen quantum ad ordinem finis, quia eodem beatificantur. Necessarium igitur fuit homini ad beatitudinem consequendam, quod Deus homo fieret ad peccatum humani generis tollendum. Et hoc est quod Ioannes Baptista dixit de Christo [Ioan. I]: „Ecce agnus Dei: ecce qui tollit peccata mundi". Et Apostolus, ad Romanos [Rom. V] dicit: „Sicut peccatum ex uno in omnes in condemnationem, ita gratia ex uno in omnes ad iustificationem".

Haec igitur sunt, et similia, ex quibus aliquis concipere potest non fuisse incongruum bonitati divinae Deum hominem fieri, sed expedientissimum fuisse humanae saluti.

Capitulum LV

Solutio rationum supra positarum contra convenientiam incarnationis

Ea vero quae contra hoc superius sunt opposita, non difficile est solvere.

Non enim est contrarium ordini rerum Deum hominem fieri, ut *prima* ratio procedebat. Quia quamvis natura divina in infinitum naturam humanam excedat, tamen homo secundum ordinem suae naturae habet ipsum Deum pro fine, et natus est ei per intellectum uniri; cuius unionis exemplum et documentum quoddam fuit unio Dei ad hominem in persona; servata tamen proprietate utriusque naturae, ut nec excellentiae divinae

der Ordnung der göttlichen Gerechtigkeit nicht ohne Buße von Gott vergeben wird. Kein bloßer Mensch konnte jedoch für die Sünde des gesamten Menschengeschlechtes Buße tun, weil ein einzelner, der lediglich Mensch ist, weniger ist als das Ganze des gesamten Menschengeschlechtes. Damit also das Menschengeschlecht von der allen gemeinsamen Sünde befreit würde, mußte jemand Buße tun, der sowohl Mensch war, dem also Buße zustand, der aber auch in gewissem Sinne übermenschlich war, damit sein Verdienst dazu hinreiche, für das gesamte Menschengeschlecht Buße zu tun. Nun ist aber hinsichtlich der Ordnung der Glückseligkeit nichts größer als der Mensch einzig außer Gott. Auch wenn die Engel im Hinblick auf ihre natürliche Verfassung dem Menschen überlegen sind, so sind sie es doch nicht hinsichtlich der Zielordnung, denn sie werden durch dasselbe beseligt (III 57). Folglich war es zur Erlangung der Glückseligkeit für den Menschen notwendig, daß Gott Mensch wurde, um die Sünde des Menschengeschlechtes zu entfernen. So sagte Johannes der Täufer in Joh 1,29 von Christus: „Siehe, das Lamm Gottes, das die Sünde der Welt wegnimmt". Der Apostel spricht in Rö 5,18: „Also: wie durch den Fall des Einen über alle Menschen die Verdammung kam, so kommt auch durch die gerechte Tat des Einen über alle Menschen die lebenswirkende Rechtfertigung".

Aus diesen und ähnlichen Gründen mag man verstehen, daß es der göttlichen Güte nicht unangemessen war, daß Gott Mensch wurde; vielmehr war es dem menschlichen Heil höchst zuträglich.

55. Kapitel

Widerlegung der erwähnten Gründe gegen die Angemessenheit der Inkarnation

Nunmehr fällt es nicht schwer, die oben genannten Einwände (IV 53) zu widerlegen.

[Zu 1] Der Ordnung der Dinge widerspricht es nämlich nicht, wie der *erste* Einwand lautete, daß Gott Mensch wurde. Auch wenn die göttliche Natur die menschliche unendlich überragt, so stellt doch Gott der Ordnung der Natur des Menschen gemäß dessen Ziel dar. Zudem ist er innerlich dazu befähigt, sich durch den Intellekt mit ihm zu vereinigen. Die personhafte Vereinigung Gottes mit dem Menschen steht dafür als Beispiel und Beweis, eine Vereinigung, die dennoch die Eigentümlichkeit beider Naturen bewahrte, damit nicht irgend etwas von der Vorzüglichkeit

naturae aliquid deperiret, nec humana natura per exaltationem aliquam extra terminos suae speciei traheretur.

Considerandum etiam quod, propter perfectionem et immobilitatem divinae bonitatis, nihil dignitatis Deo deperit ex hoc quod aliqua creatura quantumcumque ei appropinquat, etsi hoc creaturae accrescat. Sic enim ipsis creaturis suam bonitatem communicat quod ex hoc ipse nullum patitur detrimentum.

Similiter etiam, licet ad omnia facienda Dei voluntas sufficiat, tamen divina sapientia exigit ut rebus singulis secundum earum congruentiam provideatur a Deo: rebus enim singulis proprias causas convenienter instituit. Unde licet Deus sola sua voluntate efficere potuerit in humano genere omnes utilitates quas ex Dei incarnatione dicimus provenisse, ut *secunda* ratio proponebat: tamen congruebat humanae naturae ut huiusmodi utilitates inducerentur per Deum hominem factum, sicut ex inductis rationibus aliquatenus apparere potest.

Ad *tertiam* etiam rationem patet responsio. Homo enim, cum sit constitutus ex spirituali et corporali natura, quasi quoddam ‚confinium‘ tenens utriusque naturae, ad totam creaturam pertinere videtur quod fit pro hominis salute. Nam inferiores creaturae corporales in usum hominis cedere videntur, et ei quodammodo esse subiectae. Superior autem creatura spiritualis, scilicet angelica, commune habet cum homine ultimi finis consecutionem, ut ex superioribus patet. Et sic conveniens videtur ut universalis omnium causa illam creaturam in unitatem personae assumeret in qua magis communicat cum omnibus creaturis.

Considerandum est etiam quod solius rationalis naturae est per se agere: creaturae enim irrationales magis aguntur naturali impetu quam agant per seipsas. Unde magis sunt in ordine instrumentalium causarum quam se habeant per modum principalis agentis. Assumptionem autem talis creaturae a Deo oportuit esse quae per se agere posset tanquam agens principale. Nam ea quae agunt sicut instrumenta, agunt inquantum sunt mota ad agendum: principale vero agens ipsum per se agit. Si quid igitur agen-

der göttlichen verlorenginge oder die menschliche Natur durch ihre Erhöhung aus ihren Artgrenzen herausgerissen würde.

Auch gilt es zu erwägen, daß Gott wegen der Vollkommenheit und
Unveränderlichkeit der göttlichen Güte nichts dadurch an Würde einbüßt,
daß ihm, wie nah auch immer, ein Geschöpf nahekommt, auch wenn dies
einen Gewinn für das Geschöpf darstellt. Er teilt nämlich den Geschöpfen
seine Güte ohne eigenen Verlust mit.

[Zu 2] Da gleicherweise der Wille Gottes zur Schaffung von allem ausreicht, so erfordert es dennoch die göttliche Weisheit, daß jedes Einzelding, jeweils wie es ihm zuträglich ist, Gegenstand göttlicher Providenz
ist. So hat er für jedes Einzelding füglich die für es eigentümliche Ursache
vorgesehen. Obwohl Gott einzig aufgrund seines Willens alle jene Vorteile
im Menschengeschlecht hätte erwirken können, von denen wir sagen, sei
seien ein Resultat der Inkarnation Gottes – dies behauptete der *zweite*
Einwand –, so war es doch der menschlichen Natur angemessen, daß diese
Vorteile durch die Menschwerdung Gottes zustande kamen, was bis zu
einem gewissen Grade aus den bisher angeführten Gründen [vgl. IV 54]
ersichtlich werden kann.

[Zu 3] Auch die Antwort auf den *dritten* Einwand ist klar. Da sich der
Mensch aus einer geistigen und einer körperlichen Natur konstituiert,
indem er gleichsam die gemeinsame ‚Grenze‘ beider zusammenhält, so
kommt offenbar all das, was zum Heil des Menschen geschieht, der ganzen Kreatur zu. Die niederen körperhaften Geschöpfe nämlich werden
offenbar vom Menschen benutzt und sind ihm in gewissem Sinne unterworfen. Die höhere, geistige Kreatur jedoch, d. h. der Engel, teilt mit dem
Menschen die Hinordnung auf das Letztziel, wie aus dem Bisherigen ersichtlich ist (III 25). Somit scheint es angemessen, daß die Universalursache von allem gerade jenes Geschöpf in der Einheit der Person annimmt,
in dem er sich, und zwar mehr als in irgendeinem anderen, allen Geschöpfen mitteilt.

Ebenso gilt es zu bedenken, daß es einzig der vernunftbegabten Natur
zukommt, selbsttätig zu handeln. Die vernunftlosen Geschöpfe nämlich
werden eher durch natürlichen Antrieb zum Handeln bewegt, als daß sie
selbsttätig handelten. Daher befinden sie sich eher in der Ordnung der
Instrumentalursachen, als daß sie sich nach Art eines Hauptagens verhiel-
ten. So war es erforderlich, daß Gott ein Geschöpf annahm, welches aufgrund seiner selbst, gleichsam als Hauptagens handeln konnte. Dasjenige,
welches wie ein Instrument tätig ist, ist nämlich tätig, sofern es zum Tä-
tigsein bewegt wird; ein Hauptagens jedoch handelt selbst und aufgrund
seiner selbst. Würde Gott also etwas mittels eines vernunftlosen Geschöpfes tun, so wäre alles, was in Übereinstimmung mit der natürlichen Ver-

dum fuit divinitus per aliquam irrationalem creaturam, suffecit, secundum huius creaturae conditionem, quod solum moveretur a Deo: non autem quod assumeretur in persona ut ipsamet ageret, quia hoc eius naturalis conditio non recepit, sed solum conditio rationalis naturae. Non igitur fuit conveniens quod Deus aliquam irrationalem naturam assumeret, sed rationalem, scilicet angelicam vel humanam.

Et quamvis angelica natura quantum ad naturales proprietates inveniatur excellentior quam humana natura, ut *quarta* ratio proponebat, tamen humana congruentius fuit assumpta.

Primo quidem, quia in homine peccatum expiabile esse potest: eo quod eius electio non immobiliter fertur in aliquid, sed a bono potest perverti in malum, et a malo reduci in bonum: sicut etiam in hominis ratione contingit, quae, quia ex sensibilibus et per signa quaedam colligit veritatem, viam habet ad utrumque oppositorum. Angelus autem, sicut habet immobilem apprehensionem, quia per simplicem intellectum immobiliter cognoscit, ita etiam habet immobilem electionem: unde vel in malum omnino non fertur; vel, si in malum feratur, immobiliter fertur; unde eius peccatum expiabile esse non potest. Cum igitur praecipua causa videatur divinae incarnationis esse expiatio peccatorum, ut ex Scripturis divinis docemur [Matth. I; I Tim. I], congruentius fuit humanam naturam quam angelicam assumi a Deo.

Secundo, quia assumptio creaturae a Deo est in persona, non in natura, ut ex superioribus patet. Convenientius igitur assumpta est hominis natura quam angelica: quia in homine aliud est natura et persona, cum sit ex materia et forma compositus; non autem in angelo, qui immaterialis est.

Tertio, quia angelus, secundum proprietatem suae naturae, propinquior erat ad Deum cognoscendum quam homo, cuius cognitio a sensu oritur. Sufficiebat igitur quod angelus a Deo intelligibiliter instrueretur de veritate divina. Sed conditio hominis requirebat ut Deus sensibiliter hominem de seipso homine instrueret. Quod per incarnationem est factum.

Ipsa etiam distantia hominis a Deo magis repugnare videbatur fruitioni divinae. Et ideo magis indiguit homo quam angelus assumi a Deo, ad spem

fassung jenes Geschöpfes erfordert ist, daß es durch Gott bewegt wird. Es wäre nicht erforderlich, daß es in personhafter Vereinigung angenommen wird, so daß es selbst handelt; denn dies widerspräche seiner natürlichen Verfassung und stimmt nur mit der Vernunftnatur überein. Also war es nicht angemessen, daß Gott ein vernunftloses Geschöpf annahm; vielmehr war es angemessen, daß er ein vernunftbegabtes Geschöpf, ein engelhaftes etwa oder ein menschliches annahm.

[Zu 4] Obwohl die Engelnatur im Hinblick auf ihre natürlichen Eigenschaften vorzüglicher als die menschliche Natur ist, wie der *vierte* Einwand hervorhob, so war es dennoch angemessener, daß die menschliche Natur angenommen wurde:

Erstens nämlich, weil es im Menschen eine Sünde geben kann, die sich wiedergutmachen läßt, sofern sich sein Wählen nicht unveränderlich auf eine Sache richtet, sondern sich vom Guten zum Übel und vom Übel zum Guten wenden kann. Ebenso kann sich der Verstand des Menschen, der eine Wahrheit aufgrund von sinnlich Gegebenem und von Zeichen gewinnt, in entgegengesetzte Richtungen wenden. Gleichwie der Engel jedoch über eine unveränderliche Auffassungsgabe verfügt, weil er aufgrund seiner einfachen Einsicht unveränderlich erkennt, so ist auch seine Wahl unveränderlich. Daher wendet er sich überhaupt nicht zum Übel, oder er wendet sich unveränderlich dem Übel zu, wenn er sich ihm zuwendet. Daher ist seine Sünde nicht wiedergutzumachen. Da aber das vornehmliche Motiv für die göttliche Inkarnation in der Wiedergutmachung der Sünden besteht, wie wir aus den göttlichen Schriften lernen (Mt 1,21; 1 Tim 1,15), so war es angemessener, daß Gott die menschliche statt der engelhaften Natur annahm.

Zweitens, weil die Annahme eines Geschöpfes von Gott in der Person und nicht in der Natur geschieht, wie aus dem oben Gesagten ersichtlich ist (IV 39; 41). Also ist füglicher die Natur des Menschen als die des Engels angenommen worden, weil Natur und Person im Menschen verschieden sind, sofern er aus Materie und Form besteht. Dies ist beim Engel nicht der Fall, da er immateriell ist.

Drittens, weil der Engel aufgrund der Beschaffenheit seiner Natur der Erkenntnis Gottes näher war als der Mensch, dessen Erkenntnis auf den Sinnen beruht. Folglich reichte es aus, daß der Engel durch Gott auf intelligible Weise mit Kenntnis über die göttliche Wahrheit ausgerüstet wurde; doch erforderte es die Verfassung des Menschen, daß Gott ihn als Mensch auf sinnlich wahrnehmbare Weise über sich unterrichtete. Dies geschah durch die Inkarnation.

So stand der Abstand des Menschen von Gott dem Genuß Gottes offenbar am ehesten im Wege. Deswegen hatte er es mehr als der Engel

de beatitudine concipiendam. Homo etiam, cum sit creaturarum terminus, quasi omnes alias creaturas naturali generationis ordine praesupponens, convenienter primo rerum principio unitur, ut quadam circulatione perfectio rerum concludatur.

Ex hoc autem quod Deus humanam naturam assumpsit, non datur erroris occasio, ut *quinta* ratio proponebat. Quia assumptio humanitatis, ut supra habitum est, facta est in unitate personae: non in unitate naturae, ut sic oporteat nos consentire his qui posuerunt Deum non esse super omnia exaltatum, dicentes Deum esse animam mundi, vel aliquid huiusmodi.

Licet autem circa incarnationem Dei sint aliqui errores exorti, ut *sexto* obiiciebatur, tamen manifestum est multo plures errores post incarnationem fuisse sublatos. Sicut enim ex creatione rerum, a divina bonitate procedente, aliqua mala sunt consecuta, quod competebat conditioni creaturarum, quae deficere possunt; ita etiam non est mirum si, manifestata divina veritate, sunt aliqui errores exorti ex defectu mentium humanarum. Qui tamen errores exercuerunt fidelium ingenia ad diligentius divinorum veritatem exquirendam et intelligendam: sicut et mala quae in creaturis accidunt, ordinat Deus ad aliquod bonum.

Quamvis autem omne bonum creatum, divinae bonitati comparatum, exiguum inveniatur, tamen quia in rebus creatis nihil potest esse maius quam salus rationalis creaturae, quae consistit in fruitione ipsius bonitatis divinae; cum ex incarnatione divina consecuta sit salus humana, non parum utilitatis praedicta incarnatio attulit mundo, ut *septima* ratio procedebat.

Nec oportuit propter hoc quod ex incarnatione divina omnes homines salvarentur: sed tantum illi qui praedictae incarnationi adhaerent per fidem et fidei sacramenta. Est siquidem incarnationis divinae virtus sufficiens ad omnium hominum salutem: sed quod non omnes ex hoc salvantur, ex eorum indispositione contingit, quod incarnationis fructum in se suscipere nolunt, incarnato Deo per fidem et amorem non inhaerendo.

Non enim erat hominibus subtrahenda libertas arbitrii, per quam pos-

nötig, von Gott angenommen zu werden, um somit Hoffnung auf die Glückseligkeit zu schöpfen. Da der Mensch der Abschlußpunkt der Geschöpfe ist, indem er gleichsam alle anderen Geschöpfe in der natürlichen Entstehungsordnung voraussetzt, so vereinigt er sich angemessen mit dem ersten Prinzip der Dinge, damit auch durch die Schließung des Kreises der Schöpfung die Vollkommenheit der Dinge zu ihrem Abschluß gebracht wird.

[Zu 5] Aus der Tatsache, daß Gott die menschliche Natur annahm, ergibt sich auch keine Gelegenheit zum Irrtum, wie der *fünfte* Einwand annahm, denn die Annahme des Menschseins ist, wie oben (IV 41) gezeigt wurde, in der Einheit der Person, nicht in der Einheit der Natur geschehen. Deswegen brauchen wir nicht jenen zuzustimmen, welche behaupteten, Gott sei nicht über alles erhöht; vielmehr sei er die Seele der Welt oder dergleichen.

[Zu 6] Nun trifft es zu, wie der *sechste* Einwand lautete, daß viele Irrtümer hinsichtlich der Inkarnation Gottes entstanden sind. Dennoch ist es offensichtlich der Fall, daß weit mehr Irrtümer nach der Inkarnation beseitigt wurden. Gleichwie nämlich aus der Erschaffung der Dinge, die aus göttlicher Güte zustande kam, einiges Übel folgte, was der Verfassung von Geschöpfen entspricht, die mit einem Mangel behaftet sein können, so soll es auch nicht verwundern, wenn aufgrund eines Fehls des menschlichen Geistes Irrtümer entstehen, obwohl sich die göttliche Wahrheit offenbart hat. Dennoch dienten die Irrtümer dem Verstand der Gläubigen dazu, sorgfältiger die Wahrheit von göttlichen Dingen zu erforschen und zu verstehen, gleichwie Gott auch die unter den Geschöpfen sich ereignenden Übel zu etwas Gutem bestimmt.

[Zu 7] Auch wenn alles geschaffene Gute klein im Verhältnis zur göttlichen Güte ist, so kann dennoch nichts unter den geschaffenen Dingen größer sein als das Heil der Vernunftkreatur, das im Genuß der göttlichen Güte selbst besteht. Nun war die Erlösung der Menschheit Ergebnis der Inkarnation Gottes. Deswegen brachte die göttliche Inkarnation der Welt keinen geringen Nutzen, wie der *siebente* Einwand meinte.

Doch folgt daraus nicht, daß alle Menschen durch die göttliche Inkarnation gerettet werden sollten, sondern nur jene, welche im Glauben und durch die Glaubenssakramente an der Inkarnation festhielten. Zwar genügt die Kraft der göttlichen Inkarnation zum Heil aller Menschen, doch stellt es sich heraus, daß nicht alle gerettet werden, deswegen nämlich, weil sie dazu nicht disponiert sind, sofern sie nicht die Frucht der Inkarnation in sich aufnehmen wollen, weil sie dem inkarnierten Gott nicht durch Glauben und Liebe anhangen.

Den Menschen nämlich durfte nicht die freie Wahl genommen werden,

sunt vel inhaerere vel non inhaerere Deo incarnato: ne bonum hominis coactum esset, et per hoc absque merito et illaudabile redderetur.

Praedicta etiam Dei incarnatio sufficientibus indiciis hominibus manifestata est. Divinitas enim nullo modo convenientius manifestari potest quam per ea quae sunt propria Dei. Est autem Dei proprium quod naturae leges immutare possit, supra naturam aliquid operando, cuius ipse est auctor. Convenientissime igitur probatur aliquid esse divinum per opera quae supra leges naturae fiunt, sicut quod caeci illuminentur, leprosi mundentur, mortui suscitentur. Huiusmodi quidem opera Christus effecit. Unde et ipse per haec opera quaerentibus [Matth. XI]: „ Tu es qui venturus es, an alium expectamus?" suam divinitatem demonstravit, dicens [ibid.]: „Caeci vident, claudi ambulant, surdi audiunt" etc. Alium autem mundum creare necesse non erat: nec ratio divinae sapientiae, nec rerum natura hoc habebat.

Si autem dicatur, ut *octava* ratio proponebat, quod huiusmodi miracula etiam per alios esse facta leguntur: tamen considerandum est quod multo differentius et divinius Christus effecit. Nam alii orando haec fecisse leguntur: Christus autem imperando, quasi ex propria potestate. Et non solum ipse haec fecit, sed et aliis eadem et maiora faciendi tribuit potestatem, qui ad solam invocationem nominis Christi huiusmodi miracula faciebant. Et non solum corporalia miracula per Christum facta sunt, sed etiam spiritualia, quae sunt multo maiora: scilicet quod per Christum, et ad invocationem nominis eius, Spiritus Sanctus daretur, quo accenderentur corda caritatis divinae affectu; et mentes instruerentur subito in scientia divinorum; et „linguae simplicium redderentur disertae" [Sap. X], ad divinam veritatem hominibus proponendam. Huiusmodi autem opera indicia sunt expressa divinitatis Christi, quae nullus purus homo facere potuit. Unde Apostolus, ad Hebr. [II], dicit quod salus hominum, „cum initium accepisset enarrari per Dominum, per eos qui audierunt in nos confirmata est, attestante Deo signis et virtutibus et variis Spiritus Sancti distributionibus".

wodurch sie dem inkarnierten Gott anhangen oder nicht anhangen; andernfalls wäre des Menschen Gut aufgezwungen und wäre deswegen weder verdienstvoll noch lobenswert.

Ebenso ist den Menschen die Inkarnation Gottes durch genügende Anzeichen offenbart worden. Die Gottheit kann sich nämlich keineswegs angemessener offenbaren als durch das, was Gott eigentümlich zukommt. Es kommt aber Gott eigentümlich zu, die Naturgesetze verändern zu können, indem er ein übernatürliches Werk vollbringt, dessen Urheber er selbst ist. Daher sind Werke, die die Naturgesetze übersteigen, ein höchst angemessener Beweis von Göttlichem, so etwa wenn Blinden das Augenlicht gegeben wird, Aussätzige gereinigt oder Tote auferweckt werden. Christus vollbrachte derartige Werke. Als er daher (Mt 11,3) aufgrund dieser Werke gefragt wurde: „Bist du der Kommende, oder müssen wir einen anderen erwarten?", stellte er seine Gottheit unter Beweis, indem er (Mt 11,5) antwortete: „Blinde sehen, Lahme gehen, Aussätzige werden rein, und Taube hören, Tote stehen auf" etc. Doch war es nicht nötig, eine andere Welt zu erschaffen, denn dies war nicht der Plan der göttlichen Weisheit, noch lag es in der Natur der Dinge.

[Zu 8] Wendet aber jemand ein, wie es der *achte* Einwand tat, es sei berichtet, derartige Wunder seien auch durch andere zustande gebracht worden, so hat man dennoch zu beachten, daß Christus sie auf eine weit von ihnen verschiedene und göttliche Weise bewirkte. Andere nämlich, so sagt man, vollbrachten diese Dinge durch Gebet, Christus aber durch Befehl, also gleichsam aufgrund eigenen Vermögens. Er vollbrachte diese Dinge nicht nur selbst, sondern gab auch anderen die Vollmacht, dasselbe und noch Größeres zu tun, die daraufhin einzig durch Anrufung des Namens Christi Wunder vollbrachten. Christus hat nicht nur leibhaftige, sondern auch geistige Wunder vollbracht, die weit größer sind. So etwa wurde durch Christus und unter Anrufung seines Namens der Heilige Geist verliehen, wodurch die Herzen zu göttlicher Liebe entflammt wurden. Der Geist wurde plötzlich mit Wissen von Gott erfüllt und „die Zungen einfacher Menschen wurden beredt" (Weish 10,21), den Menschen die göttliche Wahrheit zu verkünden. Diese Werke aber sind ausdrückliche Indizien der Gottheit Christi. Niemand, der lediglich ein Mensch ist, konnte dies tun. Daher sagt der Apostel Hebr 2,3 f. hinsichtlich des Heils der Menschen: „[Wie werden wir entrinnen, wenn wir ein so großes Heil vernachlässigt haben], das zuerst durch den Herrn (selbst) verkündet und dann durch die Ohrenzeugen uns zuverlässig bestätigt worden ist, indem Gott zugleich Zeugnis gab durch Zeichen und Wunder und vielerlei Machterweise und Zuteilungen des Heiligen Geistes [nach seinem Willen]".

Licet autem saluti totius humani generis Dei incarnatio necessaria foret, non tamen oportuit quod a principio mundi Deus incarnaretur, ut *nono* obiiciebatur.

Primo quidem, quia per Deum incarnatum oportebat hominibus medicinam afferri contra peccata, ut superius habitum est. Contra peccatum autem alicui convenienter medicina non affertur nisi prius suum defectum recognoscat: ut sic per humilitatem homo, de seipso non praesumens, iactet spem suam in Deum, a quo solo potest sanari peccatum, ut supra habitum est. Poterat autem homo de seipso praesumere et quantum ad scientiam, et quantum ad virtutem. Relinquendus igitur aliquando fuit sibi, ut experiretur quod ipse sibi non sufficeret ad salutem: neque per scientiam naturalem, quia ante tempus legis scriptae, homo legem naturae transgressus est; neque per virtutem propriam, quia, data sibi cognitione peccati per legem, adhuc ex infirmitate peccavit. Et sic oportuit ut demum homini, neque de scientia neque de virtute praesumenti, daretur efficax auxilium contra peccatum per Christi incarnationem: scilicet gratia Christi, per quam et instrueretur in dubiis, ne in cognitione deficeret; et roboraretur contra tentationum insultus, ne per infirmitatem deficeret. Sic igitur factum est quod essent tres status humani generis: primus ante legem; secundus sub lege; tertius sub gratia.

Deinde per Deum incarnatum praecepta et documenta perfecta hominibus danda erant. Requirit autem hoc conditio humanae naturae, quod non statim ad perfectum ducatur, sed manuducatur per imperfecta ut ad perfectionem perveniat: quod in instructione puerorum videmus, qui primo de minimis instruuntur, nam a principio perfecta capere non valent. Similiter etiam, si alicui multitudini aliqua inaudita proponerentur et magna, non statim caperet nisi ad ea assuesceret prius per aliqua minora. Sic igitur conveniens fuit ut a principio humanum genus instrueretur de his quae pertinent ad suam salutem per aliqua levia et minora documenta per

[Zu 9] Wenngleich die Inkarnation Gottes für das Heil des gesamten Menschengeschlechts notwendig war, so war es dennoch nicht erforderlich, wie der *neunte* Einwand behauptet, daß sich Gott von Beginn der Welt an inkarnierte:

Erstens war es erforderlich, daß den Menschen durch die Inkarnation Gottes ein Heilmittel gegen die Sünden verabreicht wurde, wie weiter oben gesagt worden ist (IV 54). Nun ist es nicht angebracht, jemandem ein Heilmittel gegen die Sünde zu verabreichen, es sei denn, er erkennt zuvor seinen Fehler, so daß er demütig sein Vertrauen nicht länger auf sich selbst, sondern auf Gott setzt, durch den allein jemand von einer Sünde geheilt werden kann, wie bereits erklärt wurde (IV 54). Doch war der Mensch in der Lage, auf sich selbst zu setzen, sowohl was sein Wissen als auch was sein Vermögen betrifft. Demnach war es angebracht, daß er bisweilen sich selbst überlassen war, um zu erfahren, daß er zur Erlangung des Heils sich selbst nicht genügte. So reichte weder sein natürliches Wissen hierzu aus, da der Mensch vor der Zeit des geschriebenen Gesetzes das Gesetz der Natur überschritten hatte; noch reichte sein eigenes Vermögen hierzu aus, da er weiterhin aufgrund von Schwäche sündigte, obwohl er aufgrund des Gesetzes um seine Sünde wußte. So war es schließlich nötig, daß dem Menschen, welcher weder auf sein Wissen noch auf sein Vermögen setzte, durch die Inkarnation Christi eine wirksame Hilfe gegen die Sünde angeboten wurde, nämlich die Gnade Christi, durch die er sowohl in Zweifeln belehrt wurde, damit es ihm nicht an Erkenntnis ermangelte, durch die er ebenso gegen den Ansturm von Versuchungen gewappnet wurde, damit er sich nicht aufgrund von Schwäche verfehlte. Somit ist es also geschehen, daß es drei Stadien des Menschengeschlechtes gibt: das erste vor dem Gesetz, das zweite unter dem Gesetz und das dritte unter der Gnade.

Zweitens mußten den Menschen durch den inkarnierten Gott vollkommene Vorschriften und Belehrungen erteilt werden. Die Verfassung der menschlichen Natur macht es jedoch erforderlich, daß sie nicht unverzüglich zur Vollkommenheit gebracht ist, sondern durch ein Stadium der Unvollkommenheit geführt wird, um zur Vollkommenheit zu gelangen. Dies sehen wir auch bei der Erziehung der Kinder. Zunächst unterrichten wir sie in sehr kleinen Dingen, denn sie sind nicht in der Lage, von Beginn an das Vollkommene zu erfassen. Ebenso würde eine Hörerschaft, der jemand noch nie zuvor gehörte und großartige Dinge erzählte, diese nicht unmittelbar begreifen, es sei denn, er machte sie zuvor durch geringfügigere Dinge hiermit vertraut. Folglich war es angemessen, daß das Menschengeschlecht hinsichtlich der Dinge, die sich auf sein Heil beziehen, anfänglich eine leichte und geringere Belehrung durch die Patriarchen, das

patriarchas et legem et prophetas, et tandem, in consummatione temporum, perfecta doctrina Christi proponeretur in terris: secundum quod Apostolus dicit, ad Gal. [IV]: „At ubi venit plenitudo temporis, misit Deus Filium suum in terris". Et ibidem [III] dicitur quod „lex paedagogus noster fuit in Christo, sed iam non sumus sub paedagogo".

Simul etiam considerandum est quod, sicut adventum magni regis oportet aliquos nuntios praecedere, ut praeparentur subditi ad eum reverentius suscipiendum; ita oportuit adventum Dei in terras multa praecedere, quibus homines essent parati ad Deum incarnatum suscipiendum. Quod quidem factum est dum per praecedentia promissa et documenta hominum mentes dispositae sunt, ut facilius ei crederent qui ante praenuntiatus erat, et desiderantius susciperetur propter priora promissa.

Et licet adventus Dei incarnati in mundum esset maxime necessarius humanae saluti, tamen non fuit necessarium quod usque ad finem mundi cum hominibus conversaretur, ut *decima* ratio proponebat. Hoc enim derogasset reverentiae quam homines debebant Deo incarnato exhibere: dum, videntes ipsum carne indutum aliis hominibus similem, nihil de eo ultra alios homines aestimassent. Sed eo, post mira quae gessit in terris, suam praesentiam hominibus subtrahente, magis ipsum revereri coeperunt. Propter quod etiam suis discipulis plenitudinem Spiritus Sancti non dedit quandiu cum eis conversatus fuit, quasi per eius absentiam eorum animis ad spiritualia munera magis praeparatis. Unde ipse eis dicebat [Ioan. XVI]: „Si non abiero, Paraclitus non veniet ad vos: si aurem abiero, mittam eum ad vos".

Non oportuit autem Deum carnem impassibilem et immortalem suscipere, secundum quod *undecima* ratio proponebat: sed magis passibilem et mortalem.

Primo quidem, quia necessarium erat hominibus quod beneficium incarnationis cognoscerent, ut ex hoc ad divinum amorem inflammarentur. Oportuit autem, ad veritatem incarnationis manifestandam, quod carnem similem aliis hominibus sumeret, scilicet passibilem et mortalem. Si enim impassibilem et immortalem carnem suscepisset, visum fuisset hominibus, qui talem carnem non noverant, quod aliquod phantasma esset, et non veritas carnis.

Secundo, quia necessarium fuit Deum carnem assumere ut pro peccato

Gesetz und die Propheten erfuhr, und daß daraufhin, in der Fülle der Zeiten, die vollkommene Lehre Christi auf Erden verkündet wurde, dem Wort des Apostels von Gal 4,4 gemäß: „Als aber die Fülle der Zeit kam, entsandte Gott seinen Sohn" auf die Erde. Am selben Ort, Gal 3,24 f., heißt es: „So ist das Gesetz unser Zuchtmeister auf Christus hin geworden; ... nun aber ... stehen wir nicht mehr unter dem Zuchtmeister".

Gleichzeitig gilt es folgendes zu beachten: Wie Botschafter der Ankunft eines großen Königs vorwegzugehen haben, damit die Untergebenen sich darauf vorbereiten, ihn mit dem nötigen Respekt zu empfangen, so mußte der Ankunft Gottes auf Erden vieles vorweggehen, damit die Menschen darauf vorbereitet waren, den inkarnierten Gott zu empfangen. Dies geschah durch vorhergehende Zusagen und Belehrungen. Hierdurch war der Menschengeist darauf vorbereitet, demjenigen leichter Glauben zu schenken, welcher zuvor angekündigt war, so daß er wegen der zuvor gegebenen Zusagen mit größerem Verlangen aufgenommen würde.

[Zu 10] Selbst wenn die Ankunft des inkarnierten Gottes in der Welt für das menschliche Heil höchst notwendig war, so mußte er dennoch nicht bis zum Ende der Welt bei den Menschen weilen, wie der *zehnte* Einwand lautete. Dies hätte der Verehrung geschadet, welche die Menschen dem inkarnierten Gott schuldeten. Hätten sie ihn nämlich im Fleisch und anderen Menschen gleich gesehen, so hätten sie ihn nicht für mehr als die übrigen Menschen erachtet. Doch begannen sie, nachdem er auf Erden Wunder vollbracht hatte und seine Gegenwart den Menschen entzog, ihn mehr zu verehren. Deswegen auch gab er seinen Jüngern nicht die Fülle des Heiligen Geistes, solange er noch unter ihnen weilte, da seine Abwesenheit sie mehr dazu bereitmachte, die Gaben des Heiligen Geistes zu empfangen. Daher sprach er auch in Joh 16,7 zu ihnen: „Denn wenn ich nicht weggehe, wird der Helfer nicht zu euch kommen. Wenn ich aber weggehe, werde ich ihn zu euch senden".

[Zu 11] Auch war es nicht notwendig, daß Gott Fleisch annahm, das nicht leidensfähig und unsterblich war, was der *elfte* Einwand behauptete, sondern vielmehr leidensfähiges und sterbliches Fleisch:

Erstens, weil die Menschen die Wohltat der Inkarnation erkennen mußten, um hierdurch zur Liebe Gottes entflammt zu werden. Doch war es zur Offenbarung der Wahrheit der Inkarnation erforderlich, daß er Fleisch annahm, was dem der übrigen Menschen gleich, also leidensfähig und sterblich war. Hätte er nämlich Fleisch angenommen, das nicht leidensfähig und unsterblich war, so hätte es den Menschen so geschienen, als handele es sich um ein Trugbild, nicht aber um wirkliches Fleisch, da sie derartiges Fleisch nicht kannten.

Zweitens, weil Gott Fleisch annehmen mußte, um für die Sünde des

humani generis satisfaceret. Contingit autem unum pro alio satisfacere, ut in Tertio ostensum est, ita tamen quod poenam pro peccato alteri debitam ipse, sibi non debitam, voluntarie assumat. Poena autem consequens humani generis peccatum est mors et aliae passibilitates vitae praesentis, sicut supra dictum est: unde et Apostolus dicit, ad Rom. [V]: „Per unum hominem peccatum in hunc mundum intravit, et per peccatum mors". Oportuit igitur ut carnem passibilem et mortalem Deus assumeret absque peccato, ut sic, patiendo et moriendo, pro nobis satisfaceret et peccatum auferret. Et hoc est quod Apostolus dicit, ad Rom. [VIII], quod „Deus misit Filium suum in similitudinem carnis peccati", idest, habentem carnem similem peccatoribus, scilicet passibilem et mortalem; et subdit [ibid.]: „ut de peccato damnaret peccatum in carne", idest, ut per poenam quam in carne pro peccato nostro sustinuit, peccatum a nobis auferret.

Tertio, quia per hoc quod carnem passibilem et mortalem habuit, efficacius dedit nobis exempla virtutis, passiones carnis fortiter superando, et eis virtuose utendo.

Quarto, quia per hoc magis ad spem immortalitatis erigimur, quod ipse de statu carnis passibilis et mortalis mutatus est in impassibilitatem et immortalitatem carnis: quod etiam de nobis sperare possumus, qui carnem gerimus passibilem et mortalem. Si vero a principio carnem impassibilem et immortalem assumpsisset, nulla daretur occasio immortalitatem sperandi his qui in seipsis mortalitatem et corruptibilitatem experiuntur.

Hoc etiam mediatoris officium requirebat quod, cum communem haberet nobiscum passibilem carnem et mortalem, cum Deo vero virtutem et gloriam: ut auferens a nobis quod nobiscum commune habebat, scilicet passionem et mortem, ad id nos duceret quod sibi et Deo erat commune. Fuit enim mediator ad coniungendum nos Deo.

Similiter etiam non fuit expediens quod Deus incarnatus vitam in hoc mundo ageret opulentam et honoribus seu dignitatibus sublimem, ut *duodecima* ratio concludebat.

Primo quidem, quia ad hoc venerat ut mentes hominum, terrenis deditas, a terrenis abstraheret et ad divina elevaret. Unde oportuit, ut suo exemplo homines in contemptum divitiarum et aliorum quae mundani desiderant duceret, quod inopem et privatam vitam ageret in hoc mundo.

Menschengeschlechts Buße zu tun. Doch kann, wie wir im 3. Buch gezeigt haben (III 158), einer für den anderen Buße tun, jedoch so, daß er freiwillig die Strafe auf sich nimmt, die ein anderer und nicht er selbst verdient. Die auf die Sünde des Menschengeschlechts erfolgende Strafe besteht jedoch im Tod und in anderen Leiden des gegenwärtigen Lebens, wie oben bemerkt wurde (IV 5off.). Daher sagt der Apostel in Rö 5,12: „Deshalb, wie durch einen Menschen die Sünde in die Welt gekommen ist und durch die Sünde der Tod …". Folglich mußte Gott leidensfähiges und sterbliches, jedoch sündeloses Fleisch annehmen, um somit durch Leiden und Sterben für uns Buße zu tun und die Sünde zu beseitigen. Dies sagt der Apostel in Rö 8,3: „Er sandte seinen Sohn in der Gestalt des sündigen Fleisches", d. h. im Fleisch, was dem der Sünder ähnlich war, also in leidensfähigem und sterblichem Fleisch. Er fügt hinzu: „… und verurteilte damit die Sünde im Fleisch", d. h., daß er durch die Strafe, die er im Fleische für unsere Sünde erlitt, die Sünde von uns wegnahm.

Drittens, weil er dadurch, daß er in leidensfähigem und sterblichem Fleisch war, uns um so wirkungsvoller Beispiele von Tugend gab, indem er die Leiden des Fleisches tapfer überwand und von ihnen einen tugendhaften Gebrauch machte.

Viertens, weil wir dadurch, daß er selbst vom Zustand des leidensfähigen und sterblichen Fleisches zur Leidensunfähigkeit und Unsterblichkeit des Fleisches gewandelt wurde, eher zur Hoffnung auf die Unsterblichkeit ermutigt werden. Dies können wir auch für uns erhoffen, die wir über leidensfähiges und sterbliches Fleisch verfügen. Hätte er jedoch von Anfang an Fleisch angenommen, das nicht leidensfähig und unsterblich ist, so hätte sich denen keine Gelegenheit zur Hoffnung auf Unsterblichkeit geboten, die an sich selbst Sterblichkeit und Vergänglichkeit erfahren.

Überdies erforderte es die Aufgabe des Mittlers, daß er leidensfähiges und sterbliches Fleisch mit uns gemein hatte, mit Gott aber die Kraft und Herrlichkeit, auf daß er das wegnahm, was er mit uns teilte, nämlich Leiden und Tod, und uns zu dem leitete, was er mit Gott teilte. So war er Mittler, um uns mit Gott zu verbinden.

[Zu 12] Ähnlich war es nicht angemessen, hätte der inkarnierte Gott in dieser Welt ein Leben im Überfluß von Reichtum und höchsten Ehren und Würden geführt, wie der *zwölfte* Einwand folgerte:

Erstens. Er war gekommen, um den im Irdischen befangenen Menschengeist von irdischen Dingen wegzulenken und zu Göttlichem zu erheben. Um die Menschen aufgrund seines Beispiels zur Verachtung von Reichtümern und anderer Dinge zu bewegen, nach denen weltverhaftete Menschen verlangen, mußte er in dieser Welt ein armes Leben ohne öffentliches Amt leben.

Secundo quia, si divitiis abundasset et in aliqua maxima dignitate constitutus fuisset, id quod divine gessit magis potentiae saeculari quam virtuti divinitatis fuisset attributum. Unde efficacissimum argumentum suae
divinitatis fuit quod absque adminiculo potentiae saecularis totum mundum in melius commutavit.

Unde patet etiam solutio ad id quod *decimotertio* obiiciebatur.

Non est autem procul a vero quod Filius Dei incarnatus obediens praecepto Patris mortem sustinuit, secundum doctrinam Apostoli [Philip. II].
Praeceptum enim Dei est ad homines de operibus virtutum: et quanto
aliquis perfectius actum virtutis exequitur, tanto magis Deo obedit.

Inter alias autem virtutes praecipua caritas est, ad quam omnes aliae
referuntur. Christus igitur, dum actum caritatis perfectissime implevit,
Deo maxime obediens fuit. Nullus enim est actus caritatis perfectior quam
quod homo pro amore alicuius etiam mortem sustineat: secundum quod
ipsemet Dominus dicit[Ioan. XV]: „Maiorem caritatem nemo habet quam
quod animam suam ponat quis pro amicis suis". Sic igitur invenitur Christus, mortem sustinens pro salute hominum et ad gloriam Dei Patris, Deo
maxime obediens fuisse, actum caritatis perfectum exequendo.

Nec hoc repugnat divinitati ipsius, ut *quartadecima* ratio procedebat.
Sic enim facta est unio in persona ut proprietas utriusque naturae maneret,
divinae scilicet et humanae, ut supra habitum est. Et ideo, patiente Christo
etiam mortem et alia quae humanitatis sunt, divinitas impassibilis mansit,
quamvis, propter unitatem personae, dicamus Deum passum et mortuum.
Cuius exemplum aliqualiter in nobis apparet, quia, moriente carne, anima
remanet immortalis.

Sciendum est etiam quod, licet voluntas Dei non sit ad mortem hominum, ut *quintadecima* ratio proponebat, est tamen ad virtutem, per quam
homo mortem fortiter sustinet, et ex caritate periculis mortis se obiicit.
Et sic voluntas Dei fuit de morte Christi, inquantum Christus eam ex
caritate suscepit et fortiter sustinuit.

Unde patet quod non fuit impium et crudele quod Deus Pater Christum mori voluit, ut *sextadecima* ratio concludebat. Non enim coegit in-
vitum, sed complacuit ei voluntas qua ex caritate Christus mortem suscepit. Et hanc etiam caritatem in eius anima operatus est.

Similiter etiam non inconvenienter dicitur quod propter humilitatem

Zweitens. Hätte er im Überfluß an Reichtümern gelebt und wäre er mit höchster Würde ausgezeichnet worden, so hätte man ihm das, was er auf göttliche Weise tat, eher aufgrund seines weltlichen als aufgrund seines göttlichen Vermögens zugeschrieben. Daher war es ein höchst wirkungsvolles Argument für seine Gottheit, daß er ohne Hilfe einer weltlichen Macht die gesamte Welt zum Besseren änderte.

[Zu 13] Damit ist auch die Widerlegung des *dreizehnten* Einwandes klar. Es ist tatsächlich nicht weit von der Wahrheit entfernt, daß nach der Lehre des Apostels der inkarnierte Sohn Gottes, dem Befehl des Vaters gehorsam, den Tod erlitt. Nun gilt der Befehl Gottes an die Menschen den Werken der Tugend. Je vollkommener jemand tugendhaft handelt, desto mehr gehorcht er Gott.

[Zu 14] Unter den Tugenden steht aber die Liebe an vorzüglicher Stelle. Auf sie beziehen sich alle anderen Tugenden. Folglich war Christus, der die Liebe am vollkommensten verwirklichte, Gott am meisten gehorsam. Es gibt nämlich keinen vollkommeneren Akt der Liebe als den, wenn ein Mensch aus Liebe zu einem anderen sogar den Tod erleidet, dem Worte des Herrn selbst gemäß (Joh 15, 13): „Eine größere Liebe hat niemand als die, daß er sein Leben für seine Freunde dahingibt". Folglich war Christus dadurch, daß er für das Heil der Menschen und zur Verherrlichung Gottes, des Vaters, den Tod erlitt, Gott am meisten gehorsam, indem er einen vollkommenen Akt der Liebe vollführte.

Dies widerspricht nicht seiner Gottheit, wie der *vierzehnte* Einwand behauptete. Die personhafte Vereinigung ist nämlich dergestalt geschehen, daß die jeweilige Eigentümlichkeit beider Naturen, der göttlichen wie der menschlichen, bewahrt blieb, wie oben gesagt wurde (IV 41). Auch wenn Christus den Tod und weitere Dinge erlitt, die Teil menschlichen Lebens sind, so blieb doch seine Gottheit unverändert, obwohl wir aufgrund der Einheit der Person sagen, Gott habe gelitten und sei gestorben. In gewisser Weise besitzen wir hierfür ein Beispiel, sofern die Seele beim Tod des Fleisches unsterblich bleibt.

[Zu 15] Ebenso muß man wissen, daß Gott zwar nicht den Tod der Menschen will, wie der *fünfzehnte* Einwand behauptete, aber dennoch die Tugend, wodurch der Mensch den Tod tapfer erträgt und sich aus Liebe Todesgefahren aussetzt. Somit wollte Gott den Tod Christi, insofern er ihn aus Liebe auf sich nahm und tapfer ertrug.

[Zu 16] Daher ist deutlich, daß es nicht frevelhaft und grausam war, daß Gott, der Vater, den Tod Christi wollte, wie das *sechzehnte* Argument schloß. So zwang er ihn nicht gegen seinen Willen; vielmehr gefiel es ihm, daß Christus aus Liebe den Tod auf sich nehmen wollte. Diese Liebe bewirkte er in Christi Seele.

[Zu 17] Ähnlich heißt es nicht unangemessen, Christus habe den Kreu-

demonstrandam Christus mortem crucis voluit pati. Et revera quidem humilitas in Deum non cadit, ut *decimaseptima* ratio proponebat: quia virtus humilitatis in hoc consistit ut aliquis infra suos terminos se contineat, ad ea quae supra se sunt non se extendens, sed superiori se subiiciat; unde patet quod Deo humilitas convenire non potest, qui superiorem non habet, sed ipse super omnia existit.

Si autem aliquis vel aequali vel inferiori se ex humilitate aliquando subiiciat, hoc est quia secundum aliquid eum qui simpliciter vel aequalis vel inferior est, superiorem se arbitratur. Quamvis igitur Christo secundum divinam naturam humilitatis virtus non competat, competit tamen sibi secundum humanam naturam, et eius humilitas ex eius divinitate laudabilior redditur: dignitas enim personae adiicit ad laudem humilitatis; puta quando, pro aliqua necessitate, expedit aliquem magnum aliqua infima pati.

Nulla autem tanta dignitas esse potest hominis quam quod sit Deus. Unde hominis Dei humilitas maxime laudabilis invenitur, dum abiecta sustinuit quae pro salute hominum ipsum pati expediebat. Erant enim homines, propter superbiam, mundanae gloriae amatores. Ut igitur hominum animos ab amore mundanae gloriae in amorem divinae gloriae transmutaret, voluit mortem sustinere, non qualemcumque, sed abiectissimam. Sunt enim quidam qui, etsi mortem non timeant, abhorrent tamen mortem abiectam. Ad quam etiam contemnendam Dominus homines animavit suae mortis exemplo.

Et licet homines ad humilitatem informari potuerint divinis sermonibus instructi, ut *decimaoctava* ratio proponebat: tamen ad agendum magis provocant facta quam verba; et tanto efficacius facta movent, quanto certior opinio bonitatis habetur de eo qui huiusmodi operatur. Unde, licet aliorum hominum multa humilitatis exempla invenirentur, tamen expedientissimum fuit ut ad hoc hominis Dei provocarentur exemplo, quem constat errare non potuisse; et cuius humilitas tanto est mirabilior quanto maiestas sublimior.

Manifestum est etiam ex praedictis quod oportuit Christum mortem pati, non solum ut exemplum praeberet mortem contemnendi propter veritatis amorem, sed ut etiam aliorum peccata purgaret. Quod quidem

zestod erleiden wollen, um Demut zu beweisen. Zwar trifft es zu, wie der *siebzehnte* Einwand behauptet, daß Demut keinen Ort in Gott hat, da die Tugend der Demut darin besteht, daß jemand sich auf seine Grenzen beschränkt und sich nicht nach dem ausstreckt, was über ihm ist, sondern sich einem Höhergestellten unterwirft. Daher kann Gott, dem niemand übergeordnet ist, der vielmehr über allem existiert, offenkundig nicht demütig sein.

Unterwirft sich aber jemand wirklich einmal aus Demut einem Ebenbürtigen oder Untergeordneten, dann deswegen, weil er glaubt, daß derjenige, welcher ihm schlechthin ebenbürtig oder unterlegen ist, ihm in gewisser Hinsicht überlegen ist. Obwohl also in Christus, seiner göttlichen Natur gemäß, die Tugend der Demut keinen Ort hat, so kommt sie ihm dennoch seiner menschlichen Natur nach zu. Aufgrund seiner Gottheit ist seine Demut sogar noch lobenswerter, da die Personenwürde zum Lob der Demut beiträgt, beispielsweise wenn ein großartiger Mensch für irgendein Mißgeschick Gemeinstes erleidet.

Nun kann kein Mensch so große Würde besitzen wie derjenige, welcher Gott ist. Daher ist die Demut des Gottmenschen zuhöchst lobenswert, sofern er Erniedrigungen erlitt, die er selbst zum Heil der Menschen erleiden mußte. Wegen ihrer Überheblichkeit liebten die Menschen nämlich die irdische Herrlichkeit. Um also die Seelen der Menschen von der Liebe irdischer Pracht zur Liebe göttlicher Herrlichkeit zu bewegen, wollte er den Tod auf sich nehmen, doch nicht irgendwelchen Tod, sondern den gemeinsten. Mag es auch einige geben, die den Tod nicht fürchten, so schrecken sie dennoch vor einem gemeinen Tode zurück, den zu verabscheuen der Herr die Menschen durch das Beispiel seines Todes lehrte.

[Zu 18] Auch wenn die Menschen, durch die göttlichen Aussprüche belehrt, hätten Demut lernen können, wie der *achtzehnte* Einwand lautete, so fordern doch Taten mehr denn Worte zum Handeln heraus. Taten motivieren um so wirkungsvoller, je gewisser man von der Güte desjenigen überzeugt ist, welcher dergestalt tätig ist. Selbst wenn sich also unter den übrigen Menschen viele Beispiele von Demut fanden, so war es doch höchst angemessen, daß man außerdem noch durch das Beispiel eines Gottmenschen herausgefordert wurde, von dem feststeht, daß er nicht fehlgehen konnte und dessen Demut um so bewunderungswürdiger ist, je erhabener seine Würde ist.

Aus dem zuvor Gesagten ist zudem offenkundig, daß Christus nicht allein deswegen den Tod erleiden mußte, um ein Beispiel für Todesverachtung aus Liebe zur Wahrheit zu geben, sondern auch deswegen, um die Sünden der anderen abzuwaschen. Dies geschah, als derjenige, welcher

factum est dum ipse, qui absque peccato erat, mortem peccato debitam pati voluit, ut in se poenam aliis debitam, pro aliis satisfaciendo, susciperet.

Et quamvis sola Dei gratia sufficiat ad remittendum peccata, ut *decimanona* ratio proponebat, tamen in remissione peccati exigitur etiam aliquid ex parte eius cui peccatum remittitur: ut scilicet satisfaciat ei quem offendit. Et quia alii homines pro seipsis hoc facere non poterant, Christus hoc pro omnibus fecit, mortem voluntariam ex caritate patiendo.

Et quamvis in puniendo peccata oportet illum puniri qui peccavit, ut *vigesima* ratio proponebat, tamen in satisfaciendo unus potest alterius poenam ferre. Quia dum poena pro peccato infligitur, pensatur eius qui punitur iniquitas: in satisfactione vero, dum quis, ad placandum eum quem offendit, voluntarie poenam assumit, satisfacientis caritas et benevolentia aestimatur, quae maxime apparet cum quis pro alio poenam assumit. Et ideo Deus satisfactionem unius pro alio acceptat, ut etiam in tertio libro ostensum est.

Satisfacere autem pro toto humano genere, ut supra ostensum est, nullus homo purus poterat: nec ad hoc angelus sufficiebat, ut *vigesimaprima* ratio procedebat. Angelus enim, licet quantum ad aliquas proprietates naturales sit homine potior, tamen quantum ad beatitudinis participationem, in quam per satisfactionem reducendus erat, est ei aequalis.

Et iterum: non plene redintegraretur hominis dignitas, si angelo pro homine satisfacienti obnoxius redderetur.

Sciendum autem est quod mors Christi virtutem satisfaciendi habuit ex caritate ipsius, qua voluntarie mortem sustinuit, non ex iniquitate occidentium, qui eum occidendo peccaverunt: quia peccatum non deletur peccato, ut *vigesimasecunda* ratio proponebat.

Et quamvis mors Christi pro peccato satisfactoria fuerit, non tamen toties eum mori oportuit quoties homines peccant, ut *vigesimatertia* ratio concludebat. Quia mors Christi sufficiens fuit ad omnium expianda peccata: tum propter eximiam caritatem qua mortem sustinuit; tum propter dignitatem personae satisfacientis, quae fuit Deus et homo. Manifestum est autem etiam in rebus humanis quod, quanto persona est altior, tanto

sündelos war, den durch die Sünde geschuldeten Tod erleiden wollte, um die durch andere verschuldete Strafe auf sich zu nehmen, um für sie Buße zu tun.

[Zu 19] Auch wenn die Gnade Gottes allein dazu ausreicht, die Sünden nachzulassen, wie der *neunzehnte* Einwand bemerkte, so ist es dennoch erforderlich, daß beim Sündennachlaß etwas von derjenigen Person beigetragen wird, welcher die Sünde nachgelassen wird, damit sie demjenigen Buße leistet, den sie beleidigt. Da die anderen Menschen nicht in der Lage waren, dies für sich selbst zu tun, so vollbrachte es Christus für alle, indem er aus Liebe einen freiwilligen Tod erlitt.

[Zu 20] Obgleich jener bei der Bestrafung der Sünden gestraft werden muß, welcher sündigte, wie der *zwanzigste* Einwand bemerkte, so kann beim Bußetun dennoch einer des anderen Strafe auf sich nehmen. Wenn nämlich eine Strafe für eine Sünde auferlegt wird, so wird damit die Ungerechtigkeit dessen vergolten, der gesündigt hat. Wenn jedoch jemand zur Besänftigung des Beleidigten bei der Buße freiwillig eine Strafe auf sich nimmt, so berücksichtigt man die Liebe und das Wohlwollen des Büßers, die dann am meisten offenkundig wird, wenn jemand für einen anderen die Strafe auf sich nimmt. Daher nimmt Gott die Buße des einen für einen anderen an, wie im 3. Buch gezeigt wurde (III 158).

[Zu 21] Doch konnte niemand, der reiner Mensch war, für das gesamte Menschengeschlecht Buße tun, wie weiter oben erwiesen wurde (IV 54). Hierfür genügte auch kein Engel, wie der *einundzwanzigste* Einwand meinte. Selbst wenn ein Engel hinsichtlich bestimmter natürlicher Eigenschaften mehr vermag als der Mensch, so ist er hinsichtlich der Teilhabe an der Glückseligkeit, zu welcher der Mensch durch die Buße zurückgeführt werden sollte, diesem ebenbürtig.

Darüber hinaus wäre die Würde des Menschen nicht völlig wiederhergestellt, würde ein Engel statt eines Menschen Buße tun.

[Zu 22] Auch muß man wissen, daß der Tod Christi aufgrund der Liebe, mit der er freiwillig den Tod auf sich nahm, Bußkraft besaß, nicht aber aufgrund der Ungerechtigkeit der Exekutoren, die dadurch sündigten, daß sie ihn töteten; denn eine Sünde wird nicht durch eine Sünde vernichtet, wie der *zweiundzwanzigste* Einwand meinte.

[Zu 23] Obgleich der Tod Christi für die Sünde bußkräftig war, so mußte er dennoch nicht so oft sterben, wie die Menschen sündigen. Hierauf schloß der *dreiundzwanzigste* Einwand. Der Tod Christi genügte zur Wiedergutmachung der Sünden aller, sowohl wegen der außerordentlichen Liebe, mit der er den Tod auf sich nahm, als auch wegen der Würde der büßenden Person, bei der es sich um Gott und Mensch handelte. So ist es auch bei menschlichen Angelegenheiten offensichtlich der Fall, daß

poena quam sustinet pro maiori computatur, sive ad humilitatem et caritatem patientis, sive ad culpam inferentis.

Ad satisfaciendum autem pro peccato totius humani generis mors Christi sufficiens fuit. Quia, quamvis secundum humanam naturam solum
mortuus fuerit, ut *vigesimaquarta* ratio proponebat, tamen ex dignitate
personae patientis, quae est persona Filii Dei, mors eius redditur pretiosa.
Quia, ut supra dictum est, sicut maioris est criminis alicui personae inferre
iniuriam quae maioris dignitatis existit, ita virtuosius est, et ex maiori
caritate procedens, quod maior persona pro aliis se subiiciat voluntariae
passioni.

Quamvis autem Christus pro peccato originali sua morte sufficienter
satisfecerit, non est tamen inconveniens quod poenalitates ex peccato originali consequentes remaneant adhuc in omnibus qui etiam redemptionis
Christi participes fiunt: ut *vigesimaquinta* ratio procedebat. Hoc enim
congruenter et utiliter factum est ut poena remaneret, etiam culpa sublata.
Primo quidem, ut esset conformitas fidelium ad Christum, sicut membrorum ad caput. Unde sicut Christus prius multas passiones sustinuit, et sic
ad immortalitatis gloriam pervenit; sic decuit ut fideles eius prius passionibus subiacerent, et sic ad immortalitatem pervenirent, quasi portantes
in seipsis insignia passionis Christi, ut similitudinem gloriae eius consequerentur; sicut Apostolus, ad Rom. [VIII] dicit: „Heredes quidem Dei,
coheredes autem Christi. Si tamen compatimur, ut et simul glorificemur".

Secundo quia, si homines venientes ad Iesum statim immortalitatem et
impassibilitatem consequerentur, plures homines ad Christum accederent
magis propter haec corporalia beneficia quam propter spiritualia bona.
Quod est contra intentionem Christi, venientis in mundum ut homines
ab amore corporalium ad spiritualia transferret.

Tertio quia, si accedentes ad Christum statim impassibiles et immortales
redderentur, hoc quodammodo compelleret homines ad fidem Christi sus-
cipiendam. Et sic meritum fidei minueretur.

Quamvis autem sufficienter pro peccatis humani generis sua morte satisfecerit, ut *vigesimasexta* ratio proponebat, sunt tamen unicuique reme-

einer Strafe um so größeres Gewicht beigemessen wird, je höher eine Person gestellt ist, die sie auf sich nimmt, sei es im Hinblick auf seine Demut und Liebe oder sei es im Hinblick auf die Schuld des Beleidigers.

[Zu 24] Der Tod Christi genügte aber zur Buße für die Sünde des gesamten Menschengeschlechtes. Obwohl er nämlich allein seiner menschlichen Natur nach starb, wie der *vierundzwanzigste* Einwand lautete, so war doch sein Tod kostbar aufgrund der Würde der Person, die ihn erlitt, also der Person des Sohnes Gottes. Geradeso nämlich – dies wurde bereits oben gesagt –, wie es ein größeres Vergehen darstellt, einer Person höherer Würde Unrecht zuzufügen, so ist es Ausdruck größerer Tugend und Liebe, wenn eine höhergestellte Person freiwillig für andere leidet.

[Zu 25] Obgleich aber Christus mit seinem Tod genügend für die Erbsünde büßte, so ist es dennoch nicht unangemessen, wie der *fünfundzwanzigste* Einwand behauptete, daß die zur Strafe gehörigen Dinge, welche sich aufgrund der Erbsünde ergaben, weiterhin in allen blieben, selbst in denen, die an der Erlösung Christi teilhaben. Es geschah angemessen und zum Nutzen, daß die Strafe blieb, auch nachdem die Schuld beseitigt wurde:

Erstens, damit es eine gleichgestalte Hinordnung der Gläubigen auf Christus hin gibt, wie es zwischen den Gliedern und dem Haupt der Fall ist. Gleichwie Christus viele Leiden auf sich nahm, bevor er schließlich zur Herrlichkeit der Unsterblichkeit gelangte, so ziemte es sich auch für die Gläubigen, sich seinen Leiden zu unterwerfen, bevor sie zur Unsterblichkeit gelangten, indem sie gleichsam die Embleme des Leidens Christi an sich selbst trugen, um das Abbild seiner Herrlichkeit zu erlangen. So sagt der Apostel in Rö 8,17: „[Wenn aber Kinder, dann] auch Erben, Erben Gottes, Miterben Christi, wenn anders wir mitleiden, um auch mitverherrlicht zu werden".

Zweitens. Würden die zu Christus gelangenden Menschen sogleich Unsterblichkeit und Leidensunfähigkeit erlangen, so würden sich Christus mehr Menschen wegen materieller Wohltaten nähern als wegen geistlicher Güter. Dies widerspricht der Absicht Christi, der in die Welt kam, um die Menschen von der Liebe zu materiellen Dingen zur Liebe geistlicher Dinge zu wenden.

Drittens. Würden die Menschen unmittelbar leidensunfähig und unsterblich, sobald sie zu Christus gelangt sind, so würden sie gewissermaßen dazu gezwungen, Christus zu glauben. Damit würde sich der Verdienst des Glaubens verringern.

[Zu 26] Obgleich [Christus] durch seinen Tod für die Sünden des Menschengeschlechtes hinlänglich gebüßt hat, wie der *sechsundzwanzigste*

dia propriae salutis quaerenda. Mors enim Christi est quasi quaedam universalis causa salutis: sicut peccatum primi hominis fuit quasi universalis causa damnationis. Oportet autem universalem causam applicari ad unumquemque specialiter, ut effectum universalis causae percipiat. Effectus igitur peccati primi parentis pervenit ad unumquemque per carnis originem: effectus autem mortis Christi pertingit ad unumquemque per spiritualem regenerationem, per quam homo Christo quodammodo coniungitur et incorporatur. Et ideo oportet quod unusquisque quaerat regenerari per Christum, et alia suscipere in quibus virtus mortis Christi operatur.

Ex quo patet quod effluxus salutis a Christo in homines non est per naturae propaginem, sed per studium bonae voluntatis, qua homo Christo adhaeret. Et sic quod a Christo unusquisque consequitur, est personale bonum. Unde non derivatur ad posteros, sicut peccatum primi parentis, quod cum naturae propagine producitur. Et inde est quod, licet parentes sint a peccato originali mundati per Christum, non tamen est inconveniens quod eorum filii cum peccato originali nascantur, et sacramentis salutis indigeant, ut *vigesimaseptima* ratio concludebat.

Sic igitur ex praemissis aliquatenus patet quod ea quae circa mysterium incarnationis fides Catholica praedicat, neque impossibilia neque incongrua inveniuntur.

Capitulum LVI

De necessitate sacramentorum

Quia vero, sicut iam dictum est, mors Christi est quasi universalis causa humanae salutis; universalem autem causam oportet applicari ad unumquemque effectum: necessarium fuit exhiberi hominibus quaedam remedia per quae eis beneficium mortis Christi quodammodo coniungeretur. Huiusmodi autem esse dicuntur Ecclesiae sacramenta.

Huiusmodi autem remedia oportuit cum aliquibus visibilibus signis tradi.

Einwand lautete, so hat dennoch jeder Heilmittel für das eigene Heil zu suchen. Der Tod Christi nämlich ist gleichsam die universale Heilsursache, wie es sich bei der Sünde des ersten Menschen gleichsam um die universale Ursache der Verdammung handelte. Doch muß eine universale Ursache auf jedes einzelne gesondert Anwendung finden, um an der Wirkung der Universalursache teilzuhaben. Folglich gelangte die Wirkung der Sünde des ersten Elternpaares durch den fleischlichen Ursprung zu jedem einzelnen. Die Wirkung des Todes Christi jedoch erstreckt sich aufgrund geistlicher Wiedergeburt auf jeden einzelnen, durch die der Mensch auf gewisse Weise mit Christus verbunden und inkorporiert wird. Daher muß jedermann danach trachten, durch Christus wiedergeboren zu werden und anderes auf sich zu nehmen, in dem die Wirkkraft des Todes Christi wirksam ist.

[Zu 27] Hieraus geht auch hervor, daß der sich von Christus auf die Menschen ergießende Heilsstrom nicht durch natürliche Fortpflanzung zu uns gelangt, sondern durch das eifrige Streben des guten Willens, mit dem der Mensch Christus anhängt. Dementsprechend ist das, was ein jeder von Christus empfängt, sein persönliches Gut. Daher überträgt es sich auch nicht auf die Nachkommenschaft wie die Sünde des ersten Elternpaares, die durch natürliche Fortpflanzung vermittelt wird. Daher ist es auch nicht unangemessen – was der *siebenundzwanzigste* Einwand schloß –, daß die Kinder von Eltern, die durch Christus von der Erbsünde gereinigt sind, mit der Erbsünde geboren werden und der Heilssakramente bedürfen.

Aufgrund der bisherigen Erörterung ist also nunmehr bis zu einem gewissen Grade ersichtlich, daß das, was der Katholische Glaube über das Geheimnis der Inkarnation verkündigt, weder unmöglich noch unangemessen ist.

56. Kapitel

Die Notwendigkeit der Sakramente

Der Tod Christi ist, wie es bereits hieß (IV 55), gleichsam die Universalursache des menschlichen Heils. Jedoch muß eine Universalursache seine Anwendung in jedem einzelnen Effekt finden. Deshalb war es notwendig, den Menschen bestimmte Heilmittel anzubieten, durch die ihnen die Wohltat des Todes Christi auf bestimmte Weise zukommt. Hierbei handelt es sich, so heißt es, um die Sakramente der Kirche.

Derartige Heilmittel jedoch mußten in Verbindung mit bestimmten sichtbaren Zeichen überliefert werden:

Primo quidem, quia sicut ceteris rebus ita etiam homini Deus providet secundum eius conditionem. Est autem talis hominis conditio quod ad spiritualia et intelligibilia capienda naturaliter per sensibilia deducitur. Oportuit igitur spiritualia remedia hominibus sub signis sensibilibus dari.

Secundo, quia instrumenta oportet esse primae causae proportionata. Prima autem et universalis causa humanae salutis est Verbum incarnatum, ut ex praemissis apparet. Congruum igitur fuit ut remedia quibus universalis causae virtus pertingit ad homines, illius causae similitudinem haberent: ut scilicet in eis virtus divina invisibiliter operaretur sub visibilibus signis.

Tertio, quia homo in peccatum lapsus erat rebus visibilibus indebite inhaerendo. Ne igitur crederetur visibilia ex sui natura mala esse, et propter hoc eis inhaerentes peccasse, per ipsa visibilia congruum fuit quod hominibus remedia salutis adhiberentur: ut sic appareret ipsa visibilia ex sui natura bona esse, velut a Deo creata, sed hominibus noxia fieri secundum quod eis inordinate inhaerent, salutifera vero secundum quod ordinate eis utuntur.

Ex hoc autem excluditur error quorundam haereticorum qui omnia huiusmodi visibilia a sacramentis Ecclesiae volunt esse removenda. Nec mirum, quia ipsi iidem opinantur omnia visibilia ex sui natura mala esse, et ex malo auctore producta: quod in secundo libro reprobavimus.

Nec est inconveniens quod per res visibiles et corporales spiritualis salus ministretur: quia huiusmodi visibilia sunt quasi quaedam instrumenta Dei incarnati et passi; instrumentum autem non operatur ex virtute suae naturae, sed ex virtute principalis agentis, a quo applicatur ad operandum. Sic igitur et huiusmodi res visibiles salutem spiritualem operantur, non ex proprietate suae naturae, sed ex institutione ipsius Christi, ex qua virtutem instrumentalem consequuntur.

Erstens deswegen, weil Gott für den Menschen, wie auch für die übrigen Dinge, dessen Verfassung gemäß sorgt. Nun ist der Mensch so verfaßt, daß er aufgrund seiner Natur durch sinnlich Gegebenes zur Erfassung von Geistlichem und Intelligiblem geleitet wird. Also mußten die geistlichen Heilmittel den Menschen unter sinnlich wahrnehmbaren Zeichen gegeben werden.

Zweitens deswegen, weil Instrumente im rechten Verhältnis zur Erstursache stehen müssen. Die erste und universale Ursache des menschlichen Heils jedoch ist das inkarnierte Wort, wie aus den bisherigen Erörterungen hervorgeht. Mithin war es angemessen, daß die Heilmittel, wodurch die Kraft der Universalursache die Menschen erreicht, eine gewisse Ähnlichkeit mit jener Ursache haben mußten, so daß die göttliche Kraft in ihnen unter sichtbaren Zeichen unsichtbar wirksam sein sollte.

Drittens deswegen, weil der Mensch der Sünde verfallen war, indem er ungerechtfertigterweise sichtbaren Dingen anhing. Damit man nun nicht glaube, sichtbare Dinge seien bereits aufgrund ihrer Natur von Übel, so daß diejenigen, die ihnen anhingen, schon deswegen sündigten, so war es angemessen, daß den Menschen die Mittel zum Heil vermittels eben dieser sichtbaren Dinge zukamen. Damit sollte deutlich werden, daß die sichtbaren Dinge selbst aufgrund ihrer Natur gut sind, weil sie von Gott geschaffen wurden, aber den Menschen schaden, wenn sie ihnen auf ungeordnete Weise anhängen, doch heilbringend wirken, verwendet man sie auf rechte Weise.

Damit ist auch der Irrtum gewisser Häretiker ausgeschlossen, die alles Sichtbare von den Sakramenten der Kirche zu entfernen trachten. Dies ist nicht verwunderlich, da sie meinen, alles Sichtbare sei aufgrund seiner Natur von Übel und sei von einem bösen Urheber hervorgebracht, was wir im 2. Buch widerlegten (II 4 ff.).

Ebenfalls ist es nicht unangemessen, daß das geistliche Heil vermittels sichtbarer und körperhafter Dinge zuerteilt wird, da es sich bei derlei sichtbaren Dingen gleichsam um Instrumente des inkarnierten Gottes handelt, welcher litt. Doch handelt kein Instrument aus eigenem Naturvermögen, sondern aufgrund des Vermögens des Hauptagens, von dem es in Tätigkeit gesetzt wird. Folglich bewirken dergleichen sichtbare Dinge das geistliche Heil nicht aufgrund der Beschaffenheit ihrer Natur, sondern aufgrund der Anordnung Christi selbst, woraus ihre instrumentelle Wirksamkeit folgt.

Capitulum LVII

De distinctione sacramentorum Veteris et Novae Legis

Deinde considerandum est quod, cum huiusmodi visibilia sacramenta ex passione Christi efficaciam habeant et ipsam quodammodo repraesentent, talia ea esse oportet ut congruant saluti factae per Christum. Haec autem salus, ante Christi incarnationem et mortem, erat quidem promissa, sed non exhibita: sed Verbum incarnatum et passum est salutem huiusmodi operatum. Sacramenta igitur quae incarnationem Christi praecesserunt, talia esse oportuit ut significarent et quodammodo repromitterent salutem: sacramenta autem quae Christi passionem consequuntur, talia esse oportet ut salutem hominibus exhibeant, et non solum significando demonstrent.

Per hoc autem evitatur Iudaeorum opinio, qui credunt sacramenta legalia, propter hoc quod a Deo sunt instituta, in perpetuum esse servanda: cum Deus non poeniteat, non mutetur. Fit autem absque mutatione disponentis vel poenitentia, quod diversa disponat secundum congruentiam temporum diversorum: sicut paterfamilias alia praecepta tradit filio parvulo, et alia iam adulto. Sic et Deus congruenter alia sacramenta et praecepta ante incarnationem tradidit, ad significandum futura: alia post incarnationem, ad exhibendum praesentia et rememorandum praeterita.

Magis autem irrationabilis est Nazaraeorum et Ebionitarum error [August., *De haeres.* c. 9], qui sacramenta legalia simul cum Evangelio dicebant esse servanda, quia huiusmodi error quasi contraria implicat. Dum enim servant evangelica sacramenta, profitentur incarnationem et alia Christi mysteria iam esse perfecta: dum autem etiam sacramenta legalia servant, profitentur ea esse futura.

PL 42/27

57. Kapitel

Der Unterschied zwischen den Sakramenten des Alten und des Neuen Gesetzes

Da derlei sichtbare Sakramente aufgrund des Leidens Christi wirksam sind und es in gewisser Weise vergegenwärtigen, so gilt es weiterhin zu beachten, daß sie so beschaffen sein müssen, daß sie dem Heil entsprechen, das durch Christus geschaffen wurde. Vor der Inkarnation Christi jedoch und vor seinem Tod war dieses Heil zwar zugesagt, jedoch nicht dargeboten. Das Wort, das sich inkarnierte und litt, hat dieses Heil erwirkt. Folglich mußten die Sakramente, die der Inkarnation Christi vorweggingen, so beschaffen sein, daß sie auf das Heil verwiesen und es gewissermaßen versprachen. Die auf die Inkarnation Christi folgenden Sakramente jedoch mußten so beschaffen sein, daß sie den Menschen das Heil darboten und nicht nur darauf verwiesen.

Damit vermeidet man auch die Ansicht der Juden, welche glauben, daß man an den Sakramenten des Gesetzes deswegen, weil sie von Gott eingesetzt sind, auf Ewigkeit festzuhalten hat, da Gott weder etwas bereut noch sich selbst ändert. Doch geschieht es ohne Veränderung oder Reue des Anordnenden, wenn er jeweils verschiedene Anordnungen trifft, die jeweils verschiedenen Zeiten angemessen sind. Gleichwie der Familienvater seinem Kind jeweils verschiedene Anweisungen gibt, wenn es noch klein und wenn es erwachsen ist, so gab auch Gott angemessenerweise vor der Inkarnation die einen Sakramente und Anweisungen zum Verweis auf Zukünftiges, und die anderen nach der Inkarnation, um Gegenwärtiges darzubieten und an Vergangenes zu erinnern.

Weit absurder ist der Irrtum der Nazaräer und Ebioniten, die sagten, man müsse zugleich an den Sakramenten des Gesetzes und am Evangelium festhalten. Dieser Irrtum impliziert Widersprüchliches. Während sie nämlich an den Sakramenten des Evangeliums festhalten, bekennen sie, daß die Inkarnation und andere Mysterien Christi bereits erfüllt sind. Bewahren sie aber die Sakramente des Gesetzes, so bekennen sie, dies liege erst in der Zukunft.

Capitulum LVIII

De numero sacramentorum Novae Legis

Quia vero, ut dictum est, remedia spiritualis salutis sub signis sensibilibus sunt hominibus tradita, conveniens etiam fuit ut distinguerentur remedia quibus provideretur spirituali vitae, secundum similitudinem corporalis.

In vita autem corporali duplicem ordinem invenimus: sunt enim propagatores et ordinatores corporalis vitae in aliis; et sunt qui propagantur et ordinantur secundum corporalem vitam.

Vitae autem corporali et naturali tria sunt per se necessaria, et quartum per accidens. Oportet enim primo, quod per generationem seu nativitatem res aliqua vitam accipiat; secundo, quod per augmentum ad debitam quantitatem et robur perveniat; tertio, ad conservationem vitae per generationem adeptae, et ad augmentum, est necessarium nutrimentum. Et haec quidem sunt per se necessaria naturali vitae: quia sine his vita corporalis perfici non potest; unde et animae vegetativae quae est vivendi principium, tres vires naturales assignantur, scilicet generativa, augmentativa, et nutritiva. Sed quia contingit aliquod impedimentum circa vitam corporalem, ex quo res viva infirmatur, per accidens necessarium est quartum, quod est sanatio rei viventis aegrotae.

Sic igitur et in vita spirituali primum est spiritualis generatio, per baptismum; secundum est spirituale augmentum perducens ad robur perfectum, per sacramentum confirmationis; tertium est spirituale nutrimentum, per eucharistiae sacramentum. Restat quartum, quod est spiritualis sanatio, quae fit vel in anima tantum per poenitentiae sacramentum; vel ex anima derivatur ad corpus, quando fuerit opportunum, per extremam unctionem. Haec igitur pertinent ad eos qui in vita spirituali propagantur et conservantur.

Propagatores autem et ordinatores corporalis vitae secundum duo attenduntur: scilicet secundum originem naturalem, quod ad parentes pertinet; et secundum regimen politicum, per quod vita hominis pacifica conservatur, et hoc pertinet ad reges et principes.

Sic igitur est et in spirituali vita. Sunt enim quidam propagatores et conservatores spiritualis vitae secundum spirituale ministerium tantum, ad

58. Kapitel

Die Zahl der Sakramente des Neuen Gesetzes

Da die Mittel für das geistliche Heil, wie es hieß (IV 56), den Menschen unter sinnlich wahrnehmbaren Zeichen überliefert sind, so folgte ebenfalls daraus, daß sich die Mittel, die dem geistlichen Leben dienen, auf ähnliche Weise voneinander unterscheiden, wie es beim leiblichen Leben der Fall ist.

Nun finden wir beim leiblichen Leben eine zweifache Ordnung. So gibt es einerseits jene, welche leibliches Leben auf andere fortpflanzen und ordnen; andererseits gibt es solche, die hinsichtlich ihres leiblichen Lebens hervorgebracht und geordnet werden.

Nun sind drei Dinge für das leibliche und natürliche Leben wesentlich erforderlich, ein viertes ist beiläufig erforderlich. *Erstens* muß etwas durch Zeugung oder Geburt Leben annehmen. *Zweitens* muß durch Wachstum zur Vollgestalt auch Kraft hinzukommen. *Drittens* ist für die Erhaltung des derart gezeugten und entwickelten Lebens Nahrung erforderlich. Dies ist für ein natürliches Leben wesentlich erforderlich, denn ohne dies kann sich leibliches Leben nicht realisieren. Daher werden auch der vegetativen Seele, die das Prinzip des Lebens ist, drei natürliche Kräfte zugeschrieben, die Zeugungskraft, die Wachstumskraft und die Ernährungskraft. Da das leibliche Leben jedoch auf Hemmnisse stößt, wodurch eine lebendige Sache erkrankt, so ist *viertens* beiläufig erforderlich, daß es hierfür Heilung gibt.

Mithin gibt es auch beim geistlichen Leben *erstens* eine geistliche Entstehung durch die *Taufe*. *Zweitens* gibt es ein geistliches Wachstum, das zur vollkommenen Stärke führt, durch das Sakrament der *Firmung*. *Drittens* gibt es eine geistliche Nahrung durch das Sakrament der *Eucharistie*. *Viertens* verbleibt die geistliche Heilung durch das *Bußsakrament*, die nur in der Seele geschieht; oder sie geht, wenn es geraten ist, durch die *letzte Ölung* von der Seele auf den Körper über. Mithin betreffen diese (Sakramente) jene, welche zum geistlichen Leben gebracht und in ihm erhalten werden.

Jene, welche das leibliche Leben fortpflanzen und ordnen, sind unter zwei Hinsichten erforderlich, nämlich hinsichtlich des natürlichen Ursprungs, welcher Sache der Eltern ist, und hinsichtlich der politischen Leitung, der gemäß das Leben des Menschen friedlich verläuft; dies ist Sache von Königen und Regierungsoberhäuptern.

Folglich verhält es sich im geistlichen Leben ebenso. Es gibt nämlich jene, welche lediglich durch geistlichen Dienst das geistliche Leben fort-

quod pertinet ordinis sacramentum; et secundum corporalem et spiritualem simul, quod fit per sacramentum matrimonii, quo vir et mulier conveniunt ad prolem generandam et educandam ad cultum divinum.

Capitulum LIX

De baptismo

Secundum hoc igitur apparere potest circa sacramenta singula et effectus proprius uniuscuiusque et materia conveniens. Et primo quidem circa
spiritualem generationem, quae per baptismum fit, considerandum est
quod generatio rei viventis est mutatio quaedam de non vivente ad vitam.
Vita autem spirituali privatus est homo in sua origine per peccatum originale, ut supra dictum est; et adhuc quaecumque peccata sunt addita
abducunt a vita. Oportuit igitur baptismum, qui est spiritualis generatio,
talem virtutem habere quod et peccatum originale, et omnia actualia peccata commissa tollat.

Et quia signum sensibile sacramenti congruum debet esse ad repraesen-
tandum spiritualem sacramenti effectum, foeditatis autem ablutio in rebus
corporalibus facilius et communius fit per aquam: idcirco baptismus convenienter in aqua confertur per Verbum Dei sanctificata.

Et quia generatio unius est alterius corruptio; et quod generatur prio-
rem formam amittit et proprietates ipsam consequentes: necesse est quod
per baptismum, qui est spiritualis generatio, non solum peccata tollantur,
quae sunt spirituali vitae contraria, sed etiam omnes peccatorum reatus.
Et propter hoc baptismus non solum a culpa abluit, sed etiam ab omni
reatu poenae absolvit. Unde baptizatis satisfactio non iniungitur pro peccatis.

Item, cum per generationem res formam acquirat, simul acquirit et operationem consequentem formam, et locum ei congruentem: ignis enim,
mox generatus, tendit sursum sicut in proprium locum. Et ideo, cum
baptismus sit spiritualis generatio, statim baptizati idonei sunt ad spirituales actiones, sicut ad susceptionem aliorum sacramentorum, et ad alia huiusmodi; et statim eis debetur locus congruus spirituali vitae, qui est beatitudo aeterna. Et propter hoc baptizati, si decedant, statim in beatitudine

pflanzen und ordnen. Ihnen entspricht das *Weihesakrament*. Einige leisten zugleich einen leiblichen und einen geistlichen Dienst. Dies geschieht durch das Sakrament der *Ehe*, bei dem Mann und Frau vereint Nachkommenschaft erzeugen und sie zur Gottesverehrung erziehen.

59. Kapitel

Die Taufe

Hinsichtlich der einzelnen Sakramente vermag dementsprechend nunmehr deutlich zu werden, worin die jedem Sakrament eigentümliche Wirkung besteht, und was die ihm jeweils angemessene Materie ist. Zuerst also hinsichtlich der geistlichen Entstehung, die durch die Taufe geschieht: Nun gilt es zu beachten, daß die Entstehung einer lebendigen Sache in einer gewissen Veränderung von Leblosem zu Lebendigem besteht. Doch ist der Mensch bei seiner Entstehung durch die Erbsünde des geistlichen Lebens beraubt, wie oben gesagt wurde (IV 50; 52). Welche Sünden der Mensch auch immer zuzüglich begeht, sie lenken ihn vom Leben ab. Demnach mußte die Taufe, worin die geistliche Entstehung besteht, eine derartige Kraft besitzen, um auch die Erbsünde und alle begangenen Aktualsünden zu tilgen.

Nun muß das sinnlich wahrnehmbare Zeichen des Sakramentes der Vergegenwärtigung der geistlichen Wirkung des Sakramentes entsprechen. An Körperdingen erfolgt das Abwaschen von Schmutz gemeinhin und sehr leicht mit Wasser. Somit wird die Taufe am angemessensten in Wasser gespendet, das durch das Wort Gottes geheiligt ist.

Nun bedeutet das Entstehen des einen die Zerstörung eines anderen. Was entsteht, verliert seine vorherige Form und die mit ihr verbundenen Eigenschaften. Daher müssen durch die Taufe, die geistliche Entstehung bedeutet, nicht nur die Sünden beseitigt werden, die dem geistlichen Leben widerstreiten, sondern auch alle Sündenschuld. Deswegen wäscht die Taufe nicht nur die Sünde weg, sondern befreit auch von der geschuldeten Strafe. Deshalb wird den Getauften keine Buße für die Sünden auferlegt.

Da etwas überdies durch sein Entstehen eine Form erhält, so erhält es zugleich eine Tätigkeit als Folge der Form, und einen ihm angemessenen Ort. Sobald etwa Feuer entsteht, so strebt es nach oben, an seinen ihm eigentümlichen Ort. Da es sich bei der Taufe um eine geistliche Entstehung handelt, so sind die Täuflinge unmittelbar zu geistlichen Handlungen befähigt, wie etwa zum Empfang der übrigen Sakramente und dergleichen mehr. Sogleich sind sie für den Ort bestimmt, der dem geistlichen

PL 92/358B recipiuntur. Unde dicitur [Beda, *In Lucam* III] quod „baptismus aperit ianuam caeli".

Considerandum est etiam quod unius rei est una tantum generatio. Unde, eum baptismus sit spiritualis generatio, unus homo est semel tantum baptizandus.

Manifestum est etiam quod infectio, quae per Adam in mundum intravit, semel tantum hominem inquinat. Unde et baptismus, qui contra eam principaliter ordinatur, iterari non debet.

Hoc etiam commune est, quod, ex quo res aliqua semel consecrata est, quandiu manet, ulterius consecrari non debet, ne consecratio inefficax videatur. Unde, cum baptismus sit quaedam consecratio hominis baptizati, non est iterandum baptisma.

PL 42/43–44 Per quod excluditur error Donatistarum [August., *De haeres.* 69], vel Rebaptizantium.

Capitulum LX

De confirmatione

Perfectio autem spiritualis roboris in hoc proprie consistit, quod homo fidem Christi confiteri audeat coram quibuscumque, nec inde retrahatur propter confusionem aliquam vel terrorem: fortitudo enim inordinatum timorem repellit. Sacramentum igitur quo spirituale robur regenerato confertur, eum quodammodo instituit pro fide Christi propugnatorem.

Et quia pugnantes sub aliquo principe eius insignia deferunt, hi qui confirmationis sacramentum suscipiunt signo Christi insigniuntur, videlicet signo crucis, quo pugnavit et vicit.

Hoc autem signum in fronte suscipiunt, in signum quod publice fidem Christi confiteri non erubescant.

Haec autem insignitio fit ex confectione olei et balsami, quae chrisma vocatur, non irrationabiliter. Nam per oleum Spiritus Sancti virtus designatur, quo et Christus ,unctus' nominatur, ut sic a Christo ,Christiani' dicantur, quasi sub ipso militantes.

In balsamo autem, propter odorem, bona fama ostenditur, quam necesse est habere eos qui inter mundanos conversantur, ad fidem Christi publice confitendam, quasi in campum certaminis de secretis Ecclesiae sinibus producti.

Convenienter etiam hoc sacramentum a solis pontificibus confertur, qui sunt quodammodo duces exercitus Christiani: nam et apud saecularem

Leben entspricht, also für die ewige Glückseligkeit. Sterben die Täuflinge, so gelangen sie daher unmittelbar zur Glückseligkeit. Deswegen heißt es auch, „die Taufe öffnet die Tore des Himmels".

Auch gilt es zu beachten, daß etwas nur einmal geboren werden kann. Da die Taufe die geistliche Geburt ist, so darf ein Mensch nur einmal getauft werden.

Offensichtlich verunreinigt auch die Ansteckung, die durch Adam in die Welt kam, den Menschen nur einmal. Daher darf auch die Taufe, die hauptsächlich ein Heilmittel hiergegen darstellt, nicht wiederholt werden.

Ebenso ist es eine allgemeine Regel, daß eine Sache, die einmal konsekriert ist, nicht noch darüber hinaus konsekriert werden darf, solange sie intakt ist, damit es nicht so scheint, als sei die Konsekration unwirksam. Da es sich bei der Taufe um eine Konsekration des getauften Menschen handelt, so darf sie nicht wiederholt werden.

Damit ist der Irrtum der Donatisten und der Wiedertäufer ausgeschlossen.

60. Kapitel

Die Firmung

Die Vollkommenheit geistlicher Stärke besteht nun darin, daß man es wagt, den Glauben an Christus öffentlich zu bekennen und ihn hierauf nicht aufgrund irgendeiner Verwirrung oder Angst zurückzunehmen. So vertreibt die Tapferkeit die ungeordnete Furcht. Mithin macht das Sakrament, wodurch dem Wiedergeborenen geistliche Stärke verliehen wird, ihn gewissermaßen zum Streiter für den Glauben an Christus.

Und wie Soldaten das Banner des Herrschers tragen, für den sie kämpfen, so empfangen diejenigen, welche das Sakrament der Firmung empfangen, das Zeichen Christi, d. h. das Zeichen des Kreuzes, mit dem er kämpfte und siegte.

Sie empfangen dieses Zeichen auf der Stirn, als Zeichen dafür, daß sie sich nicht schämen, den Glauben an Christus öffentlich zu bekennen.

Es wird ihnen ein Kreuz aus einer Mischung aus Öl und Balsam aufgezeichnet. Sie heißt Chrisam, was nicht unvernünftig ist, denn das Öl bezeichnet die Kraft des Heiligen Geistes, woher Christus auch als „der Gesalbte" bezeichnet wird (Lk 4, 18; Hebr 1, 9). So sollten sie auch „Christen" von Christus her heißen (Apg 11, 26), gleichsam als stritten sie für ihn.

Wegen seines Duftes bedeutet der Balsam aber den guten Ruf, in dem diejenigen stehen müssen, die unter Weltmenschen verkehren und dabei

militiam ad ducem exercitus pertinet ad militiam eligendo quosdam adscribere; ut sic qui hoc sacramentum suscipiunt, ad spiritualem militiam quodammodo videantur adscripti.

Unde et eis manus imponitur, ad designandam derivationem virtutis a Christo.

Capitulum LXI

De eucharistia

Sicut autem corporalis vita materiali alimento indiget, non solum ad quantitatis augmentum, sed etiam ad naturam corporis sustentandam, ne propter resolutiones continuas dissolvatur et eius virtus depereat; ita necessarium fuit in spirituali vita spirituale alimentum habere, quo regenerati et in virtutibus conserventur, et crescant.

Et quia spirituales effectus sub similitudine visibilium congruum fuit nobis tradi, ut dictum est, huiusmodi spirituale alimentum nobis traditur sub speciebus illarum rerum quibus homines communius ad corporale alimentum utuntur. Huiusmodi autem sunt panis et vinum. Et ideo sub speciebus panis et vini hoc traditur sacramentum.

Sed considerandum est quod aliter generans generato coniungitur et aliter nutrimentum nutrito in corporalibus rebus. Generans enim non oportet secundum substantiam generato coniungi, sed solum secundum similitudinem et virtutem: sed alimentum oportet nutrito secundum substantiam coniungi. Unde, ut corporalibus signis spirituales effectus respondeant, mysterium Verbi incarnati aliter nobis coniungitur in baptismo, qui est spiritualis regeneratio; atque aliter in hoc Eucharistiae sacramento, quod est spirituale alimentum. In baptismo enim continetur Verbum incarnatum solum secundum virtutem: sed in Eucharistiae sacramento confitemur ipsum secundum substantiam contineri.

öffentlich den Glauben an Christus bekennen wie Menschen, die sich gleichsam aus den heimischen Grenzen der Kirche heraus auf das Schlachtfeld begeben.

Auch ist es angemessen, daß dieses Sakrament einzig von Bischöfen gespendet wird, die gewissermaßen die Führer des christlichen Heeres sind. So ist es auch bei einer weltlichen Streitmacht Aufgabe des Heerführers, bestimmte Menschen zum Heeresdienst einzuberufen. Ähnlich scheinen diejenigen, welche dieses Sakrament empfangen, gewissermaßen zum geistlichen Heeresdienst berufen.

Daher wird ihnen auch zur Bezeichnung dessen, daß sie Kraft von Christus empfangen haben, die Hand aufgelegt.

61. KAPITEL

DIE EUCHARISTIE

Wie zum leiblichen Leben materielle Nahrung erforderlich ist, und zwar nicht nur zum Wachstum, sondern auch zur natürlichen Erhaltung des Körpers, damit er sich nicht aufgrund von kontinuierlicher Erschlaffung auflöst und seine Kraft verliert, so mußte es auch im geistlichen Leben eine geistliche Nahrung geben, damit die Tugenden der Wiedergeborenen erhalten bleiben und wachsen.

Da geistliche Wirkungen unter sichtbaren Zeichen erfolgen, so war es angemessen, wie bereits gesagt wurde (IV 56), daß uns eine derartige geistliche Nahrung unter den Gestalten jener Dinge dargeboten wird, welche die Menschen gemeinhin zur körperlichen Nahrung verwenden. Dieser Art sind aber Brot und Wein. Deshalb wird dieses Sakrament unter den Gestalten von Brot und Wein dargereicht.

Doch gilt es zu beachten, daß es bei Körperdingen einen Unterschied zwischen der Verbindung des Zeugenden mit dem Gezeugten und der Einnahme von Nahrung durch den Ernährten gibt. Der Zeugende nämlich muß nicht der Substanz nach mit dem Gezeugten verbunden sein, sondern nur der Ähnlichkeit und dem Vermögen nach. Die Nahrung jedoch muß sich mit dem Ernährten der Substanz nach vereinigen. Entsprechen daher die geistlichen Wirkungen den körperlichen Zeichen, so gibt es einen Unterschied zwischen unserer Vereinigung mit dem Mysterium des inkarnierten Wortes bei der Taufe, die die geistliche Wiedergeburt bedeutet, und der Vereinigung beim Sakrament der Eucharistie, die die geistliche Nahrung bedeutet. In der Taufe ist das inkarnierte Wort nämlich einzig der Kraft nach enthalten, im Sakrament der Eucharistie dagegen, so bekennen wir, ist es selbst der Substanz nach präsent.

Et quia complementum nostrae salutis factum est per passionem Christi et mortem, per quam eius sanguis a carne separatus est, separatim nobis traditur sacramentum corporis eius sub specie panis, et sanguinis sub specie vini; ut sic in hoc sacramento passionis Dominicae memoria et repraesentatio habeatur. Et secundum hoc impletur quod Dominus dixit, Ioan. VI: „Caro mea vere est cibus, et sanguis meus vere est potus".

Capitulum LXII

De errore infidelium circa sacramentum eucharistiae

Sicut autem, Christo proferente haec verba, quidam discipulorum turbati sunt, dicentes [Ioan. VI]: „Durus est hic sermo. Quis potest eum audire?" ita et contra doctrinam Ecclesiae insurrexerunt haeretici [e.g. Berengarius[46]] veritatem huius negantes. Dicunt enim in hoc sacramento non realiter esse corpus et sanguinem Christi, sed significative tantum: ut sic intelligatur quod Christus dixit [Matth. XXVI; Marc. XVI; Luc. XXII], demonstrato pane: „Hoc est corpus meum", ac si diceret, ‚Hoc est signum, vel figura corporis mei'; secundum quem modum et Apostolus dixit, I Cor. X: „Petra autem erat Christus", idest, ‚Christi figura'; et ad hunc intellectum referunt quidquid in Scripturis invenitur similiter dici.

Huius autem opinionis occasionem assumunt ex verbis Domini, qui de sui corporis comestione et sanguinis potatione, ut scandalum discipulorum quod ortum fuerat sopiretur, quasi seipsum exponens, dixit [Ioan. VI]: „Verba quae ego locutus sum vobis, spiritus et vita sunt": quasi ea quae dixerat, non ad litteram, sed secundum spiritualem sensum intelligenda essent.

Inducuntur etiam ad dissentiendum ex multis difficultatibus quae ad hanc Ecclesiae doctrinam sequi videntur, propter quas ‚hic sermo' Christi et Ecclesiae ‚durus' eis apparet.

Et *primo* quidem, difficile videtur quomodo verum corpus Christi in altari esse incipiat.

Aliquid enim incipit esse ubi prius non fuit, dupliciter: vel per motum localem, vel per conversionem alterius in ipsum; ut patet in igne, qui alicubi esse incipit vel quia ibi de novo accenditur, vel quia illuc de novo

---

[46] DS 355.

Da die Vollendung unseres Heils durch das Leiden und den Tod Christi geschah, wobei sich sein Leib und Blut voneinander trennten, so wird uns das Sakrament seines Leibes unter der Gestalt des Brotes und das Sakrament seines Blutes unter der Gestalt von Wein getrennt dargereicht. Damit ist dieses Sakrament eine Erinnerung und Vergegenwärtigung des Leidens des Herrn. Und so erfüllt sich, was der Herr Joh 6,56 gesagt hat: „Denn mein Fleisch ist wahrhaft eine Speise und mein Blut ist wahrhaft ein Trank".

62. KAPITEL

DER IRRTUM DER UNGLÄUBIGEN
HINSICHTLICH DES SAKRAMENTES DER EUCHARISTIE

Gleichwie einige Jünger aufgrund dieser Worte Christi verwirrt wurden und (Joh 6,61) ausriefen: „Diese Rede ist hart. Wer kann sie anhören?", so erhoben sich auch Häretiker [z. B. Berengar v. Tours] gegen die Lehre der Kirche und leugneten ihre Wahrheit. Sie behaupten nämlich, in diesem Sakrament sei der Leib und das Blut Christi nicht real, sondern nur zeichenhaft präsent. Demgemäß sei das Wort Christi: „Dies ist mein Leib", welches er sprach, nachdem er das Brot emporgehoben hatte, so zu verstehen, als hätte er gesagt: „Dies ist das Zeichen oder das Bild meines Leibes". Auf diese Weise redete auch der Apostel, als er 1 Kor 10,4 sagte: „Der Fels aber war Christus", d. h. „das Bild Christi". Zur Unterstützung dieser Deutung beziehen sie sich auf Schriftstellen, die ähnlich formulieren.

Sie sehen sich zu dieser Ansicht durch die Worte des Herrn veranlaßt, der zur Beilegung der Empörung, die unter den Jüngern entstanden war, als er vom Essen seines Leibes und Trinken seines Blutes sprach, sich näher erklärte, indem er (Joh 6,63) sprach: „Die Worte, die ich zu euch gesprochen habe, sind Geist und sind Leben", gleichsam, als seien seine Worte nicht ihrem wörtlichen Sinne, sondern ihrem geistlichen Sinne gemäß zu verstehen.

Auch werden sie aufgrund der vielfältigen Schwierigkeiten, welche sich offenbar aufgrund dieser Lehre der Kirche ergeben und deretwegen ihnen „diese Rede" Christi und der Kirche „hart" erscheinen, zu einer unterschiedlichen Meinung bewegt.

Erstens scheint es schwierig zu begreifen, wie der wahre Leib Christi auf dem Altare zu existieren beginnt.

So beginnt etwas auf zweifache Weise dort zu sein, wo es zuvor nicht war: einmal aufgrund von Ortsbewegung, einmal aufgrund dessen, daß sich etwas anderes hierin verwandelt. Dies wird beim Feuer deutlich. Es

apportatur. Manifestum est autem verum corpus Christi non semper in hoc altari fuisse: confitetur enim Ecclesia Christum in suo corpore ascendisse in caelum.

Videtur autem impossibile dici quod aliquid hic de novo convertatur in corpus Christi. Nihil enim videtur converti in praeexistens, cum id in quod aliquid convertitur, per huiusmodi conversionem esse incipiat. Manifestum est autem corpus Christi praeextitisse, utpote in utero virginali conceptum. Non igitur videtur esse possibile quod in altari de novo esse incipiat per conversionem alterius in ipsum.

Similiter autem, nec per loci mutationem. Quia omne quod localiter movetur, sic incipit esse in uno loco quod desinit esse in alio, in quo prius fuit. Oportebit igitur dicere quod, cum Christus incipit esse in hoc altari, in quo hoc sacramentum peragitur, desinat esse in caelo, quo ascendendo pervenerat.

Amplius. Nullus motus localis terminatur simul ad duo loca. Manifestum est autem hoc sacramentum simul in diversis altaribus celebrari. Non est ergo possibile, quod per motum localem corpus Christi, ibi esse incipiat.

Secunda difficultas ex loco accidit. Non enim semotim partes alicuius in diversis locis continentur, ipso integro permanente. Manifestum est autem in hoc sacramento seorsum esse panem et vinum in locis separatis. Si igitur caro Christi sit sub specie panis, et sanguis sub specie vini, videtur sequi quod Christus non remaneat integer, sed semper cum hoc sacramentum agitur, eius sanguis a corpore separetur.

Adhuc. Impossibile videtur quod maius corpus in loco minoris includatur. Manifestum est autem verum corpus Christi esse maioris quantitatis quam panis qui in altari offertur. Impossibile igitur videtur quod verum corpus Christi totum et integrum sit ubi videtur esse panis. Si autem ibi est non totum, sed aliqua pars eius, redibit primum inconveniens, quod semper dum hoc sacramentum agitur, corpus Christi per partes discerpatur.

Amplius. Impossibile est unum corpus in pluribus locis existere. Manifestum est autem hoc sacramentum in pluribus locis celebrari. Impossi-

beginnt entweder dadurch irgendwo zu existieren, daß es am selben Ort erneut entflammt wird, oder dadurch, daß man es erneut dorthin bringt. Offensichtlich war der Leib Christi nicht schon immer auf diesem Altar, denn die Kirche bekennt, daß Christus leibhaft in den Himmel aufgefahren ist.

Es scheint aber widersinnig zu behaupten, hier [auf Erden] werde etwas erneut in den Leib Christi verwandelt, denn nichts scheint sich zu dem zu wandeln, als was es bereits zuvor existiert, da das, wozu sich etwas wandelt, durch diese Wandlung allererst zu existieren beginnt. Offensichtlich aber hat der Leib Christi, insofern er in der jungfräulichen Gebärmutter empfangen wurde, bereits vorher existiert. Folglich scheint es nicht möglich, daß er auf dem Altar erneut dadurch zu existieren beginnt, daß sich etwas in ihn verwandelt.

Ähnlich kann sich dies nicht als Ortsveränderung ereignen, da alles, was sich örtlich fortbewegt, dergestalt an einem Orte zu existieren beginnt, daß es an einem anderen Orte aufhört zu sein, an dem es zuvor war. Folglich muß man sagen, daß Christus aufhört im Himmel zu existieren, in den er durch seine Auffahrt gelangt war, wenn er auf diesem Altare zu sein beginnt, auf dem dieses Sakrament vollzogen wird.

Ferner. Keine Ortsbewegung endet zugleich an zwei Orten. Offensichtlich jedoch wird dieses Sakrament auf verschiedenen Altären zelebriert. Folglich ist es nicht möglich, daß der Leib Christi aufgrund von Ortsbewegung dort anwesend zu sein beginnt.

Eine *zweite* Schwierigkeit ergibt sich aus dem Ort. Solange ein Ding ganz bleibt, existieren seine Teile nicht auf verschiedene Orte verstreut. Offensichtlich aber nehmen Wein und Brot in diesem Sakrament jeweils verschiedene Orte ein. Existiert aber das Fleisch Christi unter der Gestalt von Brot und sein Blut unter der Gestalt von Wein, so scheint sich daraus zu ergeben, daß Christus nicht in seiner Ganzheit erhalten bleibt; vielmehr trennt sich, wenn immer dieses Sakrament vollzogen wird, sein Blut vom Leibe.

Zudem. Es scheint unmöglich, daß ein größerer Körper im Ort eines kleineren enthalten ist. Offenkundig jedoch verfügt der Leib Christi über eine größere Quantität als das Brot, das auf dem Altare dargeboten wird. Also scheint es unmöglich, daß sich der wahre Leib Christi vollständig und ungeteilt dort befindet, wo das Brot zu sein scheint. Wenn aber sein ganzer Leib nicht dort ist, sondern lediglich ein Teil von ihm, dann kehrt die erste Schwierigkeit zurück, die besagt, daß die Teile des Leibes Christi sich trennen, wann immer dieses Sakrament vollzogen wird.

Ferner. Es ist unmöglich, daß ein Körper an mehreren Orten zugleich existiert. Offenkundig jedoch wird dieses Sakrament an mehreren Orten

bile igitur videtur quod corpus Christi in hoc sacramento veraciter contineatur.

Nisi forte quis dicat quod secundum aliquam particulam est hic, et secundum aliam alibi.

Ad quod iterum sequitur quod per celebrationem huius sacramenti corpus Christi dividatur in partes: cum tamen nec quantitas corporis Christi sufficere videatur ad tot particulas ex eo dividendas, in quot locis hoc sacramentum peragitur.

Tertia difficultas est ex his quae in hoc sacramento sensu percipimus. Sentimus enim manifeste, etiam post consecrationem, in hoc sacramento omnia accidentia panis et vini, scilicet colorem, saporem, odorem, figuram, quantitatem et pondus: circa quae decipi non possumus, quia „sensus circa propria sensibilia non decipitur" [*De anima* III 6].

430b 29

Huiusmodi autem accidentia in corpore Christi esse non possunt sicut in subiecto; similiter etiam nec in aëre adiacenti: quia, cum plurima eorum sint accidentia naturalia, requirunt subiectum determinatae naturae, non qualis est natura corporis humani vel aëris.

1017a 19–22

Nec possunt per se subsistere: cum „accidentis esse sit inesse" [*Met.* V 7].

Accidentia etiam, cum sint formae, individuari non possunt nisi per subiectum. Unde remoto subiecto, essent formae universales. Relinquitur igitur huiusmodi accidentia esse in suis determinatis subiectis, scilicet in substantia panis et vini. Est igitur ibi substantia panis et vini, et non substantia corporis Christi: cum impossibile videatur duo corpora esse simul.

Quarta difficultas accidit ex passionibus et actionibus quae apparent in pane et vino post consecrationem sicut et ante. Nam vinum, si in magna quantitate sumeretur, calefaceret, et inebriaret: panis autem et confortaret et nutriret. Videntur etiam, si diu et incaute serventur, putrescere; et a muribus comedi; comburi etiam possunt et in cinerem redigi et vaporem; quae omnia corpori Christi convenire non possunt; cum fides ipsum impassibilem praedicet. Impossibile igitur videtur quod corpus Christi in hoc sacramento substantialiter contineatur.

zugleich zelebriert. Folglich scheint es unmöglich, daß der Leib Christi wahrhaft in diesem Sakrament enthalten ist.

Dies ist nur dann der Fall, so sagt man, wenn ein Teilchen von ihm hier und ein anderes Teilchen dort ist.

Hieraus folgt wiederum, daß sich der Leib Christi durch die Feier dieses Sakramentes in Teile zerteilt; doch scheint die Quantität des Leibes Christi nicht dazu auszureichen, um sich in so viele Teilchen zu teilen, wie es Orte gibt, an denen dieses Sakrament vollzogen wird.

Die *dritte* Schwierigkeit ergibt sich aus dem, was wir in diesem Sakramente sinnlich wahrnehmen. Offensichtlich nämlich nehmen wir bei diesem Sakrament sogar nach der Konsekration alle Akzidentien von Brot und Wein wahr, wie etwa Farbe, Geschmack, Geruch, Gestalt, Quantität und Gewicht. Hierüber können wir uns nicht täuschen, denn „das Sinnesvermögen täuscht sich nicht über das sinnlich Wahrnehmbare, auf das es spezifisch bezogen ist" (Aristoteles).

Doch können dergleichen Akzidentien nicht im Leibe Christi als ihrem Zugrundeliegendem anwesen; ähnlich können sie sich nicht in der umgebenden Luft befinden. Da es sich bei den meisten von ihnen um natürliche Akzidentien handelt, benötigen sie ein Zugrundeliegendes einer bestimmten Natur, die sich von der des menschlichen Körpers oder der Luft unterscheidet.

Auch können sie nicht für sich selbst existieren, da es ein Akzidenz charakterisiert, „in einem anderen anzuwesen" (Aristoteles).

Sofern es sich bei den Akzidentien jedoch um Formen handelt, so können sie nur durch das Zugrundeliegende individuiert werden. Ohne Zugrundeliegendes wären sie universale Formen. Folglich verbleibt, daß derartige Akzidentien in ihrem bestimmten Zugrundeliegenden anwesen, d. h. in der Substanz des Brotes und des Weines. Mithin ist dort die Substanz des Brotes und des Weines vorhanden, nicht aber die Substanz des Leibes Christi, da es unmöglich scheint, daß hier zwei Körper zugleich existieren.

Die *vierte* Schwierigkeit ergibt sich aufgrund der Einwirkungen und Tätigkeiten, die in Brot und Wein nach der Konsekration dieselben sind wie zuvor. Wenn man Wein in großen Mengen trinkt, dann erhitzt er und macht betrunken, das Brot stärkt und ernährt. Bewahrt man sie lange und unvorsichtig auf, so werden sie offensichtlich faulig und von Mäusen verzehrt. Auch kann man sie dem Feuer übergeben und somit zu Asche oder Dampf werden lassen. All dies kann mit dem Leib Christi nicht geschehen, da der Glaube verkündet, er sei nicht in der Lage, eine Einwirkung zu erfahren. Folglich scheint es unmöglich, daß der Leib Christi seiner Substanz nach in diesem Sakrament enthalten ist.

Quinta difficultas videtur specialiter accidere ex fractione panis: quae quidem sensibiliter apparet, nec sine subiecto esse potest. Absurdum etiam videtur dicere quod illius fractionis subiectum sit corpus Christi. Non igitur videtur ibi esse corpus Christi, sed solum substantia panis et vini.

Haec igitur et huiusmodi sunt propter quae doctrina Christi et Ecclesiae circa hoc sacramentum dura esse videtur.

Capitulum LXIII

Solutio praemissarum difficultatum, et primo quoad conversionem panis in corpus Christi

Licet autem divina virtus sublimius et secretius in hoc sacramento operetur quam ab homine perquiri possit, ne tamen doctrina Ecclesiae circa hoc sacramentum, infidelibus impossibilis videatur, conandum est ad hoc quod omnis impossibilitas excludatur.

Prima igitur occurrit consideratio, per quem modum verum Christi corpus esse sub hoc sacramento incipiat.

Impossibile autem est quod hoc fiat per motum localem corporis Christi.

Tum quia sequeretur quod in caelo esse desineret quandocumque hoc agitur sacramentum.

Tum quia non posset simul hoc sacramentum agi, nisi in uno loco: cum unus motus localis non nisi ad unum terminum finiatur.

Tum etiam quia motus localis instantaneus esse non potest, sed tempore indiget. Consecratio autem perficitur in ultimo instanti prolationis verborum.

Relinquitur igitur dicendum quod verum corpus Christi esse incipiat in hoc sacramento per hoc quod substantia panis convertitur in substantiam corporis Christi, et substantia vini in substantiam sanguinis eius.

Ex hoc autem apparet falsam esse opinionem, tam eorum qui dicunt substantiam panis simul cum substantia corporis Christi in hoc sacramento existere; quam etiam eorum qui ponunt substantiam panis in nihilum redigi, vel in primam materiam resolvi. Ad utrumque enim sequitur quod

Die *fünfte* Schwierigkeit ergibt sich offenbar insbesondere aufgrund des Brotbrechens, das zwar sinnenfällig geschieht, doch ohne ein Zugrundeliegendes nicht geschehen kann. Auch scheint es absurd zu behaupten, daß das, was dem Brotbrechen zugrunde liegt, der Leib Christi ist. Mithin scheint es sich dort nicht um den Leib Christi zu handeln, sondern einzig um die Substanz des Brotes und des Weines.

Aus diesen und ähnlichen Gründen scheint die Lehre Christi und der Kirche hinsichtlich dieses Sakramentes hart.

63. KAPITEL

WIDERLEGUNG DER ERWÄHNTEN EINWÄNDE – ZUNÄCHST HINSICHTLICH DER WANDLUNG DES BROTES IN DEN LEIB CHRISTI

Wenn auch die Kraft Gottes in diesem Sakrament erhabener und verborgener wirkt, als daß sie der Mensch erforschen könnte, so gilt es dennoch zu zeigen zu versuchen, daß hier jegliche Absurdität ausgeschlossen ist, damit die Lehre der Kirche hinsichtlich dieses Sakramentes den Ungläubigen nicht unmöglich vorkommt.

Mithin gilt es zuerst zu überlegen, wie der wahre Leib Christi unter diesem Sakrament zu existieren beginnt [IV 62: *erste* Schwierigkeit].

Es ist jedoch unmöglich, daß dies aufgrund einer Ortsbewegung des Leibes Christi geschieht.

Einmal folgte daraus, daß er aufhörte, im Himmel zu sein, wann immer dieses Sakrament vollzogen wird;

einmal, daß dieses Sakrament nur an einem Orte vollzogen werden könnte, da eine Ortsbewegung nur an einem Orte seinen Abschluß findet;

dann auch, daß Ortsbewegung nicht instantan stattfinden kann, sondern Zeit benötigt. Die Konsekration vollzieht sich jedoch im letzten Moment der Äußerung der Einsetzungsworte.

Also bleibt übrig zu sagen, der wahre Leib Christi beginne in diesem Sakrament dadurch anwesend zu sein, daß die Substanz des Brotes in die Substanz des Leibes Christi und die Substanz des Weines in die seines Blutes gewandelt wird.

Hieraus aber geht deutlich hervor, daß sowohl die Meinung derer falsch ist, die behaupten, in diesem Sakrament existiere die Substanz des Brotes zugleich mit der Substanz des Leibes Christi, als auch die Meinung derer, welche behaupten, die Substanz des Brotes löse sich in nichts oder in Erstmaterie auf. Aus beiden Fällen folgt, daß in diesem Sakrament der

corpus Christi in hoc sacramento esse incipere non possit nisi per motum localem: quod est impossibile, ut ostensum est.

Praeterea, si substantia panis simul est in hoc sacramento cum vero corpore Christi, potius Christo dicendum fuit, „Hic est corpus meum", quam, „Hoc est corpus meum": cum per ‚hic' demonstretur substantia quae videtur, quae quidem est substantia panis, si in sacramento cum corpore Christi remaneat.

Similiter etiam impossibile videtur quod substantia panis omnino in nihilum redeat. Multum enim de natura corporea primo creata iam in nihilum rediisset ex frequentatione huius mysterii. Nec est decens ut in sacramento salutis divina virtute aliquid in nihilum redigatur.

Neque etiam in materiam primam substantiam panis est possibile resolvi: cum materia prima sine forma esse non possit. Nisi forte per ‚materiam primam' prima elementa corporea intelligantur. In quae quidem si substantia panis resolveretur, necesse esset hoc ipsum percipi sensu, cum elementa corporea sensibilia sint. Esset etiam ibi localis transmutatio et corporalis alteratio contrariorum, quae instantanea esse non possunt.

Sciendum tamen est quod praedicta conversio panis in corpus Christi alterius modi est ab omnibus conversionibus naturalibus. Nam in qualibet conversione naturali manet subiectum, in quo succedunt sibi diversae formae, vel accidentales, sicut cum album in nigrum convertitur, vel substantiales, sicut cum aër in ignem: unde ‚conversiones formales' nominantur. Sed in conversione praedicta subiectum transit in subiectum, et accidentia manent: unde haec ‚conversio substantialis' nominatur.

Et quidem qualiter haec accidentia maneant et quare, posterius perscrutandum est.

Nunc autem considerare oportet quomodo subiectum in subiectum convertatur. Quod quidem natura facere non potest. Omnis enim naturae operatio materiam praesupponit per quam substantia individuatur; unde natura facere non potest quod haec substantia fiat illa, sicut quod hic digitus fiat ille digitus. Sed materia subiecta est virtuti divinae: cum per ipsam producatur in esse. Unde divina virtute fieri potest quod haec in-

Leib Christi nur aufgrund von Ortsbewegung anfangen kann zu existieren. Dies ist unmöglich, wie erwiesen wurde.

Wäre außerdem die Substanz des Brotes in diesem Sakrament zugleich mit dem wahren Leib Christi vorhanden, dann hätte Christus eher sagen müssen: „Dieses [Brot] hier ist mein Leib" als: „Dies ist mein Leib", da mit „Dieses [Brot] hier ist mein Leib" ... „Dieses hier" die Substanz bezeichnet wird, welche man sieht, wobei es sich um die Substanz des Brotes handelte, falls sie im Sakrament mit dem Leib Christi zusammen verbleibt.

Ähnlich scheint es unmöglich, daß die Substanz des Brotes gänzlich zu nichts wird. Vieles nämlich von der ursprünglich geschaffenen Körpernatur würde dann durch die häufige Feier dieses Geheimnisses in nichts aufgelöst. Auch ist es unziemlich anzunehmen, daß sich im Heilssakrament durch göttliche Kraft etwas in nichts auflöst.

Ebenso ist es nicht möglich, daß sich die Substanz des Brotes in Erstmaterie auflöst, da Erstmaterie nicht ohne Form sein kann, es sei denn, man versteht die ersten körperhaften Elemente unter der „Erstmaterie". Löste sich die Substanz des Brotes hierin auf, so müßte dies sinnlich wahrnehmbar sein, da die körperhaften Elemente sinnlich wahrnehmbar sind. Auch gäbe es dann eine örtliche Veränderung und eine körperhafte Änderung von Entgegengesetztem, was nicht instantan stattfinden kann.

Dennoch muß man wissen, daß es sich bei der erwähnten Wandlung des Brotes in den Leib Christi um eine von allem natürlichen Wandel verschiedene Wandlung handelt. Bei jeglichem natürlichen Wandel verbleibt nämlich das Zugrundeliegende, in dem verschiedene Formen aufeinander folgen, seien es akzidentelle Formen – wenn sich etwa Weiß in Schwarz wandelt – oder seien es substantiale Formen – wenn sich etwa Luft in Feuer umwandelt. Daher bezeichnet man sie als ‚Formwandlungen'. Bei der erwähnten Wandlung jedoch geht ein Zugrundeliegendes in ein anderes über, wobei die Akzidentien verbleiben. Daher nennt man dies eine ‚substantiale Wandlung'.

Doch müssen wir nachher untersuchen, wie und warum diese Akzidentien verbleiben.

Im Moment jedoch gilt es zu überlegen, wie sich ein Zugrundeliegendes in ein anderes Zugrundeliegendes wandelt, da die Natur dies nicht vermag. Jegliche Tätigkeit der Natur nämlich setzt Materie voraus, durch die das Zugrundeliegende individuiert wird. Daher vermag es die Natur nicht, daß diese Substanz jene Substanz wird, so als ob dieser Finger jener Finger würde. Doch ist die Materie der göttlichen Kraft unterworfen, durch die sie zum Sein gebracht wird. Daher kann es aufgrund göttlicher Kraft geschehen, daß diese individuelle Substanz sich in jene verwandelt, welche bereits zuvor existierte. Gleichwie sich nämlich aufgrund der Kraft eines

dividua substantia in illam praeexistentem convertatur. Sicut enim virtute naturalis agentis, cuius operatio se extendit tantum ad immutationem formae, et existentia subiecti supposita, hoc totum in illud totum convertitur secundum variationem speciei et formae, utpote hic aër in hunc ignem generatum: ita virtute divina, quae materiam non praesupponit, sed eam producit, et haec materia convertitur in illam, et per consequens hoc individuum in illud: individuationis enim principium materia est, sicut forma est principium speciei.

Hinc autem manifestum est quod in conversione praedicta panis in corpus Christi non est aliquod subiectum commune permanens post conversionem: cum transmutatio fiat secundum primum subiectum, quod est individuationis principium. Necesse est tamen aliquid remanere, ut verum sit quod dicitur: „Hoc est corpus meum", quae quidem verba sunt huius conversionis significativa et factiva. Et quia substantia panis non manet, nec aliqua prior materia, ut ostensum est: necesse est dicere quod maneat id quod est praeter substantiam panis. Huiusmodi autem est accidens panis. Remanent igitur accidentia panis, etiam post conversionem praedictam.

Inter accidentia vero quidam ordo considerandus est. Nam inter omnia accidentia propinquius inhaeret substantiae quantitas dimensiva. Deinde qualitates in substantia recipiuntur quantitate mediante, sicut color mediante superficie: unde et per divisionem quantitatis, per accidens dividuntur. Ulterius autem qualitates sunt actionum et passionum principia; et relationum quarundam, ut sunt pater et filius, dominus et servus, et alia huiusmodi. Quaedam vero relationes immediate ad quantitates consequuntur: ut maius et minus, duplum et dimidium, et similia. Sic igitur accidentia panis, post conversionem praedictam, remanere ponendum est ut sola quantitas dimensiva sine subiecto subsistat, et in ipsa qualitates fundentur sicut in subiecto, et per consequens actiones, passiones et relationes. Accidit igitur in hac conversione contrarium ei quod in naturalibus mutationibus accidere solet, in quibus substantia manet ut mutationis subiectum, accidentia vero variantur: hic autem e converso accidens manet, et substantia transit.

Huiusmodi autem conversio non potest proprie dici ‚motus', sicut a naturali consideratur, ut subiectum requirat, sed est quaedam ‚substantia-

natürlichen Agens, dessen Tätigkeit sich nur auf die Veränderung der Form in einem bereits existierenden Zugrundeliegenden erstreckt, das Gesamt eines Dinges durch die Änderung der Art oder der Form in das Gesamt eines anderen wandelt (so etwa diese Luft in dieses bereits entfachte Feuer), so wandelt sich durch göttliche Kraft, welche keine Materie voraussetzt, sondern die sie vielmehr hervorbringt, diese Materie in jene; folglich auch dieses Individuum in jenes. Denn das Prinzip der Individuation ist die Materie, gleichwie es sich bei der Form um das Prinzip der Art handelt.

Hieraus wird aber offenkundig, daß es bei der erwähnten Wandlung des Brotes in den Leib Christi kein gemeinsames Zugrundeliegendes gibt, welches nach der Wandlung verbliebe, sofern die Wandlung dem ursprünglich Zugrundeliegenden gemäß geschieht, welches das Prinzip der Individuation darstellt. Dennoch muß etwas verbleiben, damit wahr ist, wenn es heißt: „Dies ist mein Leib". Diese Worte bezeichnen und bewirken die Wandlung. Weil nun weder die Substanz des Brotes noch irgendeine andere zuvor enthaltene Materie verbleibt, wie erwiesen wurde, so muß man sagen, daß das verbleibt, was sich außer der Substanz des Brotes vorfindet. Dies ist das dem Brote beiläufig Zukommende. Folglich verbleiben die Akzidentien des Brotes auch nach der besagten Wandlung.

Doch gilt es auf eine gewisse Ordnung unter den Akzidentien zu achten. Unter allen Akzidentien haftet die dimensive Quantität der Substanz am nächsten an; dann werden in der Substanz durch Vermittlung der Quantität Qualitäten wie die Farbe aufgenommen. Daher unterscheiden sich auch die übrigen Akzidentien aufgrund des Unterschiedes der Quantität beiläufig voneinander. Darüber hinaus sind auch die Qualitäten Prinzipien des Tuns oder des Erleidens und bestimmter Relationen, wie bei ‚Vater' und ‚Sohn', ‚Knecht', und ‚Herr' und dergleichen. Bestimmte Relationen stellen eine unmittelbare Folge von Quantitäten dar, etwa ‚größer' und ‚kleiner', ‚doppelt' und ‚halb' und dergleichen. Folglich muß man behaupten, daß die Akzidentien des Brotes nach der erwähnten Wandlung derart verbleiben, daß einzig die dimensive Quantität ohne Zugrundeliegendes verbleibt, während die Qualititäten in ihr als deren Zugrundeliegendem fundiert sind, und folglich auch das Tun, das Erleiden und die Relationen. Bei dieser Wandlung geschieht mithin das Gegenteil dessen, was sich in der Regel bei natürlichen Veränderungen ereignet, bei denen die Substanz verbleibt und die Akzidentien sich ändern. Hier verbleibt umgekehrt das Akzidens, und die Substanz vergeht.

Man kann eine derartige Wandlung nicht im eigentlichen Sinne eine ‚Bewegung' nach Art eines Naturdinges nennen, wofür ein Zugrundeliegendes erforderlich ist; vielmehr handelt es sich um eine gewisse Auf-

lis successio', sicut in creatione est successio esse et non esse, ut in Secundo dictum est.

Haec igitur est una ratio quare accidens panis remanere oportet: ut inveniatur aliquod manens in conversione praedicta.

Est autem et propter aliud necessarium.

Si enim substantia panis in corpus Christi converteretur et panis accidentia transirent, ex tali conversione non sequeretur quod corpus Christi, secundum suam substantiam, esset ubi prius fuit panis: nulla enim relinqueretur habitudo corporis Christi ad locum praedictum. Sed cum quantitas dimensiva panis remanet post conversionem, per quam panis hunc locum sortiebatur, substantia panis in corpus Christi mutata fit corpus Christi sub quantitate dimensiva panis; et per consequens locum panis quodammodo sortitur, mediantibus tamen dimensionibus panis[47].

Possunt et aliae rationes assignari. Et quantum ad fidei rationem quae de invisibilibus est.

Et eius meritum quod circa hoc sacramentum tanto maius est quanto invisibilius agitur, corpore Christi sub panis accidentibus occultato.

Et propter commodiorem et honestiorem usum huius sacramenti. Esset enim horrori sumentibus, et abominationi videntibus, si corpus Christi in sua specie a fidelibus sumeretur. Unde sub specie panis et vini, quibus communius homines utuntur ad esum et potum, corpus Christi proponitur manducandum, et sanguis potandus.

Capitulum LXIV

Solutio eorum quae obiiciebantur ex parte loci

His igitur consideratis circa modum conversionis, ad alia solvenda nobis aliquatenus via patet. Dictum est enim quod locus in quo hoc agitur sacramentum, attribuitur corpori Christi ratione dimensionum panis, remanentium post conversionem substantiae panis in corpus Christi. Secun-

[47] DS 430

einanderfolge der Substanz nach, gleichwie es bei der Schöpfung die Aufeinanderfolge von Sein und Nichtsein gibt, wie es im 2. Buch hieß (II 18 f.).

Dies ist also der eine Grund, welcher angibt, warum das Akzidens des Brotes verbleiben muß, damit man etwas Bleibendes bei der erwähnten Wandlung ausmachen kann.

Außerdem ist noch etwas anderes erforderlich.

Wandelte sich nämlich die Substanz des Brotes in den Leib Christi und vergingen auch die Akzidentien des Brotes, so würde daraus nicht folgen, daß der Leib Christi seiner Substanz nach dort anwesend wäre, wo zuvor das Brot war. Es verbliebe nämlich keine Beziehung des Leibes Christi zum besagten Ort. Da jedoch die dimensive Quantität des Brotes, wonach das Brot diesen Ort einnahm, nach der Wandlung verbleibt, so wird die in den Leib Christi verwandelte Substanz des Brotes der Leib Christi unter der dimensiven Quantität des Brotes. Folglich nimmt er mittels der Ausmaße des Brotes gewisserweise den Ort des Brotes ein.

Nun lassen sich noch weitere Gründe angeben, sowohl unter dem Gesichtspunkt des Glaubens an Unsichtbares als auch unter dem des Verdienstes, der hinsichtlich dieses Sakramentes um so größer ist, je mehr sich dieses Sakrament unsichtbar vollzieht. Der Leib Christi ist nämlich unter den Akzidentien von Brot verborgen, damit man vom Sakrament einen um so vorteilhafteren und würdigeren Gebrauch mache. Für diejenigen, welche es empfangen, wäre es nämlich fürchterlich und abscheulich für die Zuschauenden, würde der Leib Christi von den Gläubigen in seiner eigenen Gestalt verzehrt. Daher werden der Leib und das Blut Christi zum Essen und Trinken unter den Gestalten des Brotes und Weines dargeboten, deren sich die Menschen gemeinhin zur Speise und zum Trank bedienen.

64. Kapitel

Widerlegung der Einwände hinsichtlich des Ortes

Nachdem wir nunmehr die Weise der Wandlung untersucht haben, so wird uns danach bis zu einem gewissen Grade auch der Weg deutlich, welcher zur Lösung der weiteren Schwierigkeiten [IV 62: *zweite* Schwierigkeit] führt. So wurde bereits (IV 63) gesagt, daß der Leib Christi den Ort einnimmt, an dem sich dieses Sakrament vollzieht, und zwar aufgrund der äußerlichen Bemessungen des Brotes, welche nach der Wandlung seiner Substanz in den Leib Christi verblieben. Entsprechend dem, was die

dum hoc igitur ea quae Christi sunt necesse est esse in loco praedicto, secundum quod exigit ratio conversionis praedictae.

Considerandum est igitur in hoc sacramento aliquid esse ex vi conversionis, aliquid autem ex naturali concomitantia. Ex vi quidem conversionis est in hoc sacramento illud ad quod directe conversio terminatur: sicut sub speciebus panis corpus Christi, in quod substantia panis convertitur, ut per verba consecrationis patet, cum dicitur: „Hoc est corpus meum"; et similiter sub specie vini est sanguis Christi, cum dicitur: „Hic est calix sanguinis mei" etc. Sed ex naturali concomitantia sunt ibi omnia alia ad quae conversio non terminatur, sed tamen ei in quod terminatur sunt realiter coniuncta. Manifestum est enim quod conversio panis non terminatur in divinitatem Christi, neque in eius animam; sed tamen sub specie panis est anima Christi et eius divinitas propter unionem utriusque ad corpus Christi.

Si vero in triduo mortis Christi hoc sacramentum celebratum fuisset, non fuisset sub specie panis anima Christi, quia realiter non erat corpori eius unita: et similiter nec sub specie panis fuisset sanguis, nec sub specie vini corpus, propter separationem utriusque in morte. Nunc autem, quia corpus Christi in sua natura non est sine sanguine, sub utraque specie continetur corpus et sanguis: sed sub specie panis continetur corpus ex vi conversionis, sanguis autem ex naturali concomitantia: sub specie autem vini e converso.

Per eadem etiam patet solutio ad id quod obiiciebatur de inaequalitate corporis Christi ad locum panis. Substantia enim panis directe convertitur in substantiam corporis Christi: dimensiones autem corporis Christi sunt in sacramento ex naturali concomitantia, non autem ex vi conversionis, cum dimensiones panis remaneant. Sic igitur corpus Christi non comparatur ad hunc locum mediantibus dimensionibus propiis, ut eis oporteat adaequari locum: sed mediantibus dimensionibus panis remanentibus, quibus locus adaequatur.

Inde etiam patet solutio ad id quod obiiciebatur de pluralitate locorum. Corpus enim Christi per suas proprias dimensiones in uno tantum loco existit: sed mediantibus dimensionibus panis in ipsum transeuntis in tot

Grundbestimmung dieser Wandlung verlangt, muß mithin alles, was Christus eignet, sich an diesem Ort befinden.

Folglich gilt es zu beachten, daß etwas in diesem Sakrament aufgrund der Wandlung und etwas aufgrund natürlicher Konkomitanz gegenwärtig ist. Aufgrund der Wandlung ist in diesem Sakrament das vorhanden, worin die Wandlung im direkten Sinne ihren Abschluß findet: der Leib Christi, zu dem die Substanz des Brotes gewandelt wird, unter der Gestalt von Brot. Dies wird aus den Konsekrationsworten ersichtlich, wenn es heißt: „Dies ist mein Leib" (Mt 26,26). Ähnlich ist das Blut Christi unter der Gestalt von Wein gegenwärtig, wenn es heißt: „Dies ist der Kelch meines Blutes" etc. Aufgrund natürlicher Konkomitanz ist dort alles andere gegenwärtig, was nicht den eigentlichen Abschluß der Wandlung darstellt, aber dennoch mit ihm tatsächlich verbunden ist. Offensichtlich nämlich findet die Wandlung des Brotes nicht in der Gottheit oder der Seele Christi ihren Abschluß. Dennoch sind die Seele und die Gottheit Christi aufgrund ihrer Vereinigung mit dem Leibe Christi unter der Gestalt von Brot anwesend.

Wäre dieses Sakrament jedoch während der drei Tage nach dem Tode Christi gefeiert worden, so wäre die Seele Christi nicht unter der Gestalt von Brot gegenwärtig gewesen, da sie nicht wahrhaft mit seinem Leib vereint war. Ähnlich wäre weder das Blut unter der Gestalt von Brot noch der Leib unter der Gestalt von Wein gegenwärtig gewesen, da sie sich beim Tode trennten. Weil aber nunmehr der Leib Christi in seiner natürlichen Verfassung nicht ohne Blut ist, so ist der Leib und das Blut unter beiderlei Gestalten enthalten. Unter der Gestalt von Brot jedoch ist der Leib aufgrund der Wandlung enthalten, das Blut aber aufgrund natürlicher Konkomitanz; unter der Gestalt von Wein verhält es sich allerdings umgekehrt.

Aufgrund dessen wird auch die Widerlegung des Einwandes hinsichtlich der vermeintlichen Unverhältnismäßigkeit des Leibes Christi im Verhältnis zum Ort des Brotes offensichtlich. Die Substanz des Brotes nämlich wird direkt in die Substanz des Leibes Christi gewandelt. Die Bemessung des Leibes Christi jedoch ist aufgrund natürlicher Konkomitanz im Sakrament vorhanden, nicht aufgrund der Wandlung, da die äußerliche Bemessung des Brotes verbleibt. Daher verhält sich der Leib Christi nicht entsprechend seinen eigenen Ausmaßen zu diesem Ort, der ihnen daraufhin entsprechen müßte, sondern entsprechend der verbleibenden äußerlichen Bemessung des Brotes, welcher der Ort entspricht.

Damit ist ebenfalls die Widerlegung des Einwandes der Pluralität der Orte klar. Der Leib Christi nämlich existiert aufgrund seiner eigenen Bemessung nur an einem Ort, doch befindet er sich vermittels der Ausmaße

locis in quot huiusmodi conversio fuerit celebrata: non quidem divisum per partes, sed integrum in unoquoque; nam quilibet panis consecratus in integrum corpus Christi convertitur.

Capitulum LXV

Solutio eorum quae obiiciebantur ex parte accidentium

Sic igitur difficultate soluta quae ex loco accidit, inspiciendum est de ea quae ex accidentibus remanentibus esse videtur. Non enim negari potest accidentia panis et vini remanere: cum sensus hoc infallibiliter demonstret.

Neque his corpus Christi aut sanguis afficitur: quia hoc sine eius alteratione esse non posset, nec talium accidentium capax est. Similiter autem et substantia aëris. Unde relinquitur quod sint sine subiecto. Tamen per modum praedictum: ut scilicet sola quantitas dimensiva sine subiecto subsistat, et ipsa aliis accidentibus praebeat subiectum.

Nec est impossibile quod accidens virtute divina subsistere possit sine subiecto. Idem enim est iudicandum de productione rerum, et conservatione earum in esse. Divina autem virtus potest producere effectus quarumcumque causarum secundarum sine ipsis causis secundis: sicut potuit formare hominem sine semine, et sanare febrem sine operatione naturae. Quod accidit propter infinitatem virtutis eius, et quia omnibus causis secundis largitur virtutem agendi. Unde et effectus causarum secundarum conservare potest in esse sine causis secundis. Et hoc modo in hoc sacramento accidens conservat in esse, sublata substantia quae ipsum conservabat.

Quod quidem praecipue dici potest de quantitatibus dimensivis: quas etiam Platonici posuerunt per se subsistere[48], propter hoc quod secundum intellectum separantur[49]. Manifestum est autem quod plus potest Deus in operando quam intellectus in apprehendendo.

---

[48] Cf. Aristotelem, *Met.* II 5 (1001b 26–02b 11).
[49] Cf. Aristotelem, *Phys.* II 2 (193b 31–35).

des Brotes, in dem er gegenwärtig wird, an so vielen Orten, wie diese Wandlung gefeiert wird. Allerdings geschieht dies nicht dadurch, daß er sich in Teile zerteilt. Vielmehr ist er an jedem dieser Orte ganz gegenwärtig, denn jedes konsekrierte Brot ist in den ganzen Leib Christi gewandelt.

65. Kapitel

Widerlegung der Einwände hinsichtlich der Akzidentien

Nachdem das Ortsproblem gelöst ist, gilt es nunmehr die Einwände zu untersuchen, welche sich offenbar in bezug auf die verbleibenden Akzidentien ergeben [IV 62: *dritte* Schwierigkeit]. Man kann nämlich nicht leugnen, daß die Akzidentien des Brotes und des Weines verbleiben, da uns die Sinneserfahrung dies untrüglich bekundet.

Und doch werden weder der Leib noch das Blut Christi durch sie affiziert, da sich dies nicht ereignen könnte, ohne daß an ihm eine Veränderung stattfände. Auch ist er nicht in der Lage, solcherlei Akzidentien aufzunehmen. Ähnliches trifft auf die Substanz der Luft zu. Mithin verbleibt, daß sie ohne Zugrundeliegendes existieren, doch in dem bereits erklärten Sinne (IV 63), nämlich insofern nur die dimensive Quantität ohne ein Zugrundeliegendes subsistiert, wobei sie die übrigen Akzidentien trägt.

Auch ist es nicht unmöglich, daß ein Akzidens aufgrund göttlicher Kraft ohne Zugrundeliegendes subsistieren kann. Dasselbe muß man nämlich von der Hervorbringung der Dinge und ihrer Erhaltung im Sein behaupten. Die Kraft Gottes aber vermag Wirkungen beliebiger Zweitursachen ohne deren Mitwirkung hervorzubringen, gleichwie sie einen Menschen ohne Zuhilfenahme von Samen bilden und ohne Mitwirkung der Natur Fieber heilen konnte. Dies geschieht, weil seine Kraft unbegrenzt ist und weil er allen Zweitursachen das Tätigkeitsvermögen gewährt. Daher kann er auch die Wirkungen von Zweitursachen ohne Zweitursachen im Sein erhalten. Auf diese Weise erhält er bei diesem Sakrament das Akzidens im Sein, obwohl das Zugrundeliegende, welches es erhielt, nicht mehr existiert.

Dies läßt sich vor allem von den dimensiven Quantitäten behaupten, von denen die Platoniker sagten, sie subsistierten für sich selbst, und zwar deswegen, weil sie dem Verstande gemäß voneinander unterschieden werden. Offenkundig aber vermag Gott bei seiner Tätigkeit mehr als der Intellekt beim Erkennen.

Habet autem et hoc proprium quantitas dimensiva inter accidentia reliqua, quod ipsa secundum se individuatur. Quod ideo est, quia positio, quae est „ordo partium in toto", in eius ratione includitur: est enim quantitas „positionem habens" [*Categ.*, c. 6]. Ubicumque autem intelligitur diversitas partium eiusdem speciei, necesse est intelligi individuationem: nam quae sunt unius speciei, non multiplicantur nisi secundum individuum; et inde est quod non possunt apprehendi multae albedines nisi secundum quod sunt in diversis subiectis; possunt autem apprehendi multae lineae, etiam si secundum se considerentur: diversus enim situs, qui per se lineae inest, ad pluralitatem linearum sufficiens est.

4b 21–22

Et quia sola quantitas dimensiva de sui ratione habet unde multiplicatio individuorum in eadem specie possit accidere, prima radix huiusmodi multiplicationis ex dimensione esse videtur: quia et in genere substantiae multiplicatio fit secundum divisionem materiae; quae nec intelligi posset nisi secundum quod materia sub dimensionibus consideratur; nam, remota quantitate, substantia omnis indivisibilis est, ut patet per Philosophum in I *Physicorum*. [3].

186b 12–33

Manifestum est autem quod in aliis generibus accidentium, multiplicantur individua eiusdem speciei ex parte subiecti. Et sic relinquitur quod, cum in huiusmodi sacramento ponamus dimensiones per se subsistere; et alia accidentia in eis sicut in subiecto fundari: non oportet nos dicere quod accidentia huiusmodi individuata non sint; remanet enim in ipsis dimensionibus individuationis radix.

Capitulum LXVI

Solutio eorum quae obiiciebantur ex parte actionis et passionis

His autem consideratis, quae ad quartam difficultatem pertinent consideranda sunt. Circa quae aliquid quidem est quod de facili expediri potest: aliquid quidem est quod maiorem difficultatem praetendit.

Quod enim in hoc sacramento eaedem actiones appareant quae prius in substantia panis et vini apparebant, puta quod similiter immutent sensum, similiter etiam alterent aërem circumstantem, vel quodlibet aliud,

Auch charakterisiert es die dimensive Quantität im Vergleich mit den übrigen Akzidentien, daß sie selbst zunächst individuiert ist. Dies kommt daher, weil Anordnung, d. h. die „Ordnung der Teile im Ganzen", in ihrem Wesensbegriff eingeschlossen ist. Sie ist nämlich die „Anordnung besitzende Quantität" (Aristoteles). Wo immer man aber Verschiedenheit von Teilen derselben Art begreift, dort muß man auch Individuation mitbegreifen, denn viele Dinge derselben Art können nur Individuen sein. Daher kommt es, daß man nur insofern mannigfaches Weißsein erfassen kann, als es sich bei verschiedenen Subjekten findet. Doch können wir, sogar für sich betrachtet, viele Linien erfassen. Der Unterschied der Lage nämlich reicht dazu aus, Linien voneinander zu unterscheiden, und Lage ist im Begriff der Linie enthalten.

Weil es nun einzig der dimensiven Quantität aufgrund ihres Wesens eignet, daß es eine Vielheit von Individuen derselben Art geben kann, so scheint die Grundlage dieser Vielheit in der äußerlichen Bemessung zu liegen. So gibt es auch in der Gattung der Substanz aufgrund der Verteilung der Materie Vielheit, die man im Falle von Materie unmöglich ohne äußerliche Bemessung verstehen kann. Ist keine Quantität vorhanden, so ist jegliche Substanz unteilbar, wie aus dem Philosophen (Aristoteles) im 1. Buch der *Physik* ersichtlich ist.

Offensichtlich aber hängt bei den anderen Gattungen von Akzidentien die Anzahl der Individuen derselben Art von der Anzahl der Subjekte ab. Da wir behaupten, bei diesem Sakrament gebe es für sich bestehende Bemessungen, die die Grundlage für die weiteren Akzidentien bilden, so verbleibt, daß wir nicht sagen dürfen, die Akzidentien seien nicht individuiert; vielmehr liegt in diesen Bemessungen selbst die Wurzel der Individuation.

66. KAPITEL

WIDERLEGUNG DER EINWÄNDE
HINSICHTLICH DES TUNS UND ERLEIDENS

Nach diesen Überlegungen müssen die mit dem vierten Einwand verbundenen Probleme erwogen werden [IV 62: *vierte* Schwierigkeit]. In gewisser Weise bereitet dies keine Schwierigkeiten; unter einer Hinsicht jedoch ergibt sich eine größere Schwierigkeit.

Nach dem bisher Gesagten scheint es sicher richtig, daß man bei diesem Sakrament dieselben Tätigkeiten [von Akzidentien nach der Konsekration] wahrnimmt, wie man sie zuvor bei der Substanz des Brotes und des Weines wahrnahm, so etwa daß sie durch Geruch oder Farbe auf be-

odore aut colore: satis conveniens videtur ex his quae posita sunt. Dictum est enim quod in hoc sacramento remanent accidentia panis et vini: inter quae sunt qualitates sensibiles, quae sunt huiusmodi actionum principia.

Rursus, circa passiones aliquas, puta quae fiunt secundum alterationes huiusmodi accidentium, non magna etiam difficultas accidit, si praemissa supponantur. Cum enim praemissum sit quod alia accidentia in dimensionibus fundantur sicut in subiecto, per eundem modum circa huiusmodi subiectum alteratio aliorum accidentium considerari potest, sicut si esset ibi substantia; ut puta si vinum esset calefactum et infrigidaretur, aut mutaret saporem, aut aliquod huiusmodi.

Sed maxima difficultas apparet circa generationem et corruptionem quae in hoc sacramento videtur accidere. Nam si quis in magna quantitate hoc sacramentali cibo uteretur, sustentari posset, et vino etiam inebriari, secundum illud Apostoli I Cor. XI: „Alius esurit, alius ebrius est": quae quidem accidere non possent nisi ex hoc sacramento caro et sanguis generaretur; nam nutrimentum convertitur in substantiam nutriti; quamvis quidam dicant hominem sacramentali cibo non posse nutriri, sed solum confortari et refocillari, sicut cum ad odorem vini confortatur. Sed haec quidem confortatio ad horam accidere potest: non autem sufficit ad sustentandum hominem, si diu sine cibo permaneat. Experimento autem de facili inveniretur hominem diu sacramentali cibo sustentari posse.

Mirandum etiam videtur cur negent hominem hoc sacramentali cibo posse nutriri, refugientes hoc sacramentum in carnem et sanguinem posse converti: cum ad sensum appareat quod per putrefactionem vel combustionem in aliam substantiam, scilicet cineris et pulveris, convertatur.

Quod quidem difficile tamen videtur: eo quod nec videatur possibile quod ex accidentibus fiat substantia: nec credi fas sit quod substantia corporis Christi, quae est impassibilis, in aliam substantiam convertatur.

Si quis autem dicere velit quod, sicut miraculose panis in corpus Christi convertitur, ita miraculose accidentia in substantiam convertuntur: primum quidem, hoc non videtur miraculo esse conveniens, quod hoc sac-

stimmte Weise die Sinne, die umgebende Luft oder dergleichen affizieren. So hieß es (IV 63), daß die Akzidentien des Brotes und des Weines in diesem Sakrament verbleiben. Unter diesen Akzidentien befinden sich die sinnlich wahrnehmbaren Qualitäten, welche die Prinzipien dieser Tätigkeiten ausmachen.

Hinsichtlich bestimmter passiver Einwirkungen, d. h. bestimmter Veränderungen dieser Akzidentien, gibt es kein größeres Problem, solange man beachtet, was bereits gesagt wurde. So wurde vorausgesetzt (IV 63), daß die übrigen Akzidentien in den äußeren Bemessungen als dem ihnen Zugrundeliegenden fundiert sind. Folglich kann man die übrigen Akzidentien hinsichtlich dieses Zugrundeliegenden derart verstehen, als geschehe ihre Veränderung so, als ob dort eine Substanz vorhanden wäre; beispielsweise dann, wenn der Wein erhitzt oder abgekühlt würde, der Geschmack sich änderte und dergleichen.

Die größte Schwierigkeit ergibt sich jedoch hinsichtlich des Entstehens und Vergehens, das sich offensichtlich bei diesem Sakrament ereignet. Würde sich nämlich jemand dieser sakramentalen Speise in großen Mengen bedienen, so könnte er sich damit ernähren und vom Wein betrunken werden, dem Wort des Apostels von 1 Kor 11,21 gemäß: „So hungert der eine, während der andere betrunken ist". Dies könnte sich nur dann ereignen, wenn aus diesem Sakrament Fleisch und Blut entstünde, denn die Nahrung verwandelt sich in die Substanz des Ernährten. Doch trifft es zu, daß einige behaupten, der Mensch werde durch diese sakramentale Speise nicht ernährt, sondern lediglich gestärkt und erfrischt, gleichwie der Geruch des Weines ihn stimuliert. Diese Stärkung jedoch dauert nur eine kurze Weile; sie reicht nicht dazu aus, den Menschen zu ernähren, wenn er lange ohne Nahrung bleibt. Nun läßt es sich jedoch aufgrund von Erfahrung leicht nachweisen, daß sich der Mensch lange von der sakramentalen Speise ernähren kann.

Zudem ist es erstaunlich, warum sie leugnen, jemand könne sich mit dieser sakramentalen Speise ernähren, indem sie es ablehnen zuzugeben, daß sich dieses Sakrament in Fleisch und Blut verwandeln kann, da es den Sinnen offenkundig ist, daß es sich durch Verfaulen oder Verbrennen zu einer anderen Substanz, d. h. zu Asche oder zu Pulver wandelt.

Dies scheint jedoch schwerlich der Fall, sofern es nicht möglich scheint, daß aus Akzidentien eine Substanz wird. Zudem darf man nicht glauben, daß sich die Substanz des Leibes Christi, die nicht in der Lage ist, eine passive Einwirkung zu erfahren, in eine andere Substanz verwandelt.

Vielleicht möchte nun jemand behaupten, daß sich die Akzidentien durch ein Wunder in eine Substanz verwandeln, gleichwie sich das Brot auf wunderbare Weise in den Leib Christi verwandelt. Doch scheint es

ramentum putrescat, vel per combustionem dissolvatur; deinde, quia pu-
trefactio et combustio consueto naturae ordine huic sacramento accidere
inveniuntur: quod non solet esse in his quae miraculose fiunt.

Ad hanc dubitationem tollendam quaedam famosa positio est adinven-
ta, quae a multis tenetur. Dicunt enim quod, cum contingit hoc sacramentum in carnem converti aut sanguinem per nutrimentum, vel in cinerem
per combustionem aut putrefactionem, non convertuntur accidentia in
substantiam; neque substantia corporis Christi; sed redit, divino miraculo,
substantia panis quae prius fuerat, et ex ea generantur illa in quae hoc
sacramentum converti invenitur.

Sed hoc quidem omnino stare non potest. Ostensum est enim supra
quod substantia panis in substantiam corporis Christi convertitur. Quod
autem in aliquid conversum est, redire non potest nisi e converso illud
reconvertatur in ipsum. Si igitur substantia panis redit, sequitur quod substantia corporis Christi reconvertitur in panem. Quod est absurdum.

Adhuc, si substantia panis redit, necesse est quod vel redeat speciebus
panis manentibus; vel speciebus panis iam destructis. Speciebus quidem
panis durantibus, substantia panis redire non potest: quia quandiu species
manent, manet sub eis substantia corporis Christi; sequeretur ergo quod
simul esset ibi substantia panis et substantia corporis Christi. Similiter
etiam neque, corruptis speciebus panis, substantia panis redire potest: tum
quia substantia panis non est sine propriis speciebus; tum quia, destructis
speciebus panis, iam generata est alia substantia, ad cuius generationem
ponebatur quod substantia panis rediret.

Melius igitur dicendum videtur quod in ipsa consecratione, sicut substantia panis in corpus Christi miraculose convertitur, ita miraculose accidentibus confertur quod subsistant, quod est proprium substantiae: et
per consequens quod omnia possint facere et pati quae substantia posset
facere et pati, si substantia adesset. Unde sine novo miraculo, et inebriare

erstens nicht mit einem Wunder vereinbar, daß dieses Sakrament verfault oder durch Verbrennung zerstört wird. *Zweitens* geschehen Fäulnis und Verbrennung, die sich an diesem Sakrament ereignen, der üblichen Ordnung der Natur gemäß. Dies geschieht gewöhnlich nicht bei Dingen, die sich auf die Weise eines Wunders ereignen.

Zur Behebung dieses Zweifels hat man eine recht bekannte These erdacht, die von vielen vertreten wird. Wenn sich dieses Sakrament, so heißt es, durch den Prozeß der Ernährung in Fleisch oder Blut, oder durch Verbrennung oder Fäulnis zu Asche wandelt, dann wandeln sich weder die Akzidentien noch die Substanz des Leibes Christi zu einer anderen Substanz; vielmehr kehrt die Substanz des Brotes, die zuvor gegenwärtig war, durch ein göttliches Wunder wieder zurück, und aus ihr entstehen die Dinge, in die sich dieses Sakrament offensichtlich verändert.

Aber dies ist völlig unmöglich. Es wurde nämlich oben (IV 63) nachgewiesen, daß sich die Substanz des Brotes zur Substanz des Leibes Christi wandelt. Ist aber etwas in etwas anderes verwandelt, so kann es nicht wiederkehren, es sei denn, dieses neu Entstandene wird in das Ursprüngliche zurückverwandelt. Kehrt also die Brotsubstanz zurück, so folgt, daß sich die Substanz des Leibes Christi in Brot zurückverwandelt. Dies ist absurd.

Darüber hinaus. Kehrt die Substanz des Brotes zurück, so muß sie entweder zurückkehren, wenn die Gestalt von Brot noch zugegen ist oder wenn sie bereits zerstört ist. Solange jedoch die Gestalt von Brot gegenwärtig fortdauert, kann die Substanz des Brotes nicht wiederkehren. Solange nämlich die Gestalt von Brot verbleibt, solange verbleibt unter ihr die Substanz des Leibes Christi. Mithin würde folgen, daß die Substanz des Brotes und die des Leibes Christi zugleich dort anwesend sind. Ähnlich kann auch die Substanz des Brotes nicht wiederkehren, wenn die Brotgestalt zerstört ist, einerseits weil die Brotsubstanz nicht ohne die ihr eigentümlich zukommende Gestalt existiert, andererseits weil nach der Zerstörung der Brotgestalt bereits eine andere Substanz entstanden ist, wobei man annahm, daß deren Entstehen die Rückkehr der Brotsubstanz involvierte.

Folglich ist es offenbar besser, Folgendes zu behaupten: Gleichwie sich bei der Konsekrierung die Substanz des Brotes durch ein Wunder in den Leib Christi wandelt, so kommt es den Akzidentien durch ein Wunder zu, zu subsistieren (was eigentlich der Substanz zukommt), so daß sie alles zu tun und zu erleiden vermögen, was eine Substanz zu tun und zu erleiden vermag, wäre eine Substanz vorhanden. Daher können sie ohne ein erneutes Wunder auf dieselbe Weise und nach derselben Ordnung trunken

et nutrire, et incinerari et putrefieri possunt, eodem modo et ordine ac si substantia panis et vini adesset.

Capitulum LXVII

Solutio eorum quae obiiciebantur ex parte fractionis

Restat autem ea quae ad quintam difficultatem pertinent speculari. Manifestum est autem secundum praedicta quod fractionis subiectum ponere possumus dimensiones per se subsistentes. Nec tamen, huiusmodi dimensionibus fractis, frangitur substantia corporis Christi: eo quod totum corpus Christi sub qualibet portione remaneat.

Quod quidem, etsi difficile videatur tamen secundum ea quae praemissa sunt, expositionem habet. Dictum est enim supra quod corpus Christi est in hoc sacramento per substantiam suam ex vi sacramenti; dimensiones autem corporis Christi sunt ibi ex naturali concomitantia quam ad substantiam habent; e contrario ei secundum quod corpus naturaliter est in loco; nam corpus naturale est in loco mediantibus dimensionibus quibus loco commensuratur.

Alio autem modo se habet aliquid substantiale ad id in quo est; et alio modo aliquid quantum. Nam quantum totum ita est in aliquo toto quod totum non est in parte, sed pars in parte, sicut totum in toto. Unde et corpus naturale sic est in toto loco totum quod non est totum in qualibet parte loci, sed partes corporis partibus loci aptantur: eo quod est in loco mediantibus dimensionibus. Si autem aliquid substantiale sit in aliquo toto totum, etiam totum est in qualibet parte eius: sicut tota natura et species aquae in qualibet parte aquae est, et tota anima est in qualibet corporis parte.

Quia igitur corpus Christi est in sacramento ratione suae substantiae, in quam conversa est substantia panis dimensionibus eius manentibus; sicut tota species panis erat sub qualibet parte dimensionum, ita integrum corpus Christi est sub qualibet parte earundem. Non igitur fractio illa, seu

machen, ernähren, verbrannt werden oder verfaulen, wie wenn die Substanz des Brotes und des Weines anwesend wären.

67. Kapitel

Widerlegung der Einwände hinsichtlich des Brotbrechens

Nunmehr muß der *fünfte* Einwand untersucht werden [IV 62: *fünfte* Schwierigkeit]. Nach der bisherigen Erörterung (IV 66) können wir offensichtlich die für sich bestehenden äußeren Bemessungen als das dem Brechen (des Brotes) Zugrundeliegende annehmen. Dennoch wird beim Brechen der äußeren Gestalt nicht die Substanz des Leibes Christi gebrochen, weil der ganze Leib Christi in jedem Teil verbleibt.

Dies mag problematisch erscheinen, doch kann es in Übereinstimmung mit dem erklärt werden, was zuvor gesagt wurde (IV 64). Weiter oben hieß es nämlich, in diesem Sakrament sei der Leib Christi seiner Substanz nach durch die Kraft des Sakramentes enthalten. Die Bemessungen des Leibes Christi jedoch seien dort aufgrund ihrer natürlichen Konkomitanz mit der Substanz auf eine Weise vorhanden, welche jener entgegengesetzt ist, nach der sich ein Körper naturgemäß an einem Ort befindet. Ein Körper befindet sich nämlich vermittels seiner Bemessungen, wodurch er das gleiche Ausmaß wie ein Ort hat, naturgemäß an einem Ort.

Etwas Substanzhaftes verhält sich jedoch zu dem, worin es ist, auf eine von einem Quantum verschiedene Weise. Ein quantitatives Ganzes ist in einem Ganzen dergestalt enthalten, daß das Ganze nicht im Teil enthalten ist; vielmehr ist ein Teil im Teil, gleichwie das Ganze im Ganzen ist. Daher ist auch ein Naturkörper dergestalt ganz an einem Ort, daß er sich nicht völlig an einem beliebigen Teil des Ortes befindet, sondern Teile des Körpers Teile des Ortes einnehmen, weil sich ein Körper aufgrund seiner Ausmaße an einem Ort befindet. Befindet sich aber etwas Substanzhaftes gänzlich in einem Ganzen, so ist es auch gänzlich in einem beliebigen Teil dieses Ganzen, gleichwie sich die gesamte Natur und Art des Wassers in jedem einzelnen Wassertropfen und die ganze Seele in jedem Körperteil findet.

Weil sich also der Leib Christi im Sakrament seiner Substanz nach befindet, zu der die Substanz des Brotes gewandelt ist, wobei dessen Bemessungen verbleiben, und sich die gesamte Art des Brotes unter einem beliebigen Teil der Ausmaße befand, so findet sich nun auch der gesamte Leib Christi unter jedem beliebigen Teil von ihnen. Folglich berührt das

divisio, attingit ad corpus Christi, ut sit in illo sicut in subiecto: sed subiectum eius sunt dimensiones panis vel vini remanentes, sicut et aliorum accidentium ibidem remanentium diximus eas esse subiectum.

Capitulum LXVIII

Solutio auctoritatis supra inductae

His igitur difficultatibus remotis, manifestum est quod id quod ecclesiastica traditio habet circa sacramentum Altaris, nihil continet impossibile Deo, qui omnia potest.

Nec etiam contra Ecclesiae traditionem est verbum Domini dicentis ad discipulos, qui de hac doctrina scandalizati videbantur [Ioan. VI]: „Verba quae ego locutus sum vobis, spiritus et vita sunt". Non enim per hoc dedit intelligere quod vera caro sua in hoc sacramento manducanda fidelibus non traderetur: sed quia non traditur manducanda carnaliter, ut scilicet, sicut alii cibi carnales, in propria specie dilacerata sumeretur; sed quia quodam spirituali modo sumitur, praeter consuetudinem aliorum ciborum carnalium.

Capitulum LXIX

Ex quali pane et vino debet confici hoc sacramentum

Quia vero, ut supra dictum est, ex pane et vino hoc sacramentum conficitur, necesse est eas conditiones servari in pane et vino, ut ex eis hoc sacramentum confici possit, quae sunt de ratione panis et vini. Vinum autem non dicitur nisi liquor qui ex uvis exprimitur: nec panis proprie dicitur nisi qui ex granis tritici conficitur. Alii vero qui dicuntur panes,

Brechen oder die Teilung nicht den Leib Christi, als geschehe dies an ihm als Zugrundeliegendem; vielmehr handelt es sich bei dem, was ihnen zugrunde liegt, um die verbleibenden Bemessungen des Brotes und des Weines, von denen wir bereits sagten (IV 63; 65), daß sie das den übrigen dort verbleibenden Akzidentien Zugrundeliegende ausmachen.

68. KAPITEL

ENTKRÄFTUNG DER OBEN ANGEFÜHRTEN AUTORITATIVEN PASSAGE

Nachdem diese Schwierigkeiten beseitigt sind, so ist nunmehr offensichtlich, daß das, woran die kirchliche Tradition hinsichtlich des Altarsakramentes festhält, nichts enthält, was für Gott, welcher alles vermag, unmöglich ist;

Auch widerspricht dem nicht das folgende Wort (Joh 6, 63) des Herrn an seine Jünger, die sich offensichtlich über diese Lehre empörten, der Tradition der Kirche: „Die Worte, die ich zu euch gesprochen habe, sind Geist und sind Leben". Damit gab er uns nämlich nicht zu verstehen, daß sein wirkliches Fleisch in diesem Sakrament den Gläubigen nicht zur Speise dargeboten wird, sondern vielmehr, daß es nicht dargeboten wird, um nach Art von Fleisch gegessen zu werden. Das heißt, es soll nicht, wie es bei der übrigen fleischlichen Nahrung der Fall ist, in der ihr eigentümlichen Gestalt zerkaut gegessen, sondern auf geistliche Weise zu sich genommen werden, und zwar nicht auf die Weise, wie wir gewöhnlich andere fleischliche Nahrung zu uns nehmen.

69. KAPITEL

DIE ART DES BROTES UND WEINES, WELCHES BEI DIESEM SAKRAMENT VERWENDET WERDEN SOLL

Wie bereits zuvor gesagt wurde (IV 61), wird dieses Sakrament mit Wein und Brot gefeiert. Deswegen muß man diejenigen Bedingungen bei Brot und Wein einhalten, die für sie wesentlich sind, welche es ermöglichen, daß man dieses Sakrament mit ihnen feiern kann. ‚Wein' heißt aber nur jener Saft, der aus Trauben herausgepreßt wird, und ‚Brot' im eigentlichen Sinne nur das, was aus Weizenkörnern gebacken ist. Anderes, was sich ‚Brot' nennt, heißt so, weil Weizenbrot fehlt und statt dessen in Ge-

pro defectu panis triticei, ad eius supplementum, in usum venerunt: et similiter alii liquores in usum vini. Unde nec ex alio pane nec ex alio vino hoc sacramentum confici posset: neque etiam si pani et vino tanta alienae materiae admixtio fieret quod species solveretur.

Si qua vero huiusmodi pani et vino accidunt quae non sunt de ratione panis et vini, manifestum est quod, his praetermissis, potest verum confici sacramentum. Unde, cum esse fermentatum vel azymum non sit de ratione panis, sed utrolibet existente species panis salvetur, ex utrolibet pane potest confici sacramentum.

Et propter hoc diversae ecclesiae diversum in hoc usum habent: et utrumque congruere potest significationi sacramenti. Nam, ut Gregorius dicit in *Registro*[50]: „Romana Ecclesia offert azymos panes, propterea quod Dominus sine ulla commixtione carnem suscepit; sed caeterae ecclesiae offerunt fermentatum: pro eo quod Verbum Patris indutum est carne, et est verus Deus et verus homo, sicut et fermentum commiscetur farinae".

Congruit tamen magis puritati corporis mystici, idest Ecclesiae, quae in hoc sacramento configuratur, usus azymi panis: secundum illud Apostoli, I Cor. V: „Pascha nostrum immolatus est Christus. Itaque epulemur … in azymis sinceritatis et veritatis".

Per hoc autem excluditur error quorundam Graecorum, qui dicunt in azymo sacramentum hoc celebrari non posse. Quod etiam evidenter Evangelii auctoritate destruitur. Dicitur enim Matth. XXV; et Marc. XIV; et Luc. XXII, quod Dominus, prima die azymorum, pascha cum discipulis suis comedit, et tunc hoc sacramentum instituit. Cum autem non esset licitum, secundum legem, quod prima die azymorum fermentatum in domibus Iudaeorum inveniretur, ut patet Exodi XII, Dominus autem, quandiu fuit in mundo, legem servavit: manifestum est quod panem azymum in corpus suum convertit, et discipulis sumendum dedit. Stultum est igitur improbare in usu Ecclesiae Latinorum quod Dominus in ipsa institutione huius sacramenti servavit.

Sciendum tamen quod quidam dicunt ipsum praevenisse diem azymorum, propter passionem imminentem: et tunc fermentato pane eum usum fuisse. Quod quidem ostendere nituntur ex duobus.

---

[50] Cf. Bartholomaeum a Constantinopoli, *De sacramento altaris*, dist. 3, ad 4 (PG 140/524 B – C).

brauch kam; ähnlich wurden andere Flüssigkeiten anstelle von Wein verwendet. Daher kann dieses Sakrament weder mit anderem Brot oder anderem Wein gefeiert werden noch mit Brot oder Wein, die derart mit artfremden Materialien vermischt sind, daß die Art von Brot oder Wein zerstört ist.

Trifft es sich andererseits, daß Brot und Wein etwas zukommt, was ihnen nicht wesentlich ist, so kann man dennoch unter Außerachtlassung dieser Faktoren ein wahrhaftes Sakrament feiern. Da es für das Brot nicht wesentlich ist, daß es gesäuert oder ungesäuert ist, und die wesentlichen Eigenschaften von Brot erhalten bleiben, was immer von beiden der Fall ist, so kann das Sakrament mit beiden Brotsorten gefeiert werden.

Deswegen haben verschiedene Kirchen in dieser Hinsicht verschiedene Gewohnheiten, wobei beides dem Sinn des Sakramentes entspricht. Wie Gregor in seinem *Register* sagt, „Die Römische Kirche reicht deswegen ungesäuertes Brot dar, weil der Herr Fleisch ohne jegliche Beimischung annahm. Die übrigen Kirchen jedoch reichen deswegen gesäuertes Brot dar, weil sich das Wort des Vaters mit Fleisch umkleidet hat und wahrer Gott und wahrer Mensch ist, gleichwie auch der Sauerteig mit Mehl vermischt wird".

Dennoch entspricht der Gebrauch ungesäuerten Brotes eher der Reinheit des mystischen Leibes Christi, d. h. der Kirche, die in diesem Sakrament versinnbildlicht ist, dem Worte des Apostels von 1 Kor 5,7 f. gemäß: „Unser Pascha ist geschlachtet, nämlich Christus. Darum wollen wir ... feiern ... mit dem ungesäuerten Brote der Lauterkeit und Wahrheit".

Damit ist der Irrtum gewisser Griechen ausgeschlossen, welche behaupten, dieses Sakrament könne nicht mit ungesäuertem Brot zelebriert werden. Dies wird offensichtlich durch die Autorität des Evangeliums widerlegt. So heißt es Mt 25,17, Mk 14,12 und Lk 22,7, der Herr habe am ersten Tage der ungesäuerten Brote mit seinen Jüngern das Pascha gefeiert und daraufhin dieses Sakrament eingesetzt. Nun war es gesetzeswidrig, fand sich am ersten Tag der ungesäuerten Brote Sauerteig in einem jüdischen Hause, wie aus Exod 12,15 hervorgeht. Solange der Herr jedoch in dieser Welt weilte, hielt er das Gesetz. Daher hat er offenkundig ungesäuertes Brot in seinen Leib gewandelt und den Jüngern zur Speise dargereicht. Folglich ist es töricht, an der Praxis der Lateinischen Kirche zu verurteilen, was der Herr selbst bei der Einsetzung dieses Sakramentes einhielt.

Dennoch muß man wissen, daß einige behaupten, er habe wegen seines nahe bevorstehenden Leidens den ersten Tag der ungesäuerten Brote vorweggenommen und deswegen gesäuertes Brot verwendet. Zum Beleg stützen sie sich auf zweierlei:

Primo ex hoc quod dicitur Ioan. XIII. I3, quod „ante diem festum paschae" Dominus cum discipulis coenam celebravit, in qua corpus suum
consecravit, sicut Apostolus tradit I Cor. II. Unde videtur quod Christus
coenam celebraverit ante diem azymorum: et sic in consecratione sui corporis usus fuerit pane fermentato.

Hoc etiam confirmare volunt per hoc quod habetur Ioan. XVIII, quod
sexta feria, qua Christus est crucifixus, Iudaei „non" intraverunt „praeto-
rium" Pilati, „ut non contaminarentur, sed manducarent pascha". Pascha
autem dicuntur azyma. Ergo concludunt quod cena fuit celebrata ante
azyma.

Ad hoc autem respondetur quod, sicut Dominus mandat Exodi XII,
festum azymorum „septem diebus celebrabatur, inter quos dies prima erat
sancta atque solemnis praecipue inter alias, quod erat quintadecima die
mensis" [Levit. XXIII]. Sed quia apud Iudaeos solemnitates a praecedenti
vespere incipiebant, ideo quartadecima die ad vesperam incipiebant comedere azyma, et comedebant per septem subsequentes dies. Et ideo dicitur
in eodem capitulo [ibid.]: „Primo mense, quartadecima die mensis ad vesperam, comedetis azyma, usque ad diem vigesimam primam eiusdem
mensis ad vesperam. Septem diebus fermentatum non invenietur in domibus vestris". Et eadem quartadecima die ad vesperas immolabatur agnus
paschalis [Exod. XII]. Prima ergo dies azymorum a tribus Evangelistis,
Matthaeo, Marco, Luca, dicitur quartadecima dies mensis: quia ad vesperam comedebant azyma, et tunc „immolabatur pascha", idest „agnus paschalis": et hoc erat secundum Ioannem [Ioan. XIII], „ante diem festum
paschae", idest ante diem quintam decimam diem mensis, qui erat solem-
nior inter omnes, in quo Iudaei volebant comedere pascha, idest panes
azymos paschales, non autem agnum paschalem. Et sic nulla discordia
inter Evangelistas existente, planum est quod Christus ex azymo pane
corpus suum consecravit in cena. Unde manifestum fit quod rationabiliter
Latinorum Ecclesia pane azymo utitur in hoc sacramento.

Erstens darauf, daß es Joh 13, 1 heißt, der Herr habe mit seinen Jüngern „vor dem Osterfeste" das Abendmahl gefeiert, bei dem er seinen Leib aufopferte, wie der Apostel 1 Kor 11, 23 überliefert. Daher hat Christus das Abendmahl anscheinend vor dem Tag der ungesäuerten Brote gefeiert und hat somit gesäuertes Brot bei der Aufopferung seines Leibes verwendet.

Dies wollen sie [*zweitens*] durch Joh 18, 28 bestätigt sehen, wo es heißt, daß die Juden am sechsten Tage, an dem Christus gekreuzigt wurde, „selbst nicht in das Prätorium (des Pilatus) hineingingen, um sich nicht zu verunreinigen, sondern das Paschamahl essen zu können". Nun bedeutet ‚Pascha' die Zeit der ungesäuerten Brote. Also schließen sie, daß das Abendmahl vor der Zeit der ungesäuerten Brote gefeiert wurde.

Hierauf ist zu erwidern, daß das Fest der ungesäuerten Brote, dem Auftrag des Herrn gemäß Exod 12, 15 f., „sieben Tage lang" gefeiert wurde, unter denen „der erste Tag" (bei dem es sich um „den fünfzehnten Tag des Monats" [Levit 23, 6] handelte) „heiliger und festlicher war als die übrigen". Da aber die Juden ihre Feiern am Abend zuvor anfingen, so begannen sie, ungesäuertes Brot am Abend des vierzehnten Tages zu essen und aßen es daraufhin die folgenden sieben Tage. Daher heißt es im selben Kapitel (Exod 12, 18 f.): „Am vierzehnten Tag des ersten Monats gegen Abend sollt ihr ungesäuertes Brot essen bis zum Abend des einundzwanzigsten Tages des Monats. Sieben Tage darf kein Sauerteig in euren Häusern sein". Am vierzehnten Tage wurde gegen Abend das Paschalamm geschlachtet. Folglich heißt der vierzehnte Tag des Monats bei den Evangelisten Matthäus, Markus und Lukas „der erste Tag der ungesäuerten Brote", weil die Juden am Abend ungesäuertes Brot aßen und daraufhin das Pascha, d. h. das Osterlamm schlachten. Dies geschah nach Johannes (Joh 13, 1) „vor dem Festtag des Pascha", d. h. vor dem fünfzehnten Tag des Monats, der unter den übrigen der feierlichste war. An diesem Tage wollten die Juden das Pascha, also „die ungesäuerten Paschabrote" essen, doch nicht das Paschalamm. Mithin ist es offenkundig, da es keine Divergenz zwischen den Evangelisten gibt, daß Christus beim Abendmahl bei der Aufopferung seines Leibes ungesäuertes Brot verwendete. Offenbar also verwendet die Lateinische Kirche bei diesem Sakrament vernünftigerweise ungesäuertes Brot.

Capitulum LXX

De sacramento poenitentiae. et primo, quod homines post gratiam sacramentalem acceptam peccare possunt

Quamvis autem per praedicta sacramenta hominibus gratia conferatur, non tamen per acceptam gratiam impeccabiles fiunt.

Gratuita enim dona recipiuntur in anima sicut habituales dispositiones: non enim homo secundum ea semper agit. Nihil autem prohibet eum qui habitum habet, agere secundum habitum vel contra eum: sicut grammaticus potest secundum grammaticam recte loqui, vel etiam contra grammaticam loqui incongrue. Et ita est etiam de habitibus virtutum moralium: potest enim qui iustitiae habitum habet, et contra iustitiam agere. Quod ideo est quia usus habituum in nobis ex voluntate est: voluntas autem ad utrumque oppositorum se habet. Manifestum est igitur quod suscipiens gratuita dona peccare potest contra gratiam agendo.

Adhuc. Impeccabilitas in homine esse non potest sine immutabilitate voluntatis. Immutabilitas autem voluntatis non potest homini competere nisi secundum quot attingit ultimum finem. Ex hoc enim voluntas immutabilis redditur quod totaliter impletur, ita quod non habet quo divertat ab eo in quo est firmata. Impletio autem voluntatis non competit homini nisi ut finem ultimum attingenti: quandiu enim restat aliquid ad desiderandum, voluntas impleta non est. Sic igitur homini impeccabilitas non competit antequam ad ultimum finem perveniat. Quod quidem non datur homini in gratia quae in sacramentis confertur: quia sacramenta sunt in adiutorium hominis secundum quod est in via ad finem. Non igitur ex gratia in sacramentis percepta aliquis impeccabilis redditur.

Amplius. Omne peccatum ex quadam ignorantia contingit: unde dicit Philosophus [*Ethic.* III 2] quod „omnis malus est ignorans"; et in Proverbiis [XIV] dicitur: „Errant qui operantur malum". Tunc igitur solum homo securus potest esse a peccato secundum voluntatem, quando secundum intellectum securus est ab ignorantia et errore. Manifestum est autem quod homo non redditur immunis ab omni ignorantia et errore per gratiam in sacramentis perceptam: hoc enim est hominis secundum intellec-

1110b 28

70. Kapitel

Das Sakrament der Busse

Zunächst: Die Menschen können sündigen, nachdem sie die sakramentale Gnade angenommen haben

Auch wenn den Menschen durch die genannten Sakramente Gnade vermittelt wird, so werden sie durch die Gnadenannahme dennoch nicht unfähig zu sündigen.

Freiwillige Gaben werden in der Seele nämlich wie Verhaltensdispositionen aufgenommen, denn der Mensch handelt nicht immer ihnen entsprechend. Nichts hindert jedoch denjenigen, welchem eine bestimmte Haltung eignet, ihr gemäß oder ihr zuwider zu handeln. So kann ein Grammatiker grammatikalisch oder ungrammatikalisch reden. Ebenso verhält es sich bei den moralischen Tugendhaltungen. Besitzt einer die Haltung der Gerechtigkeit, so kann er gerecht, aber auch ungerecht handeln. Dies kommt daher, weil die Aktuierung von Haltungen bei uns auf dem Willen beruht. Der Wille verhält sich jedoch zu jeweils Entgegengesetztem. Folglich kann derjenige sündigen, welcher freiwillige Gaben annimmt, indem er der Gnade zuwiderhandelt.

Zudem. Der Mensch kann nur dann unfähig zur Sünde sein, wenn sein Wille unveränderlich ist. Der Wille des Menschen kann aber nur dann unveränderlich sein, wenn er sein Letztziel erreicht. Dann nämlich wird der Wille unveränderlich, weil er gänzlich derart erfüllt ist, daß es nichts gibt, was ihn von dem fernhält, worin er sich gründet. Der Wille des Menschen ist aber nur dann erfüllt, wenn er sein Letztziel erreicht. Der Wille ist nicht erfüllt, solange noch etwas zu verlangen übrigbleibt. Mithin ist man nicht unfähig zur Sünde, bevor man zum Letztziel gelangt. Dies wird einem jedoch nicht mit der Gnade gegeben, die uns die Sakramente vermitteln, auch wenn die Sakramente Hilfen für den Menschen darstellen, sofern er auf dem Weg zum Ziel ist. Also wird niemand aufgrund der in den Sakramenten empfangenen Gnade unfähig zu sündigen.

Zudem. Jegliche Sünde ereignet sich aufgrund einer gewissen Unwissenheit. Daher sagt der Philosoph (Aristoteles): „Jeder schlechte Mensch ist unwissend". Im Buch der Sprüche (Spr 14,22) heißt es: „Es gehen in die Irre, die Böses planen". Also kann der Mensch einzig dann seinem Willen nach vor der Sünde sicher sein, wenn er dem Verstande nach vor Unwissenheit und Irrtum sicher ist. Offensichtlich jedoch wird er durch die in den Sakramenten empfangene Gnade nicht gegen jegliche Unwissenheit und jeglichen Irrtum gefeit. Dies ist Privileg jener, deren Verstand

tum illam veritatem inspicientis quae est certitudo omnium veritatum; quae quidem inspectio est ultimus hominis finis, ut in Tertio ostensum est. Non igitur per gratiam sacramentorum homo impeccabilis redditur.

Item. Ad alterationem hominis quae est secundum malitiam et virtutem, multum operatur alteratio quae est secundum animae passiones: nam ex eo quod ratione passiones animae refrenantur et ordinantur, homo virtuosus fit vel in virtute conservatur: ex eo vero quod ratio sequitur passiones, homo redditur vitiosus. Quandiu igitur homo est alterabilis secundum animae passiones, est etiam alterabilis secundum vitium et virtutem. Alteratio autem quae est secundum animae passiones, non tollitur per gratiam in sacramentis collatam, sed manet in homine quandiu anima passibili corpori unitur. Manifestum est igitur quod per sacramentorum gratiam homo impeccabilis non redditur.

Praeterea. Superfluum videtur eos admonere ne peccent qui peccare non possunt. Sed per Evangelicam et Apostolicam doctrinam admonentur fideles iam per sacramenta Spiritus Sancti gratiam consecuti: dicitur enim Hebr. XII: „Contemplantes ne quis desit gratiae Dei, ne qua radix amaritudinis, sursum germinans, impediat"; et Ephes. IV: „Nolite contristare Spiritum Sanctum Dei, in quo signati estis"; et I Cor. X: „Qui se existimat stare, videat ne cadat". Ipse etiam Apostolus de se dicit [I Cor. IX]: „Castigo corpus meum et in servitutem redigo: ne forte, cum aliis praedicaverim, ipse reprobus efficiar". Non igitur per gratiam in sacramentis perceptam homines impeccabiles redduntur.

PL 42/45–46 Per hoc excluditur quorundam haereticorum error [August., *De haeres.* c. 82), qui dicunt quod homo, postquam gratiam Spiritus percepit, peccare non potest: et si peccat, nunquam gratiam Spiritus Sancti habuit.

Assumunt autem in fulcimentum sui erroris quod dicitur I Cor. XIII: „Caritas nunquam excidit". Et I Ioan. III dicitur: „Omnis qui in eo manet non peccat; et omnis qui peccat, non vidit nec cognovit eum". Et infra expressius: „Omnis qui est ex Deo, peccatum non facit: quoniam semen ipsius in eo manet, et non potest peccare, quoniam ex Deo natus est".

Sed haec ad eorum propositum ostendendum efficacia non sunt. Non enim dicitur quod „caritas nunquam excidit" [I Cor. XIII], propter hoc quod ille qui habet caritatem, eam quandoque non amittat, cum dicatur Apoc. II: „Habeo adversum te pauca, quod caritatem tuam primam reli-

jene Wahrheit erfaßt, welche der höchste Garant jeglicher Wahrheit ist. In ihrer Einsicht besteht jedoch das Letztziel des Menschen, wie im 3. Buch gezeigt wurde (III 25; 27). Also wird der Mensch durch die sakramentale Gnade nicht unfähig zur Sünde.

Weiterhin. Das Schwanken des Menschen zwischen Schlechtigkeit und Tugend hängt beträchtlich vom Schwanken seiner Affekte ab. Werden seine Affekte durch Verstand gezügelt und geordnet, so wird er tugendhaft und in der Tugend bewahrt. Folgt der Verstand jedoch den Affekten, so wird der Mensch lasterhaft. Solange also der Mensch aufgrund seiner Affekte schwanken kann, kann er auch zwischen Laster und Tugend schwanken. Doch wird das affektive Schwanken nicht durch die sakramentale Gnade beseitigt; vielmehr bleibt es im Menschen, solange die Seele mit einem Körper vereint ist, welcher Einwirkungen erleiden kann. Offensichtlich also wird der Mensch durch die sakramentale Gnade nicht unfähig zur Sünde.

Außerdem. Es scheint überflüssig, diejenigen zu ermahnen, nicht zu sündigen, welche hierzu nicht in der Lage sind. Doch werden die Gläubigen, die durch die Sakramente bereits den Heiligen Geist empfangen haben, durch die Lehre des Evangeliums und der Apostel ermahnt. So heißt es Hebr 12,15: „Habt acht darauf, daß keiner die Gnade Gottes versäume, daß nicht eine Giftwurzel aufschießt", und Eph 4,30: „Und betrübet nicht den heiligen Geist Gottes, mit dem ihr für den Tag der Erlösung besiegelt seid", und 1 Kor 10,12: „Wer darum glaubt zu stehen, der sehe zu, daß er nicht falle". Der Apostel selbst sagt von sich (1 Kor 9,27): „Ich zerschlage meinen Leib und mache ihn mir untertan, damit ich nicht, während ich anderen Heroldsdienste tat, selbst dastehe wie einer, der disqualifiziert wurde". Also werden die Menschen nicht aufgrund der in den Sakramenten empfangenen Gnade unfähig zur Sünde.

Hierdurch schließt sich der Irrtum gewisser Häretiker aus, welche behaupten, man könne nicht sündigen, nachdem man die Gnade des Heiligen Geistes empfangen habe; sündige man, so habe man niemals die Gnade des Heiligen Geistes besessen.

Als Stütze für ihren Irrtum führen sie die Stelle 1 Kor 13,8 an: „Die Liebe hört niemals auf"; ebenso 1 Joh 3,6: „Jeder, der in ihm bleibt, sündigt nicht. Jeder, der sündigt, hat ihn nicht geschaut und hat ihn auch nicht erkannt"; ausdrücklicher noch die darauf folgende Passage 1 Joh 3,9: „Jeder, der aus Gott gezeugt ist, tut keine Sünde, weil sein (Gottes) Same in ihm bleibt. Und er kann nicht sündigen, weil er aus Gott gezeugt ist".

Diese Textstellen sind jedoch als Beleg ihrer Behauptung nicht beweiskräftig. Es heißt nicht: „die Liebe hört niemals auf", so als könne sie jener, welcher sie besitzt, nicht einmal verlieren. So heißt es Apk 2,4: „Aber ich

quisti". Sed ideo dictum est quod „caritas nunquam excidit", quia, cum cetera dona Spiritus Sancti de sui ratione imperfectionem habentia, utpote spiritus prophetiae et huiusmodi, evacuentur „cum venerit quod perfectum est" [ibid.], caritas in illo perfectionis statu remanebit.

Ea vero quae ex Epistola Ioannis inducta sunt, ideo dicuntur quia dona Spiritus Sancti quibus homo adoptatur vel renascitur in filium Dei, quantum est de se, tantam habent virtutem quod hominem sine peccato conservare possunt, nec homo peccare potest secundum ea vivens. Potest tamen contra ea agere, et ab eis discedendo peccare. Sic enim dictum est „Qui natus est ex Deo, non potest peccare", sicut si diceretur quod „calidum non potest infrigidare": id tamen quod est calidum, potest fieri frigidum, et sic infrigidabit. Vel sicut si diceretur: „Iustus non iniusta agit": scilicet, inquantum est iustus.

Capitulum LXXI

Quod homo peccans post sacramentorum gratiam potest converti per gratiam

Ex praemissis autem apparet ulterius quod homo post sacramentalem gratiam susceptam in peccatum cadens, iterum reparari potest ad gratiam.

Ut enim ostensum est, quandiu hic vivitur, voluntas mutabilis est secundum vitium et virtutem. Sicut igitur post acceptam gratiam potest peccare, ita et a peccato, ut videtur, potest ad virtutem redire.

Item. Manifestum est bonum esse potentius malo: nam „malum non agit nisi in virtute boni", ut supra in Tertio est ostensum. Si igitur voluntas hominis a statu gratiae per peccatum avertitur, multo magis per gratiam potest a peccato revocari.

Adhuc. Immobilitas voluntatis non competit alicui quandiu est in via. Sed quandiu hic homo vivit, est in via tendendi in ultimum finem. Non igitur habet immobilem voluntatem in malo, ut non possit per divinam gratiam reverti ad bonum.

habe gegen dich, daß du deine erste Liebe verlassen hast"; vielmehr heißt es aus einem anderen Grunde „die Liebe hört niemals auf": Die anderen Gaben des Heiligen Geistes sind wesentlich unvollkommen, wie etwa der Geist der Weissagung oder dergleichen, denn sie sind nichtsbedeutend, „wenn das Vollkommene eintrifft" (I Kor 13, 10); dagegen wird die Liebe in diesem Zustand der Vollkommenheit verbleiben.

Der Sinn der aus dem Johannesbrief zitierten Stellen besteht darin, daß die Gaben des Heiligen Geistes, wodurch jemand als Sohn Gottes angenommen ist oder wiedergeboren wird, von sich her eine derart große Kraft besitzen, daß sie den Menschen sündelos erhalten können; noch kann man sündigen, wenn man ihnen entsprechend lebt. Dennoch kann man ihnen zuwider handeln und sündigen, indem man von ihnen abweicht. So heißt es (1 Joh 3, 9): „Jeder, der aus Gott gezeugt ist, kann nicht sündigen" im selben Sinne, wie wenn jemand sagte: „Heißes kann nicht etwas abkühlen" (doch kann es kalt werden, und so wird es etwas anderes abkühlen), oder wie wenn jemand sagte: „der Gerechte tut nichts Ungerechtes", d. h. solange er gerecht ist.

71. Kapitel

Jemand,
welcher nach dem Empfang der sakramentalen Gnade sündigt, kann zur Gnade zurückkehren

Aufgrund der vorherigen Erörterungen wird überdies ersichtlich, daß jemand, welcher nach dem Empfang der sakramentalen Gnade sündigt, die Gnade wiedererwerben kann.

So wurde nachgewiesen (IV 70), daß der Wille zwischen Laster und Tugend zu schwanken vermag, solange man hier (auf Erden) lebt. Gleichwie man also nach dem Gnadenempfang sündigen kann, so kann man offenbar auch zur Tugend zurückkehren.

Weiterhin. Offensichtlich ist das Gute mächtiger ist als das Böse, denn das Böse ist nur aufgrund des Guten wirksam, wie oben im 3. Buch gezeigt wurde (III 9). Wendet sich also der menschliche Wille durch Sünde vom Stand der Gnade ab, so kann er durch die Gnade um so mehr dazu veranlaßt werden, von der Sünde Abstand zu nehmen.

Zudem. Der Wille dessen, der sich auf dem Wege befindet, ist nicht unveränderlich. Solange jedoch dieser Mensch lebt, befindet er sich auf dem Wege und strebt dem Letztziel zu. Folglich hat er keinen unveränderlichen Willen zum Bösen, sonst könnte er nicht durch göttliche Gnade zum Guten zurückkehren.

Amplius. Manifestum est quod a peccatis quae quis ante gratiam perceptam in sacramentis commisit, per sacramentorum gratiam liberatur: dicit enim Apostolus, I ad Cor. VI: „Neque fornicarii, neque idolis servientes, neque adulteri, etc., regnum Dei possidebunt. Et hoc quidem fuistis aliquando, sed abluti estis, sed sanctificati estis, sed iustificati estis in nomine Domini nostri Iesu Christi, et in Spiritu Dei nostri". Manifestum est etiam quod gratia in sacramentis collata naturae bonum non minuit, sed auget. Pertinet autem hoc ad bonum naturae, quod a peccato reducibilis sit in statum iustitiae: nam potentia ad bonum quoddam bonum est. Igitur, si contingat peccare post gratiam perceptam, adhuc homo reducibilis erit ad statum iustitiae.

Adhuc. Si peccantes post baptismum ad gratiam redire non possunt, tollitur eis spes salutis. Desperatio autem est via ad libere peccandum: dicitur enim ad Ephes. IV de quibusdam quod „desperantes tradiderunt semetipsos impudicitiae, in operationem omnis immunditiae et avaritiae". Periculosissima est igitur haec positio, quae in tantam sentinam vitiorum homines inducit.

Praeterea. Ostensum est supra quod gratia in sacramentis percepta non constituit hominem impeccabilem. Si igitur post gratiam in sacramentis perceptam peccans ad statum iustitiae redire non posset, periculosum esset sacramenta percipere. Quod patet esse inconveniens. Non igitur peccantibus post sacramenta percepta reditus ad iustitiam denegatur.

Hoc etiam auctoritate Sacrae Scripturae confirmatur. Dicitur enim I Ioan. II: „Filioli mei, haec scribo vobis ut non peccetis. Sed et si quis peccaverit, advocatum habemus apud Patrem, Iesum Christum iustum, et ipse est propitiatio pro peccatis nostris": quae quidem verba manifestum est quod fidelibus iam renatis proponebantur.

Paulus etiam de Corinthio fornicario scribit II Cor. II: „Sufficit illi qui eiusmodi est obiurgatio haec quae fit a pluribus, ita ut e contrario magis doleatis et consolemini". Et infra, VII, dicit: „Gaudeo, non quia contristati estis, sed quia contristati estis ad poenitentiam".

Dicitur etiam Ier. III: „Tu autem fornicata es cum amatoribus multis:

Ferner. Es ist offensichtlich der Fall, daß die Gnade der Sakramente jemanden von den Sünden befreit, die er vor dem Empfang der sakramentalen Gnade beging. So sagt der Apostel 1 Kor 6, 9 ff.: „Weder Unzüchtige noch Götzendiener, noch Ehebrecher ... werden Anteil haben am Reiche Gottes. Und Leute dieser Art seid ihr, einige von euch, gewesen. Doch ihr seid reingewaschen, ihr seid geheiligt, ihr seid gerechtfertigt worden im Namen des Herrn Jesus Christus und im Geiste unseres Gottes". Offenbar vermindert auch die in den Sakramenten dargebotene Gnade nicht das Gut der Natur, vielmehr vermehrt sie es. Nun gehört es zum Gut der Natur, daß jemand von der Sünde zum Stand der Gerechtigkeit zurückgeführt werden kann, denn die Möglichkeit zum Guten ist ein Gut. Sündigt also jemand nach dem Empfang der Gnade, so kann er immer noch zum Stand der Gerechtigkeit zurückkehren.

Außerdem. Können die Sünder nach der Taufe nicht zur Gnade zurückkehren, so ist damit die Heilshoffnung vernichtet. Verzweiflung aber ist der Weg zum freizügigen Sündigen. So heißt es Eph 4, 19 von einigen: „Abgestumpft, haben sie sich der Ausschweifung ergeben, um jede Art von Unreinheit zu verüben aus Habsucht". Die genannte Behauptung ist also höchst gefährlich, da sie die Menschen in einen derart großen Pfuhl von Lastern wirft.

Zudem. Oben ist gezeigt worden (IV 70), daß die durch die Sakramente empfangene Gnade den Menschen nicht in die Lage versetzt, nicht sündigen zu können. Könnte also jemand, welcher nach dem Empfang der sakramentalen Gnade sündigt, nicht zum Stand der Gerechtigkeit zurückkehren, so wäre es gefährlich, die Sakramente zu empfangen. Dies ist offensichtlich unangemessen. Also wird denen, die nach dem Empfang der sakramentalen Gnade sündigen, die Rückkehr zur Gerechtigkeit nicht verweigert.

Dies bestätigt auch die Autorität der Schrift, wenn es heißt 1 Joh 2, 1 f.: „Meine Kindlein, das schreibe ich euch, damit ihr nicht sündigt. Und wenn einer gesündigt hat, dann haben wir einen Fürsprecher beim Vater, Jesus Christus, den Gerechten. Und er ist die Sühnung für unsere Sünden". Offensichtlich waren diese Worte an die Gläubigen gerichtet, welche bereits wiedergeboren waren.

Ebenso schreibt Paulus 2 Kor 2, 6 f. über einen Buhler in Korinth: „Es genügt für den Betreffenden diese von der Mehrheit verhängte Strafe. Darum sollt ihr im Gegenteil ihm lieber Verzeihung und Tröstung gewähren". Im weiteren Briefverlauf, 2 Kor 7, 9, sagt er: „So freue ich mich doch jetzt, zwar nicht darüber, daß ihr betrübt wurdet, vielmehr daß ihr betrübt wurdet zur Umkehr".

Auch heißt es Jer 3, 1: „Und du hast mit vielen Freunden gebuhlt; kehre

tamen revertere ad me, dicit Dominus". Et Thren. [V]: „Converte nos, Domine, ad te, et convertemur, innova dies nostros sicut a principio".

Ex quibus omnibus apparet quod, si fideles post gratiam lapsi fuerint, iterum patet eis reditus ad salutem.

PL 42/32   Per hoc autem excluditur error Novatianorum [August., *De haeres.* c. 38], qui peccantibus post baptismum indulgentiam denegabant.

Ponebant autem sui erroris occasionem ex eo quod dicitur Hebr. VI: „Impossibile est eos qui semel sunt illuminati, et gustaverunt donum caeleste, et participes sunt facti Spiritus Sancti, gustaverunt nihilominus bonum verbi Dei, virtutesque saeculi venturi, et prolapsi sunt, renovari rursum ad poenitentiam".

Sed ex quo sensu hoc Apostolus dixerit, apparet ex hoc quod subditur [ibid.]: „rursus crucifigentes sibimetipsis filium Dei, et ostentui habentes". Ea igitur ratione qui prolapsi sunt post gratiam perceptam renovari rursus ad poenitentiam non possunt, quia Filius Dei rursus crucifigendus non est. Denegatur igitur illa renovatio in poenitentiam per quam homo simul crucifigitur Christo. Quod quidem est per baptismum: dicitur enim Rom. VI: „Quicumque baptizati sumus in Christo Iesu, in morte ipsius baptizati sumus". Sicut igitur Christus non est iterum crucifigendus, ita qui peccat post baptismum, non est rursus baptizandus. Potest tamen rursus converti ad gratiam per poenitentiam. Unde et Apostolus non dixit quod impossibile sit eos qui semel lapsi sunt, rursus revocari vel converti ad poenitentiam, sed quod impossibile sit „renovari", quod baptismo attribuere solet, ut patet Tit. III: „Secundum misericordiam suam salvos nos fecit, per lavacrum regenerationis et renovationis Spiritus Sancti".

Capitulum LXXII

De necessitate poenitentiae et partium eius

Ex hoc igitur apparet quod, si aliquis post baptismum peccet, remedium sui peccati per baptismum habere non potest. Et quia abundantia divinae misericordiae, et efficacia gratiae Christi, hoc non patitur ut absque remedio dimittatur, institutum est aliud sacramentale remedium, quo peccata

dennoch zu mir zurück, spricht der Herr", und Lam 5, 21: „Bekehre uns,
Herr, zu dir, und wir werden umkehren; erneuere unsere Tage wie von
Anbeginn".

Aus all dem geht hervor, daß den Gläubigen die Rückkehr zum Heil
offen steht, wenn sie nach dem Gnadenempfang gefallen sind.

Damit ist auch der Irrtum der Novatianer ausgeschlossen, welche es
ablehnten, den Sündern nach der Taufe Vergebung zu erteilen.

Als Stütze für ihren Irrtum zitierten sie die folgende Stelle, Hebr 6, 4 ff.:
„Es ist nämlich unmöglich, solche, die einmal erleuchtet worden sind und
die himmlische Gabe verkostet haben, des Heiligen Geistes teilhaftig sind
und das herrliche Wort Gottes sowie die Kräfte der zukünftigen Welt
verkostet haben, und dann dennoch abgefallen sind, wiederum zu neuer
Umkehr zu bringen".

Aus dem Kontext geht jedoch hervor, in welchem Sinne der Apostel
dies sagt, denn er fährt fort (Ibid., 6): „Da sie den Sohn Gottes für ihre
Person abermals kreuzigen und zum öffentlichen Gespött machen". Daher liegt der Grund, warum jene, welche nach dem Gnadenempfang ab-
fallen, nicht wieder durch Buße erneuert werden können, darin beschlos-
sen, daß der Sohn Gottes nicht erneut gekreuzigt werden muß. Folglich
wird jene Erneuerung durch Buße abgelehnt, durch die der Mensch zusammen mit Christus gekreuzigt wird, d. h. durch die Taufe; denn es heißt
Rö 6, 3: „Oder wißt ihr nicht, daß wir alle, die wir auf Christus Jesus
getauft sind, auf seinen Tod getauft sind". Gleichwie also Christus nicht
erneut gekreuzigt werden muß, so muß nicht derjenige erneut getauft
werden, welcher nach der Taufe sündigt; dennoch kann er sich wieder
durch Buße zur Gnade kehren. Daher sagte auch der Apostel nicht, es sei
unmöglich, daß die, welche einmal gefallen sind, wieder zur Buße zurück-
gerufen und bekehrt werden, sondern daß es unmöglich ist, erneuert zu
werden, was er gewöhnlich der Taufe zuschreibt, wie aus Tit 3, 5 hervorgeht: „Er hat uns zum Heile geführt ... nach seiner Erbarmung durch das
Bad der Wiedergeburt und der Erneuerung im Heiligen Geist".

72. KAPITEL

DIE NOTWENDIGKEIT DER BUSSE UND IHRER TEILE

Hieraus geht also hervor, daß jemand, welcher nach der Taufe sündigt,
nicht durch die Taufe ein Heilmittel für seine Sünde erlangen kann. Da es
aber das Übermaß des göttlichen Erbarmens und die Wirksamkeit der
Gnade Christi nicht zuläßt, daß jemand ohne Heilung gelassen bleibt, so
ist ein weiteres sakramentales Heilmittel eingesetzt worden, wodurch man

purgentur. Et hoc est poenitentiae sacramentum, quod est quaedam velut spiritualis sanatio. Sicut enim qui vitam naturalem per generationem adepti sunt, si aliquem morbum incurrant qui sit contrarius perfectioni vitae, a morbo curari possunt, non quidem sic ut iterato nascantur, sed quadam alteratione sanantur; ita baptismus, qui est spiritualis regeneratio, non reiteratur contra peccata post baptismum commissa, sed poenitentia, quasi quadam spirituali alteratione, sanantur.

Considerandum est autem quod corporalis sanatio quandoque quidem ab intrinseco totaliter est: sicut quando aliquis sola virtute naturae curatur. Quandoque autem ab intrinseco et extrinseco simul: ut puta quando naturae operatio iuvatur exteriori beneficio medicinae. Quod autem totaliter ab extrinseco curetur, non contingit: habet enim adhuc in seipso principia vitae, ex quibus sanitas quodammodo in ipso causatur.

In spirituali vero curatione accidere non potest quod totaliter ab intrinseco fiat: ostensum est enim in Tertio quod a culpa homo liberari non potest nisi auxilio gratiae. Similiter etiam neque potest esse quod spiritualis curatio sit totaliter ab exteriori: non enim restitueretur sanitas mentis nisi ordinati motus voluntatis in homine causarentur. Oportet igitur in poenitentiae sacramento spiritualem salutem et ab interiori et ab exteriori procedere.

Hoc autem sic contingit:

Ad hoc enim quod aliquis a morbo corporali curetur perfecte, necesse est quod ab omnibus incommodis liberetur quae per morbum incurrit. Sic igitur et spiritualis curatio poenitentiae perfecta non esset nisi homo ab omnibus detrimentis sublevaretur in quae inductus est per peccatum.

Primum autem detrimentum quod homo ex peccato sustinet, est deordinatio mentis: secundum quod mens avertitur ab incommutabili bono, scilicet a Deo, et convertitur ad peccatum.

Secundum autem est quod reatum poenae incurrit: ut enim in Tertio ostensum est, a iustissimo rectore Deo pro qualibet culpa poena debetur.

Tertium est quaedam debilitatio naturalis boni: secundum quod homo peccando redditur pronior ad peccandum, et tardior ad bene agendum.

Primum igitur quod in poenitentia requiritur, est ordinatio mentis: ut scilicet mens convertatur ad Deum, et avertatur a peccato, dolens de

von Sünden gereinigt wird. Dies ist das Bußsakrament, welches eine Art geistlicher Heilung bedeutet. Gleichwie nämlich jene, welche durch Zeugung natürliches Leben erlangt haben, von einer der Vollkommenheit des Lebens widerstreitenden Krankheit, die sie sich zugezogen haben, nicht dadurch geheilt werden können, daß sie wiedergeboren werden, so wird die Taufe, die in der geistlichen Wiedergeburt besteht, zur Tilgung der nach ihr begangenen Sünden nicht wiederholt; vielmehr wird man durch die Buße geheilt, die gleichsam einen geistlichen Wandel darstellt.

Auch muß man in Erwägung ziehen, daß die körperliche Heilung bisweilen vollständig von innen her geschieht, wie wenn jemand einzig aufgrund der Kraft der Natur geheilt wird; bisweilen aber geschieht sie zugleich von innen und von außen, beispielsweise dann, wenn die Tätigkeit der Natur durch die äußere Hilfe einer Medizin unterstützt wird. Doch kommt es nicht vor, daß jemand vollständig durch äußere Mittel geheilt wird. Man hat nämlich die Lebensprinzipien, welche die eigene Gesundheit verursachen, in sich selbst.

Bei der geistlichen Heilung kann es jedoch nicht vorkommen, daß sie vollständig von innen heraus erfolgt. So wurde bereits im 3. Buch gezeigt (III 157), daß sich der Mensch nur durch den Beistand der Gnade von Sünde befreien kann. Genauso kann es nicht vorkommen, daß die geistliche Heilung vollständig von außen erfolgt. Die geistige Gesundheit wäre nämlich nur dann wiederhergestellt, würden im Menschen geordnete Willensbewegungen verursacht. Also muß das geistliche Heil beim Sakrament der Buße sowohl von innen als auch von außen zustande kommen.

Dies geschieht folgendermaßen:

Um von einer körperlichen Krankheit geheilt zu werden, muß man von allen Beschwerlichkeiten befreit werden, die man aufgrund der Krankheit erfährt. Somit wäre auch die geistliche Heilung der Buße nicht vollkommen, würde man nicht von allem Schaden befreit, den man sich durch die Sünde zugezogen hat.

Der *erste* Schaden, den man aufgrund der Sünde davonträgt, besteht in geistiger Fehlorientierung, sofern sich der Geist vom unveränderlichen Gut, also von Gott, abwendet, und sich der Sünde zuwendet.

Der *zweite* Schaden besteht darin, daß man Strafschuld auf sich zieht. So wurde im 3. Buch gezeigt (III 140), daß von Gott, dem höchst gerechten Herrscher, für jede Sünde eine Strafe zu bemessen ist.

Der *dritte* Schaden besteht in einer Schwächung des natürlichen Gutes, wonach man durch Sündigen eher zum Sündigen geneigt ist und eher zögert, Gutes zu tun.

Also ist bei der Buße zunächst geistige Ordnung erforderlich, damit sich der Geist zu Gott wendet und von der Sünde abwendet, indem er

commisso, et proponens non committendum: quod est de ratione *contritionis*.

Haec vero mentis reordinatio sine gratia esse non potest: nam mens nostra debite ad Deum converti non potest sine caritate, caritas autem sine gratia haberi non potest, ut patet ex his quae in Tertio dicta sunt. Sic igitur per contritionem et offensa Dei tollitur et a reatu poenae aeternae liberatur, qui cum gratia et caritate esse non potest: non enim aeterna poena est nisi per separationem a Deo, cui gratia et caritate homo coniungitur.

Haec igitur mentis reordinatio, quae in contritione consistit, ex interiori procedit, idest a libero arbitrio, cum adiutorio divinae gratiae.

Quia vero supra ostensum est quod meritum Christi pro humano genere patientis ad expiationem omnium peccatorum operatur, necesse est ad hoc quod homo de peccato sanetur, quod non solum mente Deo adhaereat, sed etiam mediatori Dei et hominum Iesu Christo, in quo datur remissio omnium peccatorum: nam in conversione mentis ad Deum salus spiritualis consistit, quam quidem salutem consequi non possumus nisi per medicum animarum nostrarum Iesum Christum, qui „salvat populum suum a peccatis eorum" [Matth. I].

Cuius quidem meritum sufficiens est ad omnia peccata totaliter tollenda, ipse est enim „qui tollit peccata mundi", ut dicitur Ioan. I: sed tamen non omnes effectum remissionis perfecte consequuntur, sed unusquisque in tantum consequitur in quantum Christo pro peccatis patienti coniungitur.

Quia igitur coniunctio nostri ad Christum in baptismo non est secundum operationem nostram, quasi ab interiori, quia nulla res seipsam generat ut sit; sed a Christo, qui „nos regenerat in spem vivam" [I Petr. I]: remissio peccatorum in baptismo fit secundum potestatem ipsius Christi nos sibi coniungentis perfecte et integre, ut non solum impuritas peccati tollatur, sed etiam solvatur penitus omnis poenae reatus; nisi forte per accidens in his qui non consequuntur effectum sacramenti propter hoc quod ficte accedunt.

In hac vero spirituali sanatione Christo coniungimur secundum operationem nostram divina gratia informatam. Unde non semper totaliter, nec omnes aequaliter remissionis effectum per hanc coniunctionem consequimur. Potest enim esse conversio mentis in Deum et ad meritum Christi,

bereut, was begangen wurde, und sich vornimmt, es nicht wieder zu tun. Dies ist mit ‚Reue' gemeint.

Diese Wiederherstellung der geistigen Ordnung kann jedoch nicht ohne Gnade geschehen, denn unser Geist kann sich nicht ohne Liebe auf die geschuldete Weise zu Gott zurückwenden. Die Liebe kann man jedoch nicht ohne Gnade besitzen, was aus dem zuvor Gesagten deutlich wird (III 151). Somit wird also durch die Reue der Beleidigung Gottes beseitigt; ebenso wird man von der ewigen Strafschuld befreit, die mit der Gnade und Liebe unvereinbar ist. Es gibt nämlich nur ewige Strafe durch die Trennung von Gott, mit dem der Mensch durch Gnade und Liebe verbunden ist.

So geschieht diese Wiederherstellung der geistigen Ordnung, die in der Reue besteht, von innen her, d. h. aufgrund des freien Willens und der Mithilfe der göttlichen Gnade.

Wie aber weiter oben gezeigt wurde (IV 55), daß das Verdienst des Leidens Christi für das Menschengeschlecht alle Sünden tilgt, so muß der Mensch zur Befreiung von der Sünde mit seinem Geiste nicht nur Gott, sondern auch dem Mittler zwischen Gott und den Menschen, Jesus Christus anhangen, in dem Nachlaß aller Sünden gegeben wird. So besteht das geistliche Heil in der Hinwendung des Geistes zu Gott. Dieses Heil können wir jedoch nur durch den Arzt unserer Seelen erreichen, Jesus Christus, der „sein Volk von Sünden heilt" (Mt 1, 21).

Sein Verdienst reicht dazu aus, alle Sünden vollständig zu tilgen. Er selbst ist es nämlich, „der die Sünde der Welt hinwegnimmt", wie es Joh 1, 29 heißt. Nichtsdestoweniger empfangen nicht alle die Wirkung des Nachlasses vollständig; vielmehr empfängt sie ein jeder in dem Maße, wie er mit Christus vereint ist, der für die Sünden litt.

Da mithin unsere Vereinigung mit Christus in der Taufe nicht aufgrund unserer gleichsam von innen heraus geschehenden Tätigkeit geschieht (denn nichts bringt sich selbst zum Sein), sondern von Christus her zustande kommt, der „in uns lebendige Hoffnung erneuert" (1 Petr 1, 3), so geschieht der Nachlaß der Sünden bei der Taufe aufgrund der Vollmacht Christi selbst, der uns vollkommen und gänzlich mit sich vereint. Damit wird nicht nur die Unreinheit der Sünde getilgt; es wird auch sämtliche Strafschuld völlig erlassen, außer vielleicht beiläufig bei jenen, welchen die Wirkung des Sakramentes nicht zuteil wird, da sie es nur zum Schein empfangen haben.

Bei dieser geistlichen Heilung werden wir aufgrund unserer Tätigkeit, welche durch göttliche Gnade geprägt ist, Christus verbunden. Durch diese Vereinigung erlangen daher nicht immer alle insgesamt, noch alle gleichermaßen die Wirkung dieses Nachlasses. Es kann nämlich eine der-

et in detestationem peccati, tam vehemens quod perfecte remissionem peccati homo consequitur non solum quantum ad expurgationem culpae, sed etiam quantum ad remissionem totius poenae. Hoc autem non semper contingit. Unde quandoque, per contritionem amota culpa, et reatu poenae aeternae soluto, ut dictum est, remanet obligatio ad aliquam poenam temporalem, ut iustitia Dei salvetur, secundum quam culpa ordinatur per poenam.

Cum autem subire poenam pro culpa iudicium quoddam requirat, oportet quod poenitens, qui se Christo sanandum commisit, Christi iudicium in taxatione poenae expectet: quod quidem per suos ministros exhibet Christus, sicut et cetera sacramenta. Nullus autem potest iudicare de culpis quas ignorat. Necessarium igitur fuit *confessionem* institui, quasi *secundam* partem huius sacramenti, ut culpa poenitentis innotescat Christi ministro.

Oportet igitur ministrum cui fit confessio, iudiciariam potestatem habere vice Christi, „qui constitutus est iudex vivorum et mortuorum" [Act. X]. Ad iudiciariam autem potestatem duo requiruntur: scilicet auctoritas cognoscendi de culpa, et potestas absolvendi vel condemnandi. Et haec duo dicuntur ‚duae claves Ecclesiae', scilicet scientia discernendi, et potentia ligandi et solvendi, quas Dominus Petro commisit, iuxta illud Matth. XVI: „Tibi dabo claves regni caelorum". Non autem sic intelligitur Petro commisisse ut ipse solus haberet, sed ut per eum derivarentur ad alios: alias non esset sufficienter fidelium saluti provisum.

Huiusmodi autem claves a passione Christi efficaciam habent, per quam scilicet Christus nobis aperuit ianuam regni caelestis. Et ideo, sicut sine baptismo, in quo operatur passio Christi, non potest hominibus esse salus, vel realiter suscepto, vel secundum propositum desiderato, „quando necessitas, non contemptus, sacramentum excludit" [August., *De bapt. contra Donat.* IV, c. 22]; ita peccantibus post baptismum salus esse non potest nisi clavibus ecclesiae se subiiciant, vel actu confitendo et iudicium ministrorum ecclesiae subeundo, vel saltem huius rei propositum habendo, ut impleatur tempore opportuno; quia, ut dicit Petrus, Act. IV: „Non est aliud nomen datum hominibus, in quo oporteat nos salvos fieri", nisi „in nomine Domini nostri Jesu Christi".

art heftige Umkehr des Geistes zu Gott und Verachtung der Sünde geben, daß man den vollkommenen Nachlaß der Sünde erlangt, nicht allein was die Tilgung der Schuld betrifft, sondern auch hinsichtlich des Nachlasses der gesamten Strafe. Dies ist aber nicht immer der Fall. Bisweilen beseitigt die Reue den Makel und die Schuldung ewiger Strafe, wie wir sagten, doch verbleibt die Verpflichtung zu einer zeitlichen Strafe, damit die Gerechtigkeit Gottes insofern gewahrt bleibt, als die Schuld durch Strafe ausgeglichen wird.

Nun erfordert es einen Urteilsspruch, wenn jemand eine Strafe für eine Schuld auf sich nimmt. Also muß der Pönitent, der sich Christus zur Heilung überantwortete, das Urteil Christi hinsichtlich der Veranschlagung der Strafe erwarten. Dies tut Christus durch seine Diener kund, wie es auch bei den übrigen Sakramenten der Fall ist. Keiner vermag aber über Sünden zu urteilen, die er nicht kennt. Also mußte die ,Beichte', gleichsam als zweiter Teil dieses Sakramentes, eingesetzt werden, damit die Sünde des Pönitenten dem Diener Christi bekannt wird.

Folglich mußte der Diener, dem man beichtet, stellvertretend für Christus, der „als Richter über Lebende und Tote eingesetzt" ist (Apg 10, 42), über Rechtsprechungsgewalt verfügen. Nun ist zur Rechtsprechungsgewalt zweierlei erforderlich, nämlich die Autorität, die Schuld zu bestimmen, und die Macht loszusprechen oder zu verdammen. Diese beiden Dinge werden die „zwei Schlüssel der Kirche" genannt, nämlich das zur Schuldbestimmung erforderliche Wissen und die Binde- und Lösegewalt, die der Herr dem Petrus gab, dem Worte Mt 16, 19 gemäß: „Ich will dir die Schlüssel des Himmelreiches geben". Doch dürfen wir nicht annehmen, daß er sie ausschließlich dem Petrus zur Verfügung stellte; vielmehr sollten sie durch ihn in den Besitz von anderen übergehen, denn sonst wäre nicht genügend für das Heil der Gläubigen gesorgt worden.

Diese Schlüssel sind jedoch aufgrund des Leidens Christi wirksam, wodurch uns Christus das Tor zum Himmelreich geöffnet hat. Gleichwie es also ohne die wirklich empfangene oder begehrte Taufe – „solange „Notwendigkeit und nicht Verachtung den Empfang des Sakramentes ausschließt" –, in der das Leiden Christi wirksam ist, für die Menschen kein Heil geben kann, so kann es für diejenigen, welche nach der Taufe sündigen, kein Heil geben, es sei denn, sie ordnen sich den Schlüsseln der Kirche unter, indem sie entweder tatsächlich beichten und sich dem Urteilsspruch der Diener der Kirche unterwerfen, oder wenigstens beabsichtigen zu beichten, wenn sich eine Gelegenheit hierzu ergibt. So sagt Petrus, Apg 4, 12: „Denn kein anderer Name unter dem Himmel ist den Menschen gegeben, in dem wir gerettet werden sollen außer dem Namen unseres Herrn Jesus Christus".

Per hoc autem excluditur quorundam error qui dixerunt hominem posse peccatorum veniam consequi sine confessione et proposito confitendi: vel quod per praelatos Ecclesiae dispensari potest quod ad confessionem aliquis non teneatur. Non enim hoc possunt praelati Ecclesiae, ut claves frustrentur Ecclesiae, in quibus tota eorum potestas consistit: neque ut sine sacramento a passione Christi virtutem habente, aliquis remissionem peccatorum consequatur; hoc enim est solius Christi, qui est sacramentorum institutor et auctor. Sicut igitur dispensari non potest per praelatos Ecclesiae ut aliquis sine baptismo salvetur, ita nec quod aliquis remissionem sine confessione et absolutione consequatur.

Considerandum tamen est quod sicut baptismus efficaciam aliquam habet ad remissionem peccati etiam antequam actu suscipiatur, dum est in proposito ipsum suscipiendi, licet postmodum pleniorem effectum conferat et in adeptione gratiae et in remissione culpae, cum actu suscipitur; et quandoque in ipsa susceptione baptismi confertur gratia, et remittitur culpa, ei cui prius remissa non fuit, sic et claves Ecclesiae efficaciam habent in aliquo antequam eis se actu subiiciat, si tamen habeat propositum ut se eis subiiciat; pleniorem tamen gratiam et remissionem consequitur dum se eis actu subiicit confitendo, et absolutionem percipiendo; et nihil prohibet quin aliquando virtute clavium alicui confesso in ipsa absolutione gratia eonferatur, per quam ei culpa dimittitur.

Quia igitur etiam in ipsa confessione et absolutione plenior effectus gratiae et remissionis confertur ei qui prius, propter bonum propositum, utrumque obtinuit; manifestum est quod virtute clavium minister Ecclesiae, absolvendo, aliquid de poena temporali dimittit, cuius debitor remansit poenitens post contritionem. Ad residuum vero sua iniunctione obligat poenitentem: cuius quidem obligationis impletio *satisfactio* dicitur, quae est *tertia* poenitentiae pars; per quam homo totaliter a reatu poenae liberatur, dum poenam exsolvit quam debuit; et ulterius debilitas naturalis boni curatur, dum homo a malis abstinet et bonis assuescit; Deo spiritum subiiciendo per orationem; carnem vero domando per ieiunium, ut sit

Damit ist der Irrtum gewisser Leute ausgeschlossen, welche behaupteten, man könne Vergebung der Sünden ohne Beichte und Beichtvorsatz erlangen, oder die kirchlichen Vorgesetzten könnten jemanden von der Beichtverpflichtung dispensieren. Die kirchlichen Vorgesetzten sind hierzu deswegen nicht in der Lage, weil sie sonst die Schlüssel der Kirche wirkungslos machen, in denen ihre ganze Macht besteht. Ebensowenig können sie bewirken, daß jemand ohne das Sakrament, welches aufgrund des Leidens Christi wirksam ist, Nachlaß der Sünden erlangt. Einzig Christus ist hierzu in der Lage, der die Sakramente eingesetzt hat und deren Urheber er ist. Gleichwie also niemand von kirchlichen Vorgesetzten dispensiert werden kann, so daß er ohne Taufe gerettet wird, so kann niemand ohne Beichte und die daraufhin erfolgende Absolution Nachlaß (der Sünden) erlangen.

Dennoch muß man sich vor Augen halten, daß die Taufe sogar vor ihrem tatsächlichen Empfang über eine gewisse Wirksamkeit zum Sündennachlaß verfügt, wofern man sich nur vornimmt, sie zu empfangen. Hat man sie tatsächlich empfangen, so vermittelt sie danach durch Erlangung von Gnade und Sündennachlaß eine um so vollere Wirkung. Bisweilen wird demjenigen, welchem zuvor eine Schuld nicht nachgelassen wurde, gerade dadurch Gnade vermittelt und die Schuld nachgelassen, daß er sich taufen läßt. Auf dieselbe Weise wirken auch die Schlüssel der Kirche sogar bei jemandem, der sich ihnen noch nicht tatsächlich unterworfen hat, vorausgesetzt, er hat die Absicht, sich ihnen zu unterwerfen. Dennoch erlangt er ein größeres Ausmaß an Gnade und Nachlaß, wenn er sich ihnen tatsächlich unterwirft, indem er beichtet und die Absolution empfängt. Und nichts hindert daran, daß jemand, welcher gebeichtet hat, bisweilen durch die Kraft der Schlüssel im Moment der Absolution Gnade empfängt, wodurch ihm seine Sünde nachgelassen ist.

Da jemand, welcher aufgrund seines guten Vorsatzes bereits zuvor beides [d. h. Gnade und Vergebung] erhielt, dies im Moment der Beichte und Absolution in größerer Fülle gewährt bekommt, so erläßt offensichtlich der Diener der Kirche bei der Absolution kraft seiner Schlüsselgewalt einiges von der zeitlichen Strafe, die der Pönitent nach der Reue noch schuldete. Hinsichtlich dessen, was noch (an Strafe) verbleibt, verpflichtet er den Pönitenten durch seine Auferlegung (einer Strafe), dessen Erfüllung ‚Wiedergutmachung‘ heißt. Dies ist der dritte Teil der Buße, durch den der Mensch vollständig vom Sündenreat befreit wird, sofern er die geschuldete Strafe abträgt. Darüber hinaus wird die Schwäche des natürlichen Gutes geheilt, sofern man sich des Schlechten enthält und sich an Gutes gewöhnt, indem man durch Gebet den Geist Gott unterwirft, das Fleisch durch Fasten im Zaume hält, daß es sich dem Geist unterwerfe,

subiecta spiritui; et rebus exterioribus, per eleemosynarum largitionem, proximos sibi adiungendo, a quibus fuit separatus per culpam.

Sic igitur patet quod minister Ecclesiae in usu clavium iudicium quoddam exercet. Nulli autem iudicium committitur nisi in sibi subiectos. Unde manifestum est quod non quilibet sacerdos quemlibet potest absolvere a peccato, ut quidam mentiuntur: sed eum tantum in quem accepit potestatem.

Capitulum LXXIII

De sacramento extremae unctionis

Quia vero corpus est animae instrumentum; instrumentum autem est ad usum principalis agentis: necesse est quod talis sit dispositio instrumenti ut competat principali agenti; unde et corpus disponitur secundum quod congruit animae. Ex infirmitate igitur animae, quae est peccatum, interdum infirmitas derivatur ad corpus, hoc divino iudicio dispensante. Quae quidem corporalis infirmitas interdum utilis est ad animae sanitatem: prout homo infirmitatem corporalem sustinet humiliter et patienter, et ei quasi in poenam satisfactoriam computatur. Est etiam quandoque impeditiva spiritualis salutis, prout ex infirmitate corporali impediuntur virtutes. Conveniens igitur fuit ut contra peccatum aliqua spiritualis medicina adhiberetur, secundum quod ex peccato derivatur infirmitas corporalis, per quam quidem spiritualem medicinam sanatur infirmitas corporalis aliquando, cum scilicet expedit ad salutem. Et ad hoc ordinatum est sacramentum Extremae Unctionis, de quo dicitur Iacob. V: „Infirmatur quis in vobis: inducat presbyteros Ecclesiae, et orent super eum, ungentes eum oleo in nomine Domini; et oratio fidei sanabit infirmum".

Nec praeiudicat virtuti sacramenti si aliquando infirmi quibus hoc sacramentum confertur, non ex toto ab infirmitate corporali curantur: quia quandoque sanari corporaliter, etiam digne hoc sacramentum sumentibus, non est utile ad spiritualem salutem. Nec tamen inutiliter sumunt, quamvis corporalis sanitas non sequatur. Cum enim hoc sacramentum sic ordinetur contra infirmitatem corporis inquantum consequitur ex peccato,

und seine äußeren Güter dazu verwendet, den Nächsten großzügige Almosen zu geben, wodurch man sich wieder mit ihnen verbindet, von denen man durch die Sünde getrennt war.

Mithin fällt der Diener der Kirche beim Gebrauch der Schlüssel offensichtlich einen Urteilsspruch. Doch ist jemand nur als Richter über jene eingesetzt, welche ihm unterworfen sind. Also ist es nicht wahr, wie einige fälschlich behaupten, daß jeder beliebige Priester jeden beliebigen Menschen von der Sünde absolvieren kann, sondern nur denjenigen, über den er diese Macht besitzt.

73. KAPITEL

DAS SAKRAMENT DER LETZTEN ÖLUNG

Der Leib ist das Instrument der Seele. Ein Instrument ist aber dazu bestimmt, um vom Hauptagens verwendet zu werden. Demgemäß muß das Instrument so beschaffen sein, daß es für ihn geeignet ist. Daher ist der Leib so beschaffen, daß er der Seele entspricht. Folglich resultiert bisweilen aufgrund göttlicher Anordnung eine körperliche Krankheit aufgrund einer seelischen, bei welcher es sich um Sünde handelt. Diese körperliche Krankheit ist manchmal für die seelische Gesundheit von Nutzen, je nachdem man die körperliche Schwäche demütig und geduldig erträgt, wobei sie gleichsam als Wiedergutmachung für eine Strafe angerechnet wird. Doch bisweilen ist sie dem geistlichen Heil in dem Maße hinderlich, als sie ein Hindernis für die Tugenden darstellt. Also war es angemessen, daß eine geistliche Medizin insofern gegen die Sünde verabreicht wurde, als die Sünde körperliche Krankheit veranlaßt. Manchmal, d. h. wenn es zum Heile gereicht, heilt diese Medizin die körperliche Schwäche. Deswegen ist das Sakrament der Letzten Ölung eingesetzt worden, von dem es bei Jak 5,14 f. heißt: „Ist jemand unter euch krank? Er soll die Presbyter der Gemeinde zu sich rufen lassen. Die sollen über ihn beten, indem sie ihn mit Öl salben im Namen des Herrn. Und das Gebet des Glaubens wird den Kranken retten".

Doch ist nicht über die Kraft des Sakramentes vorentschieden, wenn Kranke, welchen es gegeben wird, bisweilen nicht gänzlich von der körperlichen Krankheit geheilt werden, selbst wenn sie es würdig empfangen haben. Die Gesundung des Körpers nämlich ist nicht immer dem geistlichen Heil zuträglich. Dennoch empfangen sie es nicht nutzlos, auch wenn keine körperliche Heilung erfolgt. Ist dieses Sakrament nämlich gegen körperliche Krankheit bestimmt, sofern es sich hierbei um eine Sünden-

manifestum est quod contra alias sequelas peccati hoc sacramentum ordinatur, quae sunt pronitas ad malum et difficultas ad bonum: et tanto magis quanto huiusmodi infirmitates animae sunt propinquiores peccato quam infirmitas corporalis. Et quidem huiusmodi infirmitates spirituales per poenitentiam sunt curandae, prout poenitens per opera virtutis, quibus satisfaciendo utitur, a malis retrahitur et ad bonum inclinatur. Sed quia homo, vel per negligentiam, aut propter occupationes varias vitae, aut etiam propter temporis brevitatem, aut propter alia huiusmodi, praedictos defectus in se perfecte non curat, salubriter ei providetur, ut per hoc sacramentum praedicta curatio compleatur, et a reatu poenae temporalis liberetur, ut sic nihil in eo remaneat quod in exitu animae a corpore eam possit a perceptione gloriae impedire. Et ideo Iacobus addit [ibid.]: „Et alleviabit eum Dominus".

Contingit etiam quod homo omnium peccatorum quae commisit, notitiam vel memoriam non habet, ut possint per poenitentiam singula expurgari. Sunt etiam quotidiana peccata, sine quibus praesens vita non agitur. A quibus oportet hominem in suo exitu per hoc sacramentum emundari, ut nihil inveniatur in eo quod perceptioni gloriae repugnet. Et ideo addit [ibid.] Iacobus quod: „si in peccatis sit, dimittentur ei".

Unde manifestum est quod hoc sacramentum est ultimum, et quodammodo consummativum totius spiritualis curationis, quo homo quasi ad percipiendam gloriam praeparatur. Unde et ‚Extrema Unctio' nuncupatur.

Ex quo manifestum est quod hoc sacramentum non quibuscumque infirmantibus est exhibendum, sed illis tantum qui ex infirmitate videntur propinquare ad finem.

Qui tamen, si convaluerint, iterato potest hoc sacramentum eis conferri, si ad similem statum devenerint. Non enim huius sacramenti unctio est ad consecrandum, sicut unctio confirmationis, ablutio baptismi, et quaedam aliae unctiones, quae ideo nunquam iterantur quia consecratio semper manet, dum res consecrata durat, propter efficaciam divinae virtutis consecrantis. Ordinatur autem huius sacramenti inunctio ad sanandum: medicina autem sanativa toties iterari debet quoties infirmitas iteratur.

folge handelt, so richtet es sich offenkundig auch gegen andere Sünden-
folgen, etwa gegen die Neigung zum Bösen und gegen das sich – Schwer-
tun beim Guten. Dies gilt um so mehr, da diese seelischen Krankheiten
eher der Sünde verwandt sind als eine körperliche. Zwar müssen diese
geistlichen Krankheiten durch Buße geheilt werden, wenn sich der Pönitent durch Werke der Tugend, die er zur Wiedergutmachung vollbringt,
vom Bösen zurückzieht und zum Guten neigt. Doch da der Mensch die
erwähnten Defekte aus Nachlässigkeit, aufgrund der verschiedenen Tätigkeiten in diesem Leben, oder auch aufgrund der Kürze der Zeit oder
dergleichen, nicht vollständig in sich abheilt, so ist dadurch mit Nutzen
für ihn gesorgt, daß durch dieses Sakrament die besagte Heilung zu ihrem
Abschluß gelangt, und er von der zeitlichen Strafschuld befreit wird. Somit bleibt in ihm nichts zurück, was ihn beim Austritt der Seele aus dem
Leib daran hindert, die Herrlichkeit zu schauen. Daher fügt Jakobus, Jak
5,15 hinzu: „Und der Herr wird ihn aufrichten".

Auch ist es der Fall, daß man nicht über Kenntnis oder Erinnerung an
alle Sünden verfügt, die man begangen hat, so daß man jede von ihnen
durch Buße bereinigen könnte; zudem handelt es sich um die täglichen
Sünden, ohne die man das gegenwärtige Leben nicht lebt, von denen der
Mensch durch dieses Sakrament bei seinem Tod gereinigt werden muß, so
daß sich in ihm nichts findet, was der Schau der Herrlichkeit widerstreitet.
Daher fügt Jakobus, Jak 5,15, hinzu: „Und wenn er Sünden begangen hat,
so wird ihm vergeben werden".

Also handelt es sich bei diesem Sakrament offensichtlich um das ab-
schließende und die gesamte geistliche Heilung zur Vollendung bringende
[Sakrament], wodurch man gleichsam darauf vorbereitet wird, der Herrlichkeit teilhaftig zu werden. Deswegen heißt es auch „Letzte Ölung".

Hieraus ergibt sich offensichtlich, daß dieses Sakrament nicht irgendwelchen Kranken gespendet werden darf, sondern nur jenen, welche sich
aufgrund einer Krankheit offensichtlich dem Tode nahen.

Werden sie dennoch wieder gesund, so kann ihnen dieses Sakrament
wiederholt gespendet werden, wenn sie sich wieder in einem ähnlichen
Zustand befinden. Die Funktion der Ölung bei diesem Sakrament ist
nämlich nicht die der Konsekrierung, wie es bei der Ölung anläßlich der
Firmung der Fall ist, oder die der Waschung bei der Taufe und bestimmter
anderer Ölungen, die deswegen niemals wiederholt werden, weil die Konsekrierung aufgrund der Wirksamkeit der konsekrierenden göttlichen
Kraft auf immer verbleibt, solange die konsekrierte Sache fortdauert. Die
bei diesem Sakrament erfolgende Ölung jedoch ist zur Heilung bestimmt.
Eine heilende Medizin muß man aber so oft wiederholt verwenden, wie
oft sich die Krankheit wiederholt.

Et licet aliqui sint in statu propinquo morti etiam absque infirmitate, ut patet in his qui damnantur ad mortem, qui tamen spiritualibus effectibus huius sacramenti indigerent, non tamen est exhibendum nisi infirmanti, cum sub specie corporalis medicinae exhibeatur, quae non competit nisi corporaliter infirmato. Oportet enim in sacramentis significationem servari. Sicut igitur requiritur in baptismo ablutio corpori exhibita, ita in hoc saeramento requiritur medicatio infirmitati corporali apposita. Unde etiam oleum est specialis materia huius sacramenti, quia habet efficaciam ad sanandum corporaliter mitigando dolores: sicut aqua, quae corporaliter abluit, est materia sacramenti in quo fit spiritualis ablutio.

Inde etiam manifestum est quod, sicut medicatio corporalis adhibenda est ad infirmitatis originem, ita haec unctio illis partibus corporis adhibetur ex quibus infirmitas peccati procedit: sicut sunt instrumenta sensuum, et manus et pedes, quibus opera peccati exercentur, et secundum quorundam consuetudinem, renes, in quibus vis libidinis viget.

Quia vero per hoc sacramentum peccata dimittuntur; peccatum autem non dimittitur, nisi per gratiam, manifestum est quod in hoc sacramento gratia confertur.

Ea vero, in quibus gratia illuminans mentem confertur exhibere solum pertinet ad sacerdotes, quorum ordo est illuminativus, ut Dionysius dicit [*De eccl. hier*. V]. Nec requiritur ad hoc sacramentum episcopus: cum per hoc sacramentum non conferatur excellentia status, sicut in illis quorum est minister episcopus.

Quia tamen hoc sacramentum perfectae curationis effectum habet, et in eo requiritur copia gratiae; competit huic sacramento quod multi sacerdotes intersint, et quod oratio totius ecclesiae ad effectum huius sacramenti coadiuvet. Unde Jacobus dicit [Iacob. V]: „Inducat presbyteros Ecclesiae, et oratio fidei sanabit infirmum". Si tamen unus solus presbyter adsit, intelligitur hoc sacramentum perficere in virtute totius Ecclesiae, cuius minister existit, et cuius personam gerit.

Impeditur autem huius sacramenti effectus per fictionem suscipientis, sicut contingit in aliis sacramentis.

PG 3/305D

Nun gibt es einige, welche dem Tode nahe sind, ohne krank zu sein, wie es offenkundig bei denen der Fall ist, die zum Tode verurteilt sind. Dennoch bedürfen sie der geistlichen Wirkungen dieses Sakramentes. Doch darf es nur einem Kranken gespendet werden, denn es wird unter der Gestalt einer körperlichen Medizin dargereicht, was nur im Falle eines körperlich Erkrankten angemessen ist, denn der Zeichensinn der Sakramente muß bei den Sakramenten gewahrt bleiben. Gleichwie bei der Taufe die körperliche Waschung erforderlich ist, so ist bei diesem Sakrament die Anwendung einer Medizin für eine körperliche Krankheit erfordert. Daher macht auch Öl die spezielle Materie dieses Sakramentes aus, da es bei körperlicher Heilung durch Linderung des Schmerzes wirkt. Ebenso ist das Wasser, das den Körper wäscht, die Materie des Sakramentes, in dem sich die geistliche Waschung vollzieht.

Gleichwie man daher eine Medizin für den Körper am Ursprung der Krankheit anzuwenden hat, so muß man diese Ölung offensichtlich an jenen Körperteilen vollziehen, von denen die Krankheit der Sünde ausgeht, d. h. an den Sinnesorganen, den Händen und Füßen, mit denen man die Werke der Sünde ausübt; der Gewohnheit einiger entsprechend auch an den Nieren, die der Sitz der Wollust ist.

Da durch dieses Sakrament jedoch die Sünden nachgelassen werden, eine Sünde aber nur aufgrund von Gnade nachgelassen wird, so wird offensichtlich mit diesem Sakrament Gnade vermittelt.

Jene Dinge, welche erleuchtende Gnade vermitteln, dürfen einzig durch Priester vermittelt werden, deren Stand erleuchtet, wie Dionysius sagt. Doch ist für dieses Sakrament kein Bischof erforderlich, denn hierdurch wird kein Standesvorzug vermittelt, wie es bei den Dingen der Fall ist, für die der Bischof als Diener zuständig ist.

Da dieses Sakrament dennoch die Wirkung einer vollkommenen Heilung besitzt und hierzu ein Überfluß an Gnade erforderlich ist, so ist es ihm angemessen, wenn viele Priester zugegen sind und das Gebet der ganzen Kirche zur Wirkung dieses Sakramentes mithilft. Daher sagt Jakobus (Jak 5,14 f.): „Er soll die Presbyter der Gemeinde zu sich rufen lassen, … und das Gebet des Glaubens wird den Kranken retten". Ist jedoch nur ein Priester anwesend, so hat man dies so zu verstehen, daß er dieses Sakrament kraft der Gesamtkirche spendet, deren Diener er ist und deren Rolle er ausübt.

Gleichwie es auch bei den übrigen Sakramenten der Fall ist, so wird die Wirkung dieses Sakramentes durch Unaufrichtigkeit des Empfangenden verhindert.

Capitulum LXXIV

De sacramento ordinis

Manifestum est autem ex praedictis, quod in omnibus sacramentis de quibus iam actum est, spiritualis confertur gratia sub sacramento visibilium rerum. Omnis autem actio debet esse proportionata agenti. Oportet igitur quod praedictorum dispensatio sacramentorum fiat per homines visibiles, spiritualem virtutem habentes. Non enim angelis competit sacramentorum dispensatio, sed hominibus visibili carne indutis: unde et Apostolus dicit, ad Hebr. V: „Omnis pontifex, ex hominibus assumptus, pro hominibus constituitur in his quae sunt ad Deum".

Huius etiam ratio aliunde sumi potest. Sacramentorum enim institutio et virtus a Christo initium habet: de ipso enim dicit Apostolus, ad Ephes. V, quod „Christus dilexit Ecclesiam, et seipsum tradidit pro ea, ut illam sanctificaret, mundens eam lavacro aquae in verbo vitae". Manifestum est etiam quod Christus sacramentum sui corporis et sanguinis in Cena dedit, et frequentandum instituit [Matth. XXVI; Luc. XXII]; quae sunt principalia sacramenta. Quia igitur Christus corporalem sui praesentiam erat ecclesiae subtracturus, necessarium fuit ut alios institueret sibi ministros, qui sacramenta fidelibus dispensarent: secundum illud Apostoli I ad Cor. IV: „Sic nos existimet homo ut ministros Christi, et dispensatores mysteriorum Dei". Unde discipulis consecrationem sui corporis et sanguinis commisit, dicens [Luc. XX]: „Hoc facite in meam commemorationem"; eisdem potestatem tribuit peccata remittendi, secundum illud Ioan. XX: „Quorum remiseritis peccata, remittuntur eis"; eisdem etiam docendi et baptizandi iniunxit officium, dicens, Matth. [XXVIII]: „Euntes docete omnes gentes, baptizantes eos". Minister autem comparatur ad dominum sicut instrumentum ad principale agens: sicut enim instrumentum movetur ab agente ad aliquid efficiendum, sic minister movetur imperio domini ad aliquid exequendum. Oportet autem instrumentum esse proportionatum agenti. Unde et ministros Christi oportet esse ei conformes. Christus autem, ut Dominus, auctoritate et virtute propria nostram salutem operatus est, inquantum fuit Deus et homo: ut secundum id quod homo est, ad redemptionem nostram pateretur; secundum autem quod Deus, passio eius nobis fieret salutaris. Oportet igitur et ministros Christi homines esse,

74. Kapitel

Das Sakrament der Weihe

Nun geht aus den bisherigen Erörterungen hervor, daß bei allen Sakramenten, über die bereits gesprochen wurde, geistliche Gnade unter sakramentalen Zeichen sichtbarer Dinge vermittelt wird. Doch muß jede Handlung dem Handelnden angemessen sein. Demgemäß muß die Spendung der genannten Sakramente durch sichtbare Menschen geschehen, welche hierzu die geistliche Gewalt besitzen; denn nicht Engel spenden die Sakramente, sondern in sichtbares Fleisch gekleidete Menschen. Daher sagt auch der Apostel, Hebr 5,1: „Jeder Hohepriester wird nämlich aus Menschen genommen und für Menschen bestellt in ihren Anliegen bei Gott".

Den Grund hierfür kann man anderswoher entnehmen. So haben die Einsetzung und Kraft der Sakramente in Christus ihren Ursprung. Von ihm nämlich sagt der Apostel, Eph 5,25: „Christus ... hat ... die Kirche geliebt und sich für sie hingegeben ..., um sie zu heiligen, indem er sie reinigte im Wasserbad durch das Wort". Ebenso offensichtlich reichte er beim Abendmahl das Sakrament seines Leibes und Blutes dar und setzte es dazu ein, daß man es häufig feiert. Dies sind die Hauptsakramente. Da Christus also im Begriffe war, sich seiner leiblichen Existenz nach von der Kirche zurückzuziehen, so mußte er andere als seine Diener einsetzen, die den Gläubigen die Sakramente spenden sollten, dem Worte des Apostels 1 Kor 4,1 gemäß: „So soll man uns betrachten als Diener Christi und Verwalter der Geheimnisse Gottes". Daher trug er den Jüngern die Konsekrierung seines Leibes und Blutes auf, indem er Lk 22,19 sagte: „Tut dies zu meinem Gedächtnis". Auch verlieh er ihnen die Macht des Sündennachlasses, dem Worte Jo 20,23 gemäß: „Welchen ihr die Sünden nachlasset, denen sind sie nachgelassen". Ebenfalls trug er ihnen die Aufgabe zu lehren und zu taufen auf, indem er Mt 28,1 sagte: „Darum gehet hin und machet alle Völker zu Jüngern und taufet sie". Doch verhält sich ein Diener zu seinem Herrn wie ein Instrument zum Hauptagens. Gleichwie nämlich ein Instrument vom Handelnden zum Produzieren einer Wirkung bewegt wird, so wird der Diener auf Geheiß des Herrn dazu bewegt, etwas auszuführen. Nun muß das Instrument dem Handelnden angemessen sein. Also müssen auch die Diener Christi ihm gleichgestaltet sein. Christus aber hat als Herr aufgrund eigener Autorität und eigenem Vermögen unser Heil bewirkt, sofern er Gott und Mensch war. Seiner Menschheit nach hat er für unsere Erlösung gelitten; seiner Gottheit nach war sein Leiden für uns heilswirksam. Mithin müssen die Diener Christi

et aliquid divinitatis eius participare secundum aliquam spiritualem potestatem: nam et instrumentum aliquid participat de virtute principalis agentis. De hac autem potestate Apostolus dicit, II ad Cor. [XIII], quod „potestatem dedit ei Dominus in aedificationem, et non in destructionem".

Non est autem dicendum quod potestas huiusmodi sic data sit Christi discipulis quod per eos ad alios derivanda non esset: data est enim eis ad ecclesiae aedificationem, secundum Apostoli dictum. Tandiu igitur oportet hanc potestatem perpetuari, quandiu necesse est aedificari ecclesiam. Hoc autem necesse est post mortem discipulorum Christi usque ad saeculi finem. Sic igitur data fuit discipulis Christi spiritualis potestas ut per eos deveniret ad alios. Unde et Dominus discipulos in persona aliorum fidelium alloquebatur: ut patet per id quod habetur Marc. XIII: „Quod vobis dico, omnibus dico"; et Matth. [XXVIII], Dominus discipulis dixit: „Ecce, ego vobiscum sum usque ad consummationem saeculi".

Quia igitur haec spiritualis potestas a Christo in ministros ecclesiae derivatur; spirituales autem effectus in nos a Christo derivati, sub quibusdam sensibilibus signis explentur, ut ex supra dictis patet: oportuit etiam quod haec spiritualis potestas sub quibusdam sensibilibus signis hominibus traderetur. Huiusmodi autem sunt certae formae verborum et determinati actus, utputa impositio manuum, inunctio, et porrectio libri vel calicis, aut alicuius huiusmodi quod ad executionem spiritualis pertinet potestatis. Quandocunque autem aliquid spirituale sub signo corporali traditur, hoc dicitur sacramentum. Manifestum est igitur quod in collatione spiritualis potestatis quoddam sacramentum peragitur, quod dicitur ‚Ordinis sacramentum'.

Ad divinam autem liberalitatem pertinet ut cui confertur potestas ad aliquid operandum, conferantur etiam ea sine quibus huiusmodi operatio convenienter exerceri non potest. Administratio autem sacramentorum, ad quae ordinatur spiritualis potestas, convenienter non fit nisi aliquis ad hoc a divina gratia adiuvetur. Et ideo in hoc sacramento confertur gratia: sicut et in aliis sacramentis.

Quia vero potestas Ordinis ad dispensationem sacramentorum ordinatur; inter sacramenta autem nobilissimum et consummativum aliorum est Eucharistiae sacramentum, ut ex dictis patet: oportet quod potestas ordinis

Menschen sein und in einem bestimmten Sinne, einer bestimmten geistlichen Machtvollkommenheit gemäß, an seiner Gottheit teilhaben. So hat auch ein Instrument in einem bestimmten Sinne an der Kraft des Hauptagens teil. Von dieser Macht sagt der Apostel in 2 Kor 13,10, es sei „die Vollmacht, die mir der Herr verliehen hat zum Aufbauen, aber nicht zum Niederreißen".

Doch darf man nicht behaupten, die dieserart verliehene Macht sei den Jüngern Christi so gegeben worden, daß sie nicht durch sie an andere weitervermittelt werden konnte. Dem Wort des Apostels gemäß ist sie ihnen nämlich „zum Aufbau der Kirche" gegeben worden. Deswegen muß diese Macht so lange andauern, wie es zum Aufbau der Kirche notwendig ist; das aber heißt vom Tode der Jünger Christi bis zum Ende der Welt. Also ist den Jüngern Christi derart geistliche Gewalt gegeben worden, daß sie durch sie auf andere überging. Daher sprach der Herr zu seinen Jüngern als Repräsentanten der übrigen Gläubigen, wie wir seinen Worten von Mk 13,37 entnehmen können: „Was ich aber euch sage, das sage ich allen". Ebenfalls sprach der Herr in Mt 28,20 zu den Jüngern: „Und siehe, ich bin bei euch bis ans Ende der Welt".

Weil nun die geistliche Gewalt von Christus auf die Diener der Kirche übergeht, so gehen auch die geistlichen Wirkungen unter bestimmten sinnenfälligen Zeichen von Christus auf uns über, wie aus dem oben Gesagten deutlich wird (IV 56). Folglich mußte diese geistliche Gewalt den Menschen unter bestimmten sinnenfälligen Zeichen überliefert werden. Dies sind bestimmte Wortformeln, wohlbestimmte Handlungen, etwa die Handauflegung, die Ölung, die Übergabe des Buches oder des Kelches oder dergleichen, was zur Ausübung der geistlichen Gewalt gehört. Wann immer aber etwas Geistliches unter einem körperlichen Zeichen überliefert wird, so heißt dies ein Sakrament. Folglich wird bei der Übertragung geistlicher Gewalt offensichtlich ein Sakrament vollzogen. Dies heißt „Weihesakrament".

Nun gehört es zur göttlichen Freigebigkeit, daß derjenige, welcher die Macht erhält, ein bestimmtes Werk auszuführen, auch das erhält, was zur angemessenen Ausführung dieses Werkes erforderlich ist. Die Sakramentenverwaltung, zu der die geistliche Macht befähigt, kann aber nur angemessen geschehen, wenn man hierbei durch göttliche Gnade unterstützt wird. Daher wird in diesem, wie auch in den übrigen Sakramenten, Gnade verliehen.

Da nun die Macht der Weihe zur Sakramentenspendung bestimmt ist, und es sich beim Sakrament der Eucharistie um das vorzüglichste und umfassendste unter den anderen Sakramenten handelt, wie aus dem bisher Gesagten ersichtlich ist (IV 61), so hat man die Macht der Weihe insbe-

consideretur praecipue secundum comparationem ad hoc sacramentum; nam „unumquodque denominatur a fine" [*De an.* II 4].

Eiusdem autem virtutis esse videtur aliquam perfectionem tribuere, et ad susceptionem illius materiam praeparare: sicut ignis virtutem habet et ut formam suam transfundat in alterum, et ut materiam disponat ad formae susceptionem. Cum igitur potestas Ordinis ad hoc se extendat ut sacramentum corporis Christi conficiat et fidelibus tradat, oportet quod eadem potestas ad hoc se extendat quod fideles aptos reddat et congruos ad huius sacramenti perceptionem. Redditur autem aptus et congruus fidelis ad huius sacramenti perceptionem per hoc quod est a peccato immunis: non enim potest aliter Christo spiritualiter uniri, cui sacramentaliter coniungitur hoc sacramentum percipiendo. Oportet igitur quod potestas Ordinis se extendat ad remissionem peccatorum, per dispensationem illorum sacramentorum quae ordinantur ad peccati remissionem, cuiusmodi sunt Baptismus et Poenitentia, ut ex dictis patet. Unde, ut dictum est, Dominus discipulis, quibus commisit sui corporis consecrationem, dedit etiam potestatem remittendi peccata. Quae quidem potestas per ‚claves' intelligitur, de quibus Dominus Petro, Matth. XVI dixit: „Tibi dabo claves regni caelorum". Caelum enim unicuique clauditur et aperitur per hoc quod peccato subiacet, vel a peccato purgatur: unde et usus harum clavium dicitur esse ‚ligare et solvere', scilicet a peccatis. De quibus quidem clavibus supra dictum est.

Capitulum LXXV

De distinctione ordinum

Considerandum est autem quod potestas quae ordinatur ad aliquem principalem effectum, nata est habere sub se inferiores potestates sibi deservientes. Quod manifeste in artibus apparet: arti enim quae formam artificialem inducit, deserviunt artes quae disponunt materiam; et illa quae formam inducit, deservit arti ad quam pertinet artificiati finis; et ulterius quae ordinatur ad citeriorem finem, deservit illi ad quam pertinet ultimus finis: sicut ars quae caedit ligna, deservit navifactivae; et haec gubernato-

sondere im Hinblick auf dieses Sakrament zu erwägen, denn „jedwedes
Ding wird nach seinem Ziele benannt" (Aristoteles).

Nun scheint es Funktion desselben Vermögens zu sein, eine Vollkommenheit mitzuteilen und die Materie zu deren Aufnahme vorzubereiten.
So besitzt das Feuer das Vermögen, seine Form auf etwas anderes auszubreiten und die Materie zur Aufnahme der Form zu disponieren. Da
sich die Macht der Weihe auf die Ausführung des Sakramentes des Leibes Christi und dessen Spendung an die Gläubigen erstreckt, so muß
sich dieselbe Macht darauf erstrecken, die Gläubigen für den Empfang
dieses Sakramentes geeignet und würdig zu machen. Ein Glaubender
wird aber dadurch zum Empfang dieses Sakramentes geeignet und würdig, daß er sündelos ist; anders nämlich kann sich jemand, welcher durch
den Empfang dieses Sakramentes mit Christus sakramental verbunden
ist, nicht mit Christus geistlich vereinigen. Folglich muß sich die Weihegewalt auf den Nachlaß der Sünden durch die Spendung jener Sakramente erstrecken, welche zum Sündennachlaß bestimmt sind. Hierbei handelt es sich um die Taufe und die Buße, wie aus dem Gesagten ersichtlich
ist (IV 59; 72). Wie es bereits hieß (IV 72), gab daher der Herr den
Jüngern, welchen er die Konsekrierung seines Leibes übertrug, ebenfalls
die Macht des Sündennachlasses. Diese Macht wird mit den „Schlüsseln"
angedeutet, von denen der Herr Mt 16, 19 zu Petrus sagte: „Ich will dir
die Schlüssel des Himmelreiches geben". Der Himmel nämlich wird einem dadurch verschlossen und geöffnet, daß man sündigt oder von der
Sünde gereinigt wird. Daher heißt es auch, der Gebrauch dieser Schlüssel
liege im Binden und Lösen, nämlich von den Sünden. Über die Schlüssel
ist weiter oben (IV 62) gesprochen worden.

75. KAPITEL

DIE VERSCHIEDENEN WEIHEARTEN

Doch gilt es zu beachten, daß die Macht, welche einer Hauptwirkung
zugeordnet ist, natürlicherweise über untergeordnete Gewalten verfügt,
welche ihr dienen. Dies wird bei den Künsten deutlich. So sind Künste,
die das Material disponieren, der Kunst untergeordnet, welche die Kunstform beisteuert. Die Kunst, welche die Form beisteuert, dient wiederum
der Kunst, welche mit dem Zweck des Kunstwerks befaßt ist. Ferner dient
die Kunst, welche mit einem vorläufigen Zweck befaßt ist, jener Kunst,
welche mit dem Endzweck befaßt ist. So dient die Holzfällerkunst der
Schiffsbaukunst, diese dient der Segelkunst, welche wiederum der Han-

riae; quae iterum deservit oeconomicae, vel militari, aut alicui huiusmodi, secundum quod navigatio ad diversos fines ordinari potest.

Quia igitur potestas Ordinis principaliter ordinatur ad corpus Christi consecrandum et fidelibus dispensandum, et ad fideles a peccatis purgandos; oportet esse aliquem principalem ordinem, cuius potestas ad hoc principaliter se extendat, et hic est *ordo sacerdotalis*; alios autem qui eidem serviant aliqualiter materiam disponendo, et hi sunt *ordines ministrantium*. Quia vero sacerdotalis potestas, ut dictum est, se extendit ad duo, scilicet ad corporis Christi consecrationem, et ad reddendum fideles idoneos per absolutionem a peccatis ad Eucharistiae perceptionem; oportet quod inferiores ordines ei deserviant vel in utroque, vel in altero tantum. Et manifestum est quod tanto aliquis inter inferiores ordines superior est, quanto sacerdotali ordini deservit in pluribus, vel in aliquo digniori.

Infimi igitur ordines deserviunt sacerdotali ordini solum in populi praeparatione: *Ostiarii* quidem arcendo infideles a coetu fidelium; *Lectores* autem instruendo catechumenos de fidei rudimentis, unde eis Scriptura Veteris Testamenti legenda committitur; *Exorcistae* autem purgando eos qui iam instructi sunt, sed aliqualiter a daemone impediuntur a perceptione sacramentorum.

Superiores vero ordines sacerdotali deserviunt et in praeparatione populi, et ad consummationem sacramenti.

Nam *Acolythi* habent ministerium super vasa non sacra, in quibus sacramenti materia praeparatur: unde eis urceoli in sua ordinatione traduntur.

Subdiaconi autem habent ministerium super vasa sacra, et super dispositionem materiae nondum consecratae.

Diaconi autem ulterius habent aliquod ministerium super materiam iam consecratam, prout sanguinem Christi dispensant fidelibus.

Et ideo hi tres ordines, scilicet sacerdotum, diaconorum et subdiaconorum, ,sacri' dicuntur, quia accipiunt ministerium super aliqua sacra.

Deserviunt etiam superiores ordines in praeparatione populi. Unde et diaconibus committitur Evangelica doctrina populo proponenda; subdiaconibus Apostolica; acolythis ut circa utrumque exhibeant quod pertinet

dels- oder der Militärkunst oder dergleichen dient, da die Navigation zu verschiedenen Zwecken verwendet werden kann.

Da also die Weihegewalt hauptsächlich zur Konsekrierung des Leibes Christi, zu dessen Spendung an die Gläubigen und zur Reinigung von ihren Sünden bestimmt ist, so muß es eine Hauptweihe geben, dessen Gewalt sich hauptsächlich hierauf erstreckt. Dies ist die „Priesterweihe". Andere Weihen jedoch, die ihr dienen, indem sie auf gewisse Weise die Materie disponieren, sind „Weihen der [untergeordneten] Diener". Nun erstreckt sich die priesterliche Gewalt, wie es hieß (IV 74), auf zweierlei: auf die Konsekrierung des Leibes Christi und darauf, die Gläubigen durch die Absolution von Sünden zum würdigen Empfang der Eucharistie vorzubereiten. Folglich müssen die niederen Weihen ihr entweder in beiden Fällen oder nur in einem von ihnen dienen. Offensichtlich nimmt eine Weihe unter den niederen Weihen einen um so höheren Rang ein, je mehr sie der Priesterweihe mannigfacher oder bei einer würdigeren Sache dient.

Folglich dienen die niedrigsten Weihen der Priesterweihe nur bei der Vorbereitung des Volkes. Die „Ostiarier" dienen dadurch, daß sie die Ungläubigen von der Versammlung der Glaubenden fernhalten; die „Lektoren" dadurch, daß sie die Katechumenen über die Grundlagen des Glaubens unterrichten. Daher wird ihnen die Lesung der Schrift des Alten Testamentes übertragen. Die „Exorzisten" dienen dadurch, daß sie diejenigen reinigen, welche bereits unterrichtet sind, falls sie auf irgendeine Weise durch einen Dämon am Empfang der Sakramente gehindert werden.

Die höheren Weihen dienen der Priesterweihe sowohl bei der Vorbereitung des Volkes als auch beim Sakramentenempfang.

So haben die „Akolythen" das Amt, nach den Gefäßen zu sehen, die nicht heilig sind, in denen die Sakramentenmaterie vorbereitet wird. Daher übergibt man ihnen bei ihrer Weihe die Meßkännchen.

Das Amt des „Subdiakons" besteht darin, sich um die heiligen Gefäße und die Vorbereitung der noch nicht konsekrierten Materie zu kümmern.

Die „Diakone" schließlich haben das Amt, sich um die bereits konsekrierte Materie zu kümmern, etwa dadurch, daß sie den Gläubigen das Blut Christi spenden.

Daher werden diese drei Weihen, d. h. die Priesterweihe, die Diakonatsweihe und die Subdiakonatsweihe, „heilig" genannt, weil sie zur Verwaltung heiliger Dinge ermächtigen.

Ebenso dienen die höheren Weihen der Vorbereitung des Volkes. Daher wird auch den Diakonen übertragen, dem Volk die Lehre des Evangeliums zu verkünden; die Subdiakone sind für die Verkündigung der Lehre der Apostel zuständig. Den Akolythen obliegt es, für das zu sorgen, was zur

ad solemnitatem doctrinae, ut scilicet luminaria deferant, et alia huiusmodi administrent.

Capitulum LXXVI

De episcopali potestate et quod in ea unus sit summus

Quia vero omnium horum ordinum collatio cum quodam sacramento perficitur, ut dictum est; sacramenta vero ecclesiae sunt per aliquos ministros ecclesiae dispensanda: necesse est aliquam superiorem potestatem esse in ecclesia alicuius altioris ministerii, quae Ordinis sacramentum dispenset. Et haec est episcopalis potestas, quae, etsi quidem quantum ad consecrationem corporis Christi non excedat sacerdotis potestatem; excedit tamen eam in his quae pertinent ad fideles. Nam et ipsa sacerdotalis potestas ab episcopali derivatur; et quicquid arduum circa populum fidelem est agendum episcopis reservatur; quorum auctoritate etiam sacerdotes possunt hoc quod eis agendum committitur. Unde et in his quae sacerdotes agunt, utuntur rebus per episcopum consecratis: ut in Eucharistiae consecratione utuntur consecratis per episcopum calice, altari et pallis. Sic igitur manifestum est quod summa regiminis fidelis populi ad episcopalem pertinet dignitatem.

Manifestum est autem quod quamvis populi distinguantur per diversas dioeceses et civitates, tamen, sicut est una ecclesia, ita oportet esse unum populum Christianum. Sicut igitur in uno speciali populo unius ecclesiae requiritur unus episcopus, qui sit totius populi caput; ita in toto populo Christiano requiritur quod unus sit totius ecclesiae caput.

Item. Ad unitatem ecclesiae requiritur quod omnes fideles in fide conveniant. Circa vero ea quae fidei sunt, contingit quaestiones moveri. Per diversitatem autem sententiarurn divideretur ecclesia, nisi in unitate per unius sententiam conservaretur. Exigitur igitur ad unitatem ecclesiae conservandam quod sit unus qui toti ecclesiae praesit. Manifestum est autem, quod Christus ecclesiae in necessariis non defecit, quam dilexit, et pro qua sanguinem suum fudit: cum et de Synagoga dicatur per Dominum: „Quid ultra debui facere vineae meae, et non feci?", Isaiae V. Non est igitur dubitandum quin ex ordinatione Christi unus toti ecclesiae praesit.

Adhuc. Nulli dubium esse debet quin ecclesiae regimen sit optime or-

Feierlichkeit dieser Lehre beiträgt, etwa die Kerzen zu tragen oder dergleichen.

76. Kapitel

Die bischöfliche Vollmacht – einer ist Bischof über alle

Wie es bereits hieß (IV 74), vollzieht sich die Spendung aller dieser
Weihen sakramental. Da die Sakramente der Kirche jedoch durch bestimmte Diener der Kirche gespendet werden müssen, so muß es in der
Kirche eine höhere Gewalt eines höheren Amtes geben, welche das Weihesakrament spendet. Dies ist die bischöfliche Gewalt. Auch wenn sie
nicht die priesterliche Gewalt zur Konsekrierung des Leibes Christi überschreitet, so überschreitet sie sie dennoch hinsichtlich dessen, was die
Gläubigen betrifft. So leitet sich auch die priesterliche Gewalt von der
bischöflichen ab. Alle schwerwiegenden Dinge, welche das gläubige Volk
betreffen, sind dem Bischof vorbehalten, aufgrund dessen Autorität sogar
die Priester in die Lage versetzt werden, das zu tun, wozu sie beauftragt
sind. Daher verwenden die Priester bei ihrer priesterlichen Tätigkeit Dinge, die vom Bischof konsekriert sind, den Kelch, den Altar und die Pallien.
Folglich liegt die höchste Leitungsgewalt über das gläubige Volk offensichtlich in der bischöflichen Würde begründet.

Auch wenn das Volk auf verschiedene Diözesen und Ortschaften verteilt ist, so gibt es offensichtlich nichtsdestoweniger nur eine Kirche und
daher kann es nur ein christliches Volk geben. Gerade wie ein Bischof als
Oberhaupt über die Gesamtheit eines bestimmten Volkes einer Partiku-
larkirche erfordert ist, so ist für das gesamte christliche Volk erfordert,
daß einer das Haupt der Gesamtkirche ist.

Ferner. Die Einheit der Kirche erfordert, daß alle Gläubigen im Glauben übereinstimmen. Doch in Glaubensdingen treten Fragen auf. So würde die Kirche aufgrund der Verschiedenheit der Lehrmeinungen gespalten,
bliebe sie nicht aufgrund der Lehrmeinung einer Person in Einheit erhalten. Zur Wahrung der Einheit der Kirche ist es also nötig, daß es einen
gibt, welcher der Gesamtkirche vorsteht. Ebenso offenkundig ist es, daß
Christus die Kirche, die er liebte und für die er sein Blut vergoß, nicht
bei dem im Stiche läßt, dessen sie dringend bedarf, hält man sich vor
Augen, was der Herr in Jes 5,4 sogar von der Synagoge sagte: „Was hätte
an meinem Weinberg noch getan werden können, was ich an ihm nicht
getan?". Also darf man nicht daran zweifeln, daß einer aufgrund der Anordnung Christi der Gesamtkirche vorsteht.

Überdies. Es darf keinen Zweifel daran geben, daß die Leitung der

dinatum: utpote per eum dispositum per quem „Reges regnant et legum conditores iusta decernunt" [Prov. VIII]. Optimum autem regimen multitudinis est ut regatur per unum: quod patet ex fine regiminis, qui est pax; pax enim et unitas subditorum est finis regentis; unitatis autem congruentior causa est unus quam multi. Manifestum est igitur regimen Ecclesiae sic esse dispositum ut unus toti ecclesiae praesit.

Amplius. Ecclesia militans a triumphanti ecclesia per similitudinem derivatur: unde et Ioannes in Apocalypsi [XXI], vidit „Ierusalem descendentem de caelo"; et Moysi dictum est [Exod. XXV], quod faceret omnia „secundum exemplar ei in monte monstratum". In triumphanti autem ecclesia unus praesidet, qui etiam praesidet in toto universo, scilicet Deus: dicitur enim Apoc. XXI: „Ipsi populus eius erunt, et ipse cum eis erit eorum Deus". Ergo et in ecclesia militante unus est qui praesidet universis.

Hinc est quod Osee I dicitur: „Congregabuntur filii Iuda et filii Israel pariter, et ponent sibi caput unum". Et Dominus dicit, Ioan. X: „Fiet unum ovile et unus pastor".

Si quis autem dicat quod unum caput et unus pastor est Christus, qui est unus unius ecclesiae sponsus: non sufficienter respondet.

Manifestum est enim quod omnia ecclesiastica sacramenta ipse Christus perficit: ipse enim est qui baptizat; ipse qui peccata remittit; ipse est verus sacerdos, qui se obtulit in ara crucis, et cuius virtute corpus eius in altari quotidie consecratur: et tamen, quia corporaliter non cum omnibus fidelibus praesentialiter erat futurus, elegit ministros, per quos praedicta fidelibus dispensaret, ut supra dictum est. Eadem igitur ratione, quia praesentiam corporalem erat ecclesiae subtracturus, oportuit ut alicui committeret qui loco sui universalis ecclesiae gereret curam. Hinc est quod Petro dixit ante ascensionem: „Pasce oves meas", Ioan. [XXI]; et ante passionem: „Tu iterum conversus, confirma fratres tuos", Lucae XXII; et ei soli promisit: „Tibi dabo claves regni caelorum" [Matth. XVI]; ut ostenderetur potestas clavium per eum ad alios derivanda, ad conservandam ecclesiae unitatem.

Non potest autem dici quod, etsi Petro hanc dignitatem dederit, tamen ad alios non derivatur. Manifestum est enim quod Christus ecclesiam sic instituit ut esset usque ad finem saeculi duratura: secundum illud Isaiae

Kirche aufs beste geordnet ist, denn sie ist von dem geordnet, durch den „regieren die Könige, verfügen die Träger des Amtes das Rechte" (Spr 8,15). Auch stellt es für ein Volk die beste Regierungsform dar, wird es durch einen regiert. Dies ergibt sich aus dem Ziel der Regierung, dem Frieden. Das Ziel des Regenten nämlich besteht im Frieden und in der Einheit der Untergebenen. Nun ist einer eine angemessenere Ursache der Einheit als viele. Offensichtlich also muß die Leitung der Kirche so geordnet sein, daß Einer der Gesamtkirche vorsteht.

Ferner. Die streitende Kirche entspringt der triumphierenden Kirche aufgrund dessen, daß sie dieser ähnlich ist. Daher sah auch Johannes in seiner Apokalypse (Apok 21,2) „Jerusalem vom Himmel herabkommen", und Moses wurde gesagt (Exod 25,40), er solle alles „nach dem Modell machen, das ihm auf dem Berg gezeigt worden ist". Nun gibt es einen, welcher der triumphierenden Kirche vorsteht; er steht auch dem ganzen Universum vor, nämlich Gott. So heißt es Apok 21,3: „Sie werden seine Völker sein, und er selbst, Gott mit ihnen, wird ihr Gott sein". Folglich gibt es in der streitenden Kirche einen, welcher der Gesamtheit vorsteht.

Daher heißt es Hos 1,11: „Und es werden sich die Söhne Judas und die Söhne Israels zusammentun und sich ein einziges Oberhaupt geben". Der Herr sagt Joh 10,16: „Es wird eine Herde werden, ein Hirt".

Behauptet aber jemand, das eine Haupt und der eine Hirte sei Christus, welcher der Bräutigam der einen Kirche ist, dann antwortet er nicht zureichend.

Christus selbst erwirkt offensichtlich alle kirchlichen Sakramente: Er ist es, welcher tauft, er ist es, welcher die Sünden nachläßt, er ist der wahre Priester, welcher sich auf dem Altar des Kreuzes aufopferte, und durch dessen Kraft sein Leib täglich auf dem Altare konsekriert wird. Und doch, weil er nicht allen Gläubigen leiblich gegenwärtig blieb, erwählte er Diener, um durch sie den Gläubigen denselben Leib darzureichen, wie oben gesagt wurde (IV 74). Aus demselben Grunde also, d. h., weil er der leiblichen Gegenwart nach der Kirche entzogen sein würde, mußte er jemanden damit beauftragen, an seiner statt die Sorge um die gesamte Kirche zu übernehmen. Daher sagte er in Joh 21,17 vor der Himmelfahrt zu Petrus: „Weide meine Schafe", und in Lk 22,32 nach dem Leiden: „Du aber, stärke dereinst nach deiner Umkehr deine Brüder". Ihm allein versprach er in Mt 16,19: „Ich will dir die Schlüssel des Himmelreiches geben", um damit zu zeigen, daß die Schlüsselgewalt durch ihn auf andere überzugehen hat zur Bewahrung der Einheit der Kirche.

Doch kann man nicht behaupten, diese Würde gehe nicht von Petrus auf andere über, auch wenn er sie ihm verlieh. Offensichtlich nämlich hat Christus die Kirche so eingesetzt, daß sie bis zum Ende der Welt dauern

IX: „Super solium David, et super regnum eius sedebit, ut confirmet illud
et corroboret in iudicio et iustitia, amodo et usque in sempiternum". Manifestum est igitur quod ita illos qui tunc erant in ministerio constituit, ut
eorum potestas derivaretur ad posteros, pro utilitate ecclesiae, usque ad
finem saeculi: praesertim cum ipse dicat, Matth. [XXVIII]: „Ecce, ego
vobiscum sum usque ad consummationem saeculi".

Per hoc autem excluditur quorundam praesumptuosus error, qui se
subducere nituntur ab obedientia et subiectione Petri, successorem eius
Romanum Pontificem universalis ecclesiae pa storem non recognoscentes.

Capitulum LXXVII

Quod per malos ministros sacramenta dispensari possunt

Ex his quae praemissa sunt manifestum est quod ministri ecclesiae potentiam quandam in Ordinis susceptione divinitus suscipiunt ad sacramenta fidelibus dispensanda.

Quod autem alicui rei per consecrationem acquiritur, perpetuo in eo
manet: unde nihil consecratum iterato consecratur. Potestas igitur Ordinis
perpetuo in ministris ecclesiae manet. Non ergo tollitur per peccatum.
Possunt ergo etiam a peccatoribus, et malis, dummodo Ordinem habeant,
ecclesiastica sacramenta conferri.

Item. Nihil potest in id quod eius facultatem excedit nisi accepta aliunde
potestate. Quod tam in naturalibus quam in civilibus patet: non enim aqua
calefacere potest nisi accipiat virtutem calefaciendi ab igne; neque balivus
cives coercere potest nisi accepta potestate a rege. Ea autem quae in sacramentis aguntur, facultatem humanam excedunt, ut ex praemissis patet.
Ergo nullus potest sacramenta dispensare, quantumcumque sit bonus, nisi
potestatem accipiat dispensandi. Bonitati autem hominis malitia opponitur et peccatum. Ergo nec per peccatum ille qui potestatem accepit, impeditur quo minus sacramenta dispensare possit.

Adhuc. Homo dicitur bonus vel malus secundum virtutem vel vitium,
quae sunt habitus quidam. Habitus autem a potentia in hoc differt quod

sollte, dem Worte Jes 9, 7 gemäß: „Groß ist die Herrschaft und endlos der Friede für Davids Thron und sein Königreich, das er aufrichtet und festigt in Recht und Gerechtigkeit. Von nun an bis in Ewigkeit". Folglich sollten offensichtlich jene, welche er damals zum Dienst berief, ihre Macht zum Wohl der Kirche bis ans Ende der Welt an die Nachfolger übertragen. Außerdem sagt er selbst in Mt 28, 20: „Und siehe, ich bin bei euch bis ans Ende der Welt".

Hierdurch wird auch der anmaßende Irrtum jener ausgeschlossen, welche es wagen, Petrus Gehorsam und Unterwerfung zu verweigern, indem sie seinen Nachfolger, den Römischen Pontifex, den Hirten der universalen Kirche, nicht anerkennen.

77. KAPITEL

DIE SAKRAMENTE KÖNNEN DURCH SITTLICH SCHLECHTE DIENER GESPENDET WERDEN

Aufgrund der bisherigen Erörterungen ist nunmehr deutlich, daß die Diener der Kirche bei der Weihe von Gott die Gewalt bekommen, den Gläubigen die Sakramente zu spenden.

Was einem Ding jedoch aufgrund von Konsekration zukommt, das verbleibt auf ewig in ihm. Daher wird nichts Konsekriertes wiederholt konsekriert. Demnach verbleibt die Weihegewalt auf ewig in den Dienern der Kirche. Folglich wird sie nicht durch Sünde zunichte gemacht. Demgemäß können die kirchlichen Sakramente auch von Sündern und sittlich schlechten Menschen gespendet werden, wofern sie nur geweiht sind.

Ferner. Nichts kann eine Wirkung verursachen, die dessen Vermögen überschreitet, es sei denn, es erhält diese Macht von anderswo. Dies zeigt sich sowohl im Bereiche des Natürlichen wie im bürgerlichen Bereich. Weder kann Wasser erhitzen, es sei denn, es erhält hierzu die Kraft vom Feuer, noch kann ein Magistrat Bürger gefangensetzen, ohne hierzu die Macht vom Regenten bekommen zu haben. Die sakramentalen Wirkungen überschreiten jedoch das menschliche Vermögen, wie aus dem zuvor Gesagten deutlich wird (IV 74). Folglich kann niemand aufgrund dessen, daß er gut ist, die Sakramente spenden, es sei denn, er erlangt die Spendegewalt. Nun sind Bosheit und Sünde der Güte des Menschen entgegengesetzt. Folglich hindert die Sünde niemanden daran, die Sakramente zu spenden, welcher hierzu die Macht erhalten hat.

Überdies. Jemand wird gut oder schlecht aufgrund von Tugend oder Laster genannt, bei denen es sich um Haltungen handelt. Eine Haltung

per potentiam sumus potentes aliquid facere: per habitum autem non reddimur potentes vel impotentes ad aliquid faciendum, sed habiles vel inhabiles ad id quod possumus bene vel male agendum. Per habitum igitur neque datur neque tollitur nobis aliquid posse: sed hoc per habitum acquirimus, ut bene vel male aliquid agamus. Non igitur ex hoc quod aliquis est bonus vel malus, est potens vel impotens ad dispensandum sacramenta, sed idoneus vel non idoneus ad bene dispensandum.

Amplius. Quod agit in virtute alterius, non assimilat sibi patiens, sed principali agenti: non enim domus assimilatur instrumentis quibus artifex utitur, sed arti ipsius. Ministri autem Ecclesiae in sacramentis non agunt in virtute propria, sed in virtute Christi, de quo dicitur Ioan. I: „Hic est qui baptizat". Unde et sicut instrumentum ministri agere dicuntur: minis-

1253b 27–33 ter enim est sicut ‚instrumentum animatum' [*Polit*. I 4]. Non igitur malitia ministrorum impedit quin fideles salutem per sacramenta consequantur a Christo.

Praeterea. De bonitate vel malitia alterius hominis homo iudicare non potest: hoc enim solius Dei est, qui occulta cordis rimatur. Si igitur malitia ministri impedire posset sacramenti effectum, non posset homo habere fiduciam certam de sua salute, nec conscientia eius remaneret libera a peccato. Inconveniens etiam videtur quod spem suae salutis in bonitate puri hominis quis ponat:

dicitur enim Ierem. XVII: „Maledictus homo qui confidit in homine". Si autem homo salutem consequi per sacramenta non speraret nisi a bono ministro dispensata, videretur spem suae salutis aliqualiter in homine ponere. Ut ergo spem nostrae salutis in Christo ponamus, qui est Deus et homo, confitendum est quod sacramenta sunt salutaria ex virtute Christi, sive per bonos sive per malos ministros dispensentur.

Hoc etiam apparet per hoc quod Dominus etiam malis praelatis obedire docet, quorum tamen non sunt opera imitanda: dici enim Matth. XXIII: „Super cathedram Moysi sederunt Scribae et Pharisaei. Quae ergo dixerint vobis, servate et facite; secundum autem opera eorum nolite facere". Multo autem magis obediendum est aliquibus propter hoc quod suscipiunt

unterscheidet sich von einem Vermögen insofern, als ein Vermögen uns dazu vermögend macht, etwas Bestimmtes zu tun, wohingegen eine Haltung uns nicht dazu in die Lage versetzt, etwas zu tun; vielmehr vermittelt sie eine gewisse Fähigkeit oder Unfähigkeit, dasjenige gut oder schlecht zu tun, was wir zu tun vermögen. Weder gibt noch nimmt uns also eine Haltung das Vermögen, etwas zu tun; vielmehr vermögen wir aufgrund einer Haltung etwas gut oder schlecht zu tun. Man ist also nicht aufgrund der Tatsache, daß man gut oder schlecht ist, dazu in der Lage oder nicht dazu in der Lage, die Sakramente zu spenden; vielmehr ist man dazu geeignet oder nicht dazu geeignet, sie gut zu spenden.

Ferner. Was aufgrund der Macht eines anderen handelt, das gleicht das Objekt seines Einwirkens nicht sich selbst an, sondern dem Hauptagens. So wird das Haus nicht den Werkzeugen angeglichen, welche der Baumeister verwendet, sondern seinem Kunstverstand. Doch handeln die Diener der Kirche nicht aufgrund eigener Macht, sondern aufgrund der Macht Christi, von dem es Joh 1,33 heißt: „Dieser ist es, der ... tauft". Daher heißt es, die Diener handelten wie ein Instrument. So ist der Diener wie ein „beseeltes Werkzeug" (Aristoteles). Folglich verhindert es die Bosheit der Diener nicht, daß die Gläubigen von Christus durch die Sakramente Heil erlangen.

Außerdem. Man kann nicht über die Güte oder Schlechtigkeit eines anderen Menschen urteilen, denn dies ist einzig Sache Gottes, welcher die Tiefen des Herzens erforscht. Könnte also die Schlechtigkeit eines Dieners die Wirkung eines Sakramentes verhindern, so könnte der Mensch kein sicheres Vertrauen in sein eigenes Heil besitzen, noch bliebe sein Gewissen frei von Sünde. Folglich ist es offenbar unangemessen, setzt man seine Heilshoffnung auf die Güte eines bloßen Menschen.

So heißt es Jer 17,5: „Verflucht der Mann, der sich auf Menschen verläßt". Hofft man jedoch nicht darauf, sein Heil durch die Sakramente zu erlangen, es sei denn, sie würden von einem guten Diener gespendet, so würde man offensichtlich seine Heilshoffnung irgendwie auf einen Menschen setzen. Damit wir also unsere Heilshoffnung auf Christus setzen, der Gott und Mensch ist, so müssen wir bekennen, daß die Sakramente, werden sie nun von guten oder von sittlich schlechten Dienern gespendet, aufgrund der Kraft Christi heilswirksam sind.

Dies wird auch dadurch ersichtlich, daß der Herr lehrt, selbst den schlechten Vorgesetzten zu gehorchen, ohne jedoch deren Werke nachzuahmen. So sagt er Mt 23,2 f.: „Auf den Lehrstuhl des Mose haben sich die Schriftgelehrten und Pharisäer gesetzt. Alles nun, was sie euch sagen, das tut und befolgt, nach ihren Werken aber handelt nicht". Weit eher jedoch muß man bestimmten Menschen aufgrund der Tatsache gehorchen, daß

ministerium a Christo, quam propter cathedram Moysi. Est ergo etiam malis ministris obediendum. Quod non esset nisi in eis Ordinis potestas maneret, propter quam eis obeditur. Habent ergo potestatem dispensandi sacramenta etiam mali.

Per hoc autem excluditur quorundam error dicentium quod omnes boni possunt sacramenta ministrare, et nulli mali.

Capitulum LXXVIII

De sacramento matrimonii

Quamvis autem homines per sacramenta restaurentur ad gratiam, non tamen mox restaurantur ad immortalitatem: cuius rationem supra, ostendimus. Quaecumque autem corruptibilia sunt, perpetuari non possunt nisi per generationem. Quia igitur populum fidelium perpetuari oportebat usque ad mundi finem, necessarium fuit hoc per generationem fieri, per quam etiam humana species perpetuatur.

Considerandum est autem quod, quando aliquid ad diversos fines ordinatur, indiget habere diversa dirigentia in finem: quia finis est proportionatus agenti. Generatio autem humana ordinatur ad multa: scilicet ad perpetuitatem speciei; et ad perpetuitatem alicuius boni politici, puta ad perpetuitatem populi in aliqua civitate; ordinatur etiam ad perpetuitatem ecclesiae, quae in fidelium collectione consistit. Unde oportet quod huiusmodi generatio a diversis dirigatur.

Inquantum igitur ordinatur ad bonum naturae, quod est perpetuitas speciei, dirigitur in finem a natura inclinante in hunc finem: et sic dicitur esse naturae officium.

Inquantum vero ordinatur ad bonum politicum, subiacet ordinationi civilis legis.

Inquantum igitur ordinatur ad bonum ecclesiae, oportet quod subiaceat regimini ecclesiastico. Ea autem quae populo per ministros ecclesiae dispensantur, sacramenta dicuntur. Matrimonium igitur secundum quod consistit in coniunctione maris et feminae intendentium prolem ad cultum Dei generare et educare, est ecclesiae sacramentum: unde et quaedam benedictio nubentibus per ministros ecclesiae adhibetur.

Et sicut in aliis sacramentis per ea quae exterius aguntur, spirituale ali-

sie ein Dienstamt von Christus übertragen bekamen, als aufgrund dessen, daß sie den Lehrstuhl des Mose innehaben. Folglich hat man auch den schlechten Dienern zu gehorchen. Dies träfe nur zu, sofern in ihnen die Weihegewalt verbliebe, weswegen man ihnen gehorcht. Also haben auch die sittlich Schlechten die Macht, Sakramente zu spenden.

Damit ist der Irrtum gewisser Leute ausgeschlossen, welche behaupten, jeder gute, doch kein schlechter Mensch könne die Sakramente spenden.

78. Kapitel

Das Ehesakrament

Auch wenn die Menschen durch die Sakramente zum Stand der Gnade zurückkehren, so geben sie ihnen dennoch nicht sogleich Unsterblichkeit zurück. Die Gründe hierfür haben wir weiter oben dargelegt (IV 55). Nun können vergängliche Dinge nur durch Zeugung fortdauern. Da das Volk der Gläubigen bis zum Ende der Welt fortbestehen sollte, so mußte dies durch Zeugung geschehen, wodurch auch die Menschengattung fortdauert.

Solange eine Sache durch verschiedene Ziele bestimmt ist, gilt es zu beachten, daß sie verschiedene Führer zum Ziel benötigt, da das Ziel dem Handelnden angemessen ist. Die menschliche Zeugung richtet sich jedoch auf vieles, so etwa auf das Fortdauern der Art und das Fortbestehen eines politischen Gutes, beispielsweise eines Volkes in einem Staatswesen. Sie richtet sich auch auf die Fortdauer der Kirche, die in der Versammlung der Gläubigen besteht. Daher muß eine derartige Zeugung von verschiedenen Faktoren ihre Ausrichtung bekommen.

Sofern sie sich auf das naturhaft Gute richtet, also auf die Fortdauer der Art, so bekommt sie durch die Natur ihre Ausrichtung, welche zu diesem Ziele tendiert; daher heißt es, dies sei Aufgabe der Natur.

Sofern sie sich auf das politische Gut richtet, ist sie der bürgerlichen Gesetzesverordnung unterworfen.

Sofern sie sich aber auf das Gut der Kirche richtet, muß sie der kirchlichen Leitung unterworfen sein. Nun heißen die Dinge „Sakramente", welche dem Volk durch die Diener der Kirche gespendet werden. Folglich ist die Ehe aufgrund dessen, daß sie in der Vereinigung eines Mannes und einer Frau besteht, welche beabsichtigen, Nachkommen zur Gottesvereh- rung zu zeugen und zu erziehen, ein Sakrament der Kirche. Daher wird auch den Heiratenden von Dienern der Kirche der Segen erteilt.

Gleichwie bei den anderen Sakramenten etwas Geistliches durch

quid figuratur; sic et in hoc sacramento per coniunctionem maris et feminae coniunctio Christi et ecclesiae figuratur: secundum illud Apostoli, ad Ephes. V: „Sacramentum hoc magnum est: ego autem dico in Christo et ecclesia".

Et quia sacramenta efficiunt quod figurant, credendum est quod nubentibus per hoc sacramentum gratia conferatur, per quam ad unionem Christi et ecclesiae pertineant: quod eis maxime necessarium est, ut sic carnalibus et terrenis intendant quod a Christo et ecclesia non disiungantur.

Quia igitur per coniunctionem maris et feminae Christi et ecclesiae coniunctio designatur, oportet quod figura significato respondeat. Coniunctio autem Christi et ecclesiae est unius ad unam perpetuo habendam: est enim una ecclesia, secundum illud Cant. VI: „Una est columba mea, perfecta mea"; nec unquam Christus a sua ecclesia separabitur, dicit enim ipse Matth. [XXVIII]: „Ecce, ego vobiscum sum usque ad consummationem saeculi"; et ulterius [ibid.]: „semper cum Domino erimus", ut dicitur I ad Thess. IV. Necesse est igitur quod matrimonium, secundum quod est ecclesiae sacramentum, sit unius ad unam indivisibiliter habendam. Et hoc pertinet ad fidem, qua sibi invicem vir et uxor obligantur.

Sic igitur tria sunt bona matrimonii, secundum quod est ecclesiae sacramentum: scilicet ‚proles', ad cultum Dei suscipienda et educanda; ‚fides', prout unus vir uni uxori obligatur; et ‚sacramentum', secundum quod indivisibilitatem habet matrimonialis coniunctio, inquantum est coniunctionis Christi et ecclesiae sacramentum.

Cetera autem quae in matrimonio consideranda sunt, supra in tertio libro pertractavimus.

Capitulum LXXIX

Quod per Christum resurrectio corporum sit futura

Quia vero supra ostensum est quod per Christum liberati sumus ab his quae per peccatum primi hominis incurrimus; peccante autem primo homine, non solum in nos peccatum derivatum est, sed etiam mors, quae est poena peccati, secundum illud Apostoli, ad Rom. V: „Per unum hominem

äußerliche Handlungen symbolisiert ist, so symbolisiert bei diesem Sakrament die Vereinigung von Ehemann und Ehefrau die Vereinigung Christi mit der Kirche, dem Wort des Apostels von Eph 5,32 gemäß: „Dies Geheimnis ist groß; ich deute es auf Christus und die Kirche".

Weil nun die Sakramente bewirken, was sie symbolisieren, so müssen wir glauben, daß dieses Sakrament den Heiratenden die Gnade vermittelt, an der Vereinigung Christi mit seiner Kirche teilzuhaben, denn es ist für sie höchst erforderlich, daß sie nach fleischlichen und irdischen Dingen derart streben, daß sie sich nicht von Christus und seiner Kirche trennen.

Da mit der Vereinigung von Mann und Frau die Vereinigung Christi mit der Kirche bezeichnet wird, so muß das Symbol dem Bezeichneten entsprechen. Nun ist die Vereinigung Christi mit der Kirche die niemals endende Vereinigung des Einen mit der Einen, denn die Kirche ist eine, dem Worte Hohesl 6,8 gemäß: „Einzig ist meine Taube, meine Makellose". Noch wird sich Christus jemals von seiner Kirche trennen. So sagt er selbst in Mt 28,20: „Und siehe, ich bin bei euch alle Tage bis ans Ende der Welt"; darüber hinaus 1 Thess 4,17: „Wir werden ... immerdar mit dem Herrn sein". Also muß die Ehe die unauflösliche Vereinigung eines Mannes mit einer Frau sein aufgrund dessen, daß sie ein Sakrament der Kirche ist. Und dies bezieht sich auch auf die Treue, die Mann und Frau wechselseitig verbindet.

So gibt es mithin drei Güter der Ehe im Hinblick darauf, daß sie ein Sakrament der Kirche ist, nämlich die Kinder, welche man zur Gottesverehrung bekommen und erziehen soll; die Treue, in der ein Mann einer Frau verbunden ist, und das Sakrament, demgemäß die eheliche Verbindung unauflöslich ist, sofern sie das Sakrament der Vereinigung Christi mit der Kirche darstellt.

Das Übrige aber, was es bei der Ehe zu beachten gilt, haben wir im 3. Buch behandelt (III 122 ff.).

79. KAPITEL

DIE AUFERSTEHUNG DER LEIBER
WIRD DURCH CHRISTUS GESCHEHEN

Wir haben weiter oben gezeigt (IV 54), daß wir durch Christus davon befreit sind, was uns durch die Sünde des ersten Menschen zugestoßen ist, von dem her nicht nur die Sünde zu uns gelangt ist, sondern auch der Tod, der die Sündenstrafe ist, dem Worte des Apostels von Rö 5,12 gemäß: „Wie nämlich durch einen Menschen die Sünde in die Welt gekom-

peccatum in hunc mundum intravit, et per peccatum mors": necessarium est quod per Christum ab utroque liberemur, et a culpa scilicet et a morte. Unde ibidem dicit Apostolus: „Si in unius delicto mors regnavit per unum, multo magis accipientes abundantiam donationis et iustitiae, in vitam regnabunt per unum Iesum Christum".

Ut igitur utrumque nobis in seipso demonstraret, et mori et resurgere voluit: mori quidem voluit ut nos a peccato purgaret, unde Apostolus dicit, Hebr. IX: „Quemadmodum statutum est hominibus semel mori, sic et Christus semel oblatus est ad multorum exhaurienda peccata"; resurgere autem voluit ut nos a morte liberaret unde Apostolus, I Cor. XV: „Christus resurrexit a mortuis, primitiae dormientium. Quoniam quidem per hominem mors, et per hominem resurrectio mortuorum".

Effectum igitur mortis Christi in sacramentis consequimur quantum ad remissionem culpae: dictum est enim supra quod sacramenta in virtute passionis Christi operantur.

Effectum autem resurrectionis Christi quantum ad liberationem a morte in fine saeculi consequemur, quando omnes per Christi virtutem resurgemus. Unde dicit Apostolus, I Cor. XV: „Si Christus praedicatur quod resurrexit a mortuis, quomodo quidam dicunt in vobis quoniam resurrectio mortuorum non est? Si autem resurrectio mortuorum non est, neque Christus resurrexit. Si autem Christus non resurrexit, inanis est praedicatio nostra, inanis est et fides nostra". Est igitur de necessitate fidei credere resurrectionem mortuorum futuram.

Quidam vero hoc perverse intelligentes, resurrectionem corporum futuram non credunt: sed quod de resurrectione legitur in scripturis, ad spiritualem resurrectionem referre conantur, secundum quod aliqui a morte peccati resurgunt per gratiam.

Hic autem error ab ipso Apostolo reprobatur. Dicit enim II Tim. II: „Profana et vaniloquia devita, multum enim proficiunt ad impietatem, et sermo eorum ut cancer serpit: ex quibus est Hymenaeus et Philetus, qui a veritate fidei exciderunt, dicentes resurrectionem iam factam esse": quod

men ist und durch die Sünde der Tod ...". So müssen wir durch Christus von beidem befreit werden, sowohl von der Sünde als auch vom Tod. Daher sagt auch der Apostel an derselben Stelle (Rö 5, 17): „Denn wenn durch den Fall des Einen der Tod zur Herrschaft kam um des Einen willen, so werden in weit höherem Maße die, die den Reichtum der Gnade und des Geschenkes der Gerechtigkeit empfangen, im Leben herrschen durch den Einen, Jesus Christus".

Um uns nun an ihm selbst einen Beweis für beides zu geben, wollte er sowohl sterben wie auferstehen. Doch wollte er sterben, um uns von der Sünde zu reinigen. Daher sagt der Apostel, Hebr 9, 27 f.: „Und so, wie es den Menschen bestimmt ist, einmal zu sterben, ... so wird auch Christus, nachdem er ein einziges Mal als Opfer dargebracht worden ist, um die Sünden vieler auf sich zu nehmen ...". Doch wollte er auferstehen, um uns vom Tode zu befreien. Daher bemerkt der Apostel in 1 Kor 15, 20 f.: „Nun aber ist Christus von den Toten erweckt worden als Erstling der Entschlafenen. Denn da der Tod durch einen Menschen (gekommen ist), so auch durch einen Menschen die Auferstehung von den Toten".

Folglich erlangen wir in den Sakramenten die Wirkung des Todes Christi durch Vergebung der Schuld. So wurde oben gesagt (IV 56 f.), daß die Sakramente aufgrund der Kraft Christi wirksam sind.

Die Wirkung der Auferstehung Christi jedoch, nämlich die Befreiung vom Tod, werden wir am Ende der Welt erlangen, wenn wir alle durch die Kraft Christi auferstehen. Daher sagt der Apostel in 1 Kor 15, 12 ff.: „Wenn aber von Christus verkündigt wird, daß er von den Toten auferweckt wurde, wie können dann etliche unter euch behaupten ‚Eine Auferstehung der Toten gibt es nicht'? Wenn es keine Auferstehung der Toten gibt, so ist auch Christus nicht auferweckt worden. Ist aber Christus nicht auferweckt worden, so ist damit auch unsere Predigt nichtig, und nichtig ist euer Glaube". Es ist also glaubensnotwendig zu glauben, daß es eine Auferstehung der Toten geben wird.

Doch gibt es einige, welche dies verkehrt verstehen, indem sie glauben, es gebe keine zukünftige leibhafte Auferstehung. Sie wagen es, das in den Schriften über die Auferstehung Gesagte auf die geistliche Auferstehung zu beziehen, der gemäß einige durch die Gnade vom Sündentod auferstehen.

Dieser Irrtum wird aber durch den Apostel selbst widerlegt. Er sagt nämlich in 2 Tim 2, 16 ff.: „Meide also das unheilige, leere Geschwätz. Denn immer mehr werden sie der Gottlosigkeit verfallen, und ihre Lehre wird wie ein Krebsgeschwür um sich fressen. Zu ihnen gehören Hymenäus und Philetus, die von der Wahrheit abgewichen sind, wenn sie be-

non poterat intelligi nisi de resurrectione spirituali. Est ergo contra veritatem fidei ponere resurrectionem spiritualem, et negare corporalem.

Praeterea. Manifestum est ex his quae Apostolus Corinthiis dicit [I Cor. XV], quod praemissa verba de resurrectione corporali sunt intelligenda. Nam post pauca subdit [ibid.]: „Seminatur corpus animale, surget corpus spirituale", ubi manifeste corporis resurrectionem tangit; et postmodum subdit [ibid.]: „Oportet corruptibile hoc induere incorruptionem, et mortale hoc induere immortalitatem". Hoc autem corruptibile et mortale est corpus. Corpus igitur est quod resurget.

Adhuc. Dominus, Ioan. V, utramque resurrectionem promittit. Dicit enim: „Amen, amen dico vobis, quia venit hora, et nunc est, quando mortui audient vocem filii Dei, et qui audierint, vivent": quod ad resurrectionem spiritualem animarum pertinere videtur, quae tunc iam fieri incipiebat, dum aliqui per fidem Christo adhaerebant. Sed postmodum corporalem resurrectionem exprimit dicens [ibid.]: „Venit hora in qua omnes qui in monumentis sunt audient vocem Filii Dei". Manifestum est enim quod animae in monumentis non sunt, sed corpora. Praedicitur ergo hic corporum resurrectio.

Expresse etiam corporum resurrectio praenuntiatur a Iob. Dicitur enim Iob XIX: „Scio quod Redemptor meus vivit, et in novissimo die de terra surrecturus sum, et rursus circumdabor pelle mea et in carne mea videbo Deum".

Ad ostendendum etiam resurrectionem carnis futuram evidens ratio suffragatur, suppositis his quae in superioribus sunt ostensa. Ostensum est enim in Secundo animas hominum immortales esse. Remanent igitur post corpora a corporibus absolutae. Manifestum est etiam ex his quae in Secundo dicta sunt, quod anima corpori naturaliter unitur: est enim secundum suam essentiam corporis forma. Est igitur contra naturam animae absque corpore esse. Nihil autem quod est contra naturam, potest esse perpetuum[51]. Non igitur perpetuo erit anima absque corpore. Cum igitur perpetuo maneat, oportet eam corpori iterato coniungi: quod est resurgere. Immortalitas igitur animarum exigere videtur resurrectionem corporum futuram.

[51] Cf. Aristotelem, *De caelo et mundo* I 2 (269b 7–10).

haupten, die Auferstehung sei schon geschehen". Dies konnte man nur von der geistlichen Auferstehung annehmen. Also widerspricht es der Glaubenswahrheit, die geistliche Auferstehung zu bejahen und die leibliche zu verneinen.

Außerdem. Dem, was der Apostel den Korinthern sagte, ist völlig eindeutig zu entnehmen, daß die zitierte Passage so zu verstehen ist, daß sie von der leiblichen Auferstehung spricht. So fügt er ein wenig später in 1 Kor 15,44 hinzu: „Gesät wird ein sinnenhafter Leib, auferweckt ein geistiger Leib", wo er offensichtlich die körperliche Auferstehung berührt. Danach fügt er in 1 Kor 15,53 hinzu: „Es muß nämlich dieses Verwesliche Unverweslichkeit anziehen und dieses Sterbliche Unsterblichkeit anziehen". Dies Verwesliche und Sterbliche jedoch ist der Leib. Folglich ist es der Leib, welcher aufersteht.

Ferner. Der Herr hat beide Arten von Auferstehung zugesagt. So spricht er in Joh 5,25: „Wahrlich, wahrlich, ich sage euch: Es kommt die Stunde, und sie ist jetzt da, wo die Toten die Stimme des Sohnes Gottes hören werden; und die sie hören, werden leben". Diese Worte beziehen sich offenbar auf die geistliche Auferstehung der Seelen, die bereits begann, als einige anfingen, Christus im Glauben anzuhangen. Danach aber spricht er von der leiblichen Auferstehung, wenn er Joh 5,28 sagt: „Denn es kommt die Stunde, in der alle in den Gräbern die Stimme des Sohnes Gottes hören werden". Offensichtlich jedoch gibt es keine Seelen in den Gräbern, sondern Leiber. Mithin wird hier die leibliche Auferstehung vorhergesagt.

Zudem. Die leibliche Auferstehung wird ausdrücklich von Ijob vorausverkündet. So heißt es Ijob 19,25 f.: „Ich weiß gewiß, daß mir ein Anwalt lebt. Als Letzter tritt er auf dem Staube auf. Bin ich erwacht, dann läßt er mich bei sich erstehen; ich werde Gott – aus meinem Fleische – schauen".

Auch liefert die Vernunft einen evidenten Beweis für die zukünftige Auferstehung des Fleisches, setzt man voraus, was zuvor nachgewiesen wurde. So haben wir im 2. Buch gezeigt (II 79), daß die menschlichen Seelen unsterblich sind. Folglich leben sie nach ihrer Trennung vom Körper fort. Aus dem bisher Gesagten (II 83 f.) ist zudem offenkundig, daß die Seele naturhaft mit dem Leib vereint ist. Ihrem Wesen nach ist sie nämlich Form des Leibes. Mithin ist es wider die Natur der Seele, ohne Leib zu sein. Doch kann nichts Widernatürliches auf ewig bestehen. Also wird die Seele nicht auf ewig ohne Leib sein. Da sie aber auf ewig fortbesteht, so muß sich der Leib erneut mit ihr verbinden; dies bedeutet ‚Auferstehung'. Folglich scheint die Unsterblichkeit der Seelen die zukünftige leibliche Auferstehung zu erfordern.

Adhuc. Ostensum est supra, in Tertio, naturale hominis desiderium ad felicitatem tendere. Felicitas autem ultima est felicis perfectio. Cuicumque igitur deest aliquid ad perfectionem, nondum habet felicitatem perfectam, quia nondum eius desiderium totaliter quietatur: omne enim imperfectum perfectionem consequi naturaliter cupit. Anima autem a corpore separata est aliquo modo imperfecta, sicut omnis pars extra suum totum existens: anima enim naturaliter est pars humanae naturae. Non igitur potest homo ultimam felicitatem consequi nisi anima iterato corpori coniungatur: praesertim cum ostensum sit quod in hac vita homo non potest ad felicitatem ultimam pervenire.

Item. Sicut in Tertio ostensum est, ex divina providentia peccantibus poena debetur, et bene agentibus praemium. In hac autem vita homines ex anima et corpore compositi peccant vel recte agunt. Debetur igitur hominibus et secundum animam et secundum corpus praemium vel poena. Manifestum est autem quod in hac vita praemium ultimae felicitatis consequi non possunt, ex his quae in Tertio ostensa sunt. Multoties etiam peccata in hac vita non puniuntur: quinimmo, ut dicitur Iob XXI: Hic „impii vivunt, confortati sunt, sublimatique divitiis". Necessarium est igitur ponere iteratam animae ad corpus coniunctionem, ut homo in corpore et anima praemiari et puniri possit.

Capitulum LXXX

Obiectiones contra resurrectionem

Sunt autem quaedam quae resurrectionis fidem impugnare videntur.

In nullo enim naturalium rerum invenitur id quod corruptum est idem numero redire in esse: sicut nec ab aliqua privatione ad habitum videtur posse rediri. Et ideo, quia quae corrumpuntur eadem numero iterari non possunt, natura intendit ut id quod corrumpitur idem specie per generationem conservetur. Cum igitur homines per mortem corrumpantur, ip-

Überdies. Es wurde oben, im 3. Buch gezeigt (III 25), daß das natürliche Verlangen des Menschen zum Glück neigt. Das höchste Glück jedoch besteht in der Vervollkommnung des Glücklichen. Fehlt also jemandem etwas an Vollkommenheit, so ist er nicht vollkommen glücklich, weil sein Verlangen noch nicht vollständig zur Ruhe gekommen ist. So verlangt jegliches Unvollkommene naturhaft nach Vervollkommnung. Die vom Leibe getrennte Seele jedoch ist gewisserweise unvollkommen, gleichwie es bei jeglichem Teil der Fall ist, welcher außerhalb seines Ganzen existiert. Nun ist die Seele naturhaft Teil der menschlichen Natur. Also kann der Mensch nicht das höchste Glück erlangen, es sei denn, die Seele verbinde sich erneut mit dem Körper. Dies trifft um so eher zu, hält man sich vor Augen, wie wir gezeigt haben (III 48), daß der Mensch in diesem Leben nicht zum höchsten Glück gelangen kann.

Ferner. Wie wir im 3. Buch gezeigt haben (III 140), werden die Sünder aufgrund göttlicher Vorsehung bestraft und diejenigen belohnt, welche Gutes tun. Doch in diesem Leben sündigen aus Seele und Leib bestehende Menschen, oder sie tun das Rechte. Also wird den Menschen, sowohl der Seele als auch dem Leibe nach, Lohn und Strafe geschuldet. Offensichtlich jedoch können sie in diesem Leben den Lohn höchsten Glücks nicht erlangen, wie aus dem im 3. Buch Erwiesenen hervorgeht (III 48). Vielfach werden auch die Sünden in diesem Leben nicht bestraft, ja mehr noch: es heißt Ijob 21,7: „Warum denn bleiben Frevler noch am Leben? Sie werden alt, rüstig und gesund". Folglich muß man die erneute Vereinigung der Seele mit dem Leib annehmen, damit der Mensch mit Seele und Leib belohnt oder bestraft werden kann.

80. KAPITEL

EINWÄNDE GEGEN DIE AUFERSTEHUNG

Der Glaube an die Auferstehung sieht sich offensichtlich einigen Einwänden ausgesetzt.

[1] Unter den Naturdingen findet sich nämlich keines, was zugrunde gegangen ist und numerisch identisch erneut zur Existenz zurückkehrt; offenbar kann man ebensowenig eine numerisch identische Haltung wiedererlangen, hat man sie einmal verloren. Da sich also nichts Vergängliches numerisch identisch wiederholen kann, so bezweckt die Natur durch Zeugung die Arterhaltung dessen, was vergeht. Da also die Menschen durch den Tod vergehen und sich der Leib selbst bis auf die Grundele-

sumque corpus hominis usque ad prima elementa resolvatur: non videtur
quod idem numero homo possit reparari ad vitam.

Item. Impossibile est esse idem numero cuius aliquod essentialium
principiorum idem numero esse non potest: nam essentiali principio va-
riato, variatur essentia rei, per quam res, sicut est, ita et una est. Quod
autem omnino redit in nihilum, idem numero resumi non potest: potius
enim erit novae rei creatio quam eiusdem reparatio. Videntur autem plura
principiorum essentialium hominis per eius mortem in nihilum redire. Et
primo quidem ipsa corporeitas, et forma mixtionis: cum corpus manifeste
dissolvatur. Deinde pars animae sensitivae et nutritiva, quae sine corporeis
organis esse non possunt. Ulterius autem in nihilum videtur redire ipsa
humanitas, quae dicitur esse forma totius, anima a corpore separata. Impossibile igitur videtur quod homo idem numero resurgat.

Adhuc. Quod non est continuum, idem numero esse non videtur. Quod
quidem non solum in magnitudinibus et motibus manifestum est, sed
etiam in qualitatibus et formis: Si enim post sanitatem aliquis infirmatus,
iterato sanetur, non redibit eadem sanitas numero. Manifestum est autem
quod per mortem esse hominis aufertur: cum corruptio sit mutatio de esse
in non esse. Impossibile est igitur quod esse hominis idem numero reite-
retur. Neque igitur erit idem homo numero: quae enim sunt eadem numero, secundum esse sunt idem.

Amplius. Si idem hominis corpus reparatur ad vitam, pari ratione oportet quod quicquid in corpore hominis fuit, eidem restituatur. Ad hoc autem maxima indecentia sequitur: non solum propter capillos et ungues et
pilos, qui manifeste quotidiana praecisione tolluntur; sed etiam propter
alias partes corporis, quae occulte per actionem naturalis caloris resolvun-
tur; quae omnia si restituantur homini resurgenti indecens magnitudo
consurget. Non videtur igitur quod homo sit post mortem resurrecturus.

Praeterea. Contingens est quandoque aliquos homines carnibus humanis vesci; et solum tali nutrimento nutriri; et sic nutritos filios generare.
Caro igitur eadem in pluribus hominibus invenitur. Non est autem pos-

mente auflöst, so scheint es unmöglich, daß ein Mensch numerisch identisch wieder Leben erlangen kann.

[2] Ferner. Etwas ist unmöglich numerisch identisch, wenn eines seiner wesenhaften Prinzipien nicht numerisch identisch sein kann. Ändert sich nämlich das wesenhafte Prinzip, so ändert sich stets das Wesen der Sache, wodurch sie so ist, wie sie ist, und wodurch sie eine ist. Was sich aber gänzlich in nichts auflöst, das kann nicht numerisch identisch wiederkehren; eher nämlich wird es sich um die Schöpfung einer neuen Sache handeln als um eine Wiederherstellung der alten. Offensichtlich jedoch werden mehrere wesenhafte Prinzipien des Menschen durch seinen Tod vernichtet: erstens die Leiblichkeit selbst und die Form der Mischung (der Elemente), wenn der Leib offenkundig dahinscheidet; dann auch das Sinnes- und Ernährungsvermögen der Seele, die es ohne die körperlichen Organe nicht geben kann; schließlich scheint auch das Menschsein selbst vernichtet, welches die Form des Ganzen heißt, nachdem die Seele vom Leibe getrennt ist. Folglich scheint es unmöglich, daß ein Mensch numerisch identisch aufersteht.

[3] Überdies. Offenbar ist das Nichtkontinuierliche nicht numerisch identisch. Dies ist nicht nur bei Größen und Bewegungen offenkundig, sondern auch bei Qualitäten und Formen. Wird nämlich ein Gesunder krank und daraufhin wieder geheilt, so wird nicht numerisch dieselbe Gesundheit wiederkehren. Offensichtlich aber wird durch den Tod das Sein des Menschen vernichtet, da Vergehen eine Veränderung vom Sein zum Nichtsein bedeutet. Folglich kann sich das Sein eines Menschen unmöglich numerisch identisch wiederholen. Mithin wird es sich auch nicht um numerisch denselben Menschen handeln, denn was numerisch identisch ist, das ist dem Sein nach dasselbe.

[4] Ferner. Kehrte derselbe Leib eines Menschen zum Leben zurück, so muß ihm aus demselben Grunde all das wiederhergestellt werden, was es im Leib des Menschen zuvor gegeben hat. Hieraus aber folgt höchst Unschickliches, nicht nur was das Kopfhaar, die Nägel und die Körperhaare betrifft, die man offensichtlich Tag für Tag schneidet, sondern auch hinsichtlich der anderen Körperteile, welche sich durch die verborgene Tätigkeit natürlicher Wärme auflösen. Würde all dies bei der Auferstehung des Menschen wiederhergestellt, so erstünde eine unziemliche Gestalt. Folglich scheint es nicht der Fall, daß der Mensch nach seinem Tode auferstehen wird.

[5] Außerdem. Es gibt bisweilen Menschen, die sich von nichts anderem als Menschenfleisch ernähren. Dergestalt ernährte Menschen zeugen Kinder. Folglich findet sich dasselbe Fleisch in mehreren Menschen; doch kann es unmöglich in mehreren Menschen auferstehen. Offenbar geschähe

sibile quod in pluribus resurgat. Nec aliter videtur esse universalis resurrectio et integra, si unicuique non restituetur quod hic habuit. Videtur igitur impossibile quod sit hominum resurrectio futura.

Item. Illud quod est commune omnibus existentibus in aliqua specie videtur esse naturale illi speciei. Non est autem hominis resurrectio naturalis: non enim aliqua virtus naturalis agentis sufficit ad hoc agendum. Non igitur communiter omnes homines resurgent.

Adhuc. Si per Christum liberamur et a culpa et a morte, quae est peccati effectus, illi soli videntur liberandi esse a morte per resurrectionem qui fuerunt participes mysteriorum Christi, quibus liberarentur a culpa. Hoc autem non est omnium hominum. Non igitur omnes homines resurgent, ut videtur.

Capitulum LXXXI

Solutio praemissarum obiectionum

Ad horum igitur solutionem, considerandum est quod Deus, sicut supra dictum est, in institutione humanae naturae, aliquid corpori humano attribuit supra id quod ei ex naturalibus principiis debebatur: scilicet incorruptibilitatem quandam, per quam convenienter suae formae coaptaretur, ut sicut animae vita perpetua est, ita corpus per animam posset perpetuo vivere.

Et talis quidem incorruptibilitas, etsi non esset naturalis quantum ad activum principium, erat tamen quodammodo naturalis ex ordine ad finem, ut scilicet materia proportionaretur suae naturali formae, quae est finis materiae.

Anima igitur, praeter ordinem suae naturae, a Deo aversa, subtracta est dispositio quae eius corpori divinitus indita erat, ut sibi proportionaliter responderet, et secuta est mors. Est igitur mors quasi per accidens superveniens homini per peccatum, considerata institutione humanae naturae.

Hoc autem accidens sublatum est per Christum, qui merito suae pas-

dann aber die Auferstehung nicht universal und gänzlich, erhielte man nicht zurück, was man zuvor besaß. Mithin scheint es unmöglich, daß es eine Auferstehung der Menschen geben wird.

[6] Ferner. Offenbar kommt das, was jeglichem in einer bestimmten Art Existierenden gemeinsam ist, jener Art natürlich zu. Nun ist die Auferstehung des Menschen nicht natürlich. Keine Kraft eines natürlichen Agens nämlich reicht dazu aus, zu bewirken, daß alle Menschen gemeinsam auferstehen. Folglich werden nicht alle Menschen gemeinsam auferstehen.

[7] Überdies. Wenn wir durch Christus von der Schuld und vom Tode, welcher das Resultat der Sünde ist, befreit werden, so sollen anscheinend nur jene aufgrund der Auferstehung vom Tode befreit werden, welche der Geheimnisse Christi teilhaftig wurden, durch die sie von der Schuld befreit wurden. Dies aber trifft nicht auf alle Menschen zu. Wie es scheint, stehen deswegen nicht alle Menschen wieder auf.

81. Kapitel

Widerlegung der genannten Einwände

Bei der Widerlegung der genannten Einwände muß man beachten, daß Gott bei der Einsetzung der menschlichen Natur, wie bereits gesagt (IV 52), dem menschlichen Leib etwas zuteilte, was über jenes hinausgeht, was ihm aufgrund natürlicher Prinzipien zukommen muß. Dabei handelt es sich um eine Art von Unvergänglichkeit, durch die der Leib harmonisch seiner Form zugeordnet ist, so daß er durch die Seele ewig zu leben imstande ist, gleichwie auch das Leben der Seele ewig ist.

Auch wenn eine derartige Unvergänglichkeit nicht mit Bezug auf ein [natürliches] aktives Prinzip natürlich war, so war sie dennoch aufgrund ihrer Zielbestimmung in gewissem Sinne natürlich, insoweit als die Materie mit ihrer natürlichen Form zusammenstimmte, die das Ziel der Materie ist.

Als aber die Seele sich gegen ihre Naturordnung von Gott abwandte, wurde der Leib dieser gottgegebenen Disposition beraubt, die ihn mit der Seele harmonieren ließ. Das Resultat war der Tod. Betrachtet man nun den Zustand der menschlichen Natur, [in welchem sie ursprünglich geschaffen war], so ist der Tod dem Menschen gleichsam beiläufig aufgrund der Sünde zugekommen.

Dieses Akzidens jedoch ist durch Christus beseitigt worden, welcher durch das Verdienst seines Leidens „den Tod durch sein Sterben vernich-

sionis „mortem moriendo destruxit" [*Praefatio* Missae Paschatis]. Ex hoc igitur consequitur quod divina virtute, quae corpori incorruptionem dedit, iterato corpus de morte ad vitam reparetur.

Secundum hoc igitur *ad primum* dicendum quod virtus naturae deficiens est a virtute divina, sicut virtus instrumenti a virtute principalis agentis. Quamvis igitur operatione naturae hoc fieri non possit, ut corpus corruptum reparetur ad vitam, tamen virtute divina id fieri potest. Nam quod natura hoc facere non possit, ideo est quia natura semper per formam aliquam operatur. Quod autem habet formam, iam est. Cum vero corruptum est, formam amisit, quae poterat esse actionis principium. Unde operatione naturae, quod corruptum est idem numero reparari non potest. Sed divina virtus, quae res produxit in esse, sic per naturam operatur quod absque ea effectum naturae producere potest, ut superius est ostensum. Unde, cum virtus divina maneat eadem etiam rebus corruptis, potest corrupta in integrum reparare.

Quod vero *secundo* obiicitur, impedire non potest quin homo idem numero resurgere possit. Nullum enim principiorum essentialium hominis per mortem omnino cedit in nihilum: nam anima rationalis, quae est hominis forma, manet post mortem, ut superius est ostensum; materia etiam manet, quae tali formae fuit subiecta, sub dimensionibus eisdem ex quibus habebat ut esset individualis materia. Ex coniunctione igitur eiusdem animae numero ad eandem materiam numero, homo reparabitur.

Corporeitas autem dupliciter accipi potest.

Uno modo, secundum quod est forma substantialis corporis, prout in genere substantiae collocatur. Et sic corporeitas cuiuscumque corporis nihil est aliud quam forma substantialis eius, secundum quam in genere et specie collocatur, ex qua debetur rei corporali quod habeat tres dimensiones. Non enim sunt diversae formae substantiales in uno et eodem, per quarum unam collocetur in genere supremo, puta substantiae; et per aliam in genere proximo, puta in genere corporis vel animalis; et per aliam in specie puta hominis aut equi. Quia si prima forma faceret esse substantiam, sequentes formae iam advenirent ei quod est hoc aliquid in actu et

tete" (Präfation der Ostermesse). Also folgt, daß der Leib durch dieselbe göttliche Kraft, die ihn unvergänglich schuf, erneut vom Tod zum Leben gebracht wird.

[Zu 1] Dementsprechend lautet die Antwort auf den *ersten* Einwand (IV 80) wie folgt: Die Kraft der Natur entbehrt der göttlichen Kraft, so wie die Kraft des Instrumentes der Kraft des Hauptagens ermangelt. Vermag auch keine Tätigkeit der Natur einen toten Leib wieder zum Leben zu erwecken, so kann dies dennoch durch göttliche Kraft geschehen. Die Natur nämlich vermag es deswegen nicht, weil sie stets durch eine Form tätig ist. Was aber eine Form besitzt, das existiert bereits. Ist es aber zugrunde gegangen, so hat es seine Form verloren, welche das Prinzip seiner Tätigkeit zu sein vermochte. Daher kann das, was zugrunde gegangen ist, nicht durch eine Tätigkeit der Natur numerisch identisch wiederhergestellt werden. Die göttliche Kraft jedoch, welche die Dinge ins Dasein rief, wirkt dergestalt durch die Natur, daß sie ohne deren Mithilfe eine natürliche Wirkung erzielen kann, wie weiter oben dargelegt wurde (III 99). Da die göttliche Kraft dieselbe bleibt, auch wenn die Dinge vergehen, so vermag sie das, was zugrunde gegangen ist, gänzlich wiederherzustellen.

[Zu 2] Der *zweite* Einwand beweist nicht, daß nicht derselbe Mensch auferstehen kann. Keines der wesenhaften Prinzipien des Menschen nämlich wird durch den Tod gänzlich vernichtet. So verbleibt die Verstandesseele, die die Form des Menschen ausmacht, nach dem Tode, wie weiter oben dargelegt wurde (II 79); auch die Materie, die dieser Form unterworfen war, verbleibt unter denselben Bemessungen, die sie zur individuierten Materie machten. Folglich wird durch die Verbindung derselben, identischen Seele mit derselben, identischen Materie derselbe, identische Mensch wiederhergestellt.

Nun kann man ,Körperlichkeit' in zweifachem Sinne verstehen: *Erstens*, sofern es sich hierbei um die substantiale Form des Körpers handelt, d. h. als unter die Gattung der Substanz fallend verstanden. In diesem Sinne ist die Körperlichkeit eines Körpers nichts anderes als dessen substantiale Form, dergemäß er unter eine Gattung und Art fällt. Aufgrund dessen hat er drei Dimensionen. Doch gibt es keine verschiedenen substantialen Formen in einer und derselben Sache, wobei sie durch die eine zu einer obersten Gattung gehörte, zur Gattung der Substanz etwa, durch eine andere zu der ihr nächsten Gattung, etwa zu der von Körpern oder Tieren, und durch wieder eine andere zu ihrer Art, etwa der eines Menschen oder eines Pferdes. Machte die erste Form sie nämlich zu einer Substanz, so handelte es sich bei den darauf folgenden Formen um Hinzufügungen zu dem, was bereits tatsächlich ein Individuum ist und in der

subsistens in natura: et sic posteriores formae non facerent hoc aliquid, sed essent in subiecto quod est hoc aliquid sicut formae accidentales. Oportet igitur, quod corporeitas, prout est forma substantialis in homine, non sit aliud quam anima rationalis, quae in sua materia hoc requirit, quod habeat tres dimensiones: est enim actus corporis alicuius.

Alio modo accipitur corporeitas prout est forma accidentalis, secundum quam dicitur corpus quod est in genere quantitatis. Et sic corporeitas nihil aliud est quam tres dimensiones, quae corporis rationem constituunt. Etsi igitur haec corporeitas in nihilum cedit, corpore humano corrupto, tamen impedire non potest quin idem numero resurgat: eo quod corporeitas primo modo dicta non in nihilum cedit, sed eadem manet.

Similiter etiam forma mixti dupliciter accipi potest.

Uno modo ut per formam mixti intelligatur forma substantialis corporis mixti. Et sic, cum in homine non sit alia forma substantialis quam anima rationalis, ut ostensum est: non poterit dici quod forma mixti, prout est forma substantialis, homine moriente cedat in nihilum.

Alio modo dicitur forma mixti qualitas quaedam composita et contemperata ex mixtione simplicium qualitatum, quae ita se habet ad formam substantialem corporis mixti sicut se habet qualitas simplex ad formam substantialem corporis simplicis. Unde etsi forma mixtionis sic dicta in nihilum cedat, non praeiudicat unitati corporis resurgentis.

Sic etiam dicendum est et de parte nutritiva, et sensitiva. Si enim per partem sensitivam et nutritivam intelligantur ipsae potentiae, quae sunt proprietates naturales animae, vel magis compositi, corrupto corpore corrumpuntur nec tamen per hoc impeditur unitas resurgentis. Si vero per partes praedictas intelligatur ipsa substantia animae sensitivae et nutritivae, utraque earum est eadem cum anima rationali. Non enim sunt in homine tres animae, sed una tantum, ut in secundo libro ostensum est.

De humanitate vero, non est intelligendum quod sit quaedam forma consurgens ex coniunctione formae ad materiam, quasi realiter sit alia ab

Natur subsistiert, so daß sie nicht dieses Individuum konstituierten, sondern sich in dem Zugrundeliegenden, welches dieses Individuum ausmacht, wie akzidentelle Formen befänden. Also kann die Körperlichkeit, als substantiale Form im Menschen verstanden, nichts anderes sein als die Verstandesseele, die diese drei Dimensionen in der ihr zugehörigen Materie erfordert, denn sie ist das Wirkprinzip eines Körpers.

In einem *zweiten* Sinne bedeutet ,Körperlichkeit' eine akzidentelle Form, aufgrund welcher man sagt, ein Körper befinde sich in der Gattung der Quantität. In diesem Sinne ist Körperlichkeit nichts anderes als die drei Dimensionen, welche konstitutiv zum Begriff des Körpers gehören. Selbst wenn also diese Körperlichkeit durch das Verscheiden des menschlichen Leibes vernichtet wird, so kann dies dennoch nicht daran hindern, daß er numerisch identisch aufersteht, und zwar deswegen nicht, weil die Körperlichkeit im ersten Sinne nicht zu Nichts wird, sondern identisch verbleibt.

Ähnlich kann man auch die Form der Mischung auf zweifache Weise verstehen:

In *einem* Sinne bedeutet sie die substantiale Form eines Mischkörpers. Da es nun im Menschen keine andere substantiale Form neben der Verstandesseele gibt, wie wir dargelegt haben (II 57 ff.), so wird man auch nicht sagen können, die Form der Mischung, sofern es sich um die substantiale Form handelt, werde zu Nichts, wenn der Mensch stirbt.

In einem *weiteren* Sinne bedeutet die Form der Mischung eine aus einfachen Qualitäten zusammengesetzte und zweckmäßig zusammengeordnete Qualität, die sich so zur substantialen Form des Mischkörpers verhält, wie sich eine einfache Qualität zur substantialen Form eines einfachen Körpers verhält. Würde daher die derart verstandenen Form einer Mischung zu Nichts, so spräche dies nicht gegen die Identität des Leibes, der aufersteht.

Dasselbe gilt auch vom Ernährungs- und Sinnesvermögen. Versteht man nämlich unter dem Sinnes- und Ernährungsvermögen diejenigen Vermögen, welche natürliche Eigenschaften der Seele oder eher des (aus Leib und Seele) Zusammengesetzten sind, so hören sie auf zu sein, wenn der Leib dahingeschieden ist. Dennoch stellt dies kein Hindernis für die Einheit des Auferstehenden dar. Versteht man aber unter den besagten Vermögen die Substanz der Sinnen- und Ernährungsseele selbst, dann sind beide identisch mit der Verstandesseele, denn der Mensch hat nicht drei Seelen, sondern nur eine, wie im 2. Buch nachgewiesen wurde (II 58).

Hinsichtlich des Menschseins darf man nun nicht annehmen, es handle sich hierbei um eine bestimmte Form, die sich aus der Vereinigung der Form mit der Materie ergibt und gleichsam real von beiden verschieden

utroque: quia, cum per formam materia fiat hoc aliquid actu, ut dicitur

II *de Anima* [I] illa tertia forma consequens non esset substantialis, sed accidentalis.

Dicunt autem quidam quod forma partis eadem est et forma totius: sed dicitur forma partis secundum quod facit materiam esse in actu; forma vero totius dicitur secundum quod complet speciei rationem. Et secundum hoc, humanitas non est aliud realiter quam anima rationalis. Unde patet quod, corrupto corpore, non cedit in nihilum.

Sed quia humanitas est essentia hominis; essentia autem rei est quam significat definitio; definitio autem rei naturalis non significat tantum formam, sed formam et materiam: necessarium est quod humanitas aliquid significet compositum ex materia et forma, sicut et ‚homo‘. Differenter tamen. Nam ‚humanitas‘ significat principia essentialia speciei, tam formalia quam materialia, cum praecisione principiorum individualium, dicitur enim humanitas secundum quam aliquis est homo; homo autem non est aliquis ex hoc quod habet principia individualia, sed ex hoc solum quod habet principia essentialia speciei. Humanitas igitur significat sola principia essentialia speciei. Unde significatur per modum partis. ‚Homo‘ autem significat quidem principia essentialia speciei, sed non excludit principia individuantia a sui significatione: nam homo dicitur qui habet humanitatem, ex quo non excluditur quin alia habere possit. Et propter hoc homo significatur per modum totius: significat enim principia speciei essentialia in actu, individuantia vero in potentia.‚Socrates‘ vero significat utraque in actu, sicut et differentiam genus habet potestate, species vero actu. Unde patet quod et homo redit idem numero in resurrectione, et humanitas eadem numero, propter animae rationalis permanentiam et materiae unitatem.

Quod vero *tertio* obiicitur, quod esse non est unum quia non est continuum: falso innititur fundamento. Manifestum est enim quod materiae et formae unum est esse: non enim materia habet esse in actu nisi per formam. Differt tamen quantum ad hoc anima rationalis ab aliis formis. Nam esse aliarum formarum non est nisi in concretione ad materiam: non

ist. Da die Form die Materie zu etwas Wirklichem macht, wie es im 2. Buch *Über die Seele* heißt, so wäre die resultierende dritte Form nicht substantial, sondern akzidentell.

Nun behaupten einige, die Form des Teiles sei dieselbe wie die Form des Ganzen; doch heißt sie „Form des Teiles" aufgrund dessen, daß sie die Materie aktuiert; sie heißt „Form des Ganzen" aufgrund dessen, daß sie das Wesen der Art vollendet. Hiernach ist das Menschsein in Wirklichkeit nichts anderes als die Verstandesseele. Daher wird es offenkundig nach dem Dahinscheiden des Leibes nicht zu Nichts.

Da aber das Menschsein das Wesen des Menschen ausmacht, und das Wesen einer Sache mit ihrer Definition bezeichnet wird, die Definition einer natürlichen Sache jedoch nicht nur die Form, sondern Form und Materie bezeichnet, so muß ‚Menschsein' etwas aus Form und Materie Zusammengesetztes bezeichnen, gleichwie es auch bei ‚Mensch' der Fall ist, nur auf unterschiedliche Weise. ‚Menschsein' bezeichnet nämlich die wesenhaften Prinzipien der Art, sowohl die formalen als auch die materialen, wobei die individuierenden Prinzipien außer acht gelassen sind. So heißt ‚Menschsein' dasjenige, aufgrund dessen jemand ein Mensch ist; doch ist nicht jemand Mensch aufgrund der individuierenden Prinzipien, sondern einzig aufgrund der wesenhaften Artprinzipien. Also bezeichnet ‚Menschsein' einzig die wesenhaften Prinzipien der Art. Demnach ist die Bezeichnungsweise dieses Ausdrucks lediglich partiell. ‚Mensch' aber bezeichnet bestimmte wesenhafte Artprinzipien, doch schließt die Bezeichnungsweise dieses Ausdrucks die individuierenden Prinzipien nicht aus. So heißt „Mensch" derjenige, welcher über Menschsein verfügt, wobei nicht ausgeschlossen ist, daß er auch über anderes verfügen kann. Daher bezeichnet ‚Mensch' ganzheitlich, denn der Ausdruck bezeichnet die wesenhaften Prinzipien der Art der Wirklichkeit nach, und die individuierenden Prinzipien der Möglichkeit nach: So bezeichnet „Sokrates" beides der Wirklichkeit nach, gleichwie auch die Gattung über die spezifische Differenz der Möglichkeit nach, die Art jedoch der Wirklichkeit nach verfügt. Daher kehrt der Mensch bei der Auferstehung offensichtlich numerisch identisch zurück. Ebenso kehrt das Menschsein aufgrund der Fortdauer der Verstandesseele und der Einheit der Materie numerisch identisch zurück.

[Zu 3] Der *dritte* Einwand, welcher besagte, das Sein sei nicht eines, weil es nicht kontinuierlich ist, beruht auf einer falschen Grundlage, denn es ist offenkundig, daß Materie und Form ein Sein zukommt, da die Materie nur aufgrund einer Form wirkliches Sein besitzt. Doch unterscheidet sich die Verstandesseele hierin von den anderen Formen, denn das Sein der übrigen Formen besteht nur insofern, als sie in Materie konkretisiert sind. Sie gehen weder im Sein noch in ihrer Wirkensweise über die Materie

enim excedunt materiam neque in esse, neque in operari. Anima vero
rationalis, manifestum est quod excedit materiam in operari: habet enim
aliquam operationem absque participatione organi corporalis, scilicet intelligere. Unde et esse suum non est solum in concretione ad materiam.
Esse igitur eius, quod erat compositi, manet in ipsa corpore dissoluto: et
reparato corpore in resurrectione, in idem esse reducitur quod remansit
in anima.

Quod etiam *quarto* obiicitur, resurgentis unitatem non tollit. Quod
enim non impedit unitatem secundum numerum in homine dum continue
vivit, manifestum est quod non potest impedire unitatem resurgentis. In
corpore autem hominis, quandiu vivit, non semper sunt eaedem partes
secundum materiam, sed solum secundum speciem; secundum vero materiam partes fluunt et refluunt: nec propter hoc impeditur quin homo sit
unus numero a principio vitae usque in finem. Cuius exemplum accipi
potest ex igne, qui, dum continue ardet, unus numero dicitur, propter hoc
quod species eius manet, licet ligna consumantur et de novo apponantur.
Sic etiam est in humano corpore. Nam forma et species singularium partium eius continue manet per totam vitam: sed materia partium et resolvitur
per actionem caloris naturalis, et de novo adgeneratur per alimentum.
Non est igitur alius numero homo secundum diversas aetates, quamvis
non quicquid materialiter est in homine secundum unum statum sit in eo
secundum alium. Sic igitur non requiritur ad hoc quod resurgat homo
numero idem, quod quicquid fuit materialiter in eo secundum totum tempus vitae suae resumatur: sed tantum ex eo quantum sufficit ad complementum debitae quantitatis; et praecipue illud resumendum videtur quod
perfectius fuit sub forma et specie humanitatis consistens.

Si quid vero defuit ad complementum debitae quantitatis, vel quia aliquis praeventus est morte antequam natura ipsum ad perfectam quantitatem deduceret, vel quia forte aliquis mutilatus est membro; aliunde hoc
divina supplebit potentia. Nec tamen hoc impediet resurgentis corporis
unitatem: quia etiam opere naturae super id quod puer habet, aliquid additur aliunde, ut ad perfectam perveniat quantitatem, nec talis additio facit
alium numero; idem enim numero est homo et puer et adultus.

hinaus. Die Verstandesseele jedoch geht offenbar in ihrer Wirkensweise über die Materie hinaus, denn sie verfügt über eine bestimmte Tätigkeit, die unabhängig von einem körperlichen Organ ist, nämlich über Erkennen. Daher besteht auch ihr Sein nicht ausschließlich in der Verbindung mit Materie. Ihr Sein, bei dem es sich um das Sein eines Zusammengesetzten handelt, verbleibt, auch wenn sich der Leib aufgelöst hat. Bei der Wiederherstellung des Leibes bei der Auferstehung kehrt er zum selben Sein zurück, was in der Seele verblieb.

[Zu 4] Der *vierte* Einwand widerlegt nicht die Identität der Auferstehenden. Was nämlich für die numerische Identität eines Menschen in diesem kontinuierlichen Leben kein Hindernis darstellt, das kann offensichtlich ebensowenig ein Hindernis für die Identität des Auferstehenden bedeuten. Solange ein Mensch lebt, verbleiben die Körperteile der Materie nach nicht immer dieselben, wohl aber ausschließlich der Art nach. Der Materie nach kommen und gehen die Teile. Dennoch hindert dies nicht daran, daß der Mensch vom Beginn seines Lebens an bis zu seinem Ende numerisch einer ist. Man kann Feuer als Beispiel heranziehen: Solange es kontinuierlich brennt, heißt es deswegen numerisch ein Feuer, weil seine Art verbleibt, auch wenn das Holz verbrennt und neues nachgelegt wird. Ebenso verhält es sich mit dem menschlichen Leib. Die Form und Art der einzelnen Teile bleibt kontinuierlich das ganze Leben hindurch, doch löst sich die Materie der Teile durch die Wirksamkeit der natürlichen Wärme auf und wird durch Nahrungsaufnahme regeneriert. Aufgrund der verschiedenen Teile und Lebensalter handelt es sich jedoch nicht um einen jeweils numerisch verschiedenen Menschen, auch wenn die Materie im Menschen in einem Stadium nicht dieselbe ist wie in einem anderen. Also ist es dafür, daß der Mensch numerisch identisch aufersteht, nicht erforderlich, daß er sämtliche Materie wiedererlangt, die sich während seiner gesamten Lebenszeit in ihm befand. Nur so viel ist erfordert, wie zur Erfüllung der Vollgestalt ausreicht. Vornehmlich scheint man das wiedererlangen zu müssen, was vollkommener war, als es unter der Form und Art des Menschseins vorhanden war.

Fehlte aber etwas zur Erfüllung der Vollgestalt, sei es, daß jemanden der Tod ereilte, bevor ihn die Natur zur vollkommenen Quantität gebracht hätte, oder sei es, daß er vielleicht an einem Körperglied verstümmelt war, so wird dies durch göttliche Kraft von anderswoher ergänzt. Dennoch wird dies nicht die Einheit des auferstehenden Leibes verhindern, denn auch die Natur fügt dem Körper des Kindes etwas von anderswoher hinzu, so daß der Körper zur vollen Reife gelangt; doch schafft eine derartige Hinzufügung keinen numerisch verschiedenen Menschen. Kind und Erwachsener sind nämlich ein und derselbe Mensch.

Ex quo etiam patet quod nec resurrectionis fidem impedire potest etiam si aliqui carnibus humanis vescantur, ut *quinto* obiiciebatur. Non enim est necessarium, ut ostensum est, quod quicquid fuit in homine materialiter, resurgat in eo: et iterum, si aliquid deest, suppleri potest per potentiam Dei. Caro igitur comesta resurget in eo in quo primo fuit anima rationali perfecta. In secundo vero, si non solis carnibus humanis est pastus sed et aliis cibis, resurgere poterit in eo tantum de alio quod ei materialiter advenit, quod erit necessarium ad debitam quantitatem corporis restaurandam.

Si vero solis humanis carnibus sit pastus, resurget in eo quod a generantibus traxit: et quod defuerit, supplebitur omnipotentia Creatoris.

Quod et si parentes ex solis humanis carnibus pasti fuerint, ut sic et eorum semen, quod est superfluum alimenti, ex carnibus alienis generatum sit: resurget quidem semen in eo qui est natus ex semine, loco cuius ei cuius carnes comestae sunt, supplebitur aliunde.

Hoc enim in resurrectione servabitur: quod si aliquid materialiter fuit in pluribus hominibus, resurget in eo ad cuius perfectionem magis pertinebat. Unde si fuit in uno ut radicale semen ex quo est generatus, in alio vero sicut superveniens nutrimentum, resurget in eo qui est generatus ex hoc sicut ex semine. Si vero in uno fuit ut pertinens ad perfectionem individui, in alio ut deputatum ad perfectionem speciei: resurget in eo ad quem pertinebat secundum perfectionem individui. Unde semen resurget in genito, et non in generante: et costa Adae resurget in Eva, non in Adam, in quo fuit sicut in naturae principio. Si autem secundum eundem perfectionis modum fuit in utroque, resurget in eo in quo primitus fuit.

Ad id vero quod *sexto* obiectum est, ex his quae dicta sunt iam patet solutio. Resurrectio enim quantum ad finem naturalis est, inquantum naturale est animae esse corpori unitam: sed principium eius activum non est naturale, sed sola virtute divina causatur.

Nec etiam negandum est omnium resurrectionem esse futuram, quamvis non omnes per fidem Christo adhaereant, nec eius mysteriis sint im-

[Zu 5] Hieraus wird auch ersichtlich, daß es kein Hindernis für den Glauben an die Auferstehung darstellen kann, wenn einige Menschen sich von Menschenfleisch ernähren. Dies behauptete jedoch der *fünfte* Einwand. So ist es nicht notwendig der Fall, wie gezeigt wurde, daß all das, was sich materialiter im Menschen befand, in ihm aufersteht. Zudem: Fehlt etwas, so kann es durch die Kraft Gottes ergänzt werden. Mithin wird das verzehrte Fleisch bei demjenigen auferstehen, bei dem es zuerst durch eine Verstandesseele vervollkommnet wurde. Beim zweiten Menschen aber (vorausgesetzt, er hat sich nicht nur von Menschenfleisch, sondern auch von anderen Speisen ernährt) wird nur dasjenige bei ihm auferstehen können, was ihm materialiter von anderem zuwuchs, welches dazu erforderlich sein wird, die gesollte Vollgestalt wiederherzustellen.

Hat er sich jedoch ausschließlich von Menschenfleisch ernährt, so wird bei ihm auferstehen, was er von seinen Erzeugern bekam. Das dann noch Fehlende wird durch die Allmacht des Schöpfers ergänzt.

Ernährten sich seine Eltern ebenfalls ausschließlich von Menschenfleisch, so daß sich auch ihr Samen, welcher ein Resultat der Nahrung ist, aus fremdem Fleisch entwickelte, so wird zwar bei dem, welcher aus dem Samen geboren wurde, der Samen wiedererstehen, doch wird derjenige, dessen Fleisch verzehrt wurde, von anderswoher ergänzt.

So wird es bei der Auferstehung die Regel sein, daß Materie, die mehreren gemeinsam war, in demjenigen auferstehen wird, zu dessen Vollkommenheit sie am ehesten gehörte. War sie daher in dem einen als wurzelhafter Samen, aus dem er gezeugt wurde, in einem anderen aber wie hinzukommende Ernährung, so wird sie bei dem Menschen auferstehen, welcher hieraus als aus dem Samen gezeugt wurde. Befand sie sich jedoch in dem einen auf die Weise, daß sie zur Vollkommenheit des Individuums gehörte, in einem anderen aber auf die Weise, daß sie zur Vollkommenheit der Art bestimmt war, so wird sie bei dem auferstehen, bei welchem sie zur Vollkommenheit des Individuums gehörte. Daher wird der Samen im Gezeugten und nicht im Erzeuger auferstehen. Die Rippe Adams wird in Eva auferstehen, nicht in Adam, in dem sie anfänglich natürlicherweise war. War sie aber hinsichtlich der Vollkommenheit gleicherweise in beiden, so wird sie in dem auferstehen, in dem sie ursprünglich war.

[Zu 6] Die Wiederlegung des *sechsten* Einwandes ist nach dem bisher Gesagten offenkundig, denn die Auferstehung ist hinsichtlich ihres Zieles natürlich, insofern es für die Seele natürlich ist, mit einem Körper vereint zu sein; doch ist ihr aktives Prinzip nicht natürlich; vielmehr wird es einzig durch göttliche Kraft verursacht.

[Zu 7] Man darf auch nicht leugnen, daß die Auferstehung aller zukünftig geschieht, da weder alle durch den Glauben Christus anhangen,

buti. Filius enim Dei propter hoc naturam humanam assumpsit ut eam repararet. Id igitur quod est defectus naturae, in omnibus reparabitur, unde omnes a morte redibunt ad vitam. Sed defectus personae non reparabitur nisi in illis qui Christo adhaeserunt: vel per proprium actum, credendo in ipsum; vel saltem per fidei sacramentum.

Capitulum LXXXII

Quod homines resurgent immortales

Ex quo etiam patet quod in futura resurrectione homines non sic resurgent ut sint iterum morituri.

Necessitas enim moriendi est defectus in naturam humanam ex peccato proveniens. Christus autem, merito suae passionis, naturae defectus reparavit qui in ipsam ex peccato provenerunt. Ut enim dicit Apostolus, Rom. V: „Non sicut delictum, ita et donum. Si enim unius delicto multi mortui sunt, multo magis gratia Dei, in gratia unius hominis Iesu Christi in plures abundavit". Ex quo habetur quod efficacius est meritum Christi ad tollendum mortem, quam peccatum Adae ad inducendum. Illi igitur qui per meritum Christi resurgent a morte liberati, mortem ulterius non patientur.

Praeterea. Illud quod in perpetuum duraturum est, non est destructum. Si igitur homines resurgentes adhuc iterum morientur, ut sic mors in perpetuum duret, nullo modo mors per mortem Christi destructa est. Est autem destructa: nunc quidem in causa quod Dominus per Osee, Oseae XIII, praedixerat dicens: „Ero mors tua, o mors"; ultimo autem destruetur in actu, secundum illud, I Cor. XV: „Novissime inimica destruetur mors". Est igitur secundum fidem ecclesiae hoc tenendum, quod resurgentes non iterum morientur.

Adhuc. Effectus similatur suae causae. Resurrectio autem Christi causa est futurae resurrectionis, ut dictum est. Sic autem resurrexit Christus ut non ulterius moreretur, secundum illud Rom. VI: „Christus resurgens ex mortuis iam non moritur". Homines igitur sic resurgent ut ulterius non moriantur.

Amplius. Si homines resurgentes iterum moriantur, aut iterum ab illa

noch in seine Geheimnisse eingeweiht sind. Deswegen nämlich hat der Sohn Gottes die menschliche Natur angenommen, um sie wiederherzustellen. Folglich wird das wiederhergestellt, was bei allen einen naturhaften Defekt darstellt. Daher werden alle vom Tode zum Leben zurückkehren. Doch wird der Defekt nur in denjenigen vollständig beseitigt, welche Christus anhingen, sei es durch den Akt selbst, mit dem sie an ihn glaubten, oder sei es wenigstens durch das Glaubenssakrament.

82. Kapitel

Die Menschen werden als Unsterbliche auferstehen

Hieraus ist zudem ersichtlich, daß die Menschen bei der künftigen Auferstehung nicht wiederum als Sterbliche auferstehen werden.

Die Notwendigkeit zu sterben nämlich ist ein Defekt, welcher aufgrund der Sünde in die menschliche Natur gelangt. Christus aber hat durch das Verdienst seines Leidens die durch die Sünde bedingten Defekte der Natur beseitigt. So sagt auch der Apostel, Rö 5,15: „Nicht wie ein Vergehen, sondern wie ein Geschenk; sind nämlich durch das Vergehen des Einen die Vielen gestorben, so floß um so mehr die Gnade Gottes und das Geschenk …". Hieraus ergibt sich, daß das Verdienst Christi für die Zerstörung des Todes wirksamer ist als die Sünde Adams für seine Verursachung. Also werden jene, welche durch das Verdienst Christi vom Tode befreit auferstehen werden, nicht wiederum den Tod erleiden.

Zudem. Das ewig Dauernde wird nicht zerstört. Stürben mithin die auferstehenden Menschen wiederum, so daß sich der Tod auf ewig fortsetzte, so wäre der Tod durch den Tod Christi keineswegs zerstört; doch ist er nunmehr unstreitig in der Ursache zerstört. Dies hatte der Herr durch Hosea mit den Worten von Hos 13,14 prophezeit: „Ich werde dein Tod sein, o Tod". Schließlich aber wird er tatsächlich zerstört werden, jenem Wort von 1 Kor 15,26 gemäß: „Zuletzt wird der Feind, der Tod zerstört werden". Dem Glauben der Kirche gemäß muß man also daran festhalten, daß die Auferstehenden nicht wieder sterben werden.

Weiterhin. Die Wirkung ist ihrer Ursache ähnlich. Nun ist die Auferstehung Christi die Ursache der zukünftigen Auferstehung, wie gesagt wurde (IV 79). Doch erstand Christus derart, daß er nicht abermals sterben wird, dem Wort von Rö 6,9 gemäß: „Christus, auferstanden von den Toten, stirbt nicht mehr". Mithin werden die Menschen dergestalt auferstehen, daß sie nicht noch einmal sterben.

Weiterhin. Stürben die auferstehenden Menschen abermals, so werden

morte iterato resurgent, aut non. Si non resurgent, remanebunt perpetuo animae separatae, quod est inconveniens, ut supra dictum est, ad quod evitandum ponuntur primo resurgere: vel, si post secundam mortem non resurgant, nulla erit ratio quare post primam resurgant.

Si autem post secundam mortem iterato resurgent, aut resurgent iterum morituri, aut non. Si non iterum morituri, eadem ratione hoc erit ponendum in prima resurrectione. Si vero iterum morituri, procedet in infinitum alternatio mortis et vitae in eodem subiecto. Quod videtur inconveniens. Oportet enim quod intentio Dei ad aliquid determinatum feratur: ipsa autem mortis et vitae alternatio successiva est quasi quaedam transmutatio, quae finis esse non potest; est enim contra rationem motus quod sit finis, cum omnis motus in aliud tendat.

Praeterea. Intentio inferioris naturae in agendo ad perpetuitatem fertur. Omnis enim naturae inferioris actio ad generationem ordinatur, cuius quidem finis est ut conservetur esse perpetuum speciei: unde natura non intendit hoc individuum sicut ultimum finem, sed speciei conservationem in ipso. Et hoc habet natura inquantum agit in virtute Dei, quae est prima radix perpetuitatis. Unde etiam finis generationis esse ponitur a Philoso-
336b 28–32 pho [De generat. et corrupt. II 10], ut generata participent esse divinum secundum perpetuitatem. Multo igitur magis actio ipsius Dei ad aliquid perpetuum tendit. Resurrectio autem non ordinatur ad perpetuitatem speciei: haec enim per generationem poterat conservari. Oportet igitur quod ordinetur ad perpetuitatem individui. Non autem secundum animam tantum: hoc enim iam anima habebat ante resurrectionem. Ergo secundum compositum. Homo igitur resurgens perpetuo vivet.

Adhuc. Anima et corpus diverso ordine comparari videntur secundum primam hominis generationem, et secundum resurrectionem eiusdem. Nam secundum generationem primam, creatio animae sequitur generationem corporis: praeparata enim materia corporali per virtutem decisi semi-

sie von diesem wiederholten Tod entweder auferstehen oder nicht. Stehen sie nicht wieder auf, so werden sie auf ewig als (vom Leibe) getrennte Seelen verbleiben. Dies ist absurd, wie oben gesagt wurde. Zur Vermeidung dieser Ungereimtheit behauptet man, daß sie danach wieder auferstehen. Würden sie andererseits nach dem zweiten Tod nicht auferstehen, so gäbe es keine Ursache für ihre Auferstehung nach dem ersten Tod.

Stehen sie jedoch nach dem zweiten Tod erneut auf, so werden sie abermals entweder als Sterbliche auferstehen oder nicht. Stehen sie nicht noch einmal als Sterbliche auf, so aus demselben Grunde wie bei der ersten Auferstehung. Stehen sie aber noch einmal als Sterbliche auf, so gäbe es in demselben Subjekt einen unendlichen Wechsel von Tod und Leben, was offenbar ungereimt ist. Die Intention Gottes bei der Auferweckung muß sich nämlich auf etwas Abgeschlossenes richten. Der sukzessive Wechsel von Tod und Leben jedoch ist gleichsam eine Veränderung, die ihrerseits nicht Zielcharakter haben kann. Es widerspricht nämlich dem Begriff der Bewegung, daß sie Ziel ist, da jegliche Bewegung auf etwas hintendiert.

Außerdem. Die Tendenz der niederen [welthaften] Natur richtet sich bei ihrer Tätigkeit auf Fortdauer; jegliche Tätigkeit der welthaften Natur richtet sich nämlich auf Hervorbringung, deren Ziel darin besteht, das beständige Sein der Art zu bewahren. Daher ist nicht dieses Individuum Letztziel der Naturtendenz, sondern die Erhaltung der Art in ihm. Derlei eignet der Natur, insofern sie durch die Kraft Gottes tätig ist, welche die ursprüngliche Wurzel der Fortdauer ausmacht. Daher behauptet auch der Philosoph (Aristoteles), das Ziel des Entstehens sei Sein dergestalt, daß das Entstandene am göttlichen Sein fortdauernd teilhabe. Weit mehr noch tendiert die Tätigkeit Gottes selbst auf Beständiges; doch bezieht sich die Auferstehung nicht auf die Fortdauer der Art, denn diese konnte durch Hervorbringung bewahrt werden. Mithin muß sie sich auf die Fortdauer des Individuums beziehen; doch wiederum nicht allein hinsichtlich der Seele, denn sie besaß diese Eigenschaft bereits vor der Auferstehung; also hinsichtlich des (aus Seele und Körper) Zusammengesetzten. Mithin wird der auferstehende Mensch fortdauernd leben.

Zudem. Vergleicht man Seele und Leib unter den Gesichtspunkten des ersten Entstehens eines Menschen einerseits und seiner Auferstehung andererseits, so findet man zwischen ihnen eine unterschiedliche Ordnung. Der ersten Entstehung gemäß nämlich folgt die Erschaffung der Seele auf die Entstehung des Leibes. So wird zunächst die körperliche Materie durch die Kraft des ausgeschiedenen Samens vorbereitet, dann gießt Gott schöpfend die Seele ein. Bei der Auferstehung jedoch wird der Leib mit der präexistierenden Seele vereint werden. Das erste Leben, welches der

nis, Deus animam creando infundit. In resurrectione autem corpus animae praeexistenti coaptatur. Prima autem vita, quam homo per generationem adipiscitur, sequitur conditionem corruptibilis corporis in hoc quod per mortem privatur. Vita igitur quam homo resurgendo adipiscitur, erit perpetua, secundum conditionem incorruptibilis animae.

Item. Si in infinitum succedant sibi in eodem vita et mors, ipsa alternatio vitae et mortis habebit speciem circulationis cuiusdam. Omnis autem circulatio in rebus generabilibus et corruptibilibus a prima circulatione incorruptibilium corporum causatur: nam prima circulatio in motu locali invenitur, et secundum eius similitudinem ad motus alios derivatur. Causabitur igitur alternatio mortis et vitae a corpore caelesti. Quod esse non potest: quis reparatio corporis mortui ad vitam facultatem actionis naturae excedit. Non igitur est ponenda huiusmodi alternatio vitae et mortis: nec per consequens, quod resurgentia corpora moriantur.

Amplius. Quaecumque succedunt sibi in eodem subiecto, habent determinatam mensuram suae durationis secundum tempus. Omnia autem huiusmodi subiecta sunt motui caeli, quem tempus consequitur. Anima autem separata non est subiecta motui caeli: quia excedit totam naturam corporalem. Alternatio igitur separationis eius et unionis ad corpus non subiacet motui caeli. Non igitur est talis circulatio in alternatione mortis et vitae, qualis sequitur si resurgentes iterum moriantur. Resurgent igitur de cetero non morituri.

Hinc est quod dicitur Isaiae XXV: „Praecipitabit Dominus mortem in sempiternum", et Apoc. XXI: „Mors ultra non erit".

Per hoc autem excluditur error quorundam antiquorum Gentilium [Pythagoricorum], qui credebant „eadem temporum temporaliumque rerum volumina repeti, verbi gratia: sicut in isto saeculo Plato Philosophus in urbe Atheniensi, et in eadem schola, quae Academica dicta est, discipulos docuit, ita per innumerabilia retro saecula, multis quidem prolixis intervallis, sed tamen certis, et idem Plato, et eadem civitas, et eadem schola, iidemque discipuli repetiti, et per innumerabilia demum saecula repetendi PL 41/361–362 sunt", ut Augustinus introducit in XII *de Civ. Dei* [c. 13].

Ad quod, ut ipse ibidem dicit, quidam referre volunt illud quod dicitur Eccle. I: „ Quid est quod fuit? Ipsum quod futurum est. Ouid est quod

Mensch durch Hervorbringung erlangt, richtet sich nach der Befindlichkeit des vergänglichen Körpers, wobei man durch den Tod das Leben verliert. Demnach wird das Leben, welches der Mensch bei der Auferstehung erlangt, gemäß der Befindlichkeit der unvergänglichen Seele fortdauern.

Zudem. Wechselten sich Leben und Tod im selben Individuum in unendlicher Folge ab, so wird dieser Wechsel von Leben und Tod Kreisbewegungscharakter besitzen. Jeglicher Kreislauf bei Dingen jedoch, welche dem Entstehen und Vergehen unterworfen sind, wird von der ursprünglichen Kreisbewegung unvergänglicher Körper verursacht, denn die ursprüngliche Kreisbewegung findet sich in der Ortsbewegung, die sich analog auf andere Bewegungen überträgt. Demnach würde der Wechsel von Leben und Tod durch den Himmelskörper verursacht. Dies kann aber nicht sein, da die Wiederbelebung eines toten Körpers das Tätigkeitsvermögen der Natur überschreitet. Also darf man einen derartigen Wechsel von Tod und Leben nicht annehmen und somit auch nicht, daß die auferstehenden Leiber wieder sterben.

Weiterhin. Dasjenige, welches im selben Subjekt aufeinander folgt, verfügt über ein bestimmtes Maß seiner zeitlichen Dauer. Doch alle derartigen Dinge unterliegen der Himmelsbewegung, der die Zeit folgt. Die getrennte Seele ist der Himmelsbewegung jedoch nicht unterworfen, weil sie von der gesamten Körpernatur geschieden ist. Folglich unterliegt der Wechsel zwischen ihrer Trennung und der Vereinigung mit dem Leib nicht der Himmelsbewegung. Demnach gibt es keine derartige Kreisbewegung beim Wechsel von Tod und Leben, was sich dann ergibt, wenn die Auferstandenen abermals stürben. Deswegen werden sie auferstehen und nicht wieder sterben.

Daher heißt es Jes 25, 8: „Er vernichtet den Tod auf immer" und Apok 21, 4: „Es wird keinen Tod mehr geben".

Hierdurch wird auch der Irrtum einiger alter Heiden [z. B. einiger Pythagoreer, Stoiker und Epikureer] ausgeschlossen, welche glaubten, „daß sich dieselbe Geschichte der Zeiten und zeitlicher Dinge wiederhole. Wie beispielsweise einst der Philosoph Plato in der Stadt Athen und in derselben Schule, „Akademie" genannt, Schüler lehrte, so haben sich nach Verlauf langer, aber bestimmter Intervalle, durch unzählige zurückliegende Jahrhunderte hindurch derselbe Plato, dieselbe Stadt, dieselbe Schule und dieselben Schüler immer wieder eingefunden und müssen sich weiterhin durch unzählige Jahrhunderte hindurch einfinden", wie Augustinus zu Beginn des 12. Buches *Über den Gottesstaat* berichtet.

Wie er selbst dort sagt, wollen einige hierauf das Wort von Koh 1, 9 f. beziehen: „Was gewesen, dasselbe wird (wieder) sein, und was geschehen,

factum est? Ipsum quod faciendum est. Nihil sub sole novum, nec valet quisquam dicere, Ecce hoc recens est: iam enim praecessit in saeculis quae fuerunt ante nos".

Quod quidem non sic intelligendum est quod eadem numero per generationes varias repetantur, sed similia specie: ut Augustinus ibidem solvit.

338b 16–17   Et Aristoteles, in fine *De generatione* [II 11], hoc ipsum docuit, contra praedictam sectam loquens.

Capitulum LXXXIII

Quod in resurgentibus non erit usus ciborum neque venereorum

Ex praemissis autem ostenditur quod apud homines resurgentes non erit venereorum et ciborum usus.

Remota enim vita corruptibili, necesse est removeri ea quae corruptibili vitae deserviunt. Manifestum est autem quod ciborum usus corruptibili vitae deservit: ad hoc enim cibos assumimus ut corruptio quae posset accidere ex consumptione naturalis humidi, evitetur. Est etiam in praesenti ciborum usus necessarius ad augmentum: quod post resurrectionem in hominibus non erit, quia omnes in debita quantitate resurgent, ut ex dictis patet.

Similiter commixtio maris et feminae corruptibili vitae deservit, ordinatur enim ad generationem per quam quod perpetuo conservari non potest secundum individuum, in specie conservatur. Ostensum est autem quod resurgendum vita incorruptibilis erit. Non igitur in resurgentibus erit ciborum neque venereorum usus.

Adhuc. Vita resurgentium non minus ordinata erit quam praesens vita, sed magis: quia ad illam homo perveniet solo Deo agente: hanc autem consequitur cooperante natura. Sed in hac vita ciborum usus ordinatur ad aliquem finem: ad hoc enim cibus assumitur ut per digestionem convertatur in corpus. Si igitur tunc erit ciborum usus, oportebit quod ad hoc sit quod convertatur in corpus. Cum ergo a corpore nihil resolvatur, eo

wird (wieder) geschehen: Nichts Neues gibt es unter der Sonne. Sagt man von etwas: „Sieh, das ist neu!", so war es schon längst zu den Zeiten, die vor uns gewesen".

Dies ist jedoch nicht so zu verstehen, als ob sich dieselben, identischen Dinge verschiedene Generationen hindurch wiederholten. Es wiederholt sich vielmehr dieselbe Art von Dingen, wie Augustinus an derselben Stelle erklärt.

Dasselbe lehrte Aristoteles gegen Ende des Buches *Über Entstehen*, als er gegen die erwähnte Lehre sprach.

83. KAPITEL

NACH DER AUFERSTEHUNG WIRD ES KEINEN VERZEHR VON NAHRUNGSMITTELN ODER SEXUALVERKEHR GEBEN

Aus den bisherigen Erörterungen ergibt sich ebenfalls, daß es bei den auferstandenen Menschen keine Verwendung für Nahrungsmittel oder Sexualverkehr geben wird.

Ist nämlich das vergängliche Leben nicht mehr vorhanden, dann darf auch dasjenige nicht mehr vorhanden sein, was vergänglichem Leben dient. Offensichtlich aber dient der Verbrauch von Nahrungsmitteln dem vergänglichen Leben, denn der Grund, warum wir Nahrungsmittel zu uns nehmen, liegt in der Vermeidung des Verfalls, welcher sich bei der Aufnahme natürlicher Feuchte einstellt. Zudem ist der Verbrauch von Nahrungsmitteln in diesem Leben für das Wachstum erforderlich. Nach der Auferstehung wird es dies nicht geben, da die Menschen in Vollgestalt auferstehen, wie aus dem Gesagten ersichtlich ist (IV 81).

Gleichermaßen dient die Vereinigung des Gatten mit der Gattin dem vergänglichen Leben, ist sie doch zur Zeugung bestimmt, wodurch das, was als Individuum nicht beständig bewahrt werden kann, in der Art erhalten wird. Doch wurde gezeigt (IV 82), daß das Leben der Auferstandenen unvergänglich sein wird. Folglich wird es unter den Auferstandenen weder Verbrauch von Nahrungsmitteln noch Sexualverkehr geben.

Weiterhin. Das Leben der Auferstandenen wird nicht weniger, sondern mehr geordnet sein als das jetzige Leben, denn hierzu wird der Mensch allein durch das Handeln Gottes gelangen; doch lebt man das jetzige Leben durch Mitwirkung der Natur. Nun bestimmt sich der Verbrauch von Nahrung in diesem Leben nach einem Ziel, denn man nimmt deswegen Nahrung zu sich, damit sie sich durch den Prozeß der Verdauung in Körpermasse umwandelt. Gäbe es *dann* aber einen Verbrauch von Nahrungsmitteln, so müßte er zur Umwandlung in den Körper dienen. Da

quod corpus erit incorruptibile; oportebit dicere quod totum quod convertitur ex alimento, transeat in augmentum. Resurget autem homo in debita quantitate, ut supra dictum est. Ergo perveniet ad immoderatam quantitatem: immoderata est enim quantitas quae debitam quantitatem excedit.

Amplius. Homo resurgens in perpetuum vivet. Aut igitur semper cibo utetur: aut non semper, sed per aliquod determinatum tempus. Si autem semper cibo utetur, cum cibus in corpus conversus a quo nihil resolvitur necesse sit quod augmentum faciat secundum aliquam dimensionem, oportebit dicere quod corpus hominis resurgentis in infinitum augeatur. Quod non potest esse: quia augmentum est motus naturalis; intentio autem virtutis naturalis moventis nunquam est ad infinitum, sed semper est
416a 16–17 ad aliquid certum; quia, ut dicitur in II *De anima* [4]: „omnium natura constantium terminus est et magnitudinis et augmenti". – Si autem non semper cibo utetur homo resurgens, semper autem vivet, erit aliquod tempus dare in quo cibo non utetur. Quare hoc a principio faciendum est. Non igitur homo resurgens cibo utetur.

Si autem non utetur cibo, sequitur quod neque venereorum usum habebit, ad quem requiritur decisio seminis. A corpore autem resurgentis semen decidi non poterit. Neque ex substantia eius. Tum quia hoc est contra rationem seminis: esset enim semen ut corruptum et a natura recedens; et sic non posset esse naturalis actionis principium, ut patet per
725a 2–3 Philosophum in libro *De generatione animalium* [I 18]. Tum etiam quia a substantia illorum corporum incorruptibilium existentium nihil resolvi poterit. Neque etiam semen esse poterit superfluum alimenti, si resurgentes cibis non utantur, ut ostensum est. Non igitur in resurgentibus erit venereorum usus.

Item. Venereorum usus ad generationem ordinatur. Si igitur post resurrectionem erit venereorum usus, nisi sit frustra, sequitur quod tunc etiam erit hominum generatio, sicut et nunc. Multi igitur homines erunt post resurrectionem qui ante resurrectionem non fuerunt. Frustra igitur tantum differtur resurrectio mortuorum, ut omnes simul vitam accipiant qui eandem habent naturam.

Amplius. Si post resurrectionem erit hominum generatio, aut igitur illi

aber vom Körper nichts verfällt, weil er unvergänglich sein wird, so wird man sagen müssen, daß alles, was von der Nahrung umgewandelt wird, dem Wachstum zugute kommt. Doch ersteht der Mensch in Vollgestalt, wie es oben hieß (IV 81). Mithin würde er zu einer unmäßigen Gestalt anschwellen. Unmäßig ist eine Größe dann, wenn sie die Vollgestalt überschreitet.

Weiterhin. Der auferstandene Mensch wird ewig leben. Entweder also verbraucht er immer Nahrung, oder nicht immer, sondern lediglich für eine bestimmte Zeit. Ernährt er sich aber immer und wird die Nahrung in einen Körper umgewandelt, von dem sich nichts auflöst, so muß er in einem gewissen Ausmaß wachsen. Demnach wird man sagen müssen, der Körper des auferstandenen Menschen wachse ins Unendliche. Das kann aber nicht sein, weil es sich beim Wachstum um eine natürliche Bewegung handelt. Die Tendenz einer naturhaft bewegenden Kraft aber geht niemals ins Unendliche, sondern richtet sich stets auf etwas Bestimmtes. Der Grund hierfür liegt im folgenden, wie es bei Aristoteles im 2. Buch *Über die Seele* heißt: „Bei allen Naturdingen gibt es eine Grenze für Größe und Wachstum". Wenn andererseits der auferstandene Mensch nicht immer Nahrung braucht, dennoch aber immer lebt, so wird es eine Zeit geben, zu der er keine Nahrung braucht. So sollte er es von Anfang an getan haben. Folglich braucht der auferstandene Mensch keine Nahrung.

Braucht er aber keine Nahrung, so folgt, daß er auch keinen Sexualverkehr pflegen wird, zu dem Samenabsonderung erforderlich ist; doch weder vom Leib des Auferstandenen noch von dessen Substanz wird sich Samen absondern können, denn dies widerspräche der Natur des Samens. Er wäre nämlich wie im Zustande des Zerfalls und trennte sich von seiner Natur. Somit könnte es kein natürliches Tätigkeitsprinzip sein, wie der Philosoph im Buch *Über das Entstehen der Lebewesen* bemerkt. Zudem wird sich nichts von der Substanz jener existierenden unvergänglichen Körper auflösen können. Auch wird der Samen kein Überflußprodukt der Nahrung sein, wenn die Auferstandenen keine Nahrung verbrauchen, wie erwiesen wurde. Folglich wird es bei den Auferstandenen keinen Sexualverkehr geben.

Zudem. Der Sexualverkehr richtet sich auf Zeugung. Gäbe es mithin nach der Auferstehung Sexualverkehr, dem man sich nicht vergeblich unterzöge, so folgte daraus, daß es auch dann noch, so wie jetzt, Zeugung von Menschen gäbe. Somit wird es nach der Auferstehung viele Menschen geben, welche es vor der Auferstehung nicht gegeben hat. Demnach verzögerte sich die Auferstehung der Toten umsonst, wobei diejenigen, welche dieselbe Natur besitzen, alle zugleich Leben empfangen.

Zudem. Gäbe es Zeugung von Menschen nach der Auferstehung, so

qui generabuntur iterum corrumpentur: aut incorruptibiles erunt et immortales. Si autem erunt incorruptibiles et immortales multa inconvenientia sequuntur.

Primo quidem, oportebit ponere quod illi homines sine peccato nascantur originali, cum necessitas moriendi sit poena consequens peccatum originale: quod est contra Apostolum dicentem Rom. V, quod „per unum hominem peccatum in omnes homines pervenit et mors".

Deinde sequitur quod non omnes indigeant redemptione quae est a Christo, si aliqui sine peccato originali et necessitate moriendi nascantur: et sic Christus non erit omnium hominum caput, quod est contra sententiam Apostoli dicentis I Cor. XV, quod „sicut in Adam omnes moriuntur, ita et in Christo omnes vivificabuntur".

Sequitur etiam et aliud inconveniens, ut quorum est similis generatio, non sit similis generationis terminus: homines enim per generationem quae est ex semine nunc quidem consequuntur corruptibilem vitam; tunc autem immortalem.

Si autem homines qui tunc nascentur, corruptibiles erunt et morientur: si iterato non resurgunt, sequetur quod eorum animae perpetuo remanebunt a corporibus separatae; quod est inconveniens, cum sint eiusdem speciei cum animabus hominum resurgentium. Si autem et ipsi resurgent, debuit et eorum resurrectio ab aliis expectari, ut simul omnibus qui unam naturam participant, beneficium conferatur resurrectionis, quod ad naturae reparationem pertinet, ut ex dictis patet. Et praeterea non videtur esse aliqua ratio quare aliqui expectentur ad simul resurgendum, si non omnes expectantur.

Adhuc. Si homines resurgentes venereis utentur et generabunt, aut hoc erit semper: aut non semper. Si semper, sequetur quod multiplicatio hominum erit in infinitum. Intentio autem naturae generantis post resurrectionem non poterit esse ad alium finem quam ad multiplicationem hominum: non enim erit ad conservationem speciei per generationem, cum homines incorruptibiliter sint victuri. Sequetur igitur quod intentio naturae generantis sit ad infinitum: quod est impossibile. Si vero non semper generabunt, sed ad aliquod determinatum tempus, post illud igitur tempus

würden diejenigen, welche dann gezeugt werden, entweder vergehen oder unvergänglich und unsterblich sein. Wären sie unvergänglich und unsterblich, so hätte dies viele Absurditäten zur Folge.

Erstens wird man dann behaupten müssen, daß jene Menschen ohne Erbsünde geboren werden, da die Notwendigkeit zu sterben eine Strafe ist, welche sich aufgrund der Erbsünde ergibt. Dies widerspricht dem Wort des Apostels von Rö 5, 12, welcher sagt: „Wie durch einen Menschen die Sünde in die Welt gekommen ist und durch die Sünde der Tod und so der Tod auf alle Menschen überging ...".

Zweitens folgt daraus, daß nicht alle der Erlösung bedürfen, welche von Christus kommt, wenn einige ohne Erbsünde und ohne die Notwendigkeit zu sterben geboren werden. Somit wäre Christus nicht das Haupt aller. Dies widerspricht dem Wort des Apostels von 1 Kor 15,22, wenn er sagt: „Wie nämlich in Adam alle sterben, so werden in Christus alle lebendig gemacht werden".

Zudem folgt hieraus noch die weitere Ungereimtheit, daß bei Menschen, welche auf gleiche Weise gezeugt werden, eine ungleiche Zielbestimmung der Zeugung vorliegt. So leben Menschen, welche jetzt aus dem Samen gezeugt werden, ein vergängliches Leben, dann aber ein unsterbliches.

Wären die Menschen vergänglich und sterblich, welche dann geboren werden, so gilt entweder, daß sie nicht abermals auferstehen; folglich blieben ihre Seelen auf ewig vom Körper getrennt. Dies aber ist absurd, denn sie sind derselben Art wie die Seelen der auferstandenen Menschen. – Oder es gilt, daß sie ebenfalls auferstehen. Dann sollten die anderen auf sie warten, so daß allen, die an derselben Natur teilhaben, zur selben Zeit die Wohltat der Auferstehung zukommt, welche der Wiederherstellung der Natur dient, wie aus dem Gesagten ersichtlich ist (IV 81). Außerdem scheint es keinen Grund dafür zu geben, daß einige auf die gleichzeitige Auferstehung warten, wenn nicht alle gleicherweise darauf warten.

Weiterhin. Unterzögen sich die auferstandenen Menschen dem Sexualverkehr und zeugten, so geschähe dies entweder für immer oder nicht für immer. Falls für immer, so folgte daraus, daß sich die Menschen unendlich vermehrten. Die Naturtendenz eines Zeugenden nach der Auferstehung wird sich aber nicht auf ein anderes Ziel als auf das der Vermehrung von Menschen beziehen. Doch kann es nicht zur Erhaltung der Art durch Zeugung dienen, da die Menschen unvergänglich leben werden. Mithin folgt, daß sich die Naturintention des Zeugenden auf Unendliches richtet, was unmöglich ist. Werden sie jedoch nicht für immer zeugen, sondern zu einer bestimmten Zeit, dann werden sie nach dieser Zeit nicht mehr

non generabunt. Quare et a principio hoc eis attribuendum est, ut venereis non utantur nec generent.

Si quis autem dicat quod in resurgentibus erit usus ciborum et venereorum, non propter conservationem vel augmentum corporis, neque propter conservationem speciei vel multiplicationem hominum, sed propter solam delectationem quae in his actibus existit, ne aliqua delectatio hominibus in ultima remuneratione desit: – patet quidem multipliciter hoc inconvenienter dici.

Primo quidem, quia vita resurgentium ordinatior erit quam vita nostra, ut supra dictum est. In hac autem vita inordinatum et vitiosum est si quis cibis et venereis utatur propter solam delectationem, et non propter necessitatem sustentandi corporis, vel prolis procreandae. Et hoc rationabiliter nam delectationes quae sunt in praemissis actionibus, non sunt fines actionum, sed magis e converso; natura enim ad hoc ordinavit delectationes in istis actibus, ne animalia, propter laborem, ab istis actibus necessariis naturae desisterent: quod contingeret nisi delectatione provocarentur. Est ergo ordo praeposterus et indecens si operationes propter solas delectationes exerceantur. Nullo igitur modo hoc in resurgentibus erit, quorum vita ordinatissima ponitur.

Adhuc. Vita resurgentium ad conservandam perfectam beatitudinem ordinatur. Beatitudo autem et felicitas hominis non consistit in delectationibus corporalibus, quae sunt delectationes ciborum et venereorum, ut in tertio libro ostensum est. Non igitur oportet ponere in vita resurgentium huiusmodi delectationes esse.

Amplius. Actus virtutum ordinantur ad beatitudinem sicut ad finem. Si igitur in statu futurae beatitudinis essent delectationes ciborum et venereorum, quasi ad beatitudinem pertinentes, sequeretur quod in intentione eorum qui virtuosa agunt, essent aliqualiter delectationes praedictae. Quod rationem temperantiae excludit: est enim contra temperantiae rationem ut aliquis a delectationibus nunc abstineat ut postmodum eis magis frui possit. Redderetur igitur omnis castitas impudica, et omnis abstinentia gulosa.

zeugen. Damit müssen wir sagen, daß sie auch von Anfang an keinen Sexualverkehr pflegen oder zeugen.

Behauptet aber jemand, es werde unter den Auferstandenen Verzehr von Nahrungsmitteln und Sexualverkehr geben, allerdings nicht zur Erhaltung oder zum Wachstum des Körpers, auch nicht zur Erhaltung der Art oder zur Vermehrung der Menschen, sondern einzig wegen der Lust, die mit diesen Tätigkeiten verbunden ist, damit es den Menschen bei der letztendlichen Beschenkung nicht irgendeiner Lust ermangele, so ist offenkundig, daß dies auf vielfältige Weise widersprüchlich ist:

Erstens, weil das Leben der Auferstandenen geordneter sein wird als das unsrige, wie bereits gesagt wurde. In unserem Leben ist es zweckentfremdet und lasterhaft, wenn jemand einzig wegen der Lust und nicht wegen der Notwendigkeit der Erhaltung des Körpers oder der Hervorbringung von Nachkommenschaft Nahrungsmittel verbraucht oder Sexualverkehr pflegt. Dies ist vernünftigerweise so, denn die mit diesen Tätigkeiten verbundenen Lustempfindungen stellen nicht deren Ziel dar, sondern eher umgekehrt. So hat die Natur die mit diesen Tätigkeiten verbundenen Lustempfindungen dazu bestimmt, daß die Lebewesen nicht von diesen naturnotwendigen Akten wegen der mit ihnen verbundenen Mühe ablassen. Dies würde geschehen, wäre man zu ihnen nicht durch Lust angeregt. Mithin handelt es sich um eine verkehrte und unziemliche Zweckbestimmung, wenn man Tätigkeiten einzig wegen der mit ihnen verbundenen Lustempfindungen ausübt. Folglich wird dies keineswegs unter den Auferstandenen vorkommen, von denen man behauptet, ihr Leben sei höchst geordnet.

Weiterhin. Das Leben der Auferstandenen ist zur Erlangung vollkommener Glückseligkeit bestimmt. Doch besteht die vollkommene Glückseligkeit und das Glück des Menschen nicht in körpergebundenen Lustempfindungen, etwa denen, die mit Nahrung und Sexualverkehr verbunden sind, wie im 3. Buch gezeigt wurde (III 27). Mithin darf man nicht behaupten, im Leben der Auferstandenen gebe es derartige Lustempfindungen.

Zudem. Tugendakte sind auf die Glückseligkeit als ihr Ziel bezogen. Gäbe es also im Zustande zukünftiger Glückseligkeit Lustempfindungen, welche mit Speisen und Sexualverkehr verbunden sind, als gleichsam zur Glückseligkeit zugehörig, so würde daraus folgen, daß diejenigen, welche tugendhaft handeln, diese Lustempfindungen auf irgendeine Weise intendieren. Dies jedoch schließt Mäßigung aus, denn es widerspricht der Natur der Mäßigung, sich jetzt der Lustempfindungen zu enthalten, um sie danach umso mehr zu genießen. Demnach wäre jede Keuschheit Unkeuschheit und jede Abstinenz Genußsucht.

Si vero praedictae delectationes erunt, non tamen quasi ad beatitudinem pertinentes, ut oporteat eas esse intentas ab his qui virtuosa agunt: hoc esse non potest. Quia omne quod est, vel est propter alterum, vel propter seipsum. Praedictae autem delectationes non erunt propter alterum: non enim erunt propter actiones ordinatas ad finem naturae, ut iam ostensum est.

Relinquitur igitur, quod erunt propter seipsas. Omne autem quod est huiusmodi, vel est beatitudo vel pars beatitudinis. Oportet igitur, si delectationes praedictae in vita resurgentium erunt, quod ad beatitudinem eorum pertineant. Quod esse non potest, ut ostensum est. Nullo igitur modo huiusmodi delectationes erunt in futura vita.

Praeterea. Ridiculum videtur delectationes quaerere corporales, in quibus nobiscum animalia bruta communicant, ubi expectantur delectationes altissimae, in quibus cum angelis communicamus, quae erunt in Dei visione, quae nobis et angelis erit communis, ut in tertio libro ostensum est. Nisi forte quis dicere velit beatitudinem angelorum esse imperfectam, quia desunt eis delectationes brutorum: quod est omnino absurdum. Hinc est quod Dominus dicit, Matth. XXII, quod in resurrectione neque nubent neque nubentur, sed erunt sicut angeli Dei.

Per hoc autem excluditur error Iudaeorum et Saracenorum, qui ponunt quod in resurrectione homines cibis et venereis utentur, sicut et nunc.

Quos etiam quidam Christiani haeretici sunt secuti, ponentes regnum Christi futurum in terris terrenum per mille annos, in quo spatio temporis „dicunt eos qui tunc resurrexerint, immoderatissime carnalibus epulis vacaturos, in quibus sit cibus tantus ac potus ut non solum nullam modestiam teneant, sed modum quoque ipsius incredulitatis excedant. Nullo autem modo ista possunt nisi a carnalibus credi. Hi autem qui spirituales sunt, istos ista credentes ‚Chiliastas‘ appellant, graeco vocabulo, quod, verbum e verbo exprimentes, nos possumus ‚millenarios‘ nuncupare", ut

PL 41/667 Augustinus dicit, XX *de Civitate Dei* [c. 7].

Sunt autem quaedam quae huic opinioni suffragari videntur.

Et primo quidem, quia Adam ante peccatum vitam habuit immortalem:

Falls die erwähnten Lustempfindungen jedoch im Zustande der Glückseligkeit vorkommen werden, jedoch nicht so, als gehörten sie dazu, so daß jene, welche tugendhaft handeln, sie intendieren müßten, dann ist dies unmöglich, denn was auch immer existiert, existiert entweder um etwas anderen willen oder um seiner selbst willen. Nun wird es die erwähnten Lustempfindungen nicht um eines anderen willen geben, denn sie werden nicht um der Tätigkeiten willen existieren, welche auf ein Naturziel bezogen sind, wie bereits gezeigt wurde.

Also verbleibt, daß sie um ihrer selbst willen vorkommen werden. Alles, was so beschaffen ist, ist jedoch Glückseligkeit oder ein Teil von Glückseligkeit. Werden die erwähnten Lustempfindungen demgemäß im Leben der Auferstandenen vorkommen, so müssen sie zu ihrer Glückseligkeit gehören. Dies kann aber nicht sein, wie erwiesen wurde. Keineswegs also wird es derartige Lustempfindungen im zukünftigen Leben geben.

Außerdem. Es ist offenbar lächerlich, körperliche Lustempfindungen, die uns mit wilden Tieren gemein sind, an einem Ort zu suchen, an dem man höchste Lusterfahrungen erwartet, die wir mit den Engeln teilen. Sie werden mit der Schau Gottes verbunden sein, die wir mit den Engeln teilen, wie im 3. Buch erwiesen wurde (III 48 ff.). Möchte nun jemand vielleicht behaupten, die Glückseligkeit der Engel sei unvollkommen, da ihnen die Lusterfahrungen der Tiere abgehen, so ist dies völlig absurd. So sagt der Herr in Mt 22, 30: „Denn bei der Auferstehung heiraten sie nicht und werden nicht geheiratet, sondern sind wie die Engel im Himmel".

Hiermit ist auch der Irrtum der Juden und der Sarazenen ausgeschlossen, welche behaupten, im Zustande der Auferstehung machten die Menschen von Speisen und Sexualverkehr genauso wie jetzt Gebrauch.

Ihnen sind auch gewisse christliche Häretiker gefolgt. Sie behaupten die zukünftige, tausendjährige, irdische Herrschaft Christi auf Erden. „Innerhalb dieses Zeitraums", so sagen sie, „werden diejenigen, welche dann auferstanden sein werden, sich den unbeherrschtesten fleischlichen Festmählern hingeben, bei denen es Speisen und Getränke in einem solchen Ausmaß geben wird, daß sie sich nicht nur nicht mäßigen, sondern sogar die Grenzen des Glaubhaften überschreiten. Derlei kann aber nur von fleischlich Gesonnenen geglaubt werden. Die geistlich Gesonnenen benennen jene, welche dies glauben, mit dem griechischen Wort ‚Chiliasten‘; wir können sie ‚Millenarier‘ nennen", wie Augustinus im 20. Buch *Über den Gottesstaat* sagt.

Doch gibt es einiges, was diese Meinung zu unterstützen scheint.

[1] *Erstens* nämlich besaß Adam unsterbliches Leben, bevor er sün-

et tamen et cibis et venereis uti potuit in illo statu, cum ante peccatum illi sit dictum [Gen. I]: „Crescite et multiplicamini", et iterum [ibid. II]: „De ommni ligno quod est in paradiso comede".

Deinde ipse Christus post resurrectionem legitur comedisse et bibisse. Dicitur enim Luc. [XXIV], quod „cum manducasset coram discipulis, sumens reliquias dedit eis". Et Actuum X, dicit Petrus: „Hunc, scilicet Iesum, Deus suscitavit tertia die, et dedit eum manifestum fieri, non omni populo, sed testibus praeordinatis a Deo, nobis, qui manducavimus et bibimus cum illo, postquam resurrexit a mortuis".

Sunt etiam quaedam auctoritates quae ciborum usum in huiusmodi statu hominibus repromittere videntur. Dicitur enim Isaiae XXV: „Faciet Dominus exercituum omnibus populis in monte hoc convivium pinguium medullatorum, vindemiae defaecatae". Et quod intelligatur quantum ad statum resurgentium, patet ex hoc quod postea subditur [ibid.]: „Praecipitabit mortem in sempiternum, et auferet Dominus Deus omnem lacrymam ab omni facie".

Dicitur etiam Isaiae LXV: „Ecce, servi mei comedent, et vos esurietis. Ecce, servi mei bibent, et vos sitietis". Et quod hoc referendum sit ad statum futurae vitae, patet ex eo quod postea subditur [ibid.]: „Ecce, ego creabo caelum novum, et terram novam" etc.

Dominus etiam dicit, Matth. XXVI: „Non bibam amodo de hoc genimine vitis usque in diem illum cum illud bibam vobiscum novum in regno Patris mei".

Et Luc. XXII dicit: „Ego dispono vobis, sicut disposuit mihi Pater meus, regnum: ut edatis et bibatis super mensam meam in regno meo".

Apocalypsis etiam XXII, dicitur quod „ex utraque parte fluminis", quod erit in civitate Beatorum, „erit lignum vitae, afferens fructus duodecim". Et dicitur [XX]: „Vidi animas decollatorum propter testimonium Iesu, et vixerunt et regnaverunt cum Christo mille annis. Ceteri mortuorum non vixerunt donec consummarentur mille anni".

Ex quibus omnibus praedictorum haereticorum opinio confirmari videtur.

Haec autem non difficile est solvere.

Quod enim primo obiicitur, de Adam, efficaciam non habet. Adam enim perfectionem quandam habuit personalem, nondum tamen erat natura humana totaliter perfecta, nondum multiplicato humano genere. In-

digte. Dennoch konnte er sich in jenem Stand der Speise und des Sexual-verkehrs bedienen, denn es heißt Gen 1,28 von ihm in seinem Stand vor der Sünde: „Wachset und mehret euch"; wiederum heißt es Gen 2,16: „Von allen Bäumen des Gartens darfst du essen".

[2] *Dann* steht auch geschrieben, Christus selbst habe nach der Auferstehung gegessen und getrunken. Es heißt nämlich Lk 24,43: „Er nahm es und aß vor ihren Augen". Petrus sagt, Apg 10,40f.: „Aber Gott hat ihn (d. h. Christus) auferweckt am dritten Tage und ihn sichtbar erscheinen lassen, nicht dem ganzen Volke, sondern nur den Zeugen, die Gott vorherbestimmt hatte, uns, die wir nach seiner Auferstehung von den Toten mit ihm gegessen und getrunken haben".

[3] Zudem. Es gibt einige autoritative Texte, welche den Menschen in diesem Stand den Verbrauch von Speisen zu versprechen scheinen. Es wird nämlich in Jes 25,6 gesagt: „Jahwe Zebaot wird allen Völkern ein fettes Mahl bereiten auf diesem Berg, ein Mahl von abgelagerten Weinen, von markig-fetten Speisen mit geseihtem Hefenwein". Aus dem, was danach gesagt wird (ibid., 8), ist ersichtlich, daß dies hinsichtlich des Standes der Auferstandenen zu verstehen ist: „Er vernichtet den Tod auf immer, und der Herr Jahwe wischt ab die Tränen von jedem Angesicht".

Auch heißt es Jes 65,13: „Seht, meine Knechte werden essen, ihr aber werdet hungern; seht, meine Knechte werden trinken, ihr aber werdet dürsten". Aus dem Folgenden wird ersichtlich, daß dies auf den Stand des zukünftigen Lebens zu beziehen ist: „Denn siehe, ich will einen neuen Himmel und eine neue Erde schaffen" (ibid., 17).

Der Herr spricht zudem, Mt 26,29: „Von nun an werde ich nicht mehr von dieser Frucht des Weinstockes trinken bis zu jenem Tage, da ich sie neu mit euch trinken werde im Reiche meines Vaters".

Lk 22,29 heißt es: „So bestimme ich euch das Reich, wie es mir mein Vater bestimmt hat: Ihr sollt essen und trinken an meinem Tische in meinem Reiche".

Auch heißt es Apk 22,2: „zu beiden Seiten des Stromes", was in der Gemeinschaft der Seligen sein wird, „steht der Baum des Lebens, welcher zwölf Früchte trägt". Weiterhin heißt es Apk 20,4f.: „Ich sah ... die Seelen derer, die um des Zeugnisses Jesu ... willen mit dem Beil hingerichtet worden waren ...; sie gelangten zum Leben und zur Königsherrschaft mit Christus, tausend Jahre. Die übrigen Toten gelangten nicht zum Leben, bis die tausend Jahre vollendet sind".

Alle diese Texte scheinen die Ansicht der Häretiker zu bestätigen.

Es ist jedoch nicht schwer, auch dies zu widerlegen.

[Zu 1] Der erste Einwand, welcher sich auf Adam bezieht, trägt nichts aus. Adam nämlich besaß eine gewisse personale Vollkommenheit; dennoch handelte es sich noch nicht um eine vollständig vollkommene

stitutus ergo fuit Adam in tali perfectione quae competebat principio totius humani generis. Et ideo oportuit quod generaret ad multiplicationem humani generis; et per consequens quod cibis uteretur.

Sed perfectio resurgentium erit natura humana totaliter ad suam perfectionem perveniente, numero electorum iam completo. Et ideo generatio locum non habebit, nec alimenti usus.

Propter quod et alia erit immortalitas et incorruptio resurgentium, et alia quae fuit in Adam. Resurgentes enim sic immortales erunt et incorruptibiles ut mori non possint, nec ex eorum corporibus aliquid resolvi. Adam autem sic fuit immortalis ut posset non mori si non peccaret, et posset mori si peccaret: et eius immortalitas sic conservari poterat, non quod nihil resolvetur ab eius corpore, sed ut contra resolutionem humidi naturalis ei subveniri posset per ciborum assumptionem, ne ad corruptionem corpus eius perveniret.

De Christo autem dicendum est quod post resurrectionem comedit, non propter necessitatem, sed ad demonstrandum suae resurrectionis veritatem. Unde cibus ille non fuit conversus in carnem, sed resolutus in praeiacentem materiam. Haec autem causa comedendi non erit in resurrectione communi.

Auctoritates vero quae ciborum usum post resurrectionem repromittere videntur, spiritualiter intelligendae sunt. Proponit enim nobis divina Scriptura intelligibilia sub similitudine sensibilium, „ut animus noster ex his quae novit, discat incognita amare" [Gregor. M., *In Evang. hom.* XI]. Et secundum hunc modum delectatio quae est in contemplatione sapientiae, et assumptio veritatis intelligibilis in intellectum nostrum, per usum ciborum in Sacra Scriptura consuevit designari: secundum illud Proverb. IX, quod de sapientia dicitur: „Miscuit vinum, et proposuit mensam suam. Et insipientibus locuta est, Venite, comedite panem meum, et bibite vinum quod miscui vobis". Et Eccli. XV dicitur: „Cibabit illum pane vitae et intellectus, et aqua sapientiae salutaris potabit illum". De ipsa etiam sapientia dicitur Proverb. III: „Lignum vitae est his qui apprehenderint eam:

PL 76/1114D–1115A

menschliche Natur, noch hatte sich die menschliche Gattung zahlenmäßig ausdifferenziert. Folglich war Adam mit einer derartigen Vollkommenheit ausgestattet, welche dem Ursprung der gesamten menschlichen Gattung zukam. Daher mußte er zur Vervielfältigung der menschlichen Gattung zeugen und somit Nahrung zu sich nehmen.

Andererseits wird die Vollkommenheit der Auferstandenen durch die vollendete Zahl der Erwählten realisiert, wobei die menschliche Natur vollständig zu ihrer Vollkommenheit gelangt. Deswegen wird weder Raum für Zeugung noch für Nahrungsaufnahme sein.

Deswegen werden auch die Unsterblichkeit und Unvergänglichkeit der Auferstandenen und die Adams je verschieden sein. Die Auferstandenen nämlich werden dergestalt unsterblich und unvergänglich sein, daß sie weder sterben können noch sich irgend etwas von ihren Leibern auflöst; dagegen war Adam derart unsterblich, daß er nicht zu sterben brauchte, hätte er nicht gesündigt, doch sterben konnte, falls er sündigte. Seine Unsterblichkeit ließ sich nicht dergestalt bewahren, daß sich nichts von seinem Körper auflöste, sondern daß die Auflösung der natürlichen Feuchte durch Aufnahme von Speisen ausgeglichen werden konnte, so daß sein Körper nicht verfiel.

[Zu 2] Was Christus betrifft, so ist zu sagen, daß er nach der Auferstehung aß, allerdings nicht aus Notwendigkeit, sondern um die Wahrheit seiner Auferstehung unter Beweis zu stellen. Daher wandelte sich die Speise nicht in Fleisch um, sondern löste sich in vorliegende Materie auf. Doch wird es diesen Grund zu essen nicht bei der allgemeinen Auferstehung geben.

[Zu 3] Man muß die autoritativen Texte, welche die Nahrungsverwendung nach der Auferstehung zu versprechen scheinen, im geistlichen Sinne verstehen. Die Heilige Schrift nämlich legt uns das, was (lediglich) mit dem Verstande erfaßbar ist, in Gestalt von sinnlich Faßbarem vor, so daß unser Geist „im Ausgang von den Dingen, welche ihm bekannt sind, das Unbekannte lieben lernt" (Gregor d. Gr.). Auf diese Weise ist der Genuß, welcher in der Kontemplation der Weisheit und der Annahme intelligibler Wahrheit in unserem Verstande besteht, in der Heiligen Schrift gewöhnlich mit dem Bilde der Einnahme von Speisen angedeutet. Demgemäß heißt es Spr 9,2,5 von der Weisheit: „... den Wein gemischt, auch ihre Tafel gedeckt ..., Kommt! Esset von meinem Brot und trinkt von meinem Wein, den ich gemischt'". Desgleichen heißt es Sir 15,3: „Sie speist ihn mit dem Brote der Klugheit und tränkt ihn mit dem Wasser der Einsicht". Über die Weisheit selbst heißt es Spr 3,18: „Wer nach ihr greift, dem ist sie ein Lebensbaum; und wer sie festhält, ist glücklich zu preisen!". Folglich nötigen die genannten Texte nicht zu

et qui tenuerit eam, beatus". Non igitur praedictae auctoritates cogunt dicere quod resurgentes cibis utantur.

Hoc tamen quod positum est de verbis Domini quae habentur Matth. XXVI potest et aliter intelligi: ut referatur ad hoc quod ipse cum discipulis post resurrectionem comedit, et bibit novum quidem vinum, idest, novo modo, scilicet non propter necessitatem, sed propter resurrectionis demonstrationem. Et dicit, „in regno Patris mei", quia in resurrectione Christi regnum immortalitatis demonstrari incoepit.

Quod vero in Apocalypsi dicitur de mille annis et prima resurrectione martyrum, intelligendum est quod prima resurrectio est animarum, prout a peccatis resurgunt: secundum illud Apostoli, Ephes. V: „Exsurge a mortuis, et illuminabit te Christus". Per „mille" autem „annos" intelligitur totum tempus ecclesiae, in quo martyres regnant cum Christo, et alii sancti, tam in praesenti ecclesia, quae regnum Dei dicitur, quam etiam in caelesti patria quantum ad animas ‚millenarius' enim perfectionem significat, quia est numerus cubicus et radix eius est denarius qui solet etiam perfectionem significare.

Sic ergo manifestum fit quod resurgentes non vacabunt cibis et potibus, neque venereis actibus.

Ex quo ultimo haberi potest quod omnes occupationes activae vitae cessabunt, quae ordinari videntur ad usum ciborum et venereorum et ad alia quae sunt necessaria corruptibili vitae. Sola ergo occupatio contemplativae vitae in resurgentibus remanebit. Propter quod Luc. X, dicitur de Maria contemplante quod „optimam partem elegit, quae non auferetur ab ea". Inde est etiam quod dicitur Iob VII: „Qui descendit ad inferos, non ascendet, nec revertetur ultra in domum suam, neque cognoscet eum amplius locus eius", in quibus verbis talem resurrectionem Iob negat qualem quidam posuerunt, dicentes quod post resurrectionem homo redibit ad similes occupationes quas nunc habet, ut scilicet aedificet domos, et alia huiusmodi exerceat officia.

der Behauptung, daß die Auferstandenen Nahrungsmittel zu sich nehmen.

Dennoch können die Worte unseres Herrn, zitiert bei Mt 26,29, in einem anderen als dem vorgeschlagenen Sinne verstanden werden, so daß sie sich darauf beziehen, daß er nach seiner Auferstehung mit seinen Jüngern aß und einen neuen Wein trank, d. h. „auf eine neue Weise", nämlich nicht aufgrund einer Notwendigkeit, sondern um die Auferstehung unter Beweis zu stellen. Er sagt: „Im Reiche meines Vaters ...", weil mit der Auferstehung Christi das Reich der Unsterblichkeit manifest zu werden begann.

Der Hinweis in der Apokalypse auf die „tausend Jahre" und die „erste Auferstehung der Märtyrer" ist so zu verstehen, daß die erste Auferstehung die der Seelen ist, welche von den Sünden auferstehen, jenem Wort des Apostels von Eph 5,14 gemäß: „Wach auf ..., steh auf von den Toten, und Christus wird dir aufleuchten". Unter den tausend Jahren aber versteht man die gesamte Zeit der Kirche, zu der die Märtyrer und die anderen Heiligen mit Christus herrschen, in der gegenwärtigen Kirche, welche Reich Gottes heißt, als auch in der himmlischen Vaterstadt hinsichtlich der Seelen. Die Tausendzahl bedeutet nämlich Vollkommenheit, weil sie eine kubische Anzahl ist, d. h. ein massiv-vollständiges Gebilde; deren Wurzel ist die Zehnzahl, welche ebenfalls gewöhnlich Vollkommenheit bedeutet.

Somit wird also deutlich, daß die Auferstandenen weder Speise noch Trank, noch Sexualverkehr benötigen werden.

Letztlich läßt sich hieraus entnehmen, daß alle Beschäftigungen des aktiven Lebens aufhören werden, welche sich offenbar auf die Verwendung von Nahrung, Sexualverkehr und auf andere Dinge beziehen, welche für das vergängliche Leben notwendig sind. Folglich wird unter den Auferstandenen einzig die Betätigung des kontemplativen Lebens verbleiben. Deswegen heißt es Lk 10,42 von Maria, als sie der Betrachtung hingegeben war, „daß sie den besten Teil erwählte, der wird ihr nicht genommen werden". Daher heißt es auch Ijob 7,9 f.: „So steigt nicht auf, wer fuhr in die Scheol. Nie kehrt er in sein Haus zurück; nie sieht ihn seine Heimat wieder". Mit diesen Worten verneint Ijob die Art von Auferstehung, die einige behaupteten, wenn sie sagten, der Mensch werde nach der Auferstehung zu ähnlichen Beschäftigungen zurückkehren, welche er jetzt tätigt; er werde beispielsweise Häuser bauen oder andere Verrichtungen dieser Art ausüben.

Capitulum LXXXIV

Quod corpora resurgentium erunt eiusdem naturae sicut prius

Occasione autem praemissorum quidam circa conditiones resurgentium erraverunt. Quia enim corpus ex contrariis compositum videtur ex necessitate corrumpi, fuerunt aliqui qui dixerunt homines resurgentes huiusmodi corpora ex contrariis composita non habere.

Quorum aliqui[52] posuerunt corpora nostra non in natura corporali resurgere, sed transmutari in spiritum: moti ex eo quod Apostolus dicit, I Cor. XV: „Seminatur corpus animale, surget spirituale".

Alii vero[53] ex eodem verbo sunt moti ut dicerent quod corpora nostra in resurrectione erunt subtilia, et aëri et ventis similia. Nam et ,spiritus' aër dicitur: ut sic ,spiritualia' aërea intelligantur.

Alii vero[54] dixerunt quod in resurrectione animae resument corpora, non quidem terrena, sed caelestia: occasionem accipientes ex eo quod Apostolus dicit, Cor. XV, de resurrectione loquens: „Sunt corpora caelestia, et corpora terrestria".

Quibus omnibus suffragari videtur quod Apostolus ibidem dicit, quod „caro et sanguis regnum Dei non possidebunt". Et sic videtur quod corpora resurgentium non habebunt carnem et sanguinem, et per consequens nec aliquos humores.

Sed harum opinionum error manifeste apparet. Nostra enim resurrectio conformis erit resurrectioni Christi, secundum illud Apostoli, Philipp. III: „Reformabit corpus humilitatis nostrae configuratum corpori claritatis suae". Christus autem post resurrectionem habuit corpus palpabile, ex carnibus et ossibus consistens: quia, ut dicitur Luc. [XXIV] post resurrectionem discipulis dixit: „Palpate et videte: quia spiritus carnem et ossa non habet, sicut me videtis habere". Ergo et alii homines resurgentes corpora palpabilia habebunt, ex carnibus et ossibus composita.

Adhuc. Anima unitur corpori sicut forma materiae. Omnis autem forma habet determinatam materiam: oportet enim esse proportionem actus et potentiae. Cum igitur anima sit eadem secundum speciem, videtur quod

---

[52] Cf. Origenem, *De princ.* III c. 6, n. 6 (PG 11/339 D – 340 A).
[53] Cf. Gregorium M., *Moral.* XIV c. 56 (PL 75/1077 C – D).
[54] Cf. Origenem, *De princ.* III c. 6, n. 4 (PG 11/337 C – 338 A).

84. KAPITEL

DIE LEIBER DER AUFERSTANDENEN
WERDEN DERSELBEN NATUR SEIN WIE ZUVOR

Einigen gab das bisher Erörterte Anlaß zum Irrtum hinsichtlich der Weisen der Verfaßtheit der Auferstandenen. Aufgrund dessen nämlich, daß ein aus Entgegengesetztem zusammengesetzter Körper notwendig vergeht, gab es einige, die behaupteten, die auferstehenden Menschen besäßen keine derartigen Körper, welche aus Entgegengesetztem zusammengesetzt sind.

Einige von ihnen behaupteten, unsere Körper erstünden nicht mit der Körpernatur, sondern würden in Geist umgewandelt. Hierzu wurden sie durch das Wort des Apostels von 1 Kor 15, 44 veranlaßt: „Gesät wird ein sinnenhafter Leib, auferweckt ein geistiger Leib".

Andere wiederum wurden durch dasselbe Wort veranlaßt zu sagen, unsere Körper würden bei der Auferstehung subtil, einem Hauch und dem Winde ähnlich, denn auch der Geist wird „Hauch" genannt. Dabei verstanden sie ‚geistig' als ‚lufthaft'.

Andere dagegen behaupteten, bei der Auferstehung nähmen die Seelen Körper an, allerdings keine irdischen, sondern himmlische. Hierzu wurden sie durch das Wort des Apostels von 1 Kor 15, 40 im Zusammenhang mit der Auferstehung veranlaßt: „Auch gibt es himmlische Körper und irdische Körper".

Das folgende Wort des Apostels (ibid., 50) scheint alle zu unterstützen: „Fleisch und Blut können das Gottesreich nicht erben". Somit hat es den Anschein, daß die Leiber der Auferstandenen weder Fleisch noch Blut besitzen werden, folglich auch keine Körpersäfte.

Der Irrtum dieser Ansichten liegt jedoch klar zutage. Gemäß dem Apostel wird unsere Auferstehung der Auferstehung Christi gleichgestaltet sein. Er sagt Phil 3, 21: „Er wird den Leib unserer Niedrigkeit umwandeln, daß er gleichgestaltet sei dem Leib seiner Herrlichkeit". Doch Christus besaß nach seiner Auferstehung einen Leib, den man anfassen konnte. Er bestand aus Fleisch und Knochen. So sagte er in Lk 24, 39 nach der Auferstehung zu den Jüngern: „Rühret mich an und seht, daß ein Geist nicht Fleisch und Bein hat, wie ihr es an mir seht". Demnach werden auch die übrigen Auferstandenen berührbare Leiber besitzen, die aus Fleisch und Knochen zusammengesetzt sind.

Zudem. Die Seele ist mit dem Körper wie die Form mit der Materie vereint. Jegliche Form aber verfügt über eine umzeichnete Materie. Demnach muß es eine Entsprechung zwischen Akt und Potenz geben. Da nun

habeat eandem materiam secundum speciem. Erit ergo idem corpus secundum speciem post resurrectionem et ante. Et sic oportet quod sit consistens ex carnibus et ossibus, et aliis huiusmodi partibus.

Amplius. Cum in definitione rerum naturalium, quae significat essentiam speciei, ponatur materia, necessarium est quod, variata materia secundum speciem, varietur species rei naturalis. Homo autem res naturalis
est. Si igitur post resurrectionem non habebit corpus consistens ex carnibus et ossibus et huiusmodi partibus, sicut nunc habet, non erit qui resurget eiusdem speciei, sed dicetur homo tantum aequivoce.

Item. Magis distat ab anima unius hominis corpus alterius speciei, quam
corpus humanum alterius hominis. Sed anima non potest iterato uniri
corpori alterius hominis, ut in Secundo ostensum est. Multo igitur minus
poterit in resurrectione uniri corpori alterius speciei.

Praeterea. Ad hoc quod homo idem numero resurgat, necessarium est
quod partes eius essentiales sint eaedem numero. Si igitur corpus hominis
resurgentis non erit ex his carnibus et his ossibus ex quibus nunc compo-
nitur, non erit homo resurgens idem numero.

Has autem omnes falsas opiniones manifestissime Iob excludit, dicens
[Iob XIX]: „Rursum circumdabor pelle mea, et in carne mea videbo
Deum, quem visurus sum ego ipse, et non alius".

Habent autem et singulae praedictarum opinionum propria inconvenientia.

Ponere enim corpus transire in spiritum est omnino impossibile. Non
enim transeunt in invicem nisi quae in materia communicant. Spiritualium
autem et corporalium non potest esse communicatio in materia: cum substantiae spirituales sint omnino immateriales, ut in Secundo ostensum est.
Impossibile est igitur quod corpus humanum transeat in substantiam spiritualem.

Item. Si transeat in substantiam spiritualem corpus humanum, aut transibit in ipsam substantiam spiritualem quae est anima: aut in aliquam aliam. Si in ipsam, tunc post resurrectionem non esset in homine nisi anima,
sicut et ante resurrectionem. Non igitur immutaretur conditio hominis
per resurrectionem. – Si autem transibit in aliam substantiam spiritualem,

die Seele der Art nach dieselbe ist, so scheint sie auch über eine der Art nach identische Materie zu verfügen. Folglich wird es sich nach der Auferstehung um einen der Art nach identischen Körper wie zuvor handeln. Mithin muß er aus Fleisch, Knochen und anderen derartigen Teilen bestehen.

Weiterhin. Da in der Definition von Naturdingen, welche das Wesen der Art bezeichnet, die jeweilige Materie festgelegt ist, so folgt, daß sich die Art des Naturdings ändert, wenn sich die Materie ihrer Art nach geändert hat. Nun ist der Mensch ein Naturding. Besitzt er nach der Auferstehung keinen aus Fleisch, Knochen und derartigen Teilen zusammengesetzten Körper, so wie er ihn jetzt hat, so wird der Auferstehende nicht derselben Art sein. Er kann nur auf äquivoke Weise „Mensch" genannt werden.

Zudem. Die Seele eines Menschen unterscheidet sich mehr vom Körper eines Wesens einer anderen Art als vom Körper eines anderen Menschen. Nun kann sich die Seele nicht wiederholt mit dem Körper eines anderen Menschen vereinigen, wie im 2. Buch gezeigt wurde (II 83). Folglich wird sie sich bei der Auferstehung um so weniger mit dem Körper einer anderen Art vereinigen.

Damit numerisch derselbe Mensch aufersteht, ist es außerdem notwendig, daß seine wesentlichen Teile numerisch dieselben sind. Würde also der Körper des auferstehenden Menschen nicht aus diesem Fleisch und diesen Knochen bestehen, aus denen er jetzt zusammengesetzt ist, so würde es sich beim Auferstehenden nicht um numerisch denselben Menschen handeln.

Am offensichtlichsten schließt Ijob alle diese falschen Ansichten aus, wenn er (Ijob 19, 26 f.) sagt: „Bin ich erwacht, dann läßt er mich bei sich erstehen; ich werde Gott – aus meinem Fleische – schauen. Ihn werd' ich schauen ..., er wird kein Fremder sein".

Zudem enthält jede der zuvor erwähnten Ansichten jeweils spezifische Absurditäten.

So ist es gänzlich unmöglich, daß ein Körper in Geist übergeht. Es geht nämlich nur dann etwas ineinander über, wenn es über dieselbe Materie verfügt. Nun kann es zwischen geistförmigen und körperlichen Dingen keine gemeinsame Materie geben, da die Geistsubstanzen völlig immateriell sind, wie im 2. Buch gezeigt wurde (II 50). Folglich ist es unmöglich, daß der menschliche Körper in eine Geistsubstanz übergeht.

Zudem. Ginge der menschliche Körper in eine Geistsubstanz über, so wird er entweder in die Geistsubstanz der Seele gewandelt oder in eine andere. Falls das erstere zutrifft, so gäbe es nach der Auferstehung im Menschen lediglich die Seele, wie es sie auch vor der Auferstehung gegeben hat. Folglich würde sich bei der Auferstehung sein Zustand nicht

sequetur quod ex duabus substantiis spiritualibus efficietur aliquid unum in natura: quod est omnino impossibile, quia quaelibet substantia spiritualis est per se subsistens.

Similiter etiam impossibile est quod corpus hominis resurgentis sit quasi aëreum et ventis simile.

Oportet enim corpus hominis, et cuiuslibet animalis, habere determinatam figuram et in toto et in partibus. Corpus autem habens determinatam figuram oportet quod sit in se terminabile: quia figura est quae termino vel terminis comprehenditur; aër autem non est in se terminabilis, sed solum termino alieno terminatur. Non est ergo possibile quod corpus hominis resurgentis sit aëreum et ventis simile.

Praeterea. Corpus hominis resurgentis oportet esse tactivum: quia sine tactu nullum est animal. Oportet autem ut resurgens sit animal, si sit homo. Corpus autem aëreum non potest esse tactivum, sicut nec aliquod aliud corpus simplex cum oporteat corpus per quod fit tactus, esse medium inter qualitates tangibiles, ut sit quodammodo in potentia ad eas, ut Philosophus probat in libro *De anima* [II 11]. Impossibile est igitur quod corpus hominis resurgentis sit aëreum et simile ventis.

423a 6–17

Ex quo etiam apparet quod non poterit esse corpus caeleste.

Oportet enim corpus hominis, et cuiuslibet animalis, esse susceptivum tangibilium qualitatum, ut iam dictum est. Hoc autem corpori caelesti non potest convenire quod non est neque calidum neque frigidum, neque humidum neque siccum, neque aliquid huiusmodi, vel actu vel potentia, ut probatur in I *De caelo* [3]. Corpus igitur hominis resurgentis non erit corpus caeleste.

270a 25–b 4

Adhuc. Corpora caelestia sunt incorruptibilia, et transmutari non possunt a sua naturali dispositione. Naturaliter autem eis debetur figura sphaerica ut probatur in II *De caelo et mundo* [4]. Non est igitur possibile quod accipiant figuram quae naturaliter humano corpori debetur. Impossibile est igitur quod corpora resurgentium sint de natura caelestium corporum.

286b 10–
287a 11 }

ändern. Wird er jedoch in eine andere Geistsubstanz übergehen, so folgte daraus, daß etwas, was der Natur nach eines ist, aus zwei Geistsubstanzen zustande käme. Dies ist völlig unmöglich, da jegliche Geistsubstanz für sich subsistiert.

Ähnlich unmöglich ist es, daß der Körper des auferstehenden Menschen gleichsam luftartig und windähnlich ist.

Der Körper eines Menschen und der eines Tieres muß nämlich insgesamt und in seinen Teilen eine bestimmt umgrenzte Gestalt besitzen. Ein Körper mit umgrenzter Gestalt muß an sich abgrenzbar sein, denn eine Gestalt ist etwas, was in einer Umgrenzung einbehalten ist oder was eine Umgrenzung darstellt. Die Luft ist jedoch nicht an sich umgrenzbar; sie wird lediglich durch die Grenze von etwas anderem eingegrenzt. Also ist es nicht möglich, daß der Körper eines auferstandenen Menschen luftförmig oder windähnlich ist.

Außerdem. Der Leib des auferstehenden Menschen muß Tastsinn besitzen, denn kein Lebewesen ist ohne Tastsinn. Auch muß der Auferstehende ein Lebewesen sein, wenn es sich um einen Menschen handelt. Ein luftartiger Leib, wie auch jeglicher andere einfache Körper, kann jedoch nicht tastfähig sein, denn der Körper, durch den Tasten zustande kommt, muß das Medium zwischen Tastqualitäten sein, damit er sich gleichsam in der Möglichkeit zu ihnen verhält, wie der Philosoph (Aristoteles) im Buch *Über die Seele* sagt. Also ist es ausgeschlossen, daß der Leib des auferstehenden Menschen luftartig oder windähnlich ist.

Hieraus ergibt sich zudem, daß es sich nicht um einen Himmelskörper handeln wird.

Der Körper des Menschen – wie der eines beliebigen Lebewesens – muß über ertastbare Eigenschaften verfügen, wie bereits gesagt wurde. Dies kann aber auf einen Himmelskörper nicht zutreffen, da er weder der Wirklichkeit noch der Möglichkeit nach warm oder kalt, feucht oder trokken, noch sonst etwas dergleichen ist, wie im 1. Buch *Über den Himmel* nachgewiesen wird. Folglich wird es sich beim Körper eines auferstandenen Menschen nicht um einen Himmelskörper handeln.

Weiterhin. Himmelskörper sind unvergänglich; daher können sie nicht von ihrer natürlichen Disposition abgebracht werden. Doch kommt ihnen die Kugelgestalt naturhaft zu, wie im 2. Buch *Über den Himmel und die Welt* bewiesen wird. Also ist es nicht möglich, daß sie eine Gestalt annehmen, welche natürlicherweise dem menschlichen Körper eignet. Folglich ist es unmöglich, daß die Körper der Auferstandenen von der Natur der Himmelskörper sind.

CAPITULUM LXXXV

QUOD CORPORA RESURGENTIUM
ERUNT ALTERIUS DISPOSITIONIS QUAM ANTE

Quamvis autem corpora resurgentium sint futura eiusdem speciei cuius nunc sunt corpora nostra, tamen aliam dispositionem habebunt.

Et primo quidem quantum ad hoc, quod omnia resurgentium corpora, tam bonorum quam malorum, incorruptibilia erunt.

Cuius quidem ratio triplex est:

Una quidem sumitur ex fine resurrectionis. Ad hoc enim resurgent tam boni quam mali, ut etiam in propriis corporibus praemium consequantur vel poenam pro his quae gesserunt dum vixerunt in corpore. Praemium autem bonorum, quod est felicitas, erit perpetuum; similiter etiam peccato mortali debetur poena perpetua: quorum utrumque patet ex his quae in Tertio determinata sunt. Oportet igitur quod utrumque corpus incorruptibile recipiatur.

Alia ratio potest sumi a causa formali resurgentium, quae est anima. Dictum est enim supra quod, ne anima in perpetuum remaneat a corpore separata, iterato per resurrectionem corpus resumet. Quia igitur in hoc perfectioni animae providetur quod corpus recipiat, conveniens erit ut corpus secundum quod competit animae disponatur. Est autem anima incorruptibilis. Unde et corpus ei incorruptibile reddetur.

Tertia vero ratio sumi potest ex causa activa resurrectionis. Deus enim, qui corpora iam corrupta reparabit ad vitam, multo fortius hoc corporibus praestare poterit, ut recuperata vita in eis perpetuo conservetur. In cuius rei exemplum, etiam corpora corruptibilia, cum voluit, a corruptione servavit illaesa, sicut corpora Trium Puerorum in fornace [Dan. III].

Sic igitur intelligenda est incorruptibilitas futuri status, quia hoc corpus, quod nunc corruptibile est, incorruptibile divina virtute reddetur ita quod anima in ipsum perfecte dominabitur, quantum ad hoc quod ipsum vivificet; nec talis communicatio vitae a quocumque alio poterit impediri. Unde et Apostolus dicit, I Cor. XV: „Oportet corruptibile hoc induere in corruptionem, et mortale hoc induere immortalitatem".

Non igitur per hoc homo resurgens immortalis erit quod aliud corpus

85. Kapitel

Die Leiber der Auferstandenen
werden über eine andere Disposition als zuvor verfügen

Selbst wenn die Leiber der Auferstandenen derselben Art sein werden wie unsere jetzigen Körper, so werden sie dennoch über eine andere Disposition verfügen.

Erstens, sofern alle Körper der Auferstandenen, seien sie die von Guten oder von Schlechten, unvergänglich sein werden.

Hierfür gibt es einen dreifachen Grund:

Der *erste* ergibt sich aus dem Ziel der Auferstehung. Sowohl die Guten wie die Schlechten werden deswegen auferstehen, damit sie in ihrem eigenen Leib Lohn oder Strafe für das erlangen, was sie getan haben, als sie leibhaft lebten. Der Lohn der Guten, d. h. die Glückseligkeit, wird ewig dauern. Gleicherweise gilt der Todsünde ewige Strafe. Beides ist aus dem im 3. Buch Erwiesenen ersichtlich (III 62; 144). In beiden Fällen also muß ein unvergänglicher Körper angenommen sein.

Den *zweiten* Grund kann man aus der Formalursache der Auferstandenen entnehmen, d. h. der Seele. Weiter oben wurde bereits gesagt (IV 79), daß die Seele bei der Auferstehung erneut einen Körper annimmt, damit sie nicht auf ewig vom Leibe getrennt verbleibt. Da es also hierbei zur Vollkommenheit der Seele beiträgt, einen Leib anzunehmen, so wird es recht sein, wenn er auf eine Weise disponiert ist, welche der Seele entspricht. Nun ist die Seele unvergänglich. Daher wird ihr auch ein unvergänglicher Körper zugeeignet.

Den *dritten* Grund kann man aus der Wirkursache der Auferstehung entnehmen. Gott nämlich wird Körper zum Leben erwecken, welche bereits vergangen sind; um so mehr wird er in der Lage sein, den Körpern zu gewähren, daß das wiedererlangte Leben in ihnen auf ewig erhalten bleibt. Als Beispiel hierfür erhielt er sogar vergängliche Körper unverletzt, wenn er es so wollte, etwa die der drei Jünglinge im Feuerofen (Dan 3).

Demnach hat man die Unvergänglichkeit des zukünftigen Zustandes so zu verstehen, daß dieser Körper, der jetzt vergänglich ist, durch göttliche Kraft dergestalt unvergänglich wird, daß er durch die Seele, insofern sie ihm Leben verleiht, auf vollkommene Weise beherrscht wird. Nichts wird die Seele an dieser lebenspendenden Wirkung hindern können. Daher sagt der Apostel in 1 Kor 15,53: „Es muß nämlich dieses Verwesliche Unverweslichkeit anziehen und dieses Sterbliche Unsterblichkeit anziehen".

Mithin wird man nicht dadurch unsterblich sein, daß man einen ande-

incorruptibile resumat, ut praedictae opiniones posuerunt: sed quia hoc ipsum corpus quod nunc est corruptibile, incorruptibile fiet.

Sic igitur intelligendum est quod Apostolus dicit [I Cor. XV]: „Caro et sanguis regnum Dei non possidebunt", quod in statu resurgentium corruptio tolletur carnis et sanguinis, substantia tamen carnis et sanguinis remanente. Unde subiungit [ibid.]: „neque corruptio incorruptelam possidebit".

Capitulum LXXXVI

De qualitate corporum glorificatorum

Quamvis autem merito Christi defectus naturae in resurrectione tollatur ab omnibus communiter tam bonis quam malis, remanebit tamen differentia inter bonos et malos quantum ad ea quae personaliter utrisque conveniunt. Est autem de ratione naturae quod anima humana sit corporis forma, ipsum vivificans et in esse conservans: sed ex personalibus actibus meretur anima in gloriam divinae visionis elevari, vel ab ordine huius gloriae propter culpam excludi. Disponetur igitur corpus communiter omnium secundum condecentiam animae: ut scilicet forma incorruptibilis esse incorruptibile corpori tribuat, contrariorum compositione non obstante: eo quod materia corporis humani divina virtute animae humanae quantum ad hoc subiicietur omnino. Sed ex claritate et virtute animae ad divinam visionem elevatae, corpus sibi unitum aliquid amplius consequitur. Erit enim totaliter subiectum animae, divina virtute hoc faciente, non solum quantum ad esse, sed etiam quantum ad actiones et passiones, et motus, et corporeas qualitates.

Sicut igitur anima divina visione fruens quadam spirituali claritate replebitur, ita per quandam redundantiam ex anima in corpus, ipsum corpus suo modo claritatis gloriae induetur. Unde dicit Apostolus, I Cor. XV: „Seminatur" corpus „in ignobilitate, surget in gloria": quia corpus no-

ren unvergänglichen Körper annimmt, wie die erwähnten Ansichten lauteten (IV 84), sondern weil dieser Körper, welcher jetzt vergänglich ist, unvergänglich wird.

So also ist das Wort des Apostels (ibid., 50): „Fleisch und Blut können das Gottesreich nicht erben" zu verstehen, daß das Vergehen des Fleisches und Blutes im Stand der Auferstandenen zwar beseitigt ist, wobei die Substanz des Fleisches und Blutes jedoch verbleibt. Deswegen fügt er hinzu: „... noch erbt die Verweslichkeit die Unverweslichkeit" (ibid.).

86. Kapitel

Die Beschaffenheit der verherrlichten Leiber

Obwohl der Naturdefekt bei der Auferstehung durch das Verdienst Christi bei allen allgemein beseitigt wird, bei den Guten wie bei den Schlechten, so wird dennoch der Unterschied zwischen Guten und Schlechten hinsichtlich dessen verbleiben, was sie jeweils persönlich charakterisiert. Nun ist es eine Naturbestimmung, daß die menschliche Seele die Form des Körpers ist, indem sie ihn belebt und im Sein erhält. Aufgrund der persönlichen Akte dagegen verdient die Seele, zur Glorie der göttlichen Schau erhoben oder aufgrund von Schuld hiervon ausgeschlossen zu werden. Dementsprechend werden die Leiber von allen, ohne Ausnahme, auf eine Weise disponiert, welche der Seele angemessen ist, so daß die unvergängliche Form dem Körper ihr unvergängliches Sein mitteilt, wobei nicht ausgeschlossen ist, daß der Körper durch gegensätzliche Elemente geformt ist, da die Materie des menschlichen Körpers in dieser Hinsicht durch die Kraft Gottes vollständig von der menschlichen Seele bestimmt wird. Doch folgt für den mit der Seele vereinten Körper noch etwas weiteres aufgrund der Klarheit und Kraft der Seele, welche sie aus der Erhebung zur göttlichen Schau schöpft. Der Leib nämlich wird durch göttliche Kraft vollständig von der Seele bestimmt, nicht allein hinsichtlich seines Seins, sondern auch hinsichtlich seiner Tätigkeiten und seines Erleidens, seiner Bewegungen und der Körperqualitäten.

Gleichwie also die Seele im Genuß der göttlichen Schau mit einer bestimmten geistlichen Klarheit erfüllt wird, so wird auch der Körper selbst, veranlaßt durch ein Überströmen aus der Seele in den Körper, auf seine Weise mit dem Glanz der „Klarheit" bekleidet. Daher sagt der Apostel, 1 Kor 15,43: „Gesät wird in Unansehnlichkeit, auferweckt in Herrlichkeit", denn jetzt ist unser Leib schattenreich, dann aber wird er klar sein,

strum nunc est opacum, tunc autem erit clarum; secundum illud Matth. XIII: „Fulgebunt iusti sicut sol in regno Patris eorum".

Anima etiam quae divina visione fruetur, ultimo fini coniuncta, in omnibus experietur suum desiderium adimpletum. Et quia ex desiderio animae movetur corpus, consequens erit ut corpus omnino spiritui ad nutum obediat. Unde corpora resurgentium beatorum futura erunt ‚agilia'. Et hoc est quod Apostolus dicit ibidem: „Seminatur in infirmitate, surget in virtute". Infirmitatem enim experimur in corpore quia invalidum invenitur ad satisfaciendum desiderio animae in motius et actionibus quas anima imperat: quae infirmitas totaliter tunc tolletur, virtute redundante in corpus ex anima Deo coniuncta. Propter quod edam Sap. III, dicitur de iustis, quod „tanquam scintillae in arundineto discurrent": non quod motus sit in eis propter necessitatem, cum nullo indigeant qui Deum habent, sed ad virtutis demonstrationem.

Sicut autem anima Deo fruens habebit desiderium adimpletum quantum ad omnis boni adeptionem, ita etiam eius desiderium impletum erit quantum ad remotionem omnis mali: quia cum summo bono locum non habet aliquod malum. Et corpus igitur perfectum per animam, proportionaliter animae, immune erit ab omni malo, et quantum ad actum et quantum ad potentiam. Quantum ad actum quidem, quia nulla in eis erit corruptio, nulla deformitas, nullus defectus. Quantum ad potentiam vero, quia non poterunt pati aliquid quod eis sit molestum. Et propter hoc ‚impassibilia' erunt. Quae tamen impassibilitas non excludit ab eis passionem quae est de ratione sensus: utentur enim sensibus ad delectationem secundum illa quae statui incorruptionis non repugnant. Ad hanc igitur eorum impassibilitatem ostendendam Apostolus dicit [ibid.]: „Seminatur in corruptione, surget in incorruptione".

Rursus, anima Deo fruens ipsi perfectissime adhaerebit, et eius bonitatem participabit in summo, secundum suum modum: sic igitur et corpus perfecte subdetur animae, et eius proprietates participabit quantum possibile est, in perspicuitate sensuum, in ordinatione corporei appetitus, et in omnimoda perfectione naturae: tanto enim aliquid perfectius est in natura, quanto eius materia perfectius subditur formae. Et propter hoc dicit Apostolus [ibid.]: „Seminatur corpus animale, surget corpus spirituale".

Mt 13, 43 entsprechend: „Dann werden die Gerechten leuchten wie die Sonne im Reiche ihres Vaters".

Mit ihrem Letztziel vereint, wird die Seele, welche die göttliche Schau genießt, in allem ihr Verlangen gestillt finden. Weil sich der Körper nach dem Verlangen der Seele bewegt, so wird deswegen der Körper gänzlich dem Geist gehorchen, wenn er sich bewegt. Daher werden die zukünftigen Leiber der auferstandenen Seligen „leichtbeweglich" sein. Dies deutet der Apostel in 1 Kor 15, 43 an: „Gesät wird in Schwachheit, auferweckt in Kraft". Nun erfahren wir körperliche Schwäche, weil der Körper zur Erfüllung des Verlangens der Seele bei Bewegungen und Tätigkeiten, welche die Seele ihm befiehlt, für schwächlich befunden wird. Dann aber wird diese Schwäche aufgrund der Kraft, die aus der mit Gott vereinten Seele in den Körper überströmt, völlig beseitigt. Daher heißt es auch Weish 3, 7 von den Gerechten: „Sie werden ... wie Funken in den Stoppeln dahinfahren". Doch gibt es keine Körperbewegung aufgrund von Notwendigkeit, da jene, welche Gott besitzen, nichts entbehren. Es gibt sie nur als Beweis von Kraft.

Gleichwie das Verlangen der Seele, die Gott genießt, hinsichtlich der Erlangung jeglichen Gutes völlig gestillt ist, so wird auch ihr Verlangen nach der Beseitigung jeglichen Übels gestillt sein, da ein Übel beim höchsten Gut keinen Platz hat. Folglich wird der durch die Seele vervollkommnete Leib der Seele entsprechend von jeglichem Übel befreit sein, sowohl der Wirklichkeit als auch der Möglichkeit nach: der Wirklichkeit nach, sofern es bei den Leibern keinen Verfall, keine Unförmigkeit und keinen Defekt geben wird; der Möglichkeit nach, insofern sie nichts erleiden können, was sie belästigte. Deswegen werden sie nicht in der Lage sein zu leiden. Dennoch schließt diese „Leidensunfähigkeit" nicht aus, daß sie sinnlich affiziert werden können. Sie benutzen nämlich die Sinne dazu, um sich an den Dingen zu erfreuen, welche nicht dem Stand der Unvergänglichkeit widerstreiten. Zum Erweis ihrer Leidensunfähigkeit sagt der Apostel in 1 Kor 15, 42: „Gesät wird in Verweslichkeit, auferweckt in Unverweslichkeit".

Zudem. Die Seele, welche Gott genießt, wird ihm auf vollkommenste Weise anhangen und auf ihre Weise im höchsten Grade an seiner Güte teilhaben. Somit wird auch der Leib der Seele auf vollkommene Weise unterworfen sein. Soweit es eben möglich ist, wird er an ihren Eigenschaften teilhaben, an Sinnesklarheit, an der rechten Ausrichtung des körperlichen Strebens und an jedweder Naturvollkommenheit. Je vollkommener nämlich die Materie eines Naturdinges seiner Form unterliegt, desto vollkommener ist es. Daher sagt der Apostel in 1 Kor 15, 44: „Gesät wird ein sinnenhafter Leib, auferweckt ein geistiger Leib". Zwar wird der Leib des

Spirituale quidem corpus resurgentis erit: non quia sit spiritus, ut quidam male intellexerunt, sive per spiritum intelligatur spiritualis substantia, sive aër aut ventus: sed quia erit omnino subiectum spiritui; sicut et nunc dicitur corpus animale, non quia sit anima, sed quia animalibus passionibus subiacet, et alimonia indiget.

Patet igitur ex praedictis quod, sicut anima hominis elevabitur ad gloriam spirituum caelestium ut Deum per essentiam videat, sicut in Tertio est ostensum; ita eius corpus sublimabitur ad proprietates caelestium corporum, inquantum erit clarum, impassibile, absque difficultate et labore mobile, et perfectissime sua forma perfectum. Et propter hoc Apostolus dicit resurgentium corpora esse ‚caelestia‘, non quantum ad naturam, sed quantum ad gloriam. Unde cum dixisset quod sunt corpora caelestia, et sunt terrestria, subiungit [ibid.] quod „alia est caelestium gloria, alia terrestrium". Sicut autem gloria in quam humana anima sublevatur, excedit naturalem virtutem caelestium spirituum, ut in Tertio est ostensum; ita gloria resurgentium corporum excedit naturalem perfectionem caelestium corporum, ut sit maior claritas, impassibilitas firmior, agilitas facilior et dignitas naturae perfectior.

Capitulum LXXXVII

De loco corporum glorificatorum

Quia vero locus debet proportionari locato, consequens est quod, cum corpora resurgentium proprietatem caelestium corporum consequentur, etiam in caelis locum habeant: vel magis ‚super omnes caelos‘, ut simul cum Christo sint, cuius virtute ad hanc gloriam perducentur, de quo dicit Apostolus, ad Ephes. IV: „Qui ascendit super omnes caelos, ut adimpleret ommia".

Frivolum autem videtur contra hanc divinam promissionem ex naturali elementorum positione argumentari, quasi impossibile sit corpus hominis, cum sit terrenum et secundum suam naturam infimum locum habens, supra elementa levia elevari.

Auferstandenen geistig sein, doch nicht weil er Geist ist, wie es einige mißverstanden, oder weil man unter ‚Geist‘ eine geistige Substanz, Luft oder Wind verstehen soll (IV 84); vielmehr deswegen, weil er vollständig dem Geist unterworfen sein wird. So sprechen wir auch jetzt vom „Körper eines Lebewesens", nicht weil er eine Seele ist, sondern weil er den Erregungen von Lebewesen unterliegt und Nahrung benötigt.

Wie die Seele des Menschen (so wird aus dem bisher Erörterten ersichtlich) zur Herrlichkeit der Himmelsgeister erhoben werden wird, damit sie Gott schaut, wie im 3. Buch gezeigt wurde (III 57), so wird ihr Leib zu den Eigenschaften der Himmelskörper verfeinert, insofern er hell, leidensunfähig und ohne Schwierigkeit und Mühe bewegungsfähig wird und auf vollkommene Weise durch seine Form vervollkommnet ist. Dies meinte der Apostel, wenn er sagte, daß die Menschen mit „himmlischen" Leibern auferstehen werden, ‚himmlisch‘ nicht im naturhaften Sinne, sondern im Sinne von ‚Herrlichkeit‘. Sprach er also davon, daß es himmlische Körper und irdische Körper gibt, so fügte er in 1 Kor 15,40 hinzu: „Aber andersartig ist der Glanz der himmlischen und andersartig derjenige der irdischen". Gleichwie die Herrlichkeit, zu welcher die menschliche Seele erhoben wird, die natürliche Kraft der Himmelsgeister überschreitet, wie im 3. Buch gezeigt wurde (III 53), so überschreitet die Herrlichkeit der auferstandenen Leiber die natürliche Vollkommenheit der Himmelskörper durch größere Helle, stärkere Leidensunfähigkeit und vollkommenere Beweglichkeit und Würde ihrer Natur.

87. KAPITEL

DER ORT DER VERHERRLICHTEN LEIBER

Nun muß ein Ort jenem entsprechen, welches ihn einnimmt. Da die Leiber der Auferstandenen die Eigenschaften von Himmelskörpern annehmen, so folgt daraus, daß sie auch einen Ort im Himmel oder eher „über allen Himmeln" einnehmen, damit sie mit Christus sind, durch dessen Kraft sie zu dieser Herrlichkeit geführt werden. Von ihm sagt der Apostel in Eph 4,10: „… der hinaufstieg über alle Himmel, um das All zu erfüllen".

Es ist aber offenbar leeres Geschwätz, im Ausgang vom natürlichen Ort der Elemente gegen dieses göttliche Versprechen zu argumentieren, gleichsam als sei es unmöglich, daß sich der Körper eines Menschen, da er irdisch ist und seiner Natur gemäß den untersten Ort einnimmt, über die leichten Elemente hinaus erhebe. Aufgrund der Tatsache, daß der Kör-

Manifestum est enim quod ex virtute animae est quod corpus ab ipsa perfectum elementorum inclinationes non sequatur. Ipsa enim anima sua virtute etiam nunc continet corpus, quandiu vivimus, ne ex contrarietate elementorum dissolvatur; et virtute etiam animae motivae corpus in altum elevatur; et tanto amplius quanto virtus motiva fortior fuerit. Manifestum est autem quod tunc anima perfectae virtutis erit, quando Deo per visionem coniungetur. Non igitur debet grave videri si tunc virtute animae corpus et ab omni corruptione servetur immune, et supra quaecumque corpora elevetur.

Neque etiam huic promissioni divinae impossibilitatem affert quod corpora caelestia frangi non possunt, ut super ea gloriosa corpora subleventur. Quia a virtute divina hoc fiet, ut gloriosa corpora simul cum aliis corporibus esse possint: cuius rei indicium in corpore Christi praecessit, dum ad discipulos „ianuis clausis intravit" [Ioan. XX].

Capitulum LXXXVIII

De sexu et aetate resurgentium

Non est tamen aestimandum quod in corporibus resurgentium desit sexus femineus, ut aliqui putaverunt. Quia, cum per resurrectionem sint reparandi defectus naturae, nihil eorum quae ad perfectionem naturae pertinent, a corporibus resurgentium auferetur. Sicut autem alia corporis membra ad integritatem humani corporis pertinent, ita et ea quae generationi deserviunt, tam in maribus quam in feminis. Resurgent ergo membra huiusmodi in utrisque.

Neque tamen huic obviat quod usus horum membrorum non erit, ut supra ostensum est. Quia si propter hoc haec membra in resurgentibus non erunt, pari ratione nec omnia membra quae nutrimento deserviunt, in resurgentibus essent: quia nec ciborum usus post resurrectionem erit. Sic igitur magna pars membrorum corpori resurgentis deesset. Erunt igi-

per durch die Kraft der Seele vervollkommnet ist, folgt er offensichtlich nicht den Tendenzen der Elemente. Solange wir leben, hält die Seele durch ihre Kraft den Körper zusammen, damit er sich nicht aufgrund der Gegensätzlichkeit der Elemente auflöse. Ebenso wird der Körper durch die Bewegungskraft der Seele nach oben bewegt. Dies gilt um so mehr, wenn die Bewegungskraft stärker sein wird. Offensichtlich aber wird die Kraft der Seele dann vollkommen sein, wenn sie durch die Schau mit Gott vereint sein wird. Deswegen sollte man es nicht als schwierig für den Körper erachten, zu jenem Zeitpunkt durch die Kraft der Seele von aller Verwesung befreit zu sein und über alle Körper hinaus erhoben zu werden.

Ebensowenig erweist es das göttliche Versprechen als unmöglich, daß die Himmelskörper unzerbrechlich sind und somit die verherrlichten Körper daran hindern, über sie hinaus erhoben zu werden, da es aus göttlicher Kraft geschehen wird, daß die verherrlichten Körper zugleich (am selben Ort) mit anderen Körpern sein können. Im Leibe Christi haben wir hierfür bereits ein Indiz. Er trat zu den Jüngern „bei verschlossenen Türen" (Joh 20,26) ein.

88. Kapitel

Geschlecht und Alter der Auferstandenen

Dennoch darf man nicht annehmen, daß es unter den Leibern der Auferstandenen kein weibliches Geschlecht gibt, wie einige glaubten. Auch wenn Naturdefekte durch die Auferstehung beseitigt werden sollen, so wird doch den Leibern der Auferstandenen nichts von dem genommen werden, was zur Vollkommenheit der Natur gehört. Gleichwie aber andere Körperteile zur Unversehrtheit des menschlichen Leibes gehören, so auch die, welche der Zeugung dienen, sowohl bei den Männern wie bei den Frauen. Deswegen wird es bei der Auferstehung derartige Körperteile bei ihnen geben.

Dennoch steht dem nicht entgegen, daß man für sie keine Verwendung finden wird, wie weiter oben ausgeführt wurde (IV 83). Wäre dies nun ein hinreichender Grund dafür, daß sie dann nicht vorhanden sind, dann gäbe es bei den Auferstandenen aus gleichem Grunde auch alle jene Körperteile nicht, welche der Nahrungsaufnahme dienen, weil es nach der Auferstehung keine Verwendung für Speisen geben wird. Folglich würde dem Leib eines Auferstandenen ein großer Teil seiner Glieder fehlen. Also wird es alle derartigen Glieder zur Wiederherstellung der Unversehrtheit

tur omnia membra huiusmodi, quamvis eorum usus non sit, ad integritatem naturalis corporis restituendam. Unde frustra non erunt.

Similiter etiam nec infirmitas feminei sexus perfectioni resurgentium obviat. Non enim est infirmitas per recessum a natura, sed a natura intenta. Et ipsa etiam naturae distinctio in hominibus perfectionem naturae demonstrabit et divinam sapientiam, omnia cum quodam ordine disponentem.

Nec etiam cogit ad hoc verbum Apostoli quod dicit Ephes. IV: „Donec occurramus omnes in unitatem fidei et agnitionis Filii Dei, in virum perfectum, in mensuram aetatis plenitudinis Christi". Non enim hoc ideo dictum est quia quilibet in illo occursu quo resurgentes exibunt „obviam Christo in aëra" [I Thess. IV], sit sexum virilem habiturus: sed ad designandam perfectionem ecclesiae et virtutem. Tota enim ecclesia erit quasi vir perfectus Christo occurrens: ut ex praecedentibus et sequentibus patet.

In aetate autem Christi, quae est aetas iuvenilis, oportet omnes resurgere, propter perfectionem naturae quae in hac sola aetate consistit. Puerilis enim aetas nondum perfectionem naturae consecuta est per augmentum: senilis vero aetas iam ab eo recessit, per decrementum.

Capitulum LXXXIX

De qualitate corporum resurgentium in damnatis

Ex his autem rationabiliter considerare possumus qualis futura sit conditio corporum resurgentium in damnandis.

Oportet enim et illa corpora animabus damnandorum proportionata esse. Animae autem malorum naturam quidem bonam habent, utpote a Deo creatam: sed voluntatem habebunt inordinatam, et a fine proprio deficientem. Corpora igitur eorum, quantum ad id quod naturae est, integra reparabuntur: quia videlicet in aetate perfecta resurgent, absque

des natürlichen Körpers geben, selbst wenn man von ihnen keinen Gebrauch macht. Daher werden sie nicht vergeblich vorkommen.

Ebensowenig steht die Schwachheit des weiblichen Geschlechts der Vollkommenheit der Auferstandenen entgegen, denn es handelt sich nicht um eine durch Abweichung von der Natur bedingte, sondern um eine naturbedingte Schwachheit. Zudem wird dieser Naturunterschied selbst in den Menschen die Vollkommenheit der Natur unter Beweis stellen und die göttliche Weisheit gut zum Ausdruck bringen, welche alles wohlgeordnet disponiert.

Auch zwingt das folgende Wort des Apostels von Eph 4, 13 nicht zu einer anderen Annahme: „... bis wir alle hingelangen zur Einheit des Glaubens und der Erkenntnis des Sohnes Gottes, zur vollen Mannesreife, zum Altersmaß der Fülle Christi". Dies bedeutet nicht, daß bei dieser Begegnung, bei welcher sich die Auferstandenen „in die Lüfte erheben werden, um Christus entgegenzueilen" (1 Thess 4, 17), jeder nun auch männlichen Geschlechts sein wird; vielmehr weisen diese Worte auf die Vollkommenheit der Kirche und der Tugend hin. Die gesamte Kirche nämlich wird gleichsam als ein vollkommener Mann Christus entgegeneilen, wie aus dem Vorhergehenden und dem nun Folgenden deutlich wird.

Alle werden im Alter Christi auferstehen, welches das Alter jugendhafter Reife ist, denn nur in diesem Alter ist die Natur vollkommen. Das Kindesalter ist noch nicht so weit gediehen, daß es den Stand der Vollkommenheit der Natur erreicht hätte, während sich das Greisenalter wegen des Verfallsprozesses bereits davon entfernt.

89. Kapitel

Die Beschaffenheit der Leiber der Auferstandenen bei den Verdammten

Hieraus können wir nunmehr hinreichend begründet erwägen, wie der zukünftige Zustand der Leiber der Auferstandenen beschaffen sein wird, die zur Verdammnis verurteilt sind.

Die Leiber nämlich müssen den Seelen der zu Verdammenden entsprechen. Nun haben die Seelen der Bösen zwar eine gute Natur, da diese ja von Gott geschaffen ist; doch werden sie einen ungeordneten und von seinem eigentlichen Ziel abweichenden Willen besitzen. Folglich werden ihre Körper in dem, was zu ihrer Natur gehört, unversehrt wiederhergestellt, da sie selbstverständlich im vollkommenen Lebensalter ohne jeg-

omni diminutione membrorum, et absque omni defectu et corruptione quam error naturae aut infirmitas introduxit. Unde Apostolus dicit I Cor. XV: „Mortui resurgent incorrupti": quod manifestum est de omnibus debere intelligi, tam bonis quam malis, ex his quae praecedunt et sequuntur in littera.

Quia vero eorum anima erit secundum voluntatem a Deo aversa, et fine proprio destituta, eorum corpora non erunt spiritualia, quasi spiritui omnino subiecta, sed magis eorum anima per affectum erit ‚carnalis'.

Nec ipsa corpora erunt agilia, quasi sine difficultate animae obedientia: sed magis erunt ‚ponderosa et gravia', et quodammodo animae importabilia, sicut et ipsae animae a Deo per inobedientiam sunt aversae.

Remanebunt etiam ‚passibilia' sicut nunc, vel etiam magis: ita tamen quod patientur quidem a rebus sensibilibus afflictionem, non tamen corruptionem; sicut et ipsorum animae torquebuntur, a naturali desiderio beatitudinis totaliter frustratae.

Erunt etiam eorum corpora ‚opaca et tenebrosa': sicut et eorum animae a lumine divinae cognitionis erunt alienae. Et hoc est quod Apostolus dicit I Cor. XV, quod „omnes resurgemus, sed non omnes immutabimur": soli enim boni immutabuntur ad gloriam, malorum vero corpora absque gloria resurgent.

Forte autem alicui potest impossibile videri quod malorum corpora sint passibilia, non tamen corruptibilia: cum „omnis passio, magis facta abiiciat a substantia" [*Top*. VI 6]: videmus enim quod, si corpus diu in igne permaneat, finaliter consumetur; dolor etiam si sit nimis intensus, animam a corpore separat.

Sed hoc totum accidit supposita transmutabilitate materiae de forma in formam. Corpus autem humanum post resurrectionem non erit transmutabile de forma in formam, neque in bonis neque in malis: quia in utrisque totaliter perficietur ab anima quantum ad esse naturae, ita ut iam non sit possibile hanc formam a tali corpore removeri, neque aliam introduci, divina virtute corpus animae totaliter subiiciente. Unde et potentia quae est in prima materia ad omnem formam, in corpore humano remanebit quodammodo ligata per virtutem animae, ne possit in actum alterius for-

145a 3–4

liche Verminderung an Gliedmaßen, ohne jeglichen Defekt oder Gebrechen auferstehen werden, den ein Irrtum der Natur oder eine Schwäche bewirkt hätte. Daher sagt der Apostel in 1 Kor 15,51: „... die Toten werden als Unverwesliche auferweckt werden". Aus dem, was diesem Text im Brief vorhergeht und was ihm folgt, muß man dies offensichtlich von allen annehmen, seien sie nun gut oder böse.

Da aber ihre Seele in bezug auf den Willen von Gott abgewandt und ihres eigentlichen Zieles beraubt sein wird, so werden ihre Körper nicht geistig, also nicht dem Geiste gänzlich unterworfen sein; eher wird ihre Seele in ihren Gefühlen „fleischlich" sein.

Auch werden ihre Körper nicht so beweglich sein, daß sie gleichsam ohne Schwierigkeit der Seele gehorchen; vielmehr werden sie eher „gewichtig und schwer" sein. Sie werden gewissermaßen der Seele unerträglich. Ebenso sind die Seelen selbst durch Ungehorsam von Gott abgewandt.

Sie werden auch, wie jetzt, „leidensfähig" bleiben, ja sogar in stärkerem Maße. Obwohl sie durch sinnlich wahrnehmbare Dinge Qual erleiden werden, so werden sie dennoch nicht verfallen, gleichwie ihre Seelen von einem gänzlich frustrierten Verlangen nach Glückseligkeit gequält werden.

Auch werden ihre Körper „schattenhaft und finster", wie ihre Seelen dem Lichte göttlicher Erkenntnis entfremdet sein werden. Dies meint der Apostel, wenn er in 1 Kor 15,51 sagt: „Wir werden alle auferstehen, doch werden nicht alle verwandelt". Einzig die Guten nämlich werden zur Herrlichkeit verwandelt, die Leiber der Bösen dagegen werden ohne Herrlichkeit auferstehen.

Doch mag es jemandem unmöglich scheinen, daß die Leiber der Bösen zwar leidensfähig, dennoch aber unvergänglich sind, da „ein Übermaß an Leiden Substanzverlust verursacht" (Aristoteles). So etwa sehen wir, daß ein lange im Feuer liegender Körper schließlich verbrennen wird. Wird Schmerz zu intensiv, so trennt sich die Seele vom Körper.

All dies jedoch setzt die Wandelbarkeit der Materie von einer Form in eine andere voraus. Der menschliche Körper wird nach der Auferstehung allerdings nicht von einer Form in eine andere wandelbar sein, weder bei den Guten noch bei den Bösen. In beiden Fällen wird er durch die Seele in seinem natürlichen Sein vollständig vervollkommnet sein. Es wird nicht länger mehr möglich sein, daß sich diese Form von diesem Körper trennt und daß eine andere Form ihren Platz einnimmt, weil die göttliche Kraft den Körper völlig der Seele unterwirft. Daher wird auch die Potentialität in bezug auf alle Formen, die die Erstmaterie besitzt, im menschlichen Körper verbleiben, doch gewissermaßen von der Seele von der Möglich-

mae reduci. Sed quia damnatorum corpora quantum ad aliquas conditiones non erunt animae totaliter subiecta, affligentur secundum sensum a contrarietate sensibilium. Affligentur enim ab igne corporeo, inquantum qualitas ignis propter sui excellentiam contrariatur aequalitati complexionis et harmoniae quae est sensui connaturalis, licet eam solvere non possit. Non tamen talis afflictio animam a corpore poterit separare: cum corpus semper sub eadem forma necesse sit remanere.

Sicut autem corpora Beatorum propter innovationem gloriae supra caelestia corpora elevabuntur; ita et locus infimus, et tenebrosus, et poenalis, proportionaliter deputabitur corporibus damnatorum. Unde et in Psalm. [LIV] dicitur: „Veniat mors super eos, et descendant in infernum viventes". Et Apoc. XX dicitur quod „diabolus, qui seducebat eos, missus est in stagnum ignis et sulphuris, ubi et bestia et pseudopropheta cruciabuntur die ac nocte in saecula saeculorum".

Capitulum XC

Quomodo substantiae incorporeae patiuntur ab igne corporeo

Sed potest venire in dubium quomodo diabolus, qui incorporeus est, et animae damnatorum ante resurrectionem, ab igne corporali possint pati a quo patientur in inferno corpora damnatorum sicut et Dominus dicit, Matth. XXV: Ite, „maledicti, in ignem aeternum qui paratus est diabolo et angelis eius".

Non igitur sic aestimandum est quod substantiae incorporeae ab igne corporeo pati possint quod earum natura corrumpatur per ignem, vel alteretur, aut qualitercumque aliter transmutetur, sicut nunc nostra corpora corruptibilia patiuntur ab igne: substantiae enim incorporeae non habent materiam corporalem, ut possint a rebus corporeis immutari: neque etiam formarum sensibilium susceptivae sunt, nisi intelligibiliter, talis autem susceptio non est poenalis, sed magis perfectiva et delectabilis.

Neque etiam potest dici quod patiantur ab igne corporeo afflictionem

keit zurückgehalten, durch eine andere Form aktuiert zu werden. Weil aber die Körper der Verdammten hinsichtlich gewisser Umstände nicht völlig der Seele unterworfen sein werden, so werden sie wegen der Gegensätzlichkeit der Sinnendinge arge Bedrängnis erleiden. So werden sie vom materiellen Feuer übel zugerichtet, insofern die Qualität des Feuers aufgrund seiner Prädominanz das Gleichgewicht der Säfte und die wechselseitige Zusammenstimmung bekämpft, welche den Sinnen konnatural ist, auch wenn es sie letztlich nicht zerstören kann. Dennoch wird eine derartige Schädigung die Seele nicht vom Körper trennen können, da der Körper stets unter derselben Form verbleiben muß.

Gleichwie nun die Leiber der Seligen aufgrund ihrer Erneuerung in Herrlichkeit über alle Himmelskörper hinaus erhoben werden, so wird analog den Leibern der Verdammten ein unterster, düsterer und strafevoller Ort zugewiesen werden. Daher heißt es Ps 55, 16: „Es komme der Tod über sie. Lebendig sollen sie fahren zum Abgrund". Auch heißt es Apk 20, 10: „Und der Teufel, ihr Verführer, wurde in den Pfuhl von Feuer und Schwefel geworfen, wo auch das Tier und der Lügenprophet sind; und sie werden gepeinigt werden Tag und Nacht von Ewigkeit zu Ewigkeit".

90. KAPITEL

WIE UNKÖRPERLICHE SUBSTANZEN DURCH KÖRPERHAFTES FEUER LEIDEN

Zweifel mag sich erheben, wie der Teufel, der unkörperlich ist, als auch die Seelen der Verdammten vor der Auferstehung durch das körperliche Feuer leiden können, unter dem die Seelen der Verdammten in der Hölle leiden werden, wie der Herr in Mt 25, 41 sagt: „Hinweg von mir, Verfluchte, in das ewige Feuer, das dem Teufel und seinen Engeln bereitet ist".

Folglich ist dies nicht so zu verstehen, als ob unkörperliche Substanzen derart unter körperlichem Feuer leiden können, daß ihre Natur durch Feuer zerstört wird, sich wandelt oder sich auf irgendeine andere Art verändert, wie unsere vergänglichen Körper jetzt unter dem Feuer leiden. Unkörperliche Substanzen nämlich besitzen keine Körpermaterie, so daß sie von Körperdingen verändert werden könnten; auch sind sie nicht für Formen von Sinnesdingen empfänglich, es sei denn, sie erfassen sie geistig. Ein derartiges Erfassen hat aber nicht Strafcharakter, sondern dient eher der Vervollkommnung und ist angenehm.

Auch kann man nicht sagen, sie litten aufgrund einer bestimmten Ge-

ratione alicuius contrarietatis, sicut corpora post resurrectionem patientur, quia substantiae incorporeae organa sensuum non habent, neque potentiis sensitivis utuntur.

Patiuntur igitur ab igne corporeo substantiae incorporeae per modum alligationis cuiusdam. Possunt enim alligari spiritus corporibus vel per modum formae sicut anima corpori humano alligatur, ut det ei vitam: vel etiam absque hoc quod sit eius forma, sicut necromantici, virtute daemonum, spiritus alligant imaginibus aut huiusmodi rebus. Multo igitur magis virtute divina spiritus damnandi igni corporeo alligari possunt. Et hoc ipsum est eis in afflictionem, quod sciunt se rebus infimis alligatos in poenam.

Est etiam conveniens quod damnati spiritus poenis corporalibus puniuntur. Omne enim peccatum rationalis creaturae ex hoc est quod Deo obediendo non subditur. Poena autem proportionaliter debet culpae respondere: ut voluntas per poenam in contrario eius affligatur quod diligendo peccavit. Est igitur conveniens poena naturae rationali peccanti ut rebus se inferioribus, scilicet corporalibus, quodammodo alligata subdatur.

Item. Peccato quod in Deum committitur non solum poena damni, sed etiam poena sensus debetur, ut in Tertio ostensum est: poena enim sensus respondet culpae quantum ad conversionem inordinatam ad commutabile bonum, sicut poena damni respondet culpae quantum ad aversionem ab incommutabili bono. Creatura autem rationalis, et praecipue humana anima, peccat inordinate se ad corporalia convertendo. Ergo conveniens poena est ut per corporalia affligatur.

Praeterea. Si poena afflictiva peccato debetur, quam dicimus ,poenam sensus', oportet quod ex illo haec poena proveniat quod potest afflictionem inferre. Nihil autem afflictionem infert nisi inquantum est contrarium voluntati. Non est autem contrarium naturali voluntati rationalis naturae quod spirituali substantiae coniungatur: quinimmo hoc est delectabile ei, et ad eius perfectionem pertinens; est enim coniunctio similis ad simile, et intelligibilis ad intellectum; nam omnis substantia spiritualis secundum se intelligibilis est. Est autem contrarium naturali voluntati spiritualis substantiae ut corpori subdatur, a quo, secundum ordinem suae naturae, li-

gensätzlichkeit unter körperlichem Feuer Qualen, so wie sie die Körper nach der Auferstehung erleiden werden. Unkörperliche Substanzen besitzen nämlich weder Sinnesorgane noch machen sie Gebrauch von Sinnesvermögen.

Mithin leiden unkörperliche Substanzen dadurch unter körperlichem Feuer, daß sie mit ihm irgendwie verbunden sind. Geister können sich nämlich mit Körpern entweder nach Art einer Form verbinden (wie sich die Seele mit dem menschlichen Körper verbindet, um ihn zu beleben), oder ohne das, was dessen Form ist. Auf diese Weise verbinden Nekromanten mit dämonischer Kraft Geister mit Erscheinungen und dergleichen. Folglich können weit eher noch durch die Kraft Gottes die Geister der Verdammten mit körperlichem Feuer verbunden werden. Es quält sie, daß sie wissen, daß sie zur Strafe an niedrigste Dinge gefesselt sind.

Ebenfalls ist es recht, daß die Geister der Verdammten mit körperlichen Strafen bestraft werden. Jede Sünde eines vernunftbegabten Geschöpfes nämlich hat darin ihren Grund, daß es Gott nicht gehorcht. Nun muß die Strafe der Schuld entsprechen, damit der Wille Strafe erleidet als Gegensatz zu dem, was seine Vorliebe war, wodurch er sündigte. Mithin stellt es eine angemessene Strafe für ein sündigendes Vernunftwesen dar, daß es durch die Bindung an Dinge, welche unter ihm sind, also offenbar auf irgendeine Weise an körperliche Dinge gebunden, unterworfen wird.

Weiterhin. Der Sünde, welche gegen Gott begangen wird, gebührt nicht nur die Strafe der Entschädigung, sondern auch Sinnenqual, wie im 3. Buch gezeigt wurde (III 145), denn die Sinnenqual entspricht der Schuld in bezug auf die ungeordnete Hinwendung zu einem veränderlichen Gut, gleichwie die Strafe der Verdammung der Schuld entspricht, welche aus der Abwendung vom unveränderlichen Gut resultiert. Nun sündigt ein vernunftbegabtes Geschöpf, vor allem die menschliche Seele, durch ungeordnete Hinwendung auf Körperliches. Mithin stellt die durch körperliche Dinge bedingte Qual eine angemessene Strafe dar.

Außerdem. Verdient die Sünde eine qualvolle Strafe, die wir „Sinnenstrafe" nennen, so muß sie von dem verursacht sein, was Qual verursachen kann. Nun verursacht aber nur etwas Qual, insofern es dem Willen widerstreitet. Nun widerstreitet es dem natürlichen Willen eines Vernunftwesens nicht, sich mit einer geistigen Substanz zu vereinen; im Gegenteil ist ihm dies angenehm und gereicht zu seiner Vollkommenheit, denn es handelt sich um eine Verbindung von Gleichem mit Gleichem und des Erkennbaren mit dem Verstand. Jegliche geistige Substanz ist nämlich an sich erkennbar. Anderseits widerspricht es dem natürlichen Willen einer geistigen Substanz, einem Körper unterworfen zu werden, von dem sie

bera esse debet. Conveniens est igitur ut substantia spiritualis per corporalia puniatur.

Hinc etiam apparet quod, licet corporalia quae de praemiis Beatorum in Scripturis leguntur, spiritualiter intelliguntur, sicut dictum est de promissione ciborum et potuum; quaedam tamen corporalia quae Scriptura peccantibus comminatur in poenam, corporaliter sunt intelligenda, et quasi proprie dicta. Non enim est conveniens quod natura superior per usum inferioris praemietur, sed magis per hoc quod superiori coniungitur: punitur autem convenienter natura superior per hoc quod cum inferioribus deputatur.

Nihil tamen prohibet quaedam etiam quae de damnatorum poenis in Scripturis dicta corporaliter leguntur, spiritualiter accipi, et velut per similitudinem dicta: sicut quod dicitur Isaiae [LXVI]: „Vermis eorum non morietur": potest enim per vermem intelligi conscientiae remorsus, quo etiam impii torquebuntur; non enim est possibile quod corporeus vermis spiritualem corrodat substantiam, neque etiam corpora damnatorum quae incorruptibilia erunt [Marc. IX].

,Fletus' etiam et ,stridor dentium' [Matth. VIII] in spiritualibus substantiis non nisi metaphorice intelligi possunt: quamvis in corporibus damnatorum, post resurrectionem, nihil prohibeat corporaliter ea intelligi; ita tamen quod per fletum non intelligatur lacrimarum deductio, quia ab illis corporibus resolutio nulla fieri potest, sed solum dolor cordis et conturbatio oculorum et capitis, prout in fletibus esse solet.

Capitulum XCI

Quod animae statim post separationem a corpore poenam vel praemium consequuntur

Ex his autem accipere possumus quod statim post mortem animae hominum recipiunt pro meritis vel poenam vel praemium.

Sunt enim animae separatae susceptibiles poenarum non solum spiritualium, sed etiam corporalium, ut ostensum est. Quod autem sint susceptibiles gloriae, manifestum est ex his quae in Tertio sunt tractata. Ex

ihrer Wesensordnung gemäß frei sein muß. Demnach ist es angemessen, daß eine geistige Substanz durch Körperdinge bestraft wird.

Hieraus wird auch folgendes ersichtlich: Auch wenn körperliche Dinge, von denen die Schrift spricht, wenn sie den Lohn der Seligen beschreibt, im geistigen Sinne verstanden werden sollen – wie wir hinsichtlich des Versprechens von Fleisch und Trank gesagt haben (IV 83) –, so ist dennoch einiges Körperliche, welches die Schrift den Sündern als Strafe androht, im materiellen und gleichsam im eigentlichen Sinne zu verstehen. Es ist nämlich der höheren Natur nicht angemessen, mittels einer niedrigeren Natur belohnt zu werden, sondern eher dadurch, daß sie mit einer höheren vereint wird. Dagegen wird eine höhere Natur angemessen dadurch bestraft, daß sie zu den niedrigeren gesellt wird.

Dennoch hindert nichts daran, bestimmten körperbezogenen Ausdrükken der Schrift, die sie in bezug auf die Strafen für die Verdammten benutzt, eine spirituelle und gleichsam metaphorische Deutung zu geben. So heißt es etwa bei Jes 66,24: „Denn ihr Wurm stirbt nicht". Unter „Wurm" kann man Gewissensbisse verstehen, womit auch die Ungläubigen gequält werden. Doch kann kein leibhaftiger Wurm eine geistige Substanz zerstören, auch nicht die Körper der Verdammten, die unvergänglich sein werden.

Auch kann man „Heulen und Zähneknirschen" (Mt 8,12) bei geistigen Substanzen nur metaphorisch verstehen, auch wenn nichts daran hindert, dies bei den Körpern der Verdammten nach der Auferstehung im materiellen Sinne zu deuten; dennoch nicht so, als ob man unter „Heulen" tatsächliches Tränenvergießen verstehen soll, weil aus jenen Körpern nichts ausströmen kann. Damit ist einzig der Seelenschmerz, die Verworrenheit der Augen und des Kopfes gemeint, wie sie gewöhnlich beim Weinen vorkommt.

91. KAPITEL

DIE SEELEN WERDEN UNMITTELBAR NACH DER TRENNUNG VOM LEIBE BESTRAFT ODER BELOHNT

Aus dem bisher Erörterten können wir annehmen, daß die Seelen der Menschen unmittelbar nach dem Tod je nach ihrem Verdienst bestraft oder belohnt werden.

Die getrennten Seelen sind nämlich in der Lage, nicht nur geistige, sondern auch körperliche Strafen zu empfangen, wie gezeigt wurde (IV 90). Aus den Ausführungen im 3. Buch (III 51) ist zudem ersichtlich,

hoc enim quod anima separatur a corpore, fit capax visionis divinae, ad quam, dum esset coniuncta corruptibili corpori, pervenire non poterat. In visione autem Dei ultima hominis beatitudo consistit, quae est „virtutis praemium" [*Ethic.* I 10]. Nulla autem ratio esset quare differretur poena et praemium, ex quo utriusque anima particeps esse potest. Statim igitur cum anima separatur a corpore, praemium vel poenam recipit „pro his quae in corpore gessit" [II Cor. V].

1099b 16–18

Adhuc. In vita ista est status merendi vel demerendi: unde comparatur ‚militiae', et ‚diebus mercenarii', ut patet Iob VII: „Militia est vita hominis super terram: et sicut mercenarii dies eius". Sed post statum militiae et laborem mercenarii statim debetur praemium vel poena bene vel male certantibus: unde et Levit. XIX dicitur: „Non morabitur opus mercenarii tui apud te usque mane". Dominus etiam dicit Ioel [III]: „Cito velociter reddam vicissitudinem vobis super caput vestrum". Statim igitur post mortem animae vel praemium consequuntur vel poenam.

Amplius. Secundum ordinem culpae et meriti convenienter est ordo in poena et praemio. Meritum autem et culpa non competit corpori nisi per animam: nihil enim habet rationem meriti vel demeriti nisi inquantum est voluntarium. Igitur tam praemium quam poena convenienter ab anima derivatur ad corpus: non autem animae convenit propter corpus. Nulla igitur ratio est quare in punitione vel praemiatione animarum expectetur resumptio corporum: quin magis conveniens videtur ut animae, in quibus per prius fuit culpa et meritum, prius etiam puniantur vel praemientur.

Item. Eadem Dei providentia creaturis rationalibus praemia debentur et poena, qua rebus naturalibus perfectiones eis debitae adhibentur. Sic est autem in rebus naturalibus quod unumquodque statim recipit perfectionem cuius est capax, nisi sit impedimentum vel ex parte recipientis, vel ex parte agentis. Cum igitur animae statim cum fuerint separatae a corpore sint capaces et gloriae et poenae, statim utrumque recipient, nec differtur

daß sie auch in der Lage sind, die Herrlichkeit zu empfangen. Aufgrund der Tatsache nämlich, daß die Seele vom Körper getrennt ist, vermag sie der göttlichen Schau teilhaftig zu werden, wozu sie nicht gelangen konnte, solange sie mit einem vergänglichen Körper vereint war. Doch besteht die höchste Glückseligkeit des Menschen in der Gottesschau. Sie ist der „Lohn der Tugend" (Aristoteles). Nun gibt es keinen Grund, warum Strafe oder Lohn sich nach dem Moment verzögern sollte, in dem die Seele in der Lage ist, das eine oder das andere zu empfangen. Folglich empfängt die Seele Lohn oder Strafe „für das, was sie leibhaft getan hat" (2 Kor 5, 10), sobald sie vom Körper getrennt ist.

Weiterhin. Dieses Leben ist eine Zeit des Verdienens oder des Verschuldens. Daher wird es mit dem „Kriegsdienst" und den „Tagen des Tagelöhners" verglichen, wie es offenbar bei Ijob 7, 1 geschieht: „Ist Frondienst nicht des Menschen Los auf Erden? Sind seine Tage nicht wie die eines Tagelöhners?". Doch nach der Zeit des Söldnerdienstes und der Tagelöhnerarbeit wird den gut oder schlecht Streitenden unmittelbar Lohn oder Strafe zuteil. Daher heißt es Lev 19, 13: „Den Lohn des Arbeiters darfst du nicht bis zum anderen Morgen bei dir behalten". Auch spricht der Herr in Joel 4, 4: „Gar schnell lasse ich euer Tun auf eure Häupter zurückfallen". Gleich nach dem Tode also werden die Seelen ihren Lohn oder ihre Strafe erhalten.

Zudem. Die Ordnung bei Strafe und Belohnung sollte der Ordnung bei Schuld und Verdienst entsprechen. Doch kommen dem Leib Verdienst und Schuld nur durch die Seele zu, denn nur auf Freiwilligkeit Beruhendes hat Verdienst- oder Verschuldenscharakter. Folglich werden dem Körper Lohn wie Strafe aufgrund der Seele zuteil, der Seele jedoch nicht aufgrund des Körpers. Also ist kein Grund dafür vorhanden, warum Bestrafung oder Belohnung der Seele auf ihre Wiedervereinigung mit dem Körper warten sollte; tatsächlich erscheint es wesentlich angemessener, wenn die Seelen, worin man in erster Linie Schuld und Verdienst fand, auch zuerst bestraft oder belohnt werden.

Gleichfalls. Den Vernunftwesen wird durch dieselbe göttliche Vorsehung Lohn und Strafe zuteil, wodurch den Naturdingen Vollkommenheiten zukommen, welche für sie erforderlich sind. Nun ist es aber bei den Naturdingen so, daß einem jeden unmittelbar die für sie erforderlichen Vollkommenheiten zukommen, welcher es fähig ist, es sei denn, es gibt ein Hindernis, sei es seitens des Empfängers oder sei es auf seiten des Handelnden. Da nun die Seelen zugleich mit der Trennung vom Körper zur Herrlichkeit oder zur Strafe fähig sind, so werden sie sogleich entweder das eine oder das andere empfangen. Weder verzögert sich der Lohn

vel bonorum praemium vel malorum poena quousque animae corpora reas sumant.

Considerandum tamen est quod ex parte bonorum aliquod impedimentum esse potest, ne animae statim a corpore absolutae ultimam mercedem recipiant, quae in Dei visione consistit. Ad illam enim visionem creatura rationalis elevari non potest nisi totaliter fuerit depurata: cum illa visio totam faculatem naturalem creaturae excedat. Unde Sap. VII dicitur de sapientia quod „nihil inquinatum incurrit in illam" et Isaiae XXXV dicitur: „Non transibit per eam pollutus". Polluitur autem anima per peccatum, inquantum rebus inferioribus inordinate coniungitur. A qua quidem pollutione purificatur in hac vita per poenitentiam et alia sacramenta, ut supra dictum est. Quandoque vero contingit quod purificatio talis non totaliter perficitur in hac vita, sed remanet adhuc debitor poenae: vel propter negligentiam aliquam aut occupationem; aut etiam quia homo morte praevenitur. Nec tamen propter hoc meretur totaliter excludi a praemio: quia haec absque peccato mortali contingere possunt, per quod solum tollitur caritas, cui praemium vitae aeternae debetur, ut apparet ex his quae in Tertio dicta sunt. Oportet igitur quod post hanc vitam purgentur, antequam finale praemium consequantur. Purgatio autem haec fit per poenas, sicut et in hac vita per poenas satisfactorias purgatio completa fuisset: alioquin melioris conditionis essent negligentes quam solliciti, si poenam quam hic pro peccatis non implent, non sustineant in futuro. Retardantur igitur animae bonorum qui habent aliquid purgabile in hoc mundo, a praemii consecutione, quousque poenas purgatorias sustineant. Et haec est ratio quare purgatorium ponimus.

Huic autem positioni suffragatur dictum Apostoli I Cor. III: „Si cuius opus arserit, detrimentum patietur, ipse autem salvus erit, sic tamen quasi per ignem". Ad hoc etiam est consuetudo ecclesiae universalis, quae pro defunctis orat: quae quidem oratio inutilis esset si purgatorium post mortem non ponatur. Non enim orat ecclesia pro his qui iam sunt in termino boni vel mali, sed pro his qui nondum ad terminum pervenerunt.

Quod autem statim post mortem animae consequantur poenam vel

für die Guten noch die Strafe für die Bösen bis zu dem Moment, an dem sich ihre Seelen erneut mit Körpern vereinigen.

Dennoch gilt es zu erwägen, daß es bei den Guten etwas geben kann, was ihre Seelen daran hindert, ihren höchsten Verdienst zu empfangen, nämlich die Gottesschau, sobald sie vom Körper getrennt sind. Zu dieser Schau kann eine Vernunftnatur nämlich nur dann erhoben werden, wenn sie völlig gereinigt ist, da diese Schau das gesamte Naturvermögen des Geschöpfes überschreitet. Daher heißt es Weish 7, 25 von der Weisheit: „deshalb kann keine Befleckung sie je berühren". Auch heißt es Jes 35, 8: „Kein Unreiner darf ihn betreten". Nun wird die Seele durch die Sünde verunreinigt, sofern sie sich auf ungeordnete Weise niederen Dingen zuwendet. Zwar wird sie in diesem Leben von dieser Unreinheit durch Buße und die übrigen Sakramente gereinigt, wie bereits gesagt wurde (IV 56; 59 ff.; 70; 72 ff.); wann immer jedoch diese Reinigung in diesem Leben nicht vollständig geschieht, so daß noch eine Strafschuld verbleibt, sei es aufgrund einer Unterlassung oder aufgrund einer Handlung, oder weil man unverhofft vom Tod ereilt wird, so verdient man dennoch nicht, deswegen vollständig von diesem Lohn ausgeschlossen zu werden. Dies kann sich nämlich ohne das Vorhandensein einer Todsünde ereignen, wodurch allein die Liebe genommen wird, welcher der Lohn ewigen Lebens gebührt, wie aus den Ausführungen im 3. Buch ersichtlich ist (III 143). Mithin müssen (die Seelen) nach diesem Leben gereinigt werden, bevor die den abschließenden Lohn erhalten. Nun geschieht diese Reinigung durch Strafen, gleichwie die Reinigung in diesem Leben durch zureichende Strafen vollendet worden wäre. Andernfalls wären Nachlässige besser gestellt als Achtsame, wenn sie zukünftig nicht für die Sünden leiden müßten, für die sie in diesem Leben nicht bestraft wurden. Folglich verzögert sich so lange die Belohnung der Seelen jener Guten, bei denen etwas verbleibt, was in dieser Welt hätte gereinigt werden sollen, bis sie sich reinigenden Strafen unterzogen haben. Hierin besteht der Grund, warum wir behaupten, es gebe ein Purgatorium.

Diese Ansicht wird durch das Wort des Apostels von 1 Kor 3, 15 gestützt: „Wenn jemandes Werk verbrennen wird, so wird er bestraft werden; er selbst wird zwar gerettet werden, jedoch so wie durch Feuer hindurch". Dies wird auch durch die allgemeine Praxis der Kirche bestätigt, für die Verstorbenen zu beten. Ein derartiges Gebet wäre unnütz, nähme man keinen Ort der Reinigung nach dem Tode an, denn die Kirche betet nicht für diejenigen, welche bereits am Endzustand eines guten oder bösen Lebens angelangt sind, sondern für jene, welche noch nicht zum Endzustand gelangt sind.

Nun wird durch die Schriftautoritäten bestätigt, daß die Seelen unter

praemium si impedimentum non sit, auctoritatibus Scripturae confirma-tur. Dicitur enim Iob XXI de malis: „Ducunt in bonis dies suos: et in puncto ad inferna descendunt"; et Luc. XVI: „Mortuus est dives, et se-pultus est in inferno"; infernus autem est locus ubi animae puniuntur. Similiter etiam et de bonis patet. Ut enim habetur Lucae XXIII, Dominus in cruce pendens latroni dixit: „Hodie mecum eris in paradiso"; per ,pa-radisum' autem intelligitur praemium quod repromittitur bonis, secun-dum illud Apoc. II: „Vincenti dabo edere de ligno vitae quod est in para-diso Dei mei".

Dicunt autem quidam quod per ,paradisum' non intelligitur ultima re-muneratio, quae erit in caelis, secundum illud Matth. V: „Gaudete et ex-ultate, quoniam merces vestra copiosa est in caelis"; sed aliqualis remune-ratio quae erit in terra. Nam paradisus locus quidam terrenus esse videtur, ex hoc quod dicitur Gen. II, quod „plantaverat Dominus Deus paradisum voluptatis, in quo posuit hominem quem formaverat".

Sed si quis recte verba Sacrae Scripturae consideret, inveniet quod ipsa finalis retributio, quae in caelis promittitur sanctis, statim post hanc vitam datur. Apostolus enim II Cor. IV, cum de finali gloria locutus fuisset, dicens quod „id quod in praesenti est tribulationis nostrae momentaneum et leve, supra modum in sublimitate aeternum gloriae pondus operatur in nobis, non contemplantibus nobis ea quae videntur, sed ea quae non vi-dentur; quae enim videntur temporalia sunt, quae autem non videntur aeterna", quae manifestum est de finali gloria dici, quae est in caelis; ut ostenderet quando et qualiter haec gloria habeatur, subiungit [II Cor. V]: „Scimus enim quoniam si terrestris domus nostra huius habitationis dis-solvatur, quod aedificationem ex Deo habemus, domum non manufactam, sed aeternam in caelis"; per quod manifeste dat intelligere quod, dissoluto corpore, anima ad aeternam et caelestem mansionem perducitur, quae nihil aliud est quam fruitio divinitatis, sicut angeli fruuntur in caelis.

Si quis autem contradicere velit, dicens Apostolum non dixisse, quod statim, dissoluto corpore, domum aeternam habeamus in caelis in re, sed solum in spe, tandem habituri in re:

manifeste hoc est contra intentionem Apostoli: quia etiam dum hic vivimus habituri sumus caelestem mansionem secundum praedestinatio-

der Voraussetzung, daß kein Hindernis vorliegt, sogleich nach dem Tode Lohn oder Strafe empfangen. So heißt es Ijob 21, 13 von den Bösen: „Sie bringen ihre Tage hin in Glück, in Frieden steigen sie hinab in die Scheol" und Lk 16, 22: „Der Reiche aber starb ebenfalls und wurde in der Hölle begraben". Nun ist die Hölle der Ort, an dem die Seelen bestraft werden. Ähnlich ist auch der Aufenthaltsort der Guten offenkundig. Wie es bei Lk 23, 43 heißt, sagte der Herr zum Schächer, als er am Kreuz hing: „Heute (noch) wirst du mit mir im Paradiese sein". Unter ,Paradies' ist aber der Lohn zu verstehen, welcher den Guten zugesagt ist, dem Worte Apok 2, 7 gemäß: „Dem Sieger werde ich zu essen geben vom Baume des Lebens, der im Paradiese meines Gottes steht".

Doch behaupten einige, unter Paradies sei nicht die letztliche Belohnung im Himmel zu verstehen, dem Worte von Mt 5, 12 entsprechend: „Freut euch und frohlocket, denn euer Lohn ist groß im Himmel"; vielmehr bedeute es eine Belohnung auf dieser Erde, denn offenbar handelt es sich beim Ort des Paradieses um einen irdischen Ort. So heißt es Gen 2, 8: „Jahwe Gott pflanzte einen Garten in Eden, im Osten, und setzte dahinein den Menschen, den er gebildet hatte".

Bedenkt man jedoch die Worte der Heiligen Schrift recht, so wird man finden, daß der endgültige Lohn, welcher den Heiligen im Himmel versprochen ist, sofort nach diesem Leben erteilt wird. Nachdem der Apostel nämlich von der Endherrlichkeit gesprochen hatte, sagte er 2 Kor 4, 17 f.: „Denn unsere augenblickliche geringfügige Trübsal erwirkt uns eine von Fülle zu Fülle anwachsende, alles überwiegende ewige Herrlichkeit, da wir den Blick nicht auf das Sichtbare, sondern auf das Unsichtbare richten; denn das Sichtbare ist vergänglich, das Unsichtbare dagegen ewig". Er spricht hier offensichtlich von der Endherrlichkeit im Himmel. Um zu zeigen, wann und wie man diese Herrlichkeit erlangt, fügte er 2 Kor 5, 1 hinzu: „Denn wir wissen, daß, wenn unser irdisches Wohnzelt abgebrochen wird, wir einen Bau von Gott empfangen, ein nicht mit Händen errichtetes, ewiges Haus im Himmel". Hiermit gibt er offensichtlich zu verstehen, daß die Seele, nachdem der Leib der Verwesung anheimgegeben ist, zur ewigen und himmlischen Wohnstatt geleitet wird, die nichts anderes ist als der Genuß der Gottheit, gleichwie sich die Engel im Himmel erfreuen.

Jemand möchte entgegenhalten, der Apostel habe nicht gesagt, wir besäßen unmittelbar, nachdem der Leib der Verwesung anheimgegeben ist, nicht tatsächlich, sondern nur in der Hoffnung eine ewige Wohnstatt im Himmel, und dann erst besäßen wir sie tatsächlich.

Dies widerspricht offensichtlich dem, was der Apostel meint, denn wir werden sogar in unserem jetzigen Leben der göttlichen Vorherbestim-

nem divinam; et iam eam habemus in spe, secundum illud Rom. VIII: „Spe enim salvi facti sumus". Frustra igitur addidit: „si terrena domus nostra huius habitationis dissolvatur"; suffecisset enim dicere: „scimus quod ae-dificationem habemus ex Deo" etc.

Rursus expressius hoc apparet ex eo quod subditur [II Cor. V]: „Scien-tes quoniam, dum sumus in corpore, peregrinamur a Domino: per fidem enim ambulamus, et non per speciem. Audemus autem, et bonam volun-tatem habemus magis peregrinari a corpore, et praesentes esse ad Domi-num". Frustra autem vellemus ‚peregrinari a corpore‘, idest ‚separari‘, nisi statim essemus praesentes ad Dominum. Non autem sumus praesentes nisi quando videmus per speciem: quandiu enim ambulamus per fidem et non per speciem,„peregrinamur a Domino‘, ut ibidem dicitur. Statim igitur cum anima sancta a corpore separatur, Deum per speciem videt: quod est ultima beatitudo, ut in Tertio est ostensum.

Hoc autem idem ostendunt et verba eiusdem Apostoli, Philipp. I, di-centis: „Desiderium habens dissolvi et esse cum Christo". Christus autem in caelis est. Sperabat igitur Apostolus statim post corporis dissolutionem se perventurum ad caelum.

Per hoc autem excluditur error quorundam Graecorum, qui purgato-rium negant, et dicunt animas ante corporum resurrectionem neque ad caelum ascendere, neque in infernum demergi.

Capitulum XCII

Quod animae sanctorum post mortem habent voluntatem immutabilem in bono

Ex his autem apparet quod animae, statim cum a corpore fuerint sepa-ratae, immobiles secundum voluntatem redduntur: ut scilicet ulterius vo-luntas hominis mutari non possit, neque de bono in malum, neque de malo in bonum.

Quandiu enim anima de bono in malum vel de malo in bonum mutari potest, est in statu pugnae et militiae: oportet enim ut sollicite resistat malo, ne ab ipso vincatur; vel conetur ut ab eo liberetur. Sed statim cum anima a corpore separatur, non erit in statu militiae vel pugnae, sed reci-

mung gemäß eine himmlische Wohnstatt haben. Wir haben sie jetzt bereits in der Hoffnung, entsprechend Rö 8,24: „Denn auf Hoffnung sind wir gerettet". Folglich wäre es nutzlos, wenn er in 2 Kor 5,1 hinzufügte: „Wenn unser irdisches Wohnzelt abgebrochen wird". Es hätte nämlich genügt zu sagen: „Wir wissen, daß wir von Gott eine Wohnstatt haben", etc.

Dies wird aus dem Hinzugefügten, 2 Kor 5,6 ff., noch deutlicher: „Wir wissen, daß wir, solange wir im Leibe weilen, fern vom Herrn in der Fremde wohnen. Wir wandeln im Glauben, nicht im Schauen; doch sind wir frohgemut und möchten lieber aus dem Leib ausziehen und daheim sein beim Herrn". Nun wäre es umsonst, wollten wir „aus dem Leib ausziehen", d. h. von ihm getrennt sein, wären wir nicht unmittelbar beim Herrn. Doch sind wir nur dann zugegen, wenn wir ihn tatsächlich schauen. Solange wir nämlich im Glauben wandeln und nicht im Schauen, wandeln wir „fern vom Herrn", wie es an dieser Stelle heißt. Sobald also die heilige Seele vom Leibe getrennt ist, schaut sie Gott tatsächlich. Hierin besteht die höchste Glückseligkeit, wie im 3. Buch erklärt wurde (III 51).

Dasselbe beweisen auch die Worte des Apostels, wenn er in Philipp 1,23 sagt: „Ich habe das Verlangen, aufzubrechen und mit Christus zu sein". Doch Christus ist im Himmel. Also hoffte der Apostel, sofort nach der Auflösung des Körpers zum Himmel zu gelangen.

Damit ist auch der Irrtum gewisser Griechen ausgeschlossen, welche ein Purgatorium leugnen und behaupten, die Seelen stiegen vor der Auferstehung der Leiber weder zum Himmel auf noch führen sie zur Hölle.

92. Kapitel

Nach dem Tode besitzen die Seelen der Heiligen einen unwandelbaren Willen zum Guten

Aus dem Gesagten ergibt sich, daß die Seelen einen unveränderlichen Willen bekommen, sobald sie vom Körper getrennt sind, d. h., daß sich der Wille des Menschen nicht weiterhin wandeln kann, weder vom Guten zum Schlechten noch umgekehrt.

Solange sich nämlich die Seele vom Guten zum Schlechten oder vom Schlechten zum Guten wandeln kann, ist sie im Zustande des Kampfes und Kriegsdienstes. So muß sie dem Bösen achtsam widerstehen, um nicht von ihm besiegt zu werden, oder versuchen, sich von ihm zu befreien. Doch sobald sich die Seele vom Leibe trennt, wird sie sich nicht im Zustande des Krieges oder des Kampfes befinden, sondern in einem Zustande, Lohn

piendi praemium vel poenam pro eo quod „legitime vel illegitime certavit"
[II Tim. II]: ostensum est enim quod statim vel praemium vel poenam
consequitur. Non igitur ulterius anima secundum voluntatem vel de bono
in malum, vel de malo in bonum mutari potest.

Item. Ostensum est in Tertio quod beatitudo, quae in Dei visione consistit, perpetua est: et similiter in eodem ostensum est quod peccato mortali debetur poena aeterna. Sed anima beata esse non potest si voluntas
eius recta non fuerit: desinit enim esse recta per hoc quod a fine avertitur;
non potest autem simul esse quod a fine avertatur, et fine fruatur. Oportet
igitur rectitudinem voluntatis in anima beata esse perpetuam, ut non possit
transmutari de bono in malum.

Amplius. Naturaliter creatura rationalis appetit esse beata: unde non
potest velle non esse beata. Potest tamen per voluntatem deflecti ab eo in
quo vera beatitudo consistit, quod est voluntatem esse perversam. Et hoc
quidem contingit quia id in quo vera beatitudo est, non apprehenditur sub
ratione beatitudinis, sed aliquid aliud, in quo voluntas inordinata deflec-
titur sicut in finem: puta, qui ponit finem suum in voluptatibus corporalibus, aestimat eas ut optimum, quod est ratio beatitudinis. Sed illi qui iam
beati sunt, apprehendunt id in quo vere beatitudo est sub ratione beatitudinis et ultimi finis: alias in hoc non quiesceret appetitus, et per consequens non essent beati. Quicumque igitur beati sunt, voluntatem deflec-
tere non possunt ab eo in quo est vera beatitudo. Non igitur possunt
perversam voluntatem habere.

Item. Cuicumque sufficit id quod habet, non quaerit aliquid extra ipsum. Sed quicumque est beatus, sufficit ei id in quo est vera beatitudo,
alias non impleretur eius desiderium. Ergo quicumque est beatus, nihil
aliud quaerit quod non pertineat ad id in quo vera beatitudo consistit.
Nullus autem habet perversam voluntatem nisi per hoc quod vult aliquid
quod repugnat ei in quo vera beatitudo consistit. Nullius igitur Beati voluntas potest mutari in malum.

Praeterea. Peccatum in voluntate non accidit sine aliquali ignorantia
intellectus: nihil enim volumus nisi bonum verum vel apparens; propter
quod dicitur Proverb. XIV: „Errant qui operantur malum"; et Philosophus, *Ethic.* III [2], dicit quod „omnis malus ignorans". Sed anima quae

1110b 28

oder Strafe dafür zu erlangen, daß sie auf rechte oder unrechte Weise kämpfte [2 Tim 2, 5]. Nun wurde gezeigt (IV 91), daß sie unmittelbar Lohn oder Strafe erlangt. Mithin kann sich ihr Wille nicht noch darüber hinaus vom Guten zum Schlechten oder vom Schlechten zum Guten ändern.

Weiterhin. Es wurde im 3. Buch nachgewiesen (III 61), daß die in der Gottesschau bestehende Glückseligkeit ewig ist. Ähnlich wurde im selben Buch gezeigt (III 144), daß einer Todsünde ewige Strafe gebührt. Doch vermag die Seele nur dann glückselig zu sein, wenn ihr Wille sittlich gut ist. Wendet sich der Wille nämlich vom rechten Ziel ab, so hört er auf, sittlich gut zu sein; [er ist dadurch sittlich gut, daß er sich am Ziel erfreut]. Doch kann er sich nicht zugleich vom Ziel abwenden und sich an ihm erfreuen. Folglich muß die sittliche Güte des Willens bei der glückseligen Seele auf ewig bestehen, so daß keine Wandlung vom Guten zum Schlechten möglich ist.

Weiterhin. Ein Vernunftgeschöpf strebt natürlicherweise danach, glücklich zu sein. Daher kann es nicht unglücklich sein wollen. Dennoch kann es durch den Willen von dem abgelenkt werden, worin die wahre Glückseligkeit besteht. Dann ist der Wille verkehrt. Der Grund, warum dies geschieht, liegt darin, daß der Wille nicht das, worin die wahre Glückseligkeit besteht, für Glückseligkeit nimmt, sondern etwas anderes, auf das sich der ungeordnete Wille als auf sein Ziel richtet. So etwa hält derjenige, welcher sich körperliche Genüsse zum Ziele setzt, diese Genüsse für das Höchste, d. h. als das, worin das Glück besteht. Andererseits halten die Seligen jenes für ihr Glück und Letztziel, worin die wahrhafte Glückseligkeit besteht; andernfalls würde ihr Streben nicht hierin zur Ruhe gelangen; damit wären sie nicht wirklich glücklich. Diejenigen also, welche sich im Zustande der Glückseligkeit befinden, können nicht ihren Willen von dem abwenden, worin wahrhafte Glückseligkeit besteht. Also können sie über keinen verkehrten Willen verfügen.

Weiterhin. Niemand sucht nach mehr, wenn ihm das genügt, was er besitzt. Nun ist das, worin wahre Glückseligkeit besteht, einem Seligen genug; andernfalls wäre sein Verlangen nicht gestillt. Folglich sucht jeder Selige nur das, worin die wahre Glückseligkeit besteht. Doch hat niemand einen verkehrten Willen, es sei denn, er verlangt nach etwas, was mit dem im Widerstreit steht, worin wahre Glückseligkeit besteht. Folglich kann sich der Wille keines Seligen zum Schlechten wandeln.

Außerdem. Es gibt keine Sünde im Willen ohne irgendeine Unkenntnis im Verstande. So wollen wir nur wahrhaft oder scheinbar Gutes. Deswegen heißt es Spr 14, 22: „Gehen nicht die in die Irre, welche Böses planen?". Auch sagt der Philosoph (Aristoteles) im 3. Buch der *Ethiken*: „Jeder Schlechte ist unwissend". Keineswegs jedoch kann eine wahrhaft

est vere beata, nullo modo potest esse ignorans: cum in Deo omnia videat quae pertinent ad suam perfectionem. Nullo igitur modo potest malam voluntatem habere: praecipue cum illa Dei visio semper sit in actu, ut in Tertio est ostensum.

Adhuc. Intellectus noster circa conclusiones aliquas errare potest antequam in prima principia resolutio fiat, in quae resolutione iam facta, scientia de conclusionibus habetur, quae falsa esse non potest. Sicut autem se habet principium demonstrationis in speculativis, ita se habet finis in appetitivis. Quandiu igitur finem ultimum non consequimur, voluntas nostra potest perverti: non autem postquam ad fruitionem ultimi finis pervenerit, quod est propter se ipsum desiderabile, sicut prima principia demonstrationum sunt per se nota.

Amplius. Bonum, inquantum huiusmodi, diligibile est. Quod igitur apprehenditur ut optimum, est maxime diligibile. Sed substantia rationalis beata videns Deum, apprehendit ipsum ut optimum. Ergo maxime ipsum diligit. Hoc autem habet ratio amoris, quod voluntates se amantium sint conformes[55]. Voluntates igitur Beatorum sunt maxime conformes Deo: quod facit rectitudinem voluntatis, cum divina voluntas sit prima regula omnium voluntatum. Voluntates igitur Deum videntium non possunt fieri perversae.

Item. Quandiu aliquid est natum moveri ad alterum, nondum habet ultimum finem. Si igitur anima beata posset adhuc transmutari de bono in malum, nondum esset in ultimo fine. Quod est contra beatitudinis rationem. Manifestum est igitur quod animae quae statim post mortem fiunt beatae, redduntur immutabiles secundum voluntatem.

Capitulum XCIII

Quod animae malorum post mortem habent voluntatem immutabilem in malo

Similiter etiam et animae quae statim post mortem efficiuntur in poenis miserae, redduntur immutabiles secundum voluntatem.

Ostensum est enim in Tertio quod peccato mortali debetur poena perpetua. Non autem esset poena perpetua animarum quae damnantur, si possent voluntatem mutare in melius: quia iniquum esset quod ex quo

[55] Cf. Aristotelem, *Ethic.* IX 4 (1166a 1sq; 30sqq).

glückliche Seele unwissend sein, da sie in Gott all das erblickt, was zu ihrer Vollkommenheit gereicht. Folglich kann sie keineswegs über einen bösen Willen verfügen, insbesondere deswegen nicht, weil die Gottesschau stets aktuell verwirklicht ist, wie im 3. Buch nachgewiesen wurde (III 62).

Zudem. Wohl kann sich unser Verstand bei Schlußfolgerungen irren, bevor er sie auf erste Prinzipien zurückgeführt hat. Ist aber diese Rückführung erfolgt, so verfügt man über Wissen von der Geltung der Konklusionen. Dieses Wissen kann nicht falsch sein. Wie sich aber das Beweisprinzip im spekulativen Bereich verhält, so verhält sich das Ziel im Bereiche des Strebens. Mithin kann sich unser Wille verkehren, solange er das Letztziel nicht erreicht hat. Dies kann er jedoch nicht, nachdem er in den Genuß des Letztziels gelangt ist, welches um seiner selbst willen erstrebenswert ist, gleichwie die ersten Beweisprinzipien selbstevident sind.

Darüber hinaus. Das Gute ist als solches liebenswert. Folglich ist das, was als höchstes Gut erfaßt wird, auf höchste Weise liebenswert. Nun erfaßt die glückselige rationale Substanz Gott als höchstes Gut, wenn sie seiner ansichtig wird. Also liebt sie ihn zuhöchst. Nun liegt es im Wesen der Liebe, daß der Wille der Liebenden sich jeweils entspricht. Mithin entspricht der Wille der Seligen Gott auf höchste Weise, welcher die rechte Willensausrichtung bewirkt, da der göttliche Wille die erste Richtschnur jeglichen Willens darstellt. Mithin kann der Wille derjenigen, welche Gott schauen, nicht verkehrt werden.

Weiterhin. Solange etwas dazu bestimmt ist, sich auf etwas anderes hinzubewegen, ist es noch nicht im Besitz des Letztziels. Könnte sich nun eine beseligte Seele immer noch vom Guten zum Schlechten wandeln, so wäre sie noch nicht am Letztziel. Dies widerspricht dem Wesen der Glückseligkeit. Mithin werden die Seelen, welche sogleich nach dem Tode beseligt werden, in ihrem Willen unwandelbar.

93. KAPITEL

NACH DEM TODE BESITZEN DIE SEELEN DER BÖSEN EINEN UNWANDELBAREN WILLEN ZUM BÖSEN

Gleichfalls bekommen auch jene Seelen, welche unmittelbar nach dem Tode unter Strafen unglückselig werden, einen unwandelbaren Willen.

So wurde im 3. Buch nachgewiesen (III 144), daß der Todsünde ewige Seelenstrafe gebührt. Doch wäre diese Seelenstrafe der Verdammten nicht ewig, könnten sie ihren Willen zum Besseren ändern; hätten sie dann einen

bonam voluntatem haberent, perpetuo punirentur. Voluntas igitur animae damnatae non potest mutari in bonum.

Praeterea. Ipsa inordinatio voluntatis quaedam poena est, et maxime afflictiva: quia, in quantum habet inordinatam voluntatem aliquis, displicent ei quae recte fiunt, et damnatis displicebit quod voluntas Dei impletur in omnibus, cui peccando restiterunt. Igitur inordinata voluntas nunquam ab eis tolletur.

Adhuc. Voluntatem a peccato mutari in bonum non contingit nisi per gratiam Dei, ut patet ex his quae in Tertio dicta sunt. Sicut autem bonorum animae admittuntur ad perfectam participationem divinae bonitatis, ita damnatorum animae a gratia totaliter excluduntur. Non igitur poterunt mutare in melius voluntatem.

Praeterea. Sicut boni in carne viventes omnium suorum operum et desideriorum finem constituunt in Deo, ita mali in aliquo indebito fine avertente eos a Deo. Sed animae separatae bonorum immobiliter inhaerebunt fini quem in hac vita sibi praestituerunt, scilicet Deo. Ergo et animae malorum immobiliter inhaerebunt fini quem sibi elegerunt. Sicut igitur bonorum voluntas non poterit fieri mala, ita nec malorum poterit fieri bona.

CAPITULUM XCIV

DE IMMUTABILITATE VOLUNTATIS IN ANIMABUS IN PURGATORIO DETENTIS

Sed quia quaedam animae sunt quae statim post separationem ad beatitudinem non perveniunt, nec tamen sunt damnatae, sicut illae quae secum aliquid purgabile deferunt, ut dictum est; ostendendum est quod nec etiam huiusmodi animae separatae possunt secundum voluntatem mutari.

Beatorum enim et damnatorum animae habent immobilem voluntatem ex fine cui adhaeserunt, ut ex dictis patet: sed animae quae secum aliquid purgabile deferunt, in fine non discrepant ab animabus beatis: decedunt enim cum caritate, per quam inhaeremus Deo ut fini. Ergo etiam ipsaemet immobilem voluntatem habebunt.

guten Willen, so wäre es ungerecht, würden sie auf ewig bestraft. Mithin kann sich der Wille einer verdammten Seele nicht ändern.

Zudem. Die Ungeordnetheit des Willens stellt selbst eine Strafe dar. Sie ist höchst qualvoll, denn jemandem mit ungeordnetem Willen mißfällt das, was rechtens geschieht. Den Verdammten wird mißfallen zu sehen, daß sich in all dem, dem sie beim Sündigen widerstanden, der Wille Gottes erfüllt. Deswegen werden sie niemals den ungeordneten Willen verlieren.

Weiterhin. Der Wille wendet sich nur durch die Gnade Gottes von der Sünde zum Guten, wie aus dem 3. Buch deutlich wird (III 157). Gleichwie nun die Seelen der Guten zur vollkommenen Teilhabe an der Güte Gottes gelangen, so werden die Seelen der Verdammten vollständig von der Gnade ausgeschlossen. Mithin werden die Seelen der Verdammten ihren Willen nicht zum Besseren wenden können.

Außerdem. Gleichwie die Guten, die im Fleische leben, das Ziel all ihrer Werke und ihres Verlangens auf Gott gründen, so halten die Bösen an einem unrechten Ziel fest, was sie von Gott abwendet. Doch werden die (vom Leibe) getrennten Seelen der Guten unveränderlich einem Ziel anhangen, das sie sich in diesem Leben vorgesetzt haben, d. h. Gott. Also werden auch die Seelen der Bösen unveränderlich dem Ziel anhangen, welches sie sich wählten. Wie also der Wille der Guten nicht böse zu werden vermag, so wird auch der Wille der Bösen nicht gut werden können.

94. KAPITEL

DIE UNWANDELBARKEIT DES WILLENS DER SEELEN IM PURGATORIUM

Es gibt jedoch Seelen, welche nicht unmittelbar nach ihrer Trennung [vom irdischen Leibe] zur Glückseligkeit gelangen, selbst wenn sie nicht verdammt sind. Es sind diejenigen, welche mit etwas behaftet sind, was der Purifizierung bedarf, wie gesagt wurde (IV 91). Nun gilt es zu zeigen, daß auch diese Seelen nicht ihren Willen ändern können, nachdem sie vom Leibe getrennt sind.

Wir haben nachgewiesen (IV 92 f.), daß die Seelen der Seligen wie die der Verdammten hinsichtlich des Zieles, dem sie anhingen, einen unwandelbaren Willen besitzen. Doch unterscheiden sich die Seelen, in denen noch etwas verbleibt, was der Reinigung bedarf, hinsichtlich ihres Zieles nicht von denen der Seligen. Sie versterben nämlich mit der Liebe, mit der wir Gott als unserem Ziel anhangen. Folglich werden auch sie über einen unwandelbaren Willen verfügen.

Capitulum XCV

De immutabilitate voluntatis communiter
in omnibus animabus post separationem a corpore

Quod autem ex fine in omnibus animabus separatis sequatur immobilitas voluntatis, sic manifestum esse potest.

„Finis enim", ut dictum est, „se habet in appetitivis sicut prima principia demonstrationis in speculativis". Huiusmodi autem principia naturaliter cognoscuntur; et error qui circa huiusmodi principia accideret, ex corruptione naturae proveniret. Unde non posset homo mutari de vera acceptione principiorum in falsam, aut e converso, nisi per mutationem naturae: non enim qui errat circa principia, revocari potest per aliqua certiora, sicut revocatur homo ab errore qui est circa conclusiones. Et similiter nec posset aliquis a vera acceptione principiorum per aliqua magis apparentia seduci. – Sic igitur et se habet circa finem. Quia unusquisque naturaliter habet desiderium ultimi finis.

Et hoc quidem sequitur in universali naturam rationalem, ut beatitudinem appetat: sed quod hoc vel illud sub ratione beatitudinis et ultimi finis desideret, ex aliqua speciali dispositione naturae contingit; unde Philosophus dicit quod „qualis unusquisque est talis et finis videtur ei" [*Ethic.* III 7]. Si igitur dispositio illa per quam aliquid desideratur ab aliquo ut ultimus finis, ab eo removeri non possit, non poterit immutari voluntas eius quantum ad desiderium finis illius.

1114a 32–b 1

Huiusmodi autem dispositiones removeri possunt a nobis quandiu est anima corpori coniuncta. Quod enim aliquid appetatur a nobis ut ultimus finis, contingit quandoque ex eo quod sic disponimur aliqua passione, quae cito transit: unde et desiderium finis de facili removetur, ut in continentibus apparet. Quandoque autem disponimur ad desiderium alicuius finis boni vel mali per aliquem habitum: et ista dispositio non de facili tollitur, unde et tale desiderium finis fortius manet, ut in temperatis apparet; et tamen dispositio habitus in hac vita auferri potest.

95. Kapitel

Die Ursache der Unwandelbarkeit bei allen Seelen nach ihrer Trennung vom Leibe

Nunmehr läßt sich folgendermaßen verdeutlichen, daß sich diese Unwandelbarkeit des Willens bei allen Seelen nach ihrer Trennung vom Leibe aufgrund des Zieles ergibt:

Wie bereits gesagt (IV 92), verhält sich das Ziel im Bereiche des Strebens wie die ersten Beweisprinzipien im spekulativen Bereiche. Diese Prinzipien sind von Natur aus bekannt. Jeglicher Irrtum, welcher hinsichtlich dieser Prinzipien vorkommt, ist auf eine Verderbtheit der Natur zurückzuführen. Daher kann ein Mensch, welcher diese Prinzipien recht versteht, nicht dazu gelangen, sie falsch zu verstehen oder umgekehrt, es sei denn, seine Natur änderte sich. Daher kann niemand, welcher sich hinsichtlich dieser Prinzipien irrt, durch noch gewissere Prinzipien korrigiert werden, wie man vom Irrtum in bezug auf Schlußfolgerungen befreit wird. Ähnlich ist es nicht möglich, daß jemand, welcher diese Prinzipien richtig erfaßt, durch noch gewisser scheinende auf Abwege geführt wird. Dasselbe trifft auch auf das Ziel zu, da jeder natürlicherweise ein Verlangen nach dem Letztziel besitzt.

Hieraus folgt, daß allgemein jegliches Verstandeswesen Glück erstrebt. Daß es aber dieses oder jenes als das Glück oder das Letztziel ausmachend erstrebt, ergibt sich aus einer besonderen Naturveranlagung. Daher sagt der Philosoph (Aristoteles), „was jemandem als Ziel erscheint, das hängt davon ab, wie beschaffen er ist". Wenn also diese Disposition, die jemanden etwas als Letztziel verlangen läßt, nicht von ihm genommen werden kann, dann wird sich sein Wille nicht vom Verlangen dieses Ziel abbringen lassen.

Nun können derartige Dispositionen von uns genommen werden, solange die Seele mit dem Leib vereint ist. Das Verlangen nach etwas als unserem Letztziel kommt bisweilen dadurch zustande, daß wir hierzu aufgrund einer affektiven Erregung geneigt sind, welche schnell vorübergeht. Deshalb verflüchtigt sich auch das Verlangen nach dem Ziele leicht, wie es bei kontingenten Dingen offenkundig ist. Doch manchmal sind wir dazu disponiert, etwas aufgrund einer festen Haltung als Ziel zu verlangen, sei es gut oder schlecht. Diese Disposition jedoch ist nicht leicht beseitigt. Folglich hat ein derartiges Verlangen einen stärkeren, dauerhaften Einfluß auf uns. Dies wird bei den Selbstbeherrschten offenkundig. Dennoch kann die feste Verhaltensdisposition in diesem Leben beseitigt werden.

Sic ergo manifestum est quod, dispositione manente qua aliquid desideratur ut ultimus finis, non potest illius finis desiderium moveri: quia ultimus finis maxime desideratur; unde non potest aliquis a desiderio ultimi finis revocari per aliquid desiderabile magis. Anima autem est in statu mutabili quandiu corpori unitur: non autem postquam fuerit a corpore separata. Dispositio enim animae movetur per accidens[56] secundum aliquem motum corporis: cum enim corpus deserviat animae ad proprias operationes, ad hoc ei naturaliter datum est ut in ipso existens perficiatur, quasi ad perfectionem mota. Quando igitur erit a corpore separata, non erit in statu ut moveatur ad finem, sed ut in fine adepto quiescat. Immobilis igitur erit voluntas eius quantum ad desiderium ultimi finis.

Ex ultimo autem fine dependet tota bonitas vel malitia voluntatis: quia bona quaecumque aliquis vult in ordine ad bonum finem, bene vult: mala autem quaecumque in ordine ad malum finem, male vult. Non est igitur voluntas animae separatae mutabilis de bono in malum: licet sit mutabilis de uno volito in aliud, servato tamen ordine ad eundem ultimum finem.

Ex quo apparet quod talis immobilitas voluntatis libero arbitrio non repugnat, cuius actus est eligere: electio enim est eorum quae sunt ad finem, non autem ultimi finis. Sicut igitur non repugnat nunc libero arbitrio quod immobili voluntate desideramus beatitudinem et miseriam fugimus in communi, ita non erit contrarium libero arbitrio quod voluntas immobiliter fertur in aliquid determinatum sicut in ultimum finem: quia sicut nunc immobiliter nobis inhaeret natura communis, per quam beatitudinem appetimus in communi; ita tunc immobiliter manebit illa specialis dispositio per quam hoc vel illud desideratur ut ultimus finis.

Substantiae autem separatae, scilicet angeli, propinquiores sunt, secundum naturam in qua creantur, ultimae perfectioni quam animae: quia non indigent acquirere scientiam ex sensibus, neque pervenire ratiocinando de principiis ad conclusiones, sicut anima; sed per species inditas statim pos-

---

[56] Cf. Aristotelem, *Physic.* VIII 6 (259b 16 – 20).

Solange also die Disposition verbleibt, welche das Verlangen nach etwas Bestimmtem als Letztziel verursacht, solange kann offensichtlich das Verlangen nach diesem Ziel nicht beseitigt werden, denn man verlangt am meisten nach dem Letztziel. Deswegen kann niemand vom Verlangen nach dem Letztziel durch etwas abgebracht werden, was noch verlangenswerter ist. Solange die Seele jedoch mit dem Leib vereint ist, befindet sie sich in einem wandelbaren Zustand, nicht aber, nachdem sie vom Körper getrennt ist. So wandelt sich die Disposition der Seele beiläufig entsprechend einer körperlichen Bewegung. Da nämlich der Körper der Seele bei den für sie spezifischen Tätigkeiten dient, so ist es für die Seele natürlich, daß sie sich in ihrer leibgebundenen Existenz vervollkommnet, indem sie gleichsam zur Vollkommenheit gewandelt wird. Wird sie mithin vom Leibe getrennt sein, so wird sie sich nicht im Zustande der Bewegung zum Ziel befinden, sondern stets im erreichten Ziel ruhen. Folglich wird ihr Wille hinsichtlich dessen, das Letztziel zu verlangen, unwandelbar sein.

Nun hängt das Gut- oder Schlechtsein des Willens vollständig vom Letztziel ab. Nach welchen Gütern man nämlich in bezug auf ein gutes Ziel verlangt, das verlangt man auf gute Weise, nach welchen Dingen man in bezug auf ein schlechtes Ziel verlangt, das verlangt man auf schlechte Weise. Mithin ist der Wille der (vom Leibe) getrennten Seele nicht vom Guten zum Schlechten wandelbar, auch wenn er vom Verlangen nach einer Sache zum Verlangen nach einer anderen wandelbar ist, vorausgesetzt, die Hinordnung auf dasselbe Letztziel bleibt erhalten.

Hieraus wird ersichtlich, daß eine derartige Unwandelbarkeit des Willens nicht dem freien Willen widerstreitet, der sich im Wählen verwirklicht. Wir wählen nämlich Dinge, welche sich auf das Ziel beziehen, nicht jedoch das Letztziel selbst. Wie es also dem freien Willen jetzt nicht widerstreitet, daß wir allgemein mit unveränderlichem Willen nach Glück verlangen und Unglück vermeiden, so wird es nicht dem freien Willen widerstreiten, daß der Wille unwandelbar auf etwas Bestimmtes als Letztziel festgelegt ist. Gleichwie uns nämlich jetzt die gemeinsame Natur unwandelbar innewohnt, allesamt das Glück zu erstreben, so wird auch jene besondere Disposition verbleiben, dies oder jenes als Letztziel zu verlangen.

Nun sind die getrennten Substanzen – man denke nur an die Engel – ihrer Natur entsprechend, mit der sie geschaffen sind, der letztlichen Vollkommenheit näher als die Seelen; so brauchen sie nicht – wie die Seelen – Wissen auf der Grundlage der Sinne zu erwerben, noch durch Schlußfolgern von Prinzipien zu Konklusionen zu gelangen; vielmehr vermögen sie auf der Grundlage der ihnen eingegebenen Ideen unmittelbar die

sunt in contemplationem veritatis pervenire. Et ideo statim quod debito fini, vel indebito adhaeserunt, immobiliter in eo permanserunt.

Non est tamen aestimandum quod animae, postquam resument corpora in resurrectione, immobilitatem voluntatis amittant, sed in ea perseverant: quia, ut supra dictum est, corpora in resurrectione disponentur secundum exigentiam animae, non autem animae immutabuntur per corpora.

Capitulum XCVI

De finali iudicio

Ex praemissis igitur apparet quod duplex est retributio pro his quae homo in vita gerit: una secundum animam, quam aliquis percipit statim cum anima fuerit a corpore separata; alia vero retributio erit in resumptione corporum, secundum quod quidam impassibilia et gloriosa corpora, quidam vero passibilia resument et ignobilia. Et prima quidem retributio singillatim fit singulis, secundum quod divisim singuli moriuntur. Secunda autem retributio simul omnibus fiet, secundum quod omnes simul resurgent. Omnis autem retributio qua diversa redduntur secundum diversitatem meritorum, iudicium requirit. Necesse est ergo duplex esse iudicium: unum, quo divisim singulis quantum ad animam redditur poena vel praemium; aliud autem commune, secundum quod, quantum ad animam et corpus, reddetur omnibus simul quod meruerunt.

Et quia Christus sua humanitate, secundum quam passus est et resurrexit, nobis et resurrectionem et vitam aeternam promeruit; sibi competit illud commune iudicium, quo resurgentes vel praemiantur vel puniuntur. Propterea de eo dicitur Ioan. V: „Potestatem dedit ei iudicium facere, quia Filius hominis est".

Oportet autem iudicium proportionale esse his de quibus iudicatur. Et quia finale iudicium erit de praemio vel poena visibilium corporum, conveniens est ut illud iudicium visibiliter agatur. Unde etiam Christus in forma humanitatis iudicabit, quam omnes possint videre, tam boni quam

Wahrheit zu betrachten. Sobald sie also einem rechten oder unrechten Ziel anhangen, verbleiben sie unwandelbar bei ihm.

Dennoch darf man nicht meinen, die Seelen hörten auf, über einen unwandelbaren Willen zu verfügen, nachdem sie bei der Auferstehung erneut mit dem Leibe vereint sind. Im Gegenteil wird es so bleiben, wie oben nachgewiesen wurde (IV 85), da die Körper bei der Auferstehung dem Erfordernis der Seele entsprechend disponiert, die Seelen jedoch nicht durch die Körper beeinflußt sein werden, sondern unwandelbar bleiben.

96. Kapitel

Das Letzte Gericht

Aus dem bisher Gesagten wird deutlich, daß es für die Taten des Menschen in diesem Leben eine doppelte Entgeltung gibt. Die eine erfolgt im Hinblick auf die Seele. Man empfängt sie, sobald die Seele vom Körper getrennt ist. Die andere wird bei der erneuten Leibesannahme stattfinden, wobei die einen leidensunfähige und verherrlichte, die anderen leidensfähige und unedle Körper annehmen werden. Zwar gilt die erste Entgeltung jeweils den einzelnen (Seelen), weil einzelne jeweils als einzelne sterben; die zweite Entgeltung jedoch geschieht für alle zugleich, denn alle werden zugleich auferstehen. Doch ist immer dann ein Urteilsspruch erforderlich, wenn dem Unterschied der Verdienste entsprechend verschiedene Arten von Entgeltung zugeteilt werden. Notwendigerweise also gibt es einen zweifachen Urteilsspruch: der eine, insofern jede Seele je für sich ihren Lohn oder ihre Strafe empfängt; der andere aber betrifft alle gemeinsam, wenn ihnen allen mit Bezug auf Seele und Leib zugleich erteilt wird, was sie verdienen.

Da Christus durch seine menschliche Natur, wonach er gelitten hat und auferstand, die Auferstehung und das ewige Leben für uns verdient hat, so kommt ihm angemessenerweise jener alle gemeinsam betreffende Urteilsspruch zu, aufgrund dessen die Auferstehenden belohnt oder bestraft werden. Deshalb heißt es Jo 5, 27 von ihm: „... und er gab ihm Vollmacht, Gericht zu halten, weil er der Menschensohn ist".

Doch muß der Urteilsspruch dem entsprechen, worüber geurteilt wird. Angesichts dessen nun, daß es beim Letzten Gericht um Verdienst und Strafe für sichtbare Leiber gehen wird, so ist es angemessen, daß dieses Gericht in sichtbarer Form stattfindet. Daher wird auch Christus in einer Menschengestalt richten, welche alle sehen können, sowohl die Guten wie die Bösen. Die Schau der Gottheit aber macht sie selig, wie im 3. Buch

mali. Visio autem divinitatis eius beatos facit, ut in Tertio est ostensum: unde a solis bonis poterit videri. Iudicium autem animarum, quia de invisibilibus est, invisibiliter agitur.

Licet autem Christus in illo finali iudicio auctoritatem habeat iudicandi, iudicabunt tamen simul cum illo, velut iudicis assessores, qui ei prae ceteris adhaeserunt, scilicet Apostoli, quibus dictum est, Matth. XIX: „Vos qui secuti estis me, sedebitis super sedes iudicantes duodecim tribus Israel"; quae promissio etiam ad illos extenditur, qui Apostolorum vestigia imitantur.

Capitulum XCVII

De statu mundi post iudicium

Peracto igitur finali iudicio, natura humana totaliter in suo termine constituetur. Quia vero omnia corporalia sunt quodammodo propter hominem, ut in Tertio est ostensum, tunc etiam totius creaturae corporeae conveniens est ut status immutetur, ut congruat statui hominum qui tunc erunt. Et quia tunc homines incorruptibiles erunt, a tota creatura corporea tolletur generationis et corruptionis status. Et hoc est quod dicit Apostolus, Rom. VIII, quod „ipsa creatura liberabitur a servitute corruptionis in libertatem gloriae filiorum Dei".

Generatio autem et corruptio in inferioribus corporibus ex motu caeli causatur. Ad hoc igitur quod in inferioribus cesset generatio et corruptio, oportet etiam quod motus caeli cesset. Et propter hoc dicitur Apoc. X, quod „tempus amplius non erit".

Non debet autem impossibile videri quod motus caeli cesset. Non enim motus caeli sic est naturalis sicut motus gravium et levium, ut ab aliquo interiori activo principio inclinetur ad motum: sed dicitur naturalis, inquantum habet in sua natura aptitudinem ad talem motum; principium autem illius motus est aliquis intellectus, ut in Tertio est ostensum. Movetur igitur caelum sicut ea quae a voluntate moventur. Voluntas autem movet propter finem. Finis autem motus caeli non potest esse ipsum mo-

gezeigt wurde (III 25; 51; 63). Daher wird sie lediglich von den Guten geschaut werden können. Das Urteil über die Seelen jedoch wird unsichtbar erfolgen, weil es über Unsichtbares handelt.

Wenn auch Christus bei jenem Letzten Gericht die Richtergewalt besitzt, so werden doch andere mit ihm urteilen, gleichsam als Amtsgehilfen des Richters. Es werden jene sein, welche mit ihm am engsten verbunden waren, so etwa die Apostel, von denen es bei Mt 19,28 heißt: „Wahrlich, ich sage euch, ihr, die ihr mir nachgefolgt seid, werdet ... ebenfalls auf zwölf Thronen sitzen und die zwölf Stämme Israels richten". Dieses Versprechen ist auch auf jene erweitert, welche in den Fußspuren der Apostel wandeln.

97. Kapitel

Der Zustand der Welt nach dem Gericht

Nachdem das Letzte Gericht stattgefunden hat, wird die menschliche Natur vollständig zu ihrem abschließenden Ende gelangt sein. Da nun alle Körperdinge des Menschen wegen geschaffen wurden, wie gezeigt worden ist (III 81), so ist es auch für die gesamte körperhafte Schöpfung recht, wenn sich ihr Zustand derart ändert, daß er dem Zustande der Menschen entspricht, welche es dann geben wird. Angesichts dessen, daß alle Menschen dann unvergänglich sein werden, wird jegliches Körpergeschöpf aufhören zu entstehen oder zu vergehen. Dies sagt der Apostel in Rö 8,21: „... daß auch sie, die Schöpfung, von der Knechtschaft der Vergänglichkeit befreit werde zur Freiheit der Herrlichkeit der Kinder Gottes".

Nun wird das bei den niederen Körpern vorkommende Entstehen und Vergehen von der Himmelsbewegung verursacht. Damit also Entstehen und Vergehen bei den niederen Körpern aufhört, muß auch die Himmelsbewegung aufhören. Deswegen heißt es Apk 10,6: „Es wird keine Zeit mehr sein".

Es darf jedoch nicht unmöglich scheinen, daß die Himmelsbewegung aufhört, denn sie ist nicht derart natürlich, daß der Himmel aufgrund eines inneren aktiven Prinzips zur Bewegung tendiert, wie es bei Bewegungen von Schwerem und Leichten der Fall ist. Sie ist vielmehr natürlich in dem Sinne, daß der Himmel naturhaft für eine derartige Bewegung geeignet ist. Das Prinzip dieser Bewegung hingegen ist ein Intellekt, wie im 3. Buch gezeigt wurde (III 22). Folglich bewegt sich der Himmel wie das, was willentlich bewegt wird. Der Wille jedoch bewegt um eines Zieles willen. Doch kann das Ziel der Himmelsbewegung nicht in Selbstbewe-

veri: motus enim, cum semper in aliud tendat, non habet rationem ultimi finis.

Nec potest dici quod finis caelestis motus sit, ut corpus caeleste reducatur secundum *ubi* de potentia in actum: quia haec potentia nunquam potest tota in actum reduci: quia dum corpus caeleste est actu in uno *ubi*, est in potentia ad aliud; sicut est et de potentia materiae primae respectu formarum. Sicut igitur finis naturae in generatione non est reducere materiam de potentia in actum, sed aliquid quod ad hoc consequitur, scilicet perpetuitas rerum, per quam ad divinam similitudinem accedunt; ita finis motus caelestis non est reduci de potentia in actum, sed aliquid consequens ad hanc reductionem, scilicet assimilari Deo in causando. Omnia autem generabilia et corruptibilia, quae causantur per motum caeli, ad hominem ordinantur quodammodo sicut in finem, ut in Tertio est ostensum. Motus igitur caeli praecipue est propter generationem hominum: in hoc enim maxime divinam similitudinem consequitur in causando, quia forma hominis, scilicet anima rationalis, immediate creatur a Deo, ut in Secundo est ostensum. Non autem potest esse finis multiplicatio animarum in infinitum: quia infinitum contrariatur rationi finis. Nihil igitur inconveniens sequitur si, certo numero hominum completo, ponamus motum caeli desistere.

Cessante tamen motu caeli et generatione et corruptione ab elementis, eorum substantia remanebit, ex immobilitate divinae bonitatis: „creavit enim res ut essent" [Sap. I]. Unde esse rerum quae aptitudinem habent ad perpetuitatem, in perpetuum remanebit.

Habent autem naturam ut sint perpetua, secundum totum et partem, corpora caelestia; elementa vero secundum totum, licet non secundum partem, quia secundum partem corruptibilia sunt; homines vero secundum partem, licet non secundum totum, nam anima rationalis incorruptibilis est, compositum autem corruptibile. Haec igitur secundum substantiam remanebunt in illo ultimo statu mundi, quae quoquo modo ad perpetuitatem aptitudinem habent, Deo supplente sua virtute quod eis ex propria infirmitate deest.

gung bestehen. Sofern nämlich Bewegung stets auf etwas anderes tendiert, besitzt sie nicht den Charakter des Letztziels.

Auch kann man nicht sagen, das Ziel der Himmelsbewegung bestünde darin, daß der Himmelskörper hinsichtlich des ‚Wo‘ von der Möglichkeit zur Wirklichkeit überführt wird, denn diese Möglichkeit kann nie vollständig in Wirklichkeit überführt werden. Wenn sich der Himmelskörper nämlich der Wirklichkeit nach an einem ‚Wo‘ befindet, so befindet er sich zugleich der Möglichkeit nach an einem anderen, gleichwie es bei der Möglichkeit der Erstmaterie in bezug auf die Formen der Fall ist. Wie also das Ziel der Natur beim Entstehen nicht darin besteht, die Materie von der Möglichkeit in Wirklichkeit zu überführen, sondern etwas [zu bewirken], was daraus resultiert, nämlich die Dauer der Dinge, wodurch sie göttlichen Ebenbildlichkeitscharakter annehmen, so besteht das Ziel der Himmelsbewegung nicht in der Überführung von der Möglichkeit zur Wirklichkeit, sondern in etwas, was daraus resultiert, nämlich Gott im Verursachen ähnlich zu sein. Nun ist alles, was durch die Himmelsbewegung verursacht, entstehen oder vergehen kann, in gewissem Sinne auf den Menschen als dessen Ziel hingeordnet, wie im 3. Buch gezeigt wurde (III 81). Demgemäß besteht die Himmelsbewegung hauptsächlich um der Hervorbringung der Menschen willen. Hierin nämlich erreicht sie den höchsten Ähnlichkeitsgrad mit Gott beim Verursachen, weil die Form des Menschen, also seine Verstandesseele, unmittelbar von Gott geschaffen wird, wie im 2. Buch erwiesen wurde (II 87). Doch kann das Ziel nicht in der Vermehrung der Seelen ins Unendliche bestehen, da das Unendliche dem Wesen eines Zieles widerspricht. Demnach folgt nichts Unangemessenes daraus, wenn wir annehmen, daß die Himmelsbewegung aufhört, wenn eine bestimmte Anzahl von Menschen erreicht ist.

Wenn die Himmelsbewegung, Entstehen und Vergehen bei den Elementen aufhören, so wird dennoch ihre Substanz aufgrund der Unwandelbarkeit der göttlichen Güte verbleiben, denn „er schuf die Dinge, damit sie seien" (Spr 1, 14). Daher wird das Sein der Dinge, welche die Fähigkeit zur Dauer haben, auf ewig verbleiben.

Nun liegt es in der Natur der Himmelskörper, dem Ganzen wie dem Teil nach, dauerhaft zu sein; dagegen trifft dies zwar auf die Elemente im Ganzen, nicht aber auf den Teil zu, denn partiell sind sie vergänglich. Menschen sind teilweise dauerhaft, nicht jedoch im Ganzen, denn die Verstandesseele ist unvergänglich, während die Zusammensetzung (aus Seele und Leib) vergänglich ist. Folglich verbleibt in jenem Weltzustande dasjenige der Substanz nach, was auf irgendeine Weise zur Dauer fähig ist, wobei Gott aufgrund seines Vermögens ergänzt, was den Dingen aufgrund eigenen Unvermögens fehlt.

Alia vero animalia, et plantae, et corpora mixta, quae totaliter sunt corruptibilia, et secundum totum et partem, nullo modo in illo incorruptionis statu remanebunt. Sic igitur intelligendum est quod Apostolus dicit, I Cor. VII: „Praeterit figura huius mundi", quia haec species mundi quae nunc est, cessabit: substantia vero remanebit. Sic etiam intelligitur quod dicitur Iob XIV: „Homo, cum dormierit, non resurget donec atteratur caelum": idest, donec ista dispositio caeli cesset qua movetur et in aliis motum causat.

Quia vero inter alia elementa maxime activum est ignis, et corruptibilium consumptivum; consumptio eorum quae in futuro statu remanere non debent, convenientissime fiet per ignem. Et ideo secundum fidem ponitur quod finaliter mundus per ignem purgabitur, non solum a corruptibilibus corporibus, sed etiam ab infectione quam locus iste incurrit ex habitatione peccatorurn. Et hoc est quod dicitur II Petri III: „Caeli qui nunc sunt et terra eodem verbo repositi sunt, igni reservati, in diem iudicii": ut per *caelos* non ipsum firmamentum intelligamus, in quo sunt sidera, sive fixa sive errantia, sed istos caelos aëreos terrae vicinos.

Quia igitur creatura corporalis finaliter disponetur per congruentiam ad hominis statum; homines autem non solum a corruptione liberabuntur, sed etiam gloria induentur, ut ex dictis patet: oportebit quod etiam creatura corporalis quandam claritatis gloriam suo modo consequatur.

Et hinc est quod dicitur Apoc. XXI: „vidi caelum novum et terram novam"; et Isaiae LXV: „Ego creabo caelos novos, et terram novam, et non erunt in memoria priora, et non ascendent super cor: sed gaudebitis et exultabitis usque in sempiternum". Amen.

Explicit quartus liber et etiam totalis tractatus de fide catholica contra Gentiles a fratre Thoma de Aquino editus Ordinis Fratrum Praedicatorum.

Anderes dagegen, Tiere, Pflanzen und Mischkörper, die dem Ganzen und dem Teile nach vollständig vergänglich sind, werden überhaupt nicht im Zustande der Unvergänglichkeit verbleiben. Folglich müssen wir auf diese Weise das Wort des Apostels von 1 Kor 7,31 verstehen: „... denn die Gestalt dieser Welt vergeht", weil die Gestalt der Welt, die jetzt existiert, aufhören, doch ihre Substanz verbleiben wird. Im selben Sinne muß man auch das Wort Ijob 14,12 verstehen: „So legt der Mensch sich hin und steht nicht auf; die Himmel werden untergehen, ehe er erwacht", d. h. bis die gegenwärtige Himmelsordnung aufhört, wodurch sich der Himmel bewegt und bei anderen Dingen Bewegung verursacht.

Da aber das Feuer unter den Elementen am meisten aktiv ist und am ehesten vergängliche Dinge verzehrt, so wird die Aufzehrung dessen, was im zukünftigen Zustande nicht verbleiben darf, am angemessensten durch Feuer geschehen. Daher nimmt man im Glauben an, daß die Welt am Ende nicht allein von vergänglichen Körpern, sondern auch von der Anstekkung, mit der dieser Ort dadurch infiziert wurde, daß ihn Sünder bewohnten, durch Feuer gereinigt werden wird. Deswegen heißt es 2 Petr 3,7: „Der jetzige Himmel aber und die Erde sind durch dasselbe Wort aufgespart für das Feuer; sie werden aufbewahrt für den Tag des Gerichtes". Unter ‚Himmel' haben wir dabei nicht das Firmament zu verstehen, an dem sich die Fixsterne oder die Planeten befinden, sondern die Lufthimmel, die der Erde am nächsten sind.

Da mithin die körperhafte Schöpfung in Übereinstimmung mit dem Zustand des Menschen zielhaft geordnet sein wird, die Menschen jedoch nicht allein vom Vergehen befreit, sondern auch mit Herrlichkeit angetan werden, wie aus dem Gesagten hervorgeht (IV 85), so wird auch die körperliche Schöpfung auf ihre Weise einen bestimmten Herrlichkeitsglanz annehmen.

Daher heißt es Apok 21,1: „Und ich sah einen neuen Himmel und eine neue Erde", und Jes 65,18: „Denn siehe, ich werde einen neuen Himmel und eine neue Erde schaffen, an das Frühere wird man nicht mehr denken, es kommt nicht mehr in den Sinn. Vielmehr wird man sich freuen und immerdar frohlocken". Amen.

Hiermit endet das 4. Buch und damit auch der gesamte Traktat des Bruders Thomas von Aquin *Über den Katholischen Glauben wider die Heiden*, herausgegeben vom Orden der Predigerbrüder.

NACHWORT

Die *Summa contra Gentiles* des Thomas von Aquin ist ein Monument abendländischen Denkens, das unter der kulturellen Herausforderung von Andersdenkenden zustande kam. Dennoch will sich der Aquinate mit seiner Auseinandersetzung nicht aufdrängen, auch dort nicht, wo er Kritik äußert. Heute droht sich sein Denken aufgrund des Zeitenabstandes zu entziehen, und das um so eher, desto mehr vergangenes Denken bereits deswegen als obsolet erscheint, weil es vergangen ist oder desto weniger wir in der Lage sind, dessen Sitz im Leben als dem unsrigen innerlich verwandt zu verstehen.

So verwundert es nicht, wenn es um Thomas in der heutigen Theologie „unheimlich still" geworden ist, wie K. Rahner vor dreißig Jahren bemerkte und dazu mahnte, „Thomas nicht zu vergessen"[1]. Diese Mahnung gerät nunmehr zur Warnung, daß die heutige Theologie „das Erbe von Thomas (und Luther) als den beiden überragenden Gestalten der westlichen Christenheit nicht verschleudern darf"[2].

Eine lateinisch-deutsche Ausgabe der *Summa contra Gentiles* wie die hier vorliegende gibt in dieser Lage zumindest die Chance zu einer erneuten und vertieften Auseinandersetzung, die weit weniger ein historisch-antiquarisches oder gar ein monumentalisches Interesse an den Größen der Geistesgeschichte befriedigen soll, als vielmehr kritisches Nachdenken erlaubt und damit dem Leben dienlich sein will.

Läßt man sich auf Thomas ein, so eröffnet sich ein Denken des Ganzen dessen, was ist, das sich seiner selbst als Element eines geschichtlichen Diskurszusammenhanges vollends bewußt ist. Es weiß aber dennoch, daß es so viel an Wahrheit zu berühren imstande ist, daß es in den Grenzen des in der jeweiligen Zeit und Kultur Denkmöglichen Irrtum aus Wahrheit zu erklären vermag. Dies macht Stolz und Bescheidenheit des Denkens des Aquinaten aus. Für eine derartige Reflexion greift die Unterscheidung zwischen Philosophie und Theologie offenbar deswegen zu

---

[1] K. Rahner, Bekenntnis zu Thomas von Aquin. In: ders., Schriften zur Theologie X, Freiburg i. Br. 1972, 11.

[2] O. H. Pesch, Thomas von Aquin. Grenze und Größe mittelalterlicher Theologie, Mainz 1988, Klappentext.

kurz, weil sie im authentischen Nachdenken über den Lebens- und Wirk-
lichkeitszusammenhang der Wahrheitssuche zwar als dienlich, aber als
letztlich nicht hinreichend erfahren wird. Solchem Nachdenken geht es
um die Frage nach einer alles Wirkliche grundlegenden und sinnverleihen-
den Wirklichkeit, von welcher der Mensch nur „Schatten und Spuren"
wahrnimmt, wenn überhaupt. Dabei gilt Thomas die geringe und äußerst
zerbrechliche Erkenntnis der höchsten Dinge als wertvoller und weitaus
beglückender als eine vollkommene Erkenntnis der sogenannten ‚niederen' Dinge. Dennoch erachtet er deren Erkenntnis alles andere als gering,
denn ein Irrtum über sie wirkt sich in einem falschen Wissen von Gott
aus.

Um dieses beglückende Erkennen der Wahrheit geht es Thomas und
seinen arabisch-jüdisch-christlichen Kontrahenten im Grunde. Diese
‚Theorie' ist zugleich höchste Praxis. Die *Summa contra Gentiles* gibt von
ihrer Suche ein beredtes, wenn auch nicht selten rätselvolles Zeugnis.

Für den Aquinaten kann ein derartiges Betrachten, ihr Aussprechen
und ihr Nachvollzug nur angemessen von jenem geleistet werden, welcher
in seiner Lebenszeit den Ausgangspunkt und das letzte Ziel der Welt und
des Menschen nicht vergißt. Dabei muß er sich seiner eigenen Kontingenz
bewußt zu werden gelernt haben. Dies ist der Weise oder jener, welcher
Weisheit liebt. Er hat in solcher Theorie, wie Thomas überzeugt ist, bereits
in dieser Zeit teil an einem letztlich zeitenthobenen, unüberbietbaren
Glück, dessen volle Verwirklichung er sich glaubend erhofft. Solche Theorie, welche bereits inchoativ in diesem Leben zu erfahren möglich ist,
gehört wesentlich zu dem, was das Leben des Menschen jederzeit vollkommen macht.

Diese Kontemplation und die sich in ihr ereignende Erkenntnis treffen
heute nicht allein deswegen auf Verständnisschwierigkeiten, weil sie nicht
dem entsprechen, was gemeinhin unter ‚Theorie' verstanden wird, nämlich ein begriffliches Instrumentarium der Praxis und Leitvorstellung zur
Bearbeitung und Verfügbarmachung des Seienden anstelle ein Erblicken
des Seins des Seienden zu sein[3]. Für die Theologie hat ein derartiges –
instrumentalistisches – Verständnis nicht selten zur Folge, daß Theologie
selbst in eine auf Glauben und Frömmigkeit abzielende Methodik pasto-
raler Wirksamkeit einerseits (Religionspädagogik und Didaktik) und in

---

[3] Vgl. M. Heidegger, Zum Geleit. Fridolin Wiplingers letzter Besuch. In: F. Wip-
linger, Metaphysik. Grundfragen ihres Ursprungs und ihrer Vollendung. Freiburg
i. Br. 1976, 6.

historisch-analytische Wissenschaft andererseits (systematisch-exegetische oder historische Theologie) zerfällt, deren Erkenntnisinteresse sich nicht selten nach den Interessen jener Institutionen richtet, in deren Auftrag sie betrieben wird. Dies ist nicht notwendigerweise das Erkenntnisinteresse an der einen Wahrheit, welche Thomas sucht.

Offenbar läßt sich von der *Summa contra Gentiles* des Aquinaten nur dann angemessen lernen, wenn man bereit ist, dominante Theorieverständnisse instrumenteller Vernunft daraufhin kritisch zu befragen, inwiefern sie der in der Theologie verwahrten Wahrheit und – ineins hiermit – dem Gelingen menschlichen Lebens entsprechen. Erst aufgrund einer solchen selbstkritischen Offenheit kann es gelingen, Vollzug und Gegenstand der von Thomas angestrebten Kontemplation erneut zur Erscheinung kommen zu lassen. Dann entbirgt sich seine Theorie als Denken, dem es an der Einheit von Wahrheits- und Glückssuche gelegen ist. Ob uns gleichermaßen daran gelegen ist, hängt davon ab, welche Menschen wir sein wollen. Das aber ist strittig.

Der äußere Anlaß zum Verfassen der *Summa* scheint dem Verlangen nach nichtinstrumenteller Theorie geradewegs zu widersprechen. Thomas verfaßt die vier Bücher der *Summa* (zwischen 1259 und 1264) wohl auf Bitten des Ordensgenerals Raimund von Peñafort, der ihn bat, „ein Werk gegen die Irrtümer der Heiden zu schreiben"[4]. Er soll vor allem Stellung zur arabisch-islamischen Philosophie und Theologie beziehen, dann aber auch zu reputablen Meinungen und Glaubensinhalten des Judentums und ‚häretischer‘ christlicher Sekten. Gedacht war offensichtlich an ein apologetisches Manuale für Predigerbrüder, die vor allem in Südfrankreich, Spanien und Nordafrika, nicht selten im Auftrag der Inquisition, missionarisch tätig waren.

Damit wäre die *Summa* geradezu ein Paradigma instrumentellen, apologetischen Gebrauchs philosophisch-theologischer Argumente. Die Ausführung zeigt jedoch, wie wenig es Thomas um ein apologetisches Handbuch geht; vielmehr ist er auf eine umsichtige und sachliche Auseinandersetzung mit Andersdenkenden auf dem höchsten damals bekannten Argumentationsniveau bedacht. Nicht zuletzt hat sie die Erörterung averroistischer Thesen an der Pariser Artistenfakultät zum Inhalt.

Das Werk ist damit eine Einladung zur gemeinsamen, intensiven Theorie. So heißt es, daß Thomas, während er die *Summa contra Gentiles* verfaßte, nicht selten wie von Sinnen erschien, so intensiv war sein Denken. Beim nächtlichen Diktieren habe er bisweilen nicht einmal bemerkt,

---

[4] Vgl. M. D. Chenu, Das Werk des hl. Thomas von Aquin, Graz 1982, 325 f.

wie die in seiner Hand niederbrennende Kerze ihn versengte. Dieselbe Intensität verlangt Thomas von seinen Lesern.

Im allgemeinen liegt dieser denkenden Auseinandersetzung die dialektische Methode scholastischer Disputation zugrunde, auch wenn der Stil der vier Bücher der *Summa*, ihre Einteilung in Kapitel und deren Unterteilung entsprechend den in ihnen dargelegten Argumenten, zwar nicht genau dem Quaestionenstil entspricht, ihm aber dennoch innerlich verwandt ist. Dennoch handelt es sich nicht um ein Werk, das akademischen Verpflichtungen eines universitären Curriculums entspringt oder darauf abzweckt.

Die eigentümliche Methodik dieser Auseinandersetzung zeigt die Haltung des Thomas zu dem, was er als Wahrheit begreift. Sie zeigt zudem seine Haltung zu Andersdenkenden. Sie enthält Wegweisungen des Umganges mit ihnen, die bis heute nicht an Bedeutung verloren haben. Sowohl der Anlaß, die Situation religiös-kulturellen Dialogs mit dem Islam, dem Judentum und unterschiedlichen christlichen Kirchen als auch die Methodik einer der Wahrheitssuche angemessenen Verständigungskunst, haben nichts an Aktualität eingebüßt. Sie sind notwendiger Bestandteil heutiger praktischer wie theoretischer Theologie der Religionen, die bekanntlich immer noch in den Anfängen steckt. Ihre Dringlichkeit angesichts einer immer enger zusammenwachsenden Weltbevölkerung ist unbezweifelbar.

Der beste Weg, sich mit Andersdenkenden zu verständigen, besteht für Thomas zunächst darin, sich auf eine gemeinsame disputative Grundlage zu beziehen, die stufenweise, je nach der Nähe der diskutierten Ansichten zur eigenen, breiter zu werden vermag. Ein Überspringen solcher Stufen kann nur zu Lasten der Glaubwürdigkeit gehen.

Die fundamentale Stufe bildet die Ebene der ‚natürlichen Vernunft' (naturalis ratio), die Thomas vor allem im Werk des Aristoteles und seiner Kommentatoren manifestiert sieht. Zeichen natürlicher Vernunft ist, daß ihr alle beizustimmen gezwungen sind, sofern nicht einmal konsistent zu denken möglich ist, sie sei falsch. Diese grundsätzliche Zustimmung gilt auch unter der Kautele, daß sie „in bezug auf die göttlichen Dinge mangelhaft ist" (ScG I 2).

Die natürliche Vernunft ist ein erster Erscheinungsgrund der Wahrheit, welcher jedoch durch einen zweiten, den des auf Offenbarung beruhenden Glaubens, komplementiert und überstiegen wird. Doch nicht jeder kann diesen Überstieg überzeugt nachvollziehen. Handelt es sich aber um Wahrheit in jeweils verschiedenen Erscheinungsweisen, so ist es unmög-

lich, daß das, was von Natur aus als wahr erkannt wird, dem entgegengesetzt sein kann, was aus dem Glauben erkannt wird. Die Annahme der
wechselseitigen Entsprechung beider Erkenntniszugänge ist dann notwendig richtig, wenn es eine Einheit der Wahrheit gibt, die sich letztlich
auf Gott als Erste Wahrheit gründet, wie Thomas überzeugt ist.

Im disputativen Prozeß der zweifach erscheinenden einen Wahrheit
entscheidet sich die weitere Stufung argumentativer Grundlagen an der
Frage, wie viele der auf Offenbarung beruhenden Glaubensquellen von
den Kontrahenten jeweils als verbindlich angesehen werden. Den vor-
nehmsten Platz nimmt für Thomas hierunter die Heilige Schrift ein.

So läßt sich mit „Mohammedanern" und „Heiden" weder auf der
Grundlage des Alten noch des Neuen Testamentes angemessen argumentieren. Dies sollte man anfangs nicht einmal versuchen. Deswegen muß
hier natürliche Vernunft die alleinige Grundlage bilden. Mit „Juden" kann
man auf der Ebene natürlicher Vernunft, aber zusätzlich auch auf der
Grundlage des Alten Testamentes disputieren. Mit christlichen „Häreti-
kern" wird man darüber hinaus auf der Grundlage natürlicher Vernunft,
des Alten und des Neuen Testamentes und möglicherweise auch auf der
Grundlage von Konzilsdekreten oder dogmatischen Schriften gemeinsam
als Autoritäten anerkannter Kirchenväter argumentieren können. (Da die
Nähe zur eigenen Position hier am offensichtlichsten ist, erklärt es sich
auch, warum der sonst so sachlich argumentierende Thomas gerade dann
ungehalten wird, wenn er sieht, daß jemand trotz besserer Argumente auf
einem Irrtum im Glauben besteht.)

Entsprechend dieser Stufung sind bestimmte Argumentationstypen
nach ihrer epistemischen Validität deutlich voneinander zu unterscheiden
und auf unterschiedliche Weise pragmatisch angemessen. Die Unterscheidung zeigt, wie wenig es Thomas an Überredungsstrategien gelegen ist
und wie sehr er sich demgegenüber um die Vermeidung von Irrtum sorgt.
Die Durchführung zeigt Grundlagen einer theologischen Argumenta-
tionstheorie:

Zur Auseinandersetzung stehen an sich selbst einsichtige Sachgründe,
beweisende Darlegungen oder Wahrscheinlichkeitsargumente zur Verfügung. Ihre Verwendung steht unter der Grundregel, stets von Offenkun-
digerem zu weniger Offenkundigem fortzuschreiten. Demonstratives Argumentieren aus Evidentem hat zwar Vorrang, vor allem auf der Ebene
natürlicher Vernunft, doch kann man Wahrscheinlichkeitsargumente verwenden, sogar die schwächsten, sofern man nur nicht dem Kontrahenten
damit glaubhaft machen will, etwas wahrhaft verstanden oder gar bewiesen zu haben!

Handelt es sich um die Erörterung von Inhalten des christlichen Glau-

bens, so besteht der erste Schritt gerade nicht im Plausibelmachen des Offenbarungscharakters des Glaubensinhaltes als eines Autoritätsarguments für die Wahrheit des Geglaubten, sondern in der Wahrnehmung und Widerlegung der Einwände der Andersgläubigen auf der Ebene natürlicher Vernunft. Einwände kann man jedoch erst dann erheben, wenn man zuvor Kenntnis von dem genommen hat, wogegen man Einwände vorbringt. Thomas setzt offenbar voraus, daß sich der Kontrahent in der Regel mit den Inhalten christlichen Glaubens kritisch vertrautgemacht hat, anstatt sie ihm seinerseits direkt zu vermitteln. Kein Versuch wird gemacht, das autonome Denken des Anderen im vorhinein im Sinne der eigenen These umzugestalten.

Bei der weiteren Auseinandersetzung, worum es Thomas vor allem geht, warnt er davor, bloße Wahrscheinlichkeitsargumente zu verwenden, denn sie könnten zu der Annahme führen, der Glaube gründe sich auf schwache Fundamente. Nichts wäre dem Glauben abträglicher, als ihn mit derlei Argumenten dem Verdacht der Lächerlichkeit auszusetzen und auf diese Weise vorhandene Irrtümer nur noch zu bekräftigen.

Andererseits tut es seiner eigenen Argumentation keinen Abbruch, etwas von seinen Kontrahenten exzellent Dargelegtes zu übernehmen, auch ohne sie stets als Urheber zu benennen. Dies war in seiner Zeit nicht unüblich. Wie selbstverständlich gilt Thomas das Sachargument als eigentliche Autorität. So etwa erwähnt er Avicenna dann explizit, wenn er ihn eines Irrtums überführen möchte. Dies hindert jedoch nicht, ihn bisweilen stillschweigend zu paraphrasieren. Geht es beispielsweise im 1. Buch um die Erörterung der schlechthinnigen Einfachheit Gottes (ScG I 22, 25 f.), so übernimmt Thomas den einschlägigen Text der *Metaphysik* des Avicenna (VIII 4) beim systematisch zentralen Nachweis der Identität von Sein und Wesen Gottes.

Bisweilen stärkt der Aquinate seine eigene Argumentation durch eine dialektische Praxis, die die Wahrheit als Vermittlung zwischen einander ausschließenden Ansichten sucht, indem er das Gemeinsame im Unterschiedlichen hervorhebt. Dies geschieht etwa, wenn er die Thesen des Arius, des Sabellius und des Photinus hinsichtlich der Zeugung des Sohnes Gottes miteinander vergleicht (ScG IV 7). Diese irenisch-souveräne, Polemik vermeidende Art der Verständigung, auch wenn sie nicht auf Kosten der Wahrheit gehen darf, hat bis auf den heutigen Tag nichts an Wert verloren.

Die philosophische Argumentation auf der Ebene natürlicher Vernunft ist es, welche vor allem, wenn auch nicht ausschließlich, die ersten drei der vier Bücher der *Summa contra Gentiles* bestimmt. Demgegenüber

erörtert das 4. Buch das, was die Vernunft ‚übersteigt‘, aber dem Glauben auf gewisse Weise durch Offenbarung zugänglich ist. Trotz dieser – prima facie – unterschiedlichen Quellen und Methoden des Vorgehens ist die *Summa* dem Gesamtduktus nach ein theologisches Werk, das nur als Einheit gelesen seinen Sinn voll entbirgt:

Selbst die ersten drei Bücher betrachten nicht zuerst das Geschaffene, wie die Philosophen es gewöhnlich tun (ScG. II 4), um daraufhin von Gott zu sprechen, sondern umgekehrt. So entfaltet das 1. Buch jenes, was sich über Gottes Existenz und Wesen mit den Mitteln der Vernunft sagen läßt. Das 2. Buch erörtert den Hervorgang der Dinge von Gott (Schöpfung/Anthropologie), während sich das 3. Buch dem Rückgang aller Dinge zu Gott, vor allem aber dem des Menschen widmet (Ethik/Gnade/Vorsehung). Unter ständigen Rückverweisen entfaltet das 4. Buch daraufhin die Denkvoraussetzungen jener Glaubensgegenstände, von denen überzeugt zu sein heilsnotwendig ist, hat man einmal von ihnen gründlich Kenntnis genommen (Trinität/Inkarnation/Sakramente und Eschatologie). Das Werk endet mit der Erörterung des Zustandes der Dinge nach dem Letzten Gericht.

Thomas hält diese heilsökonomische Ordnung des Gedankens, dem das neoplatonische ‚exitus – reditus‘-Schema der Deutung des Gesamt der Wirklichkeit zugrunde liegt, für die vollkommenere, da dem Wissen Gottes ähnlichere Darstellungsform. Bis heute bildet diese Gliederung das Grundschema maßgebender Dogmatiken.

Wendet man sich von der Methode der Argumentation und vom architektonischen Grundschema des Werkes den Problemen und Themen zu, welche eine originäre Behandlung erfahren und gleichzeitig nicht an Aktualität verloren haben, so sind es – neben anderen Themen – des Thomas Erörterung der Identität von Wesen und Sein in Gott, sein Schöpfungsbegriff, welcher philosophisch betrachtet die Ewigkeit der Welt nicht von vornherein als unmöglich ausschließt, die individuell-partikuläre Einheit des (aktiven) Intellekts angesichts der These seiner numerischen Einzigkeit in allen vernunftbegabten Wesen, seine Trinitätsspekulation angesichts von Monotheismen, welche Kommunikation in Gott, wenn überhaupt, dann lediglich als reine geistige Selbstpräsenz kennen, seine Ethik und schließlich seine Eschatologie, die ein Grenzmodell schlechthin unüberbietbaren guten wie schlechten menschlichen Lebens enthält.

Wendet sich Thomas im 1. Buch der Frage zu, was die menschliche Vernunft von Gott selbst erforschen kann, so sieht er, daß sich hierzu nur dann erfolgreich eine Antwort finden läßt, wenn das Daß Gottes aufgewiesen ist, welcher Aufweis allerdings aufs engste mit der Erläuterung

seines Was zusammenhängt. Geht es beim Problem des Daß Gottes um den begrifflichen Nachweis der Existenz eines unverursachten und unveränderlichen Seienden, das einen transzendenten, aber in Erfahrungswissen wurzelnden Gebrauch von Begriffen erforderlich macht, so verwundert es nicht, daß die hierfür nötigen Konzepte sich zunächst müssen an der Erfahrung ausweisen können. Ausführlicher und umsichtiger als es in der *Summa Theologiae* geschehen kann, geht Thomas daher vor allem von Begriffen und Argumenten der Aristotelischen *Physik* aus. Sie eröffnen den Weg zur philosophischen Theologie.

Im Ausgang von der in der erfahrbaren Welt vorfindlichen Bewegung schließt er auf die Existenz eines ersten, unbewegten Bewegers, der bereits bei Aristoteles Grenzbegriff der Physik ist. Wie schon beim Philosophen, so ist für Thomas der Aufweis eines derartigen Bewegers selbst durch die Möglichkeit einer aktual unendlichen sukzessiven Bewegung einer ewigen Welt nicht widerlegt, sofern nur eine aktual unendliche simultane Bewegung zugleich ausgeschlossen ist.

Den ersten, unbewegten Beweger nennen alle Gott. Seine Eigenschaften werden in erster Linie auf dem Wege eines remotiven Verfahrens gewonnen, also unter Negierung aller Weisen zu sein, welche Materie oder Veränderung involvieren. Dieses Verfahren kann jedoch nicht in einem vollen Wesensbegriff seinen endgültigen Abschluß finden. Dabei bildet die These, daß Gott sein Wesen und sein Wesen sein Sein ist, die zentrale Aussage der gesamten Erörterung der Gotteslehre (ScG I 21–22), wenn nicht der *Summa contra Gentiles* insgesamt. Sie ergibt sich als Konsequenz aus der bloßen Existenz einer ersten Ursache für die Welt, die nicht die Welt selbst noch eines ihrer Elemente ist.

Der Herleitungszusammenhang zwischen Dasein und Wassein Gottes erwies sich in der Folgezeit als wesentlich schwieriger, als Thomas es hat darstellen können. Doch zeigen eine Reihe moderner Theologien (wie etwa die W. Pannenbergs, P. Tillichs oder J. Macquarries), daß die mit der Unterscheidung von Wesen und Sein angedeutete Problematik in der Gotteslehre keineswegs erledigt ist[5]. Heutige Theologie stützt sich allerdings in erster Linie auf Gottes Dasein und Wassein *in seinem Erscheinen in der Welt als die Welt zugleich übersteigend*, damit also von vornherein auf Selbstoffenbarung. Auf diese Grundlage wird sich aber nicht jeder einlassen können, der über die Welt grundsätzlich anders denkt. Offenbar gilt es dann, Disputationsstufen analog den von Thomas angedeuteten zumin-

---

[5] Zu dieser Diskussion vgl. W. Pannenberg, Systematische Theologie I, Göttingen 1988, 376–389.

dest hinsichtlich eines Minimalkonsenses neu zu bestimmen. In diesem Zusammenhang ist und bleibt Thomas ein ständiger Diskussionspartner.

Dasselbe gilt für den Schöpfungsbegriff, dem das 2. Buch gewidmet ist: Ist Gott sein Sein durch seine Wesenheit und umgekehrt, kann zudem Gottes Sein nur schlechthin eines und unveränderlich sein, und hat weiterhin alles, was nicht Gott ist, Sein durch Teilhabe an seinem Sein, so ist letztlich Gott allein für alles Seiende Seinsursache. Allen Einzelursachen vorwegliegend existiert dann eine Ursache zu existieren, die Sein verleiht, ohne es seinerseits zu empfangen.

Sofern Gott alles Sein als dessen Ursache in sich enthält, verursacht er es auch nicht aufgrund eines anderen, dessen er hierzu bedürfte. Schafft er, so schafft er aus Nichts. Der Grund für dieses Verursachen kann nur im Wesen dieses Grundes selbst liegen, auch wenn es sich nicht um eine Wesensnötigung handeln kann – wie Avicenna annahm –, da Gott schon alles ist, was Sein ausmacht. Damit schafft Gott frei und nicht aus Notwendigkeit seiner Natur. So kann er auch nicht im notwendigen Durchgang durch das, was er nicht ist, allererst zu sich selbst kommen, ohne veränderlich und unvollkommen zu sein.

Diese Freiheit der Ursache ist aber nicht eine Freiheit der Willkür, nach der andere Dinge beliebig hätten geschaffen werden können. Vielmehr schafft er durch Kommunikation dessen, was er selbst ist, ohne damit etwas mit ihm Identisches zu schaffen, das sich nicht durch geschaffene Teilhabe auszeichnete. Dennoch schafft er Selbständiges als Abbild des Urbildes seines Wesens.

Der Begriff der Schöpfung aus Nichts läßt für Thomas – philosophisch gesehen – die Möglichkeit offen, daß die geschaffene Welt entweder immer gewesen ist oder einen Anfang hatte, der mit dem Beginn der Zeit zusammenfällt, versteht man unter ‚Schöpfung' die schlechthinnige Abhängigkeit alles Seienden in seinem Sein von einer ersten Ursache. Eine derartige Denkmöglichkeit besteht deswegen, weil allein mittels natürlicher Vernunft weder das eine noch das andere unwiderlegbar bewiesen werden kann. Jemand, welcher sich – wie Bonaventura oder Pecham – anheischig macht, den zeitlichen Anfang der Welt als philosophisch bewiesen auszugeben, um hierauf einen theologischen Schöpfungsbegriff aufzubauen, läuft Gefahr, sich (und den christlichen Glauben) bei den „Heiden" – arabisch-averroistischen Aristotelikern etwa – unglaubwürdig zu machen.

Dennoch sieht Thomas für die als durch Offenbarung vermittelte These des zeitlichen Beginns der Schöpfung den Weg bereitet. So schließt er seine Analyse der Argumente für und wider die Ewigkeit der Welt mit

der Bemerkung, nichts hindere an der Annahme, die Welt sei nicht ewig gewesen. Vernunft und Glaube sind damit verträglich.

Erklärten demgegenüber lateinische Averroisten die absolute Autonomie der Philosophie und eine strikte Trennung von Vernunft und Glaube, so zeigt Thomas gleichsam als Nebenprodukt dieser Erörterung, daß und wie eine Vermittlung von Glaubens- und Vernunftwahrheit möglich ist. In den Augen mancher seiner Gegner erschien dieser Weg als eine unverzeihliche Neuerung, zeigte sie doch, daß eine neue christliche Weisheit nicht nur möglich, sondern angesichts der intellektuellen Herausforderung des arabischen und lateinischen averroistischen Aristotelismus geradezu geboten war.

Wie wenig noch heute die mit dem Thema der Ewigkeit der Welt verbundene Problematik (wenn auch nicht die mit ihr bei Thomas verbundene Kosmologie) aus der intellektuellen Herausforderung der Schöpfungstheologie seitens einer ihre philosophischen Konsequenzen bedenkenden physikalischen Kosmologie wegzudenken ist, wird nicht zuletzt an S. Hawkings Überlegungen zur Quantentheorie der Gravitation einerseits und an W. Pannenbergs Rezeption solcher Erörterungen andererseits deutlich[6].

Von nicht geringerer Bedeutung für die philosophischen Grundlagen christlichen Glaubensdenkens als die Frage nach dem Grund des Kosmos sind die Fragen nach dem Ort des Menschen in ihm, nach seiner individuellen, seelisch-leiblichen Einheit, seiner Geistigkeit, Unsterblichkeit und Hinordnung auf ein höchstes Ziel, die Thomas gleichermaßen der Kritik ausgesetzt sieht.

Ist Schöpfung für Thomas ein geordnetes Abbild des Urbildes Gottes, so muß es ein höchstes Abbild geben, insofern es über Immaterialität, Geist und freien Willen verfügt. Dies sind die reinen Geistnaturen. Im Unterschied zu Gott, der sein Sein ist, müssen diese jedoch Sein von Anderem haben. Mithin sind sie bereits durch den Unterschied zwischen Dasein und Wesen geprägt. Da sie immateriell sind, können sie nicht durch Materie individuiert sein. Geschieht ihre Artgestaltung durch ihr Wassein, so können sie lediglich durch ihr Daß-Sein individuiert werden. Wegen ihrer Immaterialität können sie auch nicht sterblich sein, sofern Sterblichkeit die Trennbarkeit von Form und Materie voraussetzt. Mithin sind sie unzerstörbar, es sei denn durch Annihilation.

6 Vgl. die populäre Darstellung in: S. Hawking, A Brief History of Time, London 1988; vor allem pp.140f., 175 und W. Pannenberg, Systematische Theologie II, Göttingen 1991, 173–184.

Den Ort des Menschen bildet die Grenze zwischen Materiellem und Immateriellem. Er ist als Geist in Welt eine psychophysische Einheit, die um sich und seinen Ort weiß. Damit aber entsteht das Problem, wie ein mit dem Leib geeintes Immaterielles, d. h. die vernunftgeleitete Seele als dessen Form, unsterblich sein kann, während der Körper sterblich ist, und welche Bewandtnis es mit der Sterblichkeit hat.

Im Rahmen der Erörterung dieser Einheit sieht sich Thomas mit einer Anthropologie und einer mit ihr verbundenen Theorie der Vernunft konfrontiert, die von der numerischen Einzigkeit der Vernunft in allen Menschen ausgeht, an welcher der Einzelne zwar teilhat, die jedoch den substantiellen Eigenstand der partikulären, aktiven Einzelvernunft leugnet. Unter dieser Voraussetzung sind individuelle Willensfreiheit und persönliche Verantwortung im Bereich des Sittlichen oder gar eine individuelle Unsterblichkeit schwerlich denkbar. Beides aber ist Grundvoraussetzung christlichen Glaubens. Demgegenüber hält Thomas fest, daß der aktive Intellekt nicht bewußtseinstranszendent, sondern immanent ist: Es erkennt (und spricht) nicht in diesem Menschen, sondern dieser Mensch erkennt (und spricht). Besteht Erkennen im Herauslesen einer in den Dingen selbst befindlichen Form, so muß der Intellekt unter Rückgang auf die Vorstellungsbilder der Einzeldinge abstraktiv diese Form erfassen können. Dieses Vermögen, unveränderliche Gestalt- und Sinnbezüge zu begreifen, kann nur Funktion eines individuellen, nicht eines kollektiven Vernunftvermögens sein.

Die Würdigung der Tatsache des Erkennens und des mit ihm gegebenen Bewußtseins und Selbstbewußtseins als Grundgegebenheiten menschlichen Lebens ist bleibender Gegenstand jeder Anthropologie, mögen auch eher Probleme der Bestimmung der Individualität und – was seltener der Fall zu sein scheint – die Frage der individuellen Unsterblichkeit als die Lösungen des Thomas die gegenwärtige philosophische oder theologische Diskussion interessieren. Dennoch weist der Aquinate mit seiner Erörterung in eine Richtung, die der zeitgenössischen Diskussion in einem entscheidenden Punkt entgegenkommt:

Unwidersprochen ist, daß bewußtes und selbstbewußtes Leben wie alles geistig-seelische Erleben mit Körperfunktionen verbunden oder durch sie bedingt ist. Zudem ist Thomas daran gelegen, keine fundamentale Trennung von Geistseele und Leib als zwei verschiedenen Substanzen zu behaupten und damit einem offenen Dualismus das Wort zu reden, für den die Seele allenfalls Form des Leibes ihren Vermögensweisen, jedoch nicht ihrem Wesen nach ist.

Für Thomas eignet es der Seele wesentlich, Materie zu aktuieren und sich im Leib und damit im Weltzusammenhang zu verwirklichen. Wie

sehr es ihm mit diesem Gedanken ernst ist, zeigt etwa – im Zusammenhang der Eschatologie – der Grenzbegriff des Erkennens einer vom Leibe
getrennten Seele (anima separata). Für sich genommen ist die ‚anima separata‘ eine kommunikations- und weltlose Monade, welche zwar erkennt, aber lediglich vage und in Allgemeinheit, da sie über keine Vorstellungsbilder verfügt, es sei denn, daß sie Gott schaut. Dies ist aber nur bei
den Seligen der Fall. Bei ihnen übernimmt die gnadenhaft gegebene und
damit nicht selbsterwirkte Schau Gottes die Funktion des ansonsten
durch die Sinne vermittelten Eindrucks für die Erkenntnis. Dies aber ist
allenfalls ein Ersatz für eine natürliche Funktion. Also befindet sich die
‚anima separata‘ gleichsam in einem unnatürlichen Zustand, der eine Auferstehung des Leibes für das, was sie eigentlich ist, schlichtweg unabdingbar macht. Deswegen besitzt sie eine fortgesetzte „Neigung zur Vereinigung mit dem Leib" (ScG IV 90).

Mag man auch die ‚anima-separata‘-Theorie des Thomas für eine
„harmlose Mythologie" (K. Rahner) halten, so zeigt sie dennoch mit aller
Deutlichkeit, wie sehr es Thomas daran gelegen ist, die individuelle, personale und leibhafte Einheit des Menschen selbst unter allenfalls begrifflich vorstellbaren Grenzbedingungen der Erkenntnis zu bewahren.
Christliche Anthropologie und Eschatologie ist ohne diese Einheit des
Menschen nicht denkbar.

Die Darlegung der Anthropologie bildet die Grundlage für die vor
allem in der ersten Hälfte des 3. Buches entfaltete Ethik. Sie geht, in
Verbindung mit den im 4. Buch entfalteten Themenkreisen, von der
Glücksbestimmung des Menschen aus: Jedes Wesen, sofern es über Streben verfügt, strebt nach dem Gut, welches für es spezifisch ist. Für den
Menschen bedeutet dies die Erkenntnis und Liebe des für ihn höchsten
Gutes. Dieses macht den Inhalt seines Letztzieles aus, der Glückseligkeit
(felicitas/beatitudo). Der Mensch kann die Glückseligkeit unmöglich
nicht wollen, auch wenn er sie in Dingen suchen mag, die letztlich seiner
Glückseligkeit abträglich sind.

So beginnt Thomas mit der Erörterung der Grundstruktur von Handlungsintentionen, wobei es ihm zunächst darauf ankommt, die im Handeln erstrebten oder erwirkten Güter daraufhin zu prüfen, ob sie Glück
konstituieren. Dabei weist er jene ab, welche nicht den Charakter eines
Letztzieles besitzen.

Thomas spitzt diesen – ursprünglich aristotelischen – Gedankengang
zur These zu, das einzig verbleibende höchste Gut sei die beseligende
Gottesschau. Die Erkenntnis Gottes und die Liebe zu ihm seien es, die
allein bleibend beglückten. Ein Streben nach Gottesschau erlaube zudem

Freiheit gegenüber den in der Zeit existierenden Gütern und begründe damit sittliche Verantwortung.

Ein auf Glückseligkeit gerichtetes Handeln wird als Weg des Menschen zu Gott beschrieben. Dieser Weg ist nicht allein Vorbereitung auf die letztlich gnadenhafte Gabe der ewigen Schau. Er bedeutet zugleich den Prozeß des Wachstums der bereits in diesem Leben empfangenen Anteilhabe an der ewigen Seligkeit, welcher in der Eschatologie seine Vollendung findet. Die heilsgeschichtliche Bewegung dieses Weges des Menschen ist Teil der gesamten Schöpfungsbewegung, in der Gott aufgrund seiner Güte alle Dinge entläßt und zu sich zurückführt. Das Thema der Glückseligkeit ist damit im Rahmen eines theologischen Gesamtschemas situiert und nur in diesem Gesamtzusammenhang in seiner Bedeutung erfaßbar.

Ein Aristotelismus, welchem es grundsätzlich am Glück unter Bedingungen von Zeit gelegen ist, erscheint angesichts eines Glücks, worüber hinaus ein größeres nicht gedacht werden kann, in seinen Grenzen erkannt. Doch gerade diese Art glückenden Lebens zu denken bereitet heute keine geringen Schwierigkeiten. Mit der Wende zum Subjekt der Neuzeit und der damit verbundenen Ablösung eines theonomen Weltverständnisses durch Anthropozentrismus trennen sich offenbar die Bereiche von Natur und Gnade, deren Vermittlung für Thomas notwendige Bedingung eines nicht frustrierten Glückseligkeitsstrebens ist. Glück erscheint nunmehr als Glück in diesem Leben, im Unterschied zu einem transzendenten Glück als ,bloß' jenseitigem Heil. Ist für Thomas das vollkommene Glück bereits im Glück in diesem Leben abbildhaft vorgegeben und damit ein realer Vorschein des Genusses Gottes, so erscheinen nunmehr heute beide Glücksgestalten nicht selten unvermittelt, die eine reiner Akt des Menschen, die andere reiner Akt Gottes.

Unter Bedingungen aufgeklärter Rationalität läßt sich die Synthese des Thomas zumindest als Aufforderung rechtfertigen, sich über das eigene Vorverständnis von Lebenszielen aufzuklären. Zeigen sich möglicherweise Aporien bei der Analyse von Arten des Glücksstrebens ohne Heilserwartung, so ist hierfür ein Anlaß gegeben. Als Beispiel einer derartigen Aporie mag gelten, daß sich Glück häufig gerade dann und in dem Maße zu entziehen scheint, als es zum Gegenstand herstellender Praxis gemacht wird, während es sich dann und in dem Maße zueignet, wie sich der Mensch ihm gegenüber als etwas unverfügbar Geschenktem offenhält. Damit ist keinem Nicht-Handeln das Wort geredet; doch ist ein auf Glück bedachtes Handeln, wie es scheint, ein Handeln aufgrund von Gelassenheit.

Kann gegenwärtige Theologie von der Synthese des Thomas lernen, so

kann dies einerseits in der Kritik gängiger Theorien gelungenen Lebens geschehen, wenn es andererseits mit einer kritischen Aufhebung der Supranaturalisierung des Verständnisses von ‚Heil' einhergeht. Damit sollte es möglich werden, nicht nur Heil als Glück zu begreifen, sondern auch das Glück auf Heil hin zu deuten[7].

Spricht die zweite Hälfte des 3. Buches von Vorsehung und Gnade, das 4. Buch von Trinität, Inkarnation, Sakramenten und Auferstehung, so stehen vor allem die theonomen Bedingungen der Möglichkeit des Rückgangs des Menschen zu Gott im Vordergrund der Erörterung. Betrachtet man, gleichsam rückwärts gewendet, die hier diskutierte Thematik als Darlegung der inneren Konsequenzen des bisher in der *Summa contra Gentiles* entfalteten Denkens, so steht dessen heilsökonomisch-eschatologische Grundabsicht in vollem Licht. Ohne sie entbehrten die ersten drei Bücher ihres Verständnisrahmens, auch wenn dieser nicht von allen geteilt werden kann, mit denen sich Thomas zuvor auseinandersetzt. Dabei ist es nicht zuletzt der stete Rückbezug auf Christus und sein Heilswirken in jedem der Großabschnitte des 4. Buches, das diesem seine innere Einheit verleiht.

Gleichwie es kein Glück in diesem Leben ohne Selbsterkenntnis, Freundschaft und Liebe, also nicht ohne Selbstmitteilung und Selbstbestimmung im Mitsein gibt, so ist Gott selbst erkennend-liebende Selbstmitteilung eines Selben-in-Verschiedenheit, worin Erkennen, Erkennendes und Erkanntes, Lieben, Liebender und Geliebtes zur Einheit höchsten Lebens geeint sind. Diese mehrgliedrige, in Vater, Sohn und Geist entfaltete Einheit ist Gottes Sein.

Thomas deutet diese immanente, sich trinitarisch auslegende Kommunikation Gottes analog dem menschlichen Geiste als Zur-Sprache-Bringen des Erkannten im Wort: Mit der Einheit von Erkennen, Wollen und Sein in Gott ist das Wort, mit dem Gott sich erkennt, gleichsam ein mit Gott identischer, immer schon ‚verstandener' Gott, gleichwie das Wort ‚Stein' im menschlichen Verstande der ‚verstandene' Stein ist, allerdings mit dem Unterschied, daß hier das Wort weder mit dem Sprechenden noch mit der Sache selbst identisch ist.

Ist dieses Beisichsein-im-Mitsein Gottes aber sein Sein, so mag es vom theologischen Standpunkt aus betrachtet als unsachgemäß erscheinen, daß Thomas die Trinitätsspekulation nicht bereits im Kontext der Erörterung von Gottesprädikaten im 1. Buch ansiedelt, anstelle zunächst nur von der

[7] Vgl. G. Greshake, Gottes Heil – Glück des Menschen. Theologische Perspektiven. Freiburg i. Br. 1983

allen drei göttlichen Personen gemeinsamen ‚Natur' zu sprechen. Die un-
beabsichtigte Folge hiervon ist, daß der Trinitätstraktat gleichsam als Son-
dergut der Gotteslehre erscheint, statt zum Kernbestand der Deutung des
Seins Gottes zu gehören. Ein derartiger Zusammenstand beider Traktate,
wenngleich er sachgemäß ist, läßt sich jedoch argumentationspragmatisch,
d. h. angesichts der Kunst der Auseinandersetzung mit Andersgläubigen,
welche davon ausgeht, sich zuerst über das zu verständigen, was gemeinsame Grundlage ausmacht, schwerlich rechtfertigen. Setzt eine Trinitäts-
lehre, die Mutmaßungen belehrter Unwissenheit anstelle von Beweisen
enthalten muß, Konsens über Aussagen der Heiligen Schrift als Bedingung ihrer Möglichkeit voraus, so ist eine derartige Trennung von an sich
zusammengehörenden Themenkomplexen, wie sie Thomas vornimmt,
zumindest verständlich.

Bei der Erörterung der Aussagen der Heiligen Schrift und früher Konzilien zur Trinität bildet der Konstruktionsgedanke ihrer Herleitung aus
Gottes Einheit den systematischen Leitfaden. Geht Thomas dabei zwar
von der inneren Zusammengehörigkeit von immanenter und heilsökono-
mischer Trinität aus, so übernimmt doch der heilsökonomische, vor allem
der christologisch-pneumatologische Aspekt, die Hauptlast der Argumentation als Überleitung zu Fragen der Inkarnation, der Sakramente und
der Auferstehung.

Scholastischer Disputationstechnik entsprechend werden die Haupt-
einwände gegen die Menschwerdung, Irrtümer bezüglich des Leibes, der
Seele, der personal-hypostatischen Einheit und der Empfängnis des Wortes Gottes aufgezählt, zum Teil allererst argumentativ verschärft, und ein-
zeln widerlegt, so daß sich schließlich der ‚katholische Glaube' in dialek-
tischer Auseinandersetzung als Weg der Wahrheit erweist.

Vor allem verwahrt sich Thomas hierbei vor Tendenzen, die Leiblichkeit der Menschwerdung monophysitisch wegzudeuten. Bereits der Evangelist Johannes spricht für Thomas affirmativ von der *Fleisch*werdung des
Wortes. Nicht zuletzt deswegen begründet für ihn der Gedanke der Bejahung der leiblich-materiellen Schöpfungswirklichkeit durch Gott nicht
nur die Ehrfurcht des Menschen vor der Wirklichkeit der Schöpfung insgesamt; insbesondere bewirkt die anerkennende Würdigung dieser Bejahung die Ehrfurcht vor der mit dem Vermögen der menschlichen Vernunft
allein unfaßbaren Menschwerdung Gottes in Christus. In ihm hat sich die
Schöpfung bereits paradigmatisch vollendet. Durch sein Leben, seinen
Tod und seine Auferstehung ist für den Menschen zudem die Hoffnung
auf Teilhabe an dieser Vollendung begründet.

Der Gedanke der in der Inkarnation ausgedrückten Affirmation von
Leiblichkeit liefert zugleich den inneren Sachgrund der endzeitlichen Auf-

erstehung des leibhaften, nicht nur des ‚seelischen' Menschen. Diese leib-
lich-seelische Auferstehung geschieht durch Christus.

Die von Thomas entfaltete Theorie dieser Auferstehung beschreibt eine
Vorstellung gänzlich gelungenen, nicht vollends gelungenen oder gänzlich
mißlungenen Lebens ohne solche Bedingungen von Materialität, die dem
Leben des Menschen oder der kosmischen Wirklichkeit insgesamt in dem
hinderlich sein könnten, was sie in Vollkommenheit sind. (Für den Menschen bedeutet es deswegen eine dreifache Möglichkeit der Verwirklichung von Leben nach der Auferstehung, weil es Thomas mit der Wirklichkeit der Freiheit des Menschen hinsichtlich der Bejahung, Verneinung
oder defizienter Entschiedenheit angesichts seines Letztzieles ernst ist.)

Nicht zuletzt unternimmt er hierbei den Versuch, mit dem methodi-
schen Handwerkszeug seiner Zeit Aussagen der Heiligen Schrift exege-
tisch und theologisch ernst zu nehmen und verständlich zu machen. Die
historische Abhängigkeit seiner Überlegungen wird hier überdeutlich. Bei
Fragen nach dem Ort des Aufenthaltes der Auferstandenen, nach ihrer
Nahrung oder Sexualität, dem Alter und Aussehen der Auferstehungslei-
ber ist es leicht, aus Fragen wie Antworten ein Kuriositätenkabinett zum
Teil ans Komische grenzender Theologoumena zu konstruieren. Statt dessen sollte man sie als Grenzmodell einer Anthropologie unter idealen
Bedingungen lesen, wie auch immer Historisch-Kontingentes hierfür den
Blick verstellen mag. Dann kann Thomas möglicherweise etwas darüber
aussagen, was den Menschen im Innersten bewegt. Hiervon nichts wissen
zu wollen bedeutet, vom Menschen, vielleicht auch von Gott nichts wissen zu wollen.

Die *Summa contra Gentiles* ist mit der Erörterung dieser zeitgeschicht-
lich gefärbten, aber letztlich nicht historisch relativierbaren Grundproble-
me des Menschen weder eine Dogmatik oder ein apologetisches Handbuch noch ein Panoptikum für die intellektuelle historische Neugier; vielmehr zeugt sie von der intensiven Auseinandersetzung eines Geistes, der
Weisheit liebt, indem er Wahrheit aus dem Irrtum zu erklären sucht, wobei ihm der Irrtum selbst sogar noch zur Vertiefung der Einsicht in das
führt, was ist und gilt. Diese Suche beglückt, sooft sie gelingt. Hierzu will
Thomas uns auch heute Winke geben.